FRIEDHELM KRUMMACHER

Johann Sebastian Bach
Die Kantaten und Passionen
Band 2

FRIEDHELM KRUMMACHER

Johann Sebastian Bach
Die Kantaten und Passionen

Band 2
Vom zweiten Jahrgang zur Matthäus-Passion (1724–1729)

Bärenreiter

Metzler

Auch als eBook erhältlich (ISBN 978-3-7618-7068-6)

Bibliografische Information der Deutschen Nationalbibliothek
Die Deutsche Nationalbibliothek verzeichnet diese Publikation
in der Deutschen Nationalbibliografie; detaillierte bibliografische Daten
sind im Internet über www.dnb.de abrufbar.

© 2018 Bärenreiter-Verlag Karl Vötterle GmbH & Co. KG, Kassel
Gemeinschaftsausgabe der Verlage Bärenreiter, Kassel,
und J. B. Metzler, ein Teil von Springer Nature, Stuttgart
Umschlaggestaltung: +CHRISTOWZIK SCHEUCH DESIGN
Lektorat und Korrektur: Daniel Lettgen / Christiana Nobach
Notensatz: Kara Rick, Eberbach
Innengestaltung und Satz: textformart, Daniela Weiland, Göttingen
Druck und Bindung: Beltz Bad Langensalza GmbH, Bad Langensalza
ISBN 978-3-7618-2409-2 (Bärenreiter) · 978-3-476-04588-1 (Metzler)
www.baerenreiter.com · www.metzlerverlag.de

Inhalt

Teil V
Zyklus mit Annex: Der zweite Jahrgang (1724/25)

A. Der Zyklus der Choralkantaten
1. Bestand und Zeitfolge 11
2. Prämissen im Œuvre 16
3. Spuren der Arbeit 21
4. Kombinatorische Verfahren in den Eingangschören 31
   a. Beginn in Kontrasten 35
   b. Modifizierte Kantionalsätze vor Weihnachten 46
   c. Polyphone Vokalsätze vor Weihnachten 54
   d. Choral versus Ostinato: BWV 78:1 61
   e. Choral und stylus gravis: BWV 2:1, 38:1 und 121:1 64
   f. Erweiterte Kantionalsätze nach Weihnachten 71
   g. Polyphone Vokalsätze seit Weihnachten 75
   h. Cantus triplex: »Herr Jesu Christ, wahr' Mensch und Gott« (BWV 127:1) ... 82
   i. Exkurs 1: »O Mensch, bewein dein Sünde groß« (BWV 245:1[II]) ... 86
   j. Exkurs 2: Zum Kyrie F-Dur (BWV 233a) 92
   k. Spätere Choralchorsätze 94
   l. Schlussbemerkung 95
5. Solistische Choralbearbeitungen 96
6. Gruppen und Typen der Arien 99
   a. Arie und Choral 101
   b. Continuo-Arien 107
   c. Duette 112
   d. Terzette 119
   e. Arien mit Soloinstrumenten 122
      Exkurs: Die »Flötenarien« der Trinitatiszeit 127
   f. Instrumentale Duosätze 136

	g. Streicherarien	144
	h. Arien mit Oboenchor	152
	i. Arien mit Soloinstrumenten und Streichern	156
	j. Trompetenarien	164
	k. Schlussbemerkung	167
7.	Choral und Rezitativ	169
8.	Sonderformen des Kantionalsatzes	179
9.	Resümee	181
10.	Sanctus und Pleni D-Dur (BWV 232^{III})	183

B. Annex: Von Ostern bis Trinitatis 1725

1.	Daten und Vorlagen	186
2.	Das Osteroratorium (BWV 249)	190
3.	Chorsätze	198
	a. Chorische Dicta	198
	b. Choralchorsätze	209
4.	Solistische Spruch- und Choralsätze	211
	a. Solistische Spruchvertonungen	211
	b. Solistische Choralbearbeitungen	215
5.	Zur Sinfonia BWV 42:1	217
6.	Arien und Duette	218
	a. Arien mit einem Soloinstrument	218
	b. Instrumentale Duosätze	225
	c. Streichersätze	227
	d. Trompetenarien	231
	e. Arien mit Holzbläsern	233
	f. Duette	239
7.	Zum motivischen Accompagnato	241
8.	Spätere Arien (1728/31–1734/35)	243
	a. Continuo-Satz	244
	b. Arien mit einem Soloinstrument	244
	c. Instrumentale Duosätze	245
	d. Streichersätze	246
	e. Duette	247
9.	Resümee	248

Teil VI
Geteilter Turnus: Der dritte Jahrgang (1725–1727)

1. Bestand und Datierung 253
2. Text- und Satzgruppen 261
3. Chorsätze 267
    a. Vokalfuge und Instrumentalsatz 270
    b. Chorsätze in instrumentalen Vorlagen 294
    c. Chorsätze zu Dichtungen 303
    d. Choralchorsätze 310
4. Solistische Spruchvertonungen 317
5. Solistische Choralbearbeitungen 325
6. Bearbeitungen instrumentaler Vorlagen 329
7. Gruppen und Formen der Arien 335
    a. Juli 1725 bis Januar 1726 335
    Continuo-Sätze 338 | Arien mit einem Soloinstrument 342 | Instrumentale Duosätze 347 | Instrumentale Tuttisätze 350 | Bläserstimmen im Streichersatz 357
    b. Sommer und Herbst 1726 361
    Arien mit Soloinstrumenten 364 | Instrumentale Duosätze 370 | Duette 373 | Tuttisätze 375
    c. Die Arien der Solokantaten (1726/27) 381
    Sätze mit Soloinstrumenten 383 | Instrumentale Duosätze 387 | Trio- und Quartettsatz 389 | Vollstimmige Sätze 391
    d. Die Arien der Dialoge (1726/27) 402
    e. Nachlese 409
8. Arioso und Accompagnato 413
9. Trauerode und Markus-Passion 415
10. Resümee 418

Teil VII
Reste oder Einzelwerke?
Der »Picander-Jahrgang« und die späteren Werke (1728–1735?)

1. Probleme der Überlieferung 425
2. Eingangschöre 437
3. Sinfonien 444
4. Arien und Duette 448
    a. Zum Continuo-Satz 448
    b. Arien mit einem Soloinstrument 449
    c. Instrumentale Duosätze 452

d.	Sätze mit Streichern	455
e.	Arien mit Streichern und Oboe	457
f.	Duette mit und ohne Choral	461

5. Kantionalsatz und Accompagnato 464
6. Zu BWV 145 »Ich lebe, mein Herze« 465
7. Resümee 469
8. Spätere Werke 471
   a. Chorsätze 472
   b. Arien 475
      Arien mit Soloinstrumenten 476 | Streichersätze 477 | Sätze mit Soloinstrumenten und Streichern 478

Teil VIII
Summe der Erfahrung: Die Matthäus-Passion (1727/29)

1. Quellenlage und Datierung 485
2. Evangelienbericht und Turbae 490
3. Zur Disposition der gedichteten Texte 498
4. Exkurs zur Affektenlehre 504
5. Accompagnato und Arie 508
6. Strukturen der Arien 516
7. Chorische Rahmensätze 530
8. Resümee 545

Nachwort 549

Literaturverzeichnis
A. Quellen 551
B. Sekundärliteratur 552

Personenregister 572

Register der Werke Bachs nach BWV-Nummern 576

Register der Kantaten nach Textincipits 585

Abbildungsnachweis 592

Teil V
**Zyklus mit Annex:
Der zweite Jahrgang (1724/25)**

A. Der Zyklus der Choralkantaten

1. Bestand und Zeitfolge

Als Alfred Dürr 1957 eine »neue Chronologie« der Bach'schen Vokalwerke vorlegte, überraschte nichts so sehr wie die Datierung der Choralkantaten, die seit Spitta als späte Werke gegolten hatten.[1] Nun erst wurde sichtbar, dass Bach in seinem zweiten Leipziger Amtsjahr ein beispielloses Vorhaben in Angriff genommen hatte.[2] Geplant war offenkundig ein Jahrgang von Choralkantaten, in deren Ecksätzen die Texte und Melodien der Vorlagen übernommen wurden, während die Binnenstrophen zu madrigalischer Dichtung umgeformt wurden. Der Plan setzte einen Librettisten voraus, der die Umformung der Binnenstrophen zu übernehmen hatte. Beginnend am 1. Sonntag nach Trinitatis 1724, entstand bis Mariä Verkündigung eine Reihe von 40 Kantaten, denen jedoch seit Ostern 1725 Werke mit anderen Texten folgten. Dass Bach den Zyklus aus freien Stücken abbrach, ist wenig wahrscheinlich, weil er ihn später durch weitere Werke zu ergänzen suchte, die auf unveränderten Choraltexten beruhten. Dass die Stimmen dieser Nachträge zusammen mit denen der früheren Choralkantaten in Leipzig verblieben, lässt darauf schließen, dass die Werke bei der Erbteilung als zusammengehöriger Bestand angesehen wurden.[3]

Während Dürr die seit Ostern folgenden Werke zum zweiten Jahrgang gezählt hatte, ließ Küster mit ihnen den dritten Jahrgang beginnen, der damit von Ostern 1725 »bis Anfang 1727« reichen würde.[4] Doch ist diese Trennung aus zwei Gründen wenig plausibel. Zum einen reichte die Werkreihe von Ostern bis Trinitatis 1725, zum anderen trat danach eine mehrwöchige Pause ein, die in Küsters Gliederung bereits in den dritten Jahrgang fiele, dessen erhaltener Anteil erst mit dem 9. Sonntag nach Trinitatis einsetzt. Markus Rathey dagegen zählte zu den Choralkantaten nicht nur die Reformationskantate BWV 80 »Ein feste Burg«, deren Datierung ungewiss ist, sondern auch die im Sommer 1725 entstandenen Kantaten BWV 68 und 137.[5] Das

---

[1] Alfred Dürr, Zur Chronologie der Leipziger Vokalwerke J. S. Bachs, in: BJ 1957, S. 5–162, sowie Philipp Spitta, Johann Sebastian Bach, Bd. II, Leipzig ⁴1930, S. 565 ff.; Alfred Dürr, Zur Entstehungsgeschichte des Bachschen Choralkantaten-Jahrgangs, in: Bach-Interpretationen, hrsg. von Martin Geck, Göttingen 1969, S. 7–11.
[2] Einschränkend ist allerdings anzumerken, dass die Kantaten der Zeitgenossen noch immer nicht hinreichend erschlossen worden sind.
[3] Zur Quellenlage vgl. die weiteren Hinweise in Teil III.
[4] Konrad Küster, Die Vokalmusik, in: Bach-Handbuch, hrsg. von dems., Kassel 1999, S. 242–291 und 291–336. Vgl. dazu Dürr, Die Kantaten, Bd. 1, S. 48–51; ders., Gedanken zu Bachs Choralkantaten, in: Johann Sebastian Bach, hrsg. von Walter Blankenburg (Wege der Forschung 170), Darmstadt 1970, S. 504–517.
[5] Markus Rathey, Der zweite Leipziger Jahrgang – Choralkantaten, in: Das Bach-Handbuch, Bachs Kantaten, hrsg. von Reinmar Emans und Sven Hiemke, Teilband 1, Laaber 2012, S. 397 und S. 432–442.

mag im Blick auf die Choralchorsätze dieser Werke gerechtfertigt sein, müsste dann aber auch für entsprechende Werke der folgende Jahre gelten.[6]

Ein Jahrgang mit Choralkantaten war zu dieser Zeit singulär, sodass er wohl nur in engem Kontakt zwischen dem Librettisten und dem Komponisten entstehen konnte. Wie Detlef Gojowy zeigte, entspricht die Wahl der Vorlagen nur teilweise der Ordnung der Gesangbücher.[7] Sollte der Dichter im Leipziger Umfeld Bachs zu suchen sein, so müsste das Textheft, das die Vorlagen bis Mariä Verkündigung enthielt, ähnlich wie das Pendant aus dem Vorjahr mit den Texten für die letzten Sonntage nach Epiphanias begonnen haben. Da das Heft Ende Januar in den Druck gehen musste, dürfte der Autor wenig später verstorben sein. Im Blick auf diese Daten brachte Hans-Joachim Schulze den Namen von Andreas Stübel ins Spiel, der am 31. Januar 1725 verstarb und vormals Konrektor der Thomasschule gewesen war.[8] Schulze gab freilich zu bedenken, dass der 1653 geborene Stübel seiner theologischen Auffassungen halber schon 1697 des Amtes enthoben worden war. Auch dürfte er zu alt gewesen sein, um die tradierten Choralverse zu madrigalischen Formen umzudichten. Ergänzend wies Michael Maul darauf hin, dass Stübel, dem die Universität die Venia legendi entzogen hatte, sonst nicht als Dichter hervorgetreten sei.[9] Da es fraglich ist, ob Bach mit ihm zusammenarbeitete, bleibt die Identität des Textautors nach wie vor ungewiss.[10] Wo es um die Werke zu tun ist, ist der Name des Dichters weniger belangvoll als die Tatsache, dass Bach sein Vorhaben abbrach.

Die folgende Übersicht nennt die Choralkantaten, die zwischen dem 1. Sonntag nach Trinitatis 1724 und Mariä Verkündigung 1725 entstanden, während die späteren Kantaten gesondert erörtert werden.

1724

1. p. Trin.	11. 6.	BWV 20	O Ewigkeit, du Donnerwort
2. p. Trin.	18. 6.	BWV 2	Ach Gott, vom Himmel sieh darein
Johannistag	24. 6.	BWV 7	Christ unser Herr zum Jordan kam
3. p. Trin.	25. 6.	BWV 135	Ach Herr, mich armen Sünder
Mariä Heimsuchung	2. 7.	BWV 10	Meine Seel erhebt den Herren
4. p. Trin.	*6. 7. 1732*	*BWV 177*	*Ich ruf zu dir, Herr Jesu Christ (Choraltext)*

---

6   Dagegen wurde die Kantate BWV 74 einbezogen, wiewohl sie nur einen schlichten Kantionalsatz enthält.
7   Detlef Gojowy, Lied und Sonntag in Gesangbüchern der Bach-Zeit. Zur Frage des »Detempore« bei Chorälen in Bachs Kantaten, in: BJ 1972, S. 24–60, hier S. 29 f. Zum »Festregister« der Leipziger Gesangbücher vgl. Walter Reckziegel, Das Cantional von Johan Herman Schein. Seine geschichtlichen Grundlagen (Berliner Studien zur Musikwissenschaft 5), Berlin 1963, S. 90–124.
8   Hans-Joachim Schulze, Texte und Textdichter, in: Christoph Wolff und Ton Koopman (Hrsg.), Die Welt der Bach-Kantaten, Bd. 3, Stuttgart 1999, S. 109–125, hier S. 116 und S. 125, Anm. 7.
9   Michael Maul, »Dero berühmbter Chor«. Die Leipziger Thomasschule und ihre Kantoren (1212–1804), Leipzig 2012, S. 211.
10 Hinter dem Ende der Reihe vermutete Konrad Klek Bachs Absicht, seinen 40. Geburtstag mit der Summe von 40 Werken zu begehen, vgl. Konrad Klek, Dein ist allein die Ehre. Johann Sebastian Bachs geistliche Kantaten erklärt, Bd. 1: Choralkantaten, Leipzig 2015, S. 14. Träfe das zu, dann hätte Bach mit Absicht keine Werke zum 6. und 12. Sonntag nach Trinitatis geschrieben, während er mit den späteren Nachträgen die Zahl 40 überschritten hätte.

5. p. Trin.	9. 7.	BWV 93	Wer nur den lieben Gott läßt walten
6. p. Trin.	*um 1732/35*	*BWV 9*	*Es ist das Heil uns kommen her (Nachtrag)*
7. p. Trin.	23. 7.	BWV 107	Was willst du dich betrüben (Choraltext)
8. p. Trin.	30. 7.	BWV 178	Wo Gott, der Herr, nicht bei uns hält
9. p. Trin.	6. 8.	BWV 94	Was frag ich nach der Welt
10. p. Trin.	13. 8.	BWV 101	Nimm von uns, Herr, du treuer Gott
11. p. Trin.	20. 8.	BWV 113	Herr Jesu Christ, du höchstes Gut
12. p. Trin.	*19. 8. 1725*	*BWV 137*	*Lobe den Herren, den mächtigen König (Choraltext)*
13. p. Trin.	3. 9.	BWV 33	Allein zu dir, Herr Jesu Christ
14. p. Trin.	10. 9.	BWV 78	Jesu, der du meine Seele
15. p. Trin.	17. 9.	BWV 99	Was Gott tut, das ist wohlgetan (II, G-Dur)
16. p. Trin.	24. 9.	BWV 8	Liebster Gott, wann werd ich sterben
Michaelis	29. 9.	BWV 130	Herr Gott, dich loben alle wir
17. p. Trin.	1. 10.	BWV 114	Ach lieben Christen, seid getrost
18. p. Trin.	8. 10.	BWV 96	Herr Christ, der einge Gottessohn
19. p. Trin.	15. 10.	BWV 5	Wo soll ich fliehen hin
20. p. Trin.	22. 10.	BWV 180	Schmücke dich, o liebe Seele
21. p. Trin.	29. 10.	BWV 38	Aus tiefer Not schrei ich zu dir
22. p. Trin.	5. 11.	BWV 115	Mache dich, mein Geist, bereit
23. p. Trin.	12. 11.	BWV 139	Wohl dem, der sich auf seinen Gott
24. p. Trin.	19. 11.	BWV 26	Ach wie flüchtig, ach wie nichtig
25. p. Trin.	26. 11.	BWV 116	Du Friedefürst, Herr Jesu Christ
27. p. Trin.	*25. 11. 1731*	*BWV 140*	*Wachet auf, ruft uns die Stimme*
1. Advent	2. 12.	BWV 62	Nun komm, der Heiden Heiland (II)
1. Weihnachtstag	25. 12.	BWV 91	Gelobet seist du, Jesu Christ
2. Weihnachtstag	26. 12.	BWV 121	Christum wir sollen loben schon
3. Weihnachtstag	27. 12.	BWV 133	Ich freue mich in dir
Stg. nach Weihn.	30. 12.	BWV 122	Das neugeborne Kindelein

1725

Neujahr	1. 1.	BWV 41	Jesu, nun sei gepreiset
Epiphanias	6. 1.	BWV 123	Liebster Immanuel, Herzog der Frommen
1. p. Epiph.	7. 1.	BWV 124	Meinen Jesum laß ich nicht
2. p. Epiph.	14. 1.	BWV 3	Ach Gott, wie manches Herzeleid (I)
3. p. Epiph.	21. 1.	BWV 111	Was mein Gott will, das gscheh allzeit
4. p. Epiph.	*30. 1. 1735*	*BWV 14*	*Wär Gott nicht mit uns diese Zeit (Nachkomposition)*
Septuagesimae	28. 1. 1725	BWV 92	Ich hab in Gottes Herz und Sinn
Mariä Reinigung	2. 2.	BWV 125	Mit Fried und Freud ich fahr dahin

Sexagesimae	4.2.	BWV 126	Erhalt uns, Herr, bei deinem Wort
Estomihi	11.2.	BWV 127	Herr Jesu Christ, wahr' Mensch und Gott
Mariä Verkündigung	25.3.	BWV 1	Wie schön leuchtet der Morgenstern
Misericordias Domini	*8.4.1731*	*BWV 112*	*Der Herr ist mein getreuer Hirt (Choraltext)*
Himmelfahrt	*10.5.1725*	*BWV 128*	*Auf Christi Himmelfahrt allein (v. Ziegler)*
2. Pfingsttag	*21.5.1725*	*BWV 68*	*Also hat Gott die Welt geliebt (v. Ziegler)*
Trinitatis	*16.6.1726*	*BWV 129*	*Gelobet sei der Herr, mein Gott (Choraltext)*
–	*1728/31*	*BWV 117*	*Sei Lob und Ehr dem höchsten Gut (Choraltext)*
–	*1730?*	*BWV 192*	*Nun danket alle Gott (Choraltext)*
–	*1734 (autogr.)*	*BWV 97*	*In allen meinen Taten (Choraltext)*
–	*1732/35*	*BWV 100*	*Was Gott tut, das ist wohlgetan (Choraltext)*

Auf spätere Ergänzungen wird in Kursiven hingewiesen, Sonderfälle werden anschließend genannt.

Der Zyklus war von vornherein nicht ganz vollständig, weil im Kirchenjahr 1724/25 einige Sonntage entfielen und Bach mehrfach abwesend war. Er bemühte sich jedoch, die Reihe nachträglich durch weitere Werke zu ergänzen. Zum 4. Sonntag nach Trinitatis, der 1724 mit Mariä Heimsuchung zusammenfiel, entstand 1732 die Kantate »Ich ruf zu dir, Herr Jesu Christ« (BWV 177), die trotz ihres Choraltextes wohl als Ergänzung gedacht war.[11] Da Bach am 6. Sonntag nach Trinitatis in Köthen war,[12] vertonte er den Text des Liedes »Es ist das Heil uns kommen her« (BWV 9) erst zwischen 1732 und 1735.[13] Weil ein Werk zum 12. Sonntag nach Trinitatis fehlte, wurde 1725 die Choraltextkantate »Lobe den Herren, den mächtigen König der Ehren« (BWV 137) ergänzt, die bereits in den dritten Jahrgang fiel. Am 8. August 1724 wurde eine Kantate zur Ratswahl aufgeführt, die jedoch verschollen ist.[14] Am Sonntag nach Neujahr, der 1725 entfallen war, erklang 1727 der Dialog »Ach Gott, wie manches Herzeleid« (BWV 58). Da die beiden Rahmensätze Choralstrophen enthalten, wurde das Werk später den Choralkantaten zugeordnet.[15] Weil 1725 der 4. Sonntag nach Epiphanias entfiel, entstand für diesen Tag 1735 die Kantate »Wär Gott nicht mit uns diese Zeit« (BWV 14), deren Binnensätze auf gedichteten Texten basierten, die vielleicht noch vom Dichter der früheren Choralkantaten stammten.[16]

---

11 Vgl. Sachiko Kimura, Johann Sebastian Bachs Choraltextkantaten. Kompositorische Struktur und Stellung im Kantatenwerk (= Bochumer Arbeiten zur Musikwissenschaft, hrsg. von Werner Breig, Bd. 6), Kassel u. a. 2011, S. 3–22.
12 Dok. II, Nr. 184, S. 144.
13 Dagegen wurde in BWV 107 »Was willst du dich betrüben« am 7. Sonntag nach Trinitatis ausnahmsweise der unveränderte Choraltext verwendet.
14 Dok. V, Nr. B 184a, S. 135 f.
15 Vgl. NBA I/4, hrsg. von Werner Neumann, KB, S. 133.
16 Die Kantaten BWV 97, 100, 117 und 192 wurden möglicherweise 1730 am Hof im Weißenfels aufgeführt, vgl. Marc Roderich Pfau, Entstanden Bachs vier späte Choralkantaten »per omnes versus« für Gottesdienste des Weißenfelser Hofes?, in: BJ 2015, S. 341–349.

Ungenannt blieben bisher die späteren Choralkantaten, die dem Quellenbefund zufolge dem Jahrgang zugeordnet wurden, um die Lücken zwischen Ostern und Trinitatis zu füllen. Neben dem Frühwerk »Christ lag in Todes Banden« (BWV 4) zählen dazu die Kantaten BWV 128 »Auf Christi Himmelfahrt allein« und BWV 68 »Also hat Gott die Welt geliebt«. Bestimmt für den Himmelfahrts- und den 2. Pfingsttag 1725, gehören sie zu den Werken mit Texten Christiana Mariana von Zieglers, die im Anschluss an die Choralkantaten entstanden. Aufgrund der Eingangssätze wurden die Stimmen später in die Gruppe der Choralkantaten eingegliedert.[17] Das gilt auch für die Kantaten »Gelobet sei der Herr, mein Gott« (BWV 129) und »Der Herr ist mein getreuer Hirt« (BWV 112), die Bach für Trinitatis 1727 und Misericordias Domini 1731 schrieb.[18] Während den Sätzen aus BWV 129 der Liedtext zugrunde liegt, dürften die Texte der Binnensätze in BWV 112 auf den Librettisten der Choralkantaten zurückgehen.[19]

Gehörten diese fünf Werke in die Zeit zwischen Ostern und Trinitatis, so blieben nach wie vor zehn Sonn- und Festtage offen (neben dem 2. und 3. Oster- sowie dem 1. bis 3. Pfingsttag die Sonntage Quasimodogeniti, Jubilate, Cantate, Rogate und Exaudi). Dagegen weisen die vier letzten Choralkantaten (BWV 117, 192, 97 und 100) keine De-tempore-Angabe auf, sodass sie sich nicht mehr dem Zyklus zuordnen lassen. Nimmt man diese Ergänzungen hinzu, so umfasst der Bestand mehr als 50 Choralkantaten. Er bildet damit die größte Werkgruppe, die von Bach überliefert ist. Es wäre jedoch einseitig, sie auf die 1724/25 entstandenen Werke einzugrenzen. Fasst man die Chronologie nicht nur als Datenfolge auf, so kann sie zum Verständnis zusammengehöriger Sachfragen beitragen. Soweit die späteren Werke Choralbearbeitungen enthalten, müssen sie deshalb in die Untersuchung einbezogen werden, ohne die Datierungen aus dem Blick zu verlieren.

Die Texte bedingten eine Vereinheitlichung der Satzfolgen, die sich von den wechselnden Vorlagen der anderen Jahrgänge unterschied. Umrahmt von Chorsätzen, umfassen die ersten Werke bis zu vier oder gar fünf Arien, während die folgenden Kantaten in der Regel nur zwei Arien enthalten. Gelegentlich der Binnensätze ist darauf zurückzukommen, insgesamt aber ist die Textbasis derart einheitlich, dass die Vielfalt der Werke desto erstaunlicher ist.

---

[17] Die heute in Berlin verwahrten Stimmen zu BWV 68 zählten zum Leipziger Bestand, aus dem sie erst später herausgelöst wurden, vgl. Bach-Compendium, Bd. I, S. 311 (A 76).
[18] Zur Datierung der Kantate »Gelobet sei der Herr« (BWV 129) vgl. Tatjana Schabalina, »Texte zur Music« in Sankt Petersburg, in: BJ 2008, S. 33–96, hier S. 74 f. und 95 f.
[19] Nach 1728 entstanden fünf weitere Kantaten mit Choraltexten, die aber wohl nicht mehr als Ergänzung des Choralkantaten-Jahrgangs gedacht waren (BWV 117 »Sei Lob und Ehr«, 1728/31; BWV 192 »Nun danket alle Gott«, 1730; BWV 112 »Der Herr ist mein getreuer Hirt«, 1731; BWV 97 »In allen meinen Taten«, 1734; BWV 100 »Was Gott tut, das ist wohlgetan«, 1734/35).

2. Prämissen im Œuvre

So singulär Bachs Vorhaben war, so sehr hatte es seine eigenen Voraussetzungen. Die um 1707/08 entstandene Kantate »Christ lag in Todes Banden« (BWV 4), die 1724 oder 1725 in Leipzig aufgeführt wurde, ist ein Beleg dafür, dass Bach von früh an mit der Tradition der älteren Choralkantate per omnes versus vertraut war.[20] Schloss dieses Werk – wie in Teil I gezeigt wurde – an Pachelbels Bearbeitung derselben Vorlage an, so könnten Bach in Lübeck die Choralkonzerte Buxtehudes begegnet sein, während er in Leipzig – und vermutlich schon früher – entsprechende Werke seiner Amtsvorgänger Knüpfer, Schelle und Kuhnau kennengelernt haben dürfte.[21] Seit seinem Amtsantritt 1723 hatte er alljährlich das Inventarium gedruckter und handschriftlicher Musikalien zu bestätigen, die er als Kantor »in seiner Verwahrung« hatte.[22] Den größten Anteil nahm der Nachlass von Schelle ein, der seinerseits zuvor 66 »stücke« aus dem Besitz Knüpfers übernommen hatte.[23] Dass Bach die Werke seiner »Herrn Praeanteceßores« kannte, zeigt seine Bemerkung aus dem Jahr 1730, der zufolge »der gusto sich verwunderens-würdig geändert« habe, »dahero auch die ehemalige Arth von Music unseren Ohren nicht mehr klingen will«.[24] Der Hinweis beweist die Kenntnis eines Vorrats älterer Musik, zu dem seit 1729 auch ein neues Exemplar des alten *Florilegium Portense* zählte.[25] Bach dürfte gewusst haben, dass sich Knüpfers Choralbearbeitungen durch kanonische Tuttisätze und imitatorische Binnensätze auszeichneten, während man an Schelles Werken vor allem die anmutige Melodik gerühmt hatte. Es liegt daher nahe, an die konträren Satzarten zu erinnern, die bis 1700 in der Musik norddeutscher Organisten einerseits und mitteldeutscher Kantoren andererseits verwendet wurden.

Buxtehudes vokale Choralbearbeitungen umfassen ein Ensemble von Satztypen, die schon in der Generation seines Vorgängers Franz Tunder entstanden waren. Den solistischen Sätzen mit gedehntem Cantus firmus und klangdichtem Streichersatz stehen chorische Kantionalsätze mit instrumentalen Zwischenspielen gegenüber, während in den komplexesten Tuttisätzen die Verfahren in ähnlicher Weise wie in den organistischen Choralfantasien wechseln. Ein repräsentatives Beispiel ist die Bearbeitung des Liedes »Herzlich lieb hab ich dich, o Herr« (BuxWV 41), in deren erstem Vers die gedehnte Choralweise in den fünfstimmigen Streichersatz integriert wird. So geschlossen der Satz anmutet, so wechselvoll ist sein instrumentaler Kommentar, in den zur Anrufung der vorletzten Zeile ein kurzes »Adagio« eingeschaltet wird. Die beiden folgenden Versus bestehen aus ebenso kurzen wie

---

20   Vgl. dazu Bd. 1, Teil I, S. 20.
21   Vgl. dazu Verf., Bachs Zyklus der Choralkantaten. Aufgaben und Lösungen (Veröffentlichung der Joachim-Jungius-Gesellschaft der Wissenschaften Hamburg 81), Göttingen 1995, S. 24–40. An diesen ersten Versuch einer Zusammenfassung schließt die folgende Darstellung an, ohne die dortigen Erörterungen zu wiederholen.
22   Dok. II, Nr. 170, S. 133.
23   Vgl. Michael Maul, a. a. O., S. 137 sowie Abb. 30. Zu den von Schelle übernommenen Werken zählten vier Choralbearbeitungen Knüpfers (u. a. »Es spricht der Unweisen Mund wohl«).
24   Dok. I, Nr. 22, S. 62 f.
25   Dok. II, Nr. 271 und 272, S. 199. Die Mottensammlung von Erhard Bodenschatz, die seit 1618 in Leipzig erschienen war, blieb noch nach Bachs Tod in Gebrauch.

prägnanten Abschnitten, in denen gering- und vollstimmige Phasen ebenso wechseln wie konzertante und imitatorische Verfahren.[26] Maßgeblich sind nicht nur die wechselnden Affekte der Texte, sondern auch die Verkettung der Klangfolgen durch Zwischenstufen in quasi »dominantischer« Funktion. Dass man zu dieser Umschreibung gezwungen ist, ist die Konsequenz einer Kompositionsweise, die ebenso auf ältere Traditionen zurückblickt, wie sie auf künftige Verfahren vorzugreifen scheint.

Den denkbar größten Gegensatz bilden die Choralbearbeitungen von Knüpfer, die von Schelle und Kuhnau fortgeführt und zugleich vereinfacht wurden. In Knüpfers Tuttisätzen werden kontrapunktische Phasen, in denen die Choralzeilen kanonisch oder imitierend verarbeitet werden, von akkordischen Blöcken abgelöst, in denen die Choralzeilen vom Tutti wiederholt werden. Besonders komplizierte Beispiele enthält die Bearbeitung des Liedes »Es spricht der Unweisen Mund wohl«, in deren Ecksätzen die kanonische Arbeit in die vollstimmigen Reprisen hineinreicht.[27] Während die Vokalstimmen durchweg obligat sind, wird der mit zwei Cornetti und drei Posaunen besetzte Bläserchor weithin colla parte geführt, wogegen der fünfstimmige Streichersatz partiell selbstständig bleibt. So geregelt dieser »Reprisensatz« abläuft, so neutral verhält er sich zum Text, und da die Choralweise unangetastet bleibt, können demselben Satz verschiedene Strophen unterlegt werden. In den Binnenversen hingegen wechseln kleine Bi- oder Tricinien, die imitierend die Zeilen durchlaufen, mit etwas längeren Solosätzen, in denen die vokalen Choralzeilen durch imitierende Zwischenspiele der Instrumente getrennt werden.

Mit dem veränderten »gusto«, den Bach 1730 erwähnte, dürfte vor allem der Wechsel zu madrigalischen Texten gemeint gewesen sein. Zwischen den neuen Formen und dem tradierten Choral ergab sich ein Querstand, den auch die Gattungslehre Johann Matthesons erkennen lässt. Die 18 Genera seines Systems kennen keinen Raum für die »so genannten ordentlichen Kirchen-Stücke«, deren »zusammen gestoppeltes Wesen« keine »ordentliche Gattung« darstelle.[28] Dem liturgischen Choral gebührt zwar seiner Würde halber eine vorrangige Stellung, doch stellen »unsre Choräle mehrentheils rechte und schlechte Oden oder Lieder« dar und sind daher »von Cantaten weit entfernt, wenigstens der Form nach«.[29]

Angesichts der Widersprüche zwischen dem Choral und der Kantate wäre der Versuch ihrer Verbindung dem maßgeblichen Theoretiker der Zeit als Paradoxon erschienen. Desto eher lässt sich ermessen, was Bach zu leisten hatte. Mit dem kontrapunktischen Vokalsatz, der zur Tradition der Choralbearbeitung zählte, war der konzertante Instrumentalpart zu verbinden, der ebenso die Arien wie die anderen Chorsätze prägte. Und mit den Texten der Binnensätze waren die Formen zu kombinieren, die auf madrigalische Dichtung angewiesen waren. Hatten die Tuttisätze mit den Vorgaben der Choralweisen zu rechnen, so konnten die Melodien auch in den Rezitativen und Arien verwendet werden, ohne hier ebenso zur Regel zu werden wie in den Eingangschören. Wie sich der Choral in der zeitgenössischen Kantate

---

26 Vgl. dazu Verf., Die Choralbearbeitung in der protestantischen Figuralmusik zwischen Praetorius und Bach (Kieler Schriften zur Musikwissenschaft 42), Kassel u. a. 1978, S. 177 ff. und S. 184–188.
27 Ebd., S. 272–279. Vgl. dazu die Ausgabe in DDT 58/59, hrsg. von Arnold Schering, S. 30–59.
28 Johann Mattheson, Der vollkommene Capellmeister, Hamburg 1739, S. 215, § 30.
29 Ebd., § 29.

auf die Funktion des schlichten Schlusssatzes begrenzte, so gab es auch keine Vorbilder für seine Paarung mit instrumentalen Ritornellformen. Die Aufgaben, die sich damit stellten, lassen sich vorgreifend mit drei Kriterien benennen. Zum einen waren die traditionellen Verfahren der Choralbearbeitung mit den aktuellen Formen des Tuttisatzes, der Arie und des Rezitativs zu kombinieren. Zum anderen mussten diese Formen so modifiziert werden, dass die melodische Substanz der Vorlagen zur Geltung kommen konnte. Zum dritten musste es darum gehen, diese neuartigen Formen ebenso prozessual zu entfalten wie in anderen Sätzen Bachs. Entscheidend war dabei der Instrumentalpart, der die unterschiedlichen Satzschichten auch dann zu verklammern hatte, wenn er nicht die vokale Choralmotivik übernahm. Verfehlt wäre daher eine Sicht, die sich allein von den Texten leiten ließe, ohne die Voraussetzungen ihrer Vertonung zu bedenken.

Von vornherein wird deutlich, dass die Werke nicht in ihrer liturgischen Funktion aufgehen. Wie Alfred Dürr erkannte, wechselt in den Eingangschören der vier ersten Kantaten die Stimmlage des Cantus firmus, der in BWV 20 im Sopran und in BWV 2 im Alt liegt, während er in BWV 7 in den Tenor und in BWV 135 in den Bass übergeht.[30] Zugleich prägen die Sätze verschiedene Modelle aus, die Bachs systematische Arbeit erkennen lassen. Während der motettische Satz in BWV 20:1 »O Ewigkeit, du Donnerwort« mit der Form der französischen Ouvertüre kombiniert wird, konzentriert sich der Eingangschor aus BWV 2 »Ach Gott, vom Himmel sieh darein« auf den Satz im Stile antico. Dagegen wird der kontrapunktische Vokalpart in BWV 7:1 »Christ unser Herr zum Jordan kam« mit instrumentalen Ritornellen verbunden, während in BWV 2:1 »Ach Herr, mich armen Sünder« nicht nur die Vokal-, sondern auch die Instrumentalstimmen an der Choralmotivik partizipieren. Wird in BWV 10:1 »Meine Seel erhebt den Herren« ausnahmsweise eine liturgische Vorlage verwendet, so wird in BWV 93:1 »Wer nur den lieben Gott läßt walten« auf den von Knüpfer ausgebildeten »Reprisensatz« mit doppelter Bearbeitung der Zeilen zurückgegriffen. Demnach zeichnen sich bereits in den ersten Kantaten die maßgeblichen Verfahren ab, die in den folgenden Werken zur Entfaltung kommen sollten.

Obwohl Bach nur begrenzte Erfahrungen mit solchen Choralbearbeitungen hatte, war er nicht gänzlich unvorbereitet, als er sich für sein Vorhaben entschied. Seit er als Organist in Arnstadt, Mühlhausen und Weimar wirkte, waren ihm alle Varianten des Orgelchorals vertraut. Nach den Sätzen der »Neumeister-Sammlung« (BWV 1090–1095 und 1097–1120), die noch die Spuren mittel- und norddeutscher Modelle erkennen lassen, entstand mit dem »Weimarer Orgelbüchlein« (BWV 599–644) eine Sammlung von Orgelchorälen, in der die Möglichkeiten erprobt wurden, die unveränderte Choralweise mit motivisch geprägten Gegenstimmen zu kombinieren. Beschränkt auf das knappe Format, das durch den Umfang der Melodien vorgegeben war, fehlten den Sätzen noch die Vor- und Zwischenspiele der späteren Orgelchoräle. Doch konnte Bach auf einen Fundus satztechnischer Verfahren zurückgreifen, die er sich in den Orgelchorälen angeeignet hatte.[31]

---

30 Dürr, Die Kantaten, Bd. 1, S. 47 f.
31 Vgl. dazu Verf., Bachs Weg in der Arbeit am Werk. Eine Skizze (Veröffentlichung der Joachim-Jungius-Gesellschaft der Wissenschaften Hamburg 89), Göttingen 2001, S. 19–33. Eine neuere Zusammenfassung bei Karl Heller, Choral und instrumentales Musikdenken. Zur Rolle instrumentaler Kompositionsmodelle in Bachs

Die frühe Kantate »Christ lag in Todes Banden« (BWV 4) enthält in Versus I einen motettischen Satz, in dem die Instrumente den Vokalpart duplieren, während sie zu Versus IV gleichmäßig rhythmisierte Formeln beisteuern, die freilich wenig motivisches Profil besitzen.[32] Den nächsten Schritt vollzieht die Weimarer Kantate »Nun komm, der Heiden Heiland« (BWV 61 zum 1. Advent 1714), deren Eingangssatz die Choralbearbeitung mit dem Grundriss der französischen Ouvertüre verbindet.[33] In wechselnder Stimmlage wird die gedehnte erste Zeile viermal in die langsame Eröffnung eingefügt, bevor ihr die akkordisch gefasste zweite Zeile folgt. Weit ausführlicher wird dagegen die dritte Zeile im fugierten Mittelteil verarbeitet, an dem die Instrumente aber nur colla parte teilhaben, während die letzte Zeile erneut in akkordischem Satz mit dem langsamen Schlussteil verbunden wird. Die Kombination von vokalem Choral- und motivischem Instrumentalsatz konzentriert sich auf die Rahmenteile, um sich vorerst noch auf einzelne Choralzeilen und wenige Takte im Kantionalsatz zu begrenzen. Doch zeigt nicht nur der Mittelteil dieses Satzes, wie geläufig Bach die Tradition der motettischen Choralbearbeitung war. Ein entsprechender Satz zur Strophe »Jesu, deine Passion« findet sich auch in der Weimarer Kantate »Himmelskönig, sei willkommen« (BWV 182:7) zu Palmarum 1714. Und ein weiteres Pendant begegnet in der Kantate »Ich hatte viel Bekümmernis«, in der ein Psalmtext mit zwei Strophen des Liedes »Wer nur den lieben Gott läßt walten« gekoppelt wird (BWV 21:9).

Ebenso vertraut waren Bach die figurierend begleiteten Kantionalsätze, die vor allem bei den mitteldeutschen Kantoren verbreitet waren. In Bachs Weimarer Kantaten begegnen solche Sätze fast ebenso häufig wie Kantionalsätze mit duplierenden Instrumenten. Beispiele dafür finden sich in BWV 12:7 und 172:5 (beide 1714), ferner in BWV 31:9, 185:6 und 161:6 (alle 1715) sowie in BWV 70a:6 (1716). Während der vokale Kantionalsatz in der Regel durch eine instrumentale Oberstimme in gleicher Rhythmik bereichert wird, hebt sich in BWV 161:6 eine Flötenstimme vom Kernsatz durch lebhaftere Bewegung ab, wogegen in BWV 70a:6 drei obligate Zusatzstimmen verwendet werden.

Eine weitere Stufe wurde in den ersten zehn Choralsätzen zu Beginn des ersten Leipziger Jahres erreicht. In ihnen fügt sich der vokale Kantionalsatz in einen instrumentalen Rahmen ein, der seinerseits motivische Prägung besitzt. Wenn er die Funktion der Ritornelle einnimmt, die den Satz umrahmen und die Zeilen trennen, so ergibt sich ein Grundriss, der dem Modell der Choralchorsätze des zweiten Jahrgangs nahekommt. Ein erstes Beispiel ist der Schlusschoral des Bewerbungsstücks BWV 22.5, dem in BWV 23:4 drei Strophen einer partiell polyphon erweiterten Choralbearbeitung zur Seite stehen. Daran schließen wenig später die nächsten Sätze in den ersten Kantaten des neuen Jahrgangs an (BWV 75:4 bzw. 14 und BWV 76:7 bzw. 14), denen drei weitere in BWV 24:5, 167:5 und 147: 6 bzw. 10 folgen, bis die Serie mit

---

Choralbearbeitungen, in: Johann Sebastian Bach und der Choralsatz des 17. und 18. Jahrhunderts, hrsg. von Birger Petersen (ContraPunkte 1), Hildesheim u. a. 2013, S. 11–33.

[32] Die stetigen Sekundwechsel lassen sich allerdings auch als Ableitung aus dem Incipit der Choralweise auffassen, vgl. Klaus-Jürgen Sachs, Die »Anleitung …, auff allerhand Arth einen Choral durchzuführen« als Paradigma der Lehre und der Satzkunst Johann Sebastian Bachs, in: AfMw 37, 1980, S. 135–154, hier S. 150 f.

[33] Zu diesen und den nachfolgend genannten Sätzen vgl. Bd. 1, Teil II, S. 79 f.

BWV 186:6 bzw. 11, 136:6, 105:6 und 46:6 endete.[34] Zwar sind die Ritornelle nicht immer gleich deutlich ausgeprägt, und mitunter kommt noch der ältere Typus mit instrumentalen Zusatzstimmen zum Vorschein (so in BWV 136). Wo aber die Ritornelle auf Motive des Chorals zurückgreifen (wie in BWV 75, 147 und 186), wird die Affinität zu den schlichteren Eingangschören der Choralkantaten evident.

Eine weitere Zwischenform waren drei Eingangschöre des ersten Jahrgangs, in denen die primär akkordisch angelegten Choralsätze durch rezitativische Einschübe erweitert wurden (BWV 138:1 »Warum betrübst du dich«, BWV 95:1 »Christus, der ist mein Leben« und BWV 73:1 »Herr, wie du willt«). Ihnen traten drei Chorsätze mit Spruchtext zur Seite, deren kontrapunktischer Vokalsatz mit instrumentalen Choralzitaten kombiniert wurde (in BWV 77:1 »Du sollt Gott, deinen Herrn, lieben« und BWV 25 »Es ist nichts Gesundes« mit Choralkanons sowie in BWV 48 »Ich elender Mensch« mit akkordischem Bläsersatz). Trotz aller Unterschiede im Detail ist diesen Sätzen die Arbeit an der Integration verschiedener Schichten gemeinsam, die mit den Choralweisen verklammert werden.[35]

Anders verhielt es sich mit den solistischen Sätzen mit Choralweisen, die sowohl in den Weimarer Kantaten als auch in den Werken des ersten Leipziger Jahrgangs vorkamen. Zwar enthält die Weimarer Solokantate »Mein Herze schwimmt im Blut« einen solistischen Choralsatz mit obligater Viola, deren Part motivisch geprägt ist und damit an einen Typus des Orgelchorals gemahnt (BWV 199:6). Ähnliche Modelle der Orgelmusik klingen in manchen Solosätzen des ersten Jahrgangs an (BWV 166:3, 86:3, 37:3 und 44:4), die allerdings in der Regel nur durch Generalbass ohne obligate Instrumentalstimmen begleitet werden.[36]

Eine Gruppe für sich waren die Weimarer Arien, die Bach durch instrumentale Choralzitate erweiterte (BWV 12:5, 172:5, 80a:1, 31:8, 185:1, 163:5 und 161:1). Obwohl vergleichbare Arien in Leipzig vorerst fehlen, lassen sich die Weimarer Sätze als Vorstufen zu den Arien der Choralkantaten auffassen. Wie dort ging es darum, die zitierten Choralweisen in einen motivisch geprägten Kontext zu integrieren. Allerdings bescheiden sich diese Sätze zumeist mit begleitendem Generalbass, der mitunter ostinate Züge trägt, während nur je einmal eine obligate Violine bzw. zwei gekoppelte Flöten verwendet werden (in BWV 80a:1 und 161:1).[37] Der Spielraum für Choralzitate war also größer als in späteren Arien, zu deren Choralzitaten obligate Instrumente hinzutreten. Freilich waren derartige Arien nicht die Regel, sondern individuelle Lösungen. Das gilt erst recht für die Secco- und Accompagnato-Rezitative mit zusätzlichen Choralweisen. Sieht man von dem Rezitativ BWV 18:3 ab, das durch die Zeilen der Litanei unterbrochen wurde, so gab es weder bei Bach noch bei anderen Komponisten Vorbilder für die Formen, die erst in den Choralkantaten beggnen.

So vielfältige Choralkombinationen Bachs Vokalwerke von Anfang an enthielten, so begrenzt blieb vorerst der Vorrat der Satzarten, auf die sich in den Choralkantaten zurückgreifen ließ. Desto eindrucksvoller ist die Leistung, die Bach in seinem Zyklus vollbrachte.

34 Vgl. dazu die Untersuchungen in Bd. 1, S. 215–220.
35 Vgl. ebd., S. 184–187.
36 Vgl. ebd., S. 220–222.
37 Vgl. ebd., S. 117–121.

3. Spuren der Arbeit

Zu den Besonderheiten des Jahrgangs zählt es, dass die Originalstimmen fast durchweg in Leipzig erhalten sind. Offenbar wurden sie nach Bachs Tod von den Partituren getrennt, um bei der Erbteilung auf die Witwe und die Söhne verteilt zu werden. Aufschlussreich ist ein Aktenvermerk vom 29. August 1750, der aus Anlass von Anna Magdalena Bachs Gesuch um ein Gnadenhalbjahr entstand. Hier wird zweimal darauf hingewiesen, dass mit der Witwe »wegen derer Kirchen-Lieder« gesprochen werden solle.[38] Damit dürften die Choralkantaten gemeint sein, die Bach hinterlassen hatte. Dass die Werke in diesem Zusammenhang erwähnt wurden, lässt darauf schließen, dass sie bei der Erbteilung Anna Magdalena Bach zugefallen waren.[39] Offenbar rechnete man damit, sie werde die Handschriften dem Rat anbieten, der schon den Witwen der Amtsvorgänger entsprechende Manuskripte abgekauft hatte.

Anders als mit den Stimmen verfuhr man mit den autographen Partituren, die Aufschlüsse über Bachs Arbeit geben können.[40] Beschränkt man sich auf die 40 Werke, die bis März 1725 entstanden, so zeigt sich, dass derzeit nur zehn Partituren in Berlin und drei weitere in Krakau (Kraków) vorliegen, während sich die Fragmente der Partitur zu BWV 99 auf beide Bibliotheken verteilen. Da sich fünf Quellen in anderen Bibliotheken und neun weitere in Privatbesitz befinden, müssen wenigstens zwölf Autographe verlorengegangen sein. Die weite Streuung der erhaltenen Autographe, die in der Regel Arbeitsmanuskripte darstellen, könnte darauf hindeuten, dass sie zum Erbe Wilhelm Friedemann Bachs zählten, der sie später seinem Bruder Carl Philipp Emanuel und anderen Interessenten überlassen haben mag.[41] Dennoch ist der erhaltene Bestand zu umfangreich, um hier gleichermaßen herangezogen werden zu können. Eine Auswahl, die sich auf die Durchsicht der Berliner Quellen stützt, dürfte sich aber auch sachlich rechtfertigen. Während in den Chorsätzen mit Spruchtexten über die Dispositionen und die Verfahren zu entscheiden war, verfügten die Choralchorsätze mit ihren Vorlagen über prinzipiell analoge Voraussetzungen. Angesichts der Fülle der Werke müssen daher an dieser Stelle einige exemplarische Belege genügen.[42]

Schon der erste Jahrgang ließ erkennen, dass Bach sich nicht mit den Konventionen des motettischen oder konzertanten Satzes begnügte. Um den Kantionalsatz zu erweitern, war er vorerst auf eingefügte Rezitative oder auf zusätzliche Ritornelle angewiesen, wie sie in den Schlusschorälen der ersten Werke begegneten. Beide Wege hingen insofern zusammen, als ihnen die Chorsätze zwischen dem 13. und

---

[38] Dok. I, Nr. 621, hier S. 486.
[39] Andreas Glöckner, Die Teilung des Bachschen Musikaliennachlasses und die Thomana-Stimmen, in: BJ 1994, S. 41–57.
[40] Die folgenden Angaben stützen sich auf die Nachweise im Bach-Compendium und in BWV[2a] sowie auf die Arbeit von Robert Marshall, The Compositional Process of J. S. Bach. A Study of the Autograph Scores of the Vocal Works, Bd. I–II, Princeton 1972, hier Bd. I, S. 9–13.
[41] Vgl. in Dok. II, Nr. 628, S. 505–508, die Angaben über die Aufteilung der Bücher.
[42] Aus pragmatischen Gründen müssen schon früher benutzte Beispiele herangezogen werden (vgl. die in Anm. 26 genannte Studie, S. 54–61).

dem 19. Sonntag nach Trinitatis entsprachen.[43] Gemeinsam dürfen sie als Vorstufen der großen Form gelten, die in einem Eingangschor gefordert war. Während die Chorsätze zu Spruchtext einer individuellen Disposition bedurften, die den Wortlaut und die Syntax der Texte berücksichtigen musste, war der Grundriss der Choralchorsätze durch die Vorlagen vorgezeichnet. Sofern sie nicht motettisch angelegt sind, werden die Zeilen durch Zwischenspiele getrennt und von Vor- bzw. Nachspielen umrahmt. Sie folgen damit einem älteren Formtyp, den Bach durch die motivische Prägung der Ritornelle und die differenzierte Ausformung des Vokalparts umbildete. Das aber hatte Folgen, die sich an den autographen Partituren erkennen lassen. Denn im Unterschied zu den Dicta konzentrieren sich die Korrekturen auf Details des Instrumentalparts und seiner Verklammerung mit dem Choralsatz. Statt auf die Sätze gesondert einzugehen, lassen sie sich in methodischer Hinsicht zusammenfassen. Und weil sie mit analogen Voraussetzungen rechnen, dürfen hier ein paar exemplarische Belege genügen.

Bachs Arbeit war von der Absicht geleitet, den Choralsatz nicht nur akkordisch, sondern polyphon auszuarbeiten. Zugleich sollte jedoch der Instrumentalpart eine motivische Prägung erreichen, die ihn dazu befähigte, die wechselnden Zeilen und Motive der Choralvorlagen zu überbrücken. Die Probleme, die sich bei der Kombination dieser Schichten ergaben, waren durch die Vorlagen abgesteckt, deren Melodien sich nur in Details ändern ließen. Je weiter die imitierenden oder kanonischen Verfahren dazu tendierten, die Töne der Vorlage dominieren zu lassen, desto enger wurde der Spielraum für die Instrumentalstimmen. Zwar lag es nahe, auf den Konzertsatz zurückzugreifen, der schon die Dicta zu Beginn und Ende des ersten Jahrgangs geprägt hatte. Wie dort taugte er aber nicht als Formtyp, sondern als Modell für den Wechsel unterschiedlicher Satzglieder. Fasste man die instrumentalen Phasen, die den vokalen Choralsatz gliedern und umrahmen, als Vertreter vollstimmiger Ritornelle auf, so müssten die Choralzeilen als Episoden gelten, obwohl sie die eigentliche Substanz des Satzes bilden. Der Vergleich wäre also schief, wenn er als Definition thematischer Relationen statt als Verweis auf das Verhältnis der vokalen und instrumentalen Gruppen verstanden würde. In Analogie zu den Spruchvertonungen lässt sich jedoch von Ritornellen reden, deren Motivik wie in den Konzerten mit einer weiteren Schicht gekoppelt wird. Die Kombinationen sind demnach auf die Substanz des vokalen Choralsatzes ebenso angewiesen wie auf das motivische Profil, das der Instrumentalpart aus dem Ritornell bezieht. Je prägnanter seine Rhythmik ist, desto eher lässt sie sich mit den wechselnden Choralzeilen paaren. Je polyphoner aber der Vokalsatz ausgearbeitet wird, desto schwieriger muss es werden, ihn mit der Motivik der Instrumente zu verbinden. Das Kontinuum des Instrumentalparts war jedoch erforderlich, wenn die Vorlagen im Blick auf Affekt und Wortlaut ausgearbeitet werden sollten. Dass die Ritornelle in den Autographen geringere Korrekturen als die vokalen Abschnitte aufweisen, dürfte daran liegen, dass ihrer Niederschrift Skizzen oder andere Vorarbeiten vorangingen. Dagegen

---

[43] Für den 17. und 18. Sonntag nach Trinitatis sind keine Aufführungen belegt, während BWV 73 als verspäteter Nachzügler zum 3. Sonntag nach Epiphanias erscheint.

mehren sich die Arbeitsspuren in dem Maß, in dem der vokale Choralsatz mit dem obligaten Instrumentalpart kombiniert wird.

Vergleichsweise einfach wirkt der Eingangschor der Kantate »Herr Jesu Christ, du höchstes Gut« (BWV 113), deren Partitur sich heute im Besitz der Internationalen Bachakademie Stuttgart befindet. Weist das Ritornell nur einzelne Korrekturen in der Figuration der ersten Violine auf, so beschränkt sich der Vokalpart auf eine leicht modifizierte Variante des Kantionalsatzes. Im Sopran notierte Bach den zweiten Ton der ersten Zeile zuerst als halbe Note, die er danach zu einer Viertel verkürzte. Ergänzt durch zwei Achtelnoten, erscheint die Variante als bloße Umspielung einer Tonwiederholung, die von der Choralweise vorgegeben ist. Doch ergab sich durch diese Änderung zugleich eine Analogie zum instrumentalen Kopfmotiv, das ebenfalls mit Auftakt, Tonwiederholung und nachfolgendem Halbtonfall (*h-ais*) beginnt. Die Instrumente sollten zuerst bei Eintritt des Vokalparts pausieren, doch wurde die Pause der ersten Violine nachträglich durch die Sechzehntelnoten ersetzt, die den Vokalpart mit der Figuration des Ritornells verbinden.[44]

Der Eingangschor aus BWV 62 »Nun komm, der Heiden Heiland« ist insofern ein Sonderfall, als die erste Choralzeile schon innerhalb des Ritornells eingeführt wird. Während sie zuerst in Basslage eintritt (T. 3–7¹), erscheint sie am Ende erneut in den Oboen (T. 15–17). Die autographe Partitur (P 877) lässt erkennen, dass das erste Zitat ursprünglich mit den Figuren der Oboen gekoppelt war, die in Takt 3–6 der ersten Violine entsprachen.[45] In der ersten Violine, die bis dahin mit der zweiten Violine und der Viola im Unisono geführt war, begann der vorangehende Takt mit einer Achtelnote, die aber verkürzt wurde, als Bach sich entschied, mit diesem Ton die Sechzehntelketten beginnen zu lassen, mit denen sich die erste Violine von den Unterstimmen löst. Die Stimmen der Oboen, die zuvor – mit einer Änderung in Takt 2 – in Terzparallelen verliefen, wurden zusammengeführt, um gemeinsam die Figuren der ersten Violine zu ergänzen. Zudem wurde in der zweiten Violine der letzte Ton in Takt 3–4 korrigiert, um dadurch Quintparallelen zur Choralzeile im Bass zu vermeiden.

Etwas einfacher wirkt der Vokalpart in BWV 133 »Ich freue mich in dir«, da hier noch der modifizierte Kantionalsatz durchscheint. Ein Nachtrag auf der ersten Seite der Partitur (P 1215) zeigt jedoch, dass Takt 8 des Ritornells erst nachträglich eingefügt wurde. Die Ergänzung, die in drei frei gebliebenen Systemen notiert wurde, erfolgt just dort, wo sich das Ritornell zur Dominante richtet. Die Takte 7 und 9, die in der Partitur zusammenhängend notiert waren, greifen zwar bruchlos ineinander, doch wurde dazwischen ein Takt eingefügt, der auf das Incipit des Ritornells zurückgreift (vgl. T. 8 mit T. 18). Da die erste Choralzeile noch ohne Orchester begann, kam es erst etwas später zur Paarung beider Schichten. Die zweite Zeile sollte dabei zuerst einen Takt früher eintreten und war im Sopran schon mit dem zugehörigen Text notiert, während in den Unterstimmen noch die entsprechenden Pausen zu

---

[44] Zu BWV 113 vgl. den Kommentar in NBA I/20, hrsg. von Ernest May, 1985, KB, S. 83 (dort zu T. 17–18).
[45] Vgl. NBA I/1, hrsg. von Alfred Dürr, KB, S. 69 (wo die Änderungen der Streicherstimmen in T. 4–5 nicht erwähnt werden).

Abbildung 1: BWV 133 »Ich freue mich in dir« (Mus. ms. Bach P1215), S. 1: Satz 1, T. 1–21

erkennen sind (Abbildung 1). Dass die Instrumentalstimmen nur in der Kadenz der ersten Violine eine Korrektur aufweisen, muss nicht bedeuten, dass sie schon zuvor konzipiert waren. Die Verlegung der Choralzeile wird verständlich, wenn man sie nicht als Versehen, sondern als Planänderung begreift, während der Instrumentalpart offenbar erst danach fortgeführt wurde.[46]

Das Ritornell aus BWV 94 »Was frag ich nach der Welt« (P 47, Faszikel 2) zeigt kurz vor dem Ende eine unscheinbare Korrektur, deren Grund im Vergleich mit dem Beginn einsichtig wird.[47] (Abbildung 2) Die sequenzierende Linie aus Takt 1–2, die sich in den oberen Tönen der Flötenstimme abzeichnet, sollte ursprünglich in gleicher Fassung ab Takt 10^4 ansetzen. Da sie zuvor in der ersten und hier in der zweiten Takthälfte beginnt, musste sie ein Glied länger ausfallen, um im letzten Takt die Oktave des Grundtons zu erreichen. Als Bach bemerkte, dass sich dann das letzte Glied wiederholen würde, ließ er ihren Beginn eine Sekunde tiefer ansetzen, sodass sich die erforderliche Verlängerung ergab. Der Vokalpart stellt wiederum einen Kantionalsatz dar, dessen erste Zeile vom Chor eingeführt wird, während das Orchester pausiert. In der Bassstimme erscheint hier eine Folge von vier absteigenden Sechzehnteln, die sich vom akkordischen Satz abheben (T. 13). Indes entsprechen sie genau jener Figur, mit der im Ritornell das Tutti der Streicher eintritt (T. 3 und 4 und T. 6–9). In der vierten Zeile dagegen, deren Vokalpart aus Raumgründen in zwei Akkoladen zusammengefasst wurde, sollte die erste Violine in Takt 24 zuerst eine Variante derselben Figur spielen, die erst nachträglich an die Triolen der Flöte angepasst wurde.

Etwas komplizierter ist der Eingangssatz aus BWV 92 »Ich hab in Gottes Herz und Sinn«, in dem die Oboen und die Streicher wechselweise alternierend oder gemeinsam einsetzen (P 873). Sobald der polyphone Choralsatz eintritt, folgen zweite Violine und Viola den vokalen Mittelstimmen, während die Oboen und die erste Violine weithin obligat bleiben. Zusätzlich entwarf Bach ein steigendes Gegenmotiv, das er in einem freien System unterhalb von Takt 68–70 skizzierte, um es ab Takt 71 in das Zwischenspiel vor Zeile 5 einzufügen.[48] Beginnend in der ersten Violine, wandert es anschließend in den Continuo und erscheint vor der nächsten Zeile erneut im Unisono der Oboen (ab T. 84). Da es in den gleichen Werten wie der Cantus firmus des Soprans auftritt, wirkt es hier als dessen Widerpart. Seine Funktion erweist es erst bei seinem letzten Eintritt, an den sich im Sopran die sechste Zeile anschließt (T. 89–94). Zum Text »des Himmels aufgezogen« bietet sie nämlich dieselbe steigende Linie, die sich mit dem Gegenmotiv – wie sich erst jetzt zeigt – schon früher angekündigt hatte.

Obwohl der Chorsatz »Jesu, nun sei gepreiset« (BWV 41) die Festbesetzung mit drei Trompeten, drei Oboen und Streichern aufbietet, weist das Ritornell im Autograph (P 874) anfangs kaum größere Korrekturen auf. Nur in den Trompeten-

---

[46] Vgl. NBA I/3.1, hrsg. von Andreas Glöckner u. a., KB, S. 123, hier zu T. 27.
[47] Vgl. NBA I/19, hrsg. von Robert Marshall, KB, S. 55 f. (mit Notenbeispielen zu T. 10–12 und zu T. 24).
[48] Vgl. NBA I/7, hrsg. von Werner Neumann, KB, S. 63. Die Skizze wird hier in der Beschreibung der Partitur mitgeteilt, während die weiteren Anmerkungen auf sie nicht zurückkommen. Vgl. auch Robert Marshall, The Compositional Process of J. S. Bach. A Study of the Autograph Scores of the Vocal Works, Princeton 1972, Bd. II, Sketch 74, wo der Befund beschrieben wird, ohne nach seinem Kontext zu fragen.

Abbildung 2: BWV 94 »Was frag ich nach der Welt« (Mus. ms. P 47 adn. 1), S. 1: Satz 1, T. 1–13

Abbildung 3: BWV 41 »Jesu, nun sei gepreiset« (Mus. ms. Bach P 874), S. 1: Satz 1, T. 1–10

stimmen mussten einige Details der Figuration geändert werden, die aber nicht das Satzgefüge tangierten. Anders verhält es sich in den Takten 8ᵇ–10, die der Schlusskadenz (T. 12) vorangehen (Abbildung 3). Die Änderungen der Continuostimme werden erst dann verständlich, wenn man sich die harmonische Disposition vergegenwärtigt. Den eröffnenden Fanfaren, die um die Tonika C-Dur kreisen, folgt eine Quintschrittsequenz, die auf der Dominante endet (T. 3–10: C-F-B-e-a-d-G). Da die Terz zunächst erniedrigt wird, weist sie in subdominantische Richtung, um erst im nächsten Takt durch die Variante ersetzt zu werden und damit zur Tonika zurückzuführen. Maßgeblichen Anteil daran hat der Continuo, dessen Figuren ursprünglich einen Takt früher beginnen sollten.[49] Dass die Trompeten entsprechend geändert wurden, während die übrigen Stimmen unverändert blieben, dürfte darauf hindeuten, dass zuerst die Außenstimmen notiert wurden. Die erwähnte Quintkette weist zugleich auf die erste Choralzeile voraus, deren Melodie mit einem doppelten Quintfall verbunden wird (T. 13–16: C-F-B). Ihre gedehnte Fassung sollte zunächst nur im Sopran einsetzen (T. 12ᵇ), dem die Unterstimmen – wie das in Takt 13 notierte Wort »Jesu« zeigt – einen halben Takt später folgen sollten.[50] Dass der Einsatz später einen halben Takt vorverlegt wurde, hatte zur Folge, dass sich der Eintritt des Choralsatzes mit der Kadenz des Ritornells kreuzt.

Der Instrumentalpart des Eingangschors aus »Ach wie flüchtig, ach wie nichtig« (BWV 26) besteht aus gegenläufigen Skalenketten, die auf die Stimmen verteilt und durch Achtelfiguren ergänzt werden. Die autographe Partitur (P 47) weist im Ritornell gelegentliche Korrekturen der Stimmführung auf, die aber nicht die Konzeption des Satzes berühren. Da die Unterstimmen den auf Halbe gedehnten Cantus firmus des Sopransin akkordischem Satz kontrapunktieren, der in syllabisch textierte Achtelnoten aufgespalten wird, bleibt am Anfang und Ende der Zeilen Raum für Rückgriffe auf die instrumentalen Skalenfiguren, die den Vokalsatz sonst meist in Achtelbewegung begleiten. Erst in der dritten Zeile, die zugleich die Mitte des Satzes bildet, ändert sich das Konzept, sofern sich die skalaren Figuren hier fast ununterbrochen fortsetzen (T. 33–37). Gerade in dieser Kombinationsphase lässt das Autograph deutliche Arbeitsspuren erkennen. In der ersten Violine notierte Bach in Takt 34 zuerst eine Achtelnote mit zwei Achtelpausen sowie zwei Sechzehntel mit einer Achtelnote und zwei Achtelpausen, womit sich derselbe Modus des Instrumentalparts wie in den übrigen Zeilen fortsetzen würde.[51] Erst anschließend entschied er sich dafür, die Achtelbewegung in der zweiten Takthälfte durch eine fallende Skala zu ersetzen, die danach in der zweiten Violine und der Viola übernommen

---

[49] Vgl. NBA I/4, hrsg. von Werner Neumann, KB, S. 33, wo die Korrekturen beschrieben werden, ohne ihre Bedeutung zu erläutern. Merkwürdigerweise wurde die gestrichene Fassung im untersten der beiden freien Systeme notiert, während das darüberliegende System für die Korrektur benutzt wurde. Dass die auf der nächsten Seite anschließende Sequenz gleich fehlerfrei erscheint, ist ein Beleg dafür, dass ihr die Korrektur vorausging.
[50] Vgl. ebd., S. 34, wo auch weitere Änderungen des Vokalparts genannt werden.
[51] Vgl. die Beschreibung in NBA I/27, hrsg. von Alfred Dürr, KB, S. 29. (Da Bach die erste Zeile in zwei Halbzeilen gliederte, erscheint die dritte Zeile als vierter Vokalblock, dem indes eine längere Pause als sonst vorangeht.) Das nachträglich geänderte Konzept der dritten Zeile diente als Modell für die nächste Zeile, wogegen die Schlusszeile zum schlichteren Modus der ersten Zeilen zurückkehrt.

wurde. Die Änderung hatte zugleich Folgen für die Tenor- und Bassstimme, deren Führung mehrfach geändert werden musste, um Parallelen zum Instrumentalsatz zu umgehen.

In BWV 96 »Herr Christ, der einge Gottes Sohn« bestehen andere Voraussetzungen, da sich die Oboen phasenweise von den Streichern lösen, um einen Triosatz mit dem Flauto piccolo zu bilden, dessen Figuration den gesamten Satz durchzieht. Der gedehnte Cantus firmus, der ausnahmsweise im Alt liegt, wird von den Unterstimmen kontrapunktiert, deren Motivik den Hauptstimmen des Ritornells entnommen und von den Streichern dupliziert wird, während die Flötenstimme unabhängig bleibt. Richten sich die Korrekturen der autographen Partitur (P 179) im Ritornell primär auf den Part der Flöte, so mehren sie sich im imitierenden Vokalsatz der zwei ersten Zeilen, deren Wiederholung im zweiten Stollen fast fehlerfrei ausgeschrieben ist. Desto deutlicher hebt sich davon die fünfte Zeile ab, die in der Choralweise den Abgesang eröffnet (T. 86–93). Hier änderte Bach die Tonwiederholung der vierten Note durch einen chromatischen Schritt (b^1-h^1), der eine Modulation zur Dominante nahelegen könnte. Doch entschied er sich für eine aufwärts gerichtete Sequenz mit eingeschalteten Leittönen (D♯-g♭ | E♯-a). Nach Ausweis der Akzidentien lag der Rahmensatz bereits vor, als in Takt 88 f. und 89 f. die Stimmführung des Tenors geändert wurde (Abbildung 4). Dabei wurden die maßgeblichen Terzen (*fis*^{1} bzw. *gis*^{1}) eine Oktave höhergelegt, um ihre leittönige Funktion hervortreten zu lassen.[52] Dass beide Takte analog korrigiert wurden, weist darauf hin, dass die Änderungen nachträglich vorgenommen wurden. Während einzelne Töne im Bass und in der Viola korrigiert werden mussten, blieben Sopran und Flauto piccolo davon unberührt.

Der Ausnahmefall einer nachträglichen Änderung eines Imitationsmotivs findet sich im Eingangschor der Kantate »Herr Jesu Christ, wahr' Mensch und Gott« (BWV 127), die kurz vor dem Ende des Zyklus entstand. In dem besonders komplexen Satz – auf den gesondert einzugehen ist – war die überaus selbstständige Motivik des Ritornells nicht nur mit einer kontrapunktisch komprimierten Choralbearbeitung zu verbinden. Vielmehr fügte Bach in den Instrumentalpart die Melodie des Liedes »Christe, du Lamm Gottes« ein, die er außerdem durch knappe Zitate des Incipits der Weise »Herzlich tut mich verlangen« ergänzte. Welche Arbeit diese Kombination forderte, lässt die autographe Partitur (P 873) erkennen, deren Zustand allerdings die genaue Klärung aller Korrekturen erschwert.[53] Während die Melodie zu »Herr Jesu Christ« in F-Dur steht, endet ihre letzte Zeile mit einer Klausel in C. Um den Satz dennoch in F abzuschließen, wird die letzte Textzeile ausnahmsweise in einer zweiten Fassung wiederholt. Dabei gibt der Sopran erstmals die Funktion der Cantus-firmus-Stimme auf, um an den motivischen Imitationen teilzunehmen, die zuvor die Unterstimmen mit dem Incipit des Hauptlieds bestritten. Soweit das Autograph erkennen lässt, sollte mit diesem Motiv auch die abschließende Fassung der Schlusszeile beginnen (T. 77–80). Wie zuvor sollte der Bass in Takt 77 nach Achtelpause mit Tonrepetitionen und folgendem Sekundschritt ansetzen (*g-g-g-f*, zuerst

---

52 Zu den ursprünglichen Lesarten vgl. NBA I/24, hrsg. von Matthias Wendt, KB, S. 18.
53 Vgl. dazu NBA I/8, 1–2, hrsg. von Christoph Wolff unter Mitarbeit von Karla Neschke und Peter Wollny, KB, S. 60 (in der Beschreibung der Partitur wird die Korrektur der Bassstimme in T. 77 übergangen, vgl. ebd., S. 63).

Abbildung 4: BWV 96 »Herr Christ der einge Gottes Sohn« (Mus. ms. Bach P 179) (Bl 5r, T. 88–98a)

vielleicht *g-g-f-es*). Während diese Version im Continuo erhalten blieb, wurde sie in der Bassstimme durch einen Oktavsprung modifiziert (*G-g-g-f-d*). Die Ausweitung des Ambitus, die damit erreicht wird, setzt sich in den Einsätzen des Alts und des Soprans fort, die das Incipit zur Septime umbilden, bis der Tenor zuletzt den Oktavsprung des Basses aufnimmt. So geringfügig die Änderung wirkt, so folgenreich ist sie für den Schluss des Satzes. Denn mit der Einsatzfolge paart sich zugleich eine Wendung nach f-Moll, die erst im F-Dur-Schlussakkord zurückgenommen wird.

Die Beispiele, die aus den autographen Partituren herausgegriffen wurden, mussten sich auf die Eingangssätze beschränken, ohne entsprechende Belege für die Solosätze heranziehen zu können. Bei allen Unterschieden zeigte sich, dass die Motivik der Ritornelle vor der Niederschrift ebenso festlag wie der Modus der Choralbearbeitungen. Die Korrekturen, die Bach vornahm, betrafen lediglich einige Details der Stimmführung, während sie nur selten größere Änderungen nach sich zogen. Dennoch lassen sie erkennen, dass sich die kompositorische Arbeit auf das Verhältnis zwischen dem vokalem Choralsatz und der instrumentalen Motivik konzentrierte. Demgemäß hat sich die weitere Untersuchung der Eingangschöre auf die Verschränkung des Vokal- und des Instrumentalparts zu richten.

4. Kombinatorische Verfahren in den Eingangschören

Wie der summarische Überblick andeutete, unterscheiden sich die Eingangschöre in doppelter Hinsicht. Zum einen gehören die vier ersten Werke insofern zusammen, als im ersten Satz der Cantus firmus im Sopran liegt, während er in den folgenden Werken über den Alt und den Tenor in den Bass wechselt.[54] Zum anderen werden in diesen und den zwei nächsten Sätzen wechselnde Verfahren erprobt, wogegen erst in den folgenden Werken der konzertante Instrumentalpart zu dominieren beginnt.

Als Emil Platen 1957 seine Studie über Bachs Choralchorsätze abschloss, konnte er noch nicht die neue Chronologie kennen, die Alfred Dürr zu gleicher Zeit vorlegte. Stattdessen entwarf Platen eine typologische Systematik, in der die periodischen, konzertanten und motettischen Sätze von Kombinationstypen und Sonderformen unterschieden wurden.[55] So nützlich eine solche Typologie für die erste Orientierung ist, so wenig eignet sie sich dafür, die individuelle Prägung der Sätze sichtbar zu machen. In der Regel handelt es sich um kombinatorische Anlagen, deren Eigenart in keiner Systematik aufgeht. Da die konzertanten Sätze durchweg über Ritornelle verfügen, nennt die folgende Übersicht nur die solistisch exponierten Instrumentalstimmen, während sich die weiteren Stichworte auf die Satzart des Vokalparts beziehen.

---

54 Vgl. dazu Dürr, Die Kantaten, Bd. 1, S. 47 f.
55 Emil Platen, Untersuchungen zur Struktur der chorischen Choralbearbeitung Johann Sebastian Bachs, Diss. Bonn 1957, ebd. 1959. Während zu den »periodischen« Sätze vor allem die erweiterten Schlusschoräle des ersten Jahrgangs zählen, rechnen die meisten Eingangschöre des zweiten Jahrgangs zu den »konzertanten« Formen oder zu den »Kombinationstypen«, vgl. ebd., S. 76–80 sowie die Übersicht S. 247–252.

1. p. Trin.	20	O Ewigkeit, du Donnerwort	S. c. f. augm., französische Ouvertüre, Rahmenteile Z. 1–3, Z. 7–8, Fuge Z. 4–6 – F-Dur, ¢, ¾, ¢
2. p. Trin.	2	Ach Gott, vom Himmel sieh darein	A. c. f. augm., strenger Satz, Instrumente colla parte – g-Moll, ¢
Johannistag	7	Christ unser Herr zum Jordan kam	T. c. f. augm., konzertanter Instrumentalsatz mit V. concertato, imitatorischer Vokalsatz – e-Moll, ¢
3. p. Trin.	135	Ach Herr, mich armen Sünder	B. c. f. augm., instrumentales Ritornell und imitatorischer Vokalsatz aus Z. 1 – e-phrygisch, ¾
Mariä Heimsuchung	10	Mein Seel erhebt den Herren	S./A. c. f. augm., Vokalsatz aus instrumentaler Motivik – g-Moll, ¢
5. p. Trin.	93	Wer nur den lieben Gott läßt walten	S. c. f., »Reprisensatz«: konzertante Instrumente, Vokalsatz wechselnd imitatorisch und akkordisch – c-Moll, 12/8
7. p. Trin.	107	Was willst du dich betrüben	S. c. f., konzertante Instrumente, polyphon modifizierter Kantionalsatz – h-Moll, ¢
8. p. Trin.	178	Wo Gott, der Herr, nicht bei uns hält	S. c. f. augm., konzertante Instrumente, polyphon modifizierter Kantionalsatz – a-Moll, ¢
9. p. Trin.	94	Was frag ich nach der Welt	S. c. f., konzertante Instrumente, modifizierter Kantionalsatz – D-Dur, ¢
10. p. Trin.	101	Nimm von uns, Herr, du treuer Gott	S. c. f. augm., obligater Instrumentalpart, motettischer Vokalsatz – d-Moll, ¢
11. p. Trin.	113	Herr Jesu Christ, du höchstes Gut	S. c. f., konzertante V. I, modifizierter Kantionalsatz – h-Moll, ¾
13. p. Trin.	33	Allein zu dir, Herr Jesu Christ	S. c. f., konzertante Instrumente, modifizierter Kantionalsatz – a-Moll, ¾
14. p. Trin.	78	Jesu, der du meine Seele	S. c. f., Ostinato-Satz Z. 1–3, variiert in Z. 6–8 – g-Moll, ¾
15. p. Trin.	99	Was Gott tut, das ist wohlgetan (II, G-Dur)	S. c. f. augm., konzertante Instrumente, modifizierter Kantionalsatz – G-Dur, ¢
16. p. Trin.	8	Liebster Gott, wann werd ich sterben	S. c. f. ornamentiert, konzertante Ob. und Fl., modifizierter Kantionalsatz – E-Dur, 12/8
Michaelis	130	Herr Gott, dich loben alle wir	S. c. f. augm., konzertanter Wechsel mit Trompeten, kolorierend modifizierter Kantionalsatz – C-Dur, ¢
17. p. Trin.	114	Ach lieben Christen, seid getrost	S. c. f. augm., konzertante Instrumente, imitierend modifizierter Kantionalsatz – g-Moll, 6/4
18. p. Trin.	96	Herr Christ, der einge Gottessohn	A. c. f. augm., instrumentales Concerto mit Soloflöte, polyphoner Vokalsatz mit Ritornellmotivik – F-Dur, 9/8
19. p. Trin.	5	Wo soll ich fliehen hin	S. c. f. augm., instrumentales Concerto, polyphoner Vokalsatz, Instrumental- und Vokalpart aus Z. 1–2 – g-Moll, ¢

20. p. Trin.	180	Schmücke dich, o liebe Seele	S. c. f. augm., konzertante Instrumente, polyphoner Vokalsatz – F-Dur, 12/8
21. p. Trin.	38	Aus tiefer Not schrei ich zu dir	S. c. f. augm., strenger Satz, Instrumente colla parte – e-phrygisch, ¢
22. p. Trin.	115	Mache dich, mein Geist, bereit	S. c. f. augm., instrumentaler Triosatz, polyphon modifizierter Kantionalsatz – G-Dur, 6/4
23. p. Trin.	139	Wohl dem, der sich auf seinen Gott	S. c. f. augm., instrumentales Ritornell und polyphoner Vokalsatz aus Z. 1 abgeleitet – E-Dur, ¢
24. p. Trin.	26	Ach wie flüchtig, ach wie nichtig	S. c. f. augm., instrumentale Rhythmik und polyphoner Vokalpart aus Z. 1 abgeleitet – a-Moll, ¢
25. p. Trin.	116	Du Friedefürst, Herr Jesu Christ	S. c. f. augm., instrumentales Ritornell, Z. 1–2 Kantionalsatz, weitere Zeilen polyphon modifiziert – A-Dur, ¢
1. Advent	62	Nun komm, der Heiden Heiland (II)	S. c. f. augm., instrumentales Ritornell, polyphoner Vokalsatz – h-Moll, 9/4
1. Weihn.	91	Gelobet seist du, Jesu Christ	S. c. f. augm., polyphoner Vokalsatz ohne Vorimitation – G-Dur, ¢
2. Weihn.	121	Christum wir sollen loben schon	S. c. f. augm., strenger Satz, Instrumente colla parte – e-phrygisch/h-Moll, ¢
3. Weihn.	133	Ich freue mich in dir	S. c. f., instrumentales Ritornell, modifizierter Kantionalsatz – D-Dur, ¢
Stg. n. Weihn.	122	Das neugeborne Kindelein	S. c. f., instrumentales Ritornell, polyphon erweiterter Kantionalsatz – g-Moll, 3/8
Neujahr	41	Jesu, nun sei gepreiset	S. c. f. augm., Außenteile konzertant, Binnenteile motettisch – C-Dur, ¢, 3/4, ¢, ¢
Epiphanias	123	Liebster Immanuel, Herzog der Frommen	S. c. f., instrumentales Ritornell, modifizierter Kantionalsatz – h-Moll, 9/8
1. p. Epiph.	124	Meinen Jesum laß ich nicht	S. c. f., instrumentales Ritornell, modifizierter Kantionalsatz mit solistischer Oboe – E-Dur, 3/4
2. p. Epiph.	3	Ach Gott, wie manches Herzeleid	B. c. f., konzertantes Ritornell, polyphoner Vokalsatz abgeleitet aus Z. 1 – A-Dur, ¢
3. p. Epiph.	111	Was mein Gott will, das gescheh allzeit	S. c. f. augm., Ritornell, polyphon modifizierter Kantionalsatz – a-Moll, ¢
Septuagesimae	92	Ich hab in Gottes Herz und Sinn	S. c. f. augm., konzertanter Instrumental- und polyphoner Vokalsatz – h-Moll, 6/8
Mariä Reinigung	125	Mit Fried und Freud ich fahr dahin	S. c. f. augm., konzertanter Instrumental- und polyphoner Vokalsatz abgeleitet aus Z. 1 – e-Moll, 12/8
Sexagesimae	126	Erhalt uns, Herr, bei deinem Wort	S. c. f. augm., konzertanter Instrumental- und polyphoner Vokalsatz auf Z. 1 bezogen – a-Moll, ¢
Estomihi	127	Herr Jesu Christ, wahr' Mensch und Gott	S. c. f., konzertanter Instrumental- und polyphoner Vokalsatz abgeleitet aus Z. 1–2 (+ instrumentaler c. f. »Christe, du Lamm Gottes«) – F-Dur, ¢

Mariä Verkündigung	1	Wie schön leuchtet der Morgenstern	S. c. f. augm., konzertanter Instrumentalpart, polyphoner Vokalsatz (abgeleitet aus Z. 1) – F-Dur, 12/8
–	117	Sei Lob und Ehr dem höchsten Gut	S. c. f., rhythmisch angeglichener Vokalsatz, konzertanter Instrumentalpart – G-Dur, 6/8
–	192	Nun danket alle Gott	S. c. f. augm., anfangs und abschließend S. an die Gegenstimmen angeglichen – G-Dur, 3/4
–	97	In allen meinen Taten	S. c. f. augm., französische Ouvertüre, Vokalsatz in Fuge eingebaut – B-Dur, ¢
–	100	Was Gott tut, das ist wohlgetan	S. c. f. augm., konzertanter Instrumentalpart, darin eingefügt modifizierter Kantionalsatz – G-Dur, ¢

S. c. f. = Cantus firmus im Sopran, augm. = augmentiert (andernfalls in normaler Fassung)

Signifikante Ausnahmen bilden die drei Varianten des strengen Satzes, der erstmals in BWV 2 auftritt. Zwei weitere Sonderfälle sind die Eingangschöre aus BWV 78 und 127, in denen der polyphone Vokalpart mit einem Ostinato bzw. einem instrumentalen Choralzitat kombiniert wird. Auch die übrigen Sätze zeigen eine graduelle Differenzierung, die sich nicht auf den konzertanten Instrumentalpart beschränkt. Sie erfasst vielmehr auch den vokalen Choralsatz, dessen Abstufung vom modifizierten Kantionalsatz bis zum motettischen Satz reicht. Die knappen Kennworte der Übersicht könnten zwar eine zusätzliche Aufteilung nahelegen, da sich die Verfahren aber im Binnenverlauf kreuzen können, wäre es wenig sinnvoll, die Sätze nach weiteren Kriterien aufzuschlüsseln. Demnach lassen sich zunächst die sechs ersten Chorsätze zusammenfassen, an die sich die weiteren in chronologischer Folge anschließen, während die motettischen Sätze und weitere Varianten gesondert zu erörtern sind. Wie frühere Studien zeigten, ist die Chronologie ohnehin nicht als strikte Entwicklung, sondern als Entfaltung in wechselnden Richtungen zu begreifen. Daher lässt sie sich mit einer systematischen Gruppierung verbinden, ohne die Chronologie aus dem Blick zu verlieren.

Ein Wort noch zu den Kirchenliedern, die den Werken zugrunde liegen. Da über ihre Herkunft sowohl das Bach-Werke-Verzeichnis als auch das Bach-Compendium informiert, scheinen sich weitere Belege zu erübrigen.[56] Die Kritischen Berichte der Neuen Bach-Ausgabe nennen jedoch nur die Textabweichungen von Gesangbüchern aus Bachs Umfeld. Nicht ebenso genau wurden die Melodievorlagen herangezogen, auf die Bach zurückgreifen konnte.[57] Die Fassungen weisen vielfach Durchgangstöne oder Verzierungen auf, die andernorts nicht zu belegen sind und deshalb auf Bach zurückgehen dürften. Wieweit das durchweg gilt, wäre erst dann zu entscheiden, wenn die fraglichen Quellen herangezogen würden. Weil die Aufgabe zu umfang-

---

[56] Vgl. die Angaben in BWV²ᵃ sowie in BC, Bd. I, Teil 4, Werkgruppe F.
[57] Vgl. dazu Werner Neumann, Zur Frage der Gesangbücher Johann Sebastian Bachs, in: BJ 1956, S. 112–123, ferner Alfred Dürr, Zur Textvorlage der Choralkantaten Johann Sebastian Bachs, in: Kerygma und Melos. Festschrift für Christhard Mahrenholz, hrsg. von Walter Blankenburg u. a., Kassel u. a. 1970, S. 222–236.

reich ist, um an dieser Stelle gelöst zu werden, muss eine pragmatische Auswahl genügen. Da die Leipziger Gesangbücher zumeist nur die Texte ohne die Melodien bieten, werden ersatzweise frühere Quellen zu Rate gezogen, die zu Bachs Zeit noch benutzt wurden.[58] Neben dem 1627 erschienenen Cantional des Thomaskantors Johann Hermann Schein kommen vor allem das Leipziger Gesangbuch von Gottfried Vopelius (1682) und das Dresdner Gesangbuch von 1694 in Betracht. Während die Lieder bei Schein und Vopelius in mehrstimmigen Fassungen vorliegen, ist ihnen im Dresdner Gesangbuch eine Generalbassstimme zugefügt. Auf diese Gesangbücher wird in abgekürzter Form verwiesen, wogegen weitere Quellen gesondert genannt werden.[59] Die erwähnten Gesangbücher wurden vor allem für ältere Melodien konsultiert, die imitierend verarbeitet werden. Da Vopelius die polyrhythmischen Fassungen Scheins tradiert, die bei Bach durch ausgeglichene Varianten ersetzt werden, können sich die Vergleiche auf die Intervallfolgen beschränken. Die Liedauswahl des zweiten Jahrgangs hatte zur Folge, dass vielfach ältere Weisen verwendet wurden, die durch die im 16. Jahrhundert geltenden Modi geprägt waren. Soweit sie nicht der harmonischen Tonalität entsprachen, die sich im Laufe des 17. Jahrhunderts durchsetzte,[60] mussten sie in einen veränderten Kontext integriert werden. Solchen Sätzen kamen zwar Bachs Erfahrungen als Organist zugute, doch waren die Bedingungen des Orgelchorals nicht auf Chorsätze übertragbar, die durch die Harmonik der Ritornelle bestimmt waren. Es bedürfte daher einer Spezialstudie, um zu zeigen, wie Bach die Melodien in seine Musik einzufügen wusste, ohne die modale Prägung der Vorlagen zu leugnen.

a. Beginn in Kontrasten

Kaum zufällig beginnt die Satzreihe mit einem Eingangschor, der an die Form der französischen Ouvertüre anschließt. Ein ähnlicher Satz begegnete in der Adventskantate »Nun komm, der Heiden Heiland« (BWV 61), die 1714 das neue Kirchenjahr eröffnete. Wurden dort die Zeilen 1–2 und 4 einstimmig oder akkordisch in die Rahmenteile eingefügt, so blieb die dritte Zeile dem fugierten Mittelteil mit duplierenden Instrumenten vorbehalten. Zehn Jahre später dagegen werden in »O Ewigkeit, du Donnerwort« (BWV 20) die Außenteile mit dem ersten Stollen auf der einen und dem zweizeiligen Abgesang auf der anderen Seite gepaart, während im Zentrum die instrumentale Fuge steht, die den zweiten Stollen aufnimmt.

Eröffnung: T. 1–43, c	Fuge: T. 44–89, Vivace, ¾	Schluss: T. 90–106, c
+ Zeilen 1–3 (Stollen I)	+ Zeilen 4–6 (Stollen II)	+ Zeilen 7–8 (Abgesang)

---

58 Neumann, a. a. O., S. 114 f. und 116 ff.
59 Schein, Cantional = Johann Hermann Schein, Cantional oder Gesangbuch Augsburgischer Konfession 1627/45, hrsg. von Adam Adrio (Johann Hermann Schein, Neue Ausgabe sämtlicher Werke, Bd. 2, Teil 1–2, Kassel u. a. 1965). Vopelius 1682 = Gottfried Vopelius (Hrsg.), Neu Leipziger Gesangbuch, Leipzig 1682. Dresden 1694 = Geist- und Lehrreiches Kirchen- und Hausbuch, Dresden 1694. Dem Bach-Archiv und der Stadtbibliothek Leipzig danke ich für die Übermittlung der Vorlagen.
60 Vgl. Carl Dahlhaus, Untersuchungen über die Entstehung der harmonischen Tonalität, Kassel u. a. 1967, besonders S. 9–56.

Der gesteigerte Anspruch äußert sich nicht nur in der wechselnden Vertonung der Stollen, sondern mehr noch in der durchgehenden Dominanz des Instrumentalparts, dem sich der Vokalpart gleichwohl nicht unterordnet. Zwar gründet er auf einem Kantionalsatz, der jedoch in mehrfacher Hinsicht modifiziert wird. Während die Cantus-firmus-Zeilen des Soprans gedehnt werden, reagieren die Unterstimmen in den beiden ersten Zeilen auf die punktierte Rhythmik der Instrumente, von denen sich der Bass in der dritten Zeile als Gegenstimme ablöst (T. 34 ff.). Im Schlussteil setzt die vorletzte Choralzeile mit freier Imitation an, um die Akkordfolgen anschließend durch Pausen zu unterbrechen und damit auf die Worte hinzuweisen (T. 93–97: »mein ganz erschrocken Herz erbebt«). In der letzten Zeile übernehmen die Unterstimmen die punktierte Rhythmik des Instrumentalparts, ohne sie nur zu verdoppeln (T. 99–103). Die Instrumentalstimmen beschränken sich nicht auf rhythmische Formeln, sondern greifen auf die Motivik zurück, die in der instrumentalen Eröffnung eingeführt wurde. Maßgeblich ist der Wechsel zwischen punktierten Akkordblöcken und gedehnten Linien, die auf die Oboen und Streicher verteilt werden und auf ihre spätere Paarung mit dem Vokalpart vorausdeuten. Da die Akkordblöcke dem Stufenwechsel des Vokalparts entsprechen, kann der sechsstimmige Instrumentalsatz mit dem vierstimmigen Choralsatz gekoppelt werden, ohne beiden Schichten ihr eigenes Gepräge zu nehmen.[61]

Schwieriger noch war es, den Choral in eine Fuge zu integrieren, die ihrer eigenen Thematik ebenso verpflichtet war wie der Abfolge der Choralzeilen. Um diese Aufgabe zu lösen, erfand Bach ein Fugenthema, das auf einer Folge synkopisch profilierter Quintfälle beruht (a) und durch eine Gegenstimme mit chromatischem Zwischenschritt kontrapunktiert wird (b). In den Synkopen des einen und der Chromatik des anderen Themas mag man zwar wieder Hinweise auf den Text entdecken. Nicht ganz so einfach ist es jedoch, die konstruktive Relation der beiden Themen zu erfassen. Denn die Quintfolge scheint nur einmal wiederzukehren, um dann gleich in die Stimme einzugehen, in der zuvor das Gegenthema erklang. Doch greifen die zweitaktigen Gruppen derart ineinander, dass sich die Quintfälle (a) im Wechsel der Stimmpaare zu einer diatonischen Sequenz zusammenschließen, deren Anordnung an den Einsätzen des Gegenthemas (b) abzulesen ist (Notenbeispiel 1). Dass ein fugierter Satz mit Choralzitat nicht den Regeln einer schulmäßigen Doppelfuge folgt, versteht sich von selbst. Desto erstaunlicher ist die Konsequenz, mit der die Paarung beibehalten und gleichzeitig differenziert wird. Dabei entfällt das Gegenthema nur dort, wo die Quintfolge auf den unumgänglichen Tritonus stößt (T. 48 f.). Indes wird sie hier mit einem dritten Gebilde verbunden, das zwei Takte zuvor eintritt und eher als Annex fungiert (c). Durch wechselnde Lage des Tritonus lässt sich die Themenpaarung auf die Stufenfolge ausrichten, die vom Choral vorgezeichnet ist. Während das Thema (a) bei Eintritt der Choralzeilen rhythmisch vereinfacht zu werden scheint, wird der chromatische Schritt des Gegenthemas (b) variabel eingesetzt. Dennoch kehrt jeder Abschnitt noch vor dem Zeilenende zu der ursprünglichen Kon-

---

[61] Vgl. die Analyse vom Verf., Französische Ouvertüre und Choralbearbeitung. Stationen in Bachs kompositorischer Biographie, in: Möglichkeiten und Grenzen der musikalischen Werkanalyse. Gedenkschrift Stefan Kunze (1933–1992), Schweizer Jahrbuch der Musikwissenschaft, Neue Folge 15, Bern u. a. 1995, S. 71–92, hier S. 77–83.

Notenbeispiel 1

4. Kombinatorische Verfahren in den Eingangschören

struktion zurück, sodass sich der Grundriss einer vierstimmigen Doppelfuge ergibt, in die zugleich ein kunstvoll modifizierter Kantionalsatz eingebaut wird.

Im zweiten Eingangschor wird das Spektrum von einer anderen Seite aus erweitert. In BWV 2:1 »Ach Gott, vom Himmel sieh darein« ging es Bach offenbar darum, den kontrapunktischen Choralsatz in konzentrierterer Weise als in früheren Werken auszuarbeiten. Der Rückgriff auf den strengen Satz im Alla-breve-Takt hatte zugleich den Ausfall des obligaten Instrumentalparts zur Folge, der den Wechsel der Choralzeilen zu überbrücken hatte. Weil ähnliche Voraussetzungen auch für die Eingangschöre aus BWV 38 und BWV 121 gelten, denen ebenfalls »modal« geprägte Weisen zugrunde liegen, ist auf diese drei Sätze gesondert zurückzukommen. Für BWV 2 mag vorerst der Hinweis genügen, dass der hypophrygische Cantus firmus im Alt auf ganze Noten gedehnt wird, wogegen die Gegenstimmen in halben Noten ansetzen und in der Fortspinnung zu Viertelbewegung wechseln. Während sich ihre Einsätze in den Stollenzeilen zu kanonischen Konstruktionen verdichten, werden sie in den folgenden Zeilen durch zusätzliche Motive abgelöst, bis sich beide Verfahren in der Schlusszeile kreuzen. Maßgeblichen Anteil daran hat der Continuo, der als obligate Stimme fungiert und in steter Viertelbewegung das Kontinuum eines obligaten Instrumentalparts vertritt. In dem Maß, wie er mit den vokalen Gegenstimmen korrespondiert, erfüllt er zugleich die Aufgabe, die durch die Vorlage bedingten Klangfolgen zu verketten.

Desto folgenreicher war der dritte Satz, der zum Modell für die Mehrzahl der weiteren Sätze wurde. In BWV 7 versuchte Bach erstmals, die polyphone Choralbearbeitung mit einem konzertanten Instrumentalpart zu verbinden. Zwar hatte er die Schlusschoräle der ersten Leipziger Werke durch einen Instrumentalpart erweitert, der die Funktion des motivischen Ritornells übernahm, und in den Eingangssätzen aus BWV 138, 95 und 73 diente ein ähnliches Verfahren dazu, den Choralsatz durch rezitativische Einschübe zu erweitern. Blieb der Vokalpart dort auf einen modifizierten Kantionalsatz beschränkt, so sollte er hier dem motettischen Satz angenähert und zugleich in den konzertanten Instrumentalpart integriert werden. Das Evangelium zu Johannis, das von der Geburt des Täufers berichtet, gab den Anlass für die Wahl des Tauflieds »Christ unser Herr zum Jordan kam«.[62] Die zugehörige Weise ist zwar dorisch geprägt, doch endet die Schlusszeile mit einer quasi »äolischen« Wendung auf der Quinte. Nach e-Moll transponiert, wird die Melodie in einen Rahmensatz in e-Moll eingefügt. Zwar scheint der Satz in H-Dur zu schließen, doch wird die Finalis (*h*) verlängert, um am Ende die Quinte eines e-Moll-Akkords zu bilden.

Welches Gewicht der Instrumentalpart hat, wird bereits an den Proportionen der Teile sichtbar. Das zwölftaktige Ritornell geht nicht nur den Stollen, sondern auch dem Abgesang voran und kehrt zudem am Satzende wieder, sodass es viermal in der Grundtonart eintritt. Füllt es damit 48 von 128 Takten, so wird sein Material auch in den Zwischenspielen verwendet, während die Choralzeilen in der Regel nur je vier Takte beanspruchen. Obwohl die Schlusszeile auf sieben Takte erweitert wird, wird fast ein Drittel des Satzumfangs durch den Vokalpart ausgefüllt. Der Dominanz

---

62 Prinzipiell übereinstimmend bei Schein, Cantional, Nr. 83, Vopelius 1682, S. 507 f. und Dresden 1694, S. 296.

Notenbeispiel 2

des Instrumentalparts entspricht die Vielfalt des Materials, das im Ritornell eingeführt wird (Notenbeispiel 2). Einem zweitaktigen Tuttiblock, dessen punktierte Rhythmik an den Stile francese gemahnt (a), steht eine zweitaktige Gruppe gegenüber, in der erstmals die konzertierende Violinstimme hervortritt (b). Während die anschließende Wiederholung des Tuttiblocks auf der IV. Stufe endet (T. 5–6), wird die nächste solistische Episode auf vier Takte erweitert und mit einer synkopischen Wendung der Oboen verbunden (T. 7–10), bis das Vorspiel in einem wiederum zweitaktigen Tuttiblock ausläuft (T. 11–12).

Mit dem halbtaktigen Klangwechsel entspricht das Ritornell dem Choralsatz, dessen Cantus firmus im Tenor auf halbe Noten gedehnt wird. Die imitierenden Gegenstimmen setzen vor oder nach Eintritt der Cantus-firmus-Zeilen ein, beziehen sich aber nur zu Beginn des Abgesangs auf das Initium von Zeile 5. Sie bleiben aber so selbstständig, dass sich der Instrumentalpart in dem Maß dem Concerto nähert, wie der Vokalsatz einer Motette gleicht. Der konzertante Charakter wird am Vorrang der konzertierenden Violine sichtbar, deren Figuren die vokalen Abschnitte begleiten, während die punktierte Rhythmik der Eröffnung dann nur im Continuo anklingt.[63] Besonders durchsichtig ist die Begleitung der Stollen, die im Kern identisch gefasst sind. Werden die Zeilen 1 und 3 mit dem Violinpart gepaart, so treten zu den Zeilen 2 und 4 die Oboen colla parte, die ebenso an den folgenden Zeilen beteiligt sind, während sie in den Zeilen 5 und 9 die synkopische Wendung des Ritornells zufügen. Man mag einwenden, die solistischen Takte des Ritornells seien für das Concerto ebenso wenig charakteristisch wie der sporadische Eintritt der Tuttiblöcke. Nicht ganz anders verhält es sich jedoch im Violinkonzert E-Dur (BWV 1042), dessen Konzertform niemand leugnet. Tritt hier der Solist bereits im Ritornell des Kopfsatzes hervor, so greift das Tutti umgekehrt in die Solopartien des Mittelteils ein. In BWV 7 wird das Verfahren derart modifiziert, dass der Konzertsatz die Zeilen der Choralmotette aufzunehmen vermag.

Ritornell	Zeile 1	Zwischenspiel	Zeile 2	Ritornell	Zeilen 3–4 (~ 1–2)
1–12³	12³–16	16–21¹	20³–24	25–39 (= 1–12)	40–66 (~ 12–40)
T. – S., T. – S.	+ S.	T. – S. – T.	+ S.	T. – S., T. – S.	Z. 3 – Rit. – Z. 4 – Rit.
e-Moll	e – h	h	h – e	E	e – h, h – e

T. = Tuttiblock, S. = Solovioline (doppelt besetzt)

Dass das Tutti und der Solopart verschiedene Funktionen haben, lässt sich an der harmonischen Struktur ablesen, die im Ritornell vorgezeichnet ist. Während die vollstimmigen Takte stabile Blöcke bilden, werden die solistischen Figuren so variabel formuliert, dass sie sich der Klangfolge der Choralzeilen anpassen können. Setzen die Zeilen 1, 3 und 5 auf der I. Stufe an, so geht ihnen ein Tuttiblock in e-Moll voraus. Ein entsprechender h-Moll-Block steht vor den Zeilen 2 bzw. 4, die jedoch auf der IV. Stufe eintreten, sodass die h-Moll-Kadenz modifiziert werden muss (T. 20 f. bzw. 47 f.). Während der Beginn der fünften Zeile an das vorausgehende Ritornell anschließt (T. 66), beginnt die sechste Zeile auf der V. Stufe, wogegen das vorangehende Tutti auf der I. Stufe endet (T. 75 f.). Auch der Tuttiblock vor Zeile 8 beginnt in e-Moll, doch moduliert er nach a-Moll, sodass der Grundton des Zeilenbeginns als

---

[63] Die Originalstimmen enthalten zwei gesonderte Stimmen für Violino concertato, deren Part demnach doppelt besetzt wurde, um sich gegenüber dem Tutti zu behaupten, vgl. NBA I/29, hrsg. von Frieder Rempp, KB, S. 34 f.

Quinte des Schlussakkords eintreten kann. Wie das Tutti vor der auf *cis* beginnenden Zeile 7 entfällt, so fehlt es auch vor der abschließenden Zeile 9, die mit mehrfachen Tonrepetitionen einsetzt. Da sie rasch zur V. Stufe lenkt, wird das Tutti hier durch den Solopart vertreten, der damit eine längere Strecke als sonst ausfüllt (T. 101–117).

Dass Bach auf das Muster des Solokonzerts zurückgriff, dürfte sich aus der Absicht erklären, die Choralzeilen mit den Figuren eines Soloparts zu verbinden. Trotz aller Besonderheiten wurde der Satz zu einem Modell, das so variabel war, dass von ihm die Mehrzahl der weiteren Eingangssätze ausgehen konnte. Der Kopfsatz aus BWV 135 »Ach Herr, mich armen Sünder« geht auf ein anderes Verfahren zurück, das die kontrapunktische Strenge des Satzes aus BWV 2 mit der Ritornellform aus BWV 7:1 verbindet. In BWV 135:1 wechseln die im Bass liegenden Choralzeilen – versetzt in den ¾-Takt – zwischen Halben und Vierteln. Zwar setzen die imitierenden Gegenstimmen sowohl vor wie nach dem Zeilenbeginn ein, doch werden die Kopfmotive durchweg aus dem Quartsprung abgeleitet, mit dem die erste Zeile beginnt. Da auch der Instrumentalpart vom Incipit des Chorals ausgeht, könnte die motivische Konzentration zur Monotonie führen, wenn nicht weitere Maßnahmen hinzukämen. Zum einen wird der Continuo nur zur Verstärkung der Choralzeilen eingesetzt, sodass sich die vokalen Abschnitte vom helleren Klang der Phasen senza basso unterscheiden. Zum anderen werden die instrumentalen Phasen durch Zitate der folgenden Choralzeilen eröffnet, die im Unisono der Streicher erklingen und hier die tiefste Stimme bilden. Sie werden zudem durch zwei Oboen ergänzt, die auch dann als obligate Stimmen fungieren, wenn die Streicher nach den Choralzitaten im Unisono zusammentreten. Da das ebenso gilt, wenn sie in den vokalen Abschnitten colla parte verlaufen, ergibt sich ein ständiger Wechsel zwischen den dreistimmigen Instrumental- und den vier- bis sechsstimmigen Tuttiphasen. Eine zusätzliche Differenzierung wird durch die partielle Transposition der instrumentalen Zeilenzitate erreicht, die sich von der regulären Fassung in Basslage abheben (Notenbeispiel 3).

Im Gegensatz zu den beiden ersten Zeilen, die in ihrer ursprünglichen Lage erklingen, wird die Wiederholung der ersten Zeile um eine Quinte versetzt (T. 32^3–35), während die zweite Zeile in gleicher Lage wie zuvor erklingt und in A-Dur statt a-Moll endet (T. 64). Zugleich erfährt der Vokalpart partiellen Stimmtausch, wobei die Zitate vor den Zeilen 5 und 6 zwischen Sekundtransposition und Originallage wechseln, während sie vor den letzten Zeilen um eine Terz bzw. Quinte versetzt werden.

1	1	2	2	3	3	4	4	5	5	6	6	7	7	8	8
i.	B.	i.	B.	i.	B.	i.	B.	i.	B.	i.	B.	i.	B.	i.	B.
or.	or.	or.	or.	Quinte	or.	or.	or.	Sekund	or.	or.	or.	Terz	or.	Quinte	or.

Ziffern = Zeilen 1–8; i., B. = instrumental, Bass; or. = originale Lage, Quinte (etc.) = Transpositionsintervall

Der klanglichen Differenzierung entspricht der Wechsel der Tonlagen, der zusätzlich zur Abstufung der Phasen beiträgt. Gleichzeitig zeichnet sich der Satz durch eine motivische Konzentration aus, die in ihrer Art ein Einzelfall ist. Als Bach 1724 den Eingangschor aus BWV 127 in ähnlicher Weise auf das Incipit der Choralweise kon-

Notenbeispiel 3

zentrierte, gab er ihm ein Gegenmotiv bei, während er in den Instrumentalpart weitere Choralzitate einflocht. Beide Sätze verweisen ebenso aufeinander, wie sie sich voneinander unterscheiden.

Zu den wechselnden Modellen der ersten Reihe zählt auch noch der nächste Satz, dem ausnahmsweise ein liturgischer Cantus firmus zugrunde liegt. Der Eingangschor aus BWV 10 »Meine Seel erhebt den Herren« basiert auf den zwei ersten Versen des deutschen Magnificat, das seit der Reformation mit dem Tonus peregrinus verbunden wurde. Da die Lage des Tenors nach der Mediatio wechselt, ließen sich die beiden Verse (Lk. 1:46–47) in vier Phasen gliedern, die durch das Ritornell umrahmt werden. Getrennt durch Ritornellzitate, werden die Phasen des ersten Verses im zweiten Vers im Stimmtausch mit Quinttransposition wiederholt. Da die zweite Hälfte des zweiten Verses mit dem abschließenden Ritornell gekoppelt wird, ergeben sich neun Satzglieder, die auf die drei Phasen der ersten Satzhälfte zurückgehen.[64]

$1-13^1$	13–18	$19-28^1$	28–36	$36-46^1$	46–52	$53-62^1$	62–70	$71-83^1$
		(~ $4-13^1$)		(~ $3-13^1$)	(~ 13–18)	(~ $4-13^1$)	(~ 28–36)	(~ $1-13^{1+}$)
Rit.	V. 1a	Rit.	V. 1b	Rit.	V. 2a	Rit.	V. 2b	Rit. – V. 2b
	c. f. S.		c. f. S.		c. f. A.		c. f. A.	+ Choreinbau
g – g	g – B	B – B	B – g	g/G – c	c – Es	Es – Es	Es – c	c/g – g

V. 1a – 2b = Teilglieder der Textverse; c. f. S. bzw. A. = Cantus firmus im Sopran bzw. Alt

Dass die komplizierte Anlage im Hören kaum zu erfassen ist, liegt nicht nur an der partiellen Transposition, sondern vor allem am gleichzeitigen Stimmtausch. Da er mit Varianten der Stimmführung einhergeht, die sich nur aus der Partitur erschließen, müssen ein paar Hinweise auf die ersten Takte genügen (Notenbeispiel 4). Während die Gegenstimmen im ersten Vers nach dem Eintritt des Cantus firmus einsetzen, folgen sie im zweiten Vers einen Takt später. Dabei wird der Alt in den Sopran verlegt und nur der Tenor übernommen, während die abweichende Textierung hier wie später in der Bassstimme weitere Varianten bedingt.

Das Beispiel verdeutlicht zugleich die variable Funktion der Streicher und der Oboen, die wechselnd zusammentreten oder getrennt eingesetzt werden. Weitere Eingriffe ergeben sich durch zwei Takte, die auf das Ritornell zurückgehen und an das Ende der Vokalphasen angepasst werden müssen. Schließt das erste Zwischenspiel (T. 19) an die B-Dur-Kadenz der ersten Hälfte von Vers 1 (T. 4) an, so setzt das zweite in Takt 36 analog zu Takt 3 an, um sich dann nach G-Dur zu wenden und damit auf die nach c-Moll transponierte Wiederholung hinzuführen. Da die letzte Cantus-firmus-Phase in c-Moll endet, wird die abschließende Wiederholung des Ritornells im ersten Takt geändert, sodass sie in c-Moll ansetzt, aber sofort nach g-Moll lenkt (T. 71). Der Choreinbau in der Schlussphase ist zugleich ein Paradigma der Variantenbildung, sofern nur die Bassstimme auf den Continuopart des Vorspiels zurückgeht, während Sopran, Alt und Tenor trotz ihrer vokaler Prägung neu eingefügt sind und zusammen mit den Instrumenten einen sechsstimmigen Satzverband bilden.

---

64 Unabhängig von der vokalen Stimmlage wird der Cantus firmus durchweg durch eine »Tromba« verstärkt.

Notenbeispiel 4

Die virtuose Handhabung des Stimmtauschverfahrens widerlegt die gängige Vorstellung, dass Bachs Vokalwerk primär durch die Auslegung der Worte geleitet sei.

Ein letzter Einzelfall ist der Eingangschor aus BWV 93 »Wer nur den lieben Gott läßt walten«. Ausnahmsweise wird auf den »Doppelzeilentyp« zurückgegriffen, der einst durch Knüpfer ausgebildet und von Schelle fortgeführt worden war.[65] In Bachs Fassung werden die ersten vier Zeilen durch kleine Duette eröffnet, während den beiden letzten Zeilen vierstimmige Einleitungen vorangehen, die sich durch ihre imitierende Anlage vom akkordischen Satz der vollstimmigen »Reprisen« unterscheiden. Dagegen beschränken sich die Instrumente in den Einleitungen zumeist auf die akkordische Füllung, deren rhythmische Fassung auf den Streicherpart des Vorspiels zurückgeht.

$1–7^1$ ($\sim 69–75^{1+}$)	$7^2–10^4–14^1$	$14^2–15^1$	$15^2–19^2–23^1$	$23^2–45^1$ ($\sim 1–23^1$)	$45^2–50$	$51–55–59^1$	$59–61^1$	$61^2–69^1$
Vorspiel	Zeile 1	Zwsp.	Zeile 2	Zeile 3–4	Zwsp.	Zeile 5	Zwsp.	Zeile 6
–	S., A. – Tutti	–	S., A. – Tutti	T., B. – Tutti	–	4st. – Tutti	–	4st. – Tutti
motivisch	akk. – motiv.	motiv.	motiv.	= Z. 1–2	motiv.	motiv.	motiv.	akk. – motiv.

Während das Orchester in der Imitationsphase vor der fünften Zeile aussetzt, wird das Duo vor der zweiten Zeile mit der Motivik des Vorspiels gekoppelt. Die Takte sind ein Muster der Kombinationstechnik, die Bach in späteren Sätzen noch reicher entfalten sollte. Die auftaktigen Achtel der Oboen schließen ebenso an das Vorspiel an wie die engräumigen Sechzehntelketten der Streicher, während sich das Verhältnis der Gruppen in der akkordischen Reprise verkehrt. Wie das Beispiel zeigt, war das Verfahren auf ein Material angewiesen, das die rhythmische Prägnanz mit intervallischer Variabilität verband.

Die sechs ersten Eingangschöre sind zu unterschiedlich, um sich auf einen Nenner bringen zu lassen. Ein Sonderfall ist der strenge Satz in BWV 2:1, dessen Stringenz in BWV 135:1 nachwirkt. Die übrigen Sätze werden trotz aller Unterschiede von der Absicht geleitet, den Choralsatz mit einem Instrumentalpart zu verbinden, der mehr oder minder konzertante Züge trägt. Das gilt für die französische Ouvertüre in BWV 2 und das verkappte Solokonzert in BWV 7 ebenso wie für das Stimmtauschverfahren in BWV 10 und den Reprisensatz in BWV 93. Insgesamt bilden die Sätze entscheidende Voraussetzungen für die folgende Satzreihe, in der sich modifizierte Kantionalsätze von polyphonen Formen unterscheiden lassen.

---

65 Entgegen Rathey, a. a. O., S. 362, kann der Eingangschor aus BWV 138 nicht als Vorläufer gelten, weil in ihm die solistischen und chorischen Abschnitte strukturell und textlich klarer unterschieden werden.

b. Modifizierte Kantionalsätze vor Weihnachten

Angesichts der Vielzahl der Sätze, die an das Modell aus BWV 7 anschließen, ist die Fülle seiner Varianten desto erstaunlicher. Maßgeblich ist zunächst der Vokalpart, der als »aufgelockerter Kantionalsatz« nur ungenau beschrieben wäre. Die Sätze gehen zwar vom Grundriss des Kantionalsatzes aus, dessen Differenzierung aber zwischen eher akkordischer und eher polyphoner Struktur wechselt, wobei akkordischer und polyphoner Satz keine Alternativen, sondern eher Grenzwerte auf einer gleitenden Skala bilden. Wie die Stimmen des Kantionalsatzes kontrapunktisch gedacht sind, so ist der polyphone Satz im Blick auf die Klangfolgen konzipiert. Entscheidend ist vor allem die Anlage des Ritornells, dessen Material profiliert sein musste, um sich vom Choralsatz abzuheben, während es zugleich variabel sein musste, um sich den Klangfolgen anzupassen, die durch die Vorlage vorgezeichnet waren.

Dass die Kantate »Was willst du dich betrüben« (BWV 107) auf reinem Choraltext gründet, ist für die Folgesätze belangvoller als für den Eingangschor.[66] Entscheidend ist es, dass der Streichersatz durch zwei Traversflöten und zwei Oboi d'amore erweitert wird. Zwar werden die Klanggruppen in der Regel zusammengeführt, doch treten die Flöten mitunter obligat hervor, während die Oboen dann die Streicher verstärken. Die Abstufung genügt jedoch, um eine klangliche Differenzierung zu bewirken, die fast an ein Concerto denken lässt. Das Ritornell setzt mit einer steigenden Linie in Vierteln an, die auf den Beginn der Choralweise vorausweist. Geht ihr dort ein auftaktiger Quartsprung voran, so hält die instrumentale Version auf der Quinte inne, deren Umspielung zugleich auf die sparsame Ornamentierung des Chorals deutet. Deutlicher als die latenten Beziehungen sind die Kontraste zwischen dem Choralsatz und der Figuration, die von der Fortspinnung des Ritornells ausgeht und zwischen Skalenformeln und gebrochenen Dreiklängen wechselt. Dagegen verläuft der Vokalpart in Vierteln, die durch die verzierte Melodiefassung und durch die Gegenstimmen modifiziert werden. Setzen sie ein oder zwei Viertel nach dem vom Horn verstärkten Cantus firmus des Soprans ein, so gehen sie rasch in syllabisch textierte Achtel über, die am Zeilenende in kleinen Melismen auslaufen. Während sich die Stollen sonst entsprechen, wird die Kadenz der vierten Zeile so geändert, dass sie mit dem zweiten Takt des Ritornells kombiniert werden kann (vgl. T. 23 f. mit T. 15 f.). Die latent polyphone Satzstruktur tritt besonders in den drei letzten Zeilen hervor, in denen die Unterstimmen mit kurzen Imitationen einsetzen, ohne sich auf die Choralweise zu beziehen. Während diese Zeilen wie die Stollen zusammengezogen werden, wird die fünfte Zeile mit ihrer Wendung zur Durparallele als akkordischer Block hervorgehoben (T. 29 f. »Vertraue ihm allein«).

Nicht ganz so filigran, aber überaus effektvoll ist der Instrumentalpart des Eingangschors aus »Wo Gott, der Herr, nicht bei uns hält« (BWV 178). Die dorisch geprägte Melodie ließ sich problemlos in den in a-Moll stehenden Satz einfügen, sofern die auf c und a schließenden Stollenzeilen in C-Dur und a-Moll kadenzieren, während die folgenden Zeilen mit h und g enden und demgemäß in e-Moll bzw.

---

[66] Vgl. Dürr, Die Kantaten, Bd. 2, S. 374. Die Melodie ist seit 1572 zum Text des Liedes »Von Gott will ich nicht lassen« belegbar.

G-Dur schließen. Das Ritornell kombiniert punktierte Achtel mit trillerartigen Sechzehntelketten, die umschichtig auf Streicher und Oboen verteilt werden. Indem die punktierten Werte mit Tonrepetitionen und Dreiklangsformeln verbunden und die Trillerketten zu Skalengängen erweitert werden, lassen sich Zwischenspiele und Choralzeilen mit dem gleichen Material bestreiten. Der Instrumentalpart erreicht somit eine Geschlossenheit, die dem Vokalpart zugleich Gelegenheit gibt, den prinzipiell akkordischen Choralsatz zunehmend zu entfalten. Während der auf Halbe gedehnte Cantus firmus – hier vom Cornetto dupliert – wieder im Sopran liegt, folgen ihm die Unterstimmen in den Stollenzeilen anfangs als Kantionalsatz mit wenigen Durchgängen. Dagegen deutet sich zur zweiten Zeile eine Imitationsfolge an, die auf die punktierte Rhythmik des Ritornells zurückweist und in Sechzehnteln ausläuft, sodass sich beide Schichten annähern. Dass diese Wendung zu den Worten »wenn unsre Feinde toben« passt, ist zwar kein Zufall, doch ist die Konstellation zugleich die Folge einer Planung, die auch die Abgesangszeilen umschließt.[67] Erneut als Kantionalsatz beginnend, wird die fünfte Zeile wie die zweite von Achtelpausen durchbrochen, während die letzten Zeilen in punktierte Werte und Melismen übergehen. Der Prozess, den der Vokalpart durchläuft, ist demnach ebenso ein Reflex des Instrumentalparts, wie er das Resultat der Angleichung beider Schichten ist.

Wie sich schon hier abzeichnet, tendieren die Chorsätze desto eher zu polyphoner Ausformung, je mehr die Vorlagen quasi modale Züge tragen. Dagegen werden die Lieder des späten 17. und frühen 18. Jahrhunderts, die eindeutig auf Dur- oder Molltonarten verweisen, vorzugsweise in schlichtem Kantionalsatz gefasst und mit konzertierenden Instrumenten gepaart. Erste Beispiele finden sich in den Kantaten zum 9. und 11. Sonntag nach Trinitatis, zwischen denen der motettische Satz aus BWV 101 liegt. Der Eingangschor aus »Was frag ich nach der Welt« (BWV 94) beginnt mit einem Flötensolo, das ebenso gut die Episode eines Konzertsatzes eröffnen könnte. Während der Continuo die Tonika markiert, stimmt die Traversflöte eine Figurenkette an, die einen steigenden Oktavraum durchmisst, bevor ab Takt 3 die Oboen und die Streicher folgen. Im Kopfmotiv, das einen fallenden Quintgang mit einem triolisch umspielten Sextsprung verbindet, sind zwar die Umrisse der ersten Choralzeile zu erkennen.[68] Doch verblassen die Beziehungen in dem Maß, wie beide Motive getrennt oder gemeinsam den gesamten Verlauf bestreiten. Der Vokalpart entspricht wieder einem Kantionalsatz, der in geringerem Ausmaß als sonst modifiziert wird. Während die im Sopran liegende Melodie in Viertelbewegung abläuft, werden die nachträglich einsetzenden Unterstimmen in Achtel aufgespalten. Wo sie sich zu kurzen Imitationen staffeln, werden sie rasch akkordisch gebündelt, und da die acht Liedzeilen nur jeweils zwei Takte umfassen, nimmt der Choralsatz lediglich 16 von insgesamt 57 Takten ein, sodass er fast als Einlage in einem Konzertsatz erscheint, dessen Motivik dem Incipit der Choralweise entspricht.

Im Eingangschor aus »Herr Jesu Christ, du höchstes Gut« (BWV 113) verändern sich die Verhältnisse insofern, als in den Oboen eine Variante der ersten Choralzeile

---

67 Dürr, Die Kantaten, Bd. 2, S. 383, bemerkte, »daß derselbe Satz auch für den zweiten Stollen des Liedes verwendet wurde, obwohl dessen Text […] keine Veranlassung zu gegensätzlicher Zeilenbehandlung bietet.«
68 Vgl. Dürr, a. a. O., S. 392 f., wo auch die einleitende Flötenfigur auf die vorletzte Choralzeile bezogen wird.

erscheint, während sich die erste Violine mit lebhaften Spielfiguren vom Streichersatz abhebt. Wie das Autograph zeigt, wurde der Einsatz der ersten Choralzeile im Sopran nachträglich geändert, um die Beziehung zum Kopfmotiv der Oboen zu verdeutlichen.[69] Die instrumentale Version wird zwar imitierend eingeführt, doch werden beide Oboen anschließend parallel geführt und vom Choral getrennt, dessen Zeilen durch die fast pausenlos beschäftigte Violinstimme begleitet werden. Der Cantus firmus ist zwar seit 1587 belegt, da er sich aber zwanglos harmonisch deuten lässt, konnte Bach einen schlichten Kantionalsatz schreiben, dessen Melodie nur in den letzten Zeilen ein wenig ausgeziert wird. Die chorischen Phasen werden durch Zwischenspiele der Oboen getrennt, während alle Abschnitte durch die figurative Violinstimme verbunden werden. Die krönende Kombination des Choralsatzes und der Bläsermotivik ist der Schlusszeile vorbehalten (T. 75–79), deren Kadenz sich mit dem Eintritt des Ritornells kreuzt (T. 76 f.). Da seine erste Phase zur Dominante führte, wird es im Nachspiel auf die zweite Hälfte verkürzt (T. 79–86 ~ 9–16).

Obwohl die Weise zu »Allein zu dir, Herr Jesu Christ« (BWV 33) älteren Ursprungs ist, entschied sich Bach für einen modifizierten Kantionalsatz. Dass er sich des äolischen Charakters der Vorlage bewusst war, zeigt die erste Zeile, die gemäß dem Ritornell in a-Moll beginnt, um anschließend nach C-Dur zu wechseln und entsprechend zu schließen. Dagegen geht die melismatische Ausweitung der Klausel am Ende der zweiten Zeile auf eine frühere Fassung zurück,[70] in der Bach neben der VII. auch die III. Stufe erhöhte, um gleichsam leittönig die Subdominante zu erreichen. Während der Tonsatz der beiden Stollenzeilen wie üblich zum zweiten Stollen wiederholt wird, werden die sich entsprechenden Zeilen 5 und 6 verschieden gefasst, um einmal in d-Moll und danach in a-Moll zu enden. Zwar deuten sich nur in den Zeilen 1 bzw. 3 und 5 kurze Binnenimitationen an, doch bleibt es ansonsten bei einem Vokalsatz im contrapunctus simplex, der nur durch wenige Durchgangsnoten bereichert wird. Desto mehr Gewicht hat das 20 Takte umfassende Ritornell, das fast einem Doppelkonzert für zwei Oboen entstammen könnte. Während die eröffnende Skalenfigur die Oberstimmen durchzieht, markiert der Continuo zweimal den Grundton, sodass sich der Satz erst danach zum Tutti auffüllt und gleichzeitig zu Sequenzketten erweitert. Aus dem Modell der ersten Takte resultieren die Folgen repetierter Achtel, die sich ebenso wie die Skalenfiguren dazu eignen, mit den Zeilen des Choralsatzes verbunden zu werden, sodass der Satz zwischen klanglicher Ruhelage und rhythmischem Antrieb changiert.

Dass der schlichte Kantionalsatz dem Orchester größeren Spielraum lässt, zeigt sich am Eingangssatz aus BWV 99 »Was Gott tut, das ist wohlgetan«. Die im Sopran liegende Weise wird auf Halbe gedehnt, während die Unterstimmen eine Viertel oder Halbe später einsetzen, bevor sie akkordisch gebündelt und am Zeilenende mit Melismen versehen werden. Die Quintschrittsequenzen, die in der Mittel der Choral-

---

[69] Vgl. das Beispiel bei Dürr, a. a. O., S. 413.
[70] Walter Blankenburg, Geschichte der Melodien des Evangelischen Kirchengesangbuchs. Ein Abriß, Handbuch zum Evangelischen Kirchengesangbuch, Bd. II, Zweiter Teil, Göttingen 1957, S. 67. Die Melodie findet sich bereits im Bapstschen Gesangbuch von 1545.

Notenbeispiel 5

weise vorgegeben sind und schon bei Pachelbel zur Geltung kamen,[71] erscheinen in Bachs Fassung bereits im Ritornell und prägen demnach den gesamten Satzverlauf. Das gilt vor allem für die modulierenden Phasen, die vom Vokalpart ausgehen und auch in die Zwischenspiele einkehren. Obwohl Traversflöte und Oboe d'amore als Soloinstrumente hervortreten, setzt das Ritornell in den Streichern an, während die Solostimmen erst kurz vor Beginn des Vokalparts eintreten (T. 17 m. A.). Entscheidend sind die rhythmischen Impulse der ersten Takte. Auftaktig ansetzend, werden gebundene Achtelwerte, die skalar auf- oder abwärts schreiten, durch zwei Sechzehntel unterbrochen, die einen springend erreichten Hochton umkreisen (Notenbeispiel 5). Sie verleihen dem rhythmischen Gefüge eine geradezu federnde Wirkung, die in dem Maß zunimmt, wie sich die Gruppen sequenzierend verlängern. Auf dem Modell der Streicher basiert auch der Flötenpart, der sich in der Regel auf umspielende Figuren beschränkt, wogegen die Oboe weithin dem Streicherpart folgt. Von hohem Reiz ist der Eintritt der ersten Choralzeile, die ausnahmsweise erst nach zwei Takten von den Unterstimmen ergänzt wird. Da sich der vorherige

---

71 Vgl. Pachelbels Bearbeitung desselben Liedes, in: Nürnberger Meister der zweiten Hälfte des 17. Jahrhunderts, DTB VI/1, hrsg. von Max Seiffert, Leipzig 1905, S. 100–117.

Flöteneinsatz mit dem Themenkopf der Streicher kreuzt, scheint sich zunächst das Ritornell zu wiederholen, um jedoch rasch vom Choral abgelöst zu werden. Entsprechend werden die weiteren Zeilen in den Instrumentalpart eingebettet, der den Satz desto mehr beherrscht, als der Choralsatz kaum mehr als ein Fünftel des ganzen Umfangs in Anspruch nimmt. Unüberhörbar ist es aber die Choralweise, die untergründig die instrumentale Motivik prägt und damit den gesamten Satzverlauf färbt. Bei aller Schlichtheit löst der Vokalpart ein derart subtiles Wechselspiel aus, dass es verständlich wird, wenn Bach den Eingangschor und auch den erweiterten Schlusschoral übernahm, als er zehn Jahre später das Lied in BWV 100 mit neuen Binnensätzen nochmals bearbeitete.

Noch jünger war das Lied »Liebster Gott, wann werd ich sterben« (BWV 8), dessen Text 1697 erschien, während die Melodie des Leipziger Nicolai-Organisten Daniel Vetter erst 1713 gedruckt wurde.[72] Ihre Nähe zur strophischen Aria wird in Bachs Fassung durch eine Ornamentierung betont, die den Cantus firmus an die Rhythmik der Gegenstimmen angleicht. Der vierstimmige Satz Vetters, den Bach mit geringen Änderungen im Schlusschoral übernahm, stand offenbar auch für den Vokalpart des Eingangschors Pate. Zwar wird die Vorlage von geradem Takt in den 12/8-Takt versetzt und von Es- nach E-Dur transponiert, doch werden die auftaktigen Achtel, mit denen die Zeilen beginnen, hier wie dort in einer Stimme vorgezogen und quasi imitierend von den Gegenstimmen beantwortet. Da bei Bach – anders als bei Vetter – stets der Sopran beginnt, folgen die übrigen Stimmen einen halben Takt später, um am Zeilenende der Oberstimme Raum zur melismatischen Dehnung der Klauseln zu lassen. Wird der Halbschluss der ersten Stollenzeile durch einen chromatischen Schritt gefärbt, so paart sich der verminderte Klang hier mit dem Wort »sterben«, während er in Zeile 3 auf das Reimwort »Erben« entfällt. Vorrang hat demnach die Modifikation des Kantionalsatzes, die weniger von den Gegenstimmen als von der Vorlage ausgeht. Zugleich wird der Vokalpart in einen höchst eigenartigen Instrumentalsatz integriert. Begleitet von Dreiklangsfolgen der Streicher »col sordino« bzw. »pizzicato«,[73] bilden die Oboi d'amore ein Stimmpaar, dessen ausschwingende Melodik imitierend ansetzt, um dann in Parallelführung auszulaufen. Zugleich werden die Stimmen von den Tonrepetitionen der Flöte überstrahlt, deren Lage an den Klang einer Sterbeglocke gemahnt und quasi motivische Qualität gewinnt. Sie beschränken sich nicht auf das Ritornell, sondern begleiten auch die vokalen Phasen, in denen sie als Widerpart des Chorals fungieren. In den instrumentalen Abschnitten münden sie in weitgefächerte Dreiklangsbrechungen, doch wird diese Variante nur mit der Schlusszeile verbunden, die damit zur Kulmination des ebenso intimen wie vielschichtigen Satzes wird.

Der Eingangschor aus »Herr Gott, dich loben alle wir« (BWV 130) bietet zum Michaelistag die Festbesetzung mit Trompeten und Oboen samt Pauken und Strei-

---

[72] Daniel Vetter, Musicalische Kirch- und Hauß-Ergötzlichkeit, Teil II, Leipzig 1713, Nr. 91 (Text von Caspar Neumann, vor 1697), vgl. das Faksimile in NBA I/23, hrsg. von Helmuth Osthoff, KB, S. 194.
[73] Während die erste Fassung (1724 in E-Dur) ursprünglich mit Flauto piccolo rechnete und den Streichern »col sordino e staccato sempre« vorschrieb, wurde der Flötenpart in der zweiten Fassung (1746/47 in D-Dur) leicht modifiziert, wobei den Streichern »pizzicato sempre« vorgeschrieben wurde.

chern auf. Da die vier Choralzeilen nur 18 von insgesamt 73 Takten ausfüllen, wird der Satz derart vom Orchester beherrscht, dass er fast als Instrumentalkonzert mit vokalen Einlagen erscheint. Das 20 Takte lange Ritornell, das am Ende wiederholt wird, besteht aus Fanfarenklängen und Skalenfiguren der Bläser, die von den Streichern in Sechzehntelketten umspielt werden. Ausnahmen bilden ein paar Takte, in denen die Sechzehntel vom Continuo zu engräumigen Spielfiguren umgebildet werden, während die Streicher den Bläsern zugeordnet werden (T. 5–6, 10–14). Die wechselnden Konstellationen gleichen aus, dass der harmonische Radius den Trompeten zuliebe ähnlich begrenzt bleibt wie der motivische Fundus. Dem entspricht eine »ionisch« geprägte Vorlage, die dem festlichen Bläsersatz entgegenkommt. Der Vokalpart wird vielfach in Koloraturen aufgelöst, die gleichwohl den Kern eines Kantionalsatzes durchscheinen lassen. Zwar setzen die Unterstimmen mehrfach zu Binnenimitationen an, die sich aber mit Dreiklangsformeln begnügen und rasch in Sechzehntel auflösen. Soweit das Orchester die Zeilen nicht mit motivisch neutralen Figuren begleitet, übernehmen die Trompeten die vokalen Koloraturen. Zur letzten Zeile setzt die eröffnende Fanfare auf der Dominante ein, während der Schlussklang vom Eintritt des Ritornells überlagert wird (T. 49–56).

Auf den erweiterten Kantionalsatz kam Bach erst in der Weihnachtszeit zurück. Zuvor jedoch konzentrierte er sich darauf, den akkordischen Satz durch Binnenimitationen zu bereichern und damit an Verfahren anzuknüpfen, die bereits in BWV 107 und 178 zu beobachten waren. Ein instruktives Beispiel ist der Eingangschor aus BWV 114 »Ach lieben Christen, seid getrost«, dem die schon in BWV 178 verwendete Melodie zu »Wo Gott, der Herr, nicht bei uns hält« zugrunde liegt. Statt wie dort die gleiche Motivik auf Oboen und Streicher zu verteilen, werden beide Klanggruppen hier enger verbunden und phasenweise akkordisch gebündelt. Während der Choralsatz in BWV 178 rund 45 von 115 Takten ausfüllte, nimmt er in BWV 114 nur 28 der 80 Takte ein. Die Differenzen hängen mit der Ausformung des Vokalparts zusammen, der in BWV 107 anfangs noch das Gerüst des Kantionalsatzes erkennen lässt, um dann zunehmend durch Binnenimitationen erweitert zu werden. Statt die Initien der Zeilen aufzugreifen, verwenden die Gegenstimmen eigene Motive, die zeilenweise neu gebildet werden. Ausnahmsweise werden die Stollenzeilen nicht wiederholt, sondern jeweils unterschiedlich gefasst. Es wäre aufschlussreich, die Schlusszeile mit den Zeilen 2 und 4 zu vergleichen, die trotz gleicher Melodik wechselnd gefasst werden. Dass der Vokalsatz durchgehend mit dem Material des Ritornells verbunden werden kann, liegt an dessen begrenzter Substanz, die sich auf eine Formel aus zwei Sechzehnteln samt Achtel konzentriert.

Je weiter also der Vokalsatz ausgearbeitet wird, desto begrenzter ist der Spielraum, der dem Orchester zugestanden wird. Und umgekehrt gilt: Je mehr der Vokalpart auf einen modifizierten Kantionalsatz reduziert wird, desto reicher kann der Instrumentalpart entfaltet werden. Damit werden gegenläufige Tendenzen sichtbar, deren Konturen sich verschärfen, sobald man die Sätze heranzieht, die von Anfang an polyphon konzipiert sind. Die Melodie des Liedes »Mache dich, mein Geist, bereit«, die vielfach mit dem Text »Straf mich nicht in deinem Zorn« verbunden wurde, entstand erst im späten 17. Jahrhundert. Demnach wäre in BWV 115 – ähnlich wie zuvor wie in BWV 99 – ein Kantionalsatz mit konzertierender Begleitung zu

Notenbeispiel 6

erwarten. Stattdessen beginnt das Ritornell mit einem Thema, das über sechs Takte hin im Unisono der Streicher eingeführt wird, bevor sein Kopfmotiv von der Flöte aufgenommen und von der Oboe d'amore imitiert wird (Notenbeispiel 6). Dass dennoch keine Fuge, sondern ein kontrapunktischer Triosatz geplant ist, zeigt sich bei Eintritt der Bläserstimmen, die nur den Oktavfall des Kopfmotivs aufgreifen, um ihn dann unterschiedlich fortzuspinnen. Erst der Beginn des Vokalparts lässt erkennen, dass das Ritornell auf den Choralsatz vorausdeutet. Denn der gedehnte Sopran-Cantus-firmus wird in der ersten und dritten Zeile mit den Binnenimitationen der Gegenstimmen gepaart, die auf das verkürzte Kopfmotiv des Ritornells zurückgehen. Zwar begrenzt sich die zweite Stollenzeile wie die Kurzzeilen des Abgesangs auf einen primär akkordischen Satz. Desto deutlicher greift die vorletzte Zeile auf den Oktavfall des Ritornells zurück, bis die Schlusszeile durch eine Vorimitation mit eigener Motivik erweitert wird. Dabei enden die melodisch analogen Zeilen 2, 4 und 8 mit plagalen Klauseln, in denen die IV. Stufe durch ihre Mollvariante ersetzt wird, während der instrumentale Triosatz auf ähnliche Formeln wie in BWV 114 reduziert wird, in die hier allerdings Skalengänge eingefügt werden.

Eine weitere Spielart des Kantionalsatzes begegnet im Eingangschor aus BWV 26 »Ach wie flüchtig, ach wie nichtig«, in dem die Gegenstimmen zu syllabisch textierten Achtelwerten zusammengezogen werden. Während vor der zweiten Zeile eine Vorimitation angedeutet wird, fügt sich der Choralsatz in einen konzertanten Instrumentalpart ein, der an Vivaldis Doppelkonzert a-Moll op. 3 Nr. 8 denken lässt (das Bach im Cembalokonzert BWV 593 bearbeitet hatte). Folgte dort nach den eröffnenden Akkorden eine in Sechzehnteln fallende Skala, die in steigender Richtung beantwortet wurde, so wird die Skala in BWV 26 in steigender Richtung eingeführt, um anschließend in gleicher Richtung erweitert zu werden. Indem die Akkorde mit den Skalenfiguren gepaart werden, ergibt sich ein kontrapunktischer Satz, der im Wechsel zwischen den Außenstimmen oder dem Bläser- und Streicherchor den gesamten Verlauf beherrscht. Ähnlich wie bei Vivaldi wird das Kopfmotiv in einer Quintkette mit jener Formel fortgesponnen, die in den Chorsätzen aus BWV 114 und 115 begegnete. In BWV 26 wird sie zugleich mit den Skalen gekoppelt, die auf das Kopfmotiv zurückgehen und erst im vorletzten Takt zurücktreten, um damit das Ende des Satzes anzukünden. Desto nachdrücklicher treten die Skalenmotive hervor, sobald die Choralzeilen die Kadenzen erreichen. Ihr Abschluss wird zudem durch die Gegenstimmen mit Zitaten der ersten Choralzeile verbunden, die jeweils im Unisono erklingen. Da die Zitate eintreten, bevor die Melodiezeilen auslaufen, enden sie erst nach deren Schlusston. In der »Orchesterthematik« und in dem »schnell bewegte[n]« Chorsatz sah Dürr die »Flüchtigkeit des Lebens illustriert«.[74] Ähnliche Skalenketten begegnen freilich auch im Ritornell aus BWV 33 »Allein zu dir, Herr Jesu Christ«, ohne hier als Sinnbild des Flüchtigen gelten zu können. In BWV 26 dagegen werden mit den gemessenen Halben des Chorals, den markanten Achteln der Unterstimmen und den skalaren Sechzehnteln des Orchesters drei streng geschiedene Schichten ineinander verschränkt. Ihre rhythmische Determinierung ist – jenseits bloßer Tonmalerei – ein Reflex des unentrinnbaren Zeitstroms, dem auch die klingende Zeit der Musik unterworfen ist.

Vor dem Ende des Kirchenjahrs entstand zum vorletzten Sonntag nach Trinitatis die Kantate BWV 116 »Du Friedefürst, Herr Jesu Christ«. Mit akkordisch gebündeltem Ritornell, raschen Violinfiguren und wechselnd polyphonem oder akkordischem Vokalpart fasst der Eingangschor die Verfahren zusammen, mit denen der modifizierte Kantionalsatz bisher erweitert worden war. Nach auftaktigem Impuls setzt das Ritornell mit punktierten Viertelnoten an, deren Fortspinnung in Takt 4 auf der Dominante abbricht, während sich aus der anschließenden Quintschrittsequenz die Figurenketten der ersten Violine herauslösen. Man sieht dem Material kaum an, wie flexibel es sich dem Choralsatz anzuschmiegen weiß. Während der im Sopran liegende Cantus firmus auf halbe Noten gedehnt wird, schließen sich die Unterstimmen ihm im ersten Stollen in breiten Notenwerten an. Dagegen übernehmen sie im zweiten Stollen die instrumentale Motivik, die zugleich zum Thema zweier Fugati umgebildet wird (T. 41–52 bzw. 56–64). Während die zweite Violine und die Viola den Alt und den Tenor duplieren, bilden die Oboen eine obligate Oberstimme, von der sich die Figurationen der ersten Violine abheben. Da die Bassstimme vom Continuo partiell unabhängig bleibt, ergibt sich bei Eintritt des Cantus firmus ein sechs- bis achtstimmiger Satz, der zudem mehrfach zur Engführung des Themenkopfes ansetzt (T. 42–44 zwischen Bass bzw. Alt und Continuo, T. 45–47 zwischen Continuo und

---

74 Dürr, Die Kantaten, Bd. 2, S. 521.

Alt bzw. Tenor). Um den fugierten Verlauf fortzuführen, werden die Cantus-firmus-Zeilen mit weiteren Einsätzen des Kopfmotivs gekoppelt (so in den Oboen T. 46, 48 und 60). Bevor die letzte Choralzeile zum Verfahren der ersten Zeilen zurückkehrt, wird der Kantionalsatz zur fünften Zeile – ähnlich wie in BWV 26 – in syllabisch textierte Achtel und Sechzehntel zerlegt und vom Orchester begleitet. Indes bedarf es kaum dieser Vermittlung, da alle Phasen trotz wechselnder Struktur durch das Material verkettet sind, das im Ritornell eingeführt wurde. Zu den Eigenarten des Satzes zählt die Rückleitung zum Ritornell, dessen Beginn verändert werden muss, weil die Finalis des Chorals mit einer subdominantischen Wendung verbunden wird und deshalb einer Rückmodulation bedarf (T. 84–85).

c. Polyphone Vokalsätze vor Weihnachten

Zwischen den bisher genannten Sätzen entstanden mehrere Eingangschöre, deren polyphone Anlage an die ersten Sätze des Jahrgangs anschließt. Ein bezeichnendes Beispiel ist der Eingangschor der Kantate »Nimm von uns, Herr, du treuer Gott« (BWV 101), dessen Text mit Luthers Melodie zu »Vater unser im Himmelreich« verbunden wird.[75] Die besondere Würde dieser Weise dürfte Bach dazu veranlasst haben, einen überaus ambitionierten Eingangschor im Alla-breve-Takt zu entwerfen. Obwohl die instrumentale Einleitung am Ende wiederholt und wie ein Ritornell verwendet wird, basiert sie auf einem kontrapunktischen Modell, dessen gegenläufige Stimmen im doppelten Kontrapunkt vertauscht werden. Primären Rang hat die in den Streichern eingeführte Stimme (a), die mit repetierten Viertelnoten ansetzt, um dann in einer steigenden Linie aufwärts zu führen. Dass sie zumeist in akkordischem Satz erscheint, schließt nicht aus, dass sie mehrfach einstimmig oder in umgekehrter Richtung verwendet wird (so im Ritornell T. 17 f. sowie im Bass T. 190 f. und in den Oboen T. 127 f.). In den Oboen wird sie mit einer fallenden Linie kontrapunktiert (b), die auf einen verminderten Septsprung hinzielt (Notenbeispiel 7). Im Stimmtausch auf der Quinte wiederholt, wird das Modell fortgesponnen, bis seine nochmalige Wiederkehr über einem dominantischen Orgelpunkt ausläuft. Ein letzter Einsatz in Basslage (T. 22–25) eröffnet die ungewöhnlich breite Kadenzgruppe, die im Satzverlauf prägende Geltung erhält. Der Grundton d wird von Halbtönen umrahmt, sodass sich eine quasi »neapolitanische« Wendung ergibt, die in transponierter oder variierter Form mit den Zeilen der Choralbearbeitung kombiniert wird.[76]

Takte	1–4	5–8	9–16	17–22	23–31
Oboen	b	a	Fortspinnung	Fortspinnung	Kadenzgruppe
Streicher	a	b	Fortspinnung	Fortspinnung	Kadenzgruppe
Continuo	Orgelpunkt d	d – A	d	Orgelpunkt A	d + Kadenzgruppe

[75] Die Melodie erscheint unverändert bei Schein, Cantional, Nr. 214, während bei Vopelius 1682, S. 822, auf die Weise zu »Vater unser im Himmelreich« (ebd., S. 505) verwiesen wird.

[76] Vgl. hierzu die ausführliche Darstellung bei Siegfried Oechsle, Bachs Arbeit am strengen Satz. Studien zum Kantatenwerk, Habilitationsschrift Kiel 1995, masch., S. 358–391.

Notenbeispiel 7

Da die Oboen und die Streicher durchweg obligat geführt werden, ergibt sich zusammen mit dem Continuo ein siebenstimmiger Instrumentalsatz, der bei Eintritt des Vokalparts zu einem neun- bis zehnstimmigen Satzverband erweitert wird. Seinen Kern bildet die motettische Choralbearbeitung, deren Zeilen von Vorimitationen eingeleitet werden. Statt sich auf die Initien zu begrenzen, nehmen die Unterstimmen die gesamte Zeile in halben Noten voraus, sodass sich die Einsätze mehrfach zu kanonischen Imitationen ausweiten, bevor der auf ganze Noten augmentierte Cantus firmus eintritt. Dass er durch eine Traversflöte oktaviert wird, dürfte durch seine tiefe Lage im Sopran motiviert sein. Trotz äußerster Geschlossenheit wird der Satz in dreifacher Hinsicht modifiziert. Wie die Stimmlage und der Zeitabstand wechselt auch das Intervallverhältnis der Imitationen, die vor den ersten drei Zeilen im Quint- bzw. Unterquartabstand einsetzen, während in den Folgezeilen andere Intervalle verwendet werden. Dabei tritt der Alt vor Zeile 4 gegenüber Tenor und Sopran mit einem Tritonus ein, der sich als Leitton auf die folgende Note richtet (T. 144 f.: gis^1-a^1). Während der Bass vor Zeile 5 eine Terz (bzw. Dezime) tiefer als der Sopran einsetzt, treten Tenor und Bass vor Zeile 6 in Terz- bzw. Sextabständen ein. Die veränderten Relationen werden erst dann verständlich, wenn man das Verhältnis zwischen Vokal- und Instrumentalpart in den Blick nimmt.

Während die erste Zeile mit dem »Seufzermotiv« der Kadenzgruppe gepaart wird, tritt das Gegenthema erst zur Finalis ein, um damit zugleich das erste Zwischenspiel zu eröffnen. In der zweiten Zeile erscheint es hingegen zweimal hintereinander in Streichern und Oboen (T. 75–84), sodass es fast die Hälfte der vokalen Phase ausfüllt, während ein weiteres Zitat im anschließenden Zwischenspiel begegnet. Am dichtesten sind die Kombinationen in der dritten Zeile, die in 21 Takten nicht weniger als sieben Einsätze des Gegenthemas enthält (T. 101–121). Falls es nicht wie im Vorspiel akkordisch aufgefüllt wird, wird es zumindest durch seine

Stimmlage hervorgehoben. Und wo die Einsätze in zweitaktigem Abstand eintreten, ergeben sich Engführungen, die zum Gegenbild der vokalen Imitationen werden. Statt jedoch diese Verdichtung fortzuführen, schlagen die drei letzten Zeilen einen anderen Weg ein. Zwar setzt das Gegenthema in Zeile 4 – ähnlich wie in Zeile 1 – erst wieder ein, sobald der Sopran die Finalis erreicht. In der Vorimitation jedoch wird der Basseinsatz durch ein frei gebildetes Zusatzmotiv ersetzt, das anschließend vom Alt und Tenor aufgenommen wird, während sich der Sopran am Zeilenende von seiner Finalis löst, um in die akkordische Raffung der Kadenz einzustimmen (T. 156–160). Während sich der Alteinsatz vor dieser Zeile nach dem Zusatzmotiv des Basses zu richten hatte, sind die Einsätze von Tenor und Alt vor Zeile 5 auf das Gegenthema abgestimmt, das gleichzeitig im Continuo eintritt und danach sowohl im Generalbass als auch in den Streichern und Bläsern wiederkehrt (T. 177–194). Vor der letzten Zeile hingegen staffeln sich die intervallisch modifizierten Vorimitationen zu Engführungen, wogegen die auf neun Takte gedehnte Finalis mit drei Einsätzen des Gegenthemas gepaart wird, das hier erstmals auch von Alt und Tenor übernommen wird.

Die Änderungen, die der Satz in der zweiten Hälfte erfährt, sind zwar auch vom Text veranlasst, der in den Schlusszeilen von »Krieg und teurer Zeit« sowie von »Seuchen, Feur und großem Leid« spricht. Dennoch durchlaufen sie einen Prozess, in dem die Kombinationen mit dem Gegenthema zunehmend auf die Choralmotette einwirken, um den Vokalsatz am Ende mit dem Instrumentalpart zusammenzuführen. Wo die Vorimitationen auf zwei Stimmen beschränkt werden, folgt die dritte Stimme mit dem Gegenthema (Bass in Zeile 4) oder mit eigener Motivik (Bass in Zeile 5), die anschließend von weiteren Stimmen übernommen wird.

In andere Richtung führt der Eingangschor aus BWV 78 »Jesu, der du meine Seele«, der die Bearbeitung der Choralweise mit dem Verfahren eines Ostinatosatzes kombiniert. In seiner satztechnischen Stringenz gehört er an die Seite der Sätze im modifizierten Stile antico, sodass er wie diese gesondert zu erörtern ist. Im Chorsatz aus BWV 96 »Herr Christ, der einge Gottes Sohn« hingegen treffen – erstmals seit BWV 7 – wiederum konzertante und motettische Momente aufeinander, um jedoch enger ineinander verschränkt zu werden. Versetzt in den ⁹⁄₈-Takt, wird der Cantus firmus in Altlage auf ganze Takte augmentiert, während ihn die anderen Stimmen in der schwingenden Rhythmik kontrapunktieren, die diesem Taktmaß eigen ist.[77] So anmutig bewegt der in F-Dur stehende Satz klingt, so rational ist er zugleich organisiert. Gemäß der Barform der Vorlage werden die zwei ersten Zeilen im zweiten Stollen wiederholt. Zudem entspricht die letzte Zeile der zweiten, sodass hier der zu Zeile 2 bzw. 4 gehörige Abschnitt wiederkehrt. Da überdies die vorletzte Zeile mit Ausnahme der ersten Töne der zweiten Zeile gleicht, ließ sich auch hier auf frühere Takte zurückgreifen, sodass nur die fünfte Zeile einer gesonderten Vertonung bedurfte. Der äußerst rationale Satzplan, der im Grunde nur vier verschiedene Phasen umfasst, lässt sich am leichtesten in einem Schema darstellen.

---

[77]   Dass der Satz mit den Eingangschören aus BWV 1 und 180 ein Taktmaß teile, das auf die Giga hindeute, begründete Finke-Hecklinger mit dem »einheitlichen Scopus der Texte«, vgl. Doris Finke-Hecklinger, Tanzcharaktere in Johann Sebastian Bachs Vokalmusik (Tübinger Bach-Studien 6), Trossingen 1970, S. 190.

1–20[1]	20–28[1]	28–32[1]	32–38[1]	38–75[1] (~ 2–37[1])	75–86[1]	86–92	93–98	99–107[1] (ab T. 101 ~ 22–28[1])	107–117 – 120 (~ 28–38[1])
Ritornell	Zeile 1	Zwsp.	Z. 2	Z. 3–4 (~ Z. 1–2)	Zwsp.	Z. 5	Zwsp.	Z. 6 (z.T. ~ Z. 1)	Z. 7 (~ 2) + Nachspiel

Da sich Vokal- und Instrumentalpart motivisch entsprechen, fällt dem Flauto piccolo die Funktion der konzertanten Solostimme zu. Ohne dem Choral zu entstammen, sind die Linien der anderen Instrumente so kantabel, als seien sie auf die Vokalstimmen hin konzipiert. Während Oboen und Streicher im ersten Takt des Ritornells zusammengefasst sind, setzen sie bei Eintritt der Flöte in Takt 2 getrennt ein, um jedoch rasch wieder verbunden zu werden. Einem entsprechenden zweiten Ansatz auf der Dominante schließt sich die fortspinnende Quintkette an, deren gedehnte Töne von den Figuren der Flöte umrankt werden. So ist dem vierstimmigen Satz mit der konzertierenden Flöte kaum anzusehen, dass er der polyphonen Ausarbeitung zugänglich ist. Dieselbe Motivik aber, die zuvor im akkordischen Verband erklang, dient nun zu imitierenden Einsätzen, die der ersten Choralzeile vorangehen, um sich in freier Binnenimitation fortzusetzen. Zur zweiten Zeile kehrt eine Variante der Quintschrittsequenz wieder, auf der die Fortspinnung des Ritornells gründete. Besonders aufwendig ist die fünfte Zeile, die aus dem System der Wiederholungen herausfällt. Dass ihr vierter Ton durch einen Halbtonschritt ersetzt wird (*f-a-b-h-c* statt *f-a-b-b-c*), ist der Anlass für eine harmonische Erweiterung. An den vom Continuo markierten Quintfall *d-g* schließt eine Sekunde höher ein zweiter Quintfall *e-a* an, der gleichsam »zwischendominantisch« nach a-Moll lenkt, bevor die Zeile in C-Dur endet. Dennoch zehren die Gegenstimmen auch hier von dem Material, das im Ritornell eingeführt wurde.

Eine Woche später ging Bach einen Schritt weiter, indem er im Eingangschor aus BWV 5 »Wo soll ich fliehen hin« nicht nur den Vokalpart, sondern auch den Instrumentalsatz aus der Motivik der Vorlage ableitete. Das Verfahren setzt eine Vorlage voraus, deren Zeilen sich soweit gleichen, dass sich in den Vor- und Binnenimitationen die gleiche Motivik verwenden lässt. Das trifft auf die Vorlage zu BWV 5 zu, in der fünf der sechs Zeilen einen Quart- bzw. Quintraum durchmessen, während nur die vorletzte Zeile zwei Terzsprünge enthält. Das Ritornell beginnt mit einer Imitation des verkürzten Kernmotivs, das die Oberstimmen in halbtaktigem Abstand durchläuft, während der Einsatz des Continuo mit der Motivumkehrung in der Viola verbunden wird. Dass der Satz trotzdem konzertanten Charakter hat, liegt an der Fortspinnung, in der sich die Oboen und die Streicher wechselweise ablösen. Das gilt zumal für die nächste Imitationsstaffel, in der das Kopfmotiv auf wechselnden Stufen die Streicher und Oboen durchläuft und mit den fortspinnenden Figuren einer Gegenstimme gepaart wird (Notenbeispiel 8). Dieses Prinzip prägt auch die Binnenimitationen des Choralsatzes, in dem die im Sopran liegende Melodie auf halbe Noten gedehnt wird. Während die erste Zeile das Kernmotiv benutzt, wird seine Umkehrung zur zweiten Zeile eingesetzt, die ohnehin wie eine Umkehrung derselben Linie wirkt. Beide Gestalten lösen sich in den weiteren Zeilen ab und erfassen auch die vorletzte Zeile, die trotz abweichender Melodik mit dem Material der anderen Abschnitte verkettet wird. Die motivische Verdichtung hat freilich zur Folge, dass Oboen und Streicher weithin ein-

Notenbeispiel 8

ander oder den Vokalpart duplieren. Doch schließt das nicht aus, dass ihre Stimmen durch Figuren ergänzt werden, die auf die Fortspinnung des Ritornells zurückgehen.

Unverkennbar blickt der Satz auf die motivische Konzentration zurück, die der Vokal- und der Instrumentalpart in BWV 135 erreichten. Anders als dort erhält das Ritornell aber ein Gegengewicht, das der Belastung der Imitationsmotivik entgegenwirkt. Das Verfahren ist jedoch zu sehr auf die Vorlage angewiesen, um für andere Weisen gelten zu können. Eher lässt es sich als Impuls für weitere Ansätze auffassen, alle Stimmen gleichermaßen an der motivischen Struktur teilhaben zu lassen.

Johann Francks Abendmahlslied »Schmücke dich, o liebe Seele« inspirierte Bach in BWV 180 zu einem der vielschichtigsten und zugleich geschlossensten Sätze des ganzen Zyklus. Die Melodie von Johann Crüger[78] zeichnet sich zwar durch aus-

---

[78] Johann Crüger, Geistliche Kirchen-Melodien […] in vier Vocal- und zwey Instrumental-Stimmen, Leipzig 1649. Das Lied fehlt sowohl bei Vopelius 1682 als auch im Dresdner Gesangbuch von 1694.

gewogene Proportionen aus, doch gleichen sich die Zeilen zu wenig, um aus ihnen eine gemeinsame Motivik abzuleiten. So lassen sich die Imitationen nur in den Zeilen 5–6 auf die Vorlage beziehen, während sie sonst »Cantus-firmus-unabhängig« sind.[79] Untergründig klingt der Umriss der ersten Zeile an, wenn eingangs die Motivik der Streicher die Terz und die Quinte des Grundtons umgreift, während dieselben Rahmenintervalle in den Imitationen der ersten Zeile hervortreten. In F-Dur stehend, wird die im Sopran liegende Choralweise in den $12/8$-Takt versetzt und auf punktierte Halbe gedehnt, die durch die Melismen der Klauseln verlängert werden. Die in den Streichern eingeführte Motivik geht später in die Holzbläser über, wonach sich beide Gruppen abwechseln und in der Kadenz die Rollen tauschen. In diesen Instrumentalsatz wird der imitatorische Vokalsatz eingefügt, dessen Klangfolgen durch Zwischenstufen verbunden und in der ersten und dritten Zeile chromatisch gefärbt werden. Zur zweiten und vierten Zeile scheint sich ein neuer Ansatz anzudeuten, dass aber der dritte Einsatz im Alt der Motivik der ersten Zeile gleicht, weist rückblickend auf die latente Analogie beider Gestalten hin. Wie das zweite Zeilenpaar dem ersten gleicht, so entspricht die sechste der fünften Zeile, während die Schlusszeile auf die Zeilen 2 bzw. 4 zurückgeht. Gemäß der Vorlage Crügers besteht der Satz aus drei wiederholten Zeilen, von denen nur die vorletzte Zeile (7) lediglich einmal erscheint:

Zeilen 1–2 = 3–4   Zeile 5 = 6   Zeile 7   Zeile 8 = 2 bzw. 4

Während der Aufbau des Ritornells in den Zwischenspielen wiederkehrt, werden seine Glieder in den vokalen Abschnitten abwechselnd eingesetzt. Übernehmen die Streicher im ersten Stollen den akkordischen Satz der Bläser, die ihrerseits die Motivik der Streicher aufgreifen, so alternieren beide Gruppen im zweiten Stollen und im ersten Zeilenpaar des Abgesangs, bis sie sich in Zeile 7 zunächst ablösen und später wieder zusammentreten. Bachs Meisterschaft beweisen vor allem die vokalen Phasen, in denen die Instrumentalstimmen ihr eigenes Profil bewahren und nur vorübergehend den Vokalpart duplizieren.

Dem Eingangschor aus BWV 139 »Wohl dem, der sich auf seinen Gott« liegt eine Melodie zugrunde, die auf Johann Hermann Scheins Lied »Mach's mit mir, Gott, nach deiner Güt« zurückgeht.[80] Ähnlich wie in BWV 5 bestehen die Zeilen aus auf- bzw. absteigenden Skalengängen, denen nur in den Zeilen 1 und 5 Terz- bzw. Quartsprünge vorangehen. Daher ließen sich die Zeilen mit analogen Imitationsmotiven verbinden, die mit quasi auftaktigen Achtelwerten ansetzen.[81] Die Angleichung reicht so weit, dass in der Schlusszeile mehrere Varianten kombiniert werden können, ohne die Geschlossenheit des Satzes zu schmälern. Das Kopfmotiv der ersten Violine zeichnet sich durch die Punktierung der dritten Achtel aus, die durch eine Sechzehntel ergänzt wird. Sie löst damit eine Figurenkette aus, die fortan als Widerpart des Vokalsatzes fungiert. Zugleich beschränken sich die Imitationen nicht auf den Beginn der Zeilen, sondern reichen in ihren Verlauf und in die Zwischenspiele

---

[79] Dürr, Die Kantaten, Bd. 2, S. 485 f.
[80] Schein, Cantional, ²1645, Nr. 303.
[81] Dass die Wiederholung der ersten Zeilen zum zweiten Stollen Worte wie »Sünde, Welt und Tod« oder »alle Teufel hassen« unberücksichtigt lässt, ist ein weiterer Beweis für den Vorrang der konstruktiven Planung.

hinein. Eine Ausnahme ist das letzte Zwischenspiel, in dem die Figuration der Violine in die erste Oboe wechselt. Die Vorimitationen werden von den Oboen begleitet, denen die Streicher folgen, ohne nur den Vokalsatz zu duplizieren. Da die Imitationen vielfach mehrmals im gleichen Takt eintreten, ist der Satz ähnlich dicht gefügt wie in BWV 135 und BWV 5, während die instrumentalen Figuren dafür sorgen, dass er seinen konzertanten Charakter bewahrt.

Dem tempus clausum der Adventszeit ging die zweite Bearbeitung von Luthers Lied »Nun komm, der Heiden Heiland« (BWV 62) voraus, dessen Melodie in den Sopran verlegt und zu punktierten Halben gedehnt wird. Die melodisch analogen Zeilen 1 und 4 werden durch Vorimitationen eingeleitet, die auf derselben Motivik beruhen. Während die zweite Zeile nach kurzer Binnenimitation zum Kantionalsatz wechselt, läuft ein entsprechender Ansatz der dritten Zeile in Koloraturen aus, die auf die Worte »alle Welt« hindeuten und zugleich auf die instrumentale Motivik zurückgehen. Das Ritornell verbindet eine dreitönige Formel, die in den Oboen fortgesponnen wird, mit einer repetierten Achtelfolge der Streicher, von denen sich die erste Violine mit Dreiklangs- und Skalenfiguren ablöst. Während diese Figuration den weiteren Verlauf begleitet, zieht sie zur Zeile 3 auch in den Vokalsatz ein. In Takt 3 setzt zugleich ein Zitat der ersten Choralzeile in Basslage ein (T. 3–5), dem am Ende des Ritornells ein weiteres Zitat der Oboen entspricht (T. 15–17). Die Zitate haben offenbar zum Ziel, den Instrumentalsatz mit dem Choral zu verklammern. Mit entsprechenden Zitaten in Quart- und Quinttransposition enden auch die Zwischenspiele vor den Zeilen 2 und 4 (T. 31 ff. und 54 f.), während der dritten Zeile ein Zitat im Continuo folgt (T. 48 ff.).

Ritornell	vor Zeile 1	vor Zeile 2	nach Zeile 3	vor Zeile 4	Ritornell	
Bc. in h	Ob. in h	Ob. in e	Bc. in h	Ob. in fis	Bc. in h	Ob. in h
T. 3–5	15–17	31–33	47–50	54–56	~ 3–5	~ 15–17

Während sich die Zitate der Oboen in Halben und Vierteln vom gedehnten Cantus firmus abheben, entsprechen sie im Continuo der Fassung des Soprans. Indem das Zitat nach Zeile 3 die beiden transponierten Versionen trennt, ergibt sich ein regelmäßiger Wechsel der Tonlagen, dem jedoch kein ebenso gleichmäßiger Wechsel der Stimmlagen entspricht.

Der Satz ist demnach weit komplexer, als er zunächst erscheinen mag. Die Differenzierung des akkordischen Gerüstes beschränkt sich nicht auf den Vokalpart, sondern erfasst zugleich auch den Instrumentalpart. Während die traditionellen Vorimitationen den zeilenweisen Wechsel der Imitationsmotive zur Folge hatten, konzentrierte sich Bachs Verfahren auf die motivische Kohärenz des gesamten Verlaufs. Beides kam zur Deckung, wenn sich die Choralzeilen soweit glichen, dass sie analoge Imitationsmotive erlaubten. Diente der Instrumentalpart dann als Gegengewicht, so fiel diese Aufgabe dort umso eher einem Soloinstrument zu, je mehr das Tutti am Choralsatz beteiligt war. Dass sich die Arbeit dabei zunehmend auf den kontrapunktischen Satz konzentrierte, zeigen einige Sonderfälle, die zugleich in eine andere Richtung weisen.

d. Choral versus Ostinato: BWV 78:1

Wie sehr sich Bach von konstruktiven Erwägungen leiten ließ, zeigen wenige Sätze so deutlich wie der Eingangschor der Kantate »Jesu, der du meine Seele« (BWV 78). Weder der 14. Sonntag nach Trinitatis noch der Text des Liedes von Johann Rist boten einen Anlass, gerade diesen Choral mit einem Ostinato zu verbinden. Michael Kube beschrieb den Satz in einer minutiösen Analyse, die von der Funktion des Ritornells ausging.[82] Die Blickrichtung ändert sich, wenn man sich an die Prämissen erinnert, mit denen Bach zu rechnen hatte. Der Gedanke, die wechselnden Zeilen eines Chorals an einen Ostinato zu binden, wäre jedem anderen Komponisten als widersinnig erschienen. Bach aber nahm wahr, dass sich die Liedweise mit einem chromatisch fallenden Soggetto kombinieren ließ. Versucht man, die Melodie der ersten Zeile mit einem chromatischen Ostinatobass zu paaren, so zeigt sich, dass die ersten und letzten Töne eher zueinander passen als die mittleren (mit b^1 versus e-es). Verläuft die zweite Zeile anfangs in Terzen zur Basslinie, so bleiben doch die letzten Töne gleichsam überzählig. Die beiden ersten Zeilen des Abgesangs ergäben jedoch in der Mitte einen Tritonus zum transponierten Bassthema (a^1-es, d^2-as)[83] Die Schwierigkeit lässt sich nur dann umgehen, wenn die Töne nicht gleichzeitig, sondern nacheinander wechseln (s. Notenbeispiel 9). Das setzt voraus, dass die Rhythmik der Vorlagen nicht ebenso streng gewahrt werden kann wie die Tonfolgen. Bach versetzte deshalb die Choralweise, die seit 1641 in geradtaktiger Fassung belegt ist, in den ¾-Takt.[84] Indem ihre Töne wechselnd als Halbe oder Viertelnoten erscheinen und repetiert oder kontrahiert werden, können sie mit dem Ostinato verbunden werden, dessen Rhythmik ähnlich variabel gehandhabt wird. Da die Zeilen I (= III) und V–VI fünf statt vier Takte ausfüllen, kreuzen sie sich mit dem Einsatz des Ostinato und tragen dazu bei, das Gleichmaß der viertaktigen Perioden zu überspielen.[85] Um die intervallische Determinierung zu variieren, konnte schließlich die Lage und Tonart des

Notenbeispiel 9

---

82   Vgl. Michael Kube, Bachs »tour de force«. Analytischer Versuch über den Eingangschor der Kantate »Jesu, der du meine Seele« BWV 78, in: Mf 45, 1992, S. 138–152.

83   In den Zeilen 5–6 ersetzte Bach den vierten Ton (a^1 bzw. d^2) durch die Unterterz, um den Tritonus gegenüber dem Soggetto nicht zusätzlich zu akzentuieren, vgl. Kube, a. a. O., S. 141 f.

84   Ebd., S. 141, gab Kube die Melodie in der Fassung der *Praxis pietatis melica* (1662) mit den Varianten späterer Gesangbücher wieder (vgl. Zahn, Nr. 6804). Das Lied fehlt noch bei Vopelius, während das Dresdner Gesangbuch von 1694 (S. 344 f.) die ursprünglich zugehörige Weise von Johann Schop enthält (vgl. Zahn, Nr. 6767).

85   Der zwischen sieben und acht Silben wechselnde Umfang der Zeilen, wird in der geradtaktigen Fassung am Zeilenende ausgeglichen, wogegen er im ¾-Takt zu wechselnden Taktzahlen führt.

Ostinato und die Satzart und Rhythmik des Instrumental- und Vokalparts verändert werden. Ein vereinfachtes Schema mag die Folge der Zeilen und Perioden andeuten:

Takte	1	5	9	13	17	21	25	29	33	37	41	45	49	53	57	61	65
Instr.	α	α	β	β	γ	β	β	β	α β	β	β	β	γ	α	β	β	α β
vokal	–	–	–	–	Imit.	I	Imit.	Imit.	II	–	–	–	Imit.	III	Imit.	Imit.	IV
Tonart	g	g	g	g	g	g	d^U	c^U	g	g	g	G	g	g	d^U	c^U	g
Lage	Bc.	Bc.	Ob.	Ob.	A.	B.	A.	B.	Bc.	Bc.	V.	V.	A.	B.	A.T.	B.	
Periode	1	2	3	4	5	6	7	8	9 ~1	10 ~2	11 ~3	12 ~4	13 ~5	14 ~6	15 ~7	16 ~8	17 ~9

α, β, γ = rhythmische Modelle des Instrumentalparts
Imit., I–IV = vokale Imitationsfelder und Zeilen I–IV
g, d, c, g^U, d^U, c^U = Ostinato bzw. Umkehrung in g-, d- bzw. c-Moll
Tonart bzw. Lage = Tonart und Stimmlage des Ostinatothemas
Bc., Ob., V., A., T., B. = Lage des Ostinato in Basso continuo, Oboe, Violine, Alt, Tenor und Bass

Das Ritornell umfasst vier Perioden, die auf dem Ostinato in der Grundtonart g-Moll basieren. Sie gliedern sich in zwei gleich lange Gruppen, die durch ihre unterschiedliche Rhythmik geprägt sind. Die erste Gruppe (α), die durch punktierte Noten charakterisiert wird,[86] besteht aus zwei analogen Viertaktern (Per. 1–2), die sich nur dadurch unterscheiden, dass der erste mit Halb- und der zweite mit Ganzschluss endet. Die zweite Gruppe hingegen (Per. 3–4) wird durch skalare Achtketten verbunden (β), die bei Eintritt der Vokalstimmen (in Per. 5) durch Wechselnoten modifiziert und in den Continuo verlegt werden (γ). Indem die rhythmischen Modelle vertauscht, kombiniert und in wechselnde Stimmen verlegt werden, entsteht ein Vorrat von Varianten, die durchweg den harmonischen Implikationen des Ostinatothemas verpflichtet sind. Wichtiger als das Ritornell, das weniger konstitutiv als sonst ist,[87] sind die Imitationsfelder, die den Choralphasen vorgelagert sind, ohne sich auf die Melodik der Zeilen zu beziehen. Vor den Stollenzeilen greifen sie auf das Ostinatothema zurück, das in der jeweils beginnenden Stimme vollständig erscheint und in der imitierenden Stimme gekürzt werden muss. Während die zweistimmige Imitation vor der ersten Zeile wie deren vollstimmige Fassung eine Periode einnimmt (Per. 5–6), wird das Thema vor der zweiten Zeile in Umkehrung imitiert, sodass es zwei Perioden ausfüllt, denen die viertaktige Zeile mit Ostinato im Bass folgt (Per. 7–9). Eine weitere Variante ergibt sich aus der Quintfolge der Imitationen (Alt in *d*, Tenor in *g*, Bass in *c*), die dazu führt, dass der Ostinato von g-Moll nach d- bzw. c-Moll versetzt wird, bevor die Reprise nach g-Moll zurücklenkt.

Wie bei barförmigen Vorlagen üblich, wird der Tonsatz der ersten beiden Zeilen im zweiten Stollen wiederholt. Die Nahtstelle wird dadurch verschleiert, dass der Instrumentalpart der ersten Takte neu gefasst und mit der Reprise der zweiten Zeile verknüpft wird (T. 33–35). Da die Oboen und Violinen danach die Stimmen vertauschen, sind sie auf doppelten Kontrapunkt nur in den Takten angewiesen, in

---

[86] Finke-Hecklinger, a. a. O., S. 76, hatte nur die punktierte Rhythmik dieser Gruppe im Auge, als sie den gesamten Satz einem ähnlich charakterisierten Typus der Chaconne zuordnete.

[87] Dagegen ging Kube, a. a. O., S. 145 ff., von den vier ersten Takten des Ritornells aus, die er im Blick auf die Kadenzen in Vorder- und Nachsatz (RA und RB) gliederte.

denen sich zugleich die Oktavlagen ändern.[88] Anders steht es mit den nach F- und B-Dur lenkenden Zeilen V–VI, in denen zugleich das Ostinatothema versetzt wird (Per. 21 und 24). Sie bedürfen daher vermittelnder Glieder, die in die vorangehenden Perioden verlagert werden.

69	73	77	81	85	89–94	95	99	103	107	111–117	118	121	125	129	136–144
β	γ	α γ	γ	α	γ	γ	γ	α	γ	γ	α	γ	γ	α γ	α
–	Imit.	Imit.	V	–	Imit.	VI			Imit.	Imit.	VII			Imit.	–
d	d	d	F	F	modul.	B	B	B–g	G	modul.	g				G
V.	Str.	Bc.	B.	B.	–	B.	B.	–	T. A.	B. T. A.	Bc.	V.	–	–	Bc.
18	19	20	21	22	23	24	25	26	27	28	29	30	–	–	31 + 32

Str. = Streicher, modul. = modulierend

An die vierte Zeile, die im Orgelpunkt auf der Dominante ausläuft (Per. 17), schließen sich drei Perioden in d-Moll an (Per. 18–20), sodass die fünfte Zeile nach F-Dur wechseln kann. Dagegen geht der sechsten Zeile eine Imitationsphase voran (Per. 23), die erstmals die Folge der viertaktigen Perioden verändert (T. 89–94). Da der Continuo nach g-Moll moduliert, muss erstmals auch das Ostinatothema entfallen. Dass der Generalbass ab Takt 91 zugleich der Basslinie ab Takt 17 entspricht, weist darauf hin, dass das Thema latent selbst hier noch präsent ist.[89] Der in B-Dur stehenden Zeile VI (T. 95–98) und ihrem Nachspiel (Per. 24–25) folgt ein zweites Zwischenglied (Per. 26), das nach g-Moll zurückführt und ohne Ostinato auskommt (T. 103–106). An seine Stelle tritt im Continuo eine Einsatzfolge in Quinten (*B-f-c-g-d*), die mit der verlängerten Imitation vor Zeile VII verbunden wird (T. 107–117). Während die beiden ersten Einsätze den Quintabständen vor den Stollenzeilen entsprechen, setzen die nächsten die Quintreihe fort, bevor sich in g-Moll Zeile VII anschließt (Per. 27–29). Das letzte Zwischenspiel, das wieder mit einem Orgelpunkt endet (Per. 30), eröffnet zugleich das umfangreichste Auflösungsfeld (T. 129–135). Maßgeblichen Anteil daran hat wiederum der Continuo, dessen Einsätze eine fallende Quintreihe umschreiben (T. 126–128: *d-g-c-f-b*). Ihr folgt eine fallende Sekundreihe (T. 129–135: *b-a-g-f-es-d-c*), die mit dem Imitationsfeld vor der Zeile VIII zusammenfällt, bis in den beiden letzten Perioden die ursprüngliche Ordnung wiederhergestellt wird (T. 136–144).

Von entscheidender Bedeutung ist das Verhältnis zwischen der Perioden- und Zeilenfolge und den tonalen Relationen. Das Ritornell eröffnet eine Variationskette, ohne als motivisches Reservoir zu fungieren, sodass die Einbautechnik nicht zur Geltung kommen kann. An ihre Stelle rückt der vom Ostinato ausgehende Prozess, der sich mit der Folge der Choralzeilen kreuzt. Die doppelte Determination wird jedoch insofern durch ihre Prämissen aufgehoben, als die Imitationsphasen, die anfangs das Ostinatothema übernehmen, in den Sog der Modulationen geraten, die im Choral vorgegeben sind. Je weiter der Modulationsprozess auf den Satz einwirkt, desto eher muss der Ostinato seine Stabilität verlieren, bis er am Ende gänzlich ausfällt. Eine letzte Klammer dieser Auflösungsphasen ist der Instrumentalpart, dessen Rhythmik

---

[88] Vgl. dagegen Kube, ebd., S. 148.
[89] Das Thema ließe sich in die Takte 91–94 einfügen – falls Bach das gewollt hätte.

erst hier konstitutive Bedeutung erhält. Gerade diese Phasen sind es jedoch, die am ehesten der Struktur anderer Sätze gleichen.

e. Choral und stylus gravis: BWV 2:1, 38:1 und 121:1

Der motettische Satz im zweiten Werk der Reihe könnte als ein Experiment neben anderen gelten, wenn ihm nicht zwei weitere Sätze folgten, die an dasselbe Verfahren anschließen. Ohne in regelmäßigen Abständen aufzutreten, bilden diese drei Sätze eine gesonderte Gruppe, die sich markant von den anderen Eingangschören unterscheidet. Gemeinsam wie der Alla-breve-Takt ist ihnen der duplierende Instrumentalpart, der durch Posaunen verstärkt wird. Zudem liegen durchweg Texte von Luther zugrunde, deren phrygisch geprägte Melodien schon 1524 belegt sind und damit zum ältesten Liedgut der Reformation zählen. Motettische Choralsätze waren kein Novum in Bachs Kantaten, sondern fanden sich schon in früheren Werken. Neben Versus IV aus BWV 4 wäre vor allem die Choralmotette BWV 182:7 zu nennen (während der Choral in BWV 21:9 Bestandteil einer Psalmmotette war). Der erste Leipziger Jahrgang enthielt drei motettische Sätze zu Spruchtext, doch kamen Choräle nur in solistischer Besetzung oder zusammen mit Spruchtexten vor. Im zweiten Jahrgang dagegen fungieren die motettischen Choralbearbeitungen erstmals als Eingangssätze. Vergleichbare Sätze kannte auch die frühere Gattungstradition nicht, in der konzertante Sätze von traditionellen Motetten unterschieden wurden. Dagegen ging Bach vom stylus gravis aus, dessen Regeln noch immer ein Gegenstand der Lehre waren, ohne in der Praxis ebenso streng beachtet zu werden. Obwohl der Stile antico auch für Bach keine Norm war, bildete er den Anlass für eine erneute Auseinandersetzung, von der an erster Stelle der Satz aus BWV 2 zeugt.[90]

Während die Vorlagen in BWV 38 und 121 eindeutig phrygisches Gepräge tragen, zeichnet sich die siebenzeilige Melodie zu »Ach Gott, vom Himmel sieh darein« (BWV 2) durch ihre modale Ambivalenz aus. Zwar enden die Zeilen 1 (= 3) und 7 mit Halbtonschritten (*b-a*), die auf den phrygischen Modus in Quinttransposition schließen lassen. Indem die Zeilen 2 (= 4) und 6 aber auf *g* schließen, verweisen sie zugleich auf den transponierten dorischen Modus.[91] Dem entspräche der melodische Verlauf dieser Zeilen, während der Quintraum über *d*, den Zeile 6 ausschreitet, im dorischen Modus als fünfte Stufe gelten würde. In späterer Sicht war die Weise primär auf g-Moll zu beziehen, wobei die phrygischen Klauseln der Rahmenzeilen als Halbschlüsse gefasst werden konnten.[92] Dass Bach den Satz nach seiner Gewohnheit »dorisch« (mit einem *b*) notierte, ist zweitrangig, da er das fehlende Vorzeichen im Notentext ergänzte. Wichtiger ist, dass die Ambiguität der Weise in seiner Bearbeitung nicht gänzlich verlorengeht.

Während der im Alt liegende Cantus firmus auf ganze Noten und am Zeilenende auf Brevis-Werte augmentiert wird, gehen den Zeilen ausführliche Imitationsfelder

---

[90] Zu diesen drei Sätzen vgl. die Analysen von Siegfried Oechsle, Bachs Arbeit am strengen Satz. Studien zum Kantatenwerk, passim.
[91] Vgl. die abweichende Akzentuierung bei Oechsle, ebd., S. 287–294.
[92] Bachs Version entspricht der Fassung von Schein, Cantional, Nr. 142, und begegnet ebenso in den Sätzen von Vopelius 1682, S. 660 f., und Dresden 1694, S. 498.

voraus, die zugleich die instrumentalen Ritornelle ersetzen. Statt sich auf die Initien zu beschränken, umfassen sie die vollständigen Zeilen. Da sie zudem auf Halbe gedehnt werden, ergeben sich bei engem Abstand der Einsätze mehrfach kanonische Relationen. Dabei werden Quart- und Quintrelationen bevorzugt, mit denen sich zugleich die tonalen Achsen verlagern. Die auf g-Moll bezogenen Zeilen erscheinen bei Quartabstand in c-Moll, während sie bei Quintabstand in d-Moll eintreten. Ein Sonderfall ist die fünfte Zeile, der zwei Einsätze in Quartabständen vorangehen. Damit wird die um d-Moll kreisende Weise nach g- und c-Moll verlagert, sodass sich entsprechende Verhältnisse wie in den anderen Zeilen ergeben. Die folgende Übersicht nennt die Stimmlage der Einsätze, ihr intervallisches Verhältnis zum (fett abgehobenen) Cantus firmus (4 = Quarte usf.) und die entsprechende Verlagerung der tonalen Achsen (g = g-Moll usf.). Zusätzliche Einsätze werden durch Klammern markiert, während die Überschneidungen der Taktzahlen auf Kreuzungen zwischen dem Beginn und dem Ende der Zeilen verweisen.[93]

Zeile 1	Zeile 2	Zeilen 3–4 = 1–2	Zeile 5	Zeile 6	Zeile 7
T B S **A** (+B)	T B S (+T) **A**		B S T **A**	B T (+B) S **A**	T S B **A** (+S)
1 4 4 **1** (+5)	1 5 1 (+1) **1**		1 4 7 **1**	1 4 (+1) 5 **1**	1 4 4 **1** (+1)
g c c **g** (+d)	g d g (+d) **g**		d g c **d**	g d (+g) d **g**	g c c **g** (+d)
1–13, 14–30	25–37, 38–52	51–102 (= 1–51)	102–119, 118–132	128–138, 139–153	148–153, 154–167

Keine andere Phase scheint dem Stile antico so nahezukommen wie die erste Zeile, in der die Gegenstimmen in ganzen Noten ansetzen und erst später zu Halben wechseln. Desto auffälliger ist es, dass sich in der zuerst einsetzenden Tenorstimme sogleich die zweite Zeile anschließt, die zudem durch einen chromatischen Schritt verändert wird (T. 9: *h-b*). Die Konstellation bleibt zwar singulär, doch entspricht sie den weiteren Änderungen Bachs:

a) Die Terzsprünge der Außenzeilen (*d-b*) werden durch Sekunden überbrückt, die im Schlusschoral als Durchgänge in Achteln erscheinen, während sie in der gedehnten Fassung des Eingangschors desto deutlicher hervortreten.
b) Im Gegensatz zum Schlusschoral wird der erste Ton der sechsten Zeile (*f*) um eine Terz aufwärts (*a*) versetzt, sodass sich zugleich die Finalis der fünften Zeile wiederholt.
c) Vom Schlusschoral unterscheidet sich auch die zweite (bzw. vierte) Zeile, sofern nach ihrem Quartsprung ein chromatischer Halbtonschritt eingefügt wird (*h-b*).

Die Eingriffe bleiben im Satzverlauf nicht folgenlos. In den Außenzeilen führen sie zu skalaren Segmenten, während durch die Änderung der sechsten Zeile ein Querstand zum Halbtonschritt der folgenden Klausel vermieden wird. Am auffälligsten ist der chromatische Schritt, der in die zweite (bzw. vierte) Zeile eingefügt wird.

---

[93] Vgl. Tenor T. 51 versus T. 1, Sopran T. 68 f. versus T. 18 f. und Bass T. 75 versus T. 25. Im Unterschied zu Oechsle, a. a. O., S. 299 ff., werden die Intervallabstände mit arabischen statt römischen Ziffern bezeichnet, um der Verwechslung mit Skalenstufen vorzubeugen.

Beides trifft dort zusammen, wo im Vokalpart erstmals Viertelnoten auftreten, die sich mit einem chromatischen Schritt des Continuo verbinden (T. 4). Die Konstellation verweist auf die Änderung der zweiten Zeile (T. 9), deren Wiederholung sich mit einem chromatischen Schritt des Continuo paart (T. 13–14), um hier auf den Halbschluss hinzuführen, der sich mit dem Eintritt der Cantus-firmus-Zeile kreuzt (T. 15). Während die chromatischen Schritte die Töne verfügbar machen, die für den harmonischen Verlauf des Satzes benötigt werden, tragen die skalaren Segmente dazu bei, seine rhythmische Verfassung zu verändern. Ab Takt 11 begegnen Skalen in Viertelnoten, die den Halbschluss in Takt 15 überspielen, um fortan den Continuo zu prägen und zunehmend in die Vokalstimmen einzudringen. Chromatische Schritte treten dagegen erst in der zweiten Zeile hervor, in der sie alle Stimmen durchziehen (Tenor T. 29 und 36, Sopran T. 33 und 49 sowie Bass T. 32 und Alt T. 44 f.). Eine Sicht, die sich allein auf die Textworte bezöge (Zeile 1: »erbarmen«, Zeile 3: »Armen«), übersähe demnach die Funktion, die der Chromatik für die Umformung des strengen Satzes zukommt.

Der Eintritt der zweiten Zeile wird im Sopran mit einer Wendung gekoppelt, die den Text der ersten Zeile wiederholt und zwei Quartsegmente mit Achtelwerten verbindet (T. 27).[94] Am Zeilenende hingegen führt die Chromatik dazu, dass der verminderten Terz des Soprans ein Tritonus mit chromatischem Schritt folgt (T. 46–49). Allerdings tritt die chromatische Tönung in dem Maß zurück, in dem sie ihre Dienste geleistet hat, während die skalaren Segmente in den Abgesangszeilen motivische Qualität gewinnen. Waren sie im Continuo schon in den Stollen verfügbar, um danach auch in anderen Stimmen aufzutreten, so ändert sich ihre Funktion, wenn mit der fünften Zeile der Abgesang beginnt. Zwar geht wie sonst ein Imitationsfeld voraus, dessen intervallische Relationen sich gemäß der Melodiezeile verschieben. In den restlichen Takten jedoch, die bis zum Beginn der Cantus-firmus-Zeile verbleiben, scheinen die Vokalstimmen ihre Funktion an den Continuo abzutreten (T. 115–118).[95] Sobald im Alt die augmentierte Zeile eintritt, wird sie mit Quartsegmenten gepaart, die den Tenor, den Alt und den Bass durchlaufen (T. 118–120). Zudem verschärft sich ihr motivisches Profil durch Quartsprünge, die ihnen in Zeile 6 und in der Schlusszeile vorangestellt werden.

Sein Ziel erreicht der Satz in den letzten Takten, in denen die Finalis des Cantus firmus (a^1) auf sechs Takte verlängert wird. Darüber tritt eine Quinte höher im Sopran nochmals die Schlusszeile ein, deren rhythmische Fassung synkopisch verschoben wird (T. 162 m. A. – 167). Auch in den anderen Zeilen kamen ergänzende Einsätze vor, die aber nicht derart exponiert wurden. In der ersten Zeile wird ein nachträglicher Basseinsatz, der als Kanon zum Cantus firmus beginnt, bereits nach fünf Tönen abgebrochen (T. 20^b–24), während der zusätzliche Tenoreinsatz vor Zeile 2 dem vorgeschalteten Imitationsfeld zugehört (T. 33–38). Auffälliger ist ein weiterer Einsatz des Basses, der der Zeile 6 vorangeht und ähnlich wie der letzte Sopraneinsatz durch synkopierte Halbe hervorgehoben wird (T. 134–138). Indem die

---

94 Den Sopraneinsatz in T. 27 scheint Bach erst nachträglich eingefügt zu haben, vgl. NBA I/16, KB, hrsg. von George Bozarth, S. 73.
95 Vgl. dazu die weiterführende Interpretation bei Oechsle, a. a. O., S. 327 ff.

übergebundenen Töne auf Viertelwerte entfallen, reagieren sie auf das veränderte Bewegungsmaß, das inzwischen erreicht wurde. Wenn diese Fassung zugleich mit der Quinttransposition der Schlusszeile gekoppelt wird, verschiebt sich die tonale Lage des Soprans nach D. Da aber die Akzidentien der Unterstimmen schon zuvor nach D weisen, kann die phrygische Klausel der Choralzeile mit einem kadenzierenden Anhang versehen werden, sodass der Satz mit einem Ganzschluss in D-Dur endet. Weil die skalaren Segmente damit ihre Pflicht erfüllt haben, können sie durch Achtelwerte ersetzt werden, die zunächst in ausgedehnte Melismen eingehen und am Ende syllabische Textierung erfahren.

Blickt man vom Ende des Satzes auf seinen Beginn zurück, so wird das Ausmaß der Veränderungen sichtbar. Die modale Ambiguität der Vorlage, die in den Imitationen hervortrat, löst sich zuletzt in einer D-Dur-Kadenz, die den zu erwartenden Halbschluss ersetzt, während das Zeitmaß des Alla breve durch Viertelwerte gefüllt wird, um sich schrittweise der Gangart anderer Chorsätze zu nähern. Der Satz unterliegt mithin einem Prozess, der ihn – pointiert gesagt – vom Stile antico zum Stile moderno hinführt.

Dagegen wirkt der Eingangschor der Kantate »Aus tiefer Not schrei ich zu dir« (BWV 38) so geschlossen, dass sich seine Eigenart kaum spontan erschließt. Der siebenzeilige Cantus firmus[96] – diesmal im Sopran – wird auf ganze Noten augmentiert, während die Terzabstände mit Durchgängen ausgefüllt werden. Allen Zeilen gehen Imitationsfelder voraus, die in Halben den melodischen Ablauf vorwegnehmen, wobei das erste Zeilenpaar gemäß der Barform der Vorlage wiederholt wird. Anders als in BWV 2 ist die Vorlage durchweg phrygisch geprägt, da in den Stollen und in der Schlusszeile die maßgeblichen Halbtonschritte (*c-h* bzw. *f-e*) begegnen, während die übrigen Zeilen auf den Nebenstufen (*a* bzw. *g*) enden. Beides dürfte dazu beigetragen haben, dass Bach ein anderes Konzept als zuvor wählte.

Siegfried Oechsle hat darauf hingewiesen, dass der Satz zwei Weisen verbindet, die bereits Samuel Scheidt kombiniert hatte.[97] Dass das lange übersehen wurde, dürfte daran liegen, das die Vorlage in den neueren Gesangbüchern fehlt.[98] Wiewohl zum Text Luthers gesungen, lassen sich die zitierten Zeilen eindeutig identifizieren. Allerdings ist fraglich, ob Bach das fast 90 Jahre zurückliegende Werk von Scheidt kennen konnte.[99] Dass ihm aber das Lied vertraut war[100], geht aus einem Kantional-

---

96 Zuerst im Erfurter Enchiridion »zum Farbefaß«, 1524, entsprechend bei Schein, Cantional, Nr. 181, und bei Vopelius 1682, S. 701 f., sowie Dresden 1694, S. 310.
97 Vgl. Oechsle, a. a. O., S. 420–426; ders., Johann Sebastian Bachs Rezeption des stile antico. Zwischen Traditionalismus und Geschichtsbewußtsein, in: Bach und die Stile. Bericht über das 2. Dortmunder Bach-Symposion, Dortmunder Bach-Forschungen, hrsg. von Martin Geck, Dortmund 1998, S. 103–122, hier S. 107–113.
98 Merkwürdigerweise fehlt ein entsprechender Hinweis sowohl bei Dürr, Die Kantaten, Bd. 2, S. 495 f., als auch bei Friedrich Smend, Johann Sebastian Bach, Kirchen-Kantaten, Berlin ³1966, IV, S. 30 f.
99 Geistlicher Concerten […] Ander Theil, Halle 1634, Nr. 12, vgl. Samuel Scheidts Werke, Bd. IX, hrsg. von Adam Adrio, Hamburg 1960, S. 64 ff., sowie Erika Geßner, Samuel Scheidts Geistliche Konzerte. Ein Beitrag zur Geschichte der Gattung (Berliner Studien zur Musikwissenschaft 2), Berlin 1961, S. 47 f. Scheidts dreistimmiger Satz kombiniert freilich nur die jeweils erste Zeile beider Lieder.
100 Der Kantionalsatz BWV 305 findet sich in der von Johann Philipp Kirnberger und Carl Philipp Emanuel Bach edierten Sammlung; zum Orgelchoral BWV 721 vgl. Jean-Claude Zehnder, Die frühen Werke Johann Sebastian Bachs. Stil – Chronologie – Satztechnik, Schola Cantorum Basiliensis, Scripta, Bd. 1, Basel 2009, Teilband A, S. 152 f.

satz (BWV 305) und einem Orgelchoral (BWV 721) hervor. Erschienen in Walters Wittenberger Gesangbuch (1524), gehört die Weise zum Kern des älteren Liedguts.[101] Sie findet sich nicht nur in einer Bearbeitung von Schütz (SWV 447) und in drei Sätzen von Hammerschmidt, sondern ebenso in Werken von Balthasar Erben, Georg Böhm, Johann Philipp Förtsch und Joachim Gerstenbüttel.[102]

Zu Recht betonte Oechsle, dass die Kombination der Melodien nahelag, weil sich ihre Rahmenzeilen derart ähneln, dass fast von Varianten zu reden wäre.[103] Da das Hauptlied aber sieben und das Zusatzlied acht Zeilen umfasste, ließen sich die Vorlagen nicht zeilenweise kombinieren. Statt eine Auswahl zu treffen, beschränkte Bach die Zitate auf die ersten Stollenzeilen und die Rahmenzeilen des Abgesangs. Während die Zitate auf wechselnden Stufen eintreten, begrenzen sich die Imitationen des Hauptlieds auf Quint- und Quartabstände, die in der nachstehenden Übersicht nicht genannt werden. Dass es sich in der Schlusszeile anders verhält, hängt mit den Zitaten zusammen, auf die zunächst einzugehen ist.

Am deutlichsten sind die Zitate zu Beginn und Ende des ersten Abschnitts (Continuo T. 1^b–4 bzw. Bass T. 14^b–19). Beidemal wird die erste Zeile des Hauptlieds mit der ersten Zeile aus »Erbarm dich mein« verbunden, deren dritter Ton wie bei Scheidt erhöht wird, während der vorangehende Terzsprung durch einen Sekundschritt gefüllt wird (Tenor T. 5^b–8^a, Alt T. 9^b–12). Sobald der Alt und der Bass die erste Zeile des Hauptlieds übernehmen, beschränken sich die Einsätze des Zusatzlieds auf die ersten sechs Töne, die ebenso in Halben eintreten wie die Vorimitationen des Hauptlieds. Überdies wird die letzte Zeile am Ende des Hauptlieds zitiert (Alt T. 117–121^a und Bass T. 127^b–134). Da beide Zeilen mit derselben phrygischen Klausel schließen, musste das Zitat so verschoben werden, dass es erst nach der Zeile des Hauptlieds endet. Zwischen beiden Einsätzen begegnet ein weiteres Zitat, das zugleich transponiert wird (Tenor T. 121–125^a). Während die übrigen Zitate auf gleicher Stufe wie die Zeilen des Hauptlieds eintreten, wird dessen Einsatz hier eine Sekunde aufwärts versetzt, wogegen das Zitat des Zusatzlieds eine Sexte tiefer als sonst erscheint:

Notenbeispiel 10

---

101 Zuerst bei Johann Walter, Geystliches gsangk Buchleyn, Wittenberg 1524, entsprechend auch bei Schein, Cantional, Nr. 157, Vopelius 1682, S. 637f., und Dresden 1694, S. 306.
102 Die Kantate von Busbetzki erschien – fälschlich Buxtehude zugeschrieben – in einer Ausgabe von Bruno Grusnick (Kassel 1937), während Erbens Werk in einer Handschrift der Bokemeyer-Sammlung vorliegt. Belegt sind außerdem drei Werke von Johann Philipp Krieger, vgl. die Nachweise vom Verf., Die Überlieferung der Choralbearbeitungen, S. 469–570.
103 Oechsle, a.a.O., S. 421f.

Aus tiefer Not schrei ich zu dir

Zeilen	1 (= 3)				2 (= 4)				5				6				7			
Takte	1–24 (= 24ᵃ–63)				24–40 (= 63–79)				79–99				99–116				116–140			
Stimmen	A	T	B	S	T	A	B	S	A	T	B	S	T	B	A	S	T	B	—	S
Stimmen	Bc.	T	A	B	—				B	A	T	(T A B T A)	—				A	T	B	A
Takte	1	9	14	19	—				80	84	87	(90–97)	—				117	121	126	133
Zeilen	1 (= 3)				—				5				—				8			+ 1

Erbarm dich mein, o Herre Gott (Zitate)

S A T B = Sopran (Cantus firmus), Alt, Tenor, Bass

Beide Eingriffe schließen an die Änderungen an, denen die Zitate zu Beginn des Abgesangs unterliegen. Dabei wird das Imitationsfeld vor Zeile 5 mit der fünften Zeile aus »Erbarm dich mein« kombiniert, die zugleich auf Viertelwerte verkürzt wird. Da die Zitate kürzer ausfallen als die Zeilen des Hauptlieds, können sie mehrfach eintreten. Doch gleichen sie nur anfangs der Vorlage, die in den späteren Einsätzen transponiert und verändert werden muss, um sich den gedehnten Zeilen des Hauptlieds anzupassen. Mit der rhythmischen Fassung der Zitate ändert sich zugleich ihre intervallische Gestalt, bis beides in der Schlusszeile zusammentrifft, deren Finalis mit dem letzten Zitat aus »Erbarm dich mein« gekoppelt wird (Alt T. 134–139).

So deutlich die Zitate der Zeilen 1 (=3), 5 und 8 sind, so fraglich sind die Beziehungen in den übrigen Phasen. Den Kontrapunkt zu Zeile 2 (bzw. 4) suchte Oechsle aus der zweiten Zeile der Zusatzweise abzuleiten, deren eröffnender Quartsprung synkopisch verlängert und sequenziert werde.[104] Dagegen bezog er den chromatischen Kontrapunkt zu Zeile 5 auf die Halbtonschritte, die in den Zitaten der ersten Zeile auftreten. Wieweit die Argumente überzeugen, braucht hier nicht erörtert zu werden, weil sie nicht den Unterschied zwischen den Zitaten und Motiven aufheben.[105] Trotz des regelmäßigen Wechsels der Abschnitte bleibt festzuhalten, dass der Choralsatz in dem Zusatzlied seinen Gegenpol findet.[106]

Ein anderes Verfahren verfolgt der Eingangschor aus »Christum wir sollen loben schon« (BWV 121). Wiederum liegt ein phrygischer Cantus firmus zugrunde, dessen Zeilen im Sopran auf ganze Noten augmentiert werden, während die Durchgangstöne als halbe Noten erscheinen. Sie treten allerdings so zahlreich auf, dass man sich fragen kann, wieweit sie auf Bach zurückgehen. Neben zwei Varianten des Hymnus »A solis ortus cardine« zog Oechsle die Fassungen aus dem Erfurter Enchiridion und

---

[104] Oechsle, a. a. O., S. 427.
[105] Selbst wenn die Zitate den Hörern Bachs entgingen, dürften sie von den Sängern bemerkt worden sein. Ohnehin sind strukturelle Sachverhalte nicht von ihrer Hörbarkeit abhängig.
[106] Vgl. das Resümee bei Oechsle, ebd., S. 452 f.

dem Gesangbuch Johann Walters (beide 1524) heran.[107] Die Feststellung, Bachs Version stehe der Fassung Walters nahe, lässt sich durch eine spätere Quelle bestätigen. Zwar fehlt das Lied bei Vopelius (1682),[108] doch bietet das Cantional von Schein eine Fassung, die fast tongetreu der Fassung bei Walter gleicht.[109] Bach musste also nicht auf Walter zurückgreifen, sondern fand seine Vorlage wenn nicht bei Schein, so doch in einer auf ihm fußenden Quelle. Wie sich zeigt, betreffen die Abweichungen vor allem die Terzintervalle, die Bach in Sekundschritten ausfüllte. Vor der Finalis der vierten Zeile treten zwei Varianten zu einem viertönigen Melisma zusammen (T. 98–99), das im Schlusschoral auch in die dritte Zeile einzieht. Wirkliche Abweichungen bilden nur die Quartsprünge der ersten und dritten Zeile (Sopran, Satz 1, T. 22 f. und T. 70), die bei Schein schrittweise gefüllt wurden. Die von Bach verwendete Variante geht demnach auf eine vielfach verbreitete Fassung zurück.

Einen Ganzton aufwärts transponiert, enden die phrygischen Klauseln der Rahmenzeilen in Fis, während die Binnenzeilen in D und H enden, sodass die Schlusstöne insgesamt einen h-Moll-Klang umgreifen. Die Durchgangstöne haben zur Folge, dass die Initien der Zeilen zu Quart- oder Quintgängen angeglichen werden, die sich in der Schlusszeile zur Septime erweitern. Demgemäß entsprechen sich die Linien der vorangehenden Imitationsfelder, in denen die Zeilen in Halben und Vierteln auftreten. Die verbleibenden Differenzen treten jedoch in dem Maß zurück, in dem sich der Abstand der Imitationen verringert. Das gilt zumal für die Zeilen 2 und 4, in denen die ersten Einsätze als Stimmpaare in eintaktigem Abstand zusammengefasst werden. Obwohl der Cantus firmus nur vier Zeilen umfasst, erweitern sich die Imitationen partiell zu längeren Komplexen. Während sie in den Außenzeilen im Einklang oder auf der Oberquinte bzw. Unterquarte der Vorlage eintreten, ändern sich die Relationen in den Binnenzeilen, in denen sie jeweils eine Sekunde bzw. einen Tritonus umfassen. Allerdings lenkt der Tenoreinsatz vor Zeile 2 (T. 29 auf *g*), der den Quintabstand des vorangehenden Alteinsatzes fortführt, die Stufenfolge in subdominantische Richtung, während der Alteinsatz vor Zeile 3 (T. 55 auf *dis¹*) die V. Stufe des nachfolgenden Sopraneinsatzes vorbereitet.

Zeile	1				2				3				4			
Takte	1–16 + 17–28ᵃ				28ᵇ–36 + 37–48ᵃ				48ᵇ–61 + 62–78ᵃ				78ᵇ–90 + 91–112			
Einsatzfolge	T	A	B	S	A	T	B	S	T	B	A	S	A	T	B	S
Tonhöhen	*e*	*h*	*e*	*e¹*	*d¹*	*g*	*d*	*a¹*	*a*	*d*	*dis¹*	*a¹*	*e¹*	*h*	*H*	*e¹*

Statt zusätzliche Kontrapunkte einzuführen, erzeugt der Choral gleichsam aus sich heraus eine Figuration, die im zweiten Takt der Generalbassstimme einsetzt und nur bei Beginn der Imitationsphasen aussetzt (T. 27ᵇ, 48ᵃ und 78ᵇ). Anfangs die ersten Melodietöne umspielend, wird eine Folge von Wechselnoten zu kettenförmigen Segmenten erweitert, die sich zu steigenden oder fallenden Linien formieren. Indem

---

107 Ebd., S. 481 f.
108 Jürgen Grimm, Das Neu Leipziger Gesangbuch des Gottfried Vopelius (Leipzig 1682). Untersuchungen zur Klärung seiner geschichtlichen Stellung (Berliner Studien zur Musikwissenschaft 14), Berlin 1969, S. 112.
109 Schein, Cantional, Nr. 7, sowie Dresden 1694, S. 30.

sie im Continuo die Imitationen begleiten, um danach in deren Fortspinnung einzukehren, fungieren sie wie Kontrapunkte und überlagern zugleich die Einsätze der Folgestimmen. Ohne als Motive hervorzutreten, sorgen sie für die Angleichung der Stimmen und tragen dazu bei, die Unterschiede der Zeilen zu verdecken. Zwar scheint der Satz sich damit den Kombinationsformen zu nähern, in denen die Zeilen durch instrumentale Figuren verkettet werden. Anders als in BWV 2 und 38 verfließen die melodischen Linien im Gleichmaß einer Figuration, die zugleich – wie Oechsle betonte – vokalen Charakter hat und deshalb keiner Anleihen bei instrumentalen Spielfiguren bedarf.[110] Indem sie den stetigen Fluss der Stimmen bewirkt, unterliegt der Verlauf weniger dem Puls des Alla-breve-Takts als dem rhythmischen Gleichmaß der Figuration. Das Taktmaß, das in BWV 2 und 38 die rhythmischen Relationen der Stimmen reguliert, fungiert hier nur als Hülle eines Bewegungsstroms, der aus dem Satz und seiner Vorlage hervorgeht.

Nicht zufällig liegen nur zwei Abschriften des Satzes vor, die offenbar erst dem frühen 19. Jahrhundert entstammen. Dagegen sind die Eingangschöre aus BWV 2 und 38 in neun bzw. 13 Kopien überliefert, die teilweise schon im 18. Jahrhundert entstanden.[111] Beide Sätze wurden demnach als Vorbilder für satztechnische Studien bevorzugt, während sie für Bach gewiss nicht nur technische Exerzitien waren. Vielmehr erprobte er hier die Grenzen dessen, was im strengen Satz zu leisten war, wenn wechselnde Choralzeilen verkettet werden sollten, ohne auf obligate Instrumente zurückzugreifen. Gegenüber dem motivischen Prozess in BWV 2 sucht der Satz aus BWV 38 seinen Rückhalt in Zitaten des Zusatzlieds, während der Eingangschor aus BWV 121 einen Bewegungsstrom erreicht, der aus der Stimmführung hervorgeht und auf den Choral zurückweist.

Was diese Sätze bedeuteten, wird im Blick auf den ganzen Zyklus sichtbar. Zwar blieb der Satz aus BWV 2 zunächst nur ein Modell neben anderen, auf das Bach jedoch zurückkam, als er in BWV 78 damit begann, den polyphonen Vokalpart mit einem kontrapunktisch geprägten Instrumentalsatz zu verbinden. Andererseits begegnen nach BWV 38 zunehmend Sätze, in denen der kontrapunktisch konzipierte Vokalpart mit obligaten Instrumentalstimmen kombiniert wird. In den letzten Sätzen dagegen teilen beide Gruppen dasselbe Material, das zugleich aus der Vorlage hervorgegangen ist. Deutlicher kann kaum werden, welche Bedeutung den motettischen Sätzen für die Reihe der Choralkantaten zukommt.

f. Erweiterte Kantionalsätze nach Weihnachten

Nach der Adventszeit begegnen nochmals fünf Eingangschöre, deren Vokalpart dem Muster des modifizierten Kantionalsatzes entspricht. Sie fallen jedoch in Phasen, in denen Bach und seine Musiker extrem gefordert waren und deshalb der Entlastung bedurften. Das gilt sowohl für BWV 133 und 122 zum 3. Weihnachtstag und zum Sonntag nach Weihnachten als auch für BWV 123 und 124 zu Epiphanias und zum

---

110 Vgl. Oechsle, a. a. O., S. 489.
111 Vgl. die Nachweise der Kritischen Berichte zu BWV 121 (NBA I/3.1, hrsg. von Uwe Wolf, S. 47–50), zu BWV 2 (NBA I/16, hrsg. von George Bozarth, S. 71–87) sowie zu BWV 38 (NBA I/25, hrsg. von Ulrich Bartels, S. 150–165).

folgenden Sonntag, die 1725 auf den 6. und 7. Januar fielen. Dagegen lag in BWV 111 am 21. Januar dieselbe Choralweise zugrunde, die eine Woche später nochmals zu bearbeiten war, sodass es Bach darum gehen musste, die Melodie möglichst unterschiedlich zu vertonen.[112]

Als er vor dem 1. Weihnachtstag am Sanctus BWV 232[III] arbeitete, notierte er sich die Melodie des Liedes »Ich freue mich in dir«, die ihm offenbar noch nicht vertraut war.[113] Als er sie zum 3. Weihnachtstag bearbeitete, entschied er sich für einen Kantionalsatz, in dem die Anschlusstakte der Stollenzeilen modifiziert werden. Während die Zeilen jeweils nur zwei Takte füllen, werden die Schlusstöne der Zeilen 6 und 8 auf fünf Takte erweitert. Der Grund mag in den Textworten liegen (»Ach, wie ein süßer Ton« – »du großer Gottessohn«), die dazu Anlass gaben, die Töne in Achtel aufzuteilen und durch Melismen zu erweitern. Desto entschiedener dominiert die instrumentale Figuration, die primär der ersten Violine anvertraut ist, aber phasenweise auch die zweite Violine und die Viola einbezieht.

Man könnte erwarten, dass Bach sich die Arbeit am Sonntag nach Weihnachten leichter als sonst machte. Stattdessen erweist sich der Eingangschor aus BWV 133 als komplizierte Kreuzung bislang getrennter Satzarten. Das Lied »Das neugeborne Kindelein« umfasst nur vier Zeilen, sodass sich ein ungewöhnlich knapper Vokalsatz ergibt, der phasenweise einem Kantionalsatz gleicht, in dem die Unterstimmen kurze Binnenimitationen aufweisen und anschließend akkordisch gebündelt werden.[114] Etwas umfangreicher sind die Zwischenspiele, die auf das Ritornell zurückgehen. Erst auf den zweiten Blick wird sichtbar, dass die imitierenden Ansätze der Gegenstimmen in den ersten Zeilen die Initien des im Sopran liegenden Cantus firmus umspielen, während sie in den folgenden Zeilen durch frei gebildete Motive ersetzt werden. Anders gesagt: Die Choralzeilen werden anfangs mit ihrer diminuierten Fassung und später mit freien Motiven imitiert. In g-Moll stehend, setzt sich das Ritornell aus viertaktigen Gruppen zusammen, die aus zweitaktigen Gliedern bestehen. Während die erste Gruppe zwei Sequenzglieder umfasst, denen eine viertaktige Kadenzgruppe folgt, werden die Glieder des Mittelteils als variiertes Echo wiederholt. Dass der zweiten Zeile eine abweichende Fassung vorangeht, wird durch den Anschluss an die erste Zeile verständlich, in der der Choralsatz mit den ersten zehn Takten des Ritornells verbunden wird, sodass sich ein sieben- bis achtstimmiger Satz ergibt (T. 16/17–26 ~ T. 1–10). Um den anschließenden Rekurs auf das Ritornell zu verschleiern (T. 29–34 + 39–44 ~ T. 1–6 + 11–16), wird ein zweitaktiges Glied eingeschaltet (T. 27–28), während die Zwischentakte des Ritornells geändert werden (vgl. T. 35–38 mit T. 7–10). In dem Maß, in dem das Ritornell die Zwischenspiele ausfüllt, tritt es in den vokalen Phasen zurück. Während seine Figuren die mittleren Zeilen begleiten, duplieren die zweite Violine und die Viola in der Schlusszeile nur noch den Alt und den Tenor. Der Satz durchläuft also einen doppelten Prozess, der

---

112 Die Konstellation könnte darauf hindeuten, dass die Wahl der Vorlagen nicht immer in Bachs Ermessen lag.
113 Vgl. dazu das Faksimile bei Dürr, Die Kantaten, Bd. 1, S. 133. Während der Text von Caspar Ziegler schon 1697 erschien, ist die Melodie erst 1738 belegt (Johann Balthasar König, Harmonischer Lieder-Schatz, Frankfurt a. M. 1738), vgl. BC, Bd. IV, S. 1353 (F 164).
114 Die Melodie entspricht (abgesehen von rhythmischen Varianten) der Fassung bei Vopelius 1682, S. 101f.

von der simultanen Paarung beider Schichten bis zu ihrer Angleichung führt und gleichzeitig die Grenzen zwischen akkordischer und polyphoner Choralbearbeitung unterläuft.

Im Eingangschor aus BWV 123 »Liebster Immanuel, Herzog der Frommen« werden Choral und Instrumentalpart auf andere Weise miteinander verbunden. Der barförmige Text von Ahasverus Fritsch (1679) enthält zwei Stollenzeilen mit elf bzw. zehn Silben, während der zehnsilbigen Schlusszeile zwei fünfsilbige Kurzzeilen vorangehen. Weil die Stollenzeilen in BWV 123 jeweils in vier Abschnitte gegliedert werden, ergibt sich ein insgesamt elfteiliger Chorsatz.[115] Da die erste Halbzeile nur wenige Töne umfasst, kann sie als Motto dienen, das den Instrumentalpart durchzieht und mehrfach auch in den vokalen Unterstimmen erscheint. Die Melodie (Darmstadt 1698) wird in den 9/8-Takt versetzt und als modifizierter Kantionalsatz gefasst, dessen Halbzeilen nur zwei Takte füllen und durch vorangestellte Mottozitate oder gedehnte Kadenzen verlängert werden. Desto mehr dominiert das zweitaktige Motto, das in den 20 Takten des Ritornells nicht weniger als achtmal erscheint. Ohne einer mechanischen Regulierung zu gehorchen, werden jeweils zwei oder drei Einsätze sequenzierend gestaffelt und mit den Achtelketten der Gegenstimmen gepaart. Während die Mottozitate in Terz- oder Sextparallelen einsetzen, werden die Gegenstimmen zu einem akkordischen Gewebe erweitert. So klangvoll der Satz wirkt, so wechselvoll werden die Stimmen abgestuft. Wo das Motto in den Flöten oder Oboen auftritt, übernehmen die Streicher die Gegenbewegung, die umgekehrt in die Holzbläser einzieht, sobald die Streicher oder der Continuo das Motto aufgreifen. Setzt ausnahmsweise der Continuo aus (T. 9–14), so treten die Bläser oder Streicher im Unisono zusammen, um durch die Gegenstimmen ergänzt zu werden. Dass der Satz trotz der ständigen Präsenz des Mottos keineswegs monoton wirkt, verdankt er der subtilen Abstufung der Klangfarben.

Der Eingangschor aus BWV 124 »Meinen Jesum laß ich nicht« ist zugleich der letzte Satz, in dem das Muster des Kantionalsatzes durchscheint. Versetzt in den 3/4-Takt, würden die Choralzeilen des Sopran nur vier Takte umfassen, wenn sie nicht durch die gedehnten Schlusstöne erweitert würden, die von den Unterstimmen akkordisch gefüllt werden. Nur zur ersten Zeile deutet sich eine Binnenimitation an, sofern der Bass mit denselben Tönen wie der Sopran einsetzt, während die Einsätze der Mittelstimmen als freie Umkehrungen erscheinen. Gerade diese Zeile wird mit den ersten Takten des Ritornells verkettet, in denen der Continuo an die punktierte Rhythmik der Oberstimmen angeglichen wird (T. 23–30 ~ 1–8). Anders gesagt: Das Ritornell ist – ähnlich wie in BWV 133 – von vornherein auf die erste Choralzeile hin angelegt (Notenbeispiel 11). Das Kopfmotiv wird auf die Streicher und eine konzertierende Oboe d'amore verteilt, die nach einer Sequenz auch die figurative Fortspinnung übernimmt. Ihre skalaren Sechzehntelketten werden – unterbrochen durch punktierte Tuttiblöcke – mit den folgenden Zeilen verbunden, während das Kopfmotiv erst am Zeilenende und mitunter auch im Continuo eintritt. Als seine Vertretung können die Tuttiblöcke gelten, die auf die Nahtstelle zwischen Kopfmotiv

---

[115] Im Schlusschoral wird diese Aufteilung durch Fermaten angedeutet. Vgl. dagegen die Fassung im Schemellischen Gesangbuch (BWV 485).

Notenbeispiel 11

und Fortspinnung zurückgehen (T. 6–7). Aus ihnen statt aus der Oboenstimme bezieht der Satz die Impulse, die ihm sein anmutiges Gepräge geben.

Dagegen ist der Eingangschor aus BWV 111 »Was mein Gott will, das gscheh allzeit« nur noch begrenzt zu den modifizierten Kantionalsätzen zu zählen. Zwar beginnen die meisten Zeilen mit Binnenimitationen, doch münden sie im akkordischen Satz, in dem jeweils eine Stimme die Choralweise wiederholt, deren gedehnte Fassung zuvor im Sopran erklingt. Gegenüber der Bearbeitung derselben Melodie, die eine Woche später in BWV 92 folgte, erreichen die akkordischen Phasen hier einen Anteil, der es rechtfertigt, von einer Kreuzung beider Satzarten zu reden. Da die beiden Schlusszeilen den Stollenzeilen entsprechen, ließen sich die drei Zeilenpaare mit demselben Satz bestreiten, sodass nur zwei weitere Zeilen gesondert zu vertonen waren (Zeilen 1–2 = 3–4, 5–6, 7–8 = 1–2). Während die Unterstimmen am Ende der wiederholten Zeilen die Choralweise zitieren, wird die sechste Zeile imitierend eröffnet, ohne ein abschließendes Melodiezitat aufzuweisen. In der fünften Zeile tritt an die Stelle der Binnenimitation ein akkordischer Satz, in dessen Kadenz die IV. Stufe durch die Mollvariante ersetzt und durch zwei Einsätze des instrumentalen Kopfmotivs betont wird (T. 75–81: »er hilft aus Not«). Die Differenz beweist erneut, dass die satztechnische Angleichung der Zeilen durch den Zusammenhang des Instrumentalparts überdeckt wird. Der Satz entspricht rhythmisch und melodisch dem konzerthaften Tuttisatz aus BWV 26 »Ach wie flüchtig«, der ebenfalls in a-Moll steht. Hier wie dort werden die vokalen Abschnitte durch skalare Formeln begleitet, wogegen das markante Kopfmotiv erst an den Zeilenenden oder in den Zwischenspielen nachfolgt.

Gegenüber den schlichteren Kantionalsätzen, die in Werken vor der Adventszeit dominieren, sind die entsprechenden Sätze seit Neujahr darauf angelegt, innerhalb ihres begrenzten Rahmens die vokalen Gegenstimmen mit dem Material der Ritornelle zu verklammern. Greifen die Unterstimmen in BWV 133 das instrumentale Kopfmotiv auf, so sind es in BWV 123 die ersten Töne des Chorals, die den Instrumentalpart bestimmen. Die Ritornelle in BWV 122 und 124 sind hingegen im Hinblick auf die erste Choralzeile konzipiert, mit der sie anschließend gekoppelt werden. Dass sich davon das Verfahren in BWV 111 unterscheidet, dürfte mit dem Anteil der imitierenden Phasen zusammenhängen. Jenseits aller Varianten zeichnen sich die Sätze durch die Sorgfalt ihrer Ausarbeitung aus, die sie von früheren Spielarten des Kantionalsatzes unterscheidet.

g. Polyphone Vokalsätze seit Weihnachten

Dem tempus clausum der Adventszeit folgte am 1. Weihnachtstag die Kantate »Gelobet seist du, Jesu Christ« (BWV 91), in deren Eingangssatz neben den Streichern drei Oboen und zwei Hörner verwendet werden. Assistiert von Pauken, eröffnen die Hörner das Ritornell mit Haltetönen, bevor sie ab Takt 5 die Klangfolgen der anderen Stimmen mit trillerartigen Figuren umspielen. Die rhythmischen Impulse gehen von steigenden Skalenfiguren der Oboen aus, die nach Sechzehntelpause ansetzen und sich als verlängerte Auftakte auf die betonten Zählzeiten richten. Indem sie quasi imitierend die Oboen und die Streicher durchlaufen und in Dreiklangsbrechungen einmünden, verharrt der Satz vier Takte lang auf der Tonika G-Dur, bis ein letzter Einsatz des Continuo (T. 5) auf der Septime abbricht und die Quintkette der folgenden Takte einleitet. Versetzt auf andere Stufen, zieht sie auch in die Zwischenspiele ein, um dann auf die Subdominante bzw. Dominante hinzuführen. So ist das Ritornell ein Musterbeispiel für Bachs Vermögen, eine einfache Stufenfolge durch rhythmische Staffelung der Stimmen zu differenzieren. Die Kürze der Vorlage bedingt eine ungewöhnlich gedrängte Anlage im Alla-breve-Takt. Mit dreimal wiederholtem Grundton beginnend, bietet die erste Zeile kein taugliches Imitationsmotiv, sodass auf den ersten Blick ein erweiterter Kantionalsatz vorzuliegen scheint, dessen Melodie auf halbe Noten gedehnt wird. Indes erweisen sich die Koloraturen der Unterstimmen als imitierende Varianten des Kopfmotivs, mit dem die Oboen das Ritornell eröffneten. Zu Beginn der zweiten Zeile werden die Gegenstimmen in akkordischem Satz gekoppelt, dessen Rhythmik die Dreiklangsformeln des Ritornells übernimmt und in ein ähnlich dichtes Geflecht wie in der ersten Zeile übergeht. Erst der Quartsprung, mit dem die dritte Zeile ansetzt, löst eine Binnenimitation der Gegenstimmen aus, die am Zeilenende wieder akkordisch gerafft werden. Die vierte Zeile schließlich scheint der ersten Zeile zu entsprechen, doch gehen den Koloraturen der Mittelstimmen auftaktige Quintsprünge voraus, die auf das Incipit der Choralzeile verweisen. Im Bass durch einen Quartsprung ersetzt, münden sie in die Figuren des Ritornells ein, sodass sich die Kennzeichen beider Schichten kreuzen. Da das zugehörige »Kyrie eleis« als gesonderte Phase abgetrennt wird, wird die dritte Zeile zur Mittelachse des Satzes. Die folgende Übersicht, in der die Zwischenspiele ausgeklammert bleiben, versucht diese Gliederung anzudeuten:[116]

Zeilen	1	2	3	4	5
Orchester	Dreiklangsmotivik	Dreiklangsmotivik	Dreiklangsmotivik mit instrumentalen Figuren	Dreiklangsmotivik	motivische Figuration
Chorsatz	Imitation mit motivischen Figuren des Ritornells	akkordischer Satz, Ende in Dreiklangsmotivik	Imitation des Zeilenbeginns mit akkordischer Raffung	Imitation des Zeilenbeginns mit Figuration	akkordischer Abschluss

Dass die Imitation der mittleren Zeile im akkordischen Satz ausläuft, gibt den Streichern Gelegenheit, auf die Figuren des Ritornells zurückzugreifen, die sonst vom Vokalpart beansprucht werden, sodass die Instrumente auf Dreiklangsformeln angewiesen sind. Da das »Kyrie« durch Dehnung der Finalis verlängert wird, kreuzt sich sein Ende mit dem letzten Rekurs auf das Ritornell. Trotz unterschiedlicher Faktur werden also die Satzteile durch die instrumentale Motivik verklammert.

Der Neujahrskantate »Jesu, nun sei gepreiset« (BWV 41) liegt ein Text von Johann Hermann zugrunde, der 1593 in Leipzig mit einer älteren Melodie verbunden wurde.[117] Der Eingangschor verwendet drei Trompeten und Pauken nebst Streichern und drei Oboen, hat jedoch eine 16 Zeilen umfassende Vorlage zu berücksichtigen, die der festlichen Besetzung nicht durchweg entgegenkommt. In C-Dur beginnend, lenkt die erste Zeile zur IV. Stufe, um aber auf der oberen Sekunde zu enden, bis die zweite Zeile mit einer C-Dur-Klausel schließt. Auf einen ähnlichen Tonvorrat begrenzen sich die zwei nächsten Zeilen, bevor diese vier Zeilen mit neuem Text wiederholt werden. Den beiden Stollen (Zeilen 1–4 = 5–8) folgen zwei melodisch identische Zeilen (9 = 10), die wiederum in C enden. Zwar kadenziert das nächste Zeilenpaar auf d, doch wird es wiederum wiederholt (Zeilen 11–12 = 13–14), bevor die nochmals wiederholten Schlusszeilen auf die Melodie der ersten Zeilen zurückkommen (Zeilen 15–16 ~ 1–2). Die Vorlage stellte Bach vor die Aufgabe, eine Gliederung zu entwerfen, die die internen Wiederholungen berücksichtigen musste. Wie

---

116 Vgl. dazu die abweichende Darstellung bei Dürr, a. a. O., Bd. I, S. 110.
117 Cantilenae Latinae et Germanicae […], Wittenberg 1591, vgl. BC, A 25 und F 118 (andernorts setzte sich eine jüngere Weise von Melchior Vulpius durch). Die Melodie bei Schein, Cantional, Nr. 23, und bei Vopelius 1682, S. 94 f., entspricht im Ambitus der Zeilen und im Wechsel zum Tripeltakt (in Zeile 13) der Fassung Bachs.

Dürr sah, entwarf Bach einen Satzplan, der die Zeilen auf drei Abschnitte verteilt und abschließend auf den Eingangsteil zurückgreift.[118]

A	B	C	A′
T. 1–102	T. 103–118	T. 119–151 = 153–182	T. 183–187 | 188–213
Zeilen 1–4 = 5–8	Zeilen 9–10	Zeilen 11–12 = 13–14	instrumental Zeilen 15–16
¢, C-Dur, Tutti (mit Trompeten)	¾, adagio, a-Moll – C-Dur (Trompeten colla parte)	¢, presto, a-Moll – d-Moll, motettischer Vokalsatz, Instrumente colla parte	C-Dur, Tutti 1–2 mit Rückleitung und Coda (~ Zeilen 1–2)

Gesonderte Maßnahmen forderte nicht nur der tonale Wechsel der Zeilen 11–12 (= 13–14), sondern vor allem der Verlauf der ersten Zeilen. Während die erste Zeile zur IV. Stufe lenkt, um auf der erniedrigten VII. Stufe zu enden, führt die zweite Zeile über die Dominante zur Tonika zurück (Notenbeispiel 12). Obwohl die folgenden Zeilen den C-Dur-Rahmen nicht überschreiten, endet die dritte Zeile auf der IV. Stufe, deren Variante im Plagalschluss der vierten Zeile erscheint. Auf die Klangfolge der ersten Zeile führt das Ritornell insofern hin, als die Trompetenfanfaren zwischen der I. und IV. Stufe wechseln, bevor ein F-Dur-Klang nach B lenkt und eine Quintkette eröffnet, die nach C-Dur zurückführt (T. 5–12: F-B-e-a-d-G-C). Entscheidenden Anteil hat der Continuo, dessen Skalen- und Drehfiguren die Klangkette tragen. Wie im Ritornell spielen die Streicher und die Oboen in den Zwischenspielen Dreiklangsfiguren, um danach die Motivik der Trompeten und Violinen zu stützen. In den Choralzeilen dagegen duplizieren die zweite Violine und die Viola den Vokalpart, während die erste Violine obligat geführt ist und die Oboen die Klangfolgen markieren. Der im Sopran liegende Cantus firmus wird von den Unterstimmen durch Melismen kontrapunktiert, die mit den Signalen der Trompeten gekoppelt werden.

Notenbeispiel 12

Da die Choralmelodie in den Zeilen 9–10 nur einen Halbtonschritt umkreist (*h-c*), war hier eine andere Lösung erforderlich. Wechselnd zum ¾-Takt, umschreiben Sopran, Alt und Tenor in Zeile 9 die V. und I. Stufe in a-Moll, um in Zeile 10 dieselbe Klangfolge in G- bzw. C-Dur zu wiederholen. Zwischen den gedehnten Akkorden vermittelt der Bass mit Haltetönen auf *a* und *d*, die zusammen mit den umrahmenden Stufen eine Quintkette bilden (*e-a-d-g-c*). Ergänzt durch Achtelketten der Streicher und Oboen, kommentiert der Satz die Textzeilen (»daß wir in guter Stille das alt Jahr hab'n erfüllet«), während die letzten Zeilen als motettischer Satz mit duplizierenden Instrumenten ausgearbeitet werden.[119] Tenor und Bass, gefolgt vom Alt, setzen in

---

[118] Nach Dürr, a. a. O., S. 151 f., sang man die Melodie in Leipzig »offenbar mit einer Wiederholung der beiden letzten Zeilen auf die Anfangsmelodie – so jedenfalls ist sie uns in sämtlichen Sätzen Bachs überliefert«.
[119] Vgl. dazu Oechsle, a. a. O., S. 493–496.

eintaktigem Abstand mit einem Thema ein, das auf der V. Stufe von a-Moll eingeführt und eine Quinte tiefer beantwortet wird. Statt einer Fuge liegt jedoch ein kontrapunktischer Satz vor, dessen Thema mit fallenden Quartfolgen gekoppelt wird. In Zeile 11 auf a-Moll bezogen, wird es zu der in d-Moll schließenden Zeile 12 eine Quinte versetzt, sodass der Satz zwischen beiden Stufen wechselt, um mit einem Plagalschluss in d-Moll zu enden. Nach seiner Wiederholung (Zeilen 13–14) wird ein modulierendes Gelenk erforderlich, damit sich die letzten Zeilen mit dem Tonsatz der ersten Zeilen anschließen können. Daher wird eine Quintkette eingeschoben (T. 183–187), die im früheren Zeitmaß nach C-Dur und damit zum Eingangsteil zurückführt, dessen Ritornell im Nachspiel wiederholt wird.

Aus einer Kette heterogener Teile, die sich aus der Vorlage ergab, entstand durch den Rückgriff eine weitgespannte Rahmenform. Bedenkt man, dass Bach in acht Tagen fünf Kantaten aufzuführen hatte, so ist kaum zu begreifen, wie er bei dieser Belastung einen derart grandiosen Satz konzipieren konnte.

Zwei Wochen später folgte in »Ach Gott, wie manches Herzeleid« (BWV 3) ein ähnlich anspruchsvoller Satz. Obwohl die Vorlage nur vier Zeilen umfasst, unterscheiden sich die Initien so sehr, dass sich aus ihnen keine gemeinsame Motivik ableiten ließ. Stattdessen erfand Bach ein thematisches Modell, dessen Grundform einen auftaktigen Quartsprung mit einer chromatisch fallenden Linie verbindet. Dass sie intern eine Sequenz umgreift, wird an der zweifachen Folge punktierter Achtelwerte kenntlich. Der chromatisch fallenden Melodik entspricht zugleich eine Quintkette (E-A^7-D), die auf einem Orgelpunkt (*A*) basiert und in einem verminderten Septakkord mündet. Begleitet von Streichern, wird das Modell von zwei Oboi d'amore imitiert und ausgesponnen, bis es in einer vereinfachten Variante von den Vokalstimmen übernommen wird (s. Notenbeispiel 13). Während seine Grundform einen Quartraum ausfüllt, wird die vokale Version auf Terzumfang reduziert. Obwohl der Orgelpunkt in Achtelfolgen übergeht, deutet er auf den Cantus firmus voraus, der – erstmals seit BWV 135 – im Bass liegt und am Ende der Zeilen in Haltetönen ausläuft. Da der Continuo in den vorangehenden Takten aussetzt, wird der Eintritt der Zeilen – verstärkt durch eine Posaune – nachdrücklich markiert. Ebenso deutlich treten die Vorimitationen der Oberstimmen hervor, die sich in den Oboen fortsetzen. Wechseln die Streicher zwischen begleitender und verdoppelnder Funktion, so bilden die Oboen ein obligates Stimmpaar, das seine Selbstständigkeit auch während der chorischen Phasen wahrt. Obwohl der Schlusston der ersten Zeile (*fis*) zur Dominante mit Halbschluss führen könnte, wird er als Grundton der Mollparallele gefasst. Dagegen lenkt die zweite Zeile zur Dominante und führt damit auf eine transponierte Variante des Ritornells hin. So beginnt die Vorimitation vor der dritten Zeile auf der Dominante, bis der letzte Einsatz durch Ausweitung des Kernmotivs zur II. Stufe lenkt, auf der dann die Choralzeile eintritt. Wird hier die chromatische Stimmführung erweitert, so werden in der letzten Zeile die Vorimitationen fortgeführt. Ohne auf

Notenbeispiel 13

einzelne Wörter zu verweisen, lässt sich der Satz – um Dürr zu zitieren – als »grandioses, ausdrucksvolles Lamento« auffassen.[120] Die Grundform der Motivik bleibt jedoch den Instrumenten vorbehalten, deren Phasen fast zwei Drittel des Satzes füllen.

Die letzten fünf Sätze gehören insofern zusammen, als der Kantionalsatz mit konzertanten Instrumenten zugunsten einer strukturellen Angleichung aufgegeben wird, die nicht immer auf die Choralvorlage zurückgeht. Der Kantate »Ich hab in Gottes Herz und Sinn« (BWV 92) liegt dieselbe Melodie zugrunde, die eine Woche zuvor in BWV 111 »Was mein Gott will« verwendet worden war. Die Konstellation, die auf die Textwahl des Librettisten zurückgehen mag, machte folglich ein anderes Satzkonzept erforderlich. Während der Sopran die im 6/8-Takt notierten Choralzeilen in punktierten Vierteln singt, akzentuieren die Gegenstimmen das Taktmaß mit einer auftaktigen Motivik, die »von der Choralweise« zunächst »unabhängig« zu sein scheint.[121] Dass sie aber latent auf die Vorlage verweist, wird erst in der zweiten Zeile deutlich, deren fallende Linie von den Gegenstimmen umspielt wird. Dasselbe Modell erscheint bereits zur ersten Zeile, ohne hier schon seine Herkunft erkennen zu lassen. Da die Fassung dieser Zeilen im zweiten Stollen und in den beiden Schlusszeilen wiederkehrt, müssen sechs Zeilen mit derselben Substanz bestritten werden. Wie die Skizze im Autograph zeigt, notierte Bach im Voraus eine steigende Linie, die im Zwischenspiel vor Zeile 5 in der ersten Violine eingeführt und im Continuo fortgesetzt wird, bis sie vor Zeile 6 in den Oboen eintritt und sich hier als Verweis auf die analoge Linie der Choralweise erweist. Angesichts dieses Zusammenhangs ist es nicht übertrieben, auch die Motivik der übrigen Zeilen auf den Choral zu beziehen. Dabei werden die Vorimitationen durch Binnenimitationen ersetzt, von denen sich der akkordische Beginn der sechsten Zeile abhebt, in der der Bass das Grundmotiv andeutet. Die Angleichung der Stimmen hat zur Folge, dass die zweite Violine und die Viola den Alt und Tenor duplieren, während die erste Violine und die Oboen obligat bleiben.

Die Satzanlage setzt ein Verfahren voraus, in dem die diastematischen Analogien mit einer Rhythmik verbunden werden, an der die Instrumental- und Vokalstimmen teilhaben können. Wie die Imitationen keinem Schema folgen, so können auch die rhythmischen Modelle die intervallische Gestalt wechseln und trotzdem die Einheit der Sätze verbürgen.

Im Eingangschor der Kantate »Mit Fried und Freud ich fahr dahin« (BWV 125) umspielt das Kopfmotiv des Ritornells den Quintsprung, mit dem die Choralweise beginnt. Während dieselbe Motivik in den Binnenimitationen der ersten Zeilen wiederkehrt, wird der Quintraum in Zeile 3 zur Septime erweitert und in Zeile 4 der Linie der Choralweise angeglichen, bis er letztmals in Zeile 5 erscheint. Die Zwischenspiele bewahren das Kopfmotiv der ersten Zeilen, das danach durch Varianten der Fortspinnung ersetzt wird. Entscheidend sind die steigenden und fallenden Achtelketten, die dem Gefälle des 12/8-Takts einen quasi auftaktigen Impuls verleihen. Eingeführt in der Querflöte, werden sie von der Oboe übernommen und von den Streichern in akkordischem Satz gefüllt, bevor sie verlängert und auf die Stimmgruppen verteilt werden. Indem sie von den vokalen Gegenstimmen übernommen werden, hebt sich

---

[120] Dürr, a. a. O., S. 183.
[121] Ebd., S. 205.

ihr Bewegungsmaß von den gedehnten Choralzeilen ab, während die Binnenimitationen innerhalb der Zeilen fortgeführt werden.

Zwischen den instrumentalen und den vokalen Phasen besteht eine spürbare Spannung, die in den Eigenarten der Vorlage gründet. Der Tonalität der instrumentalen Phasen steht eine dorische – hier nach e-Moll transponierte – Choralweise gegenüber.[122] Auf dem Grundton oder der Quinte endend, können die drei ersten Zeilen in h- und e-Moll schließen. Anders steht es mit der Zeile 4 (»sanft und stille«), die auf der VII. Stufe endet. Die Finalis (d) wird als Terz eines h-Moll-Klangs eingeführt, der von einem D-Dur-Quintsextakkord abgelöst wird, während der anschließende G-Dur-Klang durch die Mollvariante ersetzt wird (T. 48 ff.). In dem Maß, wie die Klangfolge auf die Worte verweist, ist sie zugleich auf die Klausel der Melodiezeile angewiesen. Die Dehnung der Weise hat zur Folge, dass ihre Eigenarten mehr als im Schlusschoral zur Geltung kommen. Zu ihnen gehört es, dass die ersten Zeilen mit plagalen Kadenzen enden, während die Klausel der fünften Zeile durch einen Trugschluss verzögert wird (T. 59 ff.). Am weitesten reichen die Eingriffe in der Schlusszeile, deren Klausel bereits in früheren Quellen verziert wurde.[123] Zu den Worten »der Tod ist mein Schlaf worden« schließen sich die Gegenstimmen dem Cantus firmus in akkordischem Satz an, der auf einen verminderten Septakkord (über *Fis*) hinführt. Überraschend wird er von einem F-Dur-Klang abgelöst, um danach erst die Finalis zu erreichen und zur früheren Rhythmik zurückzukehren, an die zuvor nur noch der Instrumentalpart erinnerte (T. 68–74).

Mehr noch als sonst erschöpft sich Bachs Kunst nicht in der Deutung einzelner Worte oder Bilder. Sie beweist sich vielmehr in einer Stimmführung, die gleichermaßen den Vokal- und den Instrumentalpart prägt. Durchweg motivisch gebunden, schmiegt sie sich dennoch den Klangfolgen an, die durch die modale Tönung der Weise bedingt sind.

Auch der Eingangssatz aus »Erhalt uns, Herr, bei deinem Wort« (BWV 126) scheint sich kaum auf die Choralmelodie zu beziehen. Nur die obligate Trompetenstimme greift eingangs den Terzsprung auf, mit dem die erste Choralzeile beginnt. Mit Binnenauftakt ansetzend, wird dieses Kopfmotiv zum Oktavraum erweitert und nochmals wiederholt, ehe es in skalaren Sechzehnteln ausläuft. Seine rhythmische Fassung wird – umspielt durch Wechselnoten – von den Oboen und Streichern aufgenommen, sodass die auftaktigen Impulse den gesamten Instrumentalpart erfassen. Während die Choralzeilen in halben Noten verlaufen und mit mehrtaktigen Haltetönen enden, werden die Gegenstimmen anfangs akkordisch gebündelt und später den instrumentalen Figuren angeglichen.[124] Dabei nehmen die Terzsprünge, mit denen der Bass und der Tenor die erste Zeile eröffnen, das anfängliche Trompetensignal auf, das im Einsatz des Alts anklingt, bevor die Stimmen im gehaltenen Grundakkord zusammentreten (T. 12 f.). Kehrt diese Formation am Zeilenende wie-

---

[122] Luthers Text erschien zuerst 1524 in Johann Walters Wittenberger Gesangbuch und wurde schon hier mit dieser Weise verbunden. Sie findet sich in kaum veränderter Fassung bei Schein, Cantional, Nr. 29, Vopelius 1682, S. 113 f., sowie Dresden 1694, S. 87.
[123] Im Dresdner Gesangbuch von 1694 lautet die Schlusszeile: g^1-f^1-d^1-cis^1-f^1-e^1-d^1-e^1-d^1.
[124] Dürr zufolge läge »ein imitatorisches und freipolyphones Unterstimmengefüge ohne ausgeprägte thematische Bindung« vor, vgl. Dürr, Die Kantaten, Bd. 1, S. 215.

der (T. 16), so wird nun sichtbar, dass alle analogen Ansätze auf das Eingangssignal und damit auf das Incipit der Choralweise zurückweisen. Wiederum genügt ein Intervall – hier der Terzsprung – in einer prägnanten Formulierung, um ein Netzwerk zu stiften, dessen Varianten den gesamten Satzverlauf erfassen. Während analoge Einsätze die Takte zwischen den ersten Zeilen füllen, enden sie zur zweiten Zeile in Melismen, die am Zeilenende akkordisch gerafft werden (T. 20–27). Obwohl das Imitationsmotiv in der dritten Zeile zur Quarte erweitert wird (T. 32 ff.), erinnern zwei weitere Einsätze an seine anfängliche Gestalt (Bass T. 34, Tenor T. 36). Erst in der letzten Zeile treten die Beziehungen zurück, während die Melismen mit Schlüsselworten des Textes zusammenfallen (»*stürzen* wollen von seinem *Thron*«).

Der Vokalpart steht zwar dem Kantionalsatz nahe, doch wird er durch die imitierenden Einsätze gesteuert, deren rhythmische Fassung auf den Beginn des Chorals zurückweist. Hinter dem Schein einer satztechnischen Reduktion verbirgt sich also ein kompositorisches Prinzip, das die letzten Chorsätze des Zyklus verbindet.

An vorletzter Stelle wäre der Eingangschor aus BWV 127 zu nennen, dessen Kombination dreier Choräle aber derart singulär ist, dass er gesondert erörtert werden muss. Bedingt durch die Passionszeit, folgte zuletzt – nach mehrwöchigem Abstand – die Kantate »Wie schön leuchtet der Morgenstern« (BWV 1). Wie in BWV 96 und 180 wird die im Sopran liegende Melodie auf punktierte Halbe gedehnt, während der Streicherchor durch zwei konzertierende Violinen sowie durch Hörner und Oboi da caccia erweitert wird.[125] Die Vorlage ist insofern heikel, als die Zeilen nur den Grundton und die Quinte umkreisen, ohne die Tonika F-Dur zu verlassen. Bachs Lösung beruht auf einer Konstruktion, deren Grundlagen im Ritornell eingeführt werden (Notenbeispiel 14). Die Soloviolinen führen in den Takten 1 und 3 ein Grundmotiv ein, das die erste Choralzeile umspielt und auf dem analogen Stufenwechsel im Continuo basiert. Beidemal wird es von rhythmisierten Orgelpunkten abgelöst, die durch die Dreiklangsfiguren der Soloviolinen ausgefüllt werden, während die Bläser die Rhythmik des Grundmotivs fortführen (T. 2 bzw. 4). Ihnen sind die nächsten Takte überlassen, die den tonalen Rahmen zur Subdominante erweitern (T. 5–6), bevor die Stimmen in einer Sequenz zusammentreten, die durch ein Motivzitat eröffnet und durch die Kadenzgruppe beschlossen wird (T. 7–13[1]).

Die harmonische Fixierung, die eine Folge der gedehnten Choralweise ist, bietet den Gegenstimmen Gelegenheit für ausführliche Imitationen, die in den Zeilen 1–2 (bzw. 4–5) an das Kopfmotiv des Ritornells anschließen, während in der zweiten bzw. fünften Zeile der Tenor und der Alt zwei Zitate der Choralweise einfügen (T. 20–23). Der tonalen Begrenzung wirken die Zwischenstufen entgegen, die in den Stollenzeilen zur IV., VI. und II. Stufe lenken und mit den Figuren der Soloviolinen gekoppelt werden. Die Kombination konzertanter und imitierender Momente geht mit dem Wechsel der Klanggruppen einher, die mit den Figurationen der Violinen gepaart werden. Wie in BWV 92, 125 und 126 wird die rhythmische Gestalt der Imitationsmotive in den Zeilen 3 (bzw. 6) und 10 mit anderen Intervallen verbunden, während der akkordische Satz der Kurzzeilen 7–8 (T. 84–89) weniger als Reduktion denn als Widerpart der Orgelpunkte fungiert, die in die Zwischenspiele und in die Vokalpha-

---

[125] Zur Melodievorlage vgl. Schein, Cantional, Nr. 83, sowie Vopelius 1682, S. 819 f.

Notenbeispiel 14

sen einkehren. Nicht weniger kunstvoll ist die Lösung, die Bach für die um wenige Töne pendelnde Zeile 9 fand (T. 89–95). Indem die wiederholte Terz des Grundtons mit der kreisenden Bewegung des Basses gepaart wird, die der Sequenzkette des Ritornells voranging, kann sie mit der VI. und III. Stufe verbunden werden, während sie zwei Takte später auf die Tonika bezogen wird, um die abschließende Kadenz zu eröffnen. Die Schlusszeile hingegen greift auf die Sequenzgruppe des Ritornells zurück, deren melodische Quintfolge zu einer Quintschrittsequenz erweitert wird.

Rückblickend wird deutlich, dass alle Satzphasen von der Konstruktion des Ritornells ausgehen. Während die ersten Takte mit dem Kopfmotiv, dem Orgelpunkt und der Figuration das motivische Material einführen, bilden die letzten Takte mit der Folge von Sequenz und Kadenz das Modell für die Kulmination der Schlusszeile. Das aber bedeutet, dass Bach bei der Konzeption des Ritornells bereits den gesamten Satzverlauf im Blick hatte.

h. Cantus triplex: »Herr Jesu Christ, wahr' Mensch und Gott« (BWV 127:1)

Als Friedrich Smend 1948 schrieb, »unter sämtlichen erhaltenen Kantaten Bachs« sei BWV 127 »vielleicht die bedeutendste«,[126] konnte er sich noch nicht auf die neue Chronologie stützen, der zufolge das Werk zu Estomihi 1725 entstand. Maßgeblich waren für Smend nicht Umfang und Besetzung der Kantate, die neben doppelten Oboen und Blockflöten nur Streicher und eine Trompete fordert, während sie mit nur fünf Sätzen weit kürzer als andere Werke ausfällt. Smend bezog sich vielmehr auf den Eingangschor mit seiner Kombination dreier Choräle. Die Konstruktion

---

[126] Friedrich Smend, Joh. Seb. Bach, Kirchen-Kantaten, Berlin 1947/48, Heft VI, ebd. ²1966, S. 41.

erschließt sich weder durch hermeneutische Kommentare noch durch Verweise auf die Kunst des Choralquodlibets, die zu Bachs Zeit fast vergessen war. Hilfreicher ist es, an Dürrs Einsicht zu erinnern, dass der Satz in das Ende einer Werkreihe fiel, die wenig später mit dem Eingangschor aus BWV 1 und dem Choralchorsatz »O Mensch, bewein dein Sünde groß« (BWV 244:29) ihren Abschluss fand.[127]

In BWV 127 wird die Bearbeitung des sechszeiligen Lieds »Herr Jesu Christ, wahr' Mensch und Gott« durch instrumentale Zitate der dreizeiligen Melodie zu »Christe, du Lamm Gottes« ergänzt. Während diese Zitate in halben und ganzen Noten auftreten, singt der Sopran in Vierteln und Halben die Melodie des Hauptlieds, deren Incipit – verkürzt auf Achtelwerte – in den Gegenstimmen verarbeitet wird. Beide Choräle stehen in F-Dur und werden durch die gleiche Motivik kontrapunktiert, die den Beginn des Hauptlieds durch Ketten punktierter Wechselnoten erweitert. Wird das Hauptlied imitierend entfaltet, so muss das instrumentale Zitat augmentierend verlängert werden. Überdies erscheint sechsmal im Continuo am Ende der Ritornelle ein weiteres Zitat, das sich vom Kontext abhebt und auf die Melodie »Herzlich tut mich verlangen« hinweist.[128]

Ein paar Beispiele müssen genügen, um die Satzstruktur anzudeuten, die einen planvollen Prozess durchläuft, ohne einem Schema zu gehorchen. Die folgende Übersicht verbindet die Abfolge der Satzphasen mit Hinweisen auf die weiteren Choralzitate:

Takte	Ritornelle/vokale Zeilen	Cantus-firmus-Zitate	Takte	Tonarten
1–9¹	Ritornell 1a (aus Z. 1)	*Christe, du Lamm Gottes*, Z. 1 (Str.)	1–5	F
		(1.) *Herzlich tut mich verlangen* (Bc.)	6–8	c/C
9–17¹	Ritornell 1b (aus Z. 1)	*Christe, du Lamm Gottes*, Z. 1 (Ob.)	9–12	c/C
		(2.) *Herzlich tut mich verlangen* (Bc.)	14–16	f/F
17–22¹	Zeile 1 mit Vorimitation	–	–	F
22–26¹	Teil-Rit. 2 (aus Z. 1)	–	–	F – d
26–30¹	Zeile 2 (+ Imit. aus Z. 1)	–	–	d
30–34¹	Teil-Rit. 3 (aus Z. 1)	–	–	A – d – F
34–38¹	Zeile 3 (+ Imit. aus Z. 1)	–	–	F – C
38–46¹	Teil-Rit. 4 (aus Z. 1)	*Christe, du Lamm Gottes*, Z. 2 (Fl.)	38–42¹	C
		(3.) *Herzlich tut mich verlangen* (Bc.)	43–45	a
46–49³	Zeile 4 (+ Imit. aus Z. 1)	*Christe, du Lamm Gottes*, Z. 2 (Str.)	46–49²	a – G – C
49–55¹	Teil-Rit. 5 (aus Z. 1)	(4.) *Herzlich tut mich verlangen* (Bc.)	52–54	d – G – c
55–62¹	Zeile 5 (+ Imit. aus Z. 1)	–	–	C – C
62–68¹	Teil-Rit. 6 (aus Z. 1)	(5.) *Herzlich tut mich verlangen* (Bc.)	65–67	C – c/C
68–71³	Zeile 6ᴵ (+ Imit. aus Z. 1)			C – c
71–76³	Teil-Rit. 7 (aus Z. 1)	*Christe, du Lamm Gottes*, Z. 3 (Str.)	71–74	C – F – C
76–80¹	Zeile 6ᴵᴵ (+ Imit. aus Z. 1, ohne Sopran-Cantus-firmus)	(6.) *Herzlich tut mich verlangen* (Bc.)	77–79	C – f/F

Rit. = Ritornell, Z. = Zeile, Imit. = Imitation, Str. = Streicher, Ob. = Oboen, Fl. = Flöten

---

[127] Zu BWV 244:29 vgl. Verf., Bachs Zyklus der Choralkantaten, S. 88 ff., zu BWV 127 ebd., S. 133–145.
[128] Das Zitat bezieht sich zugleich auf das Lied »Ach Herr, mich armen Sünder«; seine Deutung ist Smend zu verdanken und überzeugt weit mehr als weitere Allusionen, die er in anderen Sätzen wahrzunehmen glaubte.

Das Ritornell besteht aus zwei Gruppen, die jeweils acht Takte umfassen. Während sich die erste zur Dominante wendet, führt die zweite am Ende zur Tonika zurück (T. 1–8, 9–16). Beide Gruppen beginnen über Orgelpunkten und enden mit Zitaten der ersten Zeile aus »Christe, du Lamm Gottes«, deren Schlusstöne in die Kadenzen der Hauptmelodie integriert werden. Zugleich werden sie mit dem Incipit des Hauptlieds gekoppelt, dessen diminuierte Fassung in F-Dur einsetzt. Als zusätzliches Material dienen die Figuren der Flöten und Oboen, die in punktierten Achtelwerten die Töne des Gerüstsatzes umspielen. Primär rhythmisch profiliert, werden sie mit skalaren Linien gekoppelt und vielfach wiederholt, ohne dabei ihr Profil zu verlieren. Dagegen tritt das Hauptmotiv aus der ersten Zeile stets auf der zweiten Achtelnote der Takte ein, so dass es dem Satz latent auftaktige Impulse verleiht.

Das Verfahren, die Vorimitationen durchgehend auf die erste Zeile zu beziehen, hatte Bach bereits im Eingangssatz aus BWV 135 erprobt. Der Belastung, der die Motivik damit ausgesetzt war, trat in weiteren Sätzen – so in BWV 5 und 139 – ein zusätzliches Material entgegen, das in den Instrumentalpart verlegt wurde. Die doppelte Bindung, die sich damit ergab, war desto schwieriger, je mehr den einzelnen Zeilen Rechnung getragen werden sollte. Um auffällige Differenzen zwischen den Imitationsmotiven und den Choralzeilen zu umgehen, war das Verfahren auf eine Vorlage angewiesen, deren Zeilen sich nicht zu deutlich unterscheiden. In BWV 127 war diese Bedingung insofern erfüllt, als alle Zeilen skalare Verläufe aufweisen. Angesichts dieser Prämissen wird begreiflich, wie kompliziert es sein musste, in diesen Satz zugleich zwei weitere Choräle einzufügen.

Am Ende der ersten Zeile aus »Christe, du Lamm Gottes« wird der Schlusston auf zwei Takte gedehnt, während sich der Generalbass vom Orgelpunkt löst und in d-Moll kadenziert. Gleichzeitig greift er auf das Hauptmotiv zurück (T. 5), das auf das erste Zitat aus »Herzlich tut mich verlangen« hinführt (T. 6–8). Obwohl die phrygische Klausel durch eine reguläre Kadenz ersetzt wird, bleibt das Zitat daran kenntlich, dass es den Wechsel zur Mollvariante veranlasst (T. 6–7). Dabei werden die Töne durch auftaktige Impulse markiert, die sich mit zwei Einsätzen des Hauptmotivs paaren. Kehrt anschließend die ganze Gruppe auf der Dominante wieder, so bedarf sie eines Eingriffs, um am Ende wieder die Tonika zu erreichen. Während der Schlusston der Zeile »Christe, du Lamm Gottes« verkürzt und ein Glied der Quintkette übersprungen wird, schließt sich das zweite Zitat aus »Herzlich tut mich verlangen« an, mit dem das Ritornell in f-Moll enden müsste, träte nicht die erste Zeile des Hauptlieds in F-Dur ein.

Mit der Kombination der Vorlagen werden im Ritornell die zusätzlichen Motive verbunden, von denen die rhythmischen Impulse und die harmonischen Spannungen des Satzes ausgehen. Das Material wird dabei so flexibel eingesetzt, dass das Hauptlied kontrapunktisch verarbeitet und mit den Zitaten verkettet werden kann. Der ersten Zeile geht eine Vorimitation im Alt und Tenor voran, die nach dem Eintritt des Soprans vom Bass ergänzt wird (T. 17–22). Die Vorimitation der zweiten Zeile wird dagegen durch zwei nachträgliche Einsätze ersetzt (T. 26–30), die sich in der dritten Zeile zu einer dreistimmigen Nachimitation erweitern (T. 34–38). Gehen die Zwischenspiele auf das Ritornell zurück, so bahnt sich im Ritornell vor Zeile 4 die wachsende Verdichtung an. Das Hauptmotiv kontrapunktiert die zweite Zeile aus »Christe, du Lamm Gottes«, deren transponierte Version in den Flöten erscheint (T. 38–46). Ihr Ende kreuzt sich mit dem Zitat aus »Herzlich tut mich verlangen«, das hier zum dritten Mal eintritt (T. 43–45). Da die vierte Zeile des Hauptlieds mit der zweiten Zeile aus »Christe, du Lamm Gottes« verknüpft wird, die in den Streichern liegt (T. 46–49), vollzieht sich im Zentrum des Satzes die engste Kombination, in der das Hauptlied mit den beiden Zitaten verbunden wird.

Die damit erreichte Verdichtung wird im weiteren Verlauf nicht preisgegeben, sondern in wechselnder Weise variiert. So geht der fünften Zeile eine dreistimmige Vorimitation voran, in der sich das Hauptmotiv von Quart- auf Quintumfang erweitert. In der Fortspinnung wird das Wort »Leiden« durch Vorhaltdissonanzen hervorgehoben (T. 55–58), während das nächste Zwischenspiel im vierten Zitat aus »Herzlich tut mich verlangen« ausläuft. Die Schlusszeile wirkt zunächst weniger kompliziert, erfährt aber als einzige eine doppelte Bearbeitung. Dem ersten Durchgang mit dem Cantus firmus folgt ein zweiter, in dem der Sopran nicht mehr als Träger des Cantus firmus fungiert. Die doppelte Fassung, die den Schluss auszeichnet, verweist zugleich auf eine Besonderheit der Vorlage. Wie Konrad Ameln zeigte,[129] war das Lied im Wittenberger Erstdruck (1562) so angeordnet, dass sich der Text in zwölf vierzeilige oder acht sechszeilige Strophen gliedern ließ. Die späteren Gesangbücher enthielten sowohl vier- als auch sechszeilige Melodien, die entsprechend verschieden bearbeitet wurden. In BWV 127 liegt eine sechszeilige Melodie zugrunde, die dem Bach-Compendium zufolge 1597 bei Johann Eccard in Königsberg belegt wäre.[130] Doch ist damit eine vierzeilige Melodie genannt, wogegen Bachs Fassung auf eine Vorlage von Ambrosius Lobwasser zurückgeht, die 1594 von Calvisius mit dem Text Paul Ebers verbunden wurde.[131] Erneut 1597 publiziert, wurde sie mit geringen Varianten von Schein und Vopelius übernommen.[132] Indem sie auf *c* beginnt, aber auf der fünften Stufe *g* endet, scheint sie auf die doppelte Form des Textes zu reagieren. In der Figuralmusik war ein solcher Schluss allerdings nicht hinzunehmen. Daher wird die Schlusszeile in Knüpfers Bearbeitung wiederholt, sodass sie als Anhang zum Grundton zurückführen kann.[133] Da Bach die Melodie mit einem entsprechenden Zusatz versah, dürfte es sich um eine lokale Tradition handeln, an der die Thomaskantoren von Calvisius bis Bach beteiligt waren.[134] Während der Schlusschoral aus BWV 127 in F-Dur beginnt und in C-Dur endet, bedurfte der

---

129 Konrad Ameln, »Herr Jesu Christ, wahr' Mensch und Gott«, in: Jahrbuch für Liturgik und Hymnologie 7, 1962, S. 108–115.
130 BC, Bd. IV, S. 1321, F 88 mit Hinweis auf Z 423 (= Johannes Zahn, Die Melodien der deutschen evangelischen Kirchenlieder, Bd. I–VI, Gütersloh 1889–1893, Nr. 423).
131 Seth Calvisius, Hymni sacri Latini et Germanici, Erfurt 1594, Bl. O 5, vgl. Zahn, Nr. 2570 sowie: Das deutsche Kirchenlied, Abteilung III, Bd. 2: Die Melodien 1571–1580, hier S. 156; ferner ebd., Abschließender Kommentarband zu Bd. 3–4, S. 468 (für freundliche Hinweise danke ich Herrn Dr. Hans-Otto Korth, Kassel).
132 Seth Calvisius, Harmonia Cantionum Ecclesiasticarum, Leipzig 1697, Nr. 106, Schein, Cantional, Nr. 231, sowie Vopelius 1682, S. 863 f. (mit Erhöhung der Finalis in Zeile 4 [*gis* statt *g*] und des dritten Tons in Zeile 6 [*fis¹* statt *f*]).
133 Vgl. Verf., Die Choralbearbeitung in der protestantischen Figuralmusik, S. 264 ff. Knüpfers Werk liegt in einer Handschrift der Dübensammlung der Universitätsbibliothek Uppsala vor (Vmhs 57:4.), während das Gesangbuch von Vopelius 1682 erschien.
134 Dagegen verbindet das Dresdner Gesangbuch von 1694, S. 114, die vierzeilige Textfassung mit der Melodie »Nun lasset uns den Leib begraben«.

Eingangschor einer tonalen Abrundung. Daher entschloss sich Bach zur doppelten Vertonung der Schlusszeile: Zuerst in C-Dur endend, löst sich die Wiederholung von der Choralmelodie, um am Ende nach F-Dur zu führen. Die ungewöhnliche Entscheidung zog weitere Konsequenzen nach sich. Setzt die erste Zeile aus »Christe, du Lamm Gottes« in F-Dur ein, so wird sie anschließend auf die V. Stufe versetzt. Dagegen erscheint die zweite Zeile zunächst in C- und später in F-Dur, während die dritte Zeile in F-Dur eintritt. Überdies erweitert sich der Radius durch die erste Zeile aus »Herzlich tut mich verlangen«. Obwohl ihre phrygische Klausel umgangen wird, bewirkt das Zitat eine Wendung nach Moll, die aus dem Kontext des Satzes herausfallen würde und deshalb durch eine Klausel in Dur ersetzt wird. Dass die letzte Zeile des Hauptlieds in doppelter Fassung erscheint, hat zur Folge, dass sich der Satz am Ende von der Hauptvorlage löst.

Der überraschende Abschluss wird durch weitere Maßnahmen ergänzt. Fällt das letzte Zitat aus »Christe, du Lamm Gottes« in das Zwischenspiel, das die Fassungen der Schlusszeile trennt, so wird es zugleich vom letzten Zitat aus »Herzlich tut mich verlangen« abgelöst. Wiewohl am Ende die Hauptweise ausfällt, bleibt die Diminution ihrer ersten Zeile bis zuletzt präsent. Zugleich wird das Kernmotiv in den Schlusstakten durch Intervallsprünge verändert, die zur Expressivität der Schlusstakte beitragen. Während der Sopran mit einem Septsprung (b^1-as^2) einsetzt, lenkt das letzte Zitat aus »Herzlich tut mich« zur Variante f-Moll, die erst im Schlussklang durch die Tonika F-Dur ersetzt wird.

Bis zuletzt erinnert der Satz an das Hauptmotiv, das insgesamt 77 Mal (ungerechnet Verdoppelungen) eintritt. Obwohl es ständig präsent zu sein scheint, fehlt es in einigen Takten des Ritornells und in wenigen weiteren Gruppen.[135] Die Ausfälle werden aber durch Engführungen ausgeglichen, die primär in den Abschnitten ohne zusätzliche Zitate auftreten, sodass sich – bei Einrechnung kleiner Varianten[136] – 80 Einsätze in 80 Takten ergeben.[137] Wichtiger ist die Einsicht, dass der Verlauf keinem Schema folgt. Statt die Einsätze regelmäßig zu staffeln, werden Varianten und freie Takte zugelassen. Seine Expressivität verdankt der Satz vor allem den internen Spannungen, die sich zuletzt nochmals steigern und erst im Schlussakkord lösen. Wer von der Sprachmacht dieser Musik erfüllt ist, wird sich scheuen, ihren Gehalt in Worten zu umschreiben. Analytisch fassbar ist jedoch der Satzprozess, der das Resultat der kompositorischen Arbeit ist. Ausgehend vom Vorrat des Materials, findet er seinen Horizont in der Ambiguität des Schlusses, auf den die Disposition ausgerichtet ist.

i. Exkurs 1: »O Mensch, bewein dein Sünde groß« (BWV 245:1^{II})

Wie schon Rust und Spitta sahen,[138] enthalten die Originalstimmen zur Johannes-Passion eine in Es-Dur stehenden Frühfassung des Satzes »O Mensch, bewein dein Sünde groß«, den Bach später – transponiert nach E-Dur – als Schlusschor des ersten Teils in die Matthäus-Passion überführte (BWV 244:29). Da Rust und Spitta die frag-

---

135 Vgl. T. 2 und T. 10 sowie die Kadenzen in T. 8 und T. 16 und weiterhin die Takte 45, 54 und 67.
136 So wird das Kernmotiv in T. 59 f. durch die erwähnte Variante mit eingeschobenem Halbton vertreten.
137 Vgl. T. 28–29 (dreimal), T. 34–36 (viermal) und T. 46–48 (fünfmal).
138 Vgl. Wilhelm Rust, Vorwort zu BGA XII/1, S. XIV f.; Philipp Spitta, Bach, Bd. II, S. 381–383.

lichen Stimmen einer »ältesten« Quellengruppe zugeordnet hatten, galt die Es-Dur-Fassung als Eingangschor einer Frühfassung der Johannes-Passion. Erst Alfred Dürr konnte 1957 beweisen, dass die von Rust und Spitta als »mittlere« Gruppe betrachteten Stimmen die 1724 entstandene Erstfassung enthalten, wogegen die vermeintlich »ältesten« Stimmen der zweiten Fassung zugehören, die Bach 1725 – im Anschluss an den Zyklus der Choralkantaten – aufführte.[139] Während von der Es-Dur-Fassung neben den vokalen Ripienstimmen nur die Stimmen für Violine erhalten sind, liegt die E-Dur-Fassung in einem um 1736 geschriebenen Partiturautograph vor.

An Dürr anschließend, wies Arthur Mendel 1963 darauf hin, dass die Violin- und Continuostimmen der E-Dur-Fassung an zwei Stellen von der Es-Dur-Fassung abweichen.[140] Den Differenzen sei zu entnehmen, dass die Töne vermieden werden sollten, die in tieferer Lage für Violinen und Orgel nicht spielbar waren. Das gelte dann, wenn man eine in D-Dur stehende Vorlage annehme, in der die Töne *fis* (in den Violinen) bzw. *H* (auf der Orgel) zu umgehen waren. Zudem enthalte das Autograph eine Reihe von später korrigierten Versehen, die auf eine als Vorlage dienende D-Dur-Fassung schließen lassen.[141] Daher dränge sich die Folgerung auf, in der »Kopiervorlage« seien »Streicher, Singstimmen und Continuo in D-Dur (Chorton)« notiert gewesen, »während die (Block-)Flöten im französischen Violinschlüssel und samt den Oboen in F-Dur (tiefer Kammerton) notiert gewesen sein dürften.«[142] Da dies der Notierung entspreche, »die Bach in seinen Weimarer Werken« bevorzugt habe, müsse der Satz auf eine in D-Dur stehende Fassung aus der Zeit vor 1717 zurückgehen.

Obwohl Dürr die Ansicht teilte, die verschollene Vorlage habe in D-Dur gestanden, widerlegte er Mendels These einer Weimarer Urfassung mit einem triftigen Argument. Da die in Weimar verwendeten Blockflöten im französischen Violinschlüssel notiert gewesen sein müssten, hätte das »zu denselben Transpositionsfehlern führen« müssen »wie die D-Dur-Notierung der Querflöten in Leipzig«.[143] Das aber bedeute: »Die Frage nach der Entstehungszeit dieses Satzes bleibt also, vom quellenkritischen Standpunkt aus betrachtet, nach wie vor offen.«[144] Gleichwohl hielt das Bach-Compendium daran fest, die Frühfassung des Satzes habe einer in Weimar entstandenen Passionsmusik angehört.[145] Ist man aber Dürr zufolge nicht genötigt, den Satz in die Weimarer Zeit zu verlegen, so ist man für seine Datierung auf andere Kriterien angewiesen.

Die These, der Satz sei 1725 für die Zweitfassung der Johannes-Passion komponiert worden, wurde bereits 1995 begründet.[146] Obwohl sie weithin Zustimmung

---

139 Dürr, Chron. 1, BJ 1957, S. 67 f. und 79.
140 Arthur Mendel, Traces of the Pre-History of Bach's St. John and St. Matthew Passions, in: Festschrift Otto Erich Deutsch zum 80. Geburtstag, hrsg. von Walter Gerstenberg u. a., Kassel u. a. 1963, S. 31–48; hier S. 33 f.
141 Arthur Mendel, More on the Weimar Origin of Bach's »O Mensch, bewein« (BWV 244/35), in: JAMS 17, 1964, S. 203–206, hier S. 204 f.
142 Ders., NBA II/4, KB (1974), S. 172, dort auch das folgende Zitat.
143 Alfred Dürr, NBA II/5, KB (1974), S. 80 (mit Verweis auf die »Transpositionsrichtung« der Oboenstimmen).
144 Ebd., S. 80. Dankbar gedenke ich der hilfreichen Hinweise des inzwischen verstorbenen Alfred Dürr.
145 BC, Bd. III (1988), S. 983 (zu [D 1]).
146 Verf., Bachs Zyklus der Choralkantaten, S. 88 ff. In einer Rezension bemerkte Hans-Joachim Schulze, Verf. habe sich ehedem der Frühdatierung des Satzes »angeschlossen und hieraus abgeleitet, ›wie souverän Bach über den Satztyp schon verfügte, ohne erst eine Art Einübung‹ zu benötigen.« (BJ 1996, S. 173–176, hier S. 174).

fand,[147] seien hier weitere Argumente nachgetragen. Zunächst ist festzuhalten, dass aus der Zeit vor 1724 keine polyphone Choralbearbeitung mit obligatem Instrumentalpart vorliegt.[148] Die beiden Choralchorsätze der Weimarer Zeit (BWV 182:7 und BWV 21:1) begnügen sich mit duplierenden Instrumenten. Dasselbe gilt für den fugierten Mittelteil aus BWV 61:1, dessen instrumentale Rahmenteile nur einstimmige oder akkordische Choralzeilen enthalten. Soweit die übrigen Choralbearbeitungen obligate Instrumentalstimmen enthalten, handelt es sich – von einem Solosatz abgesehen – um erweiterte Kantionalsätze. Ein motivisch geprägter Instrumentalpart begegnet erstmals in den Schlusschorälen der Kantaten, die zu Beginn des ersten Leipziger Jahrgangs entstanden, aber nach wie vor erweiterte Kantionalsätze darstellten. Demnach war es dem zweiten Jahrgang vorbehalten, den polyphonen Choralsatz mit einer instrumentalen Ritornellform zu verbinden. Hier wiederum sind es die zuletzt entstandenen Sätze aus BWV 92, 125, 127 und 1, denen der Choralchorsatz »O Mensch, bewein dein Sünde groß« am nächsten steht. All diesen Sätzen ist das Verfahren gemeinsam, den Vokal- und den Instrumentalpart durch eine Motivik zu verklammern, die aus der Choralvorlage abgeleitet ist. Allerdings hatte das Prinzip eine Vorgeschichte, an die kurz zu erinnern ist.

In BWV 135:1 – dem vierten Satz der Reihe – teilten beide Schichten erstmals ein Material, das der ersten Zeile der Choralweise entnommen war. Das hatte zur Folge, dass sich die Imitationen nicht gleichzeitig auf die Melodik der weiteren Zeilen richten konnten. Daher trat dieser erste Ansatz in dem Maß zurück, in dem der Vokalpart mit einem konzertanten Instrumentalsatz gekoppelt wurde. Im August jedoch kamen zwei modifizierte Kantionalsätze auf die Möglichkeit zurück, den Instrumentalpart auf das Incipit der Choralmelodie zu beziehen (BWV 94:1 und 113:1 zum 6. bzw. 20. August 1724). Während beide Ebenen im polyphonen Satz aus BWV 96 (zum 8. Oktober) die gleiche, wiewohl nicht dem Choral entnommene Motivik verwendeten, wurde wenig später in BWV 5 (zum 15. Oktober) sowohl das instrumentale als auch das vokale Material aus dem Incipit der ersten Choralzeile abgeleitet. Nicht ganz so offen trat die Verkettung in BWV 180:1 zutage (zum 22. Oktober), um sich desto klarer in BWV 139:1 (zum 12. November) bemerkbar zu machen. Nach Weihnachten war es erneut ein Kantionalsatz, dessen Instrumentalpart auf die erste Choralzeile zurückgriff (BWV 123:1 zum 6. Januar 1725), während die polyphonen Sätze aus BWV 3 und 92 (zum 14. und 28. Januar) im Vokal- wie im Instrumentalpart das gleiche, aber nicht choralbezogene Material verwendeten.

Erst im Februar 1725 kam Bach auf das Verfahren zurück, das zuvor die Sätze aus BWV 5 und 92 geprägt hatte. Dass es an die Prämissen der Vorlagen gebunden war, hatte sich in BWV 5:1 erwiesen. Sollten die Vorimitationen auf die einzelnen Zeilen und zugleich auf die gemeinsame Motivik aller Phasen bezogen werden, so bedurften sie einer Vorlage, deren Zeilen einen gleichartigen Verlauf zeigten. So ließ sich in »Mit Fried und Freud« (BWV 125:1 zum 2. Februar) das Material der ersten Zeile im

---

Dabei bezog sich Schulze auf einen 1969 erschienenen Beitrag, der auf Mendels Aufsätze angewiesen war, während die Editionen in der NBA noch nicht zur Verfügung standen.

147 Vgl. Ulrich Leisinger, Die zweite Fassung der Johannes-Passion von 1725, in: Bach in Leipzig – Bach und Leipzig. Konferenzbericht Leipzig 2000, Hildesheim 2002, S. 29–44, hier S. 39.
148 Vgl. dazu oben Kap. 3 »Prämissen im Werk«.

Verlauf der folgenden Zeilen variieren, während es in den übrigen Zeilen aufgegeben werden musste, um erst am Ende zurückzukehren. Günstigere Voraussetzungen bot die Vorlage zu BWV 127:1 (zum 11. Februar), deren Zeilen sich soweit glichen, dass ihre Analogien Bach dazu veranlassten, die einheitliche Motivik mit zusätzlichen Choralzitaten zu koppeln. Wieder anders lagen die Verhältnisse in BWV 1:1 »Wie schön leuchtet der Morgenstern« (zum 25. März), da sich nur die Stollenzeilen und das letzte Zeilenpaar der Vorlage entsprachen, während die Binnenzeilen eine andere Lösung forderten. Daher erfand Bach ein Ritornell, das die skalare Melodik der Rahmenzeilen mit zusätzlichem Material verband, das in den Zwischenzeilen zur Geltung kam.

Was diese Sätze – jenseits aller Unterschiede – verbindet, ist die Idee einer gemeinsamen Substanz, die den konzertanten Instrumentalpart ebenso wie den polyphonen Vokalsatz prägt und zugleich auf den Cantus firmus zurückweist. Die ingeniöseste Lösung findet sich im Choralchorsatz »O Mensch, bewein dein Sünde groß«. Die im Sopran liegende Choralweise erscheint prinzipiell in Viertelwerten, während die Anfangstöne ihrer Zeilen durch halbe Noten abgehoben und die Schlusstöne verlängert werden. Da die Zeilen zumeist aus skalaren Linien bestehen, die sich mitunter erst aus den eingefügten Durchgangstönen ergeben, können die Gegenstimmen durchweg identisches Material verwenden. Von dem ebenso expressiven wie konzentrierten Vokalsatz hebt sich der Instrumentalpart durch Figuren ab, die als Ketten quasi »geschuppter« Sechzehntel erscheinen. Sie umspielen zugleich die skalaren Linien, die den Vokalpart prägen und in steigender oder fallender Richtung auftreten.[149] Beide Schichten teilen also die gleiche Substanz, die imitierend verarbeitet oder kolorierend erweitert wird.

Der Cantus firmus entspricht einer 1525 in Straßburg gedruckten Fassung, die im gleichen Jahr mit dem Text von Sebald Heyden verbunden wurde.[150] Die Gesangbücher von Schein und Vopelius bieten dagegen eine Version, in der die Terz- und Quartsprünge der Zeilen 7–8 durch einen fallenden Quartgang ersetzt werden.[151] Im Weimarer Orgelbüchlein (BWV 622) hatte Bach die Weise in einer Fassung verwendet, die trotz reicher Kolorierung dieselbe Grundform wie in dem Choralchorsatz erkennen lässt. Sie begegnet auch in dem Kantionalsatz BWV 402, dessen differenzierte Stimmführung auf die Leipziger Jahre zurückdeutet, sodass sich die Fassung des Orgelbüchleins nicht als Beleg für eine frühere Datierung des Choralchorsatzes heranziehen lässt. Offenbar hielt sich Bach hier so wenig wie in BWV 41 und 127 an die Gesangbücher von Schein und Vopelius. Vielmehr hatte sich die ursprüngliche Fassung derart verbreitet, dass sie auch in Leipzig verwendet werden konnte.[152]

---

149   Welches Gewicht den »geschuppten« Formationen zukommt, zeigt die E-Dur-Fassung, in der mehrfach Achtelfolgen des Continuo zu Sechzehntelketten verändert wurden (so T. 16, 26 und 30 ff.).
150   Vgl. Z 8303 sowie EKl, Melodie Eb 14.
151   Vgl. Schein, Cantional, Nr. 38, sowie Vopelius 1682, S. 130 ff.
152   Vgl. die Fassung im Gothaer Gesangbuch von 1715 (DKL 1715[09]) bei Heinz-Harald Löhlein (Hrsg.), Johann Sebastian Bachs Orgelwerke, Bd. 1, Kassel u. a., 1984, S. XIV f. Während die Melodie im Weimarer Gesangbuch 1681 (DKL[08]) fehlt, enthält ein handschriftlich überliefertes Gesangbuch, das offenbar nach 1700 im Meininger Umkreis entstand, eine ähnliche Fassung wie die Bachs (freundliche Mitteilung von Dr. Christine Blanken, Bach-Archiv Leipzig). Dagegen bietet das Dresdner Gesangbuch von 1694, S. 100 f., eine weitere Variante, in der die Zeilen 7 und 8 aneinander angeglichen werden, während in den Zeilen 1–2 und 10 die IV. Stufe als Leitton zur V. Stufe aufgefasst und entsprechend erhöht wird.

Notenbeispiel 15

Da die Es-Dur-Fassung unvollständig erhalten ist, gehen die folgenden Hinweise von der E-Dur-Fassung aus, die grundsätzlich – trotz geringer Varianten – der Erstfassung entspricht. Dass sich die Abweichungen auf den Continuopart konzentrieren, dessen Achtelfolgen mehrfach zu Sechzehntelketten umgebildet werden, ist ein Zeichen der Bedeutung, die Bach der instrumentalen Rhythmik beimaß.[153] Wie die Imitationsphasen gehören die Achtelketten zu einem motivischen Netzwerk, das den skalaren Verlauf der Choralzeilen zu einem zweistimmigen Grundmodell umbildet. Aufgefüllt durch konsonante Zusatzstimmen, werden die gegenläufigen Linien zu halbtaktigen Segmenten verschränkt, deren Scheitelpunkte in quasi dominantische Klänge einmünden und vielfach durch Septakkorde akzentuiert werden. Die Segmente münden ihrerseits in Orgelpunkten, die von den Oberstimmen umkreist werden. Indem sich ihre Figuren auf die Flöten, Oboen und Streicher verteilen, erscheinen sie wechselnd

---

153 Vgl. T. 25 und 30–32 sowie T. 40 und 46–48.

als Folgen von Achteln oder »geschuppten« Sechzehnteln, in denen sich dissonante und konsonante Töne auf engstem Raum ablösen (Notenbeispiel 15).

Über tonikalem Orgelpunkt beginnend, endet das Ritornell mit einem dreitaktigen Orgelpunkt auf der Dominante, während dazwischen ein Orgelpunkt auf der II. Stufe erscheint (T. 5–7). Lenkt die erste Phase zur Dominante (T. 1–8), so richten sich die folgenden Quintketten auf den abschließenden Orgelpunkt, von dem aus ein Zusatztakt zur Tonika zurückführt (T. 9–16 + 17). Den »geschuppten« Figuren der Holzbläser, die mehrfach durch Intervallsprünge erweitert werden, stehen skalare Achtel der Streicher gegenüber, die von Pausen unterbrochen oder zu Linien verbunden werden und damit der Motivik der Vokalstimmen entsprechen. Ohne nochmals wiederzukehren, umschließt das Ritornell ein Material, von dem sowohl die Zwischenspiele als auch die vokalen Phasen zehren. Dass es im Blick auf den Choralsatz entworfen ist, zeigt die erste Zeile, die in die erste Phase des Ritornells eingefügt wird (T. 17–23 ~ 1–7). Die folgende Skizze beschränkt sich auf die Stollenzeilen, wobei sich die Stufenangaben auf den Beginn und das Ende der Abschnitte beziehen.

Teile	Ritornell	Zeile 1	Zwsp.	Zeile 2	Zwsp.	Zeile 3	Zwsp.	Zeilen 4–6 ~ 1–3
Takte	1–17^a	17^b–23^b (~ 1^b–8^a)	23^b–24^b	24^b–27^b	27^b–29^a	29^b–33^a	33^a–35^a	35^b–51^a (~ 17^b–35^a, Variante T. 38 f.)
c. f.	–	$e^1 – h^1$	–	$h^1 – h^1$	–	$cis^2 – e^1$	–	$e^1 – e^1$
Stufen	I – II – V	I – II – V	V	V – II	V	IV – I	I	I – I

Mit insgesamt zwölf Zeilen erreicht die Vorlage einen Umfang, der eine Straffung erforderlich machte. Statt regulärer Vorimitationen werden vorzugsweise Binnen- oder Nachimitationen eingesetzt, während die Zwischenspiele in der Regel ein oder zwei Takte einnehmen. Die auffällig knappen Imitationen, die in der ersten Zeile akkordisch gerafft werden, verwenden sowohl die steigende als auch die fallende Variante des Hauptmotivs. Wie bei barförmigen Vorlagen üblich, werden die Stollen prinzipiell analog gefasst (Zeilen 1–3 in T. 17–35 ~ Zeilen 4–6 in 35–51). Allerdings entfallen am Ende der vierten Zeile (T. 38 f.) die Melismen, in denen die erste Zeile ausläuft (T. 22–24: »bewein dein Sünde groß«). Ähnlich gedrängt fällt der Abschluss der übrigen Zeilen aus, während sich die Melismen im Abgesang zu längeren Gruppen erweitern.

Die verlängerten Zeilenschlüsse erfüllen demnach eine ähnliche Funktion wie die Orgelpunkte. Anders als die Stollenzeilen, deren Schlusstöne auf die I. bzw. V. Stufe zu beziehen waren, enden die melodisch analogen Zeilen 7 und 8 zuerst auf der III. und danach auf der V. Stufe.[154] Während Zeile 7 zur VI. Stufe (cis-Moll) führt, lenkt Zeile 8 zur III. Stufe (gis-Moll). Umkreisen die Melismen nach Zeile 8 einen Orgelpunkt (T. 64–67: »all Krankheit ab«), so wird der Anhang an Zeile 10 derart verlängert, dass er den Raum des Zwischenspiels einnimmt (T. 78–81: »für

---

[154] Beide Zeilen werden bei Schein und Vopelius angeglichen, sodass sie gleichermaßen auf der V. Stufe enden.

uns geopfert wird«). Nach der dichten Folge der Zeilen 10–11 verkehren sich die Relationen in der Schlusszeile, deren Imitation durch eine dreitaktige Gruppe vertreten wird, die erneut auf dominantischem Orgelpunkt basiert (T. 89–91: »wohl an dem Kreuze lange«). Im Bass durch Oktavsprünge eröffnet, steigen Alt und Tenor aufwärts, bis die Stimmen in Melismen zusammentreten, über denen im Sopran die Choralzeile eintritt, sodass die nachträgliche Binnenimitation fast wie ein Anhang erscheint (T. 89–95).

Die Vorimitationen treten hinter den melismatischen Taktgruppen zurück, die sich von der motivischen Substanz der Vorlage lösen. Dass sie weniger die Worte als die Affekte der Worte kennzeichnen, könnte nur eine detaillierte Analyse zeigen, die der engen Verschränkung zwischen der Stimmführung und der harmonischen Disposition nachginge. Dennoch sollte deutlich geworden sein, dass der Satz die vorangegangenen Choralchorsätze in dem Maß voraussetzt, wie er sie zugleich überbietet. Daher lässt sich kaum länger bezweifeln, dass er nicht in Weimar, sondern für die zweite Fassung der Johannes-Passion 1725 entstanden ist.

j. Exkurs 2: Zum Kyrie F-Dur (BWV 233a)

Gelegentlich der Weimarer Werke wurde bereits erwähnt, dass das Kyrie der Missa F-Dur (BWV 233) in postumen Abschriften als fünfstimmiger Einzelsatz überliefert ist (BWV 233a).[155] Beide Fassungen kombinieren den Text des Kyrie mit den Zeilen der Litanei (im Bass) und des Liedes »Christe, du Lamm Gottes« (im Sopran I).[156] Christoph Wolff wies darauf hin, dass der Satz in Weimar entstanden sein dürfte, weil er eine Fassung der Litanei verwende, die nicht in Leipzig, sondern in Thüringen geläufig gewesen sei.[157] Während die Gesangbücher von Schein und Vopelius wie die aus Dresden (1694) und aus Weißenfels (1714) als vierten Ton ein *f* vorsähen, werde an gleicher Stelle im Gothaer Gesangbuch (1715) der vorangehende Ton *a* wiederholt.[158] Da das Kyrie diese Variante zeige, die zugleich der reformatorischen Fassung nahekomme, müsse der Satz aus Bachs Weimarer Jahren stammen. Seit diese These sowohl in der Neuen Bach-Ausgabe als auch im Werkverzeichnis und im Bach-Compendium übernommen wurde, galt der Satz als Frühwerk aus der Weimarer Zeit.[159] Da die Quellen erst nach Bachs Tod entstanden, bildet der fragliche

---

[155] Die früheste Quelle ist die Partiturabschrift eines unbekannten Schreibers aus der zweiten Hälfte des 18. Jahrhunderts (Mus ms. Bach P 70), vgl. NBA II/2, hrsg. von Emil Platen und Marianne Helms, KB, S. 151 ff.

[156] Während die Melodie des ersten Soprans in der Fassung aus BWV 233 von Hörnern und Oboen übernommen wird, wird hier die Bassstimme durch Fagott und Bässe verstärkt.

[157] Christoph Wolff, Der Stile antico in der Musik Johann Sebastian Bachs. Studien zu Bachs Spätwerk (Beihefte zum AfMw VI), Wiesbaden 1968, S. 178, Anm. 13. Zwar räumte Wolff ein, die Fassung des Cantus firmus könne »nicht allein für die Datierung maßgeblich sein«, doch werde sie »durch den stilistischen Befund unterstützt«, da die spätere Fassung der Litanei »nicht in der Leipziger Form« verwende, »was von der Komposition her keine Schwierigkeiten geboten hätte« (ebd., S. 178).

[158] Anders gesagt: Wo die »sächsische« Version einen Terzsprung vorsieht (*f-g-a-**f**-g-fis-g*), da bietet die »thüringische« eine Tonwiederholung (*f-g-a-**a**-g-fis-g*).

[159] Vgl. Wolff, a. a. O., S. 178 f., NBA II/2, KB, S. 160, ferner BWV²ᵃ, S. 239, sowie BC, Bd. IV, S. 1218 (E 7). Während Konrad Küster das Datum mit einem Fragezeichen versah (vgl. das von ihm edierte Bach-Handbuch, S. 495), hielt Konrad Klek an ihm fest (in: Das Bach-Handbuch, hrsg. von Reinmar Emans u. a., Bd. 2: Bachs Lateinische Kirchenmusik, Laaber 2007, S. 245).

Ton der Litanei das maßgebliche – und im Grunde einzige – Kriterium der Datierung. Indes ist die Paarung zweier Vorlagen mit thematisch geprägten Gegenstimmen ein ungewöhnlich ambitioniertes Vorhaben. Fügt man hinzu, dass das Thema des Kyrie I im Christe umgekehrt wird, während beide Versionen im Kyrie II kombiniert werden, so drängt sich die Frage auf, ob ein derart komplizierter Satz bereits in Weimar entstehen konnte.

In beiden Fassungen singt der Bass die Zeilen der Litanei mit dem zugehörigen Text, der dem Wortlaut des Kyrie entspricht. Dagegen wird die Melodie »Christe, du Lamm Gottes« in BWV 233a vom Sopran mit dem deutschen Text gesungen, während sie in der Missa BWV 233 als wortloses Zitat in den Hörnern und Oboen erklingt, sodass der kritische Ton der Litanei dank seiner Basslage wenig auffällt. Zudem erscheint er als halbe statt als ganze Note, um anschließend alteriert zu werden (*a-as*). Gleichzeitig wird jedoch der vierte Ton aus »Christe, du Lamm Gottes«, b^1, durch h^1 ersetzt, sodass beide Varianten aufeinandertreffen (T. 23 und 58: as-h^1). Die Konstellation ist jedoch nicht folgenlos, weil der Schritt des Basses eine »neapolitanische« Wendung eröffnet (*as-g-fis-g*), die den Satz nach c-Moll führt und in F-Dur enden lässt. Anders verhält es sich im Kyrie II, in dem der Bass das »Amen« der Litanei mit den Worten »Kyrie eleison« zitiert. Statt in Terzen wird der Quintraum der Vorlage jedoch in Sekundschritten durchmessen (T. 93 ff.), während die Schlusszeile aus »Christe, du Lamm Gottes«, die mit *f* beginnen und in *g* enden müsste, durch die Wiederholung der vorletzten Zeile ersetzt wird (T. 120–128: »Amen«). Da sie jedoch eine Quart aufwärts transponiert wird, fügt sich ihre Finalis (*c*) in den abschließenden F-Dur-Klang ein:

Notenbeispiel 16

Den chromatischen Varianten im Kyrie I und im Christe, denen im Sopran die Zeile »der du trägst die Sünd der Welt« entspricht, stehen im Kyrie II diatonische Vorlagen gegenüber, die auf die Worte »gib uns deinen Frieden« entfallen. Da diese Beziehungen nur in BWV 233a hervortreten, könnten sie dafür sprechen, dass die Fassung BWV 233a vor der Messe BWV 233 entstand. Doch besagt das nichts für die Frage, ob die Frühfassung in Weimar oder später anzusetzen wäre. Indes begrenzen sich die Differenzen nicht auf den Ton der Litanei, sondern betreffen auch die chromatischen Varianten im Kyrie I und Christe sowie die diatonischen Varianten im Kyrie II. Da Bach aber beide Vorlagen mehrfach änderte, relativiert sich das Kriterium, das für die Datierung des Satzes maßgeblich war.[160]

Wenn demnach erneut zu fragen ist, wie sich der Satz zum Fundus der Weimarer Kantaten verhält, so muss noch einmal daran erinnert werden, dass der Weimarer Bestand neben der tropierten Psalmmotette BWV 21:9 nur die motettische Choralbearbeitung BWV 182:7 umfasst, die dem Kyrie BWV 233a denkbar fernsteht. Wäre es vor 1717 entstanden, so wäre es nicht nur der einzige Weimarer Satz mit lateinischem Text, sondern auch das früheste Beispiel einer Choralkombination im stylus gravis. Ungleich reichere Belege enthält dagegen der zweite Jahrgang. Dass Bach seine Vorlagen änderte, wo sein Konzept das forderte, zeigte bereits der Eingangschor aus BWV 78. Und dass er nicht immer die Fassungen von Schein und Vopelius übernahm, belegten die Eingangschöre aus BWV 41 und BWV 127. Ähnliche Eingriffe wie in BWV 233 begegneten aber auch in den strengen Sätzen des zweiten Jahrgangs. Während die Vorlage in BWV 2 durch chromatische Stufen modifiziert wurde, wurde sie in BWV 38 mit den Zeilen eines weiteren Liedes verbunden, die als verdeckte Zitate eintraten. Kommen derartige Sätze erst im zweiten Jahrgang vor, so finden sich auch hier erst entsprechende Kombinationen wie in BWV 233a. Zwar gingen ihnen im ersten Jahrgang die Dicta aus BWV 77 und BWV 22 voran, deren Texte mit kanonischen Choralzitaten gepaart wurden. Erst im zweiten Jahrgang jedoch wurden in BWV 38 und BWV 127 die Vorlagen ähnlich kunstvoll kombiniert wie in BWV 233a. Da diese Gründe schwerer wiegen als die Abweichung eines einzelnen Tons, sollte die These, der Satz sei bereits in Weimar entstanden, nicht als zweifelsfreie Tatsache gelten. Wahrscheinlicher ist es, dass er erst im Anschluss an den zweiten Jahrgang entstehen konnte.

k. Spätere Choralchorsätze

Abschließend sind noch vier Choralchorsätze zu nennen, die erst nach 1730 entstanden.[161] Im Eingangssatz aus BWV 117 »Sei Lob und Ehr dem höchsten Gut« (um 1728–1731) wird der Cantus firmus an die Rhythmik der Gegenstimmen angeglichen, sodass sich ein modifizierter Kantionalsatz im 6/8-Takt ergibt, der in das

---

160 Dass die Gothaer Melodiefassungen für die hypothetische Weimarer Passionsmusik (BC, D7) heranzuziehen sind, zeigte Markus Rathey, Weimar, Gotha oder Leipzig. Zur Chronologie der Arie »Himmel, reiße« in der zweiten Fassung der Johannes-Passion BWV 245/11⁺, in: BJ 2005, S. 291–300.
161 Vgl. Verf., Nachträge oder Alternativen? Über Bachs späte Choralkantaten, in: Ulrich Leisinger (Hrsg.), Bach in Leipzig – Bach und Leipzig. Konferenzbericht Leipzig 2000 (Leipziger Bachforschungen 9), Hildesheim 2002, S. 183–202.

ungewöhnlich konzertante Ritornell integriert wird. Selbst der Continuo wird an den Spielfiguren der Oberstimmen beteiligt, die aus einer ornamentalen Variante der ersten Melodiezeile hervorgehen. Allerdings bleibt das Kopfmotiv, das auf den Beginn der Choralweise verweist, den Streichern vorbehalten, die durch je zwei Flöten und Oboen dupliert werden. Der Instrumentalpart bildet demnach den Rahmen eines Vokalsatzes, der durch die Rhythmik des ⁶⁄₈-Taktes geprägt und vielfach durch Melismen modifiziert wird. Desto wirkungsvoller kontrastiert dazu die lebhafte Figuration des Instrumentalparts, der vor allem durch gebrochene Dreiklangsfolgen beherrscht wird. Das Thema des Eingangschors aus BWV 192 »Nun danket alle Gott« (wahrscheinlich 1730) beginnt mit einer Figurenkette der ersten Violine, die von der zweiten Violine imitiert wird, während die beiden Flöten die Streicherstimmen duplieren. Da der Themenkopf durch die anschließenden Figuren verdrängt wird, ergibt sich ein konzertanter Instrumentalsatz. Während die im Sopran liegenden Choralzeilen durch die Gegenstimmen kontrapunktiert werden, beschränken sich die Instrumente anfangs auf akkordisch begleitende Achtelnoten, die später jedoch durch die konzertante Motivik des Ritornells ersetzt werden. Dagegen greift der Eingangschor aus BWV 97 »In allen meinen Taten« (1734) auf das Modell der französischen Ouvertüre zurück, in deren fugierten Teil der Choralsatz eingebaut wird. Während der im Sopran liegende Cantus firmus auf halbe und ganze Noten augmentiert wird, übernehmen die Streicher, die durch die Oboen dupliert werden, das Thema der Fuge, das allerdings hinter der anschließenden Figuration zurücktritt. Zudem entspricht das Fugenthema der Rhythmik der Fortspinnung, sodass es von der Bewegung der Gegenstimmen überdeckt wird.

l. Schlussbemerkung

Vergleicht man die Anlage der Eingangschöre mit ihrer chronologischen Folge, so werden im Rückblick bemerkenswerte Veränderungen sichtbar. Am Beginn standen vier Sätze, die verschiedenen Prinzipien folgten und nur den Wechsel der Lage des Cantus firmus teilten. Ihnen schlossen sich zwei weitere Sätze an, die ebenfalls als einzelne Experimente erschienen. Während die französische Ouvertüre aus BWV 21 erst in BWV 97 ein spätes Gegenstück fand, kamen die konzertanten und monomotivischen Ansätze aus BWV 2, 7 und 135 vorerst nur begrenzt zur Geltung. Folgenreicher als das Stimmtauschprinzip aus BWV 10 wurde der »Reprisensatz« aus BWV 93. Statt seine Anlage zu wiederholen, wurden die Verfahren, auf denen er basierte, fortan getrennt eingesetzt.

Der akkordische Satz, der hier die vollstimmigen »Reprisen« kennzeichnete, verband sich seit BWV 7 mit einem konzertanten Instrumentalpart. So unterschiedlich wie die Funktion der Instrumente konnte auch die Anlage des Vokalparts ausfallen, dessen Struktur zwischen modifiziertem Kantionalsatz und freier Imitation wechselte, ohne dabei die akkordische Grundlage zu leugnen. Zwischen diesen Sätzen lag in BWV 101 der erste Versuch, den motettischen Satz, der zuerst in BWV 2 begegnete, mit einem obligaten Instrumentalpart zu verschränken, der zugleich thematische Funktion hatte. Von diesem Modell gingen die weiteren Sätze aus, die den Weg zur Kombination von polyphonem Vokal- und obligatem Instrumentalpart fortführten und zunehmend zu motivischer Prägung tendierten. Soweit es die Vorlagen nahelegten, zehrten seit BWV 5 alle Stimmen von der motivischen Substanz, die aus den Choralweisen abgeleitet wurde.

Unter den Sätzen vor Weihnachten fanden sich so singuläre Lösungen wie der Ostinatosatz in BW 78 und der motettische Satz aus BWV 38, der das Hauptlied mit den Zitaten eines weiteren Liedes verband. Obwohl beide Sätze keine Nachfolge fanden, kam ihr gesteigerter Anspruch den Werken nach Weihnachten zugute. Während die Kantionalsätze zunehmend kontrapunktisch überformt wurden, dominierten fortan Eingangschöre, die sich in wechselndem Maß auf die Motivik des Chorals bezogen. Ihren Höhepunkt fanden sie im »Cantus triplex« aus BWV 127, in dem die motivische Verarbeitung des Hauptlieds mit zwei zusätzlichen Choralzitaten kombiniert wurde. Als abschließende Summe kann der Chorsatz »O Mensch, bewein dein Sünde groß« gelten, den Bach wahrscheinlich für die Zweitfassung der Johannes-Passion komponierte, während das Kyrie BWV 233a die Kombinationen voraussetzte, die zuvor in BWV 38 und 127 erprobt worden waren.

Dass die motettischen Sätze auf Vorlagen entfallen, die zum Kern des reformatorischen Liedguts gehören, schließt nicht aus, dass am 1. Weihnachtstag ein Lutherlied in BWV 91 mit einem konzertanten Instrumentalsatz kombiniert werden konnte. Umgekehrt wurden jüngere Vorlagen, die anfangs als erweiterte Kantionalsätze bearbeitet wurden, in BWV 180 und BWV 1 mit Kombinationsformen verbunden. Je souveräner Bach die Verfahren beherrschte, von denen er ausgegangen war, desto vielfältiger kreuzten sich die Maßnahmen, die er verwendete. Seine Strategien werden allerdings nicht sichtbar, wenn man die Werke lediglich in chronologischer Folge vergleicht, ohne zugleich ihre satztechnischen Prämissen zu erfassen. Ähnlich wie im ersten und dritten Jahrgang ging Bach von kompositorischen Problemen aus, für die er zunächst experimentelle Lösungen fand, während er später die Verfahren variierte, die er in den ersten Werken erprobt hatte.

5. Solistische Choralbearbeitungen

Statt die Binnenstrophen umzuformen, übernahm der Librettist in sechs Fällen den Text der Choralverse, sodass es nahelag, die zugehörigen Melodien zu verwenden. Zumeist nur als »Choral« bezeichnet, bildeten diese solistischen Choralbearbeitungen – im Unterschied zu den Arien – keine Einschübe. Auf zwei Duette mit instrumentalen Choralzitaten folgten vier Sätze mit vokalem Cantus firmus und obligatem Instrumentalpart. Weil diese Solosätze den Orgelchorälen nahestanden, übernahm Bach die beiden Duette in die Sammlung der sogenannten Schübler-Choräle, die seine einzige Publikation früherer Kantatensätze blieb.[162]

---

162 Bezeichnet als »Sechs Chorale verschiedener Art« (BWV 645–650), erschien der Stich 1748 oder 1749 bei Johann Georg Schübler in Zella, vgl. Christoph Wolff, Bachs Handexemplar der Schübler-Choräle, in: BJ 1977, S. 120–129; ders., Bach's Personal Copy of the Schübler Chorals, in ders., Bach. Essays on His Life and Music, Cambridge und London 1991, S. 178–186.

BWV 10:5	Meine Seel erhebt den Herren (Mariä Heimsuchung)	Er denket der Barmherzigkeit – A., T., Tr. (Ob. I+II), Bc. – d-Moll, ⁶⁄₈ – Duett mit instrumentalem c. f. (= BWV 648)
BWV 93:4	Wer nur den lieben Gott läßt walten (5. p. Trin.)	Er kennt die rechten Freudenstunden – S., A., Str. in unisono, Bc. – c-Moll, ¢ – Duett mit instrumentalem c. f. (= BWV 647)
BWV 178:4	Wo Gott, der Herr, nicht bei uns hält (8. p. Trin.)	Sie stellen uns wie Ketzern nach – T., Ob. d'am. I–II, Bc. – h-Moll, c – solistische Choralbearbeitung mit obligaten Instrumenten
BWV 113:2	Herr Jesu Christ, du höchstes Gut (11. p. Trin.)	Erbarm dich mein in solcher Last – A., V. I, Bc. – fis-Moll, c – solistische Choralbearbeitung mit obligater Instrumentalstimme
BWV 114:4	Ach lieben Christen, seid getrost (17. p. Trin.)	Kein Frucht das Weizenkörnlein bringt – S., Bc. – g-Moll, c – vokaler c. f. mit quasi ostinatem Bc.
BWV 92:4	Ich hab in Gottes Herz und Sinn (Septuagesimae)	Zudem ist Weisheit und Verstand – A., Ob. d'am. I–II, Bc. – fis-Moll, c – solistische Choralbearbeitung mit obligaten Instrumenten

In dem Duett aus BWV 10 wird der Bibeltext (Lk. 1:54) mit einem Zitat des zum Magnificat gehörenden Tonus peregrinus verbunden. Zunächst für Trompete bestimmt, wurde der Cantus firmus später zwei Oboen übertragen.[163] Der Satz basiert auf einem chromatischen Soggetto, das im Vorspiel vom Continuo eingeführt und im Nachspiel wiederholt wird. Zwei fallende Habtonschritte im Quintabstand werden zu viertönigen Segmenten angeordnet, die eine Quintschrittsequenz umschreiben und in einem Kadenzglied enden (Notenbeispiel 17). Das Modell lässt sich einerseits für Imitationen im Quintabstand verwenden, während seine Glieder andererseits getrennt oder durch Varianten ersetzt werden können.[164] Wo der Alt und der Tenor imitierend gekoppelt werden, hat der Continuo nur stützende Funktion. Dagegen wird er an der Motivik beteiligt, wenn die Segmente getrennt werden. Demnach werden die Cantus-firmus-Zeilen mit transponierten Themenvarianten kombiniert, die nach wie vor imitierend eintreten (T. 10 ff. und T. 24 ff.). Nur 35 Takte lang, verbindet der Satz auf engstem Raum motivische Variabilität mit kontrapunktischer Konzentration.

Notenbeispiel 17

Das Duett »Er kennt die rechten Freudenstunden« (BWV 93:4) beginnt mit einer diminuierten Variante der ersten Zeile, an die sich die zweite Zeile anschließt, ohne nochmals auf die Choralmelodie zurückzugreifen. Während die Zeilen im Vokalpart

---

163 Vgl. NBA I/28.2, hrsg. von Matthias Wendt und Uwe Wolf, KB, S. 92.
164 Je enger die Glieder verkettet werden, desto größer wird der potentielle Akkordvorrat, während die kontrapunktischen Möglichkeiten in dem Maß zunehmen, in dem die Glieder getrennt verwendet werden.

gekoppelt werden, zitieren die Streicher den unveränderten Cantus firmus, dessen Zeilen durch Pausen getrennt werden. Im Unterschied zu den Stollen werden die Zeilen des Abgesangs mit den beiden letzten Choralzeilen gepaart, während die vokalen Abschnitte mit Imitationen beginnen, die in freier Fortspinnung oder Parallelführung auslaufen. Wie die diminuierte Choralvariante des ersten Abschnitts mit dem Zitat der ersten Zeile verbunden wird, so wird die Variante der Schlusszeile mit den letzten Cantus-firmus-Zeilen gepaart. Das Vorspiel kann entfallen, weil der Satz keine einheitliche Motivik aufweist und stattdessen auf dem Prinzip basiert, die instrumentalen Choralzeilen mit den vokalen Zeilenpaaren zu verbinden.

Nicht ganz so kompliziert sind die Choralbearbeitungen mit solistischem Vokalpart. Trotz ihres Zeitabstands wirken die Sätze aus BWV 178 und 92 fast wie ein Geschwisterpaar. Beidemal werden zwei Oboi d'amore verwendet, die mit dem Continuo ein dreistimmiges Gerüst bilden, in das sich die Choralweisen einfügen. Während die Stollenzeilen leicht verziert werden, basiert der Instrumentalpart auf kurzen Motiven, die imitierend verarbeitet oder variierend fortgesponnen werden. Dass der Satz aus BWV 114 ohne obligate Instrumente auskommt und daher etwas einfacher anmutet, dürfte sich dadurch erklären, dass dieselbe Melodie zuvor in BWV 178 zu bearbeiten war. Der Continuo beschränkt sich auf Dreh- und Trillerfiguren, die wechselnd gereiht, versetzt oder ergänzt werden. Ausnahmsweise werden die Stollen verschieden vertont, während die übrigen Zeilen weitere Varianten enthalten, sodass der abschließende Rekurs auf das Vorspiel die einzige Wiederholung bildet. Zwischen diesen Polen steht der Satz aus BWV 113, in dem der Alt durch die Violine und den obligaten Continuo kontrapunktiert wird. Gedehnt auf Halbe, beansprucht der Cantus firmus mehr Raum als in anderen Sätzen, während die Gegenstimmen enger als sonst verkettet werden. Die Imitationen gehen von fallenden Achtelfolgen aus, die in der Regel einen Quartraum durchmessen und anschließend sequenziert oder fortgesponnen werden. Von der in Achteln verlaufenden Continuostimme unterscheidet sich der Violinpart durch kurze Passagen in Sechzehnteln. Da sie vor den Kadenzen erweitert werden, wird die motivische Angleichung der Stimmen durch ihre rhythmische Differenzierung verdeckt.

Soweit die Autographe erhalten sind, lassen die geringen Korrekturspuren erkennen, dass Bach derartige Sätze rascher als umfängliche Arien zu schreiben vermochte. Daher ließe sich fragen, warum die Zahl der solistischen Choralbearbeitungen zurückging. Zwar konnten sie als Sonderfälle zwischen den Rezitativen und Arien wirken, doch ist unsicher, ob ihr Ausfall auf den Librettisten oder den Komponisten zurückging. Gleichwohl ist es bezeichnend, dass Bach gerade solche Choralsätze durch den Druck auszeichnete. Umgearbeitet zu Orgelchorälen, richteten sie sich an die Organisten, während sie zugleich die Kunst des Autors demonstrieren sollten. Dass Bach dafür Sätze aus den Choralkantaten wählte, dürfte seine Wertschätzung dieser Gattung bekunden. Dass er sich für die beiden Duette entschied, beweist zugleich, dass ihm daran lag, mit besonders kunstvollen Sätzen hervorzutreten.[165]

165 Zwei weitere Sätze wurden späteren Choralkantaten entnommen (BWV 645 aus BWV 140:4 und BWV 650 aus BWV 137:2). Während BWV 649 einem der Werke entstammt, die den zweiten Jahrgang seit Ostern 1725 ergänzten (BWV 6:3), ist die Herkunft von BWV 646 ungewiss. Für eine Umarbeitung wären auch andere Sätze in Betracht gekommen, so BWV 166:3 und 86:3 (1724), BWV 42:4 und 85:3 (1725) oder BWV 36:6 (1731).

6. Gruppen und Typen der Arien

Wie ein Blick auf die Satzfolge zeigt, geht die Zahl der Binnensätze im Ablauf des Zyklus zurück. Während die erste Kantate (BWV 20) vier Arien und ein Duett umfasst, enthalten die folgenden Werke – bis auf BWV 2 und 135 – jeweils drei bis vier Arien bzw. Duette. Nach dem 14. Sonntag nach Trinitatis verringert sich jedoch die Anzahl solcher Sätze auf zumeist zwei Arien. Dass in BWV 92 nochmals drei Arien begegnen, könnte man damit erklären, dass der Textautor hier nicht weniger als zwölf Strophen zu verarbeiten hatte. Dennoch hängt die Satzzahl nicht nur von der Anzahl der Textstrophen ab. Einerseits enthalten Werke wie BWV 78, 130, 5, 115, 26 und 3 trotz hoher Strophenzahl nur wenige Arien, andererseits kann die Zahl solcher Sätze die Anzahl der Choralstrophen überschreiten (so in BWV 96, 38, 139 u. a.). Während der Dichter dann mehrere Strophen zusammenzufassen hatte, musste er anderseits eine geringere Strophenzahl durch zusätzliche Sätze erweitern.[166] Beides setzte wohl eine Absprache mit dem Komponisten voraus, der vermutlich nicht nur an der Satzfolge, sondern auch an der Auswahl der übernommenen Strophen beteiligt war. Dass die Zahl der Sätze seit September 1724 zurückging, könnte auf den Wunsch hindeuten, fortan die Arbeitslast zu verringern. Dafür scheint zu sprechen, dass die beiden ersten Werke mit zwei Arien – BWV 2 und BWV 135 – über besonders anspruchsvolle Eingangschöre verfügen, die Bach vermutlich mehr Zeit als sonst kosteten. Dass dieses Argument aber nicht durchweg gilt, zeigt der überaus komplexe Ostinatosatz in BWV 78, dem zwei Arien und ein Duett folgen, während sich andere Werke trotz schlichterer Eingangschöre mit zwei Arien begnügen.

A = Arie, *A* = Arie mit Choralsubstanz, D = Duett, Ch = Choral (Kantionalsatz), R = Rezitativ, *R* = Rezitativ mit Choralsubstanz, T = Terzett, *s. Ch.* = solistischer Choralsatz

1724

1. p. Trin.	11.6.	20	O Ewigkeit, du Donnerwort	R – A – R – A – A – Ch – A – R – D
2. p. Trin.	18.6.	2	Ach Gott, vom Himmel sieh darein	*R* – *A* – R – A – R
Johannistag	24.6.	7	Christ unser Herr zum Jordan kam	A – R – A – R – A
3. p. Trin.	25.6.	135	Ach Herr, mich armen Sünder	R – *A* – *R* – A
Mariä Heimsuchung	2.7.	10	Meine Seel erhebt den Herren	A – R – A – D – R
5. p. Trin.	9.7.	93	Wer nur den lieben Gott läßt walten	*R* – A – D – *R* – A
7. p. Trin.	23.7.	107	Was willst du dich betrüben	R – A – *A* – *A* – A – R
8. p. Trin.	30.7.	178	Wo Gott, der Herr, nicht bei uns hält	*R* – A – *s. Ch.* – *R* – A
9. p. Trin.	6.8.	94	Was frag ich nach der Welt	A – *R* – A – *R* – A – A

---

[166] Nähere Angaben dazu findet man sowohl bei Neumann, Sämtliche Kantatentexte, als auch bei Dürr, Die Kantaten, passim. Im Blick auf diese Kompendien kann hier auf genauere Nachweise der Choralvorlagen und ihrer Autoren verzichtet werden.

10. p. Trin.	13. 8.	101	Nimm von uns, Herr, du treuer Gott	A – *R* – A – R – D
11. p. Trin.	20. 8.	113	Herr Jesu Christ, du höchstes Gut	*s. Ch.* – A – R – A – R – D
13. p. Trin.	3. 9.	33	Allein zu dir, Herr Jesu Christ	R – A – R – D
14. p. Trin.	10. 9.	78	Jesu, der du meine Seele	D – R – A – *R* – A
15. p. Trin.	17. 9.	99	Was Gott tut, das ist wohlgetan	R – A – R – D
16. p. Trin.	24. 9.	8	Liebster Gott, wann werd ich sterben	A – R – A – R
Michaelis	29. 9.	130	Herr Gott, dich loben alle wir	R – A – R – A
17. p. Trin.	1. 10.	114	Ach lieben Christen, seid getrost	A – R – *s. Ch.* – A – R
18. p. Trin.	8. 10.	96	Herr Christ, der einge Gottessohn	R – A – R – A
19. p. Trin.	15. 10.	5	Wo soll ich fliehen hin	R – A – *R* – A – R
20. p. Trin.	22. 10.	180	Schmücke dich, o liebe Seele	A – *R* – R – *A* – R
21. p. Trin.	29. 10.	38	Aus tiefer Not schrei ich zu dir	R – *A* – *R* – T
22. p. Trin.	5. 11.	115	Mache dich, mein Geist, bereit	A – R – A – R
23. p. Trin.	12. 11.	139	Wohl dem, der sich auf seinen Gott	A – R – A – R
24. p. Trin.	19. 11.	26	Ach wie flüchtig, ach wie nichtig	A – R – A – R
25. p. Trin.	26. 11.	116	Du Friedefürst, Herr Jesu Christ	A – *R* – T – R
1. Advent	2. 12.	62	Nun komm, der Heiden Heiland	A – R – A – R
1. Weihn.	25. 12.	91	Gelobet seist du, Jesu Christ	R – A – R – A
2. Weihn.	26. 12.	121	Christum wir sollen loben schon	A – R – A – R
3. Weihn.	27. 12.	133	Ich freue mich in dir	A – R – A – R
Stg. n. W.	30. 12.	122	Das neugeborne Kindelein	A – *R* – *T* – R

1725

Neujahr	1. 1.	41	Jesu, nun sei gepreiset	A – R – A – *R*
Epiphanias	6. 1.	123	Liebster Immanuel, Herzog der Frommen	R – A – R – A
1. p. Epiph.	7. 1.	124	Meinen Jesum laß ich nicht	R – A – R – D
2. p. Epiph.	14. 1.	3	Ach Gott, wie manches Herzeleid	*R* – A – R – D
3. p. Epiph.	21. 1.	111	Was mein Gott will, das gscheh allzeit	*A* – R – D – R
Septuagesimae	28. 1.	92	Ich hab in Gottes Herz und Sinn	A – R – *s. Ch.* – R – A – R – A
Mariä Reinigung	2. 2.	125	Mit Fried und Freud ich fahr dahin	A – *R* – D – R
Sexagesimae	4. 2.	126	Erhalt uns, Herr, bei deinem Wort	A – R – A – R
Estomihi	11. 2.	127	Her Jesu Christ, wahr' Mensch und Gott	R – A – R+A
Mariä Verkündigung	25. 3.	1	Wie schön leuchtet der Morgenstern	R – A – R – D

Mit der Zahl der Binnensätze verringert sich zugleich der Anteil der Sätze, die auf die Choralweisen zurückgreifen. Enthalten die ersten Werke wenigstens einen solchen Satz, so begegnen entsprechende Arien und Rezitative seit September nur noch ausnahmsweise. Beide Faktoren dürften jedoch nur mittelbar zusammenhängen. Zwar liegt es nahe, dass die größere Satzzahl der ersten Werke einen erhöhten Bedarf an Abwechslung mit sich brachte. Doch sind die Choralbezüge so verschieden, dass man sich vor übereilten Folgerungen hüten sollte. Einer Mehrzahl choralfreier Arien stehen sechs geringstimmige Sätze gegenüber, die den Text und die Melodie der Vorlagen übernehmen und damit in die Nähe von Orgelchorälen rücken. Umfangreicher ist die Zahl der Sätze, deren Choralbezüge von vereinzelten Zitaten bis hin zu umfänglichen Kombinationen reichen. Da alle anderen Arien weder nach Texten noch nach Zeitphasen zu untergliedern sind, lässt sich lediglich auf die Kriterien der Besetzung zurückgreifen, die hier wie sonst als maßgebliche Prämissen der Satzart gelten dürfen.

a. Arie und Choral

Neben den solistischen Choralbearbeitungen ist eine Gruppe von Arien zu nennen, die sich in anderer Weise auf die Vorlagen beziehen. Wie die Übersicht zeigt, werden anfangs nur einzelne Choralzeilen zitiert, während später auch Sätze mit weiteren Choralbezügen begegnen, die durch entsprechende Textzitate bedingt sind:

2:3	Ach Gott, vom Himmel sieh darein (2. p. Trin.)	Tilg, o Gott, die Lehren – A., V. I solo, Bc. – B-Dur, ₵ – konzertante Solovioline, Schlusszeile mit Anspielung auf den c. f.
135:3	Ach Herr, mich armen Sünder (3. p. Trin.)	Tröste mir, Jesu, mein Gemüte – T., Ob. I–II, Bc. – C-Dur, ¾ – instrumentaler Duosatz, am Ende vokales Zitat der letzten c.-f.-Zeile
135:5		Weicht, all ihr Übeltäter – B., Str., Bc. – »Allegro«, a-Moll, ₵ – variierte Da-capo-Arie mit vokalem Zitat der zweiten c.-f.-Zeile
93:3	Wer nur den lieben Gott läßt walten (5. p. Trin.)	Man halte nur ein wenig stille – T., Str., Bc. – Es-Dur, ⅜ – Barform und Themenbildung im Anschluss an den c. f.
93:6		Ich will auf den Herren schauen – S., Ob. I, Bc. – g-Moll, ₵ – zweiteilige Form mit Zitaten der letzten c.-f.-Zeilen im Schlussteil
107:5	Was willst du dich betrüben (7. p. Trin.)	Er richts zu seinen Ehren – S., Ob. d'am. I–II, Bc. – h-Moll, ¹²⁄₈ – Ritornell aus c.-f.-Zeile 1, abschließend vokale Schlusszeile
101:4	Nimm von uns, Herr, du treuer Gott (10. p. Trin.)	Warum willst du so zornig sein – B., Ob. I–II, Taille, Bc. – a-Moll, ₵ – mehrteilige Anlage mit vokalen und instrumentalen Choralzeilen
101:6		Gedenk an Jesu bittern Tod – S., A., Trav., Ob. da caccia – d-Moll, ¹²⁄₈ – Duett mit Einschub vokaler und instrumentaler Choralzeilen
113:5	Herr Jesu Christ, du höchstes Gut (11. p. Trin.)	Jesus nimmt die Sünder an – T., Trav., Bc. – D-Dur, ₵ – variierte Da-capo-Arie mit zwei vokalen Zitaten der letzten c.-f.-Zeile im Mittelteil
113:7		Ach Herr, mein Gott, vergib mirs doch – S., A., Bc. – e-Moll, ¾ – Duett mit umschichtig verteilten Choralzeilen im Vokalpart

180:5	Schmücke dich, o liebe Seele (20. p. Trin.)	Lebens Sonne, Licht der Sinnen – S., Fl. I–II, Ob., Taille, Str., Bc.– B-Dur, ¾ – vokal-instrumentale Motivik auf die erste c.-f.-Zeile bezogen
38:3	Aus tiefer Not schrei ich zu dir (21. p. Trin.)	Ich höre mitten in den Leiden – T., Ob. I–II, Bc. – a-Moll, ¢ – vokale und instrumentale Motivik auf die erste c.-f.-Zeile bezogen
122:4	Das neugeborne Kindelein (Stg. n. Weihn.)	O wohl uns, die wir – Ist Gott versöhnt und unser Freund – S., A. (+ Str.), T., Bc. – d-Moll, ⁶⁄₈ – vokales Terzett mit Choralstrophe
111:2	Was mein Gott will, das gscheh allzeit (3. p. Epiph.)	Entsetze dich, mein Herze, nicht – B., Bc. – e-Moll, ¢ – Continuo-Satz mit ornamentierten Zitaten der ersten Choralzeile

Zur ersten Gruppe zählen fünf Arien, in deren Vokalpart einzelne Choralzeilen eingefügt werden. Da die Zitate innerhalb des Satzverlaufs eintreten, bleibt zu fragen, wie sie sich zu ihrem Kontext verhalten. In der variierten Da-capo-Arie »Tilg, o Gott, die Lehren« (BWV 2:3) wird am Endes des Mittelteils (T. 56–59) die letzte Choralzeile eingeführt, deren Melodie jedoch mit der Figuration der Solovioline verkettet wird, sodass sie sich vom Umfeld kaum abhebt. Deutlicher ist das Zitat am Ende der Arie »Tröste mir, Jesu, mein Gemüte« (BWV 135:3), obwohl es in die Motivik des Ritornells integriert ist (T. 84–86[1]). Noch überzeugender ist die Lösung in der Bassarie »Weicht, all ihr Übeltäter« (BWV 135:5), deren Reprise auf das Ritornell zurückgreift, wobei der Vokalpart die zweite Choralzeile in die Fortspinnung einfügt (T. 92[3] ff.). Die Sopranarie »Ich will auf den Herren schauen« (BWV 93:6) zitiert die Zeilen des Abgesangs, deren Töne zunächst als Viertelwerte abgehoben und danach der Rhythmik des Satzes angeglichen werden (T. 23–30 bzw. 31–37). In deutlichem Abstand folgte die variierte Da-capo-Arie »Jesus nimmt die Sünder an« (BWV 113:5), in deren Mittelteil die ornamentierte Schlusszeile des Chorals mit Rekursen auf das Kopfmotiv des Ritornells verbunden wird (T. 41 ff. und 53 ff. »dein Sünd ist dir vergeben«).

Komplizierter verhält es sich in den drei folgenden Sätzen, die sich so weitreichend auf die zugehörigen Choralweisen stützen, dass man sie als »Choral-Arien« bezeichnen könnte. Ein erstes Beispiel ist die Tenorarie »Man halte nur ein wenig stille« (BWV 93:3), die einerseits die Barform des Chorals nachzeichnet und andererseits den Beginn der Stollen- und der Abgesangszeilen übernimmt. Die barförmige Anlage ergibt sich durch die Wiederholung des Eingangsteils, der die vier ersten Textzeilen umschließt. Dabei werden die Zitate in das dreizeitige Metrum integriert, ohne die viertaktige Gliederung zu tangieren, die erst in den Koloraturen des Schlussteils aufgehoben wird (T. 58–68).[167] Auf andere Weise gilt das auch für die Sopranarie »Er richts zu seinen Ehren« (BWV 107:5), deren Vorspiel sich zunächst von anderen Ritornellen kaum zu unterscheiden scheint. Erst bei Eintritt des Soprans wird sichtbar, dass der Beginn des Ritornells der ornamentierten Variante der ersten Choralzeile entspricht, mit der das Ritornell des Eingangschors begann. Wurde sie dort durch eine nachträgliche Korrektur gewonnen, so erscheint sie im

---

[167] Ungleich wichtiger als die Beziehungen zum Menuett, die Finke-Hecklinger hervorhob (a. a. O., S. 104), ist das Verhältnis zur Choralweise, die im liedhaften Ton des Vokalparts nachwirkt.

Notenbeispiel 18

Ritornell der Arie inmitten des ersten Takts, während sie im Vokalpart als Kopfmotiv exponiert wird (Notenbeispiel 18). Auffälliger ist das Zitat der Schlusszeile, die sich durch punktierte Viertel vom Kontext abhebt. Basierend auf Choraltext, ist der Satz insofern ein Sonderfall, als auch die anderen Arien des Werks Choraltext verwenden, ohne jedoch die entsprechenden Melodiezitate zu enthalten.

Dagegen flocht der Librettist in die Arien der Kantate BWV 101 »Nimm von uns, Herr, du treuer Gott« gleich mehrere Choralzeilen ein, die den Komponisten zu den entsprechenden Melodiezitaten veranlassen mussten. Der Text der Bassarie »Warum willst du so zornig sein« (Satz 4) zitiert anfangs die erste Choralzeile, deren Frage im nächsten Zeilenpaar expliziert wird, während die übrigen Zeilen inhaltlich wie syntaktisch eng verkettet sind. Demgemäß zitierte Bach im eröffnenden »Vivace« die erste Melodiezeile, deren Wiederholung er zugleich mit den Folgezeilen verband. Um einen Ausgleich zu erreichen, schloss er im »Andante« die drei frei deklamierten Folgezeilen des zweiten Teils durch ein Zitat der Choralweise zusammen, die von den Oboen als modifizierter Kantionalsatz intoniert werden:

Vivace	**Warum willst du so zornig sein,**	vokal: c.-f.-Zeile 1 (Andante) *mit*
	Es schlagen deines Eifers Flammen	*freier Wiederholung und Fortspinnung*
	Schon über unserm Haupt zusammen.	
Andante	Ach stelle doch die Strafen ein	instrumental: c.-f.-Zeilen 1–6 *mit*
	Und trag aus väterlicher Huld	*freier vokaler Deklamation*
	Mit unserm schwachen Fleisch Geduld.	
Ritornell da capo		

Die Melodiezitate werden so deutlich exponiert, dass sie den Hörern nicht entgehen konnten. Den raschen Figuren des Ritornells (»Vivace«) tritt die erste Zeile als »Andante« gegenüber, deren Viertelwerte – begleitet von Achteln der Oboen – vorerst vom Umfeld getrennt bleiben. Wiewohl sich die Abfolge nochmals wiederholt, bleiben die Zitate vorerst Episoden. Im zweiten Teil hingegen zitieren die Oboen die vollständige Choralweise in akkordischem Satz, zu dem der Bass die letzten Zeilen der Dichtung deklamiert. Da der Continuo mehrfach die Motivik des ersten Teils zitiert, vermittelt er zugleich zum abschließenden Rückgriff auf das Ritornell. Dennoch sind die Teile primär durch die Choralzitate verbunden, die im A-Teil unvermittelte Einschübe bleiben.

In dem Duett »Gedenk an Jesu bittern Tod« (Satz 6) paraphrasierte der Librettist die erste Zeile, während er später die Zeilen 3–4 zitierte.[168] Indem er am Ende die Eingangszeile wiederholte, erreichte er eine Disposition, in der die erste Zeile den Satz umrahmt.[169]

Text des Duetts	*Martin Moller, Strophe 4*
Gedenk an Jesu **bittern Tod,**	**Gedenk an** deins Sohns **bittern Tod,**
Nimm, Vater, deines Sohnes Schmerzen	Sieh an sein heilig Wunden rot,
Und seiner Wunden Pein zu Herzen,	**Die sind ja für die ganze Welt**
Die sind ja für die ganze Welt	**Die Zahlung und das Lösegeld.**
Die Zahlung und das Lösegeld;	Des trösten wir uns allezeit
Erzeig auch mir zu aller Zeit,	Und hoffen auf **Barmherzigkeit**.
Barmherzger Gott, **Barmherzigkeit!**	
Ich seufze stets in meiner Not:	
Gedenk an Jesu **bittern Tod.**	

Im Ritornell wird die erste Melodiezeile von der Oboe da caccia eingeführt und durch ein seufzerartiges Kopfmotiv der Querflöte kontrapunktiert, mit dem der gesamte Satzverlauf bestritten wird. Vor Beginn der Fortspinnung wird die Kombination eine Quinte höher im Stimmtausch wiederholt, und entsprechend wird sie auch von den Vokalstimmen übernommen und zugleich mit der instrumentalen Fortspinnung verbunden (T. 14–18). Da der Choral dem Ritornell angehört, ließ sich die Kombination auf die dritte Melodiezeile übertragen (vokal T. 27–30, instrumental T. 31–34). Statt die folgende Zeile zu zitieren, wird ihr Text mit dem Kontrapunkt der dritten Zeile verbunden, während die letzten Zeilen mit einem Zitat der ersten Melodiezeile kombiniert werden (Flöte T. 36 f., Alt und Sopran T. 48–55). Je weiter die Zitate zugleich verziert werden, desto mehr werden sie dem Kontext angeglichen, ohne als Einschübe hervorzutreten.

Ein ähnliches Verfahren liegt dem Duett »Ach Herr, mein Gott, vergib mirs doch« (BWV 113:7) zugrunde. Zwar zitierte der Dichter nur die erste Choralzeile, doch übernahm er aus den Zeilen 3, 5 und 8 die maßgeblichen Schlüsselworte. Da beide Ebenen wechselweise ineinandergreifen, konnte Bach auf zusätzliche Instrumente verzichten, die in den anderen »Choral-Arien« für den Ausgleich beider Schichten zu sorgen hatten.

Text des Duetts	*Bartholomäus Ringwaldt, Strophe 6*
Ach Herr, mein Gott, vergib mirs doch,	**Ach Herr, mein Gott, vergib mirs doch**
Womit ich deinen Zorn erreget,	Um deines Namens willen.
Zerbrich **das schwere** Sünden**joch,**	Du wollst abtun **das schwere Joch,**
Das mir der Satan auferlegt.	der Sünden Jammer stillen,
Daß sich mein Herz zufrieden gebe	**Daß sich mein Herz zufrieden geb**
Und dir zum Preis und Ruhm hinfort	Und dir hinfort zu Ehren leb
Nach deinem Wort	**In kindlichem Gehorsam.**
In kindlichem Gehorsam lebe.	

---

168   Zur Besetzung der instrumentalen Stimmen vgl. NBA I/19, hrsg. von Robert L. Marshall, KB, S. 184 f.
169   Da Neumann, Sämtliche Kantatentexte, S. 243, nur die wörtlich zitierten Choralzeilen markierte, ohne die weiteren Anspielungen kenntlich zu machen, werden hier beide Fassungen nebeneinandergestellt.

Der Alt eröffnet den Satz mit einer Variante der ersten Zeile, die vom Sopran imitiert und mit Koloraturen der Gegenstimme zum Text der zweiten Zeile verbunden wird. Die Paarung wiederholt sich – bei umgekehrter Einsatzfolge – im zweiten Stollen (T. 19–26), und da sie sich auch in den Zeilen des Abgesangs fortsetzt (T. 37–44 und 49–56), wird sie zum tragenden Prinzip des Satzes. Ihr Ziel findet sie in der nur einmal zitierten Schlusszeile, die durch die Parallelführung der Stimmen hervorgehoben wird (T. 63–67). Zwar wird auch in der Bassarie »Fürwahr, wenn mir das kömmet bei« (Satz 3) die Eingangszeile der dritten Strophe zitiert, doch lässt sich der Satz nicht auf die zugehörige Melodiezeile beziehen. Versetzt nach A-Dur, müsste sie auf dem Grundton beginnen, während das Kopfmotiv der Arie auf der V. Stufe ansetzt. Als Analogie bliebe nur ein auf- und abwärts durchschrittener Terzraum, in dem der eröffnende Grundton ebenso entfiele wie die Finalis.[170]

Während anfangs einzelne Choralzeilen zitiert wurden, folgten der »Choraltext-Kantate« BWV 107 zwei Wochen später die Kantaten BWV 101 und 113, deren Binnensätze mehrere Choralzitate enthalten. Zwar fehlen sie in der ersten Arie aus BWV 101, doch bildet der zweite Satz aus BWV 113 eine Choralbearbeitung, während die nachfolgende Arie und das abschließende Duett keine Zitate enthalten.

BWV 101 »Nimm von uns, Herr, du treuer Gott« (10. p. Trin.)

2	Aria	Handle nicht nach deinen Rechten	ohne c.-f.-Zitate
3	Rezitativ	Ach Herr Gott, durch die Treue dein	mit c.-f.-Zeilen 1–6 (vokal)
4	Aria	Warum willst du so zornig sein	mit c.-f.-Zeilen 1 (vokal), 1–6 (instrumental)
5	Rezitativ	Die Sünd hat uns verderbet sehr	mit c.-f.-Zeilen 1–6 (vokal)
6	Duett	Gedenk an Jesu bittern Tod	mit c.-f.-Zeilen 1 und 3 (vokal-instrumental)

BWV 113 »Herr Jesu Christ, du höchstes Gut« (11. p. Trin.)

2	Choral	Erbarm dich mein in solcher Not	solistische Choralbearbeitung
3	Aria	Fürwahr, wenn mir das kommet ein	ohne c.-f.-Zitate
4	Rezitativ	Jedoch dein heilsam Wort, das macht	mit c.-f.-Zeilen 1–7 (vokal)
5	Aria	Jesus nimmt die Sünder an	mit c.-f.-Zeile 7 (vokal)
6	Rezitativ	Der Heiland nimmt die Sünder an	ohne c.-f.-Zitate
7	Duett	Ach Herr, mein Gott, vergib mirs doch	mit c.-f.-Zeilen 1, 3, 5 und 7 (vokal)

Zwar fanden sich schon in BWV 135 und 93 mehrere choralbezogene Sätze, doch wurden hier nur einzelne Choralzeilen zitiert, die dann aber nicht die Satzstruktur prägten. Dagegen sind die Arien in BWV 101 und das Duett in BWV 113 so eng mit den Choralweisen verbunden, dass man versucht ist, von »Choral-Arien« zu reden. Fast drängt sich der Eindruck auf, Dichter und Komponist hätten sich darum bemüht, die traditionelle Choralbearbeitung per omnes versus zu erneuern (deren

---

170 Ähnlich gewagt wäre es, die Dreiklangsmelodik der Arie »Getrost, es faßt ein heilger Leib« (BWV 133:2) auf die entsprechenden Töne der Choralweise »Ich freue mich in dir« zurückzuführen.

Binnensätze nicht immer an die zugehörigen Weisen gebunden waren). Desto auffälliger ist es daher, dass die späteren Werke auf solche Versuche verzichten, um sich stattdessen auf die Formen der madrigalischen Kantate zu konzentrieren. Demnach scheint es, als sei mit den drei »Choral-Arien« ein kritischer Punkt erreicht worden. Die offene Anlage des Rezitativs erlaubte es dem Dichter, einzelne Choralzeilen einzufügen, die der Komponist dann entsprechend vertonen konnte. Anders verhielt es sich bei den Arien, die in sich geschlossene Formen darstellten. Wenn der Librettist in sie Choralzitate einfügte, so stellte er den Musiker vor die Aufgabe, zwei prinzipiell verschiedene Ebenen miteinander zu verbinden. Dass sich dafür individuelle Lösungen, aber keine generellen Konzepte finden ließen, dürfte ein Grund dafür gewesen sein, auf solche Experimente fortan zu verzichten.

In den anschließenden Werken begegnen nur noch ausnahmsweise Choralzitate, die dann aber besonders subtil ausfallen. In der Sopranarie »Lebens Sonne, Licht der Sinnen« (BWV 180:5) bleibt es bei einer verdeckten Allusion, sofern das Kopfmotiv des Ritornells auf die erste Choralzeile anspielt, ohne sie jedoch zu zitieren. Die ersten Töne (d^2-c^2-b^1) sind zwar ebenso präsent wie der Spitzenton mit anschließendem Abstieg (f^2-es^2-d^2), doch sind die fehlenden Töne (c^2-d^2) nur in der Binnenkadenz zu finden (T. 2). Obwohl die Wendung vom Vokalpart aufgenommen und in den Zwischenspielen wiederholt wird, ist sie in die Stimmführung derart integriert, dass sie nur mittelbar wirksam ist. Ähnlich deutet das Kopfmotiv der Tenorarie »Ich höre mitten in den Leiden« (BWV 38:3) auf den Beginn der Melodie »Aus tiefer Not« zurück, doch begrenzt sich die Anspielung auf den Quintrahmen der Vorlage, auf deren phrygische Tönung ein anschließender Halbtonschritt verweist. Umgebildet zu einer synkopischen Wendung, wird das Motiv mehrfach variiert und sequenziert, sodass seine rhythmische Prägung weit wirksamer ist als die latente Anspielung auf den Choral.

Ein weiterer Sonderfall ist das Terzett aus BWV 122 (Satz 4), in dem der Sopran und der Tenor den gedichteten Text »O wohl uns« singen, während im Alt die dritte Strophe des Liedes »Ich freue mich in dir« erklingt. Beide Schichten basieren auf einem Bassgerüst, dessen punktierte Rhythmik Finke-Hecklinger an Tanzmodelle denken ließ.[171] Wichtiger als ihre Herleitung ist ihre konstante Verwendung, von der sich der Cantus firmus in punktierten Vierteln abhebt, während die Worte der Dichtung in Achteln eingeführt und kolorierend erweitert werden. Den beiden Texten entsprechen demnach zwei rhythmische Muster, die gemeinsam auf dem Gerüst des Continuo gründen. Zwar scheint der Choral die zentrale Achse zu bilden, doch übernimmt der Alt nach der letzten Choralzeile den Text und die Motivik der Gegenstimmen, sodass die mehrschichtige Anlage am Ende aufgehoben wird.

Trotz seiner Kürze bildet der Continuo-Satz »Entsetze dich, mein Herze, nicht« (BWV 111:2) eine variierte Da-capo-Arie, deren Teile durch Varianten des viertaktigen Ritornells getrennt werden. Durch Pause abgegrenzt, bezieht sich das dreitönige Initium auf das erste Textwort, bevor es sequenzierend erweitert wird. Sobald es im Vokalpart übernommen und fortgesponnen wird, tritt das anschließende Choralzitat

---

[171] Laut Finke-Hecklinger, S. 28 und 42, gliche die Rhythmik einer Canarie bzw. Loure, doch prägt sie lediglich den Continuo, während sie nur einmal im Vokalpart anklingt (Sopran T. 15).

trotz seiner Ornamentierung ebenso deutlich wie dezent hervor, zumal der gedichtete Text auf die ersten Zeilen der zweiten Choralstrophe verweist (T. 8–15^1).[172] Beide Zeilen kehren im Schlussteil wieder (T. 46 ff.), während eine ähnliche Anspielung im Mittelteil anders textiert ist und ohne den Kontext kaum zu erkennen wäre (T. 27 f.).

Als letztes Beispiel wäre der Satz »Fürwahr, fürwahr, euch sage ich« (BWV 127:4) zu nennen, der in älteren Editionen als »Recitativo et Aria« bezeichnet wurde.[173] Da das Autograph keine Angabe zeigt und der Satz eher ein Accompagnato mit ariosen Einschüben ist, hat er als letztes Glied in der Kette der »Choral-Rezitative« zu gelten. Vorerst bleibt aber festzuhalten, dass die Binnensätze der ersten Werke mehrfach einzelne Choralzeilen zitieren. Während bei reinem Choraltext nur ein Satz in BWV 107 die zugehörige Melodie verwendet, begegnen solche Rekurse desto häufiger in den Kantaten BWV 101 und 113, um in allen folgenden Werken desto seltener aufzutreten. Bevor im Kontext der späteren Choralkantaten auf diesen Befund zurückzukommen ist, bleibt zunächst der überreiche Bestand der weiteren Arien in den Blick zu nehmen.

Soweit der Librettist die Binnenstrophen durch eigene Texte ersetzte, ohne die Choralzeilen zu zitieren, bestand für Bach kein Anlass, auf die zugehörigen Melodien zurückzugreifen. Für diese Arien ist demnach mit prinzipiell gleichen Voraussetzungen wie in anderen Kantaten zu rechnen. Indes bilden sie einen ungewöhnlich geschlossenen Bestand, der weder nach Zeitphasen noch nach Textgruppen aufzuteilen ist. Noch willkürlicher wäre eine Scheidung nach Formtypen, da authentische Textdrucke fehlen. Da die formalen Relationen nur aus den Werken zu erschließen sind, bleibt vielfach ungewiss, ob sie auf Bach oder auf den Librettisten zurückgehen. Daher ist primär auf die Kriterien der Besetzung zurückzugreifen, die hier wie sonst als maßgebliche Prämissen gelten dürfen. Geordnet nach steigender Stimmenzahl, werden die Textincipits mit den BWV- und Satznummern genannt und durch Hinweise auf die Formanlagen und Besetzungen sowie die Ton- bzw. Taktarten ergänzt.

b. Continuo-Arien

Während der erste Jahrgang nur drei Continuo-Arien enthielt, erreichen diese Sätze im zweiten Jahrgang einen Anteil von fast zehn Prozent. Seit der Adventszeit meist dem Da-capo-Schema verpflichtet, verwenden sie vorwiegend mahnende oder lehrhafte Texte, die in der Regel der Bassstimme zufallen. Angesichts ihres Zeitabstands ist es desto auffälliger, wie systematisch Bach verfuhr.[174] Greift die Arie aus BWV 7 auf den Ostinatosatz zurück, von dem die Weimarer Sätze ausgingen, so beginnt der Continuo-Satz aus BWV 10 mit einem rhythmisch profilierten Ritornell, wie es die entsprechenden Arien des ersten Jahrgangs charakterisierte, während die folgenden Sätze beide Verfahren zu kombinieren suchen.

---

172 Heißt es in der Dichtung »Gott ist dein Trost und Zuversicht und deiner Seele Leben«, so beginnt die Choralstrophe mit den Worten »Gott ist mein Trost, mein Zuversicht, mein Hoffnung und mein Leben«.
173 Vgl. die von Hans Grischkat edierte Eulenburg-Partitur, London und Mainz 1964, S. 26.
174 Vgl. dazu das in Anm. 4 genannte Handbuch und hier den Beitrag von Reinmar Emans, »Innere Chronologie« am Beispiel der Continuo-Arien, S. 97–125, der sich primär auf »Fragen der Textbehandlung« konzentriert.

7:2	Johannistag	Merkt und hört, ihr Menschenkinder	Dc	B., Bc. – G-Dur, ₵	
10:4	Mariä Heimsuchung	Gewaltige stößt Gott vom Stuhl	A – B – C	B., Bc. – F-Dur, ₵	
107:5	7. p. Trin.	Wenn auch gleich aus der Höllen	A – B	T., Bc. – e-Moll, ¾	
94:2	9. p. Trin.	Die Welt ist wie ein Rauch und Schatten	A – B	B., Bc. – h-Moll, ₵	
62:4	1. Advent	Streite, siege, starker Held	Dc	B., Bc. + Str. in unisono – D-Dur, ₵	
122:2	Stg. n. Weihn.	O Menschen, die ihr täglich sündigt	Dc	B., Bc. – c-Moll, ₵	
3:3	2. p. Epiph.	Empfind ich Höllenangst und Pein	Dc	B., Bc. – fis-Moll, ¾	
111:2	3. p. Epiph.	Entsetze dich, mein Herze, nicht	var. Dc	B., Bc. – e-Moll, ₵	
92:6	Septuagesimae	Das Stürmen von den rauhen Winden	Dc	B., Bc. – D-Dur, ¾	
126:4	Sexagesimae	Stürze zu Boden, schwülstige Stolze	Dc	B., Bc. – C-Dur, ⅜	

Das viertaktige Modell in BWV 7:2 besteht aus einer Quintkette, deren Zwischenstufen durch fallende Zweiunddreißigstel überbrückt werden und sich damit vom rhythmischen Gleichmaß des Umfelds abheben. Zwar bewahren die drei ersten Perioden das viertaktige Gerüst, doch wird es ab Takt 5 mit dem Einsatz der Bassstimme verschränkt, die zunächst nur das Kopfmotiv des Modells imitiert, um in der dritten Periode als kontrapunktische Gegenstimme zu fungieren. Ohne vorerst die Stufenfolge des Bassmodells zu tangieren (T. 5–8 bzw. 9–13[1]), erweitern sich die Varianten in der vierten Periode zu spürbaren Eingriffen, die über die VI. und II. Stufe zur Dominante D-Dur führen und eine Verlängerung auf fünf Takte zur Folge haben (T. 13–18). Obwohl die nächste Phase auf der Tonika endet (T. 18–22), wendet sich die sechste Periode erneut zur Dominante. Da sie nach sechs Takten zur Grundstufe führt (T. 22–28), kann sich das Grundmodell als Nachspiel des A-Teils anschließen (T. 29–33[1]). Erheblich weiter reichen die Varianten des B-Teils, der auf der Mollparallele einsetzt, aber schon im dritten Takt zur Tonika zurücklenkt. Wiewohl die folgenden Phasen das Material des Modells verarbeiten, werden sie durch modulierende Binnenglieder zu sechs- und siebentaktigen Gruppen erweitert, die das periodische Gerüst hinter sich lassen.

 Derart freie Varianten, wie sie hier am Ende begegnen, bilden eine Woche später die Grundlage des Satzes aus BWV 10. Das sechstaktige Vorspiel stellt zwei Motive bereit, die getrennt verfügbar sind. Es fungiert demnach weniger als Ostinato denn als Ritornell, dessen Glieder der motivischen Verarbeitung zugänglich sind. Beide Motive gründen auf pendelnden Sechzehntelketten, deren Achsentöne repetiert und mit kurzen Skalenausschnitten verbunden werden. Koppelt die erste Gruppe einen Terzraum über dem Grundton mit der repetierten Quinte, so dient derselbe Ton in der zweiten Gruppe als Ansatz einer Quintkette, die zugleich zu seiner Verlagerung führt (Notenbeispiel 19). Beide Gruppen werden durch eine Binnenzäsur getrennt, während

Notenbeispiel 19

die Kadenzgruppe in Sechzehnteln umschrieben wird. Im Vokalpart werden die Tonrepetitionen des Kopfmotivs zu Koloraturen umgebildet, die dem Einsatz des Bassmodells vorangehen und wie variierte Vorimitationen wirken. Setzen sich die Sechzehntel im Continuo fort, so wird das Sequenzglied für Modulationen benutzt, deren Zielstufen mit dem Kopfmotiv verbunden werden. Desto freier entfaltet sich die Bassstimme, um Worte wie »Schwefelpfuhl«, »Niedern« oder »erhöhen« durch Sprünge oder Koloraturen zu kennzeichnen. Sobald der Text auf das »Gnadenmeer« Gottes hinweist (T. 44 ff.), verharrt der Continuo auf dem dominantischen Binnenglied, bevor die Kadenz zum Ritornell zurückführt.

Der Tenorarie »Wenn auch gleich aus der Höllen« (BWV 107:5) liegt ein neuntaktiges Ostinatomodell zugrunde, das aus drei verschiedenen Gliedern besteht. Verbindet das erste eine Drehfigur in Sechzehnteln mit einem zerlegten Dreiklang (a), so enthält das eintaktige zweite ähnliche Figuren in umgekehrter Folge (b), bis beide durch eine Kadenzwendung in Sechzehnteln ergänzt werden (c). Da sie sich durch Sequenzierung und Transposition verlängern lassen, benötigt der Satz trotz seiner Länge nur sieben Perioden.

Ritornell	A: Zeilen 1–4		Ritornell		B: Zeilen 3–7		Ritornell
1–10	11–22	23–34	35–42	43	44–55	56–68	69–79
Periode ①	②	③	④	–	⑤	⑥	⑦
$a^{1-2} b^{1-4} c$	$a^{1-3} b^{1-4} c$	$a^{1-3} b^{1-4} c$	$a^{1-2} b^{1-2} c$	–	$a^{1-3} c\ b^{1-2} c$	$a^{1-5} b^{1-2} c$	$a^{1-2} b^{1-4} c$
I – I	I – I	I – V	V – V	V – I	I – IV	IV – I	I – I

Die variable Reihung der Glieder lässt dem Vokalpart Raum, um einzelne Textworte durch Koloraturen auszuzeichnen. Dem B-Teil geht ein Takt voran, in dem die vierte Bassperiode auf der V. Stufe endet, während der Tenor zur I. Stufe zurücklenkt (T. 43). Je wechselvoller die Glieder des Ostinato angeordnet werden, desto eher nähert sich das Ostinatomodell einem Ritornell, dessen Glieder getrennt verfügbar sind.

Dagegen ist in der zweiteiligen Bassarie »Die Welt ist wie ein Rauch und Schatten« (BWV 94:2) weniger von einem Ostinatosatz als von ostinaten Figuren zu reden. Das Verfahren setzt formelhafte Wendungen voraus, die gesondert verwendet und ständig variiert werden können. Beispielsweise wiederholt sich der zweite Takt des Vorspiels in Takt 8, während die Takte 1–3ᵃ ab Takt 10 mit Vokaleinbau wiederkehren. Zudem übernimmt der Bass nur einzelne Figuren des Vorspiels, ohne dessen Kopfmotiv zu zitieren. Da der Continuo hier und zu Beginn des B-Teils als stützender Generalbass fungiert, kann der Vokalpart die Worte »Rauch« und »verschwinden« durch kleine Melismen hervorheben, die sich im B-Teil bei Schlüsselworten wie »alles« und »Welt« zu längeren Koloraturen erweitern.

Die Bassarie »Streite, siege, starker Held« (BWV 62) bildet insofern einen Sonderfall, als der Continuo durch die Violen und Violinen dupliert wird. Demnach muss sich der Instrumentalpart auf einen Ambitus begrenzen, der in Basslage erreichbar ist, ohne die Untergrenze der Violinen zu unterschreiten. Das Ritornell besteht aus Drehfiguren und Dreiklangsbrechungen, die wiederholt und sequenziert werden. Da sie sich in den letzten Takten zur Dominante wenden, müssen sie im Nachspiel entsprechend geändert werden. Während sie im A-Teil variiert werden, erweitern sie sich im Vokalpart zu ausgedehnten Koloraturen, die zugleich in die Taktgruppen des Ritornells eingebaut werden (vgl. T. 9–12, 15–16, 19–22 und 30–34). Erst in die Schlussphase werden zwei Takte eingeschoben, in denen die motorische Bewegung auf repetierte Achtel reduziert wird, die auf das abschließende »adagio« der Bassstimme hinführen (T. 42–43). Dasselbe Verfahren wird in der Schlusszeile des B-Teils verwendet (»das Vermögen in uns Schwachen stark zu machen«), ohne hier jedoch in einem Adagio auszulaufen.

Vier Wochen später folgte mit BWV 122:2 der nächste Satz, der jedoch über ein weit profilierteres Material verfügt (Notenbeispiel 20). Obwohl das Vorspiel erst am Ende des A-Teils wiederkehrt, vereint es den Bau eines Ritornells mit dessen motivischer Funktion. Trotz verschiedener Rhythmik gründen der Vorder- und der Nachsatz auf analogen Stufenfolgen. Während im Vordersatz drei verminderte Quinten skalar gefüllt und in steigender Folge gestaffelt werden (T. 1–3: *d-as*, *e-b*, *fis-c¹*), umgreift der Nachsatz drei Septsprünge[175], die als fallende Sequenz angeordnet werden (T. 4–6). Harmonisch gesehen, wäre von komplementären Quintketten zu reden, in denen die verschwiegenen Grundtöne quasi als »Zwischendominanten« fungieren und in eine ausgedehnte Kadenzgruppe einmünden (T. 7–9³). Die auftaktigen Sechzehntel, die dem Oktavfall des Kopfmotivs vorangehen, werden in der vokalen Version zu

Notenbeispiel 20

---

[175] Während die beiden ersten Glieder im Sekundabstand aufeinanderfolgen (T. 4–5), setzt das letzte einen Halbton höher als das erste an (T. 6).

einem Quartsprung geglättet, der auf den Ausruf »Ihr Menschen« entfällt. Sobald der Vokalpart die Sequenzmotivik der ersten Gruppe übernimmt, tritt im Continuo das rhythmische Muster der zweiten Gruppe hinzu (T. 9–11). Schon in diesen Takten, die mehr sind als eine vorgezogene Devise, wird das kombinatorische Verfahren deutlich, auf dem die beiden Teile der Da-capo-Form gründen. Indem das Material auf die Stimmen verteilt wird, die entsprechend eng gekoppelt werden, kann der Vokalpart die Motivik benutzen, um den Text gebührend zur Geltung zu bringen.

Nach der Pause, die diesem Satz voranging, entstanden binnen weniger Wochen die drei letzten Continuo-Arien. Auf der Dominante Cis-Dur ansetzend, umschreibt das Vorspiel in BWV 3:3 eine Quintschrittsequenz, deren zweitaktige Glieder auf den Terzen der Zielstufen enden. Ihnen gehen gedehnte Vorhalte voran, die die chromatisch fallende Linie akzentuieren, die sich in der Stufenfolge abzeichnet (*e-dis*, *d-cis*). Harmonische Beweglichkeit mit rhythmischer Kontinuität vereinend, kann das Ritornell in den modulierenden Phasen verwendet werden. Da auch die Melodiezitate auftaktig ansetzen, fügen sie sich in den Kontext ein, aus dem sie gleichwohl deutlich hervortreten.

Dass die letzten Continuo-Arien nicht ganz so komplex wirken wie die früheren, dürfte teilweise an den bildreichen Texten liegen, die eher eine charakteristische Rhythmik als eine komplizierte Stufenfolge forderten. In BWV 92:6 löst das »Stürmen« (bzw. »Brausen«[176]) von »den rauhen Winden« ein Ritornell in kontinuierlicher Sechzehntelbewegung aus. Eine diatonische Quintschrittsequenz umfassend, kommt sie erst in der Kadenzgruppe zum Stillstand, um danach auf beide Stimmen verteilt und durch Achtelwerte ergänzt zu werden, die sich mit syllabischer Textierung des Vokalparts verbinden. Ähnlich begrenzt bleibt auch die Stufenfolge, die sich im A-Teil auf die Dominante und die Subdominante beschränkt und im Mittelteil zu den parallelen Mollstufen wendet. In BWV 111:2 war es dagegen das erste Textwort, das die Abtrennung des Kopfmotivs veranlasste, während die Abschnitte der Rahmenteile in den erwähnten Choralzitaten auslaufen. Obwohl der Text der Arie BWV 126:4 eine an Gott gerichtete Bitte ist, ließ Bach sich vom Bild der »Stolzen« leiten, die Gott »zu Boden« stürzen möge.[177] Das Ritornell beginnt mit einer fallenden Skala, die in Zweiunddreißigsteln einen Oktavraum durchläuft und mit einem weiteren Oktavfall abbricht. Ergänzt durch stufenweise steigende Sextakkorde, wird sie in Sechzehntel zerlegt und mit dem wiederholten Kopfmotiv abgeschlossen. Setzt die Skala anfangs auf der zweiten Zählzeit des $3/8$-Takts ein, so wird sie später verlängert, wogegen die Fortspinnung auch getrennt verwendet wird. Während die Stufenfolge so begrenzt wie im vorigen Satz bleibt, begnügt sich die Bassstimme mit syllabischer Deklamation, die durch längere Melismen zu Worten wie »Toben« oder »Verlangen« bereichert wird.

---

[176] Statt des Worts »Stürmen«, das in der autographen Partitur erscheint, zeigen die Stimmen die Lesart »Brausen«, vgl. NBA I/7, hrsg. von Werner Neumann, KB, S. 92.
[177] Wiewohl Dürr den Satz als Zeugnis »echt barocker Dramatik« ansah (a. a. O., Bd. I, S. 215), ist kaum zu leugnen, dass sein satztechnischer Anspruch hinter anderen Continuo-Arien zurückbleibt. Vgl. dazu auch Emans, a. a. O., S. 106 f.

So bemerkenswert wie die Verteilung der Continuo-Arien ist auch ihr wechselnder Anteil an den Jahrgängen.[178] Während sie in jeder zweiten Weimarer Kantate vorkamen, treten sie im ersten Leipziger Jahrgang zurück, um nach dem zweiten Jahrgang nur noch ausnahmsweise zu begegnen.[179] Dagegen finden sie sich im zweiten Jahrgang vor allem zu Beginn und am Ende und hier besonders in Werken mit großen Eingangschören, deren Ausarbeitung Bach besonders viel Zeit gekostet haben dürfte. Vermutlich konnte er Continuo-Sätze rascher als größer besetzte Arien schreiben, sodass sie für ihn eine Entlastung bedeuten konnten.

Man muss sich vergegenwärtigen, dass Bach keine Arien für eine Melodiestimme mit Continuo, sondern Sätze für zwei kontrapunktierende Stimmen schrieb, die in gleicher Lage dasselbe Material verwenden. Zwar mögen sie zunächst einigermaßen spröde anmuten, doch erschließt sich ihr Reiz desto eher, je genauer man den Austausch zwischen den Stimmen verfolgt.

c. Duette

Rechnet man die Sätze mit Choraltexten ab,[180] so bleiben neun Duette zu nennen, die in der Regel mit obligaten Instrumenten verbunden werden. Wie die Übersicht zeigt, war die Besetzung nicht durch die Texte motiviert, die nur einmal die Pluralform verwenden. Auffällig ist die Häufung der Duette zwischen dem 13. und 15. Sonntag nach Trinitatis und in der Zeit nach Epiphanias. Wie den anderen Formen wandte sich Bach den Duetten gleichsam schubweise zu. Dass die späteren Sätze Da-capo-Formen bevorzugen, entspricht einem generellen Befund, für den der Librettist verantwortlich war. Bemerkenswerter sind die Relationen zwischen Vokal- und Instrumentalpart. Während die vom Continuo begleiteten Duette höherliegende Stimmen verwenden, werden bei Beteiligung des Basses höherliegende Instrumente eingesetzt.

20:10	1. p. Trin.	O Menschenkind, hör auf geschwind	A – B	A., T., Bc. – a-Moll, ¾
33:5	13. p. Trin.	Gott, der du die Liebe bist	A – B – C – D	T., B., Ob. I–II, Bc. – e-Moll, ¾
78:2	14. p. Trin.	Wir eilen mit schwachen, doch emsigen Schritten	Dc	S., A., Violone, Bc. – B-Dur, ₵
99:5	15. p. Trin.	Wenn des Kreuzes Bitterkeiten	A – B	S., A., Trav., Ob. d'am., Bc. – e-Moll, ₵
91:5	1. Weihn.	Die Armut, die Gott auf sich nimmt	Dc	S., A., V. I–II, Bc. – e-Moll, ₵
124:5	1. p. Epiph.	Entziehe dich eilends, mein Herze, der Welt	Dc	S., A., Bc. – A-Dur, ⅜

---

178 Im Mai 1725 folgten zwei Sätze mit Basso quasi ostinato und Bibeltext (BWV 87:5 und 74:4), ein späteres Beispiel ist Satz 4 aus der Michaelis-Kantate BWV 149 (1728 oder 1729).
179 Zwar finden sich in den späteren Choralkantaten einige Continuo-Arien (BWV 129:2, 177:2 und 94:2), die aber zu einer Reihe solistischer Sätze mit unverändertem Choraltext gehören.
180 Die Duette »Ach Herr, mein Gott, vergib mirs doch« (BWV 113:7) und »Gedenk an Jesu bittern Tod« (BWV 101:6) wurden bereits innerhalb der Gruppe von Sätzen mit Choralsubstanz erörtert.

3:5	2. p. Epiph.	Wenn Sorgen auf mich dringen	Dc		S., A., V. I + Ob. d'am. I–II, Bc. – E-Dur, c
111:4	3. p. Epiph.	So geh ich mit beherzten Schritten	Dc		A., T., Str., Bc. – G-Dur, ¾
125:4	Mariä Reinigung	Ein unbegreiflich Licht erfüllt den ganzen Kreis	Dc		T., B., V. I–II, Bc. – G-Dur, c

In dem Continuo-Duett aus BWV 20 scheint – ähnlich wie in den ersten Continuo-Arien – das Modell der variierten Ostinato-Sätze durch. Das Vorspiel kehrt nicht nur am Ende des Satzes, sondern auch zwischen seinen Teilen wieder. Überdies tritt es bei Eintritt der beiden Vokalstimmen und kurz danach ein drittes Mal auf, bevor es – transponiert nach C-Dur – am Ende des ersten Teils erneut wiederholt wird. Die Varianten beruhen auf dem Einschub des auftaktigen Kopfmotivs, das bereits zu Beginn des Vorspiels abgespalten und sequenziert wird, während die Fortspinnung eine Kadenz umschreibt, die transponiert und entsprechend verändert werden kann. Dadurch gewinnen die anfangs parallel geführten Vokalstimmen den Freiraum, den sie für ihre melismenreiche Fortführung benötigen. Dazwischen werden imitierende Einsätze eingefügt, die auf die Rhythmik des Kopfmotivs zurückgreifen und mit den Halbsätzen der ersten Zeile zusammenfallen (»O Menschenkind, / Hör auf geschwind«). Wo in anderen Teilen entsprechende Halbzeilen fehlen, muss das Verfahren zwar modifiziert werden, doch werden die Textglieder durch das Material des Vorspiels verkettet, das daher als quasi ostinates Fundament erscheint.

In den übrigen Continuo-Duetten fungiert das Vorspiel als Ritornell, dessen Motivik in BWV 124:5 vom Vokalpart übernommen wird, während es in BWV 78:2 als rhythmische Folie dient. In dem leichtfüßigen Duett »Wir eilen mit schwachen, doch emsigen Schritten« (BWV 78:2) verläuft der Continuo in neutraler Achtelbewegung, deren Ecktöne im Violone durch Viertelwerte »staccato e pizzicato« markiert werden. Das Bassgerüst beruht auf einer Sequenzfolge, die sich aus gegenläufigen Skalenausschnitten zusammensetzt (Notenbeispiel 21). Dagegen folgen die Vokalstimmen im Wechsel von Vierteln und Achteln dem daktylischen Textmetrum

Notenbeispiel 21

(A: 12a, 11b; B: 12c, 5b, 12a, 12c). Den vierhebigen Zeilen des A-Teils stehen im B-Teil drei entsprechende Zeilen gegenüber, zwischen die eine fünfsilbige Kurzzeile eingefügt ist (T. 64–69: »Ach, höre, wie wir«). Die Hebungen der Langzeilen werden mehrfach zu Koloraturen umgeformt, die im A-Teil das Wort »eilen« auszeichnen und im B-Teil auf Worte wie »erheben« oder »erfreulich« entfallen. Anfangs als Imitationsmotive verwendet, werden sie später in Parallelführung gekoppelt, während sie sich zugleich vom rhythmischen Gleichmaß des Continuo abheben.

Während der Continuo und die Oberstimmen bisher als verschiedene Schichten erschienen, bilden sie im Duett »Entziehe dich eilends, mein Herze« (BWV 124:5) einen Triosatz, dessen Thema im Vorspiel eingeführt wird. Dass die Rhythmik an eine Gigue im ³⁄₈-Takt erinnert,[181] ist weniger belangvoll als die periodische Gliederung, die vom Ritornell ausgeht und den gesamten Verlauf prägt. Dem viertaktigen Vordersatz, der zweimal von der Tonika zur Dominante wechselt, folgt ein achttaktiger Nachsatz, der eine Quintkette umgreift und zur Tonika zurückkehrt. Im Sopran wiederholt, wird der Vordersatz vom Alt auf der V. Stufe imitiert, um wiederum auf der Dominante zu enden. Zugleich wird der Vordersatz des Soprans durch eine neue Prägung ersetzt, die sich vom Hauptthema als syllabisch deklamiertes Kontrasubjekt unterscheidet, bis ein kurzes Zwischenspiel auf den Nachsatz zurückgreift, um zur Tonika zurückzulenken. Den zweiten Durchgang eröffnet der Alt mit einer Variante des Vordersatzes, an die sich im Sopran die ursprüngliche Fassung anschließt. Ein dritter Durchgang fasst beide Themen zusammen, um damit den A-Teil auf der Tonika abzuschließen. Dagegen umfasst der Mittelteil zwei weitere Verspaare in gesonderten Abschnitten, die zur Tonika- bzw. Dominantparallele modulieren. Obwohl das Material entsprechend variiert werden muss, bleibt das Profil der Themen durchweg erkennbar.

Ein fugierter Satz wäre zwar auch dort möglich, wo das vokale Duo durch ein obligates Instrument ergänzt wird. Im Duett »Die Armut, die Gott auf sich nimmt« (BWV 91:5) bleiben der Sopran und der Alt jedoch von der Gegenstimme unabhängig, die von den Violinen im Unisono gespielt wird. Charakterisiert durch straff punktierte Rhythmik, umfasst das Ritornell vier Takte, die wechselweise die Grundstufen umspielen und in einer Kadenzgruppe münden. Da sie keine melodische Linie ausbilden, können die Glieder des Ritornells zunehmend enger mit dem vokalen Duett verbunden werden. Das Grundgerüst des Satzes blieb unangetastet, als Bach – wohl »erst nach 1740«[182] – den Vokalpart revidierte und mit dynamischen Angaben versah. Während das Imitationsmotiv des A-Teils ausgeziert wurde, wurde die Gegenstimme zu synkopischen Ketten umgebildet.[183] Obwohl die Varianten zeigen, dass Bach manche Kennzeichen des »galanten Geschmacks« aufzunehmen wusste,

---

181 Vgl. Finke-Hecklinger, S. 41 und 128.
182 Vgl. BC, Bd. I, S. 72 (A 9a-b). Dagegen ging Dürrs Kommentar in der NBA 1957 noch von einer Datierung aus, die sich als hinfällig erwies, als er im gleichen Jahr die Grundzüge der »neuen Chronologie« vorlegte, vgl. NBA I/2, KB, S. 117–120 sowie S. 133 f. und 151 f. im Vergleich mit BJ 1957, S. 76 f. Die Edition gibt an erster Stelle die revidierte Fassung wieder, während die Erstfassung von 1724 als Anhang mitgeteilt wird. Zu einer Skizze des Bassmodells vgl. ebd., S. 113, sowie Marshall, a. a. O., Bd. II, Sketch 67.
183 Vgl. im A-Teil die Takte 19–21 sowie im B-Teil die Takte 37–39 sowie 59, 61 f. und 64. Weitere Eingriffe in die Stimmführung begegnen besonders in den Takten 44, 66 und 71.

zählt die Erstfassung zum Bestand des zweiten Jahrgangs. Gehen die Stimmen im A-Teil nach mehrfacher Imitation des Kopfmotivs zu Parallelführung über, so bilden sie in den Abschnitten des B-Teils gegenläufige Linien, während die punktierte Rhythmik der Violinen vom Continuo übernommen wird. Zugleich durchmisst der Satz ein ungewöhnlich weites harmonisches Spektrum. Während der erste Abschnitt von e- nach fis-Moll führt, wendet sich der zweite über g- nach c-Moll (T. 59–60), um danach in Quintschritten zur Subdominante a-Moll zu lenken. Maßgeblichen Anteil daran hat das chromatische Soggetto zu den Worten »sein menschlich Wesen«, dem bei der Erwähnung der »Engelsherrlichkeiten« der Rekurs auf das Imitationsmotiv des A-Teils entspricht.

Eine Woche später kam das Duett »Wenn Sorgen auf mich dringen« (BWV 3:5) auf den kontrapunktischen Triosatz zurück, von dem das Continuo-Duett aus BWV 124 ausging. Im Continuo und in der Oberstimme, die von der ersten Violine und den Oboi d'amore gespielt wird, wird ein zweistimmiges Modell eingeführt, auf dem der ganze Satz basiert. Punktierte Viertel werden komplementärrhythmisch so verschränkt, dass sich auf den betonten Zählzeiten Vorhaltdissonanzen ergeben, die sich in zwei ergänzenden Sechzehnteln auflösen. Auf der Tonika wiederholt, läuft das Modell im Wechsel von Achtel- und Sechzehntelwerten aus, um danach auf die Dominante versetzt zu werden, bis die Kadenz zur Tonika zurücklenkt (T. 1–4, 5–8). Sobald das Modell auf die Vokalstimmen übertragen wird, wird als dritte Stimme der Instrumentalpart einbezogen, während der Continuo dann nur als stützendes Fundament fungiert. Dabei kann die synkopische Fortspinnung zu Koloraturen verlängert werden, mit denen im A- wie im B-Teil die maßgeblichen Textworte hervorgehoben werden. Damit bestätigt sich erneut die Regel, dass solche Melismen nicht als »rhetorische Figuren«, sondern im Kontext der fundierenden Satzstruktur zu verstehen sind.

In dem Duett »Gott, der du die Liebe heißt« (BWV 33:5) hatte Bach vier trochäische Reimpaare zu vertonen, die in sich abgeschlossene Sätze bilden und damit an das ältere Strophenlied erinnern. Demgemäß entwarf er einen Satz mit vier Abschnitten, die sich fast wie eine variierte Strophenfolge ausnehmen. Obwohl das Vorspiel erst am Ende wiederholt wird, enthalten seine Taktgruppen die rhythmischen und satztechnischen Modelle der vokalen Abschnitte und der Zwischenspiele. Eine erste Viertaktgruppe führt in Sextparallelen der Oboen eine kantable Linie ein, die durch ein rhythmisch profiliertes Sequenzmotiv des Continuo kontrapunktiert wird. Im Stimmtausch variiert, wiederholt sich die Konstellation in der nächsten Gruppe, bis ihre Glieder im dritten Ansatz zu einer achttaktigen Gruppe verbunden werden. Greift die vorgezogene Devise auf die erste Gruppe zurück, so schließt ein kurzes Zwischenspiel an ihre Fortsetzung an, während in den vokalen Abschnitten beide Glieder verarbeitet und fortgesponnen werden.

Vorspiel	Devise + Zwsp. Zeile 1	A Z. 1–2	Zwsp.¹	B Z. 3–4	Zwsp.²	C Z. 5–6	Zwsp.³	D Z. 7–8	Nachspiel
1–16	17–20–25	25–37	37–46	46–65	65–74	74–93	93–100	100–120	120–135
T	T	T – Tp	Tp	Tp – Dp	Dp	Dp – S	S	S – T	T

So wenig von abgegrenzten Motiven zu reden ist, so deutlich setzen die vokalen Teile mit Varianten der kantablen Linie ein, deren Kontrapunktierung die Oboen übernehmen. Dagegen greift die Fortspinnung zum ersten Zeilenpaar auf ein Motiv zurück, das an verdeckter Stelle des Vorspiels in den Oboen erschien und nun von den Vokalstimmen in kanonischer Imitation ausgearbeitet wird (vgl. T. 29–36 mit T. 5–6). Ohne sich zu wiederholen, wird das Verfahren in den weiteren Abschnitten variiert, während sich die Relationen im letzten Abschnitt verkehren, sodass der Satz am Ende zur kantablen Struktur der ersten Takte zurückkehrt und im Rückgriff auf das Vorspiel ausklingt.

Der Text des Duetts »Wenn des Kreuzes Bitterkeiten« (BWV 99:5) besteht aus zwei dreizeiligen Teilen, die jeweils in sich geschlossene Sätze bilden. Obwohl eine Dacapo-Form denkbar wäre, entschied sich Bach für eine zweiteilige Anlage, in der zwei verschiedene Kopfmotive verarbeitet und von einem Ritornell umrahmt werden. Mit Sopran und Alt einerseits sowie Traversflöte und Oboe d'amore andererseits stehen sich zwei Duos in analoger Lage gegenüber, die auf derselben Motivik gründen, sodass sich nicht auf die Einbautechnik zurückgreifen ließ. Das Kopfmotiv des Ritornells begnügt sich mit einem umspielten Quintfall, der nach Sextsprung und Halbtonschritt in Tonrepetitionen ausläuft und von der Unterstimme imitiert wird. Sobald das Modell von den Vokalstimmen übernommen wird, sind die Instrumente auf die Figuren der Fortspinnung angewiesen, während sich die Relationen umkehren, sobald die Flöte und die Oboe das Kopfmotiv aufgreifen. Wendet sich die erste Phase des A-Teils zur V. Stufe, so führt die zweite zur Paralleltonart, während die dritte Textzeile erst in den letzten Takten folgt. An das transponierte Ritornell schließt der B-Teil an, der zunächst ein neues Motiv einzuführen scheint, das jedoch im zweiten Abschnitt vom Kopfmotiv des A-Teils abgelöst wird, sodass dem ungewöhnlich homogenen Klangbild zugleich ein Höchstmaß an motivischer Konzentration entspricht.

Wenige Wochen vor dem Abbruch des Jahrgangs entstand das Duett »Ein unbegreiflich Licht erfüllt den ganzen Kreis der Erden« (BWV 125:4), das sich als ein kontrapunktischer Quartettsatz erweist, an dem die Violinen mit derselben Motivik wie die Vokalstimmen beteiligt sind. Das Kopfmotiv des Ritornells (Notenbeispiel 22) füllt einen Quintraum in Sechzehnteln aus (a) und springt nach Quintfall zur Oktave des Grundtons, die als punktierte Achtel hervortritt (b), bis die Fortspinnung in einer instrumental geprägten Figurenkette ausläuft (c).[184] Von der zweiten Violine imitiert, lösen sich die Stimmen komplementär ab, bis sie in der Kadenz zusammengeführt werden. Während der Continuo den zweiten Themeneinsatz in einer ähnlichen Figurenfolge begleitet, fungiert er danach als stützender Generalbass. Trotz ihrer instrumentalen Prägung ist die Kopfgruppe (a) auf die ersten Worte zugeschnitten, während die Fortspinnung (b) durch terzparallele Sequenzfiguren ersetzt wird, die mit dem Wort »Kreis« zusammenfallen. Der A-Teil enthält nur eine Zeile die mit sieben Hebungen allerdings länger ausfällt als die Zeilen des B-Teils. Daher entschied sich Bach dafür, die erste Zeile viermal zu wiederholen, um die restlichen Zeilen desto knapper zu absolvieren, sodass dem 49 Takte umfassenden A-Teil nur 14 Takte im B-Teil gegenüberstehen. Getrennt durch Zwischenspiele, werden die

---

184 Vgl. dazu Dürr, Die Kantaten, Bd. 2, S. 541.

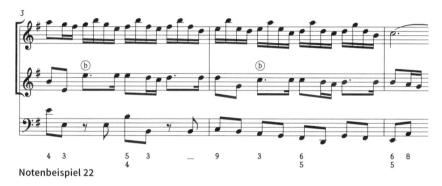

Notenbeispiel 22

Phasen des A-Teils vom zweistimmigen Vokalpart mit begleitenden Violinen bis zur Vierstimmigkeit gestaffelt. Der B-Teil hingegen nutzt anfangs eine unauffällige Wendung der Violinen (T. 16 f.), um zu den Worten »Es schallet – kräftig – fort« alle Stimmen echoartig zu verschränken (T. 50 f.), während die letzte Zeile in die anfänglichen Figurenketten einmündet (T. 61 f.: »selig werden«).

Zuvor bereits verbindet das Duett »So geh ich mit beherzten Schritten« (BWV 111:4) die Vokalstimmen mit einem Streichersatz, in dem die erste Violine als figurierender Solopart fungiert. Das ungewöhnlich lange Ritornell wird durch die punktierte Rhythmik der ersten Takte geprägt (T. 1–4^1), die auf einem Orgelpunkt basieren. Bei gleicher Rhythmik moduliert die erste Gruppe der Fortspinnung zur Dominante (T. 4^2–8^1), um in einer Figurenkette zu enden, die zur Tonika zurücklenkt (T. 8–12). Die zweite Fortspinnungsgruppe greift erneut auf die Rhythmik der Kopfgruppe zurück, die mit einer Sequenz verbunden und durch die Figuren über Orgelpunkt beschlossen wird (T. 13–20, 21–24). Obwohl die Taktgruppen eng miteinander verkettet sind, werden sie im weiteren Satzverlauf getrennt verwendet.

Ritornell T. 1–24

T. 1–4^1	4^2–8^1	8^2–11+12	13–20	21–24
Kopfgruppe	Fortspinnung 1	Figuration a + b	Fortspinnung 2	Figuration a
T (Orgelpunkt)	T – D	D (Orgelpunkt) – T	Sequenz (G-C, A-D, H-e) – T	T (Orgelpunkt)

Das Ritornell hat insofern entscheidende Bedeutung, als der Satz weithin auf der Einbautechnik basiert. Wie das Schema andeutet, pausieren die Instrumente nur

6. Gruppen und Typen der Arien   **117**

in den letzten Takten des A-Teils, die den Vokalstimmen überlassen sind. Auch die imitierenden Einsätze des Alts und des Tenors beruhen auf den Orgelpunkten der Anfangstakte und der anschließenden Figurationskette. Die Instrumente beschränken sich auf kurze Einwürfe, in denen das Kopfmotiv um eine Zählzeit verschoben und zugleich intervallisch variiert wird. Dagegen verwendet die folgende Phase die Oberstimme der Eingangstakte, während der Orgelpunkt von der zweiten Violine und der Viola übernommen und die Continuostimme neu gefasst wird.

Rit.	A								Rit.
1–24	24–32	33–44	45–51	52–56	57^2–60^1	60^2–63^1	63^2–67^1	67–70	71–75^1	75–98
	~ 1–3	~ 1–12	~ 12	~ 8–12	~ 1^2–4^1	~ 21^2–24^1	~ 18–19	~ 8–11	–	~ 1–24
	[+8^V],						(2×)			
	8–11									
	[+17^v]									

Anders verhält es sich in den anschließenden Takten, in denen eine durch Saitenwechsel geprägte Figur der Oberstimme (b in T. 12) verlängert und vom Continuo mit einer Variante der zweiten Fortspinnung gestützt wird. Je variabler die Gruppen des Ritornells eingesetzt werden, desto freier entfalten sich die Vokalstimmen, die vielfach auf das Kopfmotiv zurückgreifen, um es jedoch eigenständig fortzuspinnen. Entsprechende Varianten erfahren auch die Akkordbrechungen (a), mit denen die beiden Hälften des Ritornells abgeschlossen werden (vgl. T. 52–56 und 67–70 mit T. 8–11 bzw. 21–24). Höchst eindringlich wirkt der Abschluss des Vokalparts, der die Stimmen in tiefer Lage zusammenführt, während zugleich das abschließende Ritornell ansetzt (T. 73–75: »auch wenn mich Gott zum Grabe führt«).

Der »Eindruck freudiger Entschlossenheit«, den die punktierte Rhythmik über ruhendem Orgelpunkt erweckt, sollte nicht über die ambivalenten Züge des Satzes täuschen.[185] Auf Worte wie »zum Grabe« oder »des Todes Bitterkeit« verweisen nicht allein »gelegentliche harmonische Eintrübungen«. Da die melodischen Spitzentöne nicht mit den betonten Zählzeiten zusammenfallen, gewinnt die punktierte Rhythmik ein eigenartig schwankendes Gepräge. Diese metrische Ambivalenz tritt desto mehr hervor, je enger der Vokal- und der Instrumentalpart miteinander verschränkt werden. Der zweizeilige A-Teil fällt fast dreimal so lang aus wie der B-Teil, der die drei übrigen Zeilen desto gedrängter zusammenfasst. Da er von der Mollparallele zu deren IV. und V. Stufe moduliert, wird er nur von kurzen Zitaten der Ritornellmotivik begleitet, ohne in gleichem Maß wie der A-Teil vom Vokaleinbau zu zehren.

Demnach unterscheidet sich der Satz von allen früheren Duetten durch den ungewöhnlich variablen Vokaleinbau. Beginnend mit Continuo-Sätzen, die sich auf das Verhältnis zwischen dem Vokalpart und dem Bassgerüst konzentrierten, erweiterte sich das Spektrum über Sätze mit einer obligaten Gegenstimme bis zur Verbindung vokaler und instrumentaler Stimmpaare. An ihre Seite rückten am Ende das Duo aus BWV 111 und der kontrapunktische Quartettsatz aus BWV 125. Ähnlich wie die Continuo-Arien lassen die Duette erkennen, wie systematisch Bach die Konstellationen erprobte, die sich durch die wechselnden Besetzungen boten.

---

185 So Dürr, Die Kantaten, Bd. 1, S. 191.

d. Terzette

Die drei Terzette, die dem zweiten Jahrgang angehören, bilden in Bachs Kirchenmusik Sonderfälle.[186] Während es sich in BWV 122:4 um eine Choralbearbeitung handelt, liegen den beiden anderen Sätzen gedichtete Texte zugrunde, die Bach in motettischer Weise vertonte. In BWV 116:4 »Ach, wir bekennen unsre Schuld« mag die kollektive Bitte des Textes den Anlass zur Paarung von Sopran, Alt, Bass und Continuo gegeben haben. Dagegen entfällt dieses Motiv in dem Terzett BWV 38:5 »Wenn meine Trübsal als mit Ketten«, das Oechsle in die Nähe der motettischen Eingangschöre rückte.[187]

38:5	21. p. Trin.	Wenn meine Trübsal als mit Ketten	A – B	S., A., B., Bc. – d-Moll, ¢
116:4	25. p. Trin.	Ach, wir bekennen unsre Schuld	A – B – A – A'	S., T., B., Bc. – E-Dur, ¾
122:4	Stg. n. Weihn.	O, wohl uns, die wir versöhnt – Ist Gott mit uns versöhnt und unser Freund	mit Choralvers in Alt und Streichern	S., A. (+ Str.), T., Bc. – d-Moll, 6/8

In BWV 38:5 liegt ein zweiteiliger Satz vor, der im A-Teil vier und im B-Teil zwei Zeilen umfasst.[188]

A Wenn meine Trübsal als mit Ketten
Ein Unglück an dem andern hält,
So wird mich doch mein Heil erretten,
Daß alles plötzlich von mir fällt.

B Wie bald erscheint des Trostes Morgen
Auf diese Nacht der Not und Sorgen.

Beide Teile entsprechen sich im Wechsel fugierter und kanonischer Abschnitte, in denen die Zeilen mit gesonderten Motiven bedacht und zunehmend miteinander verkettet werden. Ähnlich wie in anderen Continuo-Sätzen besteht das Ritornell aus einer dreistufigen Sequenz, die durch eine knappe Kadenz ergänzt wird. Beginnend mit einem fallenden Dreiklang, wird die im Sprung erreichte Sexte (b) mehrfach repetiert, um danach eine Septime abwärts zu springen und in skalarer Gegenbewegung erneut aufzusteigen, bis das Modell einen Ton tiefer wiederkehren kann. Belangvoll ist das Ritornell weniger durch seine Melodik als durch die Rhythmik, deren Viertelwerte nur in den Skalenfolgen Achtel aufweisen und entsprechend auch in den Vokalpart einziehen.

---

[186] Während das Terzett der frühen Kantate BWV 150 (Satz 5: »Zedern müssen von den Winden«) eine fast durchweg homorhythmische »Aria« darstellt, begegnet erst in der sogenannten »Kaffee-Kantate« BWV 211:10 (um 1734) ein dreistimmiger Schlusssatz. Auf eine weltliche Vorlage dürfte auch das Terzett aus Teil V des Weihnachtsoratoriums zurückgehen (BWV 248:51 »Ach, wann wird die Zeit erscheinen«, 1734/35).
[187] Oechsle, a. a. O., S. 454–476. Die Notierung im Alla-breve-Takt entspricht der Tradition des motettischen Satzes, ohne ein engeres Verhältnis zum stile antico zu belegen.
[188] Wie Oechsle, ebd., S. 456, zeigte, ist die Gliederung durch den Kreuzreim der vier ersten Zeilen bedingt.

Ritornell	Zeile 1	2	1	2	1+2	3–4
1–10	10–21	17–25	23–34	31–38	36–48	48–61
	Thema a	b	a	b	a (+ b)	c (+ a) + Ritornell
d-Moll	d – a – d	d – g – c	g – c – g	g – C – F	F – c – d	d – a

Das zur ersten Zeile gehörige Thema (a) wird im Alt eingeführt und durch ein Initium geprägt, in dem die Quinte des Grundtons mit Halbtönen umrahmt wird, um nach einem Quartfall in skalarer Bewegung abwärts zu führen. Beide Bildungen sind so eng gekoppelt, dass sie sich wie Thema und Kontrasubjekt zueinander verhalten (Notenbeispiel 23). Während die auf dem Grundton beginnende Fassung des Soprans dem Comes entspricht, übernimmt der Bass als dritte Stimme den Dux, sodass sich ein Fugato ergibt, dessen letzte Takte vom zweiten Thema (b) überlagert werden. Obwohl es einen Quartanstieg durchmisst, gleicht seine Fortspinnung der des ersten Themas, das wenige Takte später erneut einsetzt. Bedeutsamer sind die strukturellen Differenzen, sofern dem Fugato des ersten Themas im zweiten ein Quintkanon gegenübersteht. Infolgedessen setzt das zweite Fugato eine Quint tiefer in c-Moll an, während das Gegenthema diesmal nach F-Dur lenkt. Das bleibt nicht folgenlos für den dritten Ansatz des Fugatothemas, dessen Initium diatonisch geglättet wird (T. 36 f.), bevor seine chromatische Gestalt restituiert und mit einer vereinfachten Variante des zweiten Motivs verschränkt wird (T. 45–48). Sobald die V. Stufe erreicht ist, tritt das zweite Zeilenpaar mit einem neuen Motiv (c) ein, das sich zugleich als vokale Fassung des Ritornells erweist (T. 48). Hier erscheint es im Quintkanon der Oberstimmen, der von der frei geführten Bassstimme unterfangen wird. Der kontrapunktische Vokalsatz greift also auf das Ritornell über, dessen Sequenzfolge umgekehrt den Vokalpart prägt.[189]

Notenbeispiel 23

---

[189] Zur kontrapunktischen und harmonischen Disposition vgl. Oechsle, a. a. O., S. 457–473 f., wo auf den wechselnden Abstand der Themeneinsätze eingegangen wird.

Nach der transponierten Wiederholung des Ritornells setzt der B-Teil mit einem eigenen Thema (d) ein, das in doppelter Weise auf die Schlussphase des A-Teils reagiert. Lässt sich der steigende Dreiklang des Initiums als Umkehrung der fallenden Klangfolge auffassen, die das Ritornell eröffnete, so werden Sopran und Alt im Quintkanon gepaart und mit einer Quintschrittsequenz des Basses gekoppelt (T. 70–83). Zugleich übernehmen die Vokalstimmen die Rhythmik, die zuvor die Sequenzen des Ritornells auszeichnete.

Ritornell	B: Zeile 5	Zeile 6	Zeile 5	Zeilen 5+6	Ritornell
61–70	70–83	82–97	96–102	100–114	114–123
	d	a	d + Rit.	Ritornellthema	
a-Moll	Quintketten	a – d – g – c, C – F	C – F	d-Moll	d-Moll

Die nächste Stufe bildet der Rückgriff auf das Fugatothema des A-Teils, das mit der letzten Textzeile und dem Gegenthema des B-Teils verbunden wird (T. 82–97). Sein Ziel erreicht der Prozess erst dort, wo die Oberstimmen erneut das Material des Ritornells aufgreifen (T. 96–102), Zugleich übernimmt der Vokalbass – gestützt vom Continuo – das Ritornellthema (T. 100–114), dessen vokale Fassung erweitert wird, während das Kadenzglied durch eine freie Schlussgruppe ersetzt wird. Erklingt das Ritornell am Ende nochmals, so erscheint es als Ziel eines Prozesses, in dem Fugato, Kanon und Imitation ineinandergreifen. Gleichzeitig werden die Themen verkettet, die den Textzeilen zugeordnet werden. Während das chromatische Initium den ersten Worten entspricht, entfällt seine synkopische Fortspinnung auf das Wort »Ketten«, wogegen die dem Ritornell entnommenen Dreiklangsfolgen mit dem Zuspruch der dritten bzw. fünften Zeile zusammenfallen. In seiner kontrapunktischen Faktur ist der Satz ein Sonderfall, der sich als Pendant zur Struktur des Eingangschors auffassen lässt.

Bei analoger Besetzung gelten für das Terzett aus BWV 116 (Satz 4) andere Bedingungen, weil das Ritornell zugleich das Thema des Vokalparts bildet, der nur vom Continuo gestützt wird. Obwohl beide Teile der erweiterten Da-capo-Form drei Textzeilen enthalten, prägt die rhythmische Fassung der ersten Zeile den gesamten Satzverlauf. Das jambische Versmaß (linke Spalte), das ein gerades Taktmaß nahelegen könnte, wird derart in den ¾-Takt umgesetzt (rechte Spalte), dass die erste Silbe (»Ach«) gleiches Gewicht wie die letzten Hebung (»Schuld«) erhält, während die zweite Hebung synkopisch gedehnt wird, sodass der Hauptakzent auf das Wort »be*ken*nen« fällt. In gleicher Weise wird die zweite Zeile deklamiert, wogegen die sieben ersten Silben der dritten Zeile als Achtel gefasst werden, um damit dem Wort »Lieben« desto größeren Nachdruck zu geben.

ᴗ – ᴗ – ᴗ – ᴗ –	Ach, wir bekennen unsre Schuld	– ᴗᴗ – ᴗᴗᴗ –
ᴗ – ᴗ – ᴗ – ᴗ –	Und bitten nichts als um Geduld	– ᴗᴗ – ᴗᴗᴗ –
ᴗ – ᴗ – ᴗ – ᴗ – –	Und um dein unermeßlich Lieben	ᴗᴗᴗᴗᴗᴗᴗ – –

Das Grundmuster ist in einer viertönigen Formel des Ritornells vorgebildet, die sich mit drei Achteln auf die Viertelnote der dritten Zählzeit richtet. Da sie in den beiden ersten Takten auf den Grundton und die Terz der Dominante zielt, ergibt sich ein zweitaktiges Modell, das im Terzabstand sequenziert und durch eine zweitaktige Kadenzgruppe ergänzt wird.

Infolge des Terzabstands können der Tenor und der Sopran im Einklangskanon eintreten, in dem der Bass als Zusatzstimme fungiert. Trotz einiger intervallischer Varianten ergibt sich der Eindruck eines dreistimmigen Kanons (①), der zum Wort »Geduld« in Viertelwerten ausläuft. Dasselbe gilt für die zweite Staffel (②), die bei veränderter Einsatzfolge in Sext- statt in Terzparallelen mündet, während die dritte Staffel in Dezimen der Außenstimmen endet (③). Gleichwohl wird das rhythmische Muster gewahrt, das nur in der dritten Zeile des A-Teils ausbleibt (T. 35–39).

Rit.	A				Rit.	B	B′	A	A′	Rit.
	Z. 1–2					Z. 4–6		Z. 1–3	Z. 1–3	
1–9	9–14	15–20–23	24–30	30–39	39–49	49–63	63–88	89–128	129–144	144–152
	①	②	③					(= 1–39)	④	
E	E – gis	Cis – Fis	H – Fis	H		H	H – A	A – cis	E – H	E – E	E

Rit. = Ritornell, **A** bzw. **B** = Teile, **Z.** = Zeile(n), ① ② ③ = Einsatz-Staffeln

Das rhythmische Modell kehrt ebenso im B-Teil wieder, in dem die Stimmen vielfach akkordisch gebündelt werden. Obwohl sie mitunter zu kurzen Imitationen ansetzen, fehlen hier die Kanons, die demnach dem A-Teil und der angefügten Coda vorbehalten bleiben. So deutlich der Satz an das Terzett aus BWV 38 anschließt, so groß ist zugleich der strukturelle Abstand. Griffen dort die fugierten und die kanonischen Phasen ineinander, so beschränken sich die Kanons hier auf kurze Phasen, während ihre Rhythmik desto prägendere Wirkung hat.

Gänzlich andere Voraussetzungen gelten für das dritte Terzett BW 122:4, das von seiner Choralvorlage bestimmt ist, sodass es schon als Sonderfall der choralbezogenen Sätze erörtert wurde. Auffällig ist allerdings, dass die rhythmische Kontinuität, die in BWV 116 vom Deklamationsmodell ausging, in BWV 122 im obligaten Continuopart gründet, dessen punktierte Rhythmik den gesamten Verlauf bestimmt.

Dass die Terzette höchst verschieden ausfallen, wäre angesichts ihrer geringen Zahl wenig erstaunlich. Doch bilden die entsprechenden Sätze der anderen Werke ähnlich singuläre Fälle. Neben zwei Teilsätzen der Motette »Jesu, meine Freude« (BWV 227:4 und 8) wäre an das »Suscepit Israel« aus dem Magnificat (BWV 243:10) und einen Satz aus dem Weihnachtsoratorium (BWV 248:51) zu erinnern. Insgesamt scheint es also, als sei es Bach darum gegangen, möglichst unterschiedliche Arten des dreistimmigen Vokalsatzes zu erproben.

e. Arien mit Soloinstrumenten

Während die Choralkantaten der Trinitatiszeit zumeist eine Arie mit Soloinstrument enthalten, kommen solche Sätze seit Weihnachten nur viermal vor. Dabei fällt es auf, dass die im August und September entstanden Arien einen Musiker voraussetzen, der mit zunehmender Virtuosität die Traversflöte spielte. Während Bach in Weimar Blockflöten verwendet hatte, standen ihm in Köthen Querflöten zur Verfügung, die in Leipzig hingegen erst seit 1724 belegt sind.[190]

---

[190] Vgl. Ulrich Prinz, Johann Sebastian Bachs Instrumentarium. Originalquellen – Besetzung – Verwendung (Schriftenreihe der Internationalen Bachakademie Stuttgart 10), Stuttgart und Kassel 2005, S. 258 ff. Zu den

2:3	2. p. Trin.	Tilg, o Gott, die Lehren	var. Dc	A., V. I solo, Bc. – B-Dur, ¾
93:6	5. p. Trin.	Ich will auf den Herren schauen	A – B – Rit.	S., Ob. I, Bc. – g-Moll, ₵
107:6	7. p. Trin.	Drum ich mich ihm ergebe	A – B – C – Rit.	T., Trav. I–II + V. I, Bc. – D-Dur, ₵
178:3	8. p. Trin.	Gleich wie die wilden Wasserwellen	A – B – B' – Rit.	B., V. I–II, Bc. – G-Dur, 9/8
94:4	9. p. Trin.	Betörte Welt, betörte Welt	A – B – C – A'	A., Trav. solo, Bc. – e-Moll, ₵
94:7	9. p. Trin.	Es halt es mit der blinden Welt	var. Dc	S., Ob. d'am., Bc. – fis-Moll ₵
101:2	10. p. Trin.	Handle nicht nach deinen Rechten	A – B – Rit.	T., V. solo, Bc., g-Moll, ¾
113:5	11. p. Trin.	Jesus nimmt die Sünder an	var. Dc	T., Trav., Bc. – D-Dur, ₵
78:4	14. p. Trin.	Das Blut, so meine Schuld durchstreicht	A – B – B' – Rit.	T., Trav. solo., Bc. – g-Moll, 6/8
99:3	15. p. Trin.	Erschüttre dich nur nicht, verzagte Seele	Dc	T., Trav., Bc. – e-Moll, 3/8
8:2	16. p. Trin.	Was willst du dich, mein Geist, entsetzen	A – B – B' – Rit.	T., Ob. d'am. I, Bc. – cis-Moll, ¾
130:5	Michaelis	Laß, o Fürst der Cherubinen	var. Dc	T., Trav., Bc. – G-Dur, ₵
114:2	17. p. Trin.	Wo wird in diesem Jammertale	Dc	T., Trav., Bc. – d-Moll, ¾, 12/8
96:3	18. p. Trin.	Ach, ziehe die Seele mit Seilen der Liebe	Dc	T., Trav. solo, Bc. – C-Dur, ₵
5:3	19. p. Trin.	Ergieße dich reichlich, du göttliche Quelle	Dc	T., Va. (V. I, Vc. picc.), Bc. – Es-Dur, ¾
180:2	20. p. Trin.	Ermuntre dich, dein Heiland klopft	Dc	T., Trav., Bc. – C-Dur, ₵
116:2	25. p. Trin.	Ach, unaussprechlich ist die Not	var. Dc	A., Ob. d'am. solo, Bc. – fis-Moll, ¾
121:2	2. Weihn.	O du von Gott erhöhte Kreatur	Dc	T., Ob. d'am., Bc. – h-Moll, ¾
41:4	Neujahr	Woferne du den edlen Frieden	Dc	T., Vc. picc., Bc. – a.-Moll, ₵
123:5	Epiphanias	Laß, o Welt, mich aus Verachtung	Dc	B., Trav. solo, Bc. D-Dur, ₵
1:3	Mariä Verkündigung	Erfüllet, ihr himmlischen, göttlichen Flammen	var. Dc	A., Ob. da caccia, Bc. – B-Dur, ₵

Die zeitweise Bevorzugung der Querflöte suchte William H. Scheide durch die These zu erklären, Bach sei bei seinem Köthener Aufenthalt im Juli 1724 einem Flötisten begegnet, der ihm anschließend nach Leipzig gefolgt sei.[191] Dabei könne es sich um

Flötenstimmen der Johannes-Passion vgl. Alfred Dürr, Die Johannes-Passion von Johann Sebastian Bach, Kassel und München 1988, S. 134–138. Im ersten Jahrgang begegnen Querflöten seit dem Sommer 1724 (so in BWV 67 und in den Pfingstkantaten BWV 172, 173 und 184).
191 William H. Scheide, Die Choralkantaten von 1724 und Bachs Köthener Besuch, in: BJ 2003, S. 47–65, hier S. 50 f.

Johann Gottlieb Würdig gehandelt haben, der als Stadtmusiker in Köthen wirkte und mitunter zur Hofmusik hinzugezogen wurde.[192] Doch war er 1722 nach wiederholten Pflichtverletzungen aus dem Hofdienst entlassen worden, sodass es wenig wahrscheinlich ist, dass Bach ihn nach Leipzig geholt haben sollte.[193] Dennoch skizzierte Scheide ein Szenario, dem zufolge der Flötist zunehmende Gewandtheit bewiesen und vor seinem Ausscheiden einen Leipziger Musiker unterrichtet habe.[194] Gesichert ist jedoch nur, dass Bach Mitte Juli 1724 mit seiner Frau in Köthen weilte, während zwei Wochen später die Reihe der Arien mit Traversflöte begann.[195] Nach Scheide wäre bei dem Spieler an einen Leipziger Musiker zu denken, den Bach auch später noch heranziehen konnte.[196] Indes tritt neben der Flöte auch die Oboe hervor, während derart anspruchsvolle Violinsoli wie im ersten Jahrgang fehlen. Offenbar musste Bach auf die wechselnden Fähigkeiten seiner Musiker Rücksicht nehmen.

Die Altarie »Tilg, o Gott, die Lehren« (BWV 2:3) ist der erste Satz mit einer solistischen Violinstimme, deren triolische Figuren nur ausnahmsweise die erste Lage überschreiten. Maßgeblich ist das Kopfmotiv, das im Blick auf die ersten Worte des Textes entworfen ist. Im Kern besteht es aus einem Sekundwechsel in Sechzehnteln, die durch zwei abspringende Achtel ergänzt werden Eingeführt im Continuo, wird es einen halben Takt später von der Violine imitiert und danach im Continuo wiederholt, um erst bei Beginn der Fortspinnung auszubleiben (T. 6). Ähnlich prägend bleibt es weiterhin, obwohl sich der Intervallabstand der Stimmen ändert. Im Alt als Devise vorgeschaltet, wird es nicht nur auf die Zeilen des A-Teils, sondern auch auf den Text des Mittelteils übertragen. Dass der B-Teil in zwei Abschnitte zerfällt, ist durch den Text bedingt, der zwei geschlossene Sätze umfasst. Weil der Dichter am Ende die Schlusszeile der dritten Strophe des Lutherlieds zitierte, lag es nahe, die entsprechende Melodiezeile zu verwenden, die gleichzeitig mit dem Material des Ritornells verknüpft wird (T. 56–59).[197]

Dass sich die Sopranarie »Ich will auf den Herren schauen« (BWV 93:6) auf die zugrunde liegende Choralweise bezieht, würde noch klarer hervortreten, wenn der Satz auftaktig beginnen würde. Da der Librettist aber Trochäen vorgab, musste der Auftakt entfallen, der die Anspielung auf die Choralzeile verdeutlicht hätte. Denn die folgenden Töne des Vokalparts gleichen der Weise zu »Wer nur den lieben Gott läßt walten«, die bereits in den früheren Sätzen der Kantate begegnete. Sie erscheint

---

192 Vgl. Friedrich Smend, Bach in Köthen, Berlin 1951, S. 123 und 156, Anm. 38.
193 Günther Hoppe, Köthener Kammerrechnungen – Köthener Hofparteien. Zum Hintergrund der Hofkapellmeisterzeit Johann Sebastian Bachs, in: Bericht über die Wissenschaftliche Konferenz zum V. Internationalen Bachfest der DDR, Leipzig 1988, S. 145–154, hier S. 152, Anm. 13 und 22. Wie virtuos Bach die Flöte bereits in Köthen einsetzte, zeigt vor allem das 5. Brandenburgische Konzert (BWV 1050).
194 Scheide, a. a. O., S. 51–56.
195 Am 18. Juli 1724 wurden »Dem *Director Musices* Bachen und seiner Ehefrauen, so sich höhren laßen, zu ihrer abferttigung« 60 Reichstaler ausgezahlt, vgl. Dok. II, S. 144, Nr. 184. Demgemäß fehlt eine Kantate zum 6. Sonntag nach Trinitatis, der 1724 auf den 16. Juli fiel.
196 Nach Prinz, a. a. O., S. 259, käme vor allem der 1723 immatrikulierte Jurastudent Friedrich Gottlieb Wild in Betracht, dem Bach 1727 bescheinigte, er habe »Unsere Kirchen Music durch seine wohlerlernte *Flautetraviersiere* und *Clavecin* zieren helffen«, vgl. Dok. I, Nr. 57, S 128.
197 Dass das Zitat auf die Worte der »falschen Lehrer« entfällt (»Trotz dem, der uns will meistern«), gilt ebenso für den Text Luthers (»Denn sie sprechen ohne Scheu: wer ist, der uns sollt meistern?«).

nicht nur im Sopran, sondern wird im Ritornell umspielt und fortgesponnen. Gleiches Gewicht hat der betonte Vorhalt, der die Kopfgruppe analog zur Choralzeile auf der Terz der Dominante enden lässt. Während das Zitat vom Vokalpart übernommen wird, wird es in der Oboenstimme anders gefasst (T. 11 f.), um danach desto häufiger wiederzukehren (T. 17, 25, 26 f. usf.). Ein weiteres Zitat findet sich zu Beginn des B-Teils, in dem der Sopran die dritte Choralzeile anstimmt (T. 23 f.), während ihre Wiederholung durch Achtelwerte dem Kontext angeglichen wird (T. 31 f.).

In der Tenorarie »Drum ich mich ihm ergebe« (BWV 107:6) hat hingegen die Traversflöte ihren ersten Auftritt. Doch hat ihr Part vorerst wenig idiomatisches Gepräge, sodass er von der ersten Violine dupliziert werden kann. Dass es Bach auf die Flöte ankam, zeigt die Vorschrift »col sordino«, der im Continuo die Angabe »pizzicato« entspricht. Fast scheint es, als solle der Flötist an seine künftigen Aufgaben herangeführt werden.[198] Während vielfach auf die Spielfiguren des sechstaktigen Ritornells zurückgegriffen wird, wird die erste Zeile im Vokaleinbau wiederholt (T. 9–10^2 ~ 1–2^2). Die Fortspinnung lenkt in Quintschritten zur Dominante, auf der die letzten Takte des Ritornells mit der zweiten Zeile folgen (T. 13–17 ~ 4–6). Das Zwischenspiel stellt eine transponierte Fassung des Ritornells dar, während der B-Teil auf Varianten des Ritornells beruht, die in der Tonikaparallele und Subdominante erscheinen (T. 22–29 und 37–39).

Vorerst durfte der Flötist pausieren, solange andere Spieler für ihn eintraten. In der Bassarie »Gleich wie die wilden Meereswellen« (BWV 178:3) sind es die ersten und zweiten Violinen, die gemeinsam den Instrumentalpart übernehmen. Ohne einer Gigue zu gleichen, wechseln Tonrepetitionen mit wellenartigen Sechzehntelketten, die weit mehr als nur »bildhafte« Figuren sind.[199] Während sie die Grundstufen umspielen, sinkt der Continuo in repetierten Achtelfolgen ab, sodass sich die harmonischen Konstellationen nur langsam verschieben. Sobald die Dominante erreicht ist (T. 4), verharrt die Oberstimme auf Tonrepetitionen, während die Figuration in den Continuo übergeht. Motivisches Gewicht hat vor allem eine synkopische Stauung, die im Kopfmotiv wiederholt und mehrfach sequenziert wird, bevor die Fortspinnung in engräumigen Figuren ausläuft. Aufgrund der gegenläufigen Impulse sind die Stimmen so eng verkettet, dass der Vokalpart auf die Einbautechnik angewiesen ist. Als Beispiel mag ein Blick auf den A-Teil genügen, in dem die vier ersten Takte zweimal wiederholt und im dritten Ansatz durch Zwischenstufen verändert werden, während die folgenden Taktgruppen auf die Fortspinnung zurückgehen:

13–16 (~ 1–4)	17–21 (~ 1–5)	22–24 (~ 4–6)	25–28+29 (~ 5–7)	30–35^1 (~ 8–13^1)
G-Dur	G-Dur	E-a, Fis-h	E – a – D	D-Dur

So erstaunlich wie die Geschmeidigkeit, mit der die Figuren dem Satzprozess angepasst werden, ist der Einbau der Bassstimme, die sowohl die Figurationen als auch die Synkopen der Instrumente übernimmt, um sie zugleich zu kantableren Linien

---

[198] Vgl. Scheide, a. a. O., S. 50 f. Zur Frage der Besetzung vgl. NBA I/18, hrsg. von Alfred Dürr, KB, S. 66 ff.
[199] Nach Finke Hecklinger, a. a. O., S. 74, wäre hier das rhythmische Modell der Giga wirksam, wiewohl das »tänzerische Element« hinter den »bildhafte[n] Figuren« zurücktrete.

umzuformen. Dasselbe Prinzip beherrscht den B-Teil, der zweifach vertont wird, weil der Text zwei Zeilen kürzer ist. Beide Fassungen unterscheiden sich insofern, als die erste nach h-Moll lenkt, während die zweite nach g-Moll moduliert. Dass der Satz weithin auf der Einbautechnik beruht, dürfte mit der mehrfachen Besetzung der Violinstimme zusammenhängen.

Die Arie »Betörte Welt« (BWV 94:4) ist als Duo zwischen Alt und Flöte angelegt, das durch gleichmäßige Achtel des Generalbasses gestützt wird. Ohne ein eigenes Kopfmotiv auszubilden, umspielt die Flöte zu Beginn des Ritornells die Tonika in Sechzehnteln, denen mehrfach Halbtöne vorgeschaltet werden. Am Ende des zweiten Takts hält die Flötenstimme auf der Dominante inne, bevor sich die Fortspinnung zur Doppeldominante wendet, um danach in Zweiunddreißigsteln zur Tonika zurückzukehren (T. 1–6). Statt das Ritornell zu übernehmen, bildet der Vokalpart eine Gegenlinie, die zwar die Kerntöne des instrumentalen Incipits umfasst, ohne jedoch den gleichen Ambitus zu erreichen. Beide Stimmen bilden ein kontrapunktisches Duo, das seinen klagenden Gestus aus verminderten Intervallen und betonten Vorhalten bezieht. Zwar kommt es am Ende der ersten Phrase zum Vokaleinbau (T. 10–11 ~ 1–2), doch beruhen die weiteren Abschnitte auf Varianten des Ritornells, in die sich der Vokalpart einfügt. Ob die Verdopplung der ersten Worte, die am Ende nochmals wiederholt werden (T. 42–52), auf Bach oder auf den Librettisten zurückgeht, ist ungewiss. Das zweite Zeilenpaar hebt sich als »allegro« vom vorgezeichneten »adagio« ab (T. 27–33), bevor die letzten Zeilen zum früheren Zeitmaß zurückkehren (T. 33–41). Die ungewöhnliche Disposition beweist zugleich, dass Bach einer wenig affektvollen Vorlage eine überaus schlüssige Form abzugewinnen wusste.

Entgegen der Regel, im gleichen Werk zwei ähnlich besetzte Arien zu vermeiden, enthält die Kantate BWV 94 an vorletzter Stelle einen weiteren Satz mit einem Soloinstrument. Trotz ihrer variierten Da-capo-Form entspricht die Sopranarie »Es halt es mit der blinden Welt« (Satz 7) dem Grundmodell der vorangehenden Altarie, obwohl der Part der Oboe d'amore nicht ganz so virtuos wie dort die Flötenstimme ist. Das Ritornell beginnt mit einem Kopfmotiv, das im zweiten Takt sequenziert wird, während die Fortspinnung auf eine Auszierung des Sequenzglieds zurückgreift. Dass diese Takte eine synkopisch verschobene Viertelnote aufweisen, ist insofern nicht belanglos, als der Vokalpart nur den intervallischen Umriss des Kopfmotivs übernimmt, während die synkopische Rhythmik der Oboenstimme in syllabisch textierte Achtelwerte aufgelöst wird. Im Mittelteil werden nur die ersten Takte des Ritornells zitiert, wogegen die Glieder der Fortspinnung vielfach variiert werden. Auch die Zwischenspiele beginnen nicht mit dem Kopfmotiv, sondern mit Varianten der Fortspinnung. Die beiden Texthälften enthalten drei syntaktisch verbundene Zeilen, die sich metrisch unterscheiden, sodass die Da-capo-Form auf den Librettisten zurückgehen dürfte. Da der erste Teil auf der Dominante schließt, muss die Reprise entsprechend verändert werden (vgl. T. 43^b mit T. 12^b). Zum Ausgleich wird der zur Parallele führende Mittelteil durch eine Wiederholung ergänzt, die auf der Dominantparallele endet.

Bei gleicher Textanlage umfasst die Tenorarie »Handle nicht nach deinen Rechten« (BWV 101:2) zwei Teile mit abschließendem Ritornell und beweist damit, wie variabel Bach die Vorlagen zu formen wusste. Der Solopart war zunächst für eine

Flöte bestimmt, doch wurde noch vor der Erstaufführung eine Violinstimme angefertigt, in der nur wenige Töne tiefer gelegt mussten.[200] Indes ist der Instrumentalpart so geigerisch gedacht, dass die Annahme naheliegt, Bach habe primär die Violine im Blick gehabt. Durchweg von raschen Figuren geprägt, hebt sich die Stimme so markant vom Vokalpart ab, dass der Satz zwei grundverschiedene Partner verbindet. Die Rahmenteile des Ritornells umgreifen steigende Dreiklangsformeln, die von Wechselnoten abgelöst werden. Zwischen sie ist ein Binnenglied eingefügt (T. 7–14), dessen Skalen im weiteren Verlauf folgenlos bleiben. Betont kantabel setzt dagegen der Vokalpart ein, während die instrumentalen Figuren erst acht Takte später hinzutreten, um fortan aber den gesamten Satz zu begleiten. Dank ihrer Unabhängigkeit lassen sich die Stimmen höchst variabel kombinieren. So werden die ersten zwei Takte des Ritornells dort benutzt, wo die Tenorstimme zwischen der I. und V. Stufe wechselt (T. 27 f. und 62 f.), während die Figurenkette der Schlusstakte den Schritt von der IV. zur V. Stufe begleitet (T. 39 f., 53 f. und 58 f.). Soweit es der Vokalpart zulässt, werden die Rahmenglieder verschränkt (T. 37–40, 41–44), doch bleiben sie so flexibel, dass kaum von blockweisem Vokaleinbau zu reden ist.

Im konträren Gepräge der Stimmen deutet sich ein Verfahren an, das in den folgenden Flötenarien zurückgenommen wird. Um sie zusammenhängend erörtern zu können, sei vorgreifend ein dazwischenliegender Satz mit Oboe d'amore erwähnt. Zwar scheint die Tenorarie »Was willst du dich, mein Geist, entsetzen« (BWV 8:2) dem eben genannten Satz zu gleichen, doch verfügt sie über ein höchst charaktervolles Kopfmotiv, das vom Vokalpart übernommen wird. Beide Stimmen teilen nicht nur das Initium, dessen Fortspinnung der Oboe zufällt, sobald sich der Tenor der Deklamation des Textes widmet. Vielmehr gründen sie auf einem rhythmisch ostinaten Continuo, in dem sich eine auftaktige Achtelnote auf vier weitere Achtel richtet, um danach abzubrechen und zugleich neu anzusetzen. Indem das Modell die Stufenfolge markiert, verweist es auf die zweite Zeile, die besonders zur Geltung kommt, wenn sich der A-Teil zur Parallele wendet (T. 28–31: »wenn meine letzte Stunde schlägt«). Entsprechend kann die letzte Zeile des B-Teils Koloraturen aufnehmen (T. 47–51 bzw. T. 77 f. und 81 f.: »wohin man so viel tausend trägt«), zu denen jedoch die Figuration der Oboe ebenso unbeirrt fortläuft wie die ostinate Rhythmik des Continuo.

Exkurs: Die »Flötenarien« der Trinitatiszeit

Zwischen dem 11. und dem 20. Sonntag nach Trinitatis wird die Traversflöte zum bevorzugten Soloinstrument. Während die Altarie »Betörte Welt« (BWV 94:4) wie ein erster Vorbote wirkt, erscheint die Bassarie »Laß, o Welt« (BWV 123:5) als später Nachzügler. Beide Sätze flankieren eine Reihe von sieben Tenorarien, die nur durch eine Bassarie mit Flöte und Streichern unterbrochen wird (BWV 8:4).

---

[200] Vgl. T. 48, ferner Scheide, a. a. O., S. 52, und NBA I/19, hrsg. von Robert Marshall, S. II und Anhang, S. 228. Zum weiteren Zusammenhang vgl. Klaus Hofmann, Die rätselhaften Flötenstimmen des Bach-Schreibers Anonymus Vn. Drei Studien, in: Musikalische Quellen – Quellen zur Musikgeschichte. Festschrift für Martin Staehelin zum 65. Geburtstag, Göttingen 2003, S. 247–268.

BWV 94:4 (9. p. Trin.)	Betörte Welt, betörte Welt	A – B – C – A'	A., Trav., Bc. – e-Moll, c
BWV 113:5 (11. p. Trin.)	Jesus nimmt die Sünder an	var. Dc	T., Trav., Bc. – D-Dur, c
BWV 78:4 (14. p. Trin.)	Das Blut, so meine Schuld durchstreicht	A – B – B' – Rit.	T., Trav., Bc. – g-Moll, 6/8
BWV 99:3 (15. p. Trin.)	Erschüttre dich nur nicht, verzagte Seele	Dc	T., Trav., Bc. – e-Moll, 3/8
BWV 8:4 (16. p. Trin.)	*Doch weichet, ihr tollen, vergeblichen Sorgen*	*var. Dc*	B., Fl. picc. (o Trav.), Str., Bc. – A-Dur, 12/8
BWV 130 (Michaelis)	Laß, o Fürst der Cherubinen	var. Dc	T., Trav., Bc. – G-Dur, ¢
BWV 114:2 (17. p. Trin.)	Wo wird in diesem Jammertale	Dc	T., Trav., Bc. – d-Moll, 3/4
BWV 96:3 (18. p. Trin.)	Ach, ziehe die Seele mit Seilen der Liebe	Dc	T., Trav., Bc. – C-Dur, ¢
BWV 180:2 (20. p. Trin.)	Ermuntre dich, dein Heiland klopft	Dc	T., Trav., Bc. – C-Dur, c
BWV 123:5 (Epiphanias)	Laß, o Welt, mich aus Verachtung	Dc	B., Trav., Bc. – D-Dur, c

Dass es sich zumeist um Da-capo-Formen handelt, liegt an den Texten, deren Zeilen sich vielfach durch wechselndes Metrum unterscheiden. Die Ritornelle beginnen mit ein- oder zweitaktigen Kopfmotiven, die der Vokalpart übernehmen kann, da sie im Blick auf die Texte erfunden sind. Während der Continuo als stützendes Fundament fungiert, ohne am Austausch der Oberstimmen teilzuhaben, umfasst die Fortspinnung bis zu vier verschiedene Figuren, die entsprechend wechselvoll eingesetzt werden. Je lockerer sie verbunden sind, desto eher werden sie getrennt verwendet, um die Tenorstimme zu begleiten. Je enger sie dagegen verkettet sind, desto mehr lässt sich auf den Vokaleinbau zurückgreifen. Kaum noch einmal findet sich in Bachs Œuvre eine Serie benachbarter Sätze, die sich in ihrer Anlage und Besetzung derart gleichen, dass sie fast monoton wären, wenn sie nicht zugleich höchst individuelle Züge trügen, auf die sich daher die folgenden Bemerkungen beschränken.

Das kantable Kopfmotiv der Arie »Jesus nimmt die Sünder an« (BWV 113:5) umfasst eineinhalb Takte, die durch ihre anschließende Sequenzierung zu einer dreitaktigen Gruppe erweitert werden. Die Fortspinnung dagegen, die sich zur Dominante wendet, setzt mit skalaren Sechzehnteln an, die in Triolen auslaufen. Nach einer Binnenkadenz werden sie durch Zweiunddreißigstel abgelöst, die zweimal von Akkordbrechungen in Sechzehnteln unterbrochen werden. Die Figuren dienen dazu, im ersten Durchgang des A-Teils das sequenzierte Kopfmotiv des Tenors zu begleiten (vgl. T. 13–18 mit T. 1–3 bzw. T. 9^b und 10^b). Im zweiten Durchgang wird die Sequenz des Kopfmotivs durch Imitationen ersetzt, die in Parallelführung auslaufen und damit den Vokaleinbau in die erste Hälfte des Ritornells eröffnen (T. 24–29^a ~ 1–6^a). Entsprechend setzt die variierte Reprise an (T. 58–60), die den Bau des A-Teils nachzeichnet, um am Ende aber den Vokalpart erstmals mit den Zweiunddreißigsteln der Flöte zu verbinden (T. 72–75). Auch der Mittelteil greift auf das Kopfmotiv zurück, das zwar dem neuen Text angepasst wird, jedoch den motivischen Zusammenhang soweit wahrt, dass im Vokalpart zweimal die letzte Zeile der Choralweise »Herr Jesu Christ« eintreten kann, ohne aus dem Kontext herauszufallen (T. 41–43 bzw. 53–55: »dein Sünd ist dir vergeben«). Dass die Vorlage in h-Moll steht, entspricht der tonalen

Notenbeispiel 24

Disposition des B-Teils, dessen Glieder in h- bzw. fis-Moll enden. Zudem wird das Zitat in doppelter Weise integriert, indem es mit dem Kopfmotiv der Flöte kombiniert wird und in dessen Umspielung ausläuft (Notenbeispiel 24).

Obwohl der Text der Arie »Das Blut, so meine Schuld durchstreicht« keine virtuosen Figuren zuließ, geht das Kopfmotiv des Ritornells im zweiten Takt in Sechzehntelketten über, die keine Binnenzäsur aufweisen. Dennoch sind sie so locker gereiht, dass sie weithin getrennt eingesetzt werden, ohne einer längeren Einbauphase Platz zu lassen. Demgemäß greift der Tenor nur das Kopfmotiv auf, während die Figuren der Fortspinnung der Flöte überlassen bleiben. Eine weitere Variante zeigt das Ritornell der Arie »Erschüttre dich nur nicht, verzagte Seele« (BWV 99:3), sofern nur der erste Takt im Vokalpart wiederkehrt, während der anschließende Oktavsprung der Flöte zur Septime verkürzt und zugleich abgetrennt wird, um dem Wort »nicht« Nachdruck zu geben (vgl. T. 22). Da die chromatisch fallende Linie der Flöte, die im Ritornell auf den Halbschluss des ersten Viertakters hinführt, nicht im Vokalpart erscheint, wird dessen Version mit den folgenden Takten des Ritornells gekoppelt (T. 23 f. ~ 2 f.). Und weil die in Zweiunddreißigsteln verlaufende Fortspinnung auf einer Sequenzkette basiert, kann sie wenig später mit Vokaleinbau wiederkehren (T. 29–40 ~ 1–11), während ihr Schlussglied nochmals im Zwischenspiel erscheint (T. 41–44 ~ 9–12). Neu eingefügt sind nur vier Brückentakte, in denen sich beide Stimmen mit einer Variante der chromatischen Linie aus dem Ritornell ablösen (T. 25–28). Analog ist nicht nur die zweite Phase des A-Teils angelegt, vielmehr greift der Vokaleinbau auch auf den Mittelteil über, dessen Phasen auf transponierte Varianten des Ritornells zurückgehen, sodass dessen Material den ganzen Satzverlauf bestimmt.

Dass die Arie »Doch weichet, ihr tollen, vergeblichen Sorgen« (BWV 8:4) ebenfalls auf dem Einbauverfahren gründet, liegt deshalb nahe, weil der Flötenpart an den akkordischen Streichersatz gebunden ist.[201] Eine Besonderheit sind jedoch die Figurenketten der Fortspinnung, die mehr als die Hälfte des Ritornells ausfüllen. Während der Vokalpart nur die ersten vier Takte des Ritornells übernehmen kann, ist die Fortspinnung derart für die Flöte konzipiert, dass ihre Figuren nur als Begleitung der Tenorstimme dienen können. Demnach bildet der Satz einen Sonderfall in der Kette der Flötenarien.

---

[201] Zur Besetzung mit »Fiauto piccolo« oder Traversflöte vgl. NBA I/23, hrsg. von Helmuth Osthoff und Rufus Hallmark, KB, S. 76–78.

Einen anderen Ansatz zeigt die Arie »Laß, o Fürst der Cherubinen« (BWV 130:4), die als Alla breve konzipiert ist, sodass sich die Figuren der Flöte auf sequenzierte Achtelfolgen beschränken, die durch eingefügte Sechzehntel bereichert werden. Dennoch heben sie sich vom Vokalpart ab, der den zweitaktigen Vordersatz mit der ersten Zeile verbindet, während die Fortspinnung der Flöte zufällt. Gleichwohl kommt es nur in den Rahmenteilen zu längeren Einbauphasen, an denen der Continuo ähnlich wie im Ritornell beteiligt ist (vgl. T. 22–32 und T. 98–109 ~ 1–11). Dagegen greift die Arie »Wo wird in diesem Jammertale« (BWV 114:2) auf das Modell aus BWV 113:5 zurück. Wie dort geht das Kopfmotiv des Ritornells in eine Fortspinnung über, deren Mittelglied aus Triller- und Dreiklangsfiguren besteht (T. 5–8). Sie werden als Begleitung eingesetzt, sobald der Vokalpart das Kopfmotiv abwandelt (vgl. T. 13–17 und 25–30). Obwohl der zweite Ansatz mit einer Variante der Kadenzwendung gekoppelt wird, tritt danach wieder die Trillerfolge ein, die entsprechend auch in die zweite Phase des A-Teils einkehrt. Der Mittelteil ist hingegen als »vivace« im $^{12}/_{8}$-Takt angelegt, das durch die Figurenketten der Flöte charakterisiert wird. Der jähe Kontrast ist durch den Text bedingt, dessen Mittelteil (»Allein in Jesu Vaterhänden …«) die Frage des ersten Teils beantwortet (»Wo wird in diesem Jammertale/Vor meinen Geist die Zuflucht sein?«).

Den virtuosen Flötenstimmen der letzten Sätze entspricht ihr ungewöhnlich subtiles Verhältnis zum Vokalpart. Das Ritornell der Arie »Ach, ziehe die Seele« (BWV 96:3) umfasst zwei sechstaktige Gruppen, die jedoch verschieden gebaut sind. Der thematische erste Viertakter wird durch eine zweitaktige Figurenkette ergänzt, die auf der II. Stufe ausläuft (T. 1–6), wogegen die zweite Gruppe als Sequenz beginnt, um danach die Rhythmik des Kopfmotivs aufzugreifen und durch eine weitere Figurationsvariante zu ergänzen (T. 7–12). Flöte und Tenor teilen im Grunde nur die vier ersten Achtelnoten, die im Terzabstand sequenziert werden, während die begleitenden Figuren der Flöte dem rhythmischen Modus der Fortspinnung entsprechen (Notenbeispiel 25). Neben dem Incipit kann der Vokalpart kaum mehr als den Wechsel von Achtel- und Sechzehntelwerten übernehmen, die melodisch

Notenbeispiel 25

neu gefasst werden müssen. Die viertaktige Devise entspricht den ersten Takten des Ritornells, deren Substanz jedoch auf beide Stimmen verteilt wird (T. 13–14: »Ach, ziehe die Seele mit Seilen der Liebe«). Dagegen wird die vokale Fortsetzung neu formuliert (T. 15–16: »o Jesu, ach zeige dich kräftig in ihr«) und durch eine Flötenfigur ergänzt (T. 17–20 = 9–12). Mit diesem Wechselspiel der Stimmen beginnen beide Durchgänge des A-Teils, die sich in der ersten Phase zur Dominante wenden, um in der zweiten über die VI. Stufe zur Tonika zurückzulenken. Überdies kulminieren sie in der letzten) Figurenkette des Ritornells, in die eine vokale Koloraturenkette eingebaut wird (T. 28–30 bzw. 52–54 ~ T. 10–12). Im ebenfalls zweigliedrigen Mittelteil verkehren sich die Verhältnisse insofern, als die Tenorstimme die Koloraturen des A-Teils erweitert, während die Flöte an die Rhythmik des Ritornells erinnert. Indem der Vokalpart ausnahmsweise ihre Figuration aufgreift, ergänzen sich beide Teile, um damit das Potential des Ritornells auszuschöpfen.

Etwas leichter gefügt ist die Arie »Ermuntre dich, dein Heiland klopft« (BWV 180:2), deren Ritornell fast nur aus Dreiklangsbrechungen besteht. Zwar laufen sie in sequenzierten Trillern aus (T. 1–12), doch haben nur die Figuren der ersten Takte thematische Funktion. Zugleich beschränken sie sich auf den Wechsel von Achtel- und Sechzehntelwerten, deren Ambitus im Vokalpart reduziert werden muss, sodass beiden Stimmen nur wenige Kerntöne gemeinsam sind. Demgemäß kommt es schon nach der vokalen Devise zum Vokaleinbau, der durch ein kurzes Zwischenspiel vervollständigt wird (T. 17–22 + 23–24 ~ T. 1–6 + 7–8). An den nächsten Ansatz, der in Koloraturen beider Stimmen ausläuft, schließt eine zweite Phase an, in der die Flöte auf die Trillerfiguren des Ritornells zurückgreift, bis sich beide Stimmen am Ende des A-Teils mit Varianten des Kopfmotivs ablösen (T. 42–44a). Freier noch ist der B-Teil angelegt, dessen Vokalpart durchweg neu gefasst wird, sodass es der Flöte vorbehalten bleibt, an die motivische Substanz des A-Teils zu erinnern.

Scheides Versuch, die Serie der Flötenarien mit dem Besuch eines auswärtigen Virtuosen zu motivieren, lässt sich durch eine andere Sicht ergänzen, die von der Struktur der Sätze ausgeht. Anfangs durch Kopfmotive geprägt, die der Vokalpart übernehmen konnte, musste es bei der wachsenden Virtuosität der Flötenstimme zunehmend schwieriger werden, Vokal- und Instrumentalpart durch gleiches Material zu verbinden. An dieser Aufgabe arbeitete Bach offenbar ebenso beharrlich wie an anderen Problemen. Konnten die Flötenstimmen zunächst auf die Kopfmotive und ihre Fortspinnung zurückgreifen, um mit ihnen den Tenor zu begleiten, so drohten sie sich zu isolieren, wo sie von Figurationen ausgingen, die dem Vokalpart nicht mehr zugänglich waren, bis beide Partner zuletzt nur noch latente Beziehungen teilten. Der Abstand wird sichtbar, wenn man sich die Sätze aus BWV 113 und BWV 130 vergegenwärtigt. Begann die frühere Arie mit einer Motivik, deren Verarbeitung figurativ bereichert wurde, so fehlte in der späteren eine gemeinsame Substanz, sodass die Bezüge der Stimmen ungreifbar wurden. Deutlicher kann kaum werden, welch weiten Weg Bach in der Reihe dieser Sätze durchmaß.

*

Je mehr Raum die Sätze für größeres Ensemble gewinnen, desto weiter treten die solistisch besetzten Arien zurück. Besetzt mit Oboe d'amore bzw. da caccia oder mit Viola bzw. Violoncello piccolo, heben sie sich vom hellen Ton der Flötenarien ab. Noch vor dem letzten Flötensatz entstand die Arie »Ergieße dich reichlich, du göttliche Quelle« (BWV 5:3), in der Viola und Tenor ein Kopfmotiv teilen, das die instrumentale Fortspinnung eröffnet und ebenso als Spielfigur wie als Textauslegung dient.[202] Über schrittweise fallendem Generalbass wiederholt, folgt ihm im Ritornell eine auf Saitenwechsel berechnete Figurenfolge, die fortspinnend erweitert wird, um sich über die Dominante zur Tonika zurückzuwenden (T. 1–16). Sobald das Kopfmotiv im Tenor als Devise eintritt, erscheint es ausnahmsweise im Unisono, wobei die vokale Version die Worte »Ergieße« und »reichlich« verbindet. Dagegen erweist sich die Fortsetzung als Einbau in den Beginn des Ritornells, auf dessen Schlusstakte das nächste Zwischenspiel zurückgeht.

Ritornell	Devise	Zwsp.	A¹				Zwsp.	A²		
1–4 + 5–16 Kopf + Fortspinnung	17–20	21–24	25–28	29–32	33–35	36–43	44–48	49–52	53–56	57–6
	(~ 1–4)	(~ 13–16)	(~ 1–4)	modul.	(~ 1–3)		(~ 1 + 5–8)	(~ 9–12)	(~ 1–4)	
I	I	I	I	I – V	V	V	V	V	V	V – I

Analog setzt die erste Phase des A-Teils an, in der die Bratsche erst dort zurücktritt, wo sie eine modulierende Koloratur des Tenors zu begleiten hat. Sobald die Dominante erreicht ist, setzt sich der Wechsel von Phasen mit Vokaleinbau oder instrumentaler Begleitung fort, bis das Zwischenspiel auf das Ritornell zurückgreift. Es eröffnet zugleich eine zweite Phase, die anfangs auf die anschließenden Takte und danach auf deren Beginn verweist, wogegen die Rückkehr zur Tonika etwas freier geformt ist (T. 57–63). Mit Ausnahme der modulierenden Phasen beruht der A-Teil also weitgehend auf dem Einbauverfahren, während die Viola im modulierenden B-Teil nur begleitende Aufgaben zu erfüllen hat.

Ein vorgreifender Vergleich mit der letzten Arie dieser Gruppe zeigt, dass Bach trotz analoger Prämissen höchst unterschiedlich verfahren konnte. Die Sopranarie »Erfüllet, ihr himmlischen, göttlichen Flammen« (BWV 1:3) gründet auf fünf vierhebigen Zeilen, deren erstes Paar auf den A-Teil entfällt, während der B-Teil trotz geringeren Umfangs drei Zeilen aufnimmt (A: 12a, 11b; B: 12c, 6c, 11b). Dass die vorletzte Zeile auf die Hälfte verkürzt wird, fällt weniger ins Gewicht als die unterschiedliche Besetzung. Statt zwei Stimmen in gleicher Lage zu paaren, treffen mit Sopran und Oboe da caccia zwei Partner in verschiedener Lage aufeinander. Das dürfte der Grund dafür sein, dass die Einbautechnik durch ein verzweigtes System von Varianten ersetzt wird. Ein weiterer Unterschied liegt im Bau des achttaktigen Ritornells, dessen erste Hälfte thematischen Rang hat, während der fortspinnenden

---

[202] Während Alfred Dürr vermutete, die Solostimme sei ursprünglich für Violoncello piccolo bestimmt gewesen, wurde sie in der Neuausgabe der Viola zugewiesen. Vgl. Alfred Dürr, Philologisches zum Problem Violoncello piccolo bei Bach, in: Festschrift Wolfgang Rehm zum 60. Geburtstag, hrsg. von Dietrich Berke und Harald Heckmann, Kassel u. a. 1989, S. 45–50, sowie NBA I/24, hrsg. von Matthias Wendt, KB, S. 151 f.

Figuration nur vier Takte verbleiben. Die Folgen zeigen sich in den ersten vokalen Takten, in denen der Sopran das zweitaktige Initium übernimmt, wogegen die Viola nur einen Halteton beisteuert (T. 9–10 ~ 1–2). Sie ergänzt zwar danach den dritten Takt, den der Sopran in Parallelführung füllt, doch verbindet der nächste Takt eine vokale Variante des Kopfmotivs mit einer instrumentalen Wendung, die auf die Fortspinnung zurückgeht (T. 11–12). Zugleich eröffnet sie das erste Zwischenspiel, das eine weitere Variante des Ritornells einbringt (T. 13–16). Da diese Takte den gesamten Text des A-Teils enthalten, fungieren sie weniger als Devise denn als erste Phrase, deren Fortsetzung trotz größerer Länge dem gleichen Variantensystem folgt (T. 17–30). Da das thematische Initium im Vokalpart liegt (T. 17–22), fungiert die Oboe als Begleitung, bis sie nach dem modulierenden Gelenk (T. 23–25) die Fortspinnung auf der Dominante variiert (T. 26–29), während das folgende Zwischenspiel keine Wiederholung, sondern eine gestraffte Variante des Ritornells bildet (T. 31–34 ~ 1–2 + 5–6).

Dagegen kehren die Sätze mit Oboe d'amore trotz unterschiedlicher Affektlage wieder zur Einbautechnik zurück. Das Ritornell der Altarie »Ach, unaussprechlich ist die Not« (BWV 116:2) geht von seufzerartigen Wendungen aus, die in zweitaktigen Gruppen angeordnet sind. Durch Pausen getrennt, werden sie durch den in Vierteln und Achteln schreitenden Continuo verbunden, der die Einschnitte überbrückt und zugleich eine erweiterte Kadenz umgreift. Darüber setzt viermal die Oboe in analogen Wendungen an, die zunächst das Kopfmotiv sequenzieren (T. 1–2 + 3–4), um es anschließend zu variieren (T. 5–6 + 7–8) und am Ende in gleichmäßige Achtel einzumünden (T. 9–12). Weitgefächerte Akkordbrechungen, die von verminderten Intervallen durchsetzt sind, treffen dabei auf repetierte Töne des Continuo, deren Auflösung den harmonischen Fortgang zur Folge hat. Dass die Takte 1–10 bei Eintritt der Altstimme wiederkehren, wird dadurch verdeckt, dass die beiden ersten Gruppen auf die Stimmen verteilt werden (T. 13–16 ~ 1–4), während die folgenden Takte auf Vokaleinbau beruhen (T. 17–22 ~ 5–10). In einem zweitaktigen Scharnier, in dem die Oboe zurücktritt, wird der Alt mit gebrochenen Akkorden des Continuo verbunden (T. 23–24). Etwas weiter reichen die Varianten in der nächsten Phase, in der die Altstimme die vier ersten Takte des Ritornells übernimmt (T. 25–28 ~ 1–4), um nach kurzer Fortspinnung in einer Koloratur auszulaufen (T. 29–35). Nach einem Zwischenspiel, das auf die letzten Takte des Ritornells zurückgreift (T. 35–38 ~ 9–12), setzt der komprimierte Mittelteil an, der den dreizeiligen Text in zehn Takten zusammendrängt (T. 39–49). Vorrangig ist dabei der Vokalpart, während die Oboe erst in den Schlusstakten hervortritt, die zugleich das zweite Zwischenspiel eröffnen (T. 50–53). In der variierten Reprise hingegen werden die motivischen Ansätze der Oberstimmen imitierend verschränkt (T. 54–58), bevor sie in freiere Varianten übergehen, die jedoch noch immer das Kopfmotiv durchscheinen lassen.

Trotz lebhafter Spielfiguren greift die Tenorarie »O du von Gott erhöhte Kreatur« (BWV 121:2) auf die Einbautechnik zurück. Desto eigenartiger ist das Verhältnis zwischen der Rhythmik des Kopfmotivs und seiner vokalen Deklamation. Obwohl der Text aus sechs fünfhebigen Jamben besteht, die eine auftaktige Diktion nahelegen könnten, erfand Bach ein volltaktiges Kopfmotiv im ¾-Takt, dessen erste Achtel durch einen Hochton mit einer anschließenden Synkope akzentuiert wird.

Ergänzt durch eine zweitaktige Figurenfolge, ergibt sich eine dreitaktige Gruppe, die eine Terz höher wiederkehrt und auf der Dominante der Durparallele ausläuft (T. 1–6). Dagegen setzt die sechstaktige Fortspinnung in auftaktiger Rhythmik und zweitaktiger Gliederung an, ohne jedoch zur Tonika zurückzulenken (T. 7–12), sodass das Ritornell am Ende des A-Teils neu formuliert werden muss (T. 46–51).[203] In der vokalen Version erhält der Ausruf »O« den volltaktigen Hochton, während die synkopische Wendung auf das Wort »du« entfällt und die Oboe den dritten Takt übernimmt. Wird die Sequenzgruppe mit der zweiten Zeile verbunden, so muss das Wort »begreife« entsprechend deklamiert werden, bis sich in der Fortspinnung wieder die auftaktige Diktion durchsetzt. Wie die zweite Phase des A-Teils (T. 30–35 ~ 1–6) hält auch der B-Teil am gleichen Prinzip fest, wobei sich nur das intervallische Verhältnis zwischen den beiden ersten Tönen verkehrt. Die Konsequenz jedoch, mit der zwischen den voll- und den auftaktigen Gruppen unterschieden wird, spricht für das genaue Kalkül der eigenwilligen Deklamation.

Ähnlich eigenartig ist die Tenorarie »Woferne du den edlen Frieden« (BWV 41:4), in der das Violoncello piccolo erstmals mit einer anspruchsvollen Solopartie bedacht wird.[204] Zwar war es vielleicht schon 1723 einmal verwendet worden,[205] doch wurde es erst im Herbst 1724 an einem Rezitativ und an einer Arie mit Querflöte beteiligt, ohne vorerst so exponiert hervorzutreten wie in der Arie aus BWV 41, die am Neujahrstag 1725 aufgeführt wurde. Sie eröffnet zugleich eine Reihe weiterer Sätze, die im Sommer 1725 entstanden.[206] Da eine letzte Arie im November 1726 folgte und danach keine entsprechenden Partien belegt sind, scheint der Spieler später nicht mehr zur Verfügung gestanden zu haben.[207] Seine Anwesenheit dürfte Bach nicht wegen mangelhafter Fähigkeiten seiner Musiker, sondern als Gelegenheit für neue Klangkombinationen willkommen gewesen sein.[208]

8.8.1723 (11. p. Trin.)	199:6 (WA)	Ich dein betrübtes Kind (Weimar 1713/14 mit Va. – Choralbearbeitung)	S., Vc. picc., Bc. – F-Dur, e (Leipziger Stimme 1723)
22.10.1724 (20. p. Trin.)	180:3	Wie teuer sind des heilgen Mahles Gaben – Ach, wie hungert mein Gemüte (Rezitativ + Choral)	S., Vc. picc., Bc. – F-Dur, e

---

203 Vgl. auch Dürr, Die Kantaten, Bd. 1, S. 124.
204 Vgl. Prinz, a. a. O., S. 584–601, sowie Ulrich Drüner, Violoncello piccolo und Viola pomposa bei Johann Sebastian Bach. Zu Fragen von Identität und Spielweise dieser Instrumente, in: BJ 1987, S. 85–112, besonders S. 95–101; ferner: Winfried Schrammek, Viola pomposa und Violoncello piccolo bei Johann Sebastian Bach, in: Konferenzbericht Leipzig 1978, ebd. 1977, S. 345–354.
205 Als erster Vorbote gilt eine bei Drüner genannte Ergänzungsstimme zur Choralbearbeitung BWV 199:6, die für eine Leipziger Wiederaufführung am 8. August 1723 angefertigt wurde. Da sie keine Angabe eines Instruments zeigt, lässt sich die Zuweisung an das Violoncello piccolo nur aus der Notierung im oktavierten Violin- und Bassschlüssel erschließen. Die Rekonstruktion dieser Fassung trägt ohnehin »in gewissem Umfang hypothetische Züge«, vgl. NBA I/20, hrsg. von Klaus Hofmann, Vorwort, S. VI, sowie KB, S. 27 und 53 f.
206 Vgl. die Übersicht bei Drüner, a. a. O., S. 96 f., sowie die ergänzenden Hinweise bei Prinz, a. a. O., S. 601.
207 Vgl. Schrammek, a. a. O., S. 353, Anm. 20.
208 Vgl. Drüner, a. a. O., S. 101, Anm. 35. Ebd., S. 87, Anm. 11, verwies Drüner auf den »Entwurff einer wohlbestallten Kirchen *Music*« (1730), in dem Bach beklagte, dass ihm derzeit ein Cellist fehle (Dok. I, S. 61). Daraus lässt sich allerdings nicht schließen, dass diese Vakanz schon 1725 bestand.

5.11.1724 (22. p. Trin.)	115:4	Bete aber auch dabei (Arie)	S., Trav., Vc. picc., Bc. – h-Moll, ¢, »Molt'adagio«
1.1.1725 (Neujahr)	41:4	Woferne du den edlen Frieden (Arie)	T., Vc. picc., Bc. – a-Moll, ¢, »adagio«
2.4.1725 (2. Ostertag)	6:3	Ach bleib bei uns, Herr Jesu Christ (Choralbearbeitung)	S., Vc. picc., Bc. – B-Dur, ¢, »allegro«
15.4.1725 (Mis. Dom.)	85:2	Jesus ist ein guter Hirt (Arie)	A., Vc. picc., Bc. – g-Moll, c
13.5.1725 (Exaudi)	183:2	Ich fürchte nicht des Todes Schrecken (Arie)	T., Vc. picc., Bc. – e-Moll, ¢, »Molt'adagio«
21.5.1725 (2. Pfingsttag)	68:2	Mein gläubiges Herze (Arie + Ritornello – Umarbeitung nach BWV 208:13)	S., Vc. picc., Bc. – F-Dur, ¢, »Presto« (Ritornello: Ob. I–II, Vc. picc., Bc.)
22.5.1725 (3. Pfingsttag)	175:4	Es dünket mich, ich seh dich kommen (Arie)	T., Vc. picc., Bc. – C-Dur, ¢
3.11.1726 (10. p. Trin.)	49:4	Ich bin herrlich, ich bin schön (Arie)	S., Ob. d'am., Vc. picc., Bc. – A-Dur, ¢

Drüner zufolge handelte es sich um ein vier- bis fünfsaitiges Instrument mit der Stimmung *C-G-d-a-e¹*. Da der Corpus einem verkleinerten Violoncello glich, konnte es wie die Viola »da braccio« gespielt werden. Mit dem erweiterten Ambitus, der von der Bassregion bis zur Altlage reichte, verband es den Vorzug, bei Bedarf von einem Geiger gespielt werden zu können. Dem entspräche nach Drüner die in den Originalstimmen bevorzugte Notierung, die sowohl den oktavierten Violinschlüssel als auch den Bassschlüssel verwendet. Allerdings war dabei in Kauf zu nehmen, dass die tieferen Töne nicht ganz so klangvoll wie die höheren Bereiche ausfielen.[209] Die Tenorarie aus BWV 41 – um zum Anlass dieses Exkurses zurückzukehren – trägt in mancher Hinsicht die Zeichen eines Experiments. Vor allem fällt auf, dass der Instrumental- und der Vokalpart nur in wenigen Takten zusammenwirken. Während das Violoncello in der ersten Phase des A-Teils nur drei kleine Figuren zu spielen hat (T. 11 f.), wiederholt es in der zweiten einen Takt des Ritornells (T. 15 f. ~ 1 f. mit variiertem Schluss). Kaum anders steht es im dritten Ansatz (T. 22 f.), während im B-Teil beide Stimmen nur einmal kombiniert werden (T. 46 f.). Bei der Kürze dieser Gruppen lässt sich nicht von blockweisem Vokaleinbau reden, obwohl der Spieler zumeist nur Passagen des Ritornells zu wiederholen oder zu modifizieren hat. Desto auffälliger ist die Länge des Ritornells, das mit zehn Takten mehr als die Hälfte des A-Teils füllt.[210] Da sich die Harmonik auf diatonische Quintketten beschränkt, besteht der Instrumentalpart aus Akkordbrechungen in Sechzehnteln, die in Dreh- und Skalenfiguren auslaufen. Daher ist der Vokalpart auf eine eigenständige Stimmführung angewiesen, die freilich kaum die motivische Prägnanz anderer Sätze erreicht. Die Situation erinnert damit an Sätze wie BWV 86:2 oder 180:2, deren virtuose Violin- bzw. Flötenstimmen dem Vokalpart unzugänglich waren. Trotz seiner Besonderheiten fügt sich der Satz zugleich in die Folge experimenteller Kombinationen ein, die auch andere Arien des Jahrgangs kennzeichnen. Zu ihnen zählen nicht nur

---

[209] Ebd., S. 100 f.
[210] Von 37 Takten im A-Teil entfallen 20 auf das Ritornell und seine abschließende Wiederholung.

die Sätze mit Traversflöte, sondern ebenso die Arien mit Oboenchor. Und es wird sich zeigen, dass derart individuelle Besonderheiten auch in den folgenden Sätzen zu finden sind.

f. Instrumentale Duosätze

Zu Beginn und am Ende des Jahrgangs begegnen nur wenige Duosätze, die zumeist Oboen und zweimal auch Violinen verwenden. Dagegen entstanden zwischen dem 21. und 24. Sonntag nach Trinitatis fünf Sätze, deren ungewöhnliche Kombinationen zu unterschiedlichen Lösungen führten. Während die Oboen zu wechselnd paralleler oder komplementärer Stimmführung tendieren, werden die Violinen eher imitierend eingesetzt. Wie die Übersicht zeigt, lieferte der Librettist anfangs wieder zwei- oder dreiteilige Texte, um sich erst später der Da-capo-Form zuzuwenden.

7:4	Johannistag	Des Vaters Stimme ließ sich hören	A – B – B' – Rit.	T., V. I–II conc., Bc. – a-Moll, ¾, 9/8
135:3	3. p. Trin.	Tröste mir, Jesu, mein Gemüte	A – B	T., Ob. I–II, Bc. – C-Dur, ¾
107:5	7. p. Trin.	Er richts zu seinen Ehren	A – B	S., Ob. d'am. I–II, Bc. – h-Moll, 12/8
113:3	11. p. Trin.	Fürwahr, wenn mir das kommet bei	A – B	A., Ob. d'am. I–II, Bc. – A-Dur, 12/8
38:3	21. p. Trin.	Ich höre mitten in den Leiden	Dc	T., Ob. I–II, Bc. – a-Moll, ₵
115:4	22. p. Trin.	Bete aber auch dabei	Dc	S., Trav., Vc. picc., Bc. – h-Moll, ₵
139:2	23. p. Trin.	Gott ist mein Freund	Dc	T., V. I (V. II fehlt), Bc. – A-Dur, ¾
139:4		Das Unglück schlägt auf allen Seiten	mehrteilig	B., Ob. d'am. I–II, V., Bc. – fis-Moll, ₵, 6/8, [andante]-»vivace«-»andante«
26:2	24. p. Trin.	So schnell ein rauschend Wasser schießt	Dc	T., Trav. solo, V. solo, Bc. – C-Dur, 6/8
133:2	3. Weihn.	Getrost, es faßt ein heilger Leib	var. Dc	A., Ob. d'am. I–II, Bc. – A-Dur, ₵
123:3	Epiphanias	Auch die harte Kreuzesreise	Dc	T., Ob. d'am. I–II, Bc. – fis-Moll, ₵
125:2	Mariä Reinigung	Ich will auch mit gebrochnen Augen	var. Dc	T., Trav., Ob. d'am., Bc. – h-Moll, ¾
126:2	Septuagesimae	Sende deine Macht von oben	var. Dc	T., Ob. I–II, Bc. – e-Moll, ₵

Ein erstes Beispiel wechselnd paralleler und komplementärer Stimmführung ist die Tenorarie »Tröste mir, Jesu, mein Gemüte« (BWV 135:3). Das Kopfmotiv der ersten Oboe, das von der zweiten Oboe in Sextparallelen ausgefüllt wird, wird eine Terz höher sequenziert, sodass seine Wiederholung in der Unterstimme zu Terzparallelen führt (T. 1–4). Die anschließende Fortspinnung hingegen verschränkt beide Stimmen in komplementären Skalenfiguren (T. 5–10), deren verkürzte Version auf der Dominante endet (T. 11–16). Übernimmt der Tenor das Kopfmotiv, so wird es durch die Oboen ergänzt, während der Vokalpart in die Fortspinnung eingefügt wird (T. 21–28 ~ 5–12). In weiten Sprüngen durchmisst der Tenor einen Tonraum, in dem die fallenden Sexten und Quinten auf die zweite Zeile verweisen (T. 21–24: »sonst versink ich in den Tod«). Entsprechend werden die folgenden Zeilen in die Fortspinnung eingebaut, während das erste Zwischenspiel auf das Ritornell zurückgreift (T. 32–39 ~ 11–16). Weitere Varianten begegnen in den Zeilen des Mittelteils, dessen Nachspiel mit einer transponierten Variante der Fortspinnung bestritten wird (T. 50–62). Das letzte Zeilenpaar im Schlussteil wird vom Vokalpart eingeführt, während seine Wiederholung mit der engsten Themenkombination zusammenfällt. Versetzt auf die IV. Stufe, wird das in die zweite Oboe verlegte Kopfmotiv durch den Tenor und die erste Oboe ergänzt (T. 69–72), wogegen die Fortspinnung durch ausgedehnte Koloraturen des Vokalparts erweitert wird (T. 73–78). Indem sie eine Quinte aufwärts lenkt, führt sie zur Tonika zurück, um in einem Zitat des Kopfmotivs zu münden (T. 79–82), das zugleich in einem vokalen Zitat der letzten Choralzeile ausläuft (T. 84–85).

Etwas einfacher liegen die Verhältnisse in der Sopranarie »Er richts zu seinen Ehren« (BWV 107:5), in der die Oboen fast durchweg parallel verlaufen. Das Kopfmotiv des Ritornells spielt auf die erste Zeile der Choralweise an, die in der vokalen Variante noch deutlicher hervortritt. Dem Satz liegt die fünfte Choralstrophe zugrunde, deren Zeilen ungewohnt zügig durchlaufen werden, sodass längere Ritornellzitate und Zwischenspiele entfallen. Anfangs von den Oboen begleitet, werden die Zeilen in der zweiten Hälfte nur zweimal durch instrumentale Einwürfe kommentiert, bis die letzten Takte des Soprans auf die Schlusszeile der Choralweise zurückgreifen, die wiederum mit einem Zitat des Kopfmotivs verbunden wird (T. 23–24).

Differenzierter verfährt die Tenorarie »Ich höre mitten in den Leiden« (BWV 38:3), deren Kopfmotiv mit fallenden und steigenden Quinten auf die ersten Töne der Melodie »Aus tiefer Not« verweist (e^2-f^2-e^2-a^1 statt e^2-a^1-e^2-f^2). Einprägsamer als die melodische Variante ist die synkopische Betonung des zweiten Tons, der auf die Stammsilbe des Wortes »höre« entfällt. Das von den Oboen intonierte Motiv wird in der Sequenz halbtaktig verschoben, während es in der Fortspinnung mit Haltetönen gepaart wird, sodass komplementäre und parallele Stimmführung ineinandergreifen. Da alle Zeilen aus vierhebigen Jamben bestehen, können sie mit Varianten des Kopfmotivs beginnen. Dabei übernehmen die Oboen eine primär füllende Funktion, während sie anschließend den Vokalpart mit der Ritornellmotivik kontrapunktieren.

Der Wechsel zwischen paralleler und komplementärer Stimmführung reicht in der Altarie »Getrost, es faßt ein heilger Leib« (BWV 133:2) so weit, dass sich feste Module ergeben, die getrennt wiederholt oder durch Vokaleinbau erweitert werden können. Die Voraussetzungen des Verfahrens liegen im Ritornell, dessen Außenglieder sich auf die Grundstufen beschränken, während sie durch ein Sequenzglied getrennt werden, das durch die Anweisung »piano« hervorgehoben wird.

1–2^1	2^2–4^2	4^3–6^1	6^2–9^3
Kopfmotiv	Fortspinnung	Sequenzglied	Fortspinnung + Kadenz
I	V	II – I	V – I

Aufgrund der harmonischen Relationen lassen sich die Module auf den Instrumental- und den Vokalpart verteilen, sodass sie den A-Teil ausfüllen und in einem vokalen Anhang enden.

10–11^2 (~ 1–2^2)	11–12^1 (~ 2^2–4^1)	12^2–14^1 (~ 4^2–6^1)	14^2–19^2 (~ 4^3–9^2)	19–21 (~ 1–2^1)	22–23^1 (~ 2^2–1)	23^2–27	28 (~ 10)	29–33	34–36 (~ 2–4)
vokal + instr.	instr. + vokal.	instr. + vokal	Zwischen-spiel	instr. + vokal	vokal + instr.	vokal (+ instr.)	instr.	vokal (+ instr.)	Zwischen-spiel
I	I	I	I	I	I	I–V	V	V	V

Statt das signalhafte Kopfmotiv zu zitieren, verwenden die vokalen Abschnitte des B-Teils mehrfach das instrumentale Sequenzglied, während das erste Zwischenspiel auf die Schlussgruppe des Ritornells zurückgeht. Die variierte Reprise hingegen stellt eine geraffte Wiederholung des A-Teils dar, dessen modulierendes Gelenk entsprechend verändert werden muss (vgl. T. 97–81 versus T. 23–25), sodass sich eine transponierte Variante der vokalen Schlussphase anschließen kann.

In der Altarie »Ich will auch mit gebrochnen Augen« (BWV 125:2) bilden Querflöte und Oboe d'amore ein transparentes Stimmgewebe, das durch die Tönung des Continuo besonders zur Geltung kommt. Über repetierten Achtelketten, die gemäß der Angabe »Ligato per tutto e senza accompagnato« ohne akkordische Füllung zu spielen sind, setzen die Oberstimmen in punktierten Achteln an (Notenbeispiel 26). Fast durchweg mit Vorschlägen versehen, bilden sie zugleich Vorhalte, deren Auflösung mit dem nächsten Ansatz zusammenfällt. Das eintaktige Kopfmotiv wird durch vier Takte ergänzt, an deren Halbschluss die analog gebaute Fortspinnung anschließt, bis sich die Stimmen im Kadenzglied in Sechzehnteln ablösen (T. 1–13^1).

Notenbeispiel 26

Im A-Teil, dem die zwei ersten Zeilen zugrunde liegen, wird die vokale Devise in den Beginn des Ritornells eingefügt (T. 13–17 ~ 1–2 + 3–5), das im ersten Zwischenspiel fortgeführt wird (T. 17–25 = 5–12). Statt auf das Ritornell zurückzugreifen, wechselt die Fortführung zu komplementärer Stimmführung, in die sich die vokalen Phasen einfügen. Erst das Schlussglied kehrt zur anfänglichen Konstruktion zurück, bevor das zweite Zwischenspiel den A-Teil mit einer transponierten Variante des Ritornells beschließt. Die variierte Reprise übernimmt die erste Phase des A-Teils, während die zweite Phase entsprechend variiert wird. Die beiden Zeilenpaare des Mittelteils verteilen sich dagegen auf zwei durch ein Zwischenspiel getrennte Sektionen, die an die Struktur des A-Teils anschließen und dem Vokalpart Raum lassen, um maßgebliche Textworte durch gedehnte Notenwerte abzuheben. Besonders nachdrücklich wird die Schlusszeile hervorgehoben, in der die Stimmen erstmals als akkordischer Block gebündelt werden (T. 91–93[1]: »und lässest mir kein Leid geschehn«).

Mit derselben Sicherheit, mit der Bach hier die gleichsam gebrochene Diktion des Vokalparts aus dem Gefüge des Ritornells ableitete, entwarf er in der Bassarie »Sende deine Macht von oben« (BWV 126:2) ein Ritornell, in dem sich das motivische Material für alle Satzglieder versammelt. Die Oboen führen in Sextparallelen ein Kopfmotiv ein, dessen Fortspinnung mit repetierten Achtelnoten gekoppelt wird und in komplementärer Bewegung ausläuft (T. 1–7[1]). Die vokale Devise zitiert das Kopfmotiv, dessen repetierte Töne die Worte »deine Macht« markieren, während die folgenden Takte umgebildet werden. Dass das erste Zwischenspiel auf der Quintkette des Ritornells basiert, deren Oberstimme in den Continuo verlegt wird (vgl. T. 9f. und T. 3f.), lässt erkennen, dass der Satz von motivischen Varianten zehrt, ohne das Ritornell zu wiederholen, das erst im Nachspiel wiederkehrt. Zwar scheinen seine Umrisse im A-Teil durch, der jedoch ab Takt 16 zur Durparallele lenkt, sodass die Motivik entsprechend umgeformt werden muss. Dabei werden die repetierten Töne der Oboen im Bass erweitert (T. 19 und 21: »Herr der Herren, starker Gott«), während sie im zweiten Zwischenspiel in ihrer ursprünglichen Gestalt erscheinen (T. 25 und 29f.). Desto sparsamer begleiten die Oboen die Koloraturen des B-Teils, mit denen der Bass die Worte »freuen« und »zerstreuen« hervorhebt (T. 34f. und T. 39–42). Dagegen greift die Reprise nur anfangs auf den A-Teil zurück (T. 45–48 = 13–16), dessen Grundriss mit dem Beginn des modulierenden Gelenks neu gefasst wird (T. 49–58[1] versus T. 17–27[1]).

Die Anlage dieser Sätze setzt die kontrapunktischen Ansätze voraus, die in den übrigen Duoarien zu verfolgen sind. Ein erstes Beispiel ist die Tenorarie »Des Vaters Stimme ließ sich hören« (BWV 7:4), deren Ritornell im Einklangkanon beginnt, um danach zu komplementärer Stimmführung zu wechseln. Der Text besteht aus sieben vierhebigen Jamben, die eher an strophische Formen als an madrigalische Dichtung erinnern. Da sie zwei geschlossene Sätze umfassen, hätte eine Zweiteilung nahegelegen. Dagegen entwarf Bach eine dreiteilige Anlage, deren A-Teil die drei ersten Zeilen enthält, während der Mittelteil die weiteren Zeilen zusammenfasst. Da alle Teile auf das Ritornell zurückgehen, ergibt sich der Eindruck einer variierten Strophenform, deren Außenteile sich soweit gleichen, dass sie sich einer Da-capo-Anlage nähern. Den Grundriss nimmt das Ritornell mit zwei Quintschrittsequenzen vorweg, die durch einen Einschub getrennt und durch die Kadenz beschlossen werden:

1–2	3–9	10–12	12–17	18–25[1]
Kopfmotiv	Quintkette 1	Einschub	Quintkette 2	Kadenz
I	I – V	V	I – IV	IV – V – I

Während die erste Quintkette vollständig durchschritten wird, bricht die zweite auf der IV. Stufe ab, an die sich das verlängerte Kadenzglied anschließt. Die Oberstimmen lösen sich in triolischen Achtelketten ab, die zunächst an eine Gigue gemahnen, bei Eintritt des Vokalparts jedoch mit duolischen Achteln gekoppelt werden.[211] Statt die Dreiklangsbrechungen des Instrumentalparts zu übernehmen, deklamiert der Tenor die Eingangszeile in einer vokalen Version, deren Fortführung auf Vokaleinbau in die erste Quintkette des Ritornells und ihren Anhang basiert. Nach einem Zwischenglied läuft der A-Teil in einem Melisma aus, das auf die zweite Quintkette zurückgeht und die weiträumige Figuration des Ritornells aufgreift (T. 43–49 »getauft«):

25–28	29–39 (~ 1–9)	40–41 + 42–50[1] (~ 12–18)	50–53[1]	53–63[1]
Zeile 1 vokal	Zeilen 1–2 + Instr.	Zeile 3	Zeilen 2–3 + Violine I	Zwischenspiel
I	Quintkette I (a-Moll)	Quintkette 2 (e-Moll)	Kadenz	

Die weiteren Teile entsprechen so weitgehend dem A-Teil, dass nur auf wenige Unterschiede hinzuweisen bleibt. In dem zur Subdominante führenden Mittelteil werden die Zeilen 4–5 mit der ersten Quintkette verbunden, deren letzte Glieder durch verminderte Septimen gefärbt werden (T. 74 ff.: »damit wir ohne Zweifel glauben«).[212] Derselbe Text wird auch der zweiten Quintreihe unterlegt, während die beiden letzten Zeilen in einem viertaktigen Anhang zusammengefasst werden (T. 88–92[1]). Der Schlussteil hingegen kehrt zur Tonika zurück, sodass die Analogien zum A-Teil desto klarer hervortreten.

Dasselbe Versmaß findet sich in der Tenorarie »Gott ist mein Freund« (BWV 139:2), doch bietet der Text diesmal sechs Zeilen, die auf zwei gleich lange Hälften verteilt sind, sodass sich eine Da-capo-Form ergibt, deren Teile jeweils zwei Sätze umfassen. Bedauerlicherweise ist die zweite Obligatstimme verloren, die für eine »Violino concertato« bestimmt gewesen sein dürfte. Zwar fehlt es nicht an Rekonstruktionsversuchen, die auf einen Vorschlag von Scheide zurückgehen.[213] Einigermaßen sicher lassen sich die imitierenden Einsätze und überdies die figurativen Phasen ableiten, in denen die Stimmen offenbar parallel verliefen. Wo aber die Gegenstimme die thematischen Einsätze auszufüllen hat, bleibt die Rekonstruktion ungewiss.[214]

[211] Entgegen Finke-Hecklinger, S. 73 f., kann der Satz daher nicht als »typisch gighenartig [sic]« gelten.
[212] Vgl. dagegen die Bemerkungen bei Dürr, Die Kantaten, Bd. 2, S, 563.
[213] William H. Scheide, The »Concertato« Violin in BWV 139, in: Bach-Studien 5, hrsg. von Rudolf Eller und Hans-Joachim Schulze, Leipzig 1975, S. 123–135. Zur Quellenlage vgl. NBA I/26, hrsg. von Andreas Glöckner, KB, S. 90 und 98. Einen weiteren Ergänzungsversuch unternahm Winfried Radeke in einer Edition bei Breitkopf, vgl. dazu ders., Torso oder behutsame Ergänzung? Über unvollständig erhaltene Arien in drei Kirchenkantaten Johann Sebastian Bachs, in: Bach-Kantaten in Berlin. Eine Jubiläumsschrift im Auftrag des Bach-Chores an der Kaiser-Wilhelm-Gedächtniskirche, hrsg. von Rudolf Elvers und Karl Hochreither, Berlin 1991, S. 63–101.
[214] Soweit die Einspielungen nicht auf eine Ergänzung der Stimme verzichten, übernehmen sie den Rekonstruktionsversuch von Scheide.

Immerhin lässt sich erkennen, dass beide Teile das zweitaktige Kopfmotiv verwenden, das in der Regel im Sekundabstand imitiert wird, während die Fortspinnung erst später als sonst zu Parallelführung wechselt. Bei der Einführung des Kopfmotivs bildet der Continuo eine Gegenstimme, die auf die Figuren der Fortspinnung vorausweist, während er sonst als stützendes Fundament fungiert. Soweit die erhaltene Solostimme ein Urteil erlaubt, beruht der Vokalpart nicht auf blockweisem Einbau. Vielmehr fügt er sich als Gegenstimme in das konzertante Violinduo ein, mit dem er das imitierte Kopfmotiv teilt. Erst kurz vor Ende beider Teile greift er auf die instrumentalen Figuren zurück, um kolorierend die Worte »Toben« und »Spötter« auszuzeichnen. Mit seiner planvollen Imitationstechnik vermittelt der Satz zwischen den imitierenden Duoarien des ersten und den fugierten Ansätzen des dritten Jahrgangs.[215] Dass er gleichzeitig konzertant geprägt ist, lässt den Verlust der zweiten Solostimme desto mehr bedauern.

Über imitierte Kopfmotive, die nicht immer konsequent verarbeitet werden, verfügen auch die beiden Arien mit zwei Oboen. In der zweiteiligen Altarie »Fürwahr, wenn mir das kommet ein« (BWV 113:3) beschränken sich die Imitationen auf den Beginn des Ritornells und des ersten Zwischenspiels (T. 17 ff.). Sobald im Alt das Kopfmotiv eintritt, imitiert die erste Oboe d'amore das Initium, dessen Fortsetzung jedoch entfällt. Wo sie später abgespalten wird (T. 15 f. und T. 27 f.), wird sie nur kurz imitiert, während die chromatische Linie, die der Kadenz des Ritornells vorangeht (T. 5 f.), im B-Teil mit dem Wort »bräche« gekoppelt wird (T. 27 und 36). Dass die Tenorarie »Auch die harte Kreuzesreise« (BWV 123:3) sehr viel dichter anmutet,

Notenbeispiel 27

---

[215] Vgl. die Arien »Mit allem, was ich hab und bin« (BWV 72:5) oder »Herr, deine Güte reicht« (BWV 17:3).

liegt weniger am Verhältnis der Teile als an der eigenartigen Struktur des Ritornells. Bezeichnet als »Lente«, besteht es aus zwei ineinander verschränkten Quintfällen, deren dominantische Zwischenglieder durch verminderte Akkorde vertreten werden (fis | Gis (D^v) Cis Fis (D^v) H | h Cis (D^v) Fis | fis H (D^v) E). In ihrer melodischen Gestalt bilden sie ein Kopfmotiv, das in der ersten Oboe d'amore eingeführt und nach anderthalb Takten von der zweiten Oboe im Quintabstand imitiert wird, während der Continuo als stützendes Fundament fungiert, dessen Achtelketten an der Nahtstelle der Sequenzgruppen synkopisch gestaut werden (Notenbeispiel 27). In der vokalen Version wird das Kopfmotiv als Devise vorangestellt, die von den Oboen begleitet und durch die folgenden Takte ergänzt wird (T. 7–9^1 ~ 3–5^1), wogegen an die variierte Wiederholung die nächste Gruppe anschließt, die zur Parallele lenkt und die folgenden Zeilen aufnimmt (T. 9–12). Entsprechend transponiert, geht die zweite Phase auf dieselbe Konstruktion zurück, während das Nachspiel eine Variante des Ritornells darstellt, dessen Oberstimme in den Continuo verlegt wird (T. 19–23^1). Dass der B-Teil (»un poco allegro«) unvermittelt nach A-Dur wechselt, ist durch seine erste Zeile motiviert, auf die der Vokalpart mit virtuosen Koloraturen reagiert (»Wenn die Ungewitter toben«). Nach vier Takten jedoch brechen die Koloraturen ebenso plötzlich ab, wie sie begonnen hatten, während die beiden letzten Zeilen zum Tempo des A-Teils zurückkehren (T. 27–33: »sendet Jesus mir von oben/Heil und Licht«). Sparsam von den Oboen begleitet, greift der Continuo auf das Nachspiel zurück, um damit zugleich zur Reprise des A-Teils zu vermitteln.

Zwischen diesen Duosätzen entstand die Sopranarie »Bete aber nur dabei« (BWV 115:4), die erstmals zwei Partner ganz verschiedener Lage, Bauart und Klangfarbe zusammenführt. Komponiert zum 22. Sonntag nach Trinitatis, lag sie am Ende der Serie der »Flötenarien« und zählte zugleich zu den ersten Sätzen, in denen das Violoncello piccolo verwendet wurde. Die Gelegenheit, über Spieler beider Instrumente zu verfügen, benutzte Bach aber nicht für eine konzertante Arie. Vielmehr konzipierte er einen imitierenden Satz, in dem sich die Stimmen derart eng verschränken, dass sie sich nur nach ihrer Klanglage unterscheiden. Wird der Sopran einbezogen, so ergibt sich ein dreistimmiger Satz, dessen Partner die gleiche Motivik teilen. Die Basis bildet das zehntaktige Ritornell, dessen Kopfmotiv zu den Themen zählt, die sich sowohl für enge Imitationen als auch für modulierende Quintschrittsequenzen eignen. Einen fallenden Quintraum mit Quartsprung verbindend, erreicht es mit einem Terzschritt seinen Scheitelpunkt, bevor es kadenzierend ausläuft. In der einen Takt später einsetzenden Gegenstimme wird es so verändert, dass es die V. Stufe erreicht und damit eine erste Quintkette eröffnet, die auf der Tonikaparallele endet (T. 2–4), während eine zweite Kette zur Tonika zurücklenkt (T. 5–8), die unter Engführung des Initiums befestigt wird (T. 9–10). Da die Sequenzglieder mit dem Initium und seinem Kontrapunkt gekoppelt werden, erklingt das Kopfmotiv in den ersten Takten achtmal, bevor in der Kadenzgruppe sein Schlussglied entfällt. Dem Sopraneinsatz geht ein zweitaktiger Vorspann voran, der über der ersten Quintkette zweimal das Wort »bete« vorwegnimmt (T. 11–12). Sobald der Sopran das Kopfmotiv anstimmt, wird es mit seinem Kontrapunkt und der verkürzten Kadenzgruppe gekoppelt (T. 13–15). Auf der gleichen Konstruktion beruht nicht nur die zweite Phase des A-Teils, sondern auch der gesamte B-Teil, dessen Text mit den Worten »bitte bei der großen Schuld« beginnt, während die übrigen Zeilen im zweiten Durchgang nachgetragen werden.

Dass ausnahmsweise zwei besonders fähige Spieler verfügbar waren, inspirierte Bach zu einem Satz, der als Markstein in der Folge der Duosätze gelten darf. Ähnlich aparte Lösungen begegnen jedoch auch in den weiteren Sätzen für zwei verschiedene Instrumente. In der Bassarie »Das Unglück schlägt auf allen Seiten« (BWV 139:4) gab die bildreiche Textvorlage den Anlass zu mehrfachem Tempowechsel.

Das Unglück schlägt auf allen Seiten	Mir scheint des Trostes Licht von weitem;
Um mich ein zentnerschweres Band.	Da lern ich erst, daß Gott allein
Doch plötzlich erscheinet die helfende Hand.	Des Menschen bester Freund muß sein.

Hinter der verschachtelten Anlage verbirgt sich eine variierte Da-capo-Form, deren Außenteile die Zeilen 1–3 aufnehmen, während die Zeilen 4–6 im Mittelteil zusammengefasst und von Zwischenspielen umrahmt werden, die auf das Taktmaß des A-Teils zurückgreifen.

A	B	(A)	C	(A)	C	A′	B′	A′′	B′′	(A)
1–26	27–36	37–39	40–45	46–50	51–57	58–83	84	89	93	103–106
¢	⅜, vivace	¢	andante	vivace	andante	¢	⅜	¢	⅜	¢
Z. 1–2	Z. 3	instr.	Z. 4–6	instr.	Z. 4–6	Z. 1–2	Z. 3	Z. 1–2	Z. 3	instr.

Bei einer Wiederaufführung zwischen 1744 und 1747 wurden die Solostimmen von den unisonen Oboen und einer Solovioline gespielt, doch waren sie ursprünglich wohl für Solooboe und Violoncello piccolo gedacht.[216] Statt die Stimmen imitierend eintreten zu lassen, werden sie durch ihre Rhythmik unterschieden. Der A-Teil verbindet kontinuierliche Sechzehntel der Violine mit punktierten Werten der Gegenstimme, die in der Oboe in Zweiunddreißigstel aufgelöst werden. Im B-Teil lösen sich Oboe und Continuo in Achtelwerten ab, denen die raschen Figuren der Violine gegenüberstehen. Der Mittelteil wird durch die ariose Diktion des Vokalparts geprägt, während die Zwischenspiele die Konturen des A-Teils erkennen lassen, dessen rhythmische Kontraste jedoch zurückgenommen werden. Die Außenteile werden zugleich durch Quintfallsequenzen verklammert, die im A-Teil zur V. Stufe führen, während sie im B-Teil zur Durparallele lenken.[217]

Der gleichsam rhythmischen Polyphonie dieses Satzes steht in der Tenorarie »So schnell ein rauschend Wasser schießt« (BWV 26:2) eine eigenartige Spielart des konzertanten Satzes gegenüber. Im Ritornell tritt vor allem die Flöte hervor, deren skalare Figuren von der Violine mitunter dupliziert werden, um damit einen Wechsel zwischen Solo und Tutti anzudeuten (T. 1–7). Erst in der zweiten Gruppe schließt sich die Violine in repetierten Achteln dem Continuo an, als sei ein erweiterter Generalbasssatz zu erwarten (T. 8–12). Sobald das Kopfmotiv in den Vokalpart übergeht, fungieren die Instrumente als begleitende Stimmen, bis sie sich ab Takt 24

---

216 Vgl. dazu NBA I/26, KB, S. 102 f.
217 Die Quintketten des B-Teils erscheinen sowohl in Satz 4 aus BWV 127 als auch im Chorsatz »Sind Blitze, sind Donner« aus der Matthäus-Passion (BWV 244a:27b).

voneinander lösen. Im ersten Zwischenspiel (T. 36–44) trennen sie sich nach drei Takten, um fortan fast ausnahmslos konzertierend eingesetzt zu werden (T. 53 ff. und 113 f). Wechseln dabei kurze Imitationen mit Passagen in paralleler oder komplementärer Stimmführung, so lässt sich die Entfaltung des Satzes als Reflex des Textes begreifen, der das »rauschende Wasser« mit den »eilenden Lebenstagen« vergleicht. Aufgrund der Satzstruktur lassen sich die Skalenfiguren im B-Teil durch gebrochene Dreiklänge ersetzen, die auf das »Tropfen« der vergänglichen Zeit hinweisen (T. 87–90 und 107–111).

Ohne sonderlich kompliziert zu sein, ergänzt die Arie die Trias der Duosätze mit wechselnden Instrumenten, die zwischen den paarig besetzten Arien entstanden. Während die Stimmen anfangs wechselnd parallel oder komplementär geführt wurden, veranlassten die differierenden Klangfarben der mittleren Gruppe sehr verschiedene Lösungen, die den letzten Duoarien zugutekamen. Die Erweiterung der instrumentalen Kombinationen hatte demnach Folgen, die über die Sätze mit Traversflöte bzw. Violoncello piccolo hinausreichten. Der wachsenden Vielfalt des Instrumentariums entspricht die Erweiterung des strukturellen Fundus, die ihrerseits auf die konstitutive Funktion des Instrumentalparts verweist.

g. Streicherarien

Auf den ersten Blick scheinen sich die Orchesterarien auf Sätze mit Streicherchor zu beschränken. Der Eindruck erweist sich jedoch als trügerisch, wenn man die Sätze nach weiteren Kriterien aufschlüsselt. Der Hauptgruppe der Streichersätze stehen vier Arien mit duplierenden Oboen gegenüber, wogegen die Sätze mit konzertierenden Solostimmen als gesonderte Gruppe gelten müssen. Der Dominanz der Da-capo-Formen entspricht die rückläufige Zahl der vollstimmigen Sätze, während nach Weihnachten intimere Besetzungen bevorzugt werden.

20:3	1. p. Trin.	Ewigkeit, du machst mir bange	A – B – C (– A')	T., Str., Bc. – c-Moll, ¾
20:6		O Mensch, errette deine Seele	A – B (– A')	A., Str., Bc. – d-Moll, ¾
2:5	2. p. Trin.	Durchs Feuer wird das Silber rein	Dc	T., Str. + Ob. I–II, Bc. – g-Moll, ¢
7:6	Johannis	Menschen, glaubt doch dieser Gnade	A – B	A., Str. + Ob. I–II + V. conc. I–II, Bc. – e-Moll, ¢
135:5	3. p. Trin.	Weicht, all ihr Übeltäter	var. Dc	B., Str., Bc. – a-Moll, ¢, »Allegro«
10:2	Mariä Heimsuchung	Herr, der du stark und mächtig bist	Dc	S., Ob. I–II, Str., Bc. – B-Dur, ¢
93:3	5. p. Trin.	Man halte nur ein wenig stille	A – A – B	T., Str., Bc. – Es-Dur, ⅜
107:3	7. p. Trin.	Auf ihn magst du es wagen	A – A' – B	B., Str., Bc. – A-Dur, ¢, »Vivace«
178:6	8. p. Trin.	Schweig, schweig nur, taumelnde Vernunft!	var. Dc	T., Str., Bc. – e-Moll, ¢
94:6	9. p. Trin.	Die Welt kann ihre Lust und Freud	var. Dc	T., Str., Bc. – A-Dur, 12/8

33:3	13. p. Trin.	Wie furchtsam wankten meine Schritte	Dc		A., Str., Bc. – C-Dur, ¢
62:2	1. Advent	Bewundert, o Menschen, dies große Geheimnis	Dc		T., Str. + Ob. I–II, Bc. – G-Dur, 3/8
121:4	2. Weihn.	Johannis freudenvolles Springen	Dc		B., Str., Bc. – C-Dur, ¢
133:4	3. Weihn.	Wie lieblich klingt es in den Ohren/ Wer Jesu Namen nicht versteht	Dc		S., Str., Bc. – h-Moll, ¢, »Largo« 12/8
92:3	Septuagesimae	Seht, seht, wie reißt, wie bricht, wie fällt	A – B – C		T., Str., Bc. – h-Moll, ¢

Die Tenorarie »Ewigkeit, du machst mir bange« (BWV 20:3) zeigt eine charakteristische Variante des Streichersatzes. Das Ritornell beginnt mit Haltetönen der Oberstimmen, die der Continuo mit engräumigen Achtelfolgen ausfüllt, um auf der gedehnten Dominante zu enden (T. 4). Sobald seine Figuren in die erste Violine übergehen, gewinnen sie im Wechsel von Sekundschritten und Sext- oder Septsprüngen melodisches Profil (T. 4–6). Auf zwei Takte verkürzt, wiederholt sich der Gruppenwechsel, wobei der Continuo die Variante der ersten Violine übernimmt. Wo er in einer phrygischen Klausel zu enden scheint, leitet zugleich ein chromatischer Schritt (T. 9 f.) die Kadenzgruppe ein. In der vokalen Fassung rückt der Halteton in die Tenorstimme, während die erste Violine den Continuopart vertritt, bis die Rollen erneut vertauscht werden (T. 13–15 + 16–20 ~ T. 1–3 + 4–10). Einer weiteren Variante auf der IV. Stufe folgt die dritte Zeile, in der nur der Continuo an die Motivik des Ritornells erinnert, während dessen gekürzte Fassung als Zwischenspiel in der Durparallele dient. Wiewohl sich das Ritornell auf die Eingangszeile bezieht, werden seine Glieder mit den folgenden Zeilen verbunden, sodass sie die verbindende Basis des Satzes bilden. Wie fruchtbar das Modell ist, zeigt der nach g-Moll modulierende Mittelteil, der die Worte »Flammen« und »brennen« mit bildhaften Koloraturen hervorhebt, während im Streicherpart die Ritornellmotivik fortläuft (T. 46–54). Nach kurzem Zwischenspiel folgen die Zeilen 6–8 als variierte Reprise, die auf Varianten des A-Teils zurückgreift und durch die Wiederholung des Ritornells ergänzt wird. Der Fall zeigt exemplarisch, wie Bach die Zeilenreihung des Dichters in eine Da-capo-Anlage zu verwandeln wusste.

Den vierhebigen Trochäen dieses Satzes stehen in der Altarie »O Mensch, errette deine Seele« (BWV 20:6) sechs vierhebige Jamben gegenüber, die zugleich syntaktisch zusammenhängen. Statt sie aufzuteilen, fand Bach eine ebenso einfache wie verblüffende Lösung. Die Zeilen folgen pausenlos aufeinander, sodass der Satz einer syllabischen Liedstrophe gleicht, die nur einmal durch ein Melisma bereichert wird (T. 24–28: »plagt«). Dem liedhaften Ton gemäß wird der Vokalpart von der ersten Violine dupliziert,[218] und da die beiden ersten Zeilen im Vorspiel vorweggenommen und die übrigen im Nachspiel wiederholt werden, ergibt sich eine zweiteilige Anlage (T. 1–9 instrumental = T. 10–18 vokal, T. 19–41 vokal = T. 42–64 instrumental). Wie differenziert der Satz gleichwohl ist, lassen die rhythmischen und harmonischen Relationen erkennen. Wie zuvor in der Arie »Vergibt mir Jesus meine Sünden« (BWV 48:6) ergeben sich durch punktierte Viertel im 3/4-Takt hemiolische Gruppen.

[218] Die einzige Ausnahme findet sich während des erwähnten Melismas (T. 25 f.).

Statt sie wie dort durch tripeltaktige Phasen zu trennen, werden sie hier in unmittelbarer Folge verkettet. Vollständige Kadenzen bleiben den Teilschlüssen vorbehalten (T. 9 bzw. 16, T. 41 bzw. 64), während weitere Einschnitte auf nachrangige Zählzeiten verlagert oder durch Zwischenschritte überspielt werden (vgl. T. 3 bzw. T. 12). Zwar ist ungewiss, ob die abschließende Wiederholung der Eingangszeilen auf Bach oder auf den Librettisten zurückgeht. Doch kehren nur die beiden ersten Takte wieder, während ihre Fortsetzung verändert wird. Die Kunst des scheinbar schlichten Liedsatzes erweist sich am Verhältnis zwischen den hemiolischen Gruppen und den verzögerten Zäsuren.

Die Tenorarie »Durchs Feuer wird das Silber rein« (BWV 2:5) kehrt wieder zum akkordischen Satz mit Vokaleinbau zurück, der die früheren Streichersätze geprägt hatte. Da der vierzeilige Text aus zwei Sätzen besteht, ließ sich eine Da-capo-Form planen, deren Teile jeweils zwei Zeilen aufnehmen. Das Ritornell setzt mit auftaktigen Achteln an, doch wird der zweite Ton des Kopfmotivs in Sechzehntel geteilt, von denen die federnden Impulse der Rhythmik ausgehen. Dem viertaktigen Vordersatz folgt nach Halbschluss der viertaktige Nachsatz, der zur Tonika zurückführt. Während die vokale Devise im Vordersatz auf zwei Takte gekürzt wird, kehrt der Nachsatz im Zwischenspiel wieder (T. 9^b–11^a + 11^b–15^a ~ T. 1^b–3^a + 5^b–9^a). Analog beginnt der erste Textdurchgang, der zur IV. Stufe moduliert und durch Melismen erweitert wird. Die zweite Phase greift erneut auf das Ritornell zurück, dessen Oberstimme vom Tenor übernommen wird (T. 26–36 = T. 1–9). Da das Ritornell im Nachspiel wiederholt wird, hat es mehr als zwei Drittel des A-Teils zu bestreiten. Im B-Teil dagegen setzen die Streicher vorerst aus, sodass sich der Tenor auf den Text konzentrieren kann, während nur noch der Continuo an die Ritornellmotivik erinnert. Erst nach einem Zwischenspiel werden die Instrumente wieder beteiligt, die den zur V. Stufe modulierenden Vokalpart begleiten, bis alle Stimmen in einem zweitaktigen »adagio« enden.

Der Altarie »Menschen, glaubt doch dieser Gnade« (BWV 7:6) liegen neun vierhebige Trochäen zugrunde, die sich zugleich in vier getrennte Sätze gliedern. Um den Satz nicht übermäßig auszudehnen, waren also nur wenige Wiederholungen möglich. Indem die Zeilen zügig deklamiert und durch Zwischenspiele getrennt werden, nähert sich die Arie unversehens dem vormaligen Strophenlied. Allerdings sind auch die Unterschiede nicht zu übersehen. So werden die ersten Zeilen als vokale Devise vorgezogen, wogegen das Zwischenspiel auf der V. Stufe ansetzt und nach der instrumental begleiteten Wiederholung der Eingangszeilen auf die IV. Stufe versetzt wird, um nach den vokalen Zeilen auf der V. Stufe wiederzukehren:

Takte	1–4	5–8	9–12–14	15–18	19–24	25–28	29–32	33–36	37–42	43–50
			(~ 5–8)		(~ 5–8)		(~ 5–8)		(~ 5–8)		(~ 1–8)
Zeilen	1–2	–	1–2 + 3	–	4–5, 4–5	–	6–7	8–9	8–9	–
Instr.	–	Zwsp.	+ Instr.	Zwsp.	–	Zwsp.	–	+ Instr.	–	Nachsp.
Stufen	I	V – I	I – IV	IV	IV – V	V	IV – I	V – I	IV – I	I – V – I

Erst der Schlussteil wird reicher ausgestattet, indem an das vorletzte Zeilenpaar des Vokalparts sogleich die letzten Zeilen anschließen, die dabei in das nochmals wiederholte Zwischenspiel eingebaut werden (T. 33–36 ~ 5–8). Die letzten Zeilen hingegen werden im Vokalpart wiederholt und melismatisch erweitert, während der instrumentale Schlussteil auf den ersten vokalen Abschnitt zurückgreift und durch das Zwischenspiel ergänzt wird.

In der Bassarie »Weicht, all ihr Übeltäter« (BWV 135:5) lag erstmals ein Text vor, der zwei dreihebige und fünf vierhebige Zeilen verband und damit eine klare Da-capo-Form vorgab. Das Ritornell besteht aus zwei eng verketteten Achttaktgruppen, in denen die Oberstimme die Figuren des Kopfmotivs fortspinnt, während die Unterstimmen das Taktmaß akkordisch markieren. Die eröffnende Quintschrittsequenz (T. 1–8) endet in zweifacher Umspielung der Dominante (T. 9–10), von der die fallende Quintkette der zweiten Gruppe ausgeht (T. 11–17^1). An die vokale Devise (T. 17–20) schließt der A-Teil mit der ersten Zeile an, die in das Ritornell eingebaut wird (T. 21–29 ~ 1–10), während die zweite Zeile nur von der ersten Violine begleitet wird (T. 33–38). Weit freier ist die erste Phase des Mittelteils angelegt, die konträren Begriffen wie »Weinen« und »Freudensonne« Rechnung zu tragen hat, sodass sich die Streicher mit wenigen Einwürfen begnügen. Da die zweite Phase zwei Zeilen umfasst, für die sich die instrumentalen Figurenketten verwenden ließen (»die Feinde müssen plötzlich fallen«), ließ sich eine transponierte Fassung des Ritornells verwenden (T. 71–80 ~ 10–16). Die variierte Reprise entspricht zwar weithin dem A-Teil (T. 80–92 ~ 17–39), doch wird diesmal ein Zitat der zweiten Choralzeile eingefügt (T. 94–98), das durch vier vokale Takte ergänzt wird. Das Melodiezitat mag durch das Textzitat der Eingangszeile ausgelöst sein, das Neumanns Wiedergabe nicht markierte.[219] Statt der ersten Choralzeile, die mit phrygischer Klausel endet, wählte Bach die zweite Zeile, deren Finalis auf drei Takte verlängert wird.

Die motivische Figuration der Da-capo-Arie »Herr, der du stark und mächtig bist« (BWV 10:2) wird auf die Violinen und den Continuo verteilt, während die duplierenden Oboen nur in den Ritornellen hinzutreten. Da sich das Ritornell (T. 1–13^1) auf die Grundstufen beschränkt, die durch Dreiklangs- und Skalenfiguren ausgefüllt werden, wird die erste Phase des A-Teils vom Vokaleinbau geprägt (T. 13–17 ~ 10–15 und T. 21–23 ~ 7–9 in dominantischer Transposition). So beginnt der Vokalpart mit Dreiklangsbrechungen und Tonrepetitionen, die in den modulierenden Zwischengliedern melismatisch erweitert werden, während das Zwischenspiel auf das Ritornell zurückgeht (T. 27–33^1 ~ 1–6 + 12–13^1). Etwas freier ist die zweite Phase gebaut, die zur Subdominante lenkt, während sich die Figuration auf die Außenstimmen beschränkt (T. 39–48). Im modulierenden B-Teil begrenzt sich der instrumentale Anteil auf kürzere Einwürfe der ersten Violine, bis die letzte Phase dem Sopran überlassen ist.

Da die Tenorarie »Man halte nur ein wenig stille« (BWV 93:3) primär durch die Choralvorlage geprägt ist, wurde sie schon früher genannt.[220] Ergänzend bleibt nur anzufügen, dass für Spielfiguren oder Episoden kein Raum verbleibt, weil der Streichersatz dem liedhaften Vokalpart entspricht. Obwohl der Bassarie »Auf ihn magst du es wagen« (BWV 107:3) die unveränderte Choralstrophe zugrunde liegt, gleicht

---

[219] Neumann, a. a. O., S. 201.
[220] Vgl. oben, S. 102.

der Satz eher einer zweiteiligen Arie mit einem zweigliedrigen Ritornell. Während der mit Halbschluss endende Vordersatz dreieinhalb Takte umfasst (T. 1–4²), wird der Nachsatz durch die Verdopplung des Kopfmotivs um einen halben Takt verlängert. Beide Gruppen teilen eine trillerartige Bassfigur, die auf der betonten Zählzeit der ersten Takte eintritt und im Nachsatz dreimal erscheint.

1–4², 4³–8²	8³–9²	9³–12² (~ 1³–4²)	12²–13²	13³–16² (~ 5²–8¹)	16²–17¹ (~ 1²–2²)	17²–18¹, 18²–20¹ (V. I) (~ 2²–4²)	20³–22¹	22¹–24² (~ 6³–8² + 1²–2¹)
Ritornell	Z. 1	Z. 1–2	Z. 1	Z. 1–2	instr.	Z. 3	Z. 4	instr.
I – V, V – I	I	I – V	I	I – VI	VI – V	V	V – III	III

Dem akkordischen Kopfmotiv folgt eine figurative Fortspinnung, die der ersten Violine überlassen ist. Der Vokalpart übernimmt zwar das energische Kopfmotiv (T. 8–9), dessen variierte Wiederholung mit dem instrumentalen Vordersatz gekoppelt wird (T. 9–12 ~ 1–4). Ein halber Takt genügt, um die VI. Stufe zu erreichen, sodass die anschließenden Takte in den auf die Dominante versetzten Nachsatz eingefügt werden können (T. 13–16 ~ 5–8). Entsprechend wird die nächste Phase mit dem transponierten Vordersatz verbunden, dessen Kopfmotiv um einen halben Takt erweitert wird (T. 16–20 ~ 1–4), während die Streicher im modulierenden Zwischenglied pausieren. Der B-Teil hingegen, der ebenso wie der A-Teil vier Textzeilen aufnimmt, wird primär von der ersten Violine begleitet, die einmal sogar die erwähnte Bassfigur des Ritornells zitiert (T. 28). Dass der Satz für acht Textzeilen kaum 50 Takte benötigt, liegt vor allem daran, dass nur die Eingangszeilen wiederholt werden, während die übrigen Zeilen lediglich einmal erscheinen, dabei aber melismatisch erweitert werden.

Auch die Bassarie »Schweig, schweig nur taumelnde Vernunft« (BWV 178:6) folgt dem Schema der variierten Da-capo-Form, doch beschränken sich die Rahmenteile auf die erste Zeile, wogegen der B-Teil drei jambische Verspaare zusammenfasst. Zu Recht hob Dürr hervor, dass die zugrundeliegende Choralstrophe die menschliche Vernunft meine, die Gottes Gnade nicht zu fassen vermöge.[221] Doch dürfte das »Schweigegebot« der Eingangszeile auf die pointierende Wortwahl des Librettisten zurückgehen, ohne sich gegen den Vernunftbegriff der Aufklärung zu wenden. Zwar ist ungewiss, ob die Wortwiederholung auf Bach oder auf den Dichter zurückgehe,[222] doch wird der Ausruf »schweig« – anders als die Jamben des B-Teils – wechselnd voll- und auftaktig betont. Dabei wird das volltaktige Kopfmotiv durch auftaktige Ansätze ergänzt, die der Continuo im Abstand einer Zählzeit imitiert, während die fallende Linie der Fortspinnung mit synkopischer Rhythmik einhergeht (T. 1–5¹). Die synkopischen Glieder des Nachsatzes werden hingegen durch eine chromatische Linie verklammert, die auf einer Quintkette des Continuo basiert (T. 5–11¹). Die Einbauphase des A-Teils (T. 15–19 ~ 3–8) wird von Phasen umrahmt, in denen die Gruppen des Ritornells getrennt eingesetzt werden. Mit ihrem Material werden auch die Phasen

---

[221] Dürr, Die Kantaten, Bd. 2, S. 385.
[222] Während die Zeile mit der Verdopplung des ersten Wortes den jambischen Versen des B-Teils entspricht, ergäbe sich andernfalls ein trochäisches Metrum.

des Mittelteils gekoppelt, während in den Zwischenspielen beide Gruppen transponiert werden (T. 25–30¹ ~ 5–7² + 8²–11¹, T. 38²–43¹ ~ 5²–11¹ sowie T. 48–52 ~ 1–5¹). Dagegen gleicht die Reprise – mit Ausnahme des modulierenden Gelenks (T. 79) – nahezu tongetreu dem ersten Satzteil.

Dass die Tenorarie »Die Welt kann ihre Lust und Freud« (BWV 94:6) erheblich einfacher ausfällt, liegt weniger am Text als am Modell der Gigue, das den akkordischen Satz des Ritornells und demgemäß den ganzen weiteren Verlauf bestimmt.[223] Dem thematisch geprägten Vordersatz folgt nach Halbschluss ein Nachsatz, der die Grundstufen in engräumigen Drehfiguren umspielt. Wo der Vokalpart den Vordersatz übernimmt, wird er durch die Motivik des Nachsatzes begleitet, bis er am Ende des A-Teils mit der ersten Violine zusammengeführt wird. Die Phasen des B-Teils stützen sich hingegen auf die Motivik des Nachsatzes, während der Vordersatz nur noch in den Zwischenspielen anklingt. Bei diesen Prämissen muss kaum gesagt werden, dass der Satz weithin der Einbautechnik vertraut.

Die ungewöhnliche Ausdruckskraft der Altarie »Wie furchtsam wankten meine Schritte« (BWV 33:3) erschließt sich desto eher, je genauer man das Ritornell in den Blick nimmt. Die fallenden Linien der Oberstimme gründen auf einem Fundament, dessen gleichmäßige Achtelwerte die Stufen einer erweiterten Kadenz umgreifen. Auf der Orgel im Staccato abgehoben, sind sie von den Bässen pizzicato zu spielen, während die Mittelstimmen im Pizzicato die akkordische Füllung übernehmen. Darüber entspinnen sich »col sordino« die Kurven der Oberstimme, die durch Vorhaltsynkopen und wechselnde Oktavlagen gebrochen werden. Führen die chromatisch getönten Stufen des Vordersatzes zur Dominante (T. 1²–5¹), so lenkt die analoge Linie des Nachsatzes von der Quinte aus zur Tonika zurück (T. 5²–9¹). Dass das Kopfmotiv auch dann nicht sein Profil verliert, wenn es extrem verkürzt wird, zeigt sich in der Kombination mit der Altstimme, die am Ende des A-Teils in eine Variante des Nachsatzes eingebaut wird, wogegen die übrigen Ritornellzitate in der Regel als Zwischenspiele fungieren. Zwar setzt der Vokalpart mit einer vereinfachten Version des Kopfmotivs an, um jedoch zu syllabischer Diktion zu wechseln, sobald sich die Folgezeilen auf Jesus richten (»doch Jesus hört auf meine Bitte …«). Anfangs mit zwei Takten des Vordersatzes kombiniert (T. 15–17¹ ~ 35¹), bricht die Violinstimme rasch ab, um die Begleitung der nächsten Takte den Unterstimmen zu überlassen (T. 17–19). Wiewohl die Motivik des Ritornells ständig präsent ist, kehren seine Taktgruppen erst nach dem A-Teil wieder. Analog ist auch der Mittelteil angelegt, dessen Text den »Sündenlasten« das »Trostwort« Jesu gegenüberstellt, sodass diese Zeilen akkordisch begleitet werden können. Desto nachdrücklicher wird das melismatisch geweitete Wort »Sündenlasten« mit variierten Teilen des Ritornells kombiniert, die nach e- und h-Moll versetzt werden (T. 53–47 bzw. 57–59), während den letzten Takten ein Ritornellzitat vorbehalten ist (T. 63²–66³).

Die tänzerischen Impulse der Tenorarie »Bewundert, o Menschen dies große Geheimnis« (BWV 62:2) fügen sich einem akkordischen Satz ein, dessen periodische

---

[223] Vgl. Finke-Heckliner, S. 126. Die »tänzerische Bewegung« ist freilich nicht nur »deskriptiv […] zu verstehen«, sofern man die irdische Lust als konträres Korrelat der jenseitigen Freude begreifen kann.

Gliederung durch die Verkettung der Taktgruppen verschleiert wird.[224] Auslaufend in einer Drehfigur, wird das viertaktige Kopfmotiv im nächsten Takt fortgesponnen, um erst im dritten Glied auf der Dominante zu kadenzieren (T. 1–12). Ohne auf den Beginn zurückzugreifen, verbindet der Nachsatz drei weitere Gruppen, die diesmal in der Tonika enden (T. 12–24). Die Kopfgruppe dient als vokale Devise, die von den Streichern wiederholt wird. Sobald sie nochmals im Vokalpart erscheint, muss der Instrumentalpart auf figurative Varianten oder akkordische Begleitung ausweichen, während die Tenorstimme durch Koloraturen erweitert wird. In der zweiten Phase des A-Teils verwenden die Streicher zwei Glieder des Ritornells, die mit vokalen Haltetönen oder Koloraturen gepaart werden (T. 61–64 und T. 74–77 ~ T. 1–4 und T. 17–20). Auch die letzte Phase benutzt lediglich zwei Gruppen des Ritornells (T. 90–94 und T. 104–108 ~ T. 4–8 und T. 17–19), während der Mittelteil nur im Zwischenspiel ein kurzes Ritornellzitat enthält (T. 149–156). Je mehr also der Vokaleinbau zurücktritt, desto eher dominieren Spielfiguren, die auf das Ritornell zurückweisen, ohne es zu zitieren.

Dagegen ist das Kopfmotiv der Bassarie »Johannis freudenvolles Springen« (BWV 121:2) von vornherein so konzipiert, dass es auf Vokal- und Instrumentalpart verteilt werden kann, ohne sein Profil zu verlieren. In der ersten Violine einsetzend, wird es eine Viertel später von der zweiten Violine imitiert, während es im Continuo auf die Dominante versetzt und durch die Viola ergänzt wird. An seine echoartige Wiederholung schließt der Nachsatz an, dessen Spielfiguren zur Dominante lenken (T. 5–10), bis sie sich über einem Orgelpunkt in Synkopen stauen (T. 11–12) und in der erweiterten Kadenzgruppe auslaufen (T. 13–19¹). Dass sich das Material auf die erste Zeile des Textes bezieht, muss kaum gesagt werden.[225] So vielgliedrig das Ritornell erscheint, so eng wird es durch eine rhythmische Formel verklammert, die im zweiten Takt die Stimmen durchläuft und in den folgenden Gruppen wiederkehrt. Bei Eintritt des Vokalparts wird sichtbar, dass der Bass an der Kopfgruppe beteiligt werden kann, ohne ihre Substanz zu tangieren. Da ihre rhythmischen Impulse in der Fortführung nachwirken, sind weder die Abschnitte des A-Teils noch die modulierenden Phasen des Mittelteils auf blockweisen Vokaleinbau angewiesen. Wo das Thema eintritt, wird es entweder auf das Kopfmotiv reduziert oder durch figurative Varianten ersetzt, die dem Nachsatz entsprechen, ohne ihn jedoch zu zitieren (vgl. 25 f. und 35 f.). Sobald aber im Vokalpart die Glieder des Ritornells erscheinen, werden sie mit freien Figuren gekoppelt (T. 42–47). Das gilt auch für den Mittelteil, der zwar dreimal die synkopische Gruppe über Orgelpunkt verwendet, um sie aber mit neu gefassten Gegenstimmen zu kombinieren (T. 73 f., 91 f. und 100 f.). Die Einbautechnik wird also wie in BWV 62:2 durch rhythmische Analogien ersetzt, die sowohl vom Kopfmotiv als auch von der Fortspinnung ausgehen.

Dass der Vokaleinbau zeitweise zurücktritt, heißt natürlich nicht, dass er fortan aufgegeben wird. Vielmehr wird er weiterhin eingesetzt und gleichzeitig zunehmend

---

224 Finke-Hecklinger zufolge (a. a. O., S. 104) stünde die Rhythmik zwischen Menuett und Passepied. Die beiden Oboen sind nur an den Ritornellen und Zwischenspielen beteiligt, in denen sie die Violinstimmen duplieren.
225 Der Librettist paraphrasierte die Schlusszeilen der fünften Strophe von Luthers Lied »Christum wir sollen loben schon« (»Denn Sankt Johannis mit Springen zeigt, / Da er noch lag im Mutterleib«).

verfeinert. In der Sopranarie »Wie lieblich klingt es in den Ohren« (BWV 133:4) beschränkt er sich auf den A-Teil, wogegen der Mittelteil ein anderes Konzept verfolgt. Wie in BWV 121:2 wird das Kopfmotiv des Ritornells im Piano wiederholt, anders als dort geht es aber bruchlos in die Fortspinnung über, die auf einer Quintkette des Continuo beruht (T. 1–3, 3–8). Die auftaktigen Gruppen der Streicher, die sich auf die Taktmitte richten, werden an den Taktgrenzen durch auftaktige Ansätze des Continuo ergänzt, deren Sechzehntel sich von den Achtelketten der Oberstimmen abheben. Da die vokale Devise eine ornamentierte Variante des Kopfmotivs bildet, kann in den Streichern die Fortspinnung folgen, die zugleich mit der vokalen Gestalt des Initiums gepaart wird (T. 11^b–16^a ~ 3^b–7^a). Ein Zwischentakt der ersten Violine führt zu drei Zweitaktgruppen, in denen die Oberstimme im Wechsel von Griffen und Leersaiten die Sequenzen der Gegenstimmen umkreist (T. 18–23). In Quintfolgen angeordnet, basieren sie auf der Fortspinnung des Ritornells und enden in der Sequenzierung des Kopfmotivs (T. 24–26). Auf analogen Quintketten gründet auch die nächste Gruppe, nach der zwei vokale Takte die erste Phase des A-Teils abschließen. Ohne auf die analog gebaute zweite Phase einzugehen, lässt sich zusammenfassend konstatieren, dass der A-Teil weniger auf die Einbautechnik als auf die Quintketten des Ritornells zurückgreift. Davon hebt sich der B-Teil als »Largo« im $^{12}/_8$-Takt ab, das – erstmals im zweiten Jahrgang – als Satz »senza basso« angelegt ist. Die weitgespannten Figurenketten der ersten Violine, die den Vokalpart kontrapunktieren, gründen auf repetierten Achtelfolgen der colla parte geführten Mittelstimmen, sodass sich ein überaus transparenter Triosatz ergibt. In G-Dur beginnend, läuft er im Halbschluss auf Fis aus, an den sich bruchlos die Reprise in h-Moll anschließt.

In der Tenorarie »Seht, seht, wie reißt, wie bricht, wie fällt« (BWV 92:3) wird die motivische Konzentration so weit vorangetrieben, dass sie in Monotonie umzuschlagen droht. Den Anlass dazu gab die Textvorlage, deren jambische Verspaare Gottes Macht als Widerpart des Satans umschreiben. Da sie drei abgeschlossene Sätze umfasst, war Bach zu einer dreiteiligen Anlage gezwungen, die ohne konträre Gestalten auskommen musste. Die drängende Gestik des Ritornells resultiert aus punktierten Achtelwerten, die in der Regel durch skalare Zweiunddreißigstel ergänzt werden. Die zugrundeliegende Quintkette wird zwar durch Terzschritte erweitert, die im Satzablauf weitere Varianten veranlassen. Doch begnügt sich die Oberstimme mit weitgefächerten Akkordbrechungen, die durch nachschlagende Figuren der Unterstimmen begleitet werden. Da die punktierte Rhythmik auch den Vokalpart erfasst, besteht der Satz fast durchweg aus denselben Formeln, die nur in den ersten Takten des Mittelteils zurücktreten (T. 19–23: »Seht aber fest und unbeweglich prangen …«). Dass der blockweise Vokaleinbau nicht zur Geltung kommt, entschädigt kaum für die unausgesetzte Beanspruchung der rhythmischen Formeln.

Seit Bach in der zweiten Kantate des Jahrgangs zum blockweisen Vokaleinbau zurückkehrte, wurde dieses Verfahren zur Grundlage der weiteren Streicherarien. Nach der Adventszeit jedoch mehren sich die Sätze, die die Einbautechnik mit der Verarbeitung der Ritornellmotivik verbinden. Beide Tendenzen ergänzen sich in ähnlicher Weise, wie es in den Continuo-Sätzen und den Arien mit Soloinstrumenten zu beobachten war. Vor weiteren Folgerungen bleibt jedoch zu fragen, wie sich dazu die Tuttisätze mit Bläsern verhalten.

h. Arien mit Oboenchor

Seit Mai 1724 setzte Bach in mehreren Arien den dreistimmigen Oboenchor ein.[226] Zwar hatte er schon in der Weimarer Arie BWV 208:7 drei Oboen verwendet, und die Chorsätze des ersten Jahrgangs zeigten, dass in Leipzig von vornherein drei Oboen verfügbar waren.[227] Offenbar ließen sich dem dritten Oboisten aber erst im nächsten Jahr anspruchsvollere Aufgaben anvertrauen.[228] Dass er gelegentlich die Oboe mit der Oboe da caccia bzw. Taille vertauschen musste, erlaubt zwar Rückschlüsse auf die Aufführungen, berührt aber nicht die satztechnischen Prämissen.[229] An die erste Arie mit drei Oboen schlossen vier weitere Sätze an, im Mai 1725 wurde die Bassarie BWV 208:7 umgearbeitet, und im Herbst 1726 folgte die Sopranarie BWV 52:5. Daher liegt die Folgerung nahe, dass in diesen Zeitraum auch die Altarie BWV 148:4 fallen dürfte. Wie früher erwähnt, ist die Datierung ungewiss, weil das Werk nur in der undatierten Kopie von Altnickol vorliegt. Bestimmt für den 17. Sonntag nach Trinitatis, bleibt daher offen, ob es am 19. September 1723 oder am 23. September 1725 aufgeführt wurde. Obwohl der vierte Satz ausnahmsweise zwei Oboi d'amore fordert, dürften die Daten der übrigen Sätze mit Oboenchor eindeutig für den späteren Termin sprechen.

BWV 20:5	11.6.1724	Gott ist gerecht in seinen Werken	B., 3 Ob., Bc. – B-Dur
BWV 101:4	13.8.1724	Warum willst du so zornig sein	B., 2 Ob., Taille, Bc. – a-Moll
BWV 26:4	19.11.1724	An irdische Schätze das Herze zu hängen	B., 3 Ob., Bc. – e-Moll
BWV 91:3	26.12.1724	Gott, dem der Erdenkreis zu klein	T., 3 Ob., Bc. – a-Moll
BWV 41:2	1.1.1725	Laß uns, o höchster Gott, dies Jahr vollbringen	S., 3 Ob., Bc. – G-Dur
BWV 68:4	21.5.1725	Du bist geboren mir zugute	B., 2 Ob., Taille, Bc. – C-Dur
BWV 148:4	23.9.1725	Mund und Herze steht dir offen	A., 2 Ob. d'am., Taille, Bc. – G-Dur
BWV 52:5	24.11.1726	Ich halt es mit dem lieben Gott	S., 3 Ob., Bc. – B-Dur

Weshalb danach nicht weitere Sätze für Oboenchor folgten, muss offenbleiben. Im Blick auf die Arien mit Querflöte bzw. Violoncello piccolo ließ sich vermuten, dass die zeitweise tätigen Musiker später nicht mehr verfügbar waren. Anders dürfte es sich mit dem Oboenchor verhalten. Obwohl auch spätere Chorsätze mit drei Oboen rechnen,[230] bilden die Arien mit Oboenchor eine gesonderte Gruppe, die nur im zweiten und einmal noch im dritten Jahrgang begegnet. Die ersten Sätze lassen erkennen, dass der dritte Oboist – ähnlich wie der Spieler des Violoncello piccolo – erst schrittweise an seine Aufgabe herangeführt werden musste.

---

[226] Ulrich Prinz, a. a. O., S. 301 und S. 383, sowie die Tabellen S. 307–321 und S. 386–389.
[227] So in BWV 69 und BWV 119, vgl. ebd., S. 297 und S. 303. Drei Oboen forderte auch die Weimarer Kantate BWV 31 (Sätze 1, 2 und 7), die in Leipzig am 1. Ostertag 1724 verwendet wurde.
[228] Ebd., S. 372.
[229] Zur Oboe da caccia (bzw. Taille) vgl. ebd., S. 360–365. Ebd., S. 372, konstatierte Prinz, »daß an den Spieler der Taille-Stimme geringere Anforderungen gestellt sind als an den Spieler der Oboe da caccia«.
[230] Vgl. Prinz, S. 301 und 382.

20:5	1. p. Trin.	Gott ist gerecht in seinen Werken	Dc		B., Ob. I–III, Bc. – B-Dur, ¢
101:4	10. p. Trin.	Warum willst du so zornig sein	A – B		B., Ob. I–II, Taille, Bc. – a-Moll, ¢, »vivace«, »andante«, »vivace«
26:4	24. p. Trin.	An irdische Schätze das Herze zu hängen	var. Dc		B., Ob. I–III, Bc. – e-Moll, ¢
91:3	1. Weihn.	Gott, dem der Erdenkreis zu klein	var. Dc		T., Ob. I–III, Bc. – a-Moll, ¾
41:2	Neujahr	Laß uns, o höchster Gott, dies Jahr vollbringen	Dc		S., Ob. I–III, Bc. – G-Dur, 6/8

In der Bassarie »Gott ist gerecht« (BWV 20:5) fungiert die erste Oboe als führende Stimme, während die beiden anderen Oboen begleitende Aufgaben übernehmen. Der Continuo setzt mit einer auftaktigen Dreiklangsbrechung an, deren Achtelbewegung fortan den gesamten Satz bestimmt. Einen halben Takt später folgt die erste Oboe mit vier auftaktigen Sechzehnteln, die von den Mittelstimmen imitiert werden. Während die zweite und dritte Oboe an das Bassmodell anschließen, wird in der ersten Oboe das Imitationsmotiv fortgeführt. Im Vordersatz sequenziert, wird es im Nachsatz mit einer Quintkette gekoppelt, sodass sich im Grunde eine Arie mit Soloinstrument ergibt, deren Variantentechnik dem Verfahren der geringstimmigen Sätze entspricht. Dass der Satz ungewöhnlich kurz ausfällt, ist deshalb bemerkenswert, weil der Mittelteil fünf Zeilen zusammenfasst, wogegen der A-Teil nur die Eingangszeile verwendet. Alle Zeilen werden durch das Kopfmotiv der ersten Oboe verbunden, während die auftaktige Wendung des Continuo erst im letzten Zeilenpaar wiederkehrt (T. 43 und 46: »Kurz ist die Zeit, der Tod geschwind«). Dass die dritte Oboe zumeist begleitende Achtelfiguren zu spielen hat, lässt auf die vorerst begrenzten Fähigkeiten des beteiligten Musikers schließen.[231]

In der Bassarie BWV 101:4 hat der dritte Oboist bereits analoge Figuren wie seine Kollegen zu spielen. Da diese »Choral-Arie« schon früher erwähnt wurde, bleibt hier nur auf die Phasen des A-Teils hinzuweisen, die auf das Ritornell zurückgehen. Während der Vordersatz auf einer fallenden Basslinie basiert (T. 1–4), umkreist der Nachsatz die V. Stufe. Zugleich wird die Klangkette, mit der die Oboen die Stufenfolge ausfüllen, in imitierende Skalenbänder aufgefächert, sodass die Stimmen die gleiche Motivik zu spielen haben.

Ritornell	A-Teil (Zeilen 1–4)					
Vivace	Andante	Vivace	Andante	Vivace		
Vs., Ns.	c.f. Z. 1	Z. 1	c.f. Z. 1–2	c.f. Z. 3–4	c.f. Z. 3–4	c.f. Z. 3–4
1–4, 5–8	9–10	11–12, 13–16 (~ 1–2, 5–6³)	17–18–20	21–23 + 24–26 + 27–29 (~ 1–3 + 2⁴–7)	30³–32² (~ 5–6)	33 + 34–38¹ (~ 3–5¹)
A-G-F-E, a-d-E-a	a-Moll	a – E – H	e-Moll	c-H-A-G, G – C – F	D – g – C	c-H-A-G, C

Vs., Ns. = Vorder- und Nachsatz, c.f. Z. 1 = Cantus firmus Zeile 1, A-G-F-E = Basslinie, a-d-E-a = Klangfolge

[231] Prinz, a.a.O., S. 372, vermutete, dass der dritte Oboist »den an ihn gestellten Aufgaben nicht gewachsen« war.

Dem vokalen Zitat der ersten Choralzeile folgt ein erster Rekurs auf den Nachsatz, während das zweite Zitat eine Quinte höher eintritt und durch zwei Takte erweitert wird. Vorder- und Nachsatz werden anschließend auf weitere Stufen versetzt und durch den B-Teil abgelöst, der in einer letzten Variante des Ritornells ausläuft. Soweit die Oboen nicht nur begleitend mitwirken, greifen sie auf die Ritornellmotivik zurück.

Das Ritornell der Bassarie »An irdische Sätze das Herze zu hängen« (BWV 26:4) folgt dem daktylischen Metrum des Textes, dem auch die vokale Deklamation verpflichtet ist. Der akkordische Satz der Oboen wird durch Sechzehntelfiguren modifiziert, die den Halbschluss des Vordersatzes und die Quintkette des Nachsatzes hervorheben. Ein Schema des A-Teils mag andeuten, dass die Rahmenteile fast durchweg auf Vokaleinbau beruhen.

Ritornell			A = Zeilen 1–2			modul. Gelenk			Ritornell
1–4	5–8	9–16	17–20	21–24	25–28	29–30	31–32	32–33 + 33–36	37–44
			(~ 1–4)	(~ 5–8)	(~ 1–4)	(~ 5–6)		(~ 1–4)	(~ 9–16)
Vs.	Quintkette	Ns.	vokal/instr.		vokal/instr.	vokal + instr.		vokal + instr.	Ns.
e – H	E-a-D-G	A – H – e	e	H	e – H	E – a,	Fis – h	H	H

Die einzige Ausnahme bildet das modulierende Gelenk, das im Schlussteil entsprechend verändert wird (T. 94–97 ~ 29–32), während der anschließende Einschub auf den Nachsatz des Ritornells zurückgeht (T. 97–101 ~ 10–14). Dem Mittelteil liegen die Zeilen 3–5 zugrunde, deren Schlüsselworte (»verzehrende Gluten« bzw. »Fluten«) strukturelle Änderungen nach sich ziehen. So umspielt der Continuo die Quintkette der ersten Phase in Sechzehntelfiguren, die anschließend der Vokalpart übernimmt, wogegen die Oboen am rhythmischen Muster des Ritornells festhalten. In der zweiten Phase greifen sie dagegen die Skalenfiguren des Continuo auf, während der Vokalpart zur daktylischen Deklamation des A-Teils zurückkehrt. Zugleich verweisen die beiden Phasen aufeinander, sofern die fallende Quintkette des ersten Abschnitts mit der steigenden Quintfolge des zweiten korrespondiert.

Die punktierte Rhythmik der Arie »Gott, dem der Erdenkreis zu klein« (BWV 91:3) scheint wenig zum jambischen Metrum der Dichtung zu passen.[232] Maßgeblich war augenscheinlich die Vorstellung, in »der engen Krippe« offenbare sich Gottes Majestät. Während der Begriff »Gott« durch Hochton auf betonter Zählzeit akzentuiert wird, wird das Adverb »klein« durch Septsprung und Dehnung hervorgehoben. Dass sich das Metrum dem Gewicht der Worte unterordnen muss, zeigt die syllabische Deklamation der anderen Zeilen, die durchweg mit punktierten Achteln gekoppelt werden. Von entscheidender Bedeutung ist die Stufenfolge des Ritornells, das zugleich das Muster der weiteren Gruppen bildet. Indem die Tonika durch ihre Variante ersetzt und zugleich mit ihrer Septime gekoppelt wird, zielt sie

---

[232] Finke-Heckliger, S. 65, zählte den Satz zu einer »punktierten Sarabandenart«, deren Prototyp in der Arie »Ach, mein Sinn« (BWV 245:13) vorliege. Von der überaus komplexen Rhythmik dieses Satzes unterscheidet sich die Arie aus BWV 91 jedoch durch die punktierten Achtelwerte, die auf alle Textzeilen übertragen werden.

auf die IV. Stufe hin. Kann der Vordersatz damit im Halbschluss auslaufen, so kehrt der Nachsatz auf umgekehrtem Weg zur Tonika zurück. In der ersten Phase des A-Teils wird das Ritornell auf Vokalpart und Oboen verteilt, um in der zweiten mittels stufenweiser Sequenzierung nach e-Moll zu lenken. An das transponierte Ritornell schließt der B-Teil an, dessen Phasen in G-Dur bzw. d-Moll enden, während die variierte Reprise das modulierende Glied des A-Teils umformt und über die V. Stufe zur Tonika zurückkehrt. Deklamation und akkordischer Satz sind demnach so eng verquickt, dass die Oboen als chorischer Block verwendet werden können.

Einfacher und zugleich effektvoller wird der Oboenchor in der Sopranarie »Laß uns, o höchster Gott, das Jahr vollbringen« (BWV 41:2) eingesetzt. Zwar bietet der Text wiederum Jamben, doch umfasst der A-Teil eine fünf- und eine sechshebige Zeile, denen im B-Teil vier vierhebige Zeilen gegenüberstehen (A: 11a, 12b; B: 8b, 8c, 8c, 9a). Daher entwarf Bach einen Satz im ⁶⁄₈-Takt, in dem die Hebungen mit jeweils zwei Achteln bedacht werden, während auf die Senkungen je eine Achtel entfällt. Durch den akkordischen Oboenchor gewinnt der Satz eine pastorale Tönung, die an die acht Monate zuvor entstandene Arie BWV 104:5 erinnert.[233] Die Rahmenteile gehen auf das Ritornell zurück, während im Mittelteil der Vokalpart dominiert. Dass der zur Dominante modulierende Vordersatz nur sieben Takte umfasst, wogegen der Nachsatz einen Takt länger ist, liegt am Metrum der ersten Zeilen, die in der vokalen Devise mit dem Vordersatz verbunden werden (T. 16–22 ~ 1–7), während der Nachsatz durch die Oboen ergänzt wird (T. 23–30 = 8–15). An die vokale Wiederholung des Vordersatzes (T. 31–37) schließt sich eine erweiterte Fassung des Nachsatzes an, in die der Vokalpart eingefügt wird (T. 38–55). Obwohl dabei die Stufenfolge verkürzt wird, ergibt sich durch mehrtaktige Umkreisung der Hauptstufen eine Verlängerung, die dem pastoralen Tonfall zugutekommt (vgl. T. 38–41 und 49–64). Auch die vokale Schlussgruppe verweist auf das Ritornell, dessen Kopfmotiv mit einer Variante der Kadenzgruppe gekoppelt wird (T. 58–61 ~ 1 + 13–16). Dagegen begnügen sich die Phasen des Mittelteils mit transponierten Varianten des Kopfmotivs, wobei der Nachsatz als Zwischenspiel in der Parallele dient.

Selbst für einen scheinbar so einfachen Satz gilt Forkels Einsicht, Bachs Kunst liege in der »Verwebung mehrerer Melodien, die alle so sangbar sind, daß jede zu ihrer Zeit als Oberstimme erscheinen kann.«[234] Die Hauptstufen werden durch die Parallelen ergänzt, denen »dominantisch« wirkende Leittöne vorgeschaltet werden. Im Gegensatz dazu werden die Zwischenglieder durch Vorhaltdissonanzen markiert, die in die Außenstimmen verlegt und in den Anschlussgliedern aufgelöst werden (vgl. T. 9–11, Notenbeispiel 28). Die Stimmen gehen – um mit Forkel zu reden – »von einer Stelle aus, trennen sich unterwegs, treffen aber genau am Zielort wieder zusammen. Dieser Art von Durchgang hat sich noch niemand freyer bedient als Bach«, der damit den »freyen und fließenden Gesang« aller Stimmen bewirkt habe.[235]

---

233   Vgl. Finke-Hecklinger, S. 80.
234   Johann Nikolaus Forkel, Ueber Johann Sebastian Bachs Leben, Kunst und Kunstwerke, Frankfurt a. M. 1802, S. 25.
235   Ebd., S. 26 f. Vgl. auch Christoph Wolff, Die sonderbaren Vollkommenheiten des Herrn Hofcompositeurs. Versuch über die Eigenart der Bachschen Musik, in: Bachiana et alia musicologica. Festschrift Alfred Dürr zum 65. Geburtstag, hrsg. von Wolfgang Rehm, Kassel u. a. 1983, S. 356–362.

Notenbeispiel 28

Ausgehend vom Sonderfall in BWV 20, konzentrieren sich die folgenden Arien auf die Formung des akkordischen Satzes, der den homogenen Klang des Oboenchors zur Geltung bringt, bis er in BWV 41:2 im »fließenden Gesang« der Stimmen aufgeht. An dieses Modell sollten die späteren Sätze BWV 148:4 und 52:5 anschließen, während in BWV 68:4 die Stimmen der Vorlage (BWV 208:7) in entsprechender Weise umgeformt wurden.

i. Arien mit Soloinstrumenten und Streichern

Die folgende Übersicht fasst zehn Arien zusammen, in denen der Streichersatz durch obligate Oboen oder Violinen erweitert wird. Während sie als solistische Stimmen konzertierend hervortreten, werden sie bei paariger Verwendung dem Tutti angeglichen. Da aber manche Sätze zwischen diesen Polen vermitteln, lassen sich die Gruppen nicht voneinander trennen.

78:6	14. p. Trin.	Nun, du wirst mein Gewissen stillen	A – B^1 – B^2	B., Ob. I, Str., Bc. – c-Moll, ₵
8:4	16. p. Trin.	Doch weichet, ihr tollen, vergeblichen Sorgen	var. Dc	B., Fl. picc. (o Trav.), Str., Bc. – A-Dur, 12/8
114:5	17. p. Trin.	Du machst, o Tod, mir nun nicht ferner bange	Dc	A., Ob. I, Str., Bc. – B-Dur, ₵
96:5	18. p. Trin.	Bald zur Rechten, bald zur Linken	A – B – C	B., Ob. I–II, Str., Bc. – d-Moll, ¾

156 Teil V · Zyklus mit Annex: Der zweite Jahrgang (1724/25)

80:5	20. p. Trin.	Lebens Sonne, Licht der Sinnen	Dc	S., Fl. I–II, Ob., Taille, Str., Bc. – B-Dur, ¾	
115:2	22. p. Trin.	Ach, schläfrige Seele, wie? Ruhest du noch?	Dc	A., Ob. d'am., Str., Bc. – e-Moll, ⅜	
124:3	1. p. Epiph.	Und wenn der harte Todesschlag	A – A' – A''	T., Ob. d'am., Str., Bc. – fis-Moll, ¾	
92:8	Septuagesimae	Meinem Hirten bleib ich treu	var. Dc	S., Ob. d'am., Str., Bc. – D-Dur, ⅜	
127:3	Estomihi	Die Seele ruht in Jesu Händen	Dc	S., Fl. I–II, Ob. I, Str., Bc. – c-Moll, ₵	
1:5	Mariä Verkündigung	Unser Mund und Ton der Saiten	Dc	T., V. I–II conc., Str., Bc. – F-Dur, ⅜	

Im Ritornell der Bassarie »Nun, du wirst mein Gewissen stillen« (BWV 78:6) werden die Streicher nur am Kopfmotiv und an den Kadenzen beteiligt, wogegen die Fortspinnung der Oboe überlassen bleibt. Während die Tuttiblöcke die Tonika markieren, umkreisen die fortspinnenden Figuren die Dominante.

$1–2^1$	$2^2–4^1$	$4^3–5^3$ (= $1–2^1$)	$5^4–7^3$	$7^4–8^3$
Kopfmotiv	Fortspinnung	Kopfmotiv	Fortspinnung	Kadenz
Tutti	Oboe	Tutti	Oboe	Tutti
I	I – V	I	IV – V	I

Dass die Struktur dennoch vom Streicherpart gelenkt wird, zeigen die Außenteile, die weithin auf die Einbautechnik zurückgreifen. Der siebenzeilige Text enthält drei geschlossene Sätze, sodass Bach eine dreiteilige Anlage entwarf, die er zugleich einer Da-capo-Form anglich. Das erste Zeilenpaar wird als Devise vorgeschaltet, während seine Wiederholung mit dem zweiten Zeilenpaar verbunden wird. Dem Mittelteil liegen die letzten Zeilen zugrunde, die jedoch im Schlussteil wiederkehren, der zugleich auf den ersten Teil zurückgreift. Alle Phasen beginnen mit dem zwölfmal eintretenden Kopfmotiv, wogegen die Kadenz nur am Ende der Ritornelle und der vokalen Teile eintritt. In der Devise wird der Vordersatz auf Bass und Oboe verteilt, während der Nachsatz als Zwischenspiel dient (T. 9–16 ~ 9–16). Die Wiederholung der Devise wird dagegen von der Oboe begleitet, deren Fortspinnung mit dem Vokalpart gekoppelt wird (T. 17–18 + 19–20 ~ 3–4). Ein kleiner Eingriff in die Kopfgruppe genügt, um mit der Fortspinnung des Vordersatzes die Parallele zu erreichen (T. 21–24 ~ 1–4), während die Fortspinnung des Nachsatzes als Zwischenspiel folgt (T. 25–29 ~ 5–8). Auf der Tonika einsetzend, erweist sich der dritte Teil als verkürzte Reprise, in der die modulierenden Takte geändert werden (vgl. T. 48–52 mit T. 20–24). Mit einer Umbildung des Kopfmotivs setzt auch der Mittelteil an (T. 33 f.), der sich jedoch zur Variante der Subdominante wendet (T. 35–40), um am Ende zur Tonika und damit zur Reprise zurückzuführen (T. 41–42).

Dass die Bassarie »Doch weichet, ihr tollen, vergeblichen Sorgen« (BWV 8:4) einem verkappten Flötenkonzert gleicht, liegt vor allem am Bau des Ritornells, dessen Sequenzgruppen dem Solopart mehr Raum als sonst lassen. Der modulierenden

Kette des Vordersatzes (T. 1–7) steht im Nachsatz eine diatonische Sequenz gegenüber (T. 8–16), die das Ritornell auf der V. Stufe enden lässt. Die beiden ersten Takte werden als vokale Devise vorangestellt, die durch die zweitaktige Kadenzgruppe ergänzt wird (T. 17–20 ~ 1–2 + 15–16). Entsprechend basiert der gesamte A-Teil auf dem durch Vokaleinbau erweiterten Ritornell (T. 21–34 ~ 1–16), an das zwei vokale Takte und die instrumentale Kadenzgruppe angehängt werden. Der Ablauf wiederholt sich in der variierten Reprise, in der die Einbauphase modifiziert wird, um am Ende wieder die Tonika zu erreichen (vgl. T. 76–78 mit T. 23–25), wogegen das Nachspiel auf die Devise zurückgeht (T. 91–92 = 19–20). Der überraschend knappe Mittelteil greift nur anfangs auf das Kopfmotiv zurück, während seine modulierenden Phasen mit der Figuration der Kadenzgruppe verbunden werden.

Dass es Bach darum ging, die solistischen Figuren in die Tuttiblöcke zu integrieren, beweist die Altarie »Du machst, o Tod, mir nun nicht ferner bange« (BWV 114:5). Der sechszeilige Text besteht aus fünfhebigen Jamben, die zwei dreizeilige Sätze umfassen, sodass sich eine ausgewogene Da-capo-Form ergab. Der zweitaktige Orgelpunkt, mit dem der Vordersatz des Ritornells beginnt, wird im Nachsatz auf die Dominante versetzt und um einen Takt gekürzt. Das Kopfmotiv der Oberstimmen setzt beidemal auf der Quinte an und richtet sich auf die synkopisch gedehnte Septime, aus deren Auflösung die Figuren der Solooboe hervorgehen. Während sie im Vordersatz die Grundstufen umkreisen, werden sie im Nachsatz durch eine Quintkette erweitert, die ihr Ziel in der Kadenzgruppe erreicht. In der vokalen Variante wird das Kopfmotiv um einen halben Takt verlängert und mit dem Beginn der Folgezeilen verbunden (»wenn ich nur dich«), deren Ergänzung mit dem Beginn der Fortspinnung zusammenfällt (»die Freiheit nur erlange«, vgl. T. 11–12 versus T. 3–4). Dabei werden die Figuren ein wenig modifiziert, während sie im Nachsatz einen Takt länger ausfallen, weil hier die Eingangszeile wiederholt wird (T. 14–17 versus T. 5–8). Zur dritten Zeile (»es muß ja so einmal gestorben sein«) wird das Modell zu zwei viertaktigen Gruppen erweitert, in denen der Continuo die V. bzw. I. Stufe umkreist, während die Akkordfolgen der Oberstimmen durch ihre Mollvarianten gefärbt werden. Im Mittelteil verbindet sich diese Konstruktion mit der vierten und fünften Zeile, wogegen die Liegetöne in die Mittelstimmen verlegt werden. Die letzte Zeile wird im Vokalpart eingeführt, bevor ihre erweiterte Wiederholung in einem zweitaktigen »Adagio« ausläuft.

Rückblickend wird sichtbar, dass die Verkettung der Taktgruppen darauf abzielt, die Zeilen enger zusammenzuschließen. Der Bassarie »Bald zur Rechten, bald zur Linken« (BWV 96:5) liegen dagegen sechs vierhebige Trochäen zugrunde, die sich auf zwei Sätze mit zwei und vier Zeilen verteilen. Der Text könnte also eine Da-capo-Form nahelegen, deren Reprise mit der zweiten Zeile enden würde (»lenkt sich mein verirrter Schritt«). Um den Satz mit der letzten Zeile zu beenden (»bis zur Himmelpforte spüren«), entschied sich Bach für eine dreiteilige Anlage, in der die vier letzten Zeilen aufgeteilt wurden.

> Bald zur Rechten, bald zur Linken / Lenkt sich mein verirrter Schritt.
> Gehe doch, mein Heiland, mit, / Laß mich in Gefahr nicht sinken.
> Laß mich ja dein weises Führen / Bis zur Himmelspforte spüren!

Der syntaktische Zusammenhang wird insofern angedeutet, als die vierte Zeile im Mittelteil vorgezogen und im Schlussteil wiederholt wird. Zugleich werden die Teile durch die punktierte Rhythmik verkettet, die sich mit akkordischem Satz verbindet. Die Oboen und die Streicher wechseln sich mit zweitaktigen Gliedern ab, die sich nur einmal überschneiden (T. 50). Der viertaktige Vordersatz lenkt zur IV. Stufe, während der Nachsatz zur Tonika zurückkehrt. In der Devise werde die Gruppen auf den Vokal- und den Instrumentalpart verteilt, wobei die Instrumente zurücktreten, wenn der Bass die punktierte Rhythmik übernimmt. In der nächsten Phase führt der Nachsatz zur V. Stufe, auf der sich das transponierte Ritornell anschließt. Der zur IV. Stufe lenkende Mittelteil bleibt dem Vokalpart überlassen, der von den Instrumenten akkordisch gestützt wird. Etwas dichter ist der Schlussteil geformt, in dem der Vokalpart den Wechsel der Klanggruppen überbrückt, um am Ende das Wort »Himmelstür« durch ein Melisma zu akzentuieren.

Das Thema der Arie »Lebens Sonne, Licht der Sinnen« (BWV 180:5) zählt zu jenen Einfällen, die so abgerundet wirken, dass sie im Grunde nur wiederholt und nicht verarbeitet werden können. Der Streichersatz wird durch paarige Oboen und Flöte erweitert, und da die Instrumente akkordisch verbunden werden, tritt die Oberstimme desto deutlicher hervor (Notenbeispiel 29). Während der Vordersatz vier Takte umfasst, wird der Nachsatz auf sechs Takte erweitert. Beide Gruppen werden vom Sopran wiederholt, der zuerst durch Einwürfe der Bläser ergänzt und danach mit dem Tutti verbunden wird (T. 11–18 ~ 1–4 + 1–4, T. 19–30 ~ 5–10 + 5–10). Nach einem vokalen Einschub tritt das Ritornell zum vierten Mal ein (T. 35–44), sodass es den gesamten A-Teil ausfüllt. Der B-Teil enthält dagegen nur ein viertaktiges Zwischenspiel, das auf den Nachsatz zurückgeht, während die vokalen Phasen von den Holzbläsern begleitet werden.

Notenbeispiel 29

In der Altarie »Ach, schläfrige Seele« (BWV 115:2) tritt zu den Streichern eine Oboe d'amore, die fast durchweg die erste Violine verstärkt. Als »Adagio« im ⅜-Takt notiert, schließt der Satz an die punktierte Rhythmik des Siciliano an.[236] Das Ritornell umfasst zwei Gruppen mit jeweils 16 Takten, sodass auch die Gliederung einem Tanzsatz entspricht. Der Vordersatz basiert auf zwei Orgelpunkten, die zunächst die Tonika und danach die Dominante umkreisen. Nur an der Nahtstelle tritt die Oboe mit eigenen Figuren hervor, während sie im Nachsatz wieder colla parte geführt wird. Als vokale Devise dienen die beiden ersten Takte, die durch einen Einsatz der Oboe ergänzt werden (T. 33–36). Anschließend kehrt der durch Vokaleinbau erweiterte Vordersatz wieder, während der variierte Nachsatz durch einen viertaktigen Einschub unterbrochen wird (T. 37–62 ~ 1–26, T. 63–66, T. 67–78 ~ 26–32). Da das Nachspiel dem Vorspiel entspricht, besteht der A-Teil – ähnlich wie in BWV 180:5 – fast durchweg aus Wiederholungen des Vorspiels. Desto wirksamer hebt sich der Mittelteil als »Allegro« ab, dessen Sequenzgruppen anfangs um die Tonika e-Moll kreisen, während sie im zweiten Ansatz zur V. Stufe lenken. So unerwartet sie eintreten, so unvermittelt brechen sie ab, um zum Zeitmaß des ersten Teils zurückzukehren (T. 132–150). Den Anlass gab die letzte Zeile, die vom »Schlafe des ewigen Todes« spricht und durch den Rückgriff auf die in der Reprise anschließende Eingangszeile bezogen wird.

Je mehr sich der Streichersatz auf stützende Funktionen beschränkt, desto eher nähern sich solche Sätze den Arien mit Soloinstrumenten und Continuo. Dass die Streicher dennoch eine obligate Funktion haben können, zeigt die Arie »Und wenn der harte Todesschlag« (BWV 124:3). Tenor und Oboe bilden einen Duosatz, während die Streicher mit repetierten Sechzehnteln die betonten Zählzeiten markieren. Der sechszeilige Text besteht aus einem einzigen Satz, der sich nicht teilen, sondern nur wiederholen ließ. Daher entschied sich Bach für eine dreiteilige Anlage, in deren Schlussteil die mittleren Zeilen entfallen, ohne den syntaktischen Anschluss zu gefährden (vgl. T. 58). Das Ritornell umfasst zwei vierteilige Gruppen, die im Vordersatz die IV. Stufe erreichen, um jedoch im Nachsatz zur Tonika zurückzukehren. Obwohl die Taktgruppen deutlich abgegrenzt sind, werden sie gleichzeitig durch die Stufenfolge verkettet. Indem die Oboe mit verminderten Quintsprüngen die Töne erreicht, die sich quasi leittönig auf die Zwischenstufen richten, werden die modulierenden Takte durch die Stimmführung verschränkt (vgl. T. 2, 4 und 7). Vorder- und Nachsatz werden mit dem ersten Zeilenpaar verbunden, wobei die zwei ersten Takte im Vokalpart vereinfacht und die zwei folgenden von der Oboe übernommen werden (T. 9–12 ~ 1–4). Die Fortspinnung führt in der dritten Zeile zur IV. Stufe, bis am Ende des A-Teils die Durparallele erreicht wird. Dieselbe Gliederung wiederholt sich im Mittelteil, während der Schlussteil auf acht Takte verkürzt und mit dem Ritornell beschlossen wird.

In der Sopranarie »Meinem Hirten bin ich treu« (BWV 92:8) verschieben sich die Relationen insofern, als die Streicher mit Pizzicato-Akkorden die pausierende Orgel vertreten, während die Oboe d'amore ein zweitaktiges Kopfmotiv entfaltet, das sequenziert und anschließend fortgesponnen wird. Neumann gab die Vorlage

---

236 Vgl. Finke-Hecklinger, S. 80.

in einer Fassung wieder, die vom Verhältnis zwischen der Syntax und der Reimfolge ausging.[237] In dieser Lesart würde der Text zehn Zeilen umfassen, die sich auf drei Sätze verteilen würden, sodass sich eine dreigliedrige Anlage ergäbe, deren Außenteile jeweils vier Zeilen aufnähmen, während dem Mittelteil nur die beiden Binnenzeilen verblieben. Neumanns Wiedergabe lässt nicht erkennen, dass in Bachs Vertonung – der einzigen Textquelle – die erste Zeile vor dem dritten Teil wiederkehrt. Da sie hier ohne Gegenreim bleibt, dürfte der Zusatz auf Bach zurückgehen. Erst durch diesen Rückgriff wurde eine variierte Da-capo-Form möglich, die der Dichtung sonst nicht zu entnehmen wäre. Im Ritornell – um zu ihm zurückzukehren – lassen sich zwar Kopfgruppe und Fortspinnung unterscheiden, doch sind sie kaum als Vorder- und Nachsatz aufzufassen. Zwar enden die beiden ersten Viertakter auf der Dominante, die jedoch als Sekundakkord eintritt und deshalb keine Zäsur bildet. Während die Akkorde der Streicher die beiden ersten Zählzeiten des ⅜-Taktes füllen, ergänzt die Oboe die letzte Zählzeit, indem sie entweder in Viertelnoten ansetzt (wie in T. 2, 6, 8 und 10) oder die Taktgrenzen synkopierend überbrückt (T. 4 f.). Da die Fortspinnung eine Quintkette umfasst, deren verminderte Klänge von der Oboe umspielt werden (T. 5 f. und T. 7 f.), bildet die abschließende Kadenz die erste Zäsur. Der Vokalpart übernimmt zwar das Kopfmotiv und seine Variante, doch werden die Zweitakter durch Einschübe erweitert, die mit analogen Figuren der Oboe gepaart werden. Dagegen bilden die folgenden Zeilen viertaktige Gruppen, die aber erst auf der zweiten Zählzeit ansetzen und damit den trochäischen Versen der Vorlage entsprechen. Da der A-Teil zur Dominante führt, wird das anschließende Ritornell dem Umfang der Oboe d'amore gemäß geändert. Im Gegensatz dazu liegen dem Mittelteil zwei Zeilen zugrunde, sodass er nur zwölf Takte beansprucht, ohne die Mollparallele zu verlassen (T. 45–56). Desto überraschender schließt sich auf der Tonika die erste Zeile an, die zugleich die variierte Reprise eröffnet und zunächst dem A-Teil entspricht (T. 57–76 ~ 13–16 + 1–20). Während danach das modulierende Gelenk geändert wird (vgl. T. 77 f.), werden die zwei folgenden Zeilen auf drei Gruppen verteilt, wogegen die letzten Zeilen dem Schluss vorbehalten sind. Dabei greift der Sopran zunächst auf das Kopfmotiv zurück (T. 89–92 »Jesus hat genug getan«), an das sich die »unvergleichlich komponierten Worte« der Schlusszeile anschließen (T. 93–100: »Amen, Vater, nimm mich an«).[238] Das Wort »Amen« wiederholend, verharrt der Sopran vier Takte lang auf dem Grundton, während die Instrumente die IV. Stufe umspielen. Damit bilden diese Takte eine subdominantische Enklave, die der erweiterten Kadenzgruppe vorangeht. Entscheidend ist jedoch der wortlose Kommentar der Oboe, deren Figuren die Taktgruppen überwölben und zugleich zur Wiederholung des Ritornells hinleiten.

Besonders ausdrucksvoll ist die in c-Moll stehende Sopranarie »Die Seele ruht in Jesu Händen« (BWV 127:3), in der die Solooboe mit zwei Blockflöten gepaart wird. Der Text umfasst fünf Zeilen, die sich in zwei Sätze gliedern und damit eine Da-capo-

---

[237] Neumann, Sämtliche Kantatentexte, S. 96. Da die vorletzte Zeile des vorangehenden Rezitativs von »gedämpften Saiten« redet, meinte Neumann, der Text sei »vielleicht von Bach als Überleitung hinzugedichtet« worden (vgl. ebd., S. 97, Anm. 8). Doch war es umgekehrt der Librettist, der Bach dazu anregte, den Streicherpart der Arie pizzicato spielen zu lassen.
[238] Dürr, Die Kantaten, Bd. 1, S. 207.

Notenbeispiel 30

Form vorgeben. Während die auftaktigen Phrasen der Oboe die Tonika umkreisen, zerfallen sie zunehmend in kürzere Glieder, die in Takt 4 die IV. Stufe erreichen (Notenbeispiel 30). Entsprechend beginnt der Nachsatz, der aus kurzen Seufzermotiven besteht und zur Tonika zurücklenkt (T. 5–8). Der Sopran übernimmt zwar die ersten Takte des Ritornells, doch lenkt sein nächster Einsatz zur Durparallele, die vor der Kadenz durch die Mollterz getrübt wird (T. 14). Das anschließende Zwischenspiel entspricht dem Beginn des Ritornells (T. 15–16 ~ 1–2), während die zweite Phase des A-Teils zwar analog gebaut ist, aber durch eine Einbauphase erweitert wird, die am Ende zur Tonika zurückkehrt (T. 21^2–27^1 ~ 3^2–9^1). Wie kunstvoll die Stimmen verbunden werden, zeigen die vokalen Rekurse auf das Kopfmotiv, die mit imitierenden Einsätzen der Oboe gekoppelt werden (T. 9, 11, 16 f., 18 f. usw.). Statt das Ritornell zu wiederholen, endet der A-Teil mit einer zweitaktigen Kadenzgruppe, in der die Flöten erstmals obligat hervortreten (T. 27–28). Im Mittelteil hingegen zerfallen die vokalen Linien in dreitönige Glieder, die auf das Herzstück des Satzes hinführen (T. 29–35: »Ach, ruft mich – ruft mich bald – ach, ruft mich bald, ihr Sterbeglocken«). Sobald das Wort »Sterbeglocken« erklingt, setzen die Streicher mit Akkorden im Pizzicato ein, die als Folie der Deklamation des Vokalparts fungieren, während die Oboe das Kopfmotiv des A-Teils ausspinnt (T. 31–35^3). Wenn der Sopran mit dem Wort »unerschrocken« abbricht, verstummen die Akkorde der Streicher, bis eine auftaktige Geste der Oboe die Schlusstakte eröffnet, die das letzte Zeilenpaar zusammenfassen (T. 36–38).

Im Rückblick wird deutlich, dass der Einsatz der Blockflöten darauf abzielt, die Streicher erst im Mittelteil eintreten zu lassen. So sehr diese Sätze mit Solooboe den anderen Arien mit Soloinstrumenten zu gleichen scheinen, so deutlich unterscheiden sie sich von ihnen durch die begleitenden Stimmen, die ihren eigenen Beitrag zur Satzstruktur leisten. Das gilt ähnlich für die Arien, in denen die Streicher durch zwei Solostimmen ergänzt werden.

Dass der Streichersatz der Arie BWV 1:5 durch zwei Solovioleinen erweitert wird, liegt natürlich am Wortlaut der Eingangszeile »Unser Mund und Ton der Saiten«. Der Text umfasst zwei Teile, die zwei längere Rahmenzeilen mit zwei kürzeren Binnenzeilen verbinden. In beiden Hälften doppelt durchlaufen, werden sie durch das Ritornell umrahmt, das in den Zwischenspielen verkürzt wird. Da die vokalen Phasen mit den Solovioleinen verbunden werden, heben sie sich als konzertante Episoden von den Tuttiritornellen ab. Da der A-Teil am Ende wiederholt wird, gleicht die Da-capo-Anlage einem dreiteiligen Konzertsatz für zwei Solovioleinen und Vokalpart.[239] Das folgende Schema deutet den Grundriss an, ohne die Verkettung der Teile wiedergeben zu können.

A-Teil					B-Teil		
Ritornell 1	Episode 1	Zwischenspiel	Episode 2	Ritornell 2	Episode 3	Zwischenspiel	Episode 4
1–28	29–40	40–48	49–76 (∼1–28)	77–104	105–129	130–140	141–173
Tutti	Zeilen 1–4 + V. I–II	Tutti	Zeilen 1–4 + V. I–II	Tutti	Zeilen 5–8 + V. I–II	Tutti	Zeilen 5–8 + V. I–II
I – V – I	I – V	V	V – I	I	VI – III	III	III – IV

Während die Ritornelle viertaktige Gruppen der Sologeigen umschließen, werden die Episoden durch Rekurse auf das Ritornell unterbrochen. Da die Solisten die Töne des Tuttisatzes umspielen, werden die Differenzen durch die substantielle Angleichung der Stimmen relativiert. Zudem zehren die Formglieder gleichermaßen von der tänzerischen Motivik des Ritornells, die zugleich die genau regulierte Folge der Taktgruppen bestimmt.[240] Einem zweitaktigen Kopfmotiv, das echoartig wiederholt wird, folgt im Vordersatz eine modulierende Fortspinnung, die aus drei zweitaktigen Gliedern besteht und mit einer zweitaktigen Tuttikadenz auf der Dominante endet (T. 1–12 = 2+2+6+2). Im Nachsatz dagegen umrahmen zwei viertaktige Soli eine viertaktige Tuttigruppe, bevor sie durch die viertaktige Kadenzgruppe beschlossen werden (T. 13–28 = 4+4+4+4). An die Echotakte des Kopfmotivs, die auf den Tenor und die Solovioleinen verteilt werden, schließt in der ersten Episode die Fortspinnung an, in die der Vokalpart eingebaut wird (T. 24–40 ∼ 1–12), während das folgende Zwischenspiel eine erweiterte Fassung der Binnenkadenz bildet (T. 40–48). Die zweite Episode wird dagegen von den Solovioleinen begleitet, die nur in den letzten Takten pausieren. Der Mittelteil zeigt dieselbe Gliederung, die dem Modulationsgang

---

[239] Vergleichbare Da-capo-Formen finden sich in den Eingangssätzen der Konzerte BWV 1042 und 1053.
[240] Finke-Hecklinger, S. 52, zählte den Satz zu den »konzertierenden Menuett-Arien«.

gemäß modifiziert werden muss. Kaum noch einmal tritt die Affinität zum Konzertsatz so deutlich hervor wie in dieser Arie.

Obwohl die Tuttisätze mit Soloinstrumenten von analogen Prämissen ausgehen, unterscheiden sie sich durch den wechselnden Anteil der Solostimmen. Es zeigt sich, dass paarig eingesetzte Instrumente in das Tutti integriert werden, dem sie sich phasenweise als duplierende Stimmen anschließen. Dagegen tendieren die Sätze mit Solooboe dazu, das Tutti auf eröffnende und kadenzierende Gruppen zu beschränken, zwischen denen sich der Solopart entfaltet. Eine letzte Konsequenz ziehen die Arien, die den Vokalpart mit einer Solooboe und einer quasi »obligaten Begleitung« verbinden. Die Abstufung der Sätze ist als Teilmoment einer Strategie zu verstehen, die auf klangliche Differenzierung bedacht ist und ebenso in anderen Gruppen zur Geltung kommt.

j. Trompetenarien

Obwohl der zweite Jahrgang nur drei Arien mit obligaten Trompeten enthält, lassen die Sätze Differenzen erkennen, die vor allem durch die unterschiedliche Bauweise der Instrumente bedingt sein dürften. Während sich die Stimmen für C- oder D-Trompeten auf die diatonische Skala beschränken, erweitert sich der Tonvorrat in den Sätzen für Tromba bzw. Corno da tirarsi. Denn weil diese Instrumente über eine Zugvorrichtung verfügten, ließen sich chromatische Stufen erreichen, durch die sich der Tonvorrat erweiterte.[241]

20:8	1. p. Trin.	Wacht auf, wacht auf, verloren Schafe	A – B	B., Tr., Str. + Ob. I–III – C-Dur, ¢
130:3	Michaelis	Der alte Drachen brennt vor Neid	var. Dc	B., Tr. I–III, Pk., Bc. – C-Dur, ¢
5:5	19. p. Trin.	Verstumme, Höllenheer	Dc	B., Tr. da tirarsi, Str. + Ob. I–II, Bc. – B-Dur, ¢, »vivace«

Der Streicherpart der Bassarie »Wacht auf, wacht auf, verloren Schafe« (BWV 20:8) wird durch eine C-Trompete erweitert, die das Ritornell mit punktierten Dreiklangsbrechungen eröffnet, bevor die erste Violine mit raschen Skalenläufen nachfolgt. Während der Trompetenpart in triolischen Sechzehnteln ausläuft, gewährleisten die Figuren der Streicher die motivische Kohärenz des Satzes. Zwar wiederholt der A-Teil zunächst die ersten Takte mit Vokaleinbau, sobald er aber zur Dominante lenkt, begnügt sich die Trompete mit kurzen Einwürfen. Ähnlich beginnt der B-Teil, in dem sich der Stufenvorrat beträchtlich erweitert (T. 19–34). Den Anlass gab der Text, der im A-Teil mit der Mahnung schließt »und bessert euer Leben bald«, wogegen der B-Teil an die »Posaune« erinnert, die vor den »Richter aller Welt« ruft. Während die erste Phase in Terzschritten von G-Dur nach a-Moll führt, um nach einer Quintkette in F-Dur zu enden, lenkt die zweite über A-Dur nach d-Moll, um sich über einen verminderten Akkord nach f-Moll zu wenden, bis sie über eine »neapolitanische« Kadenz (N) die Variante c-Moll und zuletzt die Tonika erreicht.

---

241 Vgl. dazu Ulrich Prinz, Johann Sebastian Bachs Instrumentarium, S. 73 ff. und S. 131 ff. Ebd., S. 80–83, findet sich ein chronologisch geordnetes Verzeichnis der fraglichen Sätze, das die Bezeichnung und den Umfang der Trompetenstimmen wiedergibt.

B-Teil (ohne Ritornell)

T. 17–19 (~ 1–2)	T. 19–28	T. 29–34[1]
Zwischenspiel	Zeilen 4–5	Zeile 6
G-Dur	G/A – d/D – G/E – a – d – G – C – F/D – g	A – d/D^v – N – G – c/C

Von Skalenfiguren der Streicher unterbrochen, singt der Bass den Text zunächst in syllabischer Deklamation. Dagegen überbrückt er die Quintkette mit einer Koloratur, die durch instrumentale Einwürfe ergänzt wird (T. 25–27), während die melismatische Kadenz mit der Ritornellmotivik verbunden wird (T. 31–32). Die Trompete berührt zwar einmal die Töne *fis*^{2} und *b*^{2}, doch markieren ihre Einsätze vor allem die harmonischen Schaltstellen.[242]

Ebenso bemerkenswert wie diese Solostimme ist der Einsatz der drei Trompeten in der Bassarie »Der alte Drache brennt vor Neid« (BWV 130:3). Zwar rechneten schon zwei frühere Sätze mit drei Trompeten, doch hatten sie in BWV 71:5 (»Durch mächtige Kraft«, 1708) nur fanfarenhafte Signale zu spielen, während die erste Trompetenstimme der Bassarie »Heiligste Dreifaltigkeit« (BWV 172:3, 1714) Skalengänge umfasste, die in Zweiunddreißigstel aufgelöst wurden. So ist der Satz aus BWV 130 nicht nur der letzte seiner Art, sondern stellt auch die Spieler vor höhere Hürden als zuvor.[243] Die variierte Da-capo-Form verdankt er einer sechszeiligen Vorlage, die zwei Teile mit unterschiedlicher Verslänge umfasst. Ausgehend vom Drachenkampf Michaels, der auch andere Kantaten zu Michaelis prägt,[244] benennt der erste Teil das vom Drachen verschuldete »Leid«, während der zweite seine »List« erwähnt, die weder »Rast noch Ruhe kennet«. Zwar entspricht das Ritornell mit fanfarenhaften Motiven und triolischen Achtelketten einem traditionellen Topos, bevor aber die Oberstimme in raschen Läufen endet, halten die Trompeten auf einem Quintsextakkord inne, der durch den Continuo ausgefüllt wird. Dieselbe Konstellation begegnet nicht nur nach dem Einsatz der Bassstimme (T. 12), sondern kehrt in modifizierter Form auch an anderen Schaltstellen wieder, die sich mit den Schlüsselworten »Leid« und »List« verbinden. Im A-Teil umspielen die erste und zweite Trompete die Quinte und Septime eines nach d-Moll gerichteten A-Dur-Klangs (T. 17 f.), wenig später werden alle Stimmen in Septakkorden über D und H gebündelt, denen ein verminderter Klang folgt (T. 22–24), während analoge Klänge auch in der variierten Reprise begegnen (T. 66–80). Noch weiter reicht der Ambitus des Mittelteils, der die Worte »nicht Rast noch Ruhe« mit der erweiterten Kadenz verbindet (T. 41 f.).[245]

Während die bisher genannten Sätze C-Trompeten voraussetzen, enthält die in B-Dur stehende Bassarie »Verstumme, Höllenheer« (BWV 5:5) einen Trompetenpart,

---

[242] Während in der Quintkette T. 25 f. die Töne *fis*^{2} und *b*^{2} berührt werden, wird der Wechsel von D-Dur nach g-Moll in T. 28 mit den Tönen *c*^{1} und *d*^{2} verbunden. Zum Tonvorrat der C-Trompete vgl. Prinz, ebd., S. 52 f.

[243] Ebd., S. 65. In der Bassarie »Zurücke, zurücke, geflügelten Winde« (BWV 205:11, 1725) werden zwar drei Trompeten verwendet, die aber mit zwei Hörnern kombiniert werden, ohne den Tonvorrat so wie in BWV 130:3 zu erweitern.

[244] Vgl. BWV 19 (1726) und BWV 149 (1728/29) sowie den Chorsatz BWV 50, dessen Datierung vorerst offenbleiben kann.

[245] Dabei haben die Trompeten einen B-Dur-Klang zu spielen, dessen Grundton (*b*^{1}) in der dritten Trompete liegt, vgl. Prinz, a. a. O., S. 55. (Bei einem weiteren Beleg aus BWV 129:1 handelt es sich um einen Chorsatz.)

den Bach als »Tromba da tirarsi« bezeichnete.[246] Daher ist hier auf einige Sätze des ersten Jahrgangs zurückzukommen, die nicht mit C- oder D-Trompeten rechnen, ohne die Instrumente näher zu bezeichnen. Die folgende Liste nennt neben den Daten die Angaben der Stimmen.[247]

BWV 46:3 (1.8.1723)	Dein Wetter zog sich auf von weitem	B., Tr., Str., Bc. – B-Dur – St.: »Tromba« (in Satz 1: »Corno da tirarsi«)[248]
BWV 77:5 (22.8.1723)	Ach, es bleibt in meiner Liebe	A., Tr., Bc. – d-Moll – St.: »Tromba« (in Satz 1: »Tromba da tirarsi«)[249]
BWV 162:1 (10.10.1723)	Ach, ich sehe, itzt, da ich zur Hochzeit gehe	B., Str., Bc. – a-Moll (Weimar 1716), h-Moll (Leipzig) – St.: »Corno da tirarsi«[250]
BWV 90:3 (14.11.1723)	So löschet im Eifer der rächende Richter	B., Tr., Str., Bc. – B-Dur – »Tromba« (ohne nähere Angabe)[251]
BWV 5:5 (15.10.1724)	Verstumme, Höllenheer, du machst mich nicht verzagen	B., Tr., Str., Bc. – B-Dur, »vivace« – Part.: »Tromba«, St.: »Tromba da tirarsi«[252]

In BWV 162:1 handelt es sich um eine Stimme für »Corno da tirarsi«, die der Weimarer Erstfassung bei der Leipziger Wiederaufführung zugefügt wurde.[253] Dagegen hat die »Tromba« in BWV 77:5 eine betont einfache Melodie im ¾-Takt zu spielen, die allerdings im weiteren Verlauf zunehmend ornamentiert wird. Aufschlussreicher sind die anderen Sätze, die wie die Arie aus BWV 5 in B-Dur stehen, ohne eine Bezeichnung der Trompetenstimme zu zeigen. Da die Eingangschöre der Kantaten BWV 77 und 46 ein »Corno da tirarsi« und eine »Tromba da tirarsi« verwenden, könnte in den Arien dasselbe Instrument gemeint sein. Obwohl die Trompetenstimme in BWV 90:3 nur die Angabe »Tromba« zeigt, dürfte hier an die »Tromba da tirarsi« gedacht sein, die aber nur in BWV 5:5 genannt wird. Wie die Stimmführung zeigt, rechnen die Sätze mit B-Instrumenten, die als obligate Stimmen im Wechsel mit der ersten Violine eingesetzt werden und die ein- und zweigestrichene Oktave nutzen, während höhere Töne vermieden und tiefere nur ausnahmsweise berührt werden.[254]

---

246 Vgl. BC, Bd. II, A 145, S. 624.
247 Vgl. die Tabelle bei Prinz, a.a.O., S. 80 ff., wo auch die Eingangschöre mit Tromba bzw. Corno da tirarsi genannt sind, die aber für die Ansprüche an die Instrumente weniger aufschlussreich als die Arien sind.
248 Vgl. NBA I/19, hrsg. von Robert Marshall, KB, S. 137.
249 Vgl. NBA I/21, hrsg. von Werner Neumann, KB, S. 8.
250 Vgl. NBA I/25, hrsg. von Ulrich Bartels, KB, S. 15.
251 Vgl. NBA I/24, hrsg. von Alfred Dürr, KB, S. 137. In der autographen Partitur fehlt eine Bezeichnung der Stimme, doch wird das Werk im Breitkopf-Verzeichnis von 1761 mit der Angabe »à Tromba« genannt
252 Vgl. NBA I/19, KB, S. 127 zur autographen Partitur, S. 139 zu der von Johann Andreas Kuhnau geschriebenen Stimme.
253 Die in B-Dur stehende Arie »Kann ich nur Jesum mir zum Freunde machen« (BWV 105:5) setzt ebenso wie der Eingangschor ein Horn voraus, dessen Stimme als »Corno« bezeichnet wird (die Angabe »da tirarsi« wurde in NBA I/19 hinzugefügt). Dagegen wurde die Arie »Was soll ich aus dir machen« (BWV 89:1, zum 20. Oktober 1723) nachträglich durch eine Stimme für »Corne du chasse« ergänzt, vgl. NBA I/16, hrsg. von Andreas Glöckner, KB, S. 17.
254 Vgl. dazu Prinz, S. 73–75 und S. 131 ff.; ebd., S. 80 ff. zur Verwendung transponierender bzw. klingender Notierung sowie S. 84 zum Wechsel zwischen Griffschrift und Klangschrift.

Der fünfzeilige Text aus BWV 5:5 umfasst zwei Sätze mit unterschiedlicher Verslänge, so dass er eine Da-capo-Form nahelegt. Ohne zu modulieren, gliedert sich das Ritornell in zwei sechstaktige Gruppen. Während die Trompete den Vordersatz mit fanfarenhafte Signalen eröffnet und danach in triolischen Figuren fortspinnt, wird der Halbschluss in Takt 6 durch Sechzehntelfolgen der ersten Violine überbrückt, die am Ende des Nachsatzes wieder von den Triolen der Trompete abgelöst werden. Dasselbe Material liegt den Rahmenteilen zugrunde, die zwar die Motive des Ritornells verwenden, ohne aber seine Taktgruppierung zu übernehmen. Dagegen ist die Trompete am modulierenden Mittelteil nur mit wenigen Tonrepetitionen beteiligt, während sie erst in der Kadenzgruppe auf die triolischen Figuren des Ritornells zurückkommt.

Die Arie steht am Ende einer kleinen Gruppe von Sätzen, die 1723/24 für dieses Instrument entstanden. Die Experimente fielen aber offenbar nicht so befriedigend aus, dass sie zu weiteren Versuchen ermutigen konnten.[255] Ebenso blieb auch die Arie aus BWV 130 die letzte, in der drei Trompeten eingesetzt wurden. Daher gehören die drei Trompetensätze – ähnlich wie die Arien mit Traversflöte, Violoncello piccolo oder Oboenchor – zu den charakteristischen Kennzeichen, durch die sich besonders die Choralkantaten auszeichnen.

k. Schlussbemerkung

Mit mehr als 90 Arien umfasst der Zyklus der Choralkantaten einen weit größeren Bestand als der erste und der dritte Jahrgang. Angesichts der individuellen Prägung der Sätze wäre es gewaltsam, sie in das Prokrustesbett eines zwangsläufig verkürzenden Resümees zu drängen. Dennoch sei rückblickend versucht, ein paar charakteristische Merkmale hervorzuheben:

1. Zunächst fällt auf, dass bis zum 16. Sonntag nach Trinitatis zwei- oder dreiteilige Anlagen dominieren, die nur ausnahmsweise dem Da-capo-Schema entsprechen. Erst später setzen sich Da-capo-Arien durch, die vielfach variierte Reprisen aufweisen. Allerdings lassen sich die Formen nur aus der Versfolge der Texte erschließen, weil keine authentischen Drucke, sondern nur Bachs Vertonungen vorliegen.
2. Wie sich zeigte, wählte Bach mitunter zweiteilige Anlagen, obwohl die Texte auch Da-capo-Formen zugelassen hätten. Da auch der umgekehrte Fall vorkommt, lässt sich nicht entscheiden, wieweit Bach den Vorgaben des Dichters folgte oder nach eigenem Ermessen verfuhr. Eine abschließende Klärung bedürfte einer systematischen Prüfung, die ein erster Überblick nicht zu leisten vermag.
3. Der Wechsel zwischen zweiteiligen Anlagen und Da-capo-Formen könnte die These von Rathey stützen, am zweiten Jahrgang seien zwei Librettisten beteiligt gewesen.[256] Das würde jedoch voraussetzen, Bach habe für sein ungewöhnliches

---

[255] Für BWV 5 ist eine Wiederaufführung zwischen 1732 und 1735 belegt, während für BWV 46 und BWV 90 keine späteren Aufführungen nachweisbar sind.
[256] Markus Rathey, Der zweite Leipziger Jahrgang, in: Das Bach-Handbuch, Bd. 1, Teilband 1, S. 335; vgl. auch Hans-Joachim Schulze, Texte und Textdichter, in: Die Welt der Bach-Kantaten, S. 115.

Vorhaben auf mehrere Dichter zurückgreifen können. Dass in Leipzig zwei qualifizierte Autoren verfügbar waren, ist aber wenig wahrscheinlich. Vollends unwahrscheinlich wäre die Annahme, beide Librettisten seien seit Ostern nicht mehr verfügbar gewesen. Sie müssten dann zu gleicher Zeit verstorben sein, da Bach den Zyklus später zu ergänzen suchte, ohne auf solche Texte zurückzukommen. Statt weiterer Hypothesen ist jedoch vorrangig die Struktur der Werke in den Blick zu rücken.

4. Letztmals begegnet im zweiten Jahrgang eine größere Zahl von Continuo-Arien, die in den späteren Werken zunehmend zurücktreten. Nur anfangs entsprechen sie noch dem Ostinatosatz, den die Weimarer Continuo-Sätze vertraten, während sie danach die Arbeit an den Ritornellformen weiterführen, die im ersten Leipziger Jahrgang begonnen hatte. Das Verhältnis zwischen Vokalpart und Generalbass lässt zugleich eine Differenzierung erkennen, die den Verfahren anderer Arien kaum nachsteht.

5. Zu den besonderen Kennzeichen des Jahrgangs zählen vor allem die Choralzitate, die primär in den ersten Werken begegnen und in BWV 101 und 113 zu »Choral-Arien« erweitert werden. In der Regel waren sie durch die Texte veranlasst, in die der Dichter einzelne Choralzeilen eingefügt hatte. Je mehr Zeilen er zitierte, desto schwieriger musste es werden, die entsprechenden Melodiezitate mit der Motivik dieser Sätze zu verbinden. In diesem Problem dürfte der Grund dafür liegen, dass spätere Arien nur noch ausnahmsweise Choralzitate enthalten, die dann eher subtilen Allusionen gleichen.

6. Ebenso auffällig ist der Einsatz von Instrumenten, die Bach zuvor nicht in solistischer Funktion verwendet hatte. Neben den Arien mit Querflöte sind hier die Sätze für Violoncello piccolo zu nennen, das erstmals im zweiten Jahrgang für Solopartien eingesetzt wird. Je virtuoser die Instrumente hervortreten, desto weniger kann ihre Motivik vom Vokalpart übernommen werden. Die Experimente sollten sich im dritten Jahrgang fortsetzen, der eine Reihe von Arien mit obligater Orgel umfasst.

7. Eine weitere Neuerung sind die Arien mit dreistimmigem Oboenchor, der erst im zweiten Jahrgang und nur in einer späteren Arie eingesetzt wird. Während in BWV 130:3 letztmals drei Trompeten verwendet werden, wird die Tromba da tirarsi erstmals in BWV 5:5 genannt, obwohl zuvor schon mehrere Arien des ersten Jahrgangs mit einem entsprechenden Instrument rechnen.

8. Tendieren die Duette zunehmend zu kontrapunktischer Faktur, so bevorzugen die Arien mit einem Soloinstrument neben der Querflöte vor allem die Oboe, während die Violine nicht mit so anspruchsvollen Aufgaben wie im ersten Jahrgang bedacht wird. Allerdings wird die erste Violine in Tuttisätzen mit Figuren eingesetzt, die vielfach kaum geringere Ansprüche als in den Solosätzen stellen.

9. Ähnlich umfangreich wie der Anteil solistischer Instrumente ist die Gruppe der Sätze für Streicherchor, der mehrfach durch Oboen colla parte verstärkt wird. Obwohl sich diese Arien kaum von den Pendants des ersten Jahrgangs unterscheiden, machen sie vom Vokaleinbau in geringerem Ausmaß als früher Gebrauch.

10. Besonders reiche Varianten zeigen die Arien, in denen der Streicherpart durch Soloinstrumente erweitert wird. In den solistischen Phasen tritt vor allem die

Oboe (bzw. Oboe d'amore) hervor, die zuletzt als Solostimme eingesetzt und vom Tutti nur mit stützenden Akkorden begleitet wird. Die Nähe zum Konzertsatz wird nirgendwo so deutlich wie in der Arie BWV 1:5, die einem Doppelkonzert für zwei Soloviolinen nahekommt.

11. Während die Orchesterarien nicht so ausgiebig wie zuvor auf die Einbautechnik zurückgreifen, wird der Vokaleinbau mehr als früher auf geringstimmig besetzte Arien überführt, die nur ausnahmsweise die kontrapunktische Faktur zeigen, die vor allem die Weimarer Sätze gekennzeichnet hatte.

12. Zusammenfassend lassen sich zwei Sachverhalte konstatieren, die sich gegenseitig ergänzen: In dem Maß, in dem die Choralzitate zurücktraten, wurden zuvor ungewohnte Besetzungen gewählt. Dass anfangs zweiteilige Formen dominierten, mag am Librettisten gelegen haben, der zunächst auf die strophischen Formen der Choralvorlagen zurückgriff, die er durch entsprechende Textzitate betonte, während er erst später Da-capo-Arien bevorzugte, die Bach Gelegenheit für solistische Instrumentalstimmen gaben.

7. Choral und Rezitativ

Der zweite Jahrgang umfasst rund 25 Rezitative, in die einzelne Choralzeilen eingeflochten sind.[257] Choralzitate begegneten zwar schon in Bachs frühesten Werken und später auch in den Weimarer Kantaten sowie im ersten Leipziger Jahrgang. Die Rezitative des zweiten Jahrgangs zeichnen sich aber nicht nur durch ihre Anzahl und Vielfalt, sondern vor allem durch die Textbasis aus.[258] In den Mühlhäuser Werken BWV 71 (Satz 2), 106 (Satz 2b) und 131 (Sätze 2 und 4) handelte es sich um Kombinationen von Spruchtexten und vokalen Choralstrophen, an deren Stelle einmal ein instrumentales Choralzitat trat (BWV 106:3a). Während instrumentale Zitate auf Bach zurückgehen könnten, dürften vokale Choralverse zu den Textvorlagen gehört haben. Das erste Rezitativ der vor 1714 entstandenen Kantate »Gleich wie der Regen und Schnee« (BWV 18:2) umfasste mehrere Zeilen aus der Litanei, die chorische Einschübe bilden, ohne zur Dichtung zu gehören. Die instrumentalen Choralzitate dagegen, die sich in sieben Weimarer Arien fanden, dürften Zutaten Bachs gewesen sein, da sie in den Textdrucken fehlen.[259] Dasselbe gilt für die instrumentalen Choralzitate in den Rezitativen des Leipziger Probestücks BWV 23 (Satz 2) und der erweiterten Fassung der Kantate BWV 70 (Satz 9). Anders steht es im zweiten Satz der Neujahrskantate BWV 190, in dem die Eingangszeilen des Te Deum durch rezitativische Einschübe getrennt wurden, während das erste Rezitativ aus BWV 83 (Satz 2) von einer »Intonazione« mit dem deutschen Nunc dimittis umrahmt wurde.

Dagegen dürften die Choralzitate in den Rezitativen des zweiten Jahrgangs auf den Librettisten zurückgehen. Die Choralzeilen sind zwar nicht immer in die

---

257 Vgl. Hermann Sirp, Die Thematik der Kirchenkantaten J. S. Bachs in ihren Beziehungen zum protestantischen Kirchenlied, in: BJ 1931, S. 1–51, und BJ 1932, S. 51–118, hier S. 51–70.
258 Vgl. dazu Rebekka Bertling, Das Arioso und das ariose Accompagnato im Vokalwerk Johann Sebastian Bachs, Frankfurt a. M. 1992 (Europäische Hochschulschriften, Reihe XXXVI, Bd. 86), S. 208–231.
259 Vgl. Teil II, Kap. 6d.

Reimfolge einbezogen, doch sind sie so eng in den Kontext integriert, dass sie kaum Zusätze Bachs sein können. Während sich die autographen Partituren mit der Bezeichnung »Recit.« begnügen, finden sich in den Stimmen mitunter Angaben wie »Recit.« und »Choral« oder »Recit.« und »adagio«, die Bach in BWV 178:5 und 92:7 selbst eintrug.[260] Die nachstehende Tabelle verzeichnet außerdem vier weitere Rezitative mit instrumentalen Choralzitaten, die wohl auf Bach zurückgehen (BWV 5:4, 38:4, 116:3 und 122:3). In BWV 78:3 benutzte der Dichter zwei Zeilen des zugehörigen Liedes, die Bach als freies Rezitativ vertonte. Ein weiterer Sonderfall ist das erste Rezitativ der Kantate BWV 107, das auf dem unveränderten Choraltext gründet, ohne die zugehörige Melodie zu verwenden. Da sich die Zählung der Sätze in der Regel mit der Folge der Liedstrophen deckt, werden hier nur die Satzzahlen genannt, während auf Ausnahmen gesondert verwiesen wird.

BWV 2 (2. p. Trin.)	Ach Gott, vom Himmel sieh darein	2. Sie lehren eitel falsche List	T., Secco mit c.-f.-Zeilen 1 und 5 zu diminuierter Imitation im Bc.
BWV 135 (3. p. Trin.)	Ach Herr, mich armen Sünder	4. Ich bin von Seufzen müde	A., Secco im Wechsel mit c.-f.-Zeilen 1, 2 und 5
BWV 93 (5. p. Trin.)	Wer nur den lieben Gott läßt walten	2. Es kann mir fehlen nimmermehr	B., Secco im Wechsel mit c.-f.-Zeilen 1, 3 und 5
		5. Denk nicht in deiner Drangsalshitze	T., Secco im Wechsel mit c.-f.-Zeilen 1–6
BWV 107 (7. p. Trin.)	Was willst du dich betrüben	2. Denn Gott verlässet keinen	B., Ob. d'am. I–II, Bc., Accompagnato mit Choraltext ohne c. f.
BWV 178 (8. p. Trin.)	Wo Gott, der Herr, nicht bei uns hält	2. Was Menschenkraft und -witz anfäht	A., Secco im Wechsel mit den c.-f.-Zeilen 1–7
		5. Aufsperren sie den Rachen weit	S., A., T., B., Secco im Wechsel mit den vierstimmigen Choralzeilen 1–7
BWV 94 (9. p. Trin.)	Was frag ich nach der Welt	3. Die Welt sucht Ehr und Ruhm	T., Ob. d'am. I–II, Bc., Accompagnato mit c.-f.-Zeilen 1–6
		5. Die Welt bekümmert sich	B., Secco im Wechsel mit c.-f.-Zeilen 1–6 zu chromatischem Bc.
BWV 101 (10. p. Trin.)	Nimm von uns, Herr, du treuer Gott	3 Ach Herr Gott, durch die Treue dein	S., Secco im Wechsel mit c.-f.-Zeilen 1–6
		5. Die Sünd hat uns verderbet sehr	T., Secco im Wechsel mit c.-f.-Zeilen 1–6 zu motivisch geprägtem Bc.
BWV 113 (11. p. Trin.)	Herr Jesu Christ, du höchstes Gut	4. Jedoch dein heilsam Wort, das macht	B., Secco im Wechsel mit c.-f.-Strophe 4, Zeilen 1–6 zu motivisch geprägtem Bc.
BWV 78 (14. p. Trin.)	Jesu, der du meine Seele	5. Die Wunden, Nägel, Kron und Grab	B., Str., Bc., Accompagnato, T. 16–27 mit ornamentiertem c. f., Strophe 10, Zeilen 5–8
BWV 5 (19. p. Trin.)	Wo soll ich fliehen hin	4. Mein treuer Heiland tröstet mich	A., Ob. I, Bc., Secco mit c.-f.-Zeilen 1–6 in Ob.

---

260 NBA I/18, hrsg. von Alfred Dürr und Leo Treitler, KB, S. 187, sowie NBA I/7, hrsg. von Werner Neumann, KB, S. 81.

BWV 180 (20. p. Trin.)	Schmücke dich, o liebe Seele	3. Wie teuer sind des heilgen Mahles Gaben?	S., Vc. picc., Bc., T. 1–7: Secco, T. 8–49: Choral-Strophe 4 mit motivischem Instrumentalpart
BWV 38 (21. p. Trin.)	Aus tiefer Not schrei ich zu dir	4. Ach! Daß mein Glaube noch so schwach	S., Secco mit c.-f.-Zeilen 1–7 im Bc., bezeichnet »a battuta«
BWV 116 (25. p. Trin)	Du Friedefürst, Herr Jesu Christ	3. Gedenke doch, o Jesu	T., Secco, zweimal c.-f.-Zeile 1 im Bc.
BWV 91 (1. Weihn.)	Gelobet seist du, Jesu Christ	2. Der Glanz der höchsten Herrlichkeit	S., Secco im Wechsel mit c.-f.-Strophe 2, Zeilen 1–4, im Bc. Zeile 1 diminuiert
BWV 122 (Stg. n. Weihn.)	Das neugeborne Kindelein	3. Die Engel, welche sich zuvor	S., Fl. I–III, Bc., Secco mit instrumentalem Kantionalsatz
BWV 41 (Neujahr)	Jesu, nun sei gepreiset	5. Doch weil der Feind bei Tag und Nacht	B., Secco mit chorischer Litaneizeile (vgl. BWV 18)
BWV 3 (2. p. Epiph.)	Ach Gott, wie manches Herzeleid	2. Wie schwerlich läßt sich Fleisch und Blut	S., A., T., B., Secco, chorischer Choral, Strophe 2, Zeilen 1–4 zu ostinatem Bc. aus Zeile 1
BWV 92 (Septuagesimae)	Ich hab in Gottes Herz und Sinn	2. Es kann mir fehlen nimmermehr	B., Secco im Wechsel mit ornamentiertem c. f., Strophe 2, Zeilen 1–7, motivisch geprägter Bc.
		7. Ei nun, mein Gott, so fall ich dir	S., A., T., B., Secco im Wechsel mit chorischem Choral, Strophe 10, Zeilen 1–8
BWV 125 (Mariä Reinigung)	Mit Fried und Freud ich fahr dahin	3. O Wunder, daß ein Herz	B., Str., Bc., Accompagnato, ornamentierter c. f., Strophe 2, Zeilen 1–6, motivischer Instrumentalpart
BWV 126 (Sexagesimae)	Erhalt uns, Herr, bei deinem Wort	3. Der Menschen Gunst und Macht wird wenig nützen	A., T., Secco im Wechsel mit c.-f.-Strophe 2, Zeilen 1–4
BWV 127 (Estomihi)	Herr Jesu Christ, wahr' Mensch und Gott	4. Wenn einstens die Posaunen schallen	B., Tr., Str., Bc., Accompagnato, arios erweitert mit c.-f.-Zeile 1

Von einem »guten Recitativ« erwartete Mattheson, daß es »gantz natürlich« und »so leicht und verständlich« sei, »als ob es geredet würde«. Denn es »hat wol einen Tact; braucht ihn aber nicht: d.i. der Sänger darff sich nicht daran binden«.[261] Entsprechend unterschied auch Johann Adolph Scheibe das »redende« Rezitativ, das »der natürlichen Rede« zu folgen habe, vom »singenden« Rezitativ mit einem »besondern *Accompagement* der *Instrumente*« und vom »*Arioso*« als »einer kurzen *Melodie*, die

---

[261] Johann Mattheson, Der vollkommene Capellmeister, Hamburg 1739, S. 214, § 24, und S. 213, § 22; bei Johann Gottfried Walther heißt es, man habe im Rezitativ mehr »die Affectus zu expriniren, als nach dem vorgeschriebenen Tacte zu singen« (Musicalisches Lexicon, Leipzig 1728, Art. Recitativo, S. 515); vgl. auch Johann Adolph Scheibe, Critischer Musicus, Leipzig ²1745, Abhandlung vom Recitativ, S. 733–750, sowie Friedrich-Heinrich Neumann, Die Ästhetik des Rezitativs. Zur Theorie des Rezitativs im 17. und 18. Jahrhundert (Sammlung musikwissenschaftlicher Abhandlungen 41), Straßburg und Baden-Baden 1962, S. 22 ff. Weitere Belege bei Rebekka Bertling, Das Arioso und das ariose Accompagnato im Vokalwerk Johann Sebastian Bachs, Frankfurt a. M. 1992 (Europäische Hochschulschriften, Reihe XXXVI, Bd. 86), S. 22–41.

bald mit bald ohne *Instrumente* gesetzt wird«.[262] Bachs Versuch, die rezitativische Deklamation durch rhythmisch und melodisch fixierte Choralzitate zu unterbrechen, widersprach demnach den zeitgenössischen Vorstellungen von einer »natürlichen Rede«. Bach musste deshalb darauf bedacht sein, den Querstand zwischen Choral und Rezitativ durch kompositorische Mittel zu überbrücken.

Ein erstes Beispiel ist der zweite Satz aus BWV 2, den der Librettist mit der ersten Zeile der zweiten Choralstrophe einleitete. Bach verband das Textzitat mit der zugehörigen Melodiezeile, die zu Achteln diminuiert und vom Continuo imitiert wird, sodass der Abstand zum Rezitativ hervortritt. Um ihn zu verringern, wurde der Tenorstimme die Angabe »adagio« beigegeben.[263] Wenn etwas später die fünfte Zeile eingefügt wird, wird ihr Beginn durch eine melodische Variante verdeckt, die der imitierende Continuo wiederholt (T. 7). Trotzdem heben sich die Zitate von den gehaltenen Basstönen der rezitativischen Takte ab, sodass das prinzipielle Dilemma vorerst bestehen bleibt. Würden die Choralzeilen an das Rezitativ angeglichen, so hätten sie raschere Fortschreitungen des Continuo zur Folge, die sich von den umgebenden Haltetönen abheben würden. Blieben umgekehrt die gedehnten Werte des Chorals bewahrt, so zögen sie eine Dehnung nach sich, die erst recht zum Rezitativ kontrastieren müsste.

In BWV 135:4 wird die erste Choralzeile zu ausdrucksvollen Melismen erweitert, während die Basstöne in repetierte Achtelwerte aufgelöst werden, ohne den Rahmen des Rezitativs zu sprengen. Zwei weitere Verfahren erproben die Rezitative aus BWV 93, in denen jeweils alle sechs Choralzeilen zitiert werden. In Satz 2 werden sie in Viertelwerten eingeführt, aber zunehmend durch Melismen erweitert, sodass sie sich dem rezitativischen Kontext nähern, während sich die entsprechenden Werte des Continuo von ihrem Umfeld abheben. In Satz 5 dagegen wird der freie Text zu rhythmisch markiertem Generalbass deklamiert, sodass die Melodiezeilen diminuiert werden können, ohne den rezitativischen Duktus aufzugeben. Beidemal wird also versucht, den prinzipiellen Abstand beider Ebenen zu reduzieren.

Auch die drei nächsten Kantaten enthalten jeweils zwei Rezitative, doch verfolgen sie einen anderen Weg, der am deutlichsten in Satz 5 aus BWV 178 zu erkennen ist. Beginnend mit der ersten Zeile der fünften Strophe, wirkt er anfangs wie ein chorischer Kantionalsatz, dessen Zeilen durch eingeschobene Rezitative getrennt und durch die letzte Choralzeile beschlossen werden. Statt von einem Rezitativ mit eingefügten Choralzitaten wäre also eher von einer Choralbearbeitung mit rezitativischen Einschüben zu reden. Beide Schichten nehmen gleichen Raum ein und gründen gleichermaßen auf gebrochenen Dreiklangsformeln des Continuo. Die Angabe »à tempo giusto« verweist auf das Zeitmaß, das sowohl für die Choralzeilen als auch für die rezitativischen Takte gilt.[264] Das Rezitativ nähert sich somit einem

---

262 Johann Adolph Scheibe, Compendium Musices theoretico-practicum (Manuskript um 1730), Abdruck bei Peter Benary, Die deutsche Kompositionslehre des 18. Jahrhunderts (Jenaer Beiträge zur Musikforschung 3), Leipzig 1957, hier S. 81 f.
263 Neben der Angabe »Recit.« zeigt die Tenorstimme den Hinweis »adagio«, vgl. NBA I/16, hrsg. von George Bozarth u. a., KB, S. 93 f.
264 In der von Johann Andreas Kuhnau geschriebenen Continuostimme ergänzte Bach »Choral & Recit. à tempo giusto«, vgl. NBA I/18, KB, S. 187.

Accompagnato, das nach Mattheson »mehr Achtung für die Zeitmaasse« erforderte.[265] Doch griff Bach zugleich auf die rezitativisch erweiterten Choralchorsätze des ersten Jahrgangs zurück, in denen er den Instrumentalpart durch die motivisch geprägte Continuostimme ersetzt hatte. In BWV 178:2 kehren die Einschübe zur Norm des Rezitativs mit stützendem Continuo zurück; da die Choralzeilen aber auf halbe Noten gedehnt und durch Achtelfolgen des Continuo begleitet werden, bilden sie von vornherein eine gesonderte Schicht. Die Versuche, einzelne Choralzitate in den rezitativischen Kontext zu integrieren, werden also von Verfahren abgelöst, die beide Bestandteile prinzipiell unterscheiden, um sie entweder klar zu trennen oder durch die Motivik des Continuo zu verbinden.

Der dritte Satz aus BWV 94 wirkt zunächst wie eine Choralbearbeitung für Tenor und zwei imitierende Oboi d'amore, deren Kopfmotiv die ersten Töne der Choralweise umspielt. Nach der viertaktigen Fortspinnung singt der Tenor die beiden ersten Choralzeilen, die durch ihre Ornamentierung den Instrumentalstimmen angeglichen werden.[266] Danach erst setzt die erste rezitativische Phase ein, die wenig später vom nächsten Zeilenpaar abgelöst wird. Da sich der Wechsel fortsetzt, ergibt sich eine regelmäßige Gliederung in vier Zeilenpaaren und drei Einschüben. Der Continuo beschränkt sich in den rezitativischen Phasen auf Viertelwerte, die von den Oboen ausgefüllt werden. Obwohl im Generalbass zweimal die Motivik der Choralbearbeitung eintritt (T. 43 und 49), bleibt der Abstand beider Schichten bestehen. Im fünften Satz hingegen werden die Choralzeilen auf Achtelwerte verkürzt, sodass sie sich den rezitativischen Einschüben nähern. Doch werden sie zugleich mit chromatischen Segmenten des Continuo verbunden, die sich vom akkordisch begleiteten Rezitativ abheben, sodass beide Ebenen deutlich unterschieden bleiben.

Die Kantate BWV 101 ist das letzte Werk mit zwei rezitativisch erweiterten Choralsätzen. Beide beginnen und enden mit Choralzeilen, die durch den rhythmisch geprägten Continuo verbunden und durch rezitativische Takte getrennt werden. Zwar wurde das Verfahren nochmals in Satz 4 aus BWV 113 aufgegriffen, in dem die Choralzeilen durch Sechzehntel begleitet und von den rezitativischen Phasen getrennt werden. Nicht zufällig endet die Satzreihe aber mit den Kantaten, die sich durch ihre Binnensätze der traditionellen Choralbearbeitung per omnes versus nähern. Offenbar kamen Dichter und Komponist überein, die Serie vorerst nicht fortzuführen. Der Grund dürfte in Bachs Einsicht zu suchen sein, dass der Abstand zwischen Choral und madrigalischer Dichtung auf die bisherige Weise kaum zu überbrücken war. Wiewohl er das Problem im Blick behielt, beschränkte er sich fortan auf instrumentale Choralzitate, wie er sie bereits in BWV 23:2 und 70:9 verwendet hatte.

Instrumentale Zitate waren zwar nicht vom Librettisten abhängig, doch verschob sich die Problematik auf eine andere Ebene. Selbst wenn die Choralweise

---

[265] Dazu Mattheson, a.a.O., S. 213, §22: »Wenn es [sc. das Rezitativ] aber ein *Accompagnement*, eine Begleitung mit verschiedenen Instrumenten ist, so hat man zwar, um die Spielende [!] im Gleichgewicht zu halten, noch etwas mehr Achtung für die Zeitmaasse als sonst; jedoch muß solches im Singen kaum gemercket werden.«

[266] Der Satz ist in den Stimmen anfangs als »arioso« bezeichnet, vgl. NBA I/19, hrsg. von Robert Marshall, KB, S. 91.

in eine Instrumentalstimme verlegt wurde, blieb sie nach wie vor determiniert, während zugleich der rezitativische Charakter zu wahren war. In BWV 38:4 liegt die Melodie »Ach Gott, vom Himmel sieh darein« im Continuo, während der Tenor den rezitativischen Text deklamiert. Wenn aber der Generalbass – sonst Klangträger der Deklamation – an eine Choralweise gebunden ist, dann werden die Prämissen des Rezitativs gleichsam in ihr Gegenteil verkehrt.[267] Dass der Vokalpart trotzdem der Dichtung verpflichtet ist, lässt sich am klarsten an den Grenzen der Choralzeilen erkennen. Wird im Vokalpart die Klausel der ersten und der Beginn der zweiten Zeile übergangen, so kreuzt sich der Quintfall, der im Continuo die dritte Zeile eröffnet, mit einer Klausel des Vokalparts (T. 3 bzw. 5). Anderseits pausiert der Tenor zweimal während der ersten Choralzeile, wogegen der nächste Einschnitt innerhalb der nächsten Zeile folgt (T. 1–3). Entsprechend fallen – um ein weiteres Beispiel zu nennen – die ersten Töne der sechsten Zeile mit einer Vorhaltbildung der Tenorstimme zusammen, deren Kadenz vor dem Ende der vorausgehenden Choralzeile liegt (T. 11 f.). Dank dieser kunstvollen Balance wird der Charakter des Rezitativs gewahrt, ohne die Choralweise im Continuo zu tangieren. In BWV 5:4 rezitiert der Alt den gedichteten Text, während die Oboe die Melodie »Wo soll ich fliehen hin« anstimmt. Obwohl ihre Zeilen mehrfach durch Pausen getrennt werden, die mit den vokalen Einschnitten und den Klauseln des Generalbasses zusammenfallen (T. 3, 6 und 12), wird der gedichtete Text kaum weniger frei als sonst deklamiert. Dagegen beschränkt sich das Choralzitat in BWV 116:3 auf zwei Takte, in denen der Continuo die diminuierte Anfangszeile der Weise verwendet (T. 3 und 5). Da beide Zitate in längere Pausen des Vokalparts fallen, stellt der Satz im Grunde ein freies Rezitativ dar. Ein letztes Beispiel ist der dritte Satz aus BWV 122, in dem die vier Zeilen der Melodie »Das neugeborne Kindelein« als Kantionalsatz der Blockflöten erklingen. Sie werden dabei durch den Continuo ergänzt, dessen Töne zugleich das vokale Rezitativ stützen. Zwar decken sich seine Zäsuren mit den Klauseln der Choralzeilen, doch bleibt trotzdem die rezitativische Diktion gewahrt, die auf der stufenreichen Harmonik des Choralsatzes beruht.

Zwischen den instrumentalen Zitaten entstanden zwei Sätze, die mit Choralstrophen enden, sodass beide Schichten klarer als sonst getrennt sind. In BWV 180:3 beschränkt sich der rezitativische Anteil auf die ersten sieben Takte, an die sich die Strophe »Ach, wie hungert mein Gemüte« anschließt, sodass der Satz im Grunde eine solistische Choralbearbeitung mit rezitativischer Einleitung darstellt. Besetzt mit Sopran, Violoncello piccolo und Continuo, ähnelt er zugleich einem Orgelchoral, der durch die pausenlose Figuration der Cellostimme geprägt wird. Obwohl der Stufenwechsel des Continuo den Viertelwerten des Vokalparts folgt, kehren auf jeder Zählzeit die Varianten eines figurativen Musters wieder, das aus dem Wechsel zwischen steigenden Klangbrechungen und fallenden Intervallschritten besteht. Während die Stollenzeilen unterschiedlich gefasst werden, werden die Zeilen 5 und 6 mit denselben Figuren verbunden (T. 34–36^1 = T. 29–31^1).

---

[267] Auf diesen Sachverhalt verweist der Vermerk »a battuta« in der Continuostimme, vgl. NBA I/25, hrsg. von Ulrich Bartels, KB, S. 157.

Zwei Wochen zuvor entstand in BWV 78:5 das erste Accompagnato, in dem Choral und Dichtung durch obligaten Streicherpart verkettet werden.[268] Beginnend als Rezitativ, werden die gedichteten Zeilen (T. 1–7: »Die Wunden, Nägel, Kron und Grab«) von gedehnten Akkorden umrahmt, die zu den Zeilen 5–6 in repetierte Sechzehntel zerlegt werden (»vivace«, T. 8–9: »Wenn ein erschreckliches Gericht den Fluch vor die Verdammten spricht«), um anschließend zum anfänglichen Modus zurückzukehren (»adagio«, T. 10–16: »so kehrst du ihn in Segen …«). Da die vokale Schlussklausel mit Achtel- und Sechzehntelfolgen der ersten Violine verbunden wird, vermittelt sie zugleich zum abschließenden Zitat der letzten vier Zeilen aus der zehnten Strophe des Liedes »Jesu, der du meine Seele« (»andante«, T. 17–27: »Dies mein Herz, mit Leid vermenget …«). Bei Auslassung einzelner Töne wird die Melodie durch Melismen erweitert, sodass man sie genau kennen muss, um ihre kunstvolle Umformung verfolgen zu können.[269] Ohne streng motivisch geprägt zu sein, gewinnt der Streicherpart durch gleichmäßig gebundene Achtelwerte einen Zusammenhang, der am Verhältnis der Außenstimmen abzulesen ist. So bedachtsam die harmonische Disposition zwischen As- und Es-Dur einerseits und c- und f-Moll andererseits vermittelt, so umsichtig werden die vokalen Kadenzen durch die Bewegung der Streicherstimmen verdeckt, während die Kadenz der letzten Zeile durch einen Trugschluss verschleiert wird (T. 26).

In der subtilen Verbindung beider Ebenen blieb dieser Satz zunächst ein Sonderfall, der erst in den letzten Kantaten seine Fortführung finden sollte. Zuvor kehrten fünf weitere Sätze zum früheren Wechsel von Choral und Dichtung zurück. In BWV 91 wird das Rezitativ »Der Glanz der höchsten Herrlichkeit« (Satz 2) durch die Zeilen der zweiten Strophe aus »Gelobet seist du, Jesu Christ« unterbrochen, die mit der diminuierten ersten Zeile im Continuo gekoppelt werden, sodass sich beide Schichten deutlich unterscheiden.[270] Demselben Prinzip folgt Satz 2 aus BWV 92 (»Es kann mir fehlen nimmermehr«),[271] während die Choralzeilen in den anderen Rezitativen durch chorische Besetzung abgehoben werden. Die Zeilen aus der Litanei, die in BWV 41:5 zitiert werden, waren keine Einschübe, sondern Bestandteile der Dichtung, sodass es nahelag, sie durch chorische Melodiezitate hervorzuheben. Dagegen beginnt das Rezitativ »Wie schwerlich läßt sich Fleisch und Blut« (BWV 3:2) als chorischer Kantionalsatz, dem eine zweitaktige Einleitung des Continuo vorangeht. Sie bildet ihrerseits eine diminuierte Version der ersten Choralzeile, die durch Sequenzierung erweitert wird. Da sie zugleich als Bassgerüst des Choralsatzes dient, lassen erst die gedichteten Einschübe ab Takt 6 erkennen, dass der Satz ein Rezitativ darstellt.[272] Dem gleichen Prinzip entsprechen die drei übrigen Choralzeilen, während

---

[268] Neben der Bezeichnung »Recit.« zeigen die Stimmen nur die Angaben »vivace« (T. 7) und »andante« (T. 17), vgl. NBA I/21, hrsg. von Werner Neumann, KB, S. 150.
[269] Vgl. die eingehenden Nachweise bei Rebekka Bertling, Das Arioso und das ariose Accompagnato, S. 57–69.
[270] In der Sopranstimme fügte Bach in den Takten 5, 8, 12 usf. die Angaben »Recit.« und »Choral« ein, vgl. NBA I/2, hrsg. von Alfred Dürr, KB, S. 116 und 138.
[271] Die Angaben »Choral« und »Recit.« gehen auch hier auf Bach zurück, vgl. NBA I/7, hrsg. von Werner Neumann, KB, S. 81.
[272] Die Quellen enthalten nur die Angabe »Recit.«, vgl. NBA I/5, hrsg. von Marianne Helms, KB, S. 167.

sich die Einschübe auf die vier Stimmen verteilen. Der letzten Zeile folgt der längste rezitativische Abschnitt, der zweimal auf das eröffnende Modell des Continuo zurückgreift. Auch das Rezitativ »Ei nun, mein Gott, so fall ich dir« (BWV 92:7) stellt im Grunde einen erweiterten Choralsatz dar, in dem die Einschübe auf alle Stimmen verteilt werden. Allerdings verlagern sich die Gewichte auf den Choral, dessen Zeilenpaare mehr Raum als die rezitativischen Einschübe beanspruchen. Der Continuopart geht nicht auf die Choralweise zurück, sondern fungiert als Basis eines Kantionalsatzes, der sich von den rezitativischen Einschüben unterscheidet.

Ihre abschließende Lösung fand die Aufgabe in drei Rezitativen aus den Kantaten BWV 125, 126 und 127, die am 2., 4. und 11. Februar 1725 aufgeführt wurden. In BWV 126:3 wird der Kontrast der Schichten durch den zweistimmigen Vokalpart gemildert, der beide Stimmen an den Choralzeilen beteiligt.[273] Nach drei rezitativischen Takten des Alts stimmt der Tenor die erste Choralzeile in a-Moll an, die in einem dreitaktigen Rezitativ ausläuft. Ihm folgt im Alt – versetzt nach e-Moll – die zweite Choralzeile, an die sich entsprechend die weiteren Abschnitte anschließen. Die Choralzeilen werden durch zweistimmigen Vokalsatz ausgezeichnet, die der Continuo in Achtelwerten begleitet. Sie werden zugleich durch Melismen und Durchgangstöne verziert, die auch in die Gegenstimme einkehren, sodass sich die Rhythmik der rezitativischen Diktion nähert. Beide Maßnahmen ergänzen sich, um den Abstand der Ebenen zu wahren und gleichzeitig zu überbrücken.

Takte	$1-4^1$	4^2-6^1	6^2-9^3	9^4-11^3	11^4-13^3	13^4-15^3	15^4-19^1	19^2-22
Alt	Rezitativ	frei geführt	–	**Zeile 2 in e**	Rezitativ	frei geführt	–	**Zeile 4 in e**
Tenor	–	**Zeile 1 in a**	Rezitativ	frei geführt	–	**Zeile 3 in a**	Rezitativ	frei geführt

Was hier durch die differenzierte Stimmführung erreicht wurde, wird in dem Bassrezitativ »O Wunder, daß ein Herz« (BWV 125: 3) durch den motivisch geprägten Streichersatz bewirkt. Im Unterschied zu BWV 126:3 werden die Choralzeilen nicht nur in die Syntax, sondern auch in die Reimfolge der Dichtung einbezogen. Den beiden ersten Choralzeilen gehen vier rezitativische Takte voran, während die folgenden Zeilen durch kürzere rezitativische Abschnitte getrennt werden. Je mehr die Choralzeilen durch Melismen erweitert werden, desto eher nähern sie sich den rezitativischen Phasen, von denen sie sich dann nur durch die Achtelwerte des Continuo unterscheiden.[274] Zudem werden alle Abschnitte durch die Sechzehntelbewegung der Streicher verbunden, in die zugleich Zweiunddreißigstel eingefügt werden, sodass der Instrumentalpart in dem Maß motivischen Rang gewinnt, in dem er sich in die harmonische Disposition einfügt. Sparsam innerhalb der Abschnitte verwendet, trägt er an den Nahtstellen desto wirksamer zur Verklammerung der Schichten bei. Ein Sonderfall ist die letzte Zeile, in der die Melodie durch chromatische Melismen

---

273 Zu den alternierenden Angaben »Recit. bzw. »Adagio« vgl. NBA I/7, hrsg. von Werner Neumann, KB, S. 149.
274 Die Angaben »Andante« bzw. »Choral« entsprechen der Bassstimme, vgl. NBA I/8.1, hrsg. von Christoph Wolff, KB, S. 63. Vgl. ferner die eingehende Analyse von Rebekka Bertling, a. a. O., S. 226–230.

erweitert und zugleich vom akkordischen Streichersatz begleitet wird (T. 24–27: »im Tod und auch im Sterben«).

Von den motivischen Accompagnati unterscheidet sich der Satz eigentlich nur noch durch seine Choralsubstanz. Allerdings begegnen solche Sätze im zweiten Jahrgang weit seltener als sonst. Zwar finden sich mehrfach Accompagnati mit akkordischen Streichern (BWV 2:4, 113:6, 8:3, 139:5 und 116:5), an deren Stelle mitunter zwei Flöten oder Oboen treten (BWV 180:4 und 111:5).[275] Nur ausnahmsweise fallen die ariosen Schlusstakte mit dem rhythmisch geprägten Instrumentalpart zusammen (BWV 91:4). Obwohl die Streicher in BWV 7:4 fallende und steigende Dreiklangsfolgen spielen, ist auch hier kaum von motivischer Prägung zu reden. Eine Ausnahme ist der zweite Teil des Rezitativs »Was Gott den Vätern aller Zeiten« (BWV 10:6), dessen letzte Takte durch gebundene Sechzehntel begleitet werden. Desto auffälliger ist der motivische Streicherpart des »Choral-Rezitativs« aus BWV 125.

Die komplizierteste Kreuzung von Dichtung und Choral ist der vorletzten Kantate vorbehalten. Der vierte Satz aus BWV 127 (»Wenn einstens die Posaunen schallen«) beginnt als Accompagnato-Rezitativ mit tremoloartigen Streicherfiguren und Fanfaren der Solotrompete.[276] Doch geht er in ein Arioso für Bass und Continuo über, und da sich die weiteren Phasen – wechselnd zwischen $4/4$- und $6/8$-Takt – in ähnlicher Weise unterscheiden, scheint eine bunte Mischung heterogener Teile vorzuliegen. In Neumanns Wiedergabe ist nicht zu erkennen, dass die ariosen Abschnitte drei Zeilen aus der sechsten Strophe des Liedes »Herr Jesu Christ, wahr' Mensch und Gott« zitieren, während der übrige Text auf freier Dichtung beruht.[277]

Dichtung, Zeilen 11–19	*Choral: Strophe 6 + Strophe 7, Zeilen 1–2*
11 **Fürwahr, fürwahr, euch sage ich:**	1 **Fürwahr, fürwahr, euch sage ich:**
12 Wenn Himmel und Erde im Feuer vergehen,	2 Wer mein Wort hält und gläubt an mich,
13 So soll doch ein Gläubiger ewig bestehen.	3 Der **wird nicht kommen ins Gericht**
14 Er **wird nicht kommen ins Gericht**	4 Noch **den Tod ewig schmecken nicht,**
15 Und **den Tod ewig schmecken nicht,**	5 Und ob er gleich hie zeitlich stirbt,
16 Nur halte dich,	6 Mitnichten er drum gar verdirbt.
17 Mein Kind, an mich:	
18 Ich breche **mit starker** und helfender **Hand**	1 Sondern ich will **mit starker Hand**
19 **Des Todes** gewaltig geschlossenes **Band.**	2 Ihn reißen aus **des Todes Band,** […]

Während die ersten zehn Zeilen dem einleitenden Accompagnato zugrunde liegen, werden die neun folgenden Zeilen auf die anschließenden Abschnitte verteilt. Wie der Textvergleich zeigt, schließen die ariosen Phasen an die Choralzeilen an, die durch freie Dichtung ergänzt werden. Obwohl die letzten Zeilen einzelne Worte der siebten Choralstrophe übernehmen, bilden sie keine Zitate, sondern zählen zu den gedichteten Abschnitten, die als Tuttiphasen im $6/8$-Takt vertont werden. Die

---

[275] Trotz zweistimmigen Vokalparts bilden die Rezitative BWV 130:4 und 62:5 schlichte Accompagnati.
[276] Während die autographe Partitur nur die Bezeichnung »Recit.« bietet, enthält die Sopranstimme die Angabe »Recit. et Aria«, vgl. NBA I/8.1, hrsg. von Christoph Wolff, KB, S. 74.
[277] Vgl. Werner Neumann, Sämtliche Kantatentexte, S. 108; ders., Sämtliche von J. S. Bach vertonte Texte, S. 66.

Notenbeispiel 31

Unterschiede sind daran zu erkennen, dass die geringstimmigen Phasen die erste Zeile der Choralweise verwenden, die im Continuo selbst dort präsent bleibt, wo der Vokalpart mit gedichteten Worten zu arioser Diktion wechselt (Notenbeispiel 31).

A^1	B^1	A^2	B^2	A^3 (⁶/₈)	B^3	A^4
$1-13^3$	13^3-21^1	21^1-32^1	32^2-44^1	44^2-54^1	54^2-59^1	59^2-67^1
»Recit.« – **c**	»a tempo giusto« – **c**	⁶/₈	**c**	⁶/₈	**c**	⁶/₈
$G^7 - g$	B/F – C	C – a	a – e	e – C	C – G	G – C
Zeilen 1–10	**Zeile 11**	Zeilen 12–13	**Zeilen 14–15, 16–17**	Zeilen 18–19	**Zeile 11**	Zeilen 12–13
Tutti	B. und Bc.	Tutti	B. und Bc.	Tutti	B. und Bc.	Tutti

Zeilen 1–10 usf. = freie Dichtung, Zeilen 11, 14–15 = Choraltext

Das eröffnende Accompagnato beginnt mit einem Septakkord, um anschließend zu modulieren und nach g-Moll zu lenken. Während die Tuttiphasen zwischen C- und F-Dur wechseln, lenken die Zwischenglieder zu den Nebenstufen. So klar sich die Phasen unterscheiden, so eng greifen sie an den Nahtstellen ineinander. Da die letzten Teile die Zeilen 11–13 wiederholen, zeichnet sich eine variierte Da-capo-Form ab. Zwar ist ungewiss, ob der Rückgriff auf den Dichter oder auf den Komponisten zurückging, doch war die Trennung und gleichzeitige Verkettung aller Phasen die alleinige Leistung Bachs.

Beginnend mit Zitaten einzelner Choralzeilen, endet die Kette der »Choral-Rezitative« mit den singulären Sätzen aus BWV 125–127. Dennoch lässt sich nicht von einer geschlossenen Reihe wie in den »Choral-Arien« reden. Zwar mehren sich die Belege in den Werken mit choralbezogenen Binnensätzen (BWV 93, 178 und 101), doch finden sich jeweils zwei solche Rezitative in anderen Kantaten wie BWV 94 und 92. Obwohl der Wechsel der Choralzeilen und gedichteten Texte zu einer Standardlösung wurde, der mehr als die Hälfte aller Sätze folgte, konnte sie durch die Besetzung und Motivik variabel geformt werden. Dazwischen traten vier Rezitative mit instrumentalen Choralzitaten, die Zusätze Bachs waren. Dass die Folge der Sätze noch vielfältiger als in den Arien ist, weist auf die Differenzen zwischen Choral und Rezitativ zurück, von denen einleitend die Rede war. Offenkundig war die Problematik Bach bewusst, sodass er sich ihr in wechselnden Ansätzen näherte, um am Ende derart singuläre Lösungen wie in BWV 125 und 127 zu finden. So wenig sie sich wiederholen ließen, so sehr blieben die »Choral-Rezitative« ein Kennzeichen des zweiten Jahrgangs. Dagegen suchen die Rezitative der späteren Choralkantaten die strophischen Texte an die Deklamation der Rezitative anzugleichen, ohne die entsprechenden Melodien zu zitieren.

8. Sonderformen des Kantionalsatzes

Für die Schlusschoräle der Choralkantaten gilt der Kantionalsatz als beherrschende Norm, die hier keines Kommentars bedürfte, wenn nicht eine Reihe von Ausnahmen zu nennen wäre. Dazu zählen zunächst einige Sätze, deren kunstvolle Stimmführung das von Bach gewohnte Maß überschreitet. Bilden die Schlusschoräle der Kantaten BWV 2, 7, 38 und 125 besonders aufschlussreiche Belege für die harmonische Fassung »modaler« Vorlagen, so sind die Sätze aus BWV 115, 62 und 111 bezeichnende Beispiele einer Bassführung, die fast durchweg in Achtelwerten verläuft. Häufiger noch sind Kantionalsätze mit entsprechend differenzierten Oberstimmen (so BWV 135:6, 113:8, 33:6, 99:6, 114:7, 180:7, 124:6 und 3:6). Als weitere Sonderfälle sind vier Sätze zu nennen, deren Schlüsse besonders sorgsam ausgearbeitet werden (BWV 10:6, 91:6, 121:6 und 126:6). Eine Ausnahme ist auch der Schlusschoral aus BWV 8 (Satz 8), der auf eine Vorlage des Leipziger Nicolai-Organisten Daniel Vetter zurückgeht.[278] Bemerkenswert ist endlich, dass der Schlusschoral aus BWV 127 (Satz 5) in F-Dur beginnt, um in C-Dur zu enden und damit – im Gegensatz zum Eingangschor – der tradierten Melodievorlage zu folgen.

Geringer ist die Zahl der Schlusschoräle, die sich durch obligate Instrumentalstimmen auszeichnen. Dabei handelt es sich um Festkantaten, deren Eingangschöre bereits die entsprechenden Instrumente verwenden. Während Trompeten und Pauken in BWV 130:6 (zu Michaelis) nur am Ende der Choralzeilen eintreten, greifen sie in BWV 41:6 (zu Neujahr) auf die Fanfarenmotivik des Eingangssatzes zurück. In BWV 91:6 (zum 1. Weihnachtstag) und BWV 1:6 (zu Mariä Verkündigung) tritt dagegen das zweite Horn als obligate Stimme hervor, während das erste Horn lediglich die Choralweise verstärkt.

Nur der Schlusschoral aus BWV 107 (Satz 7: »Herr, gib, daß ich dein Ehre«) geht vom Kantionalsatz mit Ritornellen aus, den Bach zu Beginn des ersten Jahrgangs ausgebildet hatte. Dass der Satz im zweiten Jahrgang ein Sonderfall ist, ließe sich damit erklären, dass die Eingangschöre vom gleichen Typus ausgehen, der darum in den Schlusschorälen gemieden wurde. Desto auffälliger ist es, dass der Satztyp gleichwohl in BWV 107 auftritt. Indessen eröffnet das Werk die Folge der späteren Choraltext-

---

[278] Musicalische Kirchen- und Haus-Ergötzlichkeit, Teil 1, Leipzig 1713, Nr. 91. Ein ähnlicher Sachverhalt könnte im betont schlichten und im 3/2-Takt stehenden Schlusssatz aus BWV 123 (Satz 6) vorliegen, doch ist eine Vorlage bislang nicht nachweisbar.

Kantaten, die mehrfach derart geformte Schlusssätze aufweisen.[279] Dennoch ist der Satz aus BWV 107 bemerkenswert, weil sich sein Ritornell als Siciliano zu erkennen gibt.[280] Wie die Stollen werden die drei letzten Zeilen des Abgesangs zusammengefasst, während zwischen den Blöcken die Ritornellmotivik fortläuft. Ihre dominierende Funktion ist daran erkennbar, dass die Instrumentalstimmen selbst während der Choralzeilen obligat bleiben. Zwar übernehmen sie einzelne Töne des Vokalparts, doch wahren sie stets ihr eigenes Gepräge. Dass nur die fünfte Zeile abgetrennt wird, mag daran liegen, dass sie zur Durparallele führt und damit ein modulierendes Nachspiel gestattet.

Die Kantate BWV 107, die erstmals auf reinem Choraltext gründet, bleibt mit nur einem Rezitativ, vier Arien und erweitertem Schlusschoral ein Sonderfall. Fällt sie damit aus dem zweiten Jahrgang heraus, so gleicht sie desto mehr den späteren Choralkantaten, die nur wenige Rezitative, aber weit mehr Arien und ähnliche Schlusschoräle aufweisen.[281] Die Analogien könnten dafür sprechen, BWV 107 sei in spätere Jahre zu verlegen – spräche nicht die Quellenlage dagegen. Zwar fehlt ein Autograph, doch wurden die Originalstimmen von Johann Andreas Kuhnau und Christian Gottlob Meißner geschrieben, und da sie dieselben Wasserzeichen wie die benachbarten Werke aufweisen, muss das Werk zum 7. Sonntag nach Trinitatis 1724 entstanden sein.[282] Für diesen Sonntag schrieb Bach zwischen 1732 und 1735 die Kantate BWV 9 »Es ist das Heil uns kommen her«, die als einzige späte Choralkantate Binnensätze mit freier Dichtung enthält. Ebenso auffällig ist es, dass 1724 kein Werk zum 6. Sonntag nach Trinitatis belegt ist. Das pflegt man mit dem Hinweis auf Bachs Reise nach Köthen zu erklären, die durch eine Honorarzahlung vom 18. Juli 1724 belegt wird, wiewohl kein »besonderer Anlaß für Bachs Besuch« bekannt ist.[283]

Die Koinzidenz der Daten ist zu auffällig, um auf Zufällen zu beruhen. Die Erklärung könnte in der Annahme liegen, Bachs Reise sei ursprünglich eine Woche später geplant gewesen. Während der Librettist keinen Text zum 18. Juli zu liefern hatte, wurde in Leipzig die Aufführung eines anderen Werks vorbereitet. Wider Erwarten musste Bach eine Woche früher nach Köthen kommen, bevor er den vorliegenden Text für den 11. Juli vertont hatte. Als er in der nächsten Woche zurückkam, fand er keine Dichtung vor, sodass er zu dem Choraltext griff, um am 18. Juli mit BWV 107 seine erste »Choraltext-Kantate« aufzuführen, wogegen der Text von BWV 9 vorerst liegenblieb.[284] Eine nähere Klärung könnte nur das fehlende Textheft bringen.[285] Doch ist der Schlusschoral aus BWV 107 im zweiten Jahrgang ein Sonderfall, der seine Pendants erst in den späteren Choraltext-Kantaten findet. Offenbar legte Bach darauf Wert, gerade diese Werke betont festlich zu beschließen.

---

279 Vgl. die Schlusschoräle aus BWV 29, 92 und 100; zudem begegnen mehrere Sätze mit obligaten Instrumentalstimmen (in BWV 128, 137, 112 und 97).
280 Vgl. Finke-Hecklinger, S. 85.
281 Die späteren Choraltext-Kantaten enthalten nur sechs Rezitative, die in der Regel nicht die Choralweisen verwenden. Lediglich Satz 5 aus BWV 117 endet mit einem Arioso, das auf die letzte Choralzeile zurückgeht.
282 Vgl. Dürr, Chronologie 2, S. 73, sowie NBA I/18, KB, S. 65 f.
283 Dok. II, Nr. 184, S. 144. Dürr und Schulze erwähnten zwar die Fakten, ohne aber auf ihren Zusammenhang hinzuweisen (vgl. Dürr, Die Kantaten, Bd. 2, S. 366 und 373 f., Schulze, Die Bach-Kantaten, S. 332 und 340).
284 Davon unberührt sind die von Dürr erörterten Flöten- und Oboenstimmen, vgl. NBA I/18, KB, S. 66 ff.
285 Erhalten ist hingegen das Textheft für die Zeit vom 3. bis 6. Sonntag nach Trinitatis 1724. Setzt man für 1725 eine ähnliche Disposition voraus, so würden sich die fraglichen Werke auf zwei Hefte verteilen.

9. Resümee

Der zweite Jahrgang bildet einen geschlossenen Zyklus, der in Bachs Werk keine Parallele hat. Zwar wurde er in der Fastenzeit aus unbekannten Gründen abgebrochen, rechnet man jedoch die nach Ostern folgenden Werke und die späteren Choralkantaten hinzu, so umfasst der Bestand fast ein Drittel des erhaltenen Vokalwerks. Die Texte und Formen der Choralkantaten scheinen sich derart zu gleichen, dass eine relativ gleichförmige Kette von Chören und Arien zu erwarten wäre. Je genauer man sie aber in den Blick nimmt, desto deutlicher tritt ihre außerordentliche Vielfalt hervor.

Waren die Texte der Chorsätze und Schlusschoräle den Vorlagen entnommen, so zeigten die Arien auffällig wechselvolle Formen. Während anfangs zwei- und dreiteilige Texte überwogen, dominierten seit Michaelis die Da-capo-Formen, die Bach vielfach zu variieren wusste. Dass es dem Librettisten nicht leichtfiel, sich von den vormaligen Strophenformen zu lösen, dürfte auf einen Autor hindeuten, der einer älteren Generation angehörte. Das könnte zu Schulzes Vorschlag passen, den Verfasser in Andreas Stübel zu suchen, der trotz »nonkonformistischer Ansichten« in Leipzig nicht verfolgt wurde.[286] Wie sonst keine Einwände gegen Bachs Vorlagen belegt sind, so dürfte man auch kaum Bedenken gegen die Texte des vormaligen Konrektors der Thomasschule gehabt haben. Desto weniger spricht für die Annahme wechselnder Autoren, die zudem voraussetzen würde, Bach habe zwischen mehreren Dichtern wählen können. Zusätzliche Hypothesen, die weitere Fragen auslösen, ohne die bisherigen zu klären, tragen wenig zum Verständnis der Werke bei.

Zu den Kennzeichen der Choralkantaten zählen zunächst die Choralzitate, die in den Arien und Rezitativen begegnen und für die Zusammenarbeit zwischen dem Dichter und dem Komponisten sprechen dürften. Denn die Textzitate stellten Bach vor die Aufgabe, die Arien und Rezitative mit den tradierten Choralweisen zu verbinden. Während nur wenige solistische Choralsätze vorkamen, die dann an frühere Modelle anschließen konnten, begnügten sich die Arien zunächst mit der Einblendung einzelner Choralzeilen. Doch wuchs die Zahl dieser Zitate in dem Maß, wie sie zugleich in die Rezitative eindrangen. Erstmals in BWV 93 erscheinend, wurden sie in BWV 178, 94 und 101 fast zur Regel, um später jedoch zurückzutreten. Die Gründe lagen offenbar in den Problemen, vor die sich Bach gestellt sah. Je mehr sich beide Schichten kreuzten, desto schwieriger musste es werden, ihren divergierenden Prämissen gerecht zu werden.

Der wechselnden Anlage der Binnensätze steht die geschlossene Folge der Eingangschöre gegenüber. Die unterschiedlichen Formen der fünf ersten Sätze fallen zugleich mit der wechselnden Stimmlage des Cantus firmus zusammen. Beginnend mit der Ouvertüre in BWV 20, reicht diese Satzreihe bis zum Eingangschor aus BWV 10, in dem sich die Wiederkehr der liturgischen Weise mit wechselnder Lage und partiellem Stimmtausch paart. Mit dem Chorsatz aus BWV 93, der ausnahmsweise einen Typus der älteren Tradition aufgreift, beginnt zugleich die Kette der

---

[286] Wolff, Johann Sebastian Bach, S. 201.

Binnensätze mit Choralzitaten. Ob Zufall oder nicht: Beziehen sich die Binnensätze später nur noch vereinzelt auf die Choralvorlagen, so wird in den Eingangschören die Sopranlage des Cantus firmus zu einer Norm, die nur in dem Satz aus BWV 3 eine Ausnahme kennt. Zugleich beginnen die Bemühungen, den vokalen Kantionalsatz mit einem konzertanten Instrumentalpart zu verbinden, der auf die Motivik der Choralmelodien zurückgreift. Die Kette dieser Sätze wird durch die »Choral-Chaconne« in BWV 78 und durch die drei motettischen Sätze ergänzt, während der kontrapunktische Vokal- und der konzertante Instrumentalpart seit Neujahr 1725 immer enger verkettet werden. Am Ende stehen die singulären Lösungen in BWV 125–127, an die das Kyrie BWV 233a anschließen konnte. Das gilt auch für die zweite Fassung der Johannes-Passion, deren Choralchorsatz die Eingangschöre des zweiten Jahrgangs voraussetzt, während die Arien mit Choralzitaten auf die entsprechenden Binnensätze der Choralkantaten verweisen.

Von der geschlossenen Reihe der Chorsätze hebt sich die verwirrende Vielfalt der Arien ab. In größerer Zahl als sonst vertreten, zeigen sie derart unterschiedliche Strukturen und Besetzungen, dass ein Resümee auf die Wiederholung des früher Gesagten hinauslaufen würde. So mag es genügen, auf einige chronologische Relationen hinzuweisen.

Letztmals enthält der zweite Jahrgang eine größere Zahl von Continuo-Arien. Beginnend zu Johannis, endete ihre Folge zunächst am 9. Sonntag nach Trinitatis, um dann seit dem 1. Advent bis zum Sonntag Sexagesimae fortgesetzt zu werden. Zwischen dem 1. und dem 15. Sonntag nach Trinitatis entstanden die ersten Duette, während entsprechende Sätze erst wieder seit Weihnachten folgten. Dagegen verteilen sich die Arien mit instrumentalem Solopart auf den gesamten Bestand. Desto auffälliger ist die Kette der Arien mit Traversflöte, die am 9. Sonntag nach Trinitatis einsetzte und am 20. Sonntag nach Trinitatis endete (während am Epiphaniastag ein Nachzügler folgte). Im Anschluss daran begann die Reihe der anspruchsvollen Partien für Violoncello piccolo, die bis Mai 1725 reichte. Wie die Duette fielen die Continuo-Sätze also so lange aus, wie sich Bach den Flötenarien zuwandte, um anschließend das Violoncello piccolo zu bevorzugen. Die Kette der Flötensätze fällt mit der Phase zusammen, in der die Solosätze mit Choralzitaten ausliefen, während sich in den Eingangschören der modifizierte Kantionalsatz durchsetzte. Zugleich deckt sich die Fortsetzung der Continuo-Arien mit der Folge der Chorsätze, die seit der Jahreswende entstanden. Ebenso aufschlussreich sind die Verhältnisse in anderen Satzgruppen. Die in BWV 20 beginnende Satzreihe mit Streichern reichte zunächst bis Anfang September und wurde seit dem 1. Advent fortgesetzt. Im September setzte die Reihe der Arien mit konzertierenden Holzbläsern ein, die zu den Sätzen mit Solooboe und obligaten Streichern führte. Im Juni begann die Gruppe der Arien mit Oboenchor, die bis zum Herbst 1725 reichte. Zu Michaelis wurden drei Trompeten eingesetzt, während die Trompetenstimme aus BWV 20:8 ein Gegenstück in der Tromba-da-tirarsi-Stimme aus BWV 5:5 fand.

Hinter dem Schein der Gleichförmigkeit verbirgt sich demnach eine Fülle verschiedener Lösungen. So wechselvoll wie die Eingangschöre sind die Besetzungen und Strukturen der Arien. Unterschieden sich die Sätze gemäß dem Wortlaut und Affekt der Texte, so legte Bach zugleich darauf Wert, sich in den einzelnen Werken so wenig wie in ihrer Abfolge zu wiederholen. Je genauer man die Verhältnisse verfolgt, desto eher scheint der Zyklus jenem Füllhorn zu gleichen, von dem im Blick auf den ersten Jahrgang gesprochen wurde. Nicht weniger konsequent als dort verfolgte Bach seine eigenen Strategien, die auf den ständigen Wechsel der Lösungen bedacht waren.

10. Sanctus und Pleni D-Dur (BWV 232[III])

Trotz der Arbeitslast in der Weihnachtszeit erweiterte Bach den Bestand seiner lateinisch textierten Werke mit dem »großen« Sanctus D-Dur (das später in die h-Moll-Messe überführt wurde). Dass ein großdimensioniertes Werk geplant war, zeigt die opulente Besetzung für sechsstimmigen Chor mit Streichern, drei Oboen, drei Trompeten und Pauken. Während die zweiteilige Gliederung der liturgischen Tradition entspricht[287], werden die Teilsätze dadurch verzahnt, dass das Sanctus in fis-Moll endet, während das fugierte Pleni in D-Dur anschließt. Das Verfahren beruht auf der Umdeutung der fis-Moll-Terz zur Quinte des D-Dur-Klangs (T. 48) und setzt zugleich den strukturellen Kontrast zwischen den Teilen voraus. So wortreich ihre Symbolik vielfach umschrieben wurde, so karg blieben bislang die Ansätze zur Klärung der satztechnischen Struktur.

Die ersten Takte des Sanctus beruhen auf einem Fundament, das als Basis des ganzen Satzes fungiert. Die triolischen Achtel der Trompeten – getragen von Paukenwirbeln – kontrastieren zu den vokalen Akkordsäulen, die durch Achteltriolen ergänzt werden, während die Streicher triolische Viertel- und Achtelwerte einfügen.[288] Entscheidend ist das Bassmodell, das schrittweise vom Grundton bis zur Unterquart absinkt.[289] Ein ähnliches Gerüst lag dem Eingangschor aus BWV 67 zugrunde (»Halt im Gedächtnis Jesum Christ«), doch wurde es dort mit vokalen Akkordblöcken verbunden, ohne danach fortgesetzt zu werden. Im Sanctus tritt es erst in Takt 5 ein, doch fungiert es hier als Basis der zur Dominante lenkenden Oberstimmen (T. 5–8) und dient als Grundlage des gesamten Satzverlaufs.[290]

Sanctus (T. 1–48[1], c-Takt)

1–4, 5–6 + 7–8	9–12, 13–16	17–24	25–29[b]	29[b]–35	35–40	41–48
D	D – A	A	A – D	D – e	e-A-D-G	D – A	A – fis – D	h-E-A mit Quintschrittsequenz → fis-Moll
	fallend		steigend	fallend		steigend + imitierend	fallend – steigend	

---

287 Vgl. Konrad Küster, in: Bach-Handbuch, S. 510 f.
288 Vgl. Christoph Wolff, Johann Sebastian Bach, Messe in h-Moll, Kassel 2009, S. 106. Der Versuch, die Stimmen als sechs »Chöre« mit getrennten Motiven aufzufassen, stößt insofern an Grenzen, als sich die Motive im weiteren Verlauf auf alle Stimmen verteilen.
289 Ein ähnliches Modell liegt dem Air aus der Orchestersuite D-Dur (BWV 1068:2) zugrunde. Da das Autograph verschollen ist und die erhaltenen Stimmen erst nach 1730 geschrieben wurden, bleibt ungewiss, ob das Werk schon früher – in Weimar oder Köthen – entstanden ist.
290 Vgl. dazu Konrad Klek, in: Das Bach-Handbuch, Bd. 2, S. 45.

Der nächste Block setzt auf der V. Stufe ein, während die steigende Basslinie zur Tonika zurückführt (T. 9–16). Einen Schritt weiter geht die dritte Gruppe, deren fallende Basslinie vorerst auf der Parallele endet, um weiter nach e-Moll zu führen (T. 17–24). Die folgenden fünf Takte lenken in Quintfällen zur IV. Stufe, aber anschließend wieder zur I. Stufe zurück (T. 25–29^b). Von ihr geht die mächtigste steigende Linie aus, die sich unter mehrfacher Stimmbrechung über die Oktave hinaus bis zur Duodezime (bzw. Oberquinte) erstreckt (T. 29^b–35). Die vorletzte Gruppe (T. 35–41) endet erneut auf der Unterterz fis-Moll, erreicht aber über D-Dur die Parallele h-Moll, bevor die letzte Phase mittels einer doppelten Quintschrittsequenz zur Dominantparallele fis-Moll moduliert. Die Quintketten sind nicht nur deshalb bemerkenswert, weil die Basslinie zweimal einen Tritonus einschließt (*d-Gis* in T. 44 bzw. T. 45/46). Vielmehr zeichnen sie sich dadurch aus, dass der Continuo hier erstmals die triolische Rhythmik der Oberstimmen übernimmt.

Die machtvolle Wirkung des Satzes wird erst dann verständlich, wenn man das Verhältnis zwischen dem Fundament und den Gegenstimmen in den Blick nimmt. Während der Vokalpart zwischen Vierteln und Achteltriolen wechselt, wird er über den fallenden Bassschritten in akkordischen Blöcken gebündelt. Halten die Stimmen dabei den Grundakkord fest, so ergeben sich im Verhältnis zur fallenden Basslinie scharfe Dissonanzen, die sich desto zwingender auflösen (T. 17f., 21f., 35f. und 37f.). Über der steigenden Oktavreihe des Basses (T. 29^b–33) werden die Oberstimmen in Imitationen gestaffelt, an denen die Instrumente duplierend beteiligt sind. Im weiteren Verlauf fungieren die Streicher und Oboen partiell als obligate Stimmen, während die Trompeten und Pauken die Zählzeiten markieren. Zur Differenzierung des Satzes tragen die rhythmischen Modelle bei, die in den ersten Takten gebündelt und anschließend auf die Stimmgruppen verteilt werden. Besonders eindrucksvoll ist es, wenn die Triolenketten des Vokalparts durch die Einsätze der Oboen und Streicher ergänzt werden (T. 5–9, 13–16, 25–29 und 44–47).

Dass das Pleni nahtlos anschließen und zugleich von fis-Moll nach D-Dur wechseln kann, verdankt es dem Themeneinsatz des Tenors, den Bach in einem Entwurf festhielt.[291] Zwar ist offen, ob die Skizze im Alt- oder im Tenorschlüssel zu lesen ist, doch entsprechen die Tonhöhen – notiert noch im ¾-Takt – am ehesten dem eröffnenden Tenoreinsatz. Beginnend mit einem Sextsprung (*a-fis*), schließt er an den vorangehenden fis-Moll-Klang an, während die Fortführung nach D-Dur weist. Ließe man diese Gestalt als Dux gelten, so würde sie auf der Quinte beginnen und in der Tonika schließen, während der Comes auf dem Grundton ansetzen und auf der Dominante enden würde. Plausibler wäre das umgekehrte Verhältnis, sodass die Skizze dem Comes entspräche, aus dem dann der Dux abgeleitet worden wäre.[292] Er setzt zwar auf dem Grundton an, doch bricht die Fortführung auf der Septime (*cis*)

---

291 Vgl. die Abbildungen bei Marshall, The Compositional Process, Bd. 2, Sketch 153, sowie bei Wolff, Messe in h-Moll, S. 107. Marshall wies darauf hin, dass das Thema mit einem Oktavsprung beginnen sollte, der anschließend durch die Sexte ersetzt wurde (vgl. Bd. 1, S. 120). Smend hatte die Skizze erwähnt, ohne sie jedoch wiederzugeben, vgl. NBA II/1, KB, S. 167.

292 Vgl. dazu Friedrich Wilhelm Marpurg, Abhandlung von der Fuge, Leipzig 1723, Reprint Laaber 2004, Teil 1, S. 45ff. (»Fugensätze, wo sich der Gesang nach der Dominante hinwendet«) und S. 52 (»Fugensätze, die mit der Sexte des Haupttons anheben«).

ab, bevor sich das Kadenzglied zur Dominante wendet. Dass Bach zuerst die Comes-Form skizzierte, dürfte darauf hindeuten, dass es ihm um den Wechsel von fis-Moll nach D-Dur ging.

Um das sechstaktige Thema nicht sechsmal hintereinander eintreten zu lassen, werden die Einsätze des ersten Alts und des zweiten Soprans in Terzparallelen gekoppelt. Kehrt diese Paarung im Bass und Tenor in Sextparallelen wieder, so treten erst hier die zuvor pausierenden Instrumente hinzu. Da die erste Durchführung drei einzelne und zwei paarige Einsätze des sechstaktigen Themas umfasst, kommt sie trotz der Zahl der beteiligten Stimmen mit 30 Takten aus. Dagegen ist die zweite Durchführung (T. 119–137) insofern unvollständig, als der Einsatz des ersten Soprans erst nach einem Zwischenspiel folgt (T. 147–153). Zudem umschließen die letzten Takte einen nochmaligen Einsatz des Basses, der sich bereits mit der Kadenzgruppe kreuzt (T. 162–168).

Pleni sunt coeli (3/8-Takt)

48–78	78–86	87–92–97–98–104–119	119–137	137–146	147–162–168
1. Durchführung	Zwischenspiel	zwei Themeneinsätze mit Zwischenspielen	2. Durchführung	Zwischenspiel	Coda mit Engführung
$C-D-C-D-C$		D (in e) – modul. – C (in h)	$D-C-D$		
$T-A^2-S^1-$ A^1+S^2-B+T		$T-S^1$	$A^2+S^2-T+A^1-$ $B+Tr^1$		$S-B$

C = Comes, D = Dux, S^1, S^2 = Sopran I–II, A^1, A^2 = Alt I–II, Tr 1 = Tromba 1

Die Gegenstimme des Themas betrachtete Neumann als obligaten Kontrapunkt, der auf die Permutationsfuge zurückweise.[293] Doch tritt diese Gestalt nur in der ersten Durchführung auf, während die späteren Einsätze mit anderem Material gekoppelt werden. Wichtiger ist eine Formel des Continuo, die bereits den ersten Themeneinsatz begleitet. Nach der zweiten Skizze, die den Beginn Continuostimme umfasst, enthält der dritte Entwurf den Anschluss an das Sanctus und das im 3/8-Takt notierte Fugenthema mit dem Continuopart.[294] Beginnend mit vier Sechzehnteln, die den Grundton umkreisen, wird das Kopfmotiv sequenziert (T. 49–53), bevor es in Achtelfolgen übergeht, die den weiteren Verlauf prägen. An dieses Modell schließen die Kontrapunkte der zweiten Durchführung und der vorangehenden Phasen an, die man als Zwischenspiele zu bezeichnen pflegt (T. 78–86, 93–97 und 104–112). Doch trifft der Terminus hier kaum zu, weil diese Phasen zwei Themeneinsätze in e- und h-Moll enthalten (T. 87–92 Tenor, T. 98–104 Sopran I). Überdies wird zu Beginn ein signalartiges Motiv eingeführt, das auf das Kopfmotiv des Themas verweist und vor der Coda wiederkehrt (Bass T. 79–82 und 83–86, Bass und Trompeten T. 159–162).[295] Da der Mittelteil auf die Themen und ihre Kontrapunkte zurückgreift, gewinnt

---

[293] Neumann, J. S. Bachs Chorfuge, S. 89.
[294] Marshall, Bd. 2, Sketch 154 und 155, sowie Bd. 1, S. 120.
[295] Ein weitere Variante im Alt (T. 104 f.) ist unvollständig. Christoph Wolff, a. a. O., S. 105, interpretierte das Motiv als Pendant zum Thema des späteren Osanna und meinte, Bach habe auf das Modell aus BWV 213:1 (Anh. 11:1) zurückgegriffen.

er den Charakter eines Zentrums, in dem die thematischen Gestalten verarbeitet werden. Sein Gegenstück findet er in der Coda, die den nachträglichen Themeneinsatz des ersten Soprans mit seiner Engführung in der ersten Trompete kombiniert, während der letzte Basseinsatz mit der Schlusskadenz zusammenfällt.[296]

Dahlhaus zufolge entziehen sich Bachs Fugen »der Verfestigung zum Schema, von dem ein Lehrbuchmuster abstrahierbar wäre«.[297] Die Formulierung bezog sich zwar auf instrumentale Werke, doch trifft sie auch auf die Vokalfugen und zumal einen Satz wie dieses Pleni zu. Vergleichbare Werke schrieb Bach erst im Frühsommer 1724, sodass der Satz vorerst die einzige Vokalfuge zu Prosatext blieb. In dem Maß, wie sie sich vom Permutationsschema löst, weist sie zugleich auf die Kombinationsformen voraus, die nach Ostern 1725 folgen sollten. Welche Bedeutung Bach den beiden Teilsätzen beimaß, zeigt nichts deutlicher als die Tatsache, dass er sie später in die h-Moll-Messe überführte.

B. Annex: Von Ostern bis Trinitatis 1725

1. Daten und Vorlagen

Dass Bach daran lag, den Jahrgang nach dem Ausfall des Textautors fortzuführen, zeigt die Reihe der weiteren Werke. Der letzten Choralkantate, die am 25. März 1725 erklungen war, folgte am 30. März die zweite Fassung der Johannes-Passion, für die neben dem einleitenden Choralchorsatz auch drei neue Arien entstanden. Zugleich waren die Kantaten für die Ostertage vorzubereiten, an die sich eine ununterbrochene Werkreihe bis Trinitatis anschloss. Danach erst trat eine Pause ein, die durch Kantaten anderer Autoren gefüllt wurde, bis seit dem 9. Sonntag nach Trinitatis wieder eigene Werke folgten, die durch Werke Johann Ludwig Bachs ergänzt wurden.[298] Die chronologischen Relationen dürften kaum für die These von Küster sprechen, der den zweiten Jahrgang auf die Choralkantaten begrenzen wollte, sodass am Ostersonntag der dritte Jahrgang begonnen hätte (der dann »bis Anfang 1727« reichen würde).[299]

---

296 Dagegen meinte Neumann, a. a. O., S. 89, der »freilineare Anhang« der Fuge »sei als »Instrumentalsatz mit Choreinbau« zu verstehen. Dabei verwies er auf die »unglückliche Sequenz-Texturierung des instrumentalen Triosatzes in T. 153–156« (ebd., Anm. 216). Doch greifen die Stimmen in der Sequenzgruppe so eng ineinander, dass kaum zu entscheiden ist, welche Gruppe als vorrangig gelten soll. Die beanstandete Texturierung resultiert daraus, dass die Sequenzglieder im Achtelabstand verschränkt werden.
297 Carl Dahlhaus, Die Musiktheorie im 18. und 19. Jahrhundert. Erster Teil: Grundzüge einer Systematik (Geschichte der Musiktheorie 10), Darmstadt 1984, S. 173.
298 Vgl. die Nachweise in Teil VI, Anm. 1–2.
299 Konrad Küster (Hrsg.), Bach-Handbuch, S. 291–303. Vgl. Christine Blanken, Der sogenannte »dritte Jahrgang«, in: Das Bach-Handbuch, Teilband 2, S. 6–13 und S. 15–88, sowie Walter F. Hindermann, Die nachösterlichen Kantaten des Bachschen Choralkantaten-Jahrgangs. Versuch einer Genesis-Deutung, Hofheim am Taunus 1975. Die Arbeit ist wenig hilfreich, weil sie eine Fülle unterschiedlicher Aspekte berührt, ohne sich auf genauere Analysen einzulassen. Wie der Untertitel andeutet, ging es Hindermann letztlich darum, die »Genesis« der Werke durch einen »theologisch-symbolischen Deutungsversuch« zu erklären (vgl. ebd., S. 125–138).

Da Bach 1725 – anders als im ersten und dritten Jahrgang – neben zwei Ostertagen und dem Himmelfahrtstag auch die drei Pfingsttage mit neuen Werken bedachte, ergab sich von Anfang April bis Ende Mai 1725 eine ähnlich dichte Werkfolge wie in der Weihnachtszeit. Zwar lag vor Ostern das tempus clausum, doch war in dieser Zeit nicht nur die Aufführung der Johannes-Passion, sondern auch die »Schäferkantate« BWV 249a vorzubereiten.

Seit der Dichter der Choralkantaten nicht mehr verfügbar war, sah Bach sich zur Suche nach anderen Vorlagen gezwungen. Am ersten Ostertag konnte er auf die Kantate BWV 249a zurückgreifen, die fünf Wochen zuvor entstanden war. Geschrieben zum Geburtstag Herzog Christians von Sachsen-Weißenfels, war sie dort am 23. Februar 1725 aufgeführt worden. Die Vorlage stammt von Christian Friedrich Henrici (alias Picander) und bildet den ersten gesicherten Beleg für seine Zusammenarbeit mit Bach.[300] Obwohl der Autor der geistlichen Fassung nicht genannt ist, dürfte auch dieser Text auf Henrici zurückgehen. Den selbstbewussten Poeten hätte es vermutlich gekränkt, wenn Bach die Umdichtung einem anderen Autor überlassen hätte.[301] Das umfangreiche Werk, das Bach erst in der späteren Partitur (um 1738) als »Oratorium« bezeichnete,[302] war zugleich die erste Parodie, für die er neue Rezitative komponierte.[303]

An das Osteroratorium schlossen sich zunächst drei Werke an, deren Dichter nicht bekannt ist. Die folgenden Texte gehen – wie Philipp Spitta ermittelte – auf die Leipziger Autorin Christiana Mariana von Ziegler zurück.[304] Da Bach ihre Texte vertonte, bevor sie 1728 im Druck erschienen, dürfte er die Vorlagen von der Dichterin erhalten haben.[305] Doch kann der Kontakt nicht sehr eng gewesen sein, da Bach die späteren Texte der Autorin nicht mehr vertonte.[306] Daher lässt sich auch nicht beurteilen, ob die Differenzen zwischen dem Druck und den Kompositionen auf Bach oder auf die Dichterin zurückgingen. Während Spitta annahm, Frau von Ziegler habe ihre Texte vor der Drucklegung revidiert, vermutete Dürr, Bach habe als »Urheber

---

300 Christian Friedrich Henrici, Ernst-Scherzhaffte und Satyrische Gedichte, Erster Theil, Leipzig 1727, S. 4–7 (mit Nennung des Datums und Anlasses, aber nicht des Komponisten).
301 Begreiflicherweise publizierte Henrici hier wie später eher die weltlichen Vorlagen, die meist angesehenen Persönlichkeiten gewidmet waren und dem Autor höheres Ansehen als geistliche Parodien eintragen konnten.
302 NBA II/7, hrsg. von Paul Brainard, KB, S. 33; vgl. auch Christoph Wolff, Johann Sebastian Bachs Oratorien-Trilogie und die große Kirchenmusik der 1730er Jahre, in: BJ 2011, S. 11–25.
303 In den vier Parodien des ersten Jahrgangs, die auf Köthener Werke zurückgingen (BWV 66, 134, 173 und 184) wurden die Rezitative übernommen und mit neuen Texten versehen. Dagegen fehlt die Vorlage zu BWV 194, die nur durch die erhaltenen Oboenstimmen belegt ist (BWV 194a).
304 Philipp Spitta, Mariane von Ziegler und Joh. Sebastian Bach, in: ders., Zur Musik. Sechzehn Aufsätze, Berlin 1892, S. 93–118; Sabine Ehrmann, Johann Sebastian Bachs Leipziger Textdichterin Christiane Mariane von Ziegler, in: Johann Sebastian Bach. Schaffenskonzeption – Werkidee – Textbezug (Beiträge zur Bach-Forschung 9/10), Leipzig 1991, S. 261–268; Mark A. Peters, Christiana Mariana von Ziegler's Sacred Cantata Texts and Their Settings by Johann Sebastian Bach, Ph. Diss University of Pittsburgh, 2003. Teildruck als: A Reconsideration of Bach's Role as Text Redactor in the Ziegler Cantatas, in: Journal of the Riemenschneider Bach Institute 36, 2005, S. 25–66, hier S. 32. Vgl. ferner ders., A Woman's Voice in Baroque Music. Mariane von Ziegler and Johann Sebastian Bach, Farnham 2008, S. 140–142.
305 Spitta, a. a. O., S. 117f., sowie Ehrmann, a. a. O., S.265f. Christiane Mariane von Ziegler, Versuch in gebundener Schreib-Art, Leipzig 1728.
306 Dies., Versuch in Gebundener Schreibart Anderer und letzter Theil, ebd. 1729.

der meisten Änderungen« zu gelten, da sie »sprachlich nicht immer sehr glücklich« seien.³⁰⁷ Doch sind Dürrs Beispiele nicht immer überzeugend. So meinte er, die Auslassung zweier Zeilen in BWV 103 (Satz 4) habe zur »Zerstörung der Reime« geführt und sei daher von Bach zu verantworten. Da die Dichterin darauf bedacht war, die gedruckten Fassungen an die poetischen Regeln anzugleichen, könnten die fraglichen Zeilen aber auch erst vor der Publikation eingefügt worden sein.³⁰⁸ Dasselbe gilt für die Arie »Mein gläubiges Herze« (BWV 68:2), deren Text – so Dürr – mehrere Worte »des akustischen Bereichs« in »unverbundenen Reihungen« enthalte. Doch zeigt die Druckfassung vor allem eine streng regulierte Versfolge, die auf die Revision der Autorin zurückgehen dürfte.³⁰⁹ Wie die Textdrucke der Weimarer Werke und des dritten Jahrgangs belegen, pflegte Bach seine Vorlagen weitgehend zu respektieren. Daher ist es nicht sehr wahrscheinlich, dass er die Texte einer Dichterin, die vermutlich zu seinen Hörern zählte, eigenmächtig verändert haben sollte. Zwar mag er kleinere Details geändert haben, doch dürften die größeren Abweichungen auf spätere Korrekturen der Autorin zurückgehen. Da die sprachlichen Differenzen in den Kritischen Berichten behandelt wurden, werden sie hier nur in Ausnahmefällen erwähnt.

Zwischen dem Dictum und dem Schlusschoral enthalten die Texte in der Regel zwei Arien, zwischen die mitunter ein weiterer Spruchtext eingefügt wird. Am Himmelfahrts- und am zweiten Pfingsttag wird das erste Dictum durch eine Choralstrophe ersetzt, während am ersten und dritten Pfingsttag eine zusätzliche Arie vorgesehen ist. Für Bach dürften die Vorlagen vor allem deshalb attraktiv gewesen sein, weil ihre wechselnde Anlage seiner Scheu vor gleichartigen Formen entgegenkam.³¹⁰ Die folgende Übersicht unterscheidet zwischen Chor- und Solosätzen zu Bibeltext, während Arien, Choräle und Rezitative durch Abkürzungen gekennzeichnet werden.

249	1. Ostertag 1.4.1725	Kommt, fliehet und eilet	Sinf. – Adagio – Chor – R – A – R – A – R – A – R – Chor (Henrici?)
6	2. Ostertag 2.4.1725	Bleib bei uns, denn es will Abend werden	D (Chor) – A – Ch (Solo) – R – A – Ch (Dichter unbekannt)
42	Quasimodogeniti 8.4.1725	Am Abend aber desselbigen Sabbats	Sinf. – R – A – Ch (Duett) – R – A – Ch (Dichter unbekannt)
85	Misericordias Domini 15.4.1725	Ich bin ein guter Hirt	D (Solo) – A – Ch (Solo) – R – A – Ch (Dichter unbekannt)

---

307 Vgl. Spitta, a. a. O., S. 115 f., sowie Dürr, Die Kantaten, Bd. 1, S. 49 mit Anm. 23.
308 Spitta, S. 114 ff. Ohnehin war für Bach die Reimfolge weniger wichtig als das Verhältnis der Metrik zur Wortbetonung.
309 Ulrich Konrad, Aspekte musikalisch-theologischen Verstehens in Mariane von Zieglers und Johann Sebastian Bachs Kantate »Bisher habt ihr nichts gebeten in meinem Namen« BWV 87, in: AfMw 57, 2000, S. 199–221. Konrad hielt es für denkbar, daß »ein Dritter in die Textgestalt eingegriffen habe, »und das entweder bevor Bach das Manuskript zugänglich war oder nachdem er es erhalten hatte« (ebd., S. 204).
310 In dem von Reinmar Emans und Sven Hiemke edierten Bach-Handbuch wurden die Werke auf zwei Bände verteilt. Während Markus Rathey die Pfingstkantaten BWV 74 und 68 im Anschluss an die Choralkantaten erörterte (Teilband 1, S. 432–439), behandelte Christine Blanken die übrigen Werke im Kontext des dritten Jahrgangs (Teilband 2, S. 61–70, 72 f. und 76–79).

103	Jubilate 22.4.1725	Ihr werdet weinen und heulen	D (Chor) – R – A – R – A – Ch (v. Ziegler)
108	Cantate 29.4.1725	Es ist euch gut, daß ich hingehe	D (Solo) – A – R – D (Chor) – A – Ch (v. Ziegler)
87	Rogate 6.5.1725	Bisher habt ihr nichts gebeten	D (Solo) – A – R – A – R – D (Solo) – A – Ch (v. Ziegler)
128	Himmelfahrt 10.5.1725	Auf Christi Himmelfahrt allein	Ch (Chor) – R – A (+ R) – A – Ch (v. Ziegler)
183	Exaudi 13.5.1725	Sie werden euch in den Bann tun	D (Solo) – A – R – A – Ch (v. Ziegler)
74	1. Pfingsttag 20.5.1725	Wer mich liebet, der wird mein Wort halten	D (Chor) – R – A – D (Solo) – A – Ch (v. Ziegler)
68	2. Pfingsttag 21.5.1725	Also hat Gott die Welt geliebt	Ch (Chor) – A – R – A – D (Chor) (v. Ziegler)
175	3. Pfingsttag 22.5.1725	Er rufet seinen Schafen mit Namen	D (Solo) – A – R – A – R – A – Ch (v. Ziegler)
176	Trinitatis 27.5.1725	Es ist ein trotzig und verzagt Ding	D (Chor) – R – A – R – A – Ch (v. Ziegler)

Sinf. = Sinfonia, D = Dictum, A = Arie, Ch = Choral (chorisch), R = Rezitativ

Eine gesonderte Gruppe bilden fünf Sätze aus den Pfingstkantaten BWV 74, 68 und 175, die auf frühere Vorlagen zurückgehen. Die ersten Sätze aus BWV 74 entstammen der Pfingstkantate BWV 59 (Sätze 1 und 4), die schon 1723 entstand, aber erst ein Jahr später aufgeführt worden war. In BWV 68 werden zwei Arien aus der »Jagdkantate« BWV 208 (Sätze 13 und 7) verwendet, während die Arie BWV 175:4 auf die Köthener Kantate BWV 173a (Satz 7) zurückgeht. Die Rückgriffe könnten dadurch veranlasst worden sein, dass die Eingangssätze aus BWV 59 und 74 denselben Spruchtext benutzten. Während der zweistimmige Eingangssatz aus BWV 59 in BWV 74:1 chorisch erweitert wurde, mussten die Arien desto mehr verändert werden, je mehr sich die neuen Texte von den Vorlagen unterschieden. Maßgeblich war offenkundig die Absicht, einzelne Sätze aus früheren Gelegenheitswerken in den Bestand der Kirchenkantaten zu überführen. Die anschließende Übersicht nennt neben den Dichtern und den Aufführungsdaten die Texte der Chorsätze.

249	1. Ostertag 1.4.1725	Satz 3: Kommt, fliehet [eilet] und eilet [laufet] (Osteroratorium) (Parodie nach BWV 249a Ent fliehet, verschwindet, entweichet, ihr Sorgen)	Henrici? (23.2.1725 – Henrici)
		Satz 11: Preis und Dank (Vorlage: Glück und Heil)	
6	2. Ostertag 2.4.1725	Satz 1: Bleib bei uns, denn es will Abend werden (Chorsatz: Lk. 24:28)	Autor unbekannt
42	Quasimodogeniti 8.4.1725	Satz 1: Am Abend aber desselbigen Sabbats (Tenor: Joh. 20:19)	Autor unbekannt
85	Misericordias Domini 15.4.1725	Satz 1: Ich bin ein guter Hirt (Bass: Joh. 10:12)	Autor unbekannt
103	Jubilate 22.4.1725	Satz 1: Ihr werdet weinen und heulen (Chorsatz: Joh. 16:20)	v. Ziegler

108	Cantate 29.4.1725	Satz 1: Es ist euch gut, daß ich hingehe (Bass: Joh. 16:7)	v. Ziegler
		Satz 4: Wenn aber jener, der Geist der Wahrheit, kommen wird (Chorsatz: Joh. 16:13)	
87	Rogate 6.5.1725	Satz 1: Bisher habt ihr nichts gebeten in meinem Namen (Bass: Joh. 16:24)	v. Ziegler
128	Himmelfahrt 10.5.1725	Satz 1: Auf Christi Himmelfahrt allein (Choralchorsatz)	v. Ziegler
183	Exaudi 13.5.1725	Satz 1: Sie werden euch in den Bann tun (Bass: 1. Joh. 16:2)	v. Ziegler
74	1. Pfingsttag 20.5.1725	Satz 1: Wer mich liebet, der wird mein Wort halten (Chorsatz: Joh. 14:23)	v. Ziegler
68	2. Pfingsttag 21.5.1725	Satz 1: Also hat Gott die Welt geliebt (Choralchorsatz)	v. Ziegler.
		Satz 5: Wer an ihn gläubet, der wird nicht gerichtet (Chorsatz: Joh. 3:18)	
175	3. Pfingsttag 22.5.1725	Satz 1: Er rufet seinen Schafen mit Namen (Tenor: Joh. 10:3)	v. Ziegler
176	Trinitatis 27.5.1725	Satz 1: Es ist ein trotzig und verzagt Ding (Chorsatz: Jer. 17:9)	v. Ziegler

2. Das Osteroratorium (BWV 249)

Dass die Osterkantate BWV 249 auf die »Schäferkantate« BWV 249a zurückgeht, konnte erstmals Friedrich Smend nachweisen.[311] Der Zusammenhang der Fassungen lässt darauf schließen, dass beide Autoren von vornherein die doppelte Verwendung der Musik im Blick hatten. Dafür spricht nicht nur die zeitliche Nähe der Fassungen, sondern vor allem die Fülle der metrischen und sprachlichen Analogien. Entgegen Smend, der von der »Überlegenheit der Urform« überzeugt war,[312] beweist die geistliche Fassung das Geschick, das Henrici bereits bei seiner ersten Zusammenarbeit mit Bach bewies. Die Anfangsworte der Urfassung (»Entfliehet, verschwindet, entweichet ihr Sorgen«) lauteten in der Parodie zuerst »Kommt, fliehet und eilet« und wurden – vielleicht noch vor der Erstaufführung – durch die Variante »Kommt, eilet und laufet« ersetzt. Beide Versionen entsprechen sich nicht nur in metrischer Hinsicht, sondern vermitteln das Bild einer eiligen und zugleich zielgerichteten Bewegung. Ähnliches gilt für Smends Beispiel aus der Arie Satz 5, in der die Zeile »Hunderttausend Schmeicheleien« durch die Worte »Seele, deine Spezereien« ersetzt wurde. Während das Wort »Hunderttausend« in der erhaltenen Fassung durch eine

---

[311] Friedrich Smend, Neue Bach-Funde, in: AfMf 2, 1942, S. 1–16, zitiert nach ders., Bach-Studien. Gesammelte Reden und Aufsätze, hrsg. von Christoph Wolff, Kassel u. a. 1969, S. 137–152; zur Fassung BWV 249b »Verjaget, zerstreuet, zerrüttet ihr Sterne« (1726 zum Geburtstag des Grafen Joachim Friedrich von Flemming) vgl. ebd., S. 139–144. (Vgl. ferner Smends Ausgabe der Schäferkantate [mit Rezitativen von Hermann Keller], Kassel u. a. 1943.)

[312] Ebd., S. 143, wo sich auch das nachstehend genannte Beispiel aus Satz 5 findet.

Pause unterbrochen würde, entspricht die Pause in der Parodie dem Komma zwischen der Anrede und der Fortsetzung. Ebenso wird man nicht behaupten können, der Text der Arie »Sanfte soll mein Todeskummer / Nur ein Schlummer« (Satz 7) stehe der Vorlage nach (»Wieget euch, ihr satten Schafe / In dem Schlafe«). Eine spätere Variante zu BWV 249a, die Henrici 1726 veröffentlichte (»Sencket euch nur ohne Kummer / In dem Schlummer«) weist zudem auf die geistliche Fassung zurück, die somit ebenfalls von Henrici stammen dürfte.

Da nur die geistliche Version erhalten ist, bleibt bei solchen Vergleichen Vorsicht geboten.[313] Ein warnendes Beispiel ist die wenig später entstandene Kantate BWV 36 »Schwingt freudig euch empor«, die in einer autographen Konzept-Partitur aus den Monaten April oder Mai 1725 erhalten ist (BWV 36c).[314] Eine zweite Version (BWV 36a), die 1726 anlässlich des Geburtstags der Köthener Herzogin entstand, ist nur durch den Text von Henrici belegt.[315] Eine dritte Fassung, die einem Mitglied der Leipziger Gelehrtenfamilie Rivinus gewidmet war, folgte nach Ausweis der erhaltenen Stimmen um 1735 (BWV 36b).[316] Bereits vier Jahre zuvor war zum 1. Advent 1731 die geistliche Parodie BWV 36 (B) entstanden, die in einer autographen Partitur vorliegt.[317] Aus einer Kopie von Christoph Nichelmann geht jedoch hervor, dass ihr eine frühere Fassung (A) vorausging, deren Wortlaut der geistlichen Parodie nahesteht, während der Notentext auf die weltliche Erstfassung zurückwies.[318] Da in dieser Abschrift drei Choralsätze fehlen, die wohl erst 1731 eingefügt wurden, dürfte die Fassung zwischen 1725 und 1729 anzusetzen sein. Wie Neumann zeigte, änderte Bach primär die Vokalstimmen, um sie den wechselnden Texten anzupassen.[319] So wurden – um ein paar Beispiele zu nennen – in der Sopranarie Satz 7 die in der Erstfassung wiederholte Zeile »(Auch) mit gedämpften, schwachen Stimmen« (T. 30) in der dritten Fassung durch die Worte »deine Gütigkeit« ersetzt und zugleich mit einem längeren Melisma bedacht. Weiter noch reichten die Eingriffe in den Takten 37–40, die gemäß der Rede von den »vergnügten Trieben« durch Koloraturen bereichert wurden. Ähnliches ist in der Bassarie Satz 5 zu beobachten, deren erste Worte (»Der Tag, der dich vordem gebar«) dem Komma gemäß durch eine Pause getrennt waren (T. 9). In Nichelmanns Kopie wurde die Pause beibehalten, doch trennte sie hier die Worte »Sei mir – willkommen werter Schatz.« Dagegen heißt es in der letzten geistlichen Fassung: »Willkommen, – willkommen werter Schatz«, so dass die Pause zwischen der Wortwiederholung nun ähnlich sinnvoll wirkt wie in der ersten Version.[320]

---

313 In NBA II/7, S. 99–184, wurde der ersten Fassung der Osterkantate der Text der Schäferkantate beigegeben.
314 Der Text der Erstfassung »Schwingt freudig euch empor« verweist auf den Geburtstag eines Lehrers, vgl. NBA I/39, hrsg. von Werner Neumann, KB, S. 17 f. und 33 ff.
315 Christian Friedrich Henrici, Ernst-Schertzhaffte und Satyrische Gedichte, Leipzig 1727, S. 14–17, vgl. NBA I/35, hrsg. von Alfred Dürr, KB, S. 152 f.
316 NBA I/38 »Die Freude reget sich«, hrsg. von Werner Neumann, KB, S. 143 f. und 154–166.
317 NBA I/1, hrsg. von Alfred Dürr, KB, S. 21 f., sowie ders., Chronologie 2, S. 104 f.
318 NBA I/1, KB, S. 18–21, und Chronologie 2, S. 104.
319 Vgl. Verf., Bemerkungen zu den Fassungen der Kantate 36, in: J. S. Bach, Das Kantatenwerk, Einspielung unter Leitung von Nicolaus Harnoncourt, Vol. X, Hamburg 1974, S. 2–4 (Notenbeispiele S. 7).
320 Falls die Wortwiederholung nicht auf Bach zurückginge, dürfte sie auf seinen Wunsch hin erfolgt sein.

Die Kantate BWV 36 hat insofern exemplarische Bedeutung, als sie das erste Werk ist, das einen Vergleich zwischen mehreren Fassungen gestattet. Je genauer man die Varianten verfolgt, desto vorsichtiger wird man die Fälle beurteilen, in denen nur die Vorlagen oder die Parodien erhalten sind. Wichtiger als die Differenzen einzelner Wörter waren die Analogien der Metrik, der Syntax und der Affektcharaktere, die es Bach erlaubten, den Instrumentalpart der Erstfassung zu übernehmen und die Vokalstimmen einem neuen Text anzupassen.[321] In BWV 249 erleichterte Bach dem Dichter die Aufgabe, indem er neue Rezitative komponierte (während er in den Parodien des Vorjahrs die Rezitative übernommen und den Dichter zur Anfertigung neuer Texte genötigt hatte). In der Osterkantate ließen sich die Instrumentalstimmen der Vorlage verwenden, sodass nur neue Vokalstimmen angefertigt werden mussten. Sie wurden dabei mit Rollenbezeichnungen versehen, die auf die Personen der Schäferkantate zurückweisen (und in der späteren Partitur fehlen).[322] Beide Fassungen beginnen – nach zwei Instrumentalsätzen – mit einem Duett, das Bach zwischen 1743 und 1746 zu einem Chorsatz erweiterte. Die Übersicht bezieht sich auf die Erstfassung der Osterkantate und verweist in der rechten Spalte auf die Texte der Vorlage.

1. Sinfonia	Tr. I–III, Timp., Ob I–II, Str., Bc. – D-Dur, ⅜	–
2. Adagio	Ob. I, Str., Bc. – h-Moll, ¾	–
3. Aria [Duett]: Kommt, fliehet und eilet	T., B., Tr. I–III, Timp., Ob. I–II, Str., Bc. – D-Dur, ⅜	*Entfliehet, verschwindet*
4. Recitativo: O kalter Männer Sinn!	S., A., T., B., Bc.	*Was hör ich da?*
5. Aria: Seele, deine Spezereien	S., Trav., Bc. – h-Moll, ¾	*Hunderttausend Schmeicheleien*
6. Recitativo: Hier ist die Gruft	A., T., B., Bc.	*Wie aber, schönste Schäferin*
7. Aria: Sanfte soll mein Todeskummer	T., V. I–II con sordini + Fl. I–II (in 8va), Bc. – G-Dur, ¢	*Wieget euch, ihr satten Schafe*
8. Recitativo: Indessen seufzen wir mit brennender Begier	S., A., Bc.	*Wohlan! Geliebte Schäferinnen*
9. Aria: Saget, saget mir geschwinde	A., Ob. (d'am.), Str., Bc. – A-Dur, ¢	*Komm doch, Flora, komm geschwinde*
10. Recitativo: Wir sind erfreut, daß unser Jesus wieder lebt	B., Bc.	*Was sorgt ihr viel*
11. »Aria a 4«: Preis und Dank bleibe, Herr, dein Lobgesang	S., A., T., B., Tr. I–III, Timp., Ob. I–II, Str., Bc. – D-Dur, ¢, ⅜	*Glück und Heil, bleibe dein beständig Teil*

Wie mehrfach vermutet wurde, dürften die einleitenden Orchestersätze auf ein früheres Konzert zurückgehen.[323] Die Sinfonia gliedert sich in fünf Ritornelle und vier

---

321 Ludwig Finscher, Zum Parodieproblem bei Bach, in: Bach-Interpretationen, hrsg. von Martin Geck, Göttingen 1969, S. 94–105.
322 Vgl. NBA II/7, KB, S. 9–16. Die Angaben finden sich im Kopftitel der Stimmen (Sopran: Maria Jacobi, Alt: Maria Magdalena, Tenor: Petrus, Bass: Johannes), ebd., S. 14. Vgl. Christoph Wolff, Johann Sebastian Bachs Oratorien-Trilogie und die große Kirchenmusik der 1730er Jahre, in: BJ 2011, S. 11–25, hier S. 17–20.
323 So Smend im Nachwort seiner Ausgabe der Schäferkantate, vgl. dazu Paul Brainard in: NBA II/7, KB, S. 54 f., sowie Dürr, Die Kantaten, Bd. 1, S. 239.

Episoden für konzertierende Solostimmen. Während das Ritornell einmal vollständig und sonst in verkürzter Fassung wiederkehrt, zeichnen sich die Episoden durch wachsenden Umfang und vielfachen Wechsel der beteiligten Soloinstrumente aus.

Rit. 1	Episode 1	Rit. II	Epis. 2	Rit. III	Epis. 3	Rit. IV	Epis. 4	Rit. V
1–16	16–32	32–40 (~ 1–6 + 15–16)	40–72	73–84 (~ 1–6 + Annex)	85–121	122–137 (= 1–16)	137–222	223–230
Tutti	Ob. I–II, Tr. I–II	Tutti	V. solo	Tutti	Fag. + Ob. I–II	Tutti	V. I–II, Ob. I–II, Tr. I–II	Tutti
I – V	I – IV – V – I	I – V – I	I → V	I – VI – V	I – V – III	I → II	I – VI – V – I	I – V – I

Das Ritornell beginnt mit einer zweitaktigen Fanfare, deren Wiederholung in eine Quintfallsequenz mündet und auf der V. Stufe ausläuft. Erst das zweite Ritornell, in dem die Quintkette ausfällt, endet auf der Tonika. Dagegen weist das dritte Ritornell einen Anhang auf, der auf der Doppeldominante abbricht. Nur das vorletzte Ritornell entspricht der ersten Fassung, während das letzte wiederum verkürzt wird. Gestützt von den Violinen, exponiert die erste Episode anfangs die Oboen, die später den Trompeten die Führung überlassen. In der zweiten Episode tritt die erste Violine derart dominierend hervor, dass man meinen könnte, einen Ausschnitt aus einem Violinkonzert vor sich zu haben. Analog zeichnet sich die dritte Episode durch eine solistische Fagottstimme aus, die durch die Oboen zum Triosatz erweitert wird. Am umfangreichsten ist die letzte Episode, die vier Abschnitte umfasst, sodass alle Gruppen beteiligt werden (T. 137–163: zwei Violinen, Oboen und Trompeten, T. 164–190: Violine I, T. 191–206: Trompeten und Tutti sowie T. 207–222: zwei Oboen und Trompeten). Die reiche Besetzung erinnert zwar an das erste Brandenburgische Konzert (BWV 1046), doch sind die Episoden nicht so eng wie dort mit dem Ritornell verbunden. Obwohl sie vielfach ähnliche Wendungen bieten, zeigen sie keine Ansätze zu motivischer Arbeit.

Das Adagio entspricht einem Typus, der in den Einleitungssätzen der Weimarer Kantaten BWV 21 und 12 vorgebildet ist. Ähnlich wie dort enden gedehnte Haltetöne einer Solostimme in synkopisch verlängerten Vorhalten die sich in Sechzehntelketten auflösen. Doch wirkt der Oboenpart – der später der Flöte zufiel – etwas einfacher, weil er nicht so reich wie dort ornamentiert ist, während sich der begleitende Streicherpart auf punktierte Werte beschränkt. Desto eigenartiger ist die harmonische Disposition, die sich in der viertaktigen Einleitung ankündigt. Die Basslinie fällt zunächst in chromatischen Schritten ab, um danach in eine Quintfallsequenz einzumünden. Ihre variierte Wiederholung lenkt zur V. Stufe, von der aus der Prozess erneut durchlaufen wird. Allerdings wird die Quintkette verlängert, sodass sie am Ende zur Tonika zurückführt (T. 27–41). Da sie keine Binnenzäsur erfährt, kehrt der erste Viertakter unverändert nur auf der Dominante wieder (T. 20–23), während er am Ende durch eine »phrygische« Klausel erweitert wird (T. 51–56).

Zwar ist es denkbar, dass diese Sätze auf eine verschollene Vorlage zurückgehen. Doch wurde seit Smend mehrfach vermutet, auch das Duett (Satz 3) – das Bach später zum Chorsatz erweiterte – sei auf das Finale eines Instrumentalkonzerts zurückzuführen.[324] Paul Brainard sprach von einer »auf rein musikalischer Basis einleuchtende[n] These, die allerdings keine quellenmäßige Unterstützung« finde.[325] Doch lässt sich die Annahme aus satztechnischen Gründen bezweifeln. Zwar teilt das Duett mit manchen Konzertsätzen Bachs die Da-capo-Form, und das Vorspiel, das am Ende des A-Teils wiederkehrt, könnte einem Instrumentalsatz entstammen. Es dürfte aber schwerfallen, die vokalen Phasen auf die Episoden eines Konzertsatzes zurückzuführen. Während der imitierende Beginn mit dem Dialog zweier Partner rechnet, werden beide Stimmen danach in homorhythmischen Achtelfolgen gekoppelt. Da sie keine längeren Koloraturen enthalten, können sie kaum einem Konzertsatz entstammen. Andernfalls müssten dessen Episoden so gründlich verändert worden sein, dass sich weitere Vermutungen erübrigen dürften. Überdies beschränken sich die begleitenden Instrumente – soweit sie nicht pausieren – auf füllende Akkorde und kleine Figurenketten (vgl. T. 41–45, 66 f. und 90 f.). Dagegen finden sich nur zwei Taktgruppen, die auf Vokaleinbau zurückdeuten könnten (T. 77–82 und 85–88). Wäre der Satz demselben Werk wie die Sinfonia entnommen, so hätte es sich um Bachs einziges Konzert mit zwei Ecksätzen im ⅜-Takt gehandelt. Plausibler ist daher die Annahme, das Duett sei erst nachträglich als vokales Gegenstück zur Sinfonia entstanden.

Etwas einfacher ist der Schlusschor, der wie in der weltlichen Fassung als »Aria a 4« bezeichnet ist. Im Alla-breve-Takt notiert, besteht der erste Teil aus zwei Taktgruppen, die im Vorspiel vom Tutti exponiert und danach mit Vokaleinbau verbunden werden, bis sie am Ende durch eine Quintfallkette erweitert werden. Während die triolischen Trompetenfiguren das akkordische Gerüst der ersten Gruppe umspielen, werden die Triolen in der zweiten Gruppe zu skalaren Figuren umgebildet und durch die Oboen und Streicher aufgefüllt (T. 1–4 und 5–8). Beide Gruppen kehren mit Vokaleinbau wieder (T. 8–16), bevor sie nochmals wiederholt werden (T. 16–32 ~ 1–16). Auf der VI. Stufe h-Moll setzt danach die Quintkette an, deren zweitaktige Glieder auf der V. Stufe enden (T. 32–38). Die letzten Takte wechseln zwischen cis- und fis-Moll, bis sie vom Schlussteil im ⅜-Takt abgelöst werden (T. 38–49), der am Ende zur Tonika D-Dur zurückführt (T. 50–83). Zwar scheint er als vokales Fugato mit duplierenden Instrumenten zu beginnen, doch werden die Stimmen nach dem letzten Einsatz der ersten Trompete akkordisch gebündelt und durch Koloraturen und Spielfiguren aufgelockert. In seiner knappen und effektvollen Anlage entspricht der Satz den Schlusschören der Köthener Kantaten, von denen er sich durch den Kontrast zwischen majestätischem Hauptteil und beschwingtem Abschluss unterscheidet. Je genauer man die beiden Texte vergleicht, desto mehr drängt sich der Eindruck auf, Bach habe den Satz von vornherein für die Osterkantate konzipiert. Während hier der Wechsel nach fis-Moll mit der Rede von »Höll und Teufel« zusammenfällt, würde er zuvor einem Herzog gelten, dessen »Vergnügen« beständig sein möge. Auch der grandiose Abschluss passt eher zum »prächtigen Bogen«, auf dem »der Löwe aus Juda« einzieht. Daher besteht kein Anlass, die geistliche Fassung als zweitrangig zu betrachten.

---

324 Vgl. Smends Nachwort zur Ausgabe der Schäferkantate sowie Dürr, a. a. O., S. 239.
325 NBA II/7, KB, S. 55.

Mit gleichem Geschick wusste Henrici die Texte der Arien so umzubilden, dass Bach die Vertonungen ohne größere Eingriffe übernehmen konnte. Die Tenorarie »Seele, deine Spezereien« (Satz 5) schließt an die »Flötenarien« an, die zu den Kennzeichen der Choralkantaten gehörten. Ohne ebenso virtuos zu sein, zeigt der Flötenpart, dass Bach mit einem kompetenten Spieler rechnen konnte (obwohl die Stimme auch auf der Geige zu spielen wäre). Mit Dreiklangsbrechung beginnend, wird das Kopfmotiv des Ritornells zweimal sequenziert und zugleich erweitert, bevor es in sanften Kurven absinkt (T. 1–4). Obwohl sich die Fortspinnung aus Sechzehntelgruppen zusammensetzt, umschreibt sie abermals eine steigende Linie, um am Ende in Triolen zum Grundton zurückzuführen (T. 5–16). Das Material hat zur Folge, dass der Vokalpart gänzlich neu formuliert werden muss. Gleichwohl sind die Stimmen so eng miteinander verwoben, dass man ihrer Unterschiede kaum gewahr wird. Wiewohl nur ausnahmsweise motivische Analogien (wie die vokalen Triolen in T. 51 f.) und kurze Einbauphasen begegnen (so in T. 21 f. und 29 f.), bilden Sopran und Flöte einen kontrapunktischen Satz, dessen Stimmführung neutral genug ist, um sich den wechselnden Texten anzuschmiegen. Wo die Vorlage von »Schmeicheleien« und »Zärtlichkeiten« spricht, redet die Parodie von »Myrrhen« und »Lorbeerkränze[n]« (die Bachs Hörer auf den einbalsamierten und auferstandenen Herrn beziehen konnten). Um beide Texte sinnvoll zu deklamieren, bedurfte es nur geringfügiger Varianten. Ein bezeichnendes Beispiel sind die Schlusstakte des A-Teils, deren Melismen auf verschieden betonte Worte verteilt wurden, ohne substantieller Änderungen zu bedürfen (vgl. beispielsweise T. 54–57).

Die Tenorarie »Sanfte soll mein Todeskummer« (Satz 7) entspricht dem variierten Da-capo-Schema, in dem das modulierende Gelenk des Schlussteils so verändert wird (vgl. T. 80 f. mit T. 26 f.), dass der weitere Verlauf übernommen werden kann (T. 55–79 = 1–26, T. 82–84^2 ~ 31–33^2). Der bestrickende Klang des Satzes beruht auf einem Verfahren, das Bach schon früher verwendet hatte, hier aber zu einem wahren Klangteppich erweiterte. Analoge Konstruktionen über Orgelpunkten begegneten bereits im ersten Jahrgang (BWV 95:5 »Ach, schlage doch bald, letzte Stunde«, BWV 104:5 »Beglückte Herde, Jesu Schafe«) und später in den Choralkantaten (BWV 114:5 »Du machst, o Tod, mir nun nicht ferner bange«, BWV 125:3 »Ich will auch mit gebrochnen Augen«). Sie verbanden sich aber stets mit prägnanten Motiven der Oberstimmen, deren Rhythmik den Worten des Vokalparts entsprach.[326] Die Texte changierten zwischen pastoraler Prägung (wie in BWV 104:4) und Todesschlummer, evozierten aber stets die Aura friedvoller Ruhe.[327] Das gilt auch für die Arie des Osteroratoriums,[328] obwohl der Orgelpunkt in Achtel aufgelöst wird (T. 1–5), während die Violinen – oktaviert von den Blockflöten – die Grundstufen umkreisen

---

[326] In BWV 95:5 pendelt der Bass zwischen Grundton und Quinte, um den Schlag der Glocken anzudeuten, während sich die Orgelpunkte der anderen Sätze mit rhythmisch profilierten Oberstimmen verbinden.
[327] Derartige Sätze finden sich in den Werken nach Texten von Zieglers (BWV 42:4 »Wo zwei und drei versammlet sind«, BWV 87:6 »Ich will leiden«) und später auch im dritten Jahrgang (BWV 83:3 »Schlummert ein ihr matten Augen«, BWV 34:3 »Wohl euch, ihr auserwählten Schafe« bzw. BWV 34a:5). Das bekannteste Beispiel ist die Altarie »Schlafe, mein Liebster« aus dem Weihnachtsoratorium (BWV 248:19), in deren Ritornell der Continuo elf Takte lang auf dem Grundton verharrt.
[328] In BWV 249 gilt das sowohl für die Vorlage als auch für die geistliche Fassung.

Notenbeispiel 32

(Notenbeispiel 32). Zwar lenkt der Bass in Takt 5 zur Dominante, um später die II. und IV. Stufe zu erreichen, doch werden die Tonrepetitionen ebenso fortgeführt wie die Bewegungsmuster der Gegenstimmen. Eine Ausnahme ist das Kadenzglied, dessen Basslinie in synkopischen Vierteln verläuft, aber vor Auslaufen der Oberstimmen den Grundton erreicht (T. 11–13[1]).

Aufgrund dieser Konstruktion kann der Vokalpart in die Gruppen des Ritornells eingebaut werden, die dabei transponiert oder variiert werden. So kreuzt sich der Tenoreinsatz in Takt 13 mit dem Ende des Ritornells, während die dominantischen Phasen mit den Haltetönen zum Wort »Schlummer« (bzw. »Schlafe«) zusammenfallen (T. 15f., 22f., 27f. und 30ff.). Die zweite Zeile wird dagegen mit drei Einschüben im Continuo gekoppelt (T. 17, 26 und 33), und da in diesen Takten die Streicher und Flöten pausieren, kann der Text des Vokalparts desto deutlicher hervortreten. Etwas lockerer ist der B-Teil geformt, in dessen erster Zeile der Instrumentalpart zweimal aussetzt (T. 40f. bzw. 45f.). Besondere Hervorhebung erfährt die folgende Zeile, in der die Instrumente den Vokalpart mit getupften Achteln begleiten, um auf die »Zähren meiner Pein« zu verweisen (T. 46–50).[329] Je genauer man das Verhältnis der Texte zur Satzstruktur verfolgt, desto mehr gewinnt man den Eindruck, dass Bach und Henrici die geistliche Fassung von vornherein im Auge hatten.[330]

Das gilt freilich nicht für die Altarie »Saget, saget mir geschwinde« (Satz 9), die ebenso gut zum Text der weltlichen Fassung passen würde (»Komm doch, Flora,

---

329 In der Vorlage lautete der Text: »wo schon junge Rasen sein«.
330 Zu den verschiedenen Fassungen des Vokalparts vgl. NBA II/7, S. 93–96.

komm geschwinde«). Besetzt mit Oboe und Streichern, schließt sie an die Sätze mit konzertantem Solopart und begleitendem Tutti an, die mehrfach in den Choralkantaten begegneten. Das Ritornell beginnt mit zwei Akkordschlägen, die durch einen Quartfall verbunden sind (T. 1$^{1-2}$). Die Fortspinnung bleibt der Oboe überlassen, während die begleitenden Streicher nur zwei Binnentakte ergänzen und das abschließende Kadenzglied duplieren (T. 5 f., 7, 12). Der Vordersatz setzt mit einer Wendung an, deren sequenzierende Erweiterung zur V. Stufe lenkt und die Kadenz desto markanter hervortreten lässt (T. 1^3–4^3). Die Fortspinnung beruht auf einer Quintfallsequenz, deren Glieder in halb- und ganztaktigen Abständen wechseln (T. 4^3–13^1). Da sie keine Unterbrechung dulden, ergibt sich nur am Ende eine klare Zäsur. Erst bei Eintritt des Vokalparts wird jedoch sichtbar, wie genau die Konstruktion auf den Text bezogen ist.

Ritornell	Zeilen 1–3	instrumental	Zeilen 1–3	Zeilen 1–3		Ritornell
1–4^3, 4^3–13^1	13^1–16^3	16^3–19^2	19^3–31^3	31^4–33^2	33^3–36^1	36^1–48^1
	(~ 1–4^3)	(~ 4^3–7^2)	(~ 4^1–13^3)		(~ 10^3–13^1)	(= 1–13^1)
Vs. – Ns.	Vs.	Ns.	Vs. – Ns.	Einschub	Ns. (vokal)	Vs. – Ns.
A – E, Quintketten – A	A – E	E – A	A – E – A	D – A	E – A	A – E – A

Der Vordersatz wird vom Alt übernommen, sodass seine gedrängte Diktion mit der gleichsam atemlosen Deklamation der zwei ersten Zeilen zusammenfällt (T. 13–15^3 ~ 1–3^3: »Saget mir geschwinde, wo ich meinen Jesum finde«), um in der dritten Zeile ihr Ziel zu finden (T. 15^4–16^3 ~ 3^4–4^3: »welchen meine Seele liebt«). Zwar schließt sich die Fortspinnung der Oboe an (T. 16^3–19^2 ~ 4^3–7^2), die jedoch von der vokalen Wiederholung des Vordersatzes abgelöst wird (T. 19^3–23^1). Danach wird die gesamte Gruppe – versetzt um einen halben Takt – wiederholt und mit Vokaleinbau verbunden (T. 23^1–31^3 ~ 4^3–13^1). Die letzten Takte gehen auf den Schluss des Ritornells zurück, dessen Oboenpart in den Alt verlegt wird (T. 33^3–36^1 ~ 10^3–13^1). Demnach basiert der gesamte A-Teil – mit Ausnahme zweier Takte (T. 31^4–33^2) – auf dem Ritornell, das am Ende nochmals wiederholt wird (T. 36–48^1).

Gemäß der Da-capo-Form des Satzes nimmt der B-Teil die drei restlichen Zeilen auf, die einmal wiederholt werden. Dass die Oboe und erste Violine dabei die Rollen tauschen, ist weniger belangvoll als die eigenartige Textdisposition. Zwischen beide Abschnitte werden nochmals die Zeilen des A-Teils eingefügt, sodass der gesamte Text im Zusammenhang erklingt. Im ersten Durchgang, der von fis- nach h-Moll führt (T. 48^2–56^1), wird der Vokalpart von den Figuren der Fortspinnung begleitet, ohne jedoch das Ritornell zu zitieren. Dass der Vordersatz im anschließenden Zwischenspiel erscheint (T. 56–59^2), überrascht nicht so sehr wie der folgende Rekurs auf die Zeilen des A-Teils, die wieder in die Fortspinnung des Ritornells eingebaut werden (T. 59^3–67^3). Da sie von h-Moll nach fis-Moll zurückführen, ergeben sich kleine Varianten, die aber nichts daran ändern, dass das komplette Ritornell im B-Teil wiederholt und mit allen Zeilen verbunden wird. Aufgrund der Metrik konnte Bach bei der Erstaufführung den Notentext der Vorlage übernehmen, den er aber 1738 erweiterte, um der Bedeutung der letzten Zeilen Rechnung zu tragen.

BWV 249
Komm doch, komm, umfasse mich,
Denn mein Herz ist ohne dich
Ganz verwaiset und betrübt.

BWV 249a
Daß ein treuer Untertan
seinem milden Christian
Pflicht und Schuld bezahlen kann.

Zwar scheint dieser Anhang nach einem Takt abzubrechen, um dann jedoch erneut anzusetzen und zu einer Diktion zu wechseln, die auf der Mitte zwischen Rezitativ und Arioso steht (T. 67^b–72^1).[331] Bei späteren Revisionen ergaben sich weitere Änderungen, die weniger auffällig sind, aber beweisen, dass das Werk für Bach nicht geringeres Gewicht als das Weihnachtsoratorium hatte. Das allein sollte Grund genug sein, das Osteroratorium nicht länger als nachrangige Parodie zu betrachten.

3. Chorsätze

a. Chorische Dicta

Die Kantaten, die dem Osteroratorium folgten, umfassen neben vier Eingangschören zwei motettische Binnensätze, deren Texte der Bibel entnommen sind. Die Nachweise der Texte werden in der folgenden Übersicht durch Angaben zur Besetzung und Satzweise ergänzt.

6:1	2. Ostertag	Bleib bei uns, denn es will Abend werden (Lk. 24:29)	S., A., T., B., Ob. I–II, Ob. da caccia, Str., B. – c-Moll, ¾, ₵, ¾	dreiteilig mit quasi kanonischer Kette im Mittelteil
103:1	Jubilate	Ihr werdet weinen und heulen (Joh. 16:20)	S., A., T., B., Fl. picc. (Trav. o V. conc.), Ob. d'am. I–II, Str., Bc. – h-Moll, ¾	drei thematisch verbundene Fugen + Ritornellmotivik
108:4	Cantate	Wenn aber jener, der Geist der Wahrheit, kommen wird (Joh. 16:13)	S., A., T., B., Bc. (Ob. d'am. I–II, Str. colla parte) – D-Dur, ₵	motettisch mit drei verketteten Teilen
74:1	1. Pfingsttag	Wer mich liebet, der wird mein Wort halten (Joh. 14:23)	S., A., T., B., Tr. I–III, Ob. I–II, Ob. da caccia, Str., Bc. – C-Dur, ₵	= BWV 59:1 bei Erweiterung um zwei Stimmen
68:5	2. Pfingsttag	Wer an ihn gläubet, der wird nicht gerichtet (Joh. 3:18)	S., A., T., B., Bc. (Cornetto, Trombone I–III, Ob. I–II, Taille, Str. colla parte) – a-Moll, ₵	motettisch mit drei verketteten Teilen
176:1	Trinitatis	Es ist ein trotzig und verzagt Ding um aller Menschen Herze (Jer. 17:9)	S., A., T., B. (+ Ob. I–II, Ob. da caccia), Str., Bc. – c-Moll, ₵	zwei thematisch verbundene Fugen + Ritornellmotivik

Die Eingangssätze aus BWV 6, 103 und 176 verdienen besonderes Interesse, weil sie höchst unterschiedliche Kombinationsformen darstellen. Während der kanonische Mittelteil in BWV 6 durch zwei akkordisch geprägte Außenteile umrahmt wird, beginnt der Satz aus BWV 103 mit einem Ritornell, dessen Motivik mit den fugierten

---

[331] Vgl. dazu NBA II/7, KB, S. 26 f. und S. 53.

Binnenteilen kombiniert wird. Dagegen konzentriert sich die Fuge aus BWV 176 auf zwei vokale Durchführungen, in denen die Streicher nur zu Beginn und dann erst wieder am Ende motivische Funktion haben, während sie im Binnenverlauf den Vokalpart umspielen.

Der Eingangschor aus BWV 6 gliedert sich in drei getrennte Teile, wiewohl der Text nur aus einem kurzen Satz besteht: »Bleib bei uns, denn es will Abend werden und der Tag hat sich geneiget« (Lk. 24:29). Treten die Textglieder in den Rahmenteilen sukzessiv ein, so werden sie im Mittelteil simultan verkettet. Im Unterschied zu den Außenteilen, die durch den obligaten Instrumentalpart geprägt sind, bildet der Mittelteil ein Alla breve, in dem die Instrumente den Chor duplizieren. Das einleitende Ritornell umfasst zwei Gruppen, die aus zwei- und dreitaktigen Gliedern bestehen. Die Abfolge verweist auf die Wiederholung der ersten Worte und die zügige Deklamation des weiteren Textes. Während die ersten Takte akkordische Blöcke bilden, die von Tonrepetitionen begleitet werden, werden die folgenden Takte durch eine Imitationsgruppe eröffnet, die auf die hemiolisch gedehnte Kadenz hinführt.

1–10, 10–20	21–30 (~ 1–10)	31–36 (~ 5–10)	36–42	43–52 (~ 1–10)	53–58 (~ 5–10)	58–64 (~ 36–42)	65–74 (~ 1–10)	75–79 (~ 16–20)
Ritornell Ob., Str.	+ Chor Ob., Str.	Zwsp. Str., Ob.	vok.-instr. wechselnd	+ Chor Str., Ob.	Zwsp. Ob., Str.	vok.-instr wechselnd	+ Chor Str., Ob.	Nachspiel Ob., Str.
c – Es, Es – c	c – Es	Es	Es – g	g – B	B	B – g	g	c – g/G

Die Rahmenteile gehen auf das Ritornell zurück, dessen Glieder dabei transponiert und variiert werden. Die Imitationsgruppe des Ritornells wird im zweiten Ansatz durch eine skalare Variante ersetzt (T. 5 ff. und T. 15 ff.), die erst am Ende der Außenteile wiederkehrt (T. 69 f. und T. 128 f.). Stellt die erste Phase eine chorische Erweiterung des Ritornells dar, so bildet die nächste Gruppe einen siebentaktigen Einschub, der von der Parallele zur Dominante führt und später in transponierter Fassung wiederkehrt (T. 36–42 bzw. 58–64). Eine letzte Variante betrifft den Wechsel zwischen Oboen und Streichern, die abwechselnd als führende und begleitende Stimmen fungieren (vgl. die Angaben im Schema). Um zum B-Teil zu vermitteln, endet die letzte Gruppe auf der Dominante, sodass erst der Schlussteil wieder zur Tonika zurückkehrt. Beginnend mit der chorischen Fassung des Ritornells (T. 114–123 ~ 21–30), greift er anschließend auf die zweite Phase des Vorspiels zurück (T. 124–133 ~ 11–20), um aber am Ende in C-Dur auszuklingen.

> Die autographe Partitur (P 44 adn. 1) lässt erkennen, dass Bach vor der Variante des Imitationsmotivs nachträglich einen Takt einfügte, um den Umfang der Gruppen auszugleichen (T. 15).[332] Da die Partitur nur wenige nennenswerte Fehler enthält, die während der Niederschrift korrigiert wurden, dürften ausführliche Skizzen vorangegangen sein. In Takt 15 wurden die Tonrepetitionen der Streicher durch eine punktierte Halbe mit angebundener Viertelnote ersetzt. Da das auch für die Oboen in Takt 79 f. gilt, wurden beide Gruppen wohl erst nachträglich geändert. Daneben sind einige Korrekturen im B-Teil zu nennen. So wurde der Einsatz des ergänzenden Themas im

---

[332] Vgl. NBA I/10, hrsg. von Alfred Dürr, KB, S. 51 f.

Sopran berichtigt, während im Alt die Fassung des Hauptthemas geändert wurde (T. 81). Mehrfacher Korrekturen bedurften die Stimmen der Instrumente und des Continuo in den Takten, in denen sie sich vom Vokalpart lösen (T. 102f., 107f. und 110f.).[333]

Da Neumann im Mittelteil »eine gewisse Nähe zur Permutationsfuge« sah, griff er auf Termini zurück, die er für die fugierten Sätze eingeführt hatte (A = Dux-Block, B = Comes-Block, C = Wiederholung auf gleicher Stufe).[334] Zugleich betonte er aber, die Konstruktion basiere auf einem kanonischen Themenblock, dessen Glieder auf gleicher Stufe oder auf der Unter- bzw. Oberquinte eintreten. Dem Text gemäß haben die Tonrepetitionen zu den eröffnenden Worten als erstes Thema zu gelten (1. »Bleib bei uns«), das neunmal eintritt. Wichtiger ist das zweite Thema (2. »denn es will Abend werden«), das aus einer mit Vorhalt markierten Kadenz besteht und zugleich engeführt wird. Dieses Stimmenpaar wird durch ein drittes Thema ergänzt (3. »und der Tag hat sich geneiget«), das wiederum eine Kadenzformel darstellt und mit seiner Engführung und einem Anhang gekoppelt wird. Während Neumann auf die Termini der Funktionalharmonik zurückgriff, nennt die folgende Übersicht die Tonstufen und die beteiligten Stimmen. Dass der Satz einen »verworrenen« Eindruck machen kann,[335] liegt vor allem am dritten Thema, das mit dem zweiten die syllabische Deklamation in Achteln teilt. Die Übersicht beschränkt sich daher wie Neumanns Schema auf das zweite Thema und nennt zudem die Einsätze des ersten Themas. Allerdings ist Neumanns Darstellung insofern unvollständig, als sie die Einschübe übergeht, die sich der Analogie zur Fuge entziehen.[336] Das betrifft zunächst die auffälligen Lücken der Taktangaben (T. 9 und 23 f. [= in Neumanns Zählung T. 88 und 102 f.]). In beiden Fällen werden zusätzliche Einsätze erforderlich, um von der doppelten Unter- bzw. Oberquinte (b- bzw. d-Moll) zur Grundstufe c-Moll zurückzuführen. Dasselbe gilt für die Einsatzpaare auf gleicher Stufe, denen modulierende Zwischenglieder vorangestellt werden (T. 99f., 103f., 106f. und 109f.). Um nicht weitere Verwirrung zu stiften, werden die Zwischenglieder als Z^{1-6} bezeichnet und durch Kursive markiert, während sich die Stufenangaben auf die Kadenzen beziehen.

Nr.	Takte	Themen und Stimmen	Stufenfolge
1.	80–82	2 (T., A.) + 1^1 (B.)	c – f (T – S)
2.	82–85	2 (S., B.)	c – g (T – D)
3.	85–88	2 (A., B.) + 1^2 (S.)	f – b (S – SS)
Z^1	88–89	2 (S.)	→ c (T)
4.	89–91	2 (T., B.) + 1^3 (Ob./V. I)	c – f (T – S)
5.	91–93	2 (T., A.)	f – c (S – T)
6.	93–94	2 (A., B.)	c – g (T – D)
7.	94–95	2 (S., A.)	g – d (D – DD)
Z^2	95–96	2 (A., S.) + 1^4 (T.)	→ c (T)

333 Ebd., S. 54 f.
334 Vgl. Werner Neumann, J. S. Bachs Chorfuge, S. 77, und die Tabelle 28, in der zwei Versehen in den Notenbeispielen zu berichtigen sind (in den Unterstimmen der Blöcke C und B müssen die ersten Töne im zweiten Takt *g* statt *es* lauten).
335 So Neumann, a. a. O., S. 77.
336 Neumann verwies auf diese Einschübe in Anm. 176–177, doch sind die Formulierungen wenig geeignet, die Maßnahmen hinreichend zu verdeutlichen.

Nr.	Takte	Themen und Stimmen	Stufenfolge
8.	97–99	2 (T., S.) + 1^5 (A.)	c – F (T – S)
Z^3	*99–100*	*2 (T., B.)*	*→ Es (Tp)*
9.	100–103	2 (A., T.) + 1^6 (S.)	Es – Es (Tp – Tp)
Z^4	*103–104*	*2 (B.) + ein themenfreier Takt*	*→ As (Sp)*
10.	104–106	2 (T., S.) + 1^7 (B.)	As – As (Sp – Sp)
Z^5	*106–107*	*2 (A.)*	*→ f (S)*
11.	107–109	2 (B., S.) + 1^8 (Ob./V. I)	f – f (S – S)
Z^6	*109–110*	*2 (B.)*	*→ c (T)*
12.	111–113	2 (Ob./V. I, Ob./V. II) + 1^9 (Chor)	c – c (T – T)

Wie dem Schema zu entnehmen ist, beginnt die Kanonkette mit zwei Einsatzpaaren, die sich zur Unter- bzw. Oberquinte richten, während die nächsten Einsätze die doppelte Unter- bzw. Oberquinte erreichen und eine Quintfallsequenz einleiten, die von d-Moll bis As-Dur führt (T. 97–106). Dass die Stufen Es und As verdoppelt werden, dürfte an der Absicht liegen, den dominierenden Mollklängen eine Reihe von Durklängen gegenüberzustellen (T. 100–106). Die Planung wird durch die motivischen Analogien und die erwähnten Einschübe verdeckt, die für den »verworrenen« Eindruck verantwortlich sind. Sie lässt sich freilich als Spiegel der Verwirrung verstehen, die sich der Jünger bei der Begegnung mit Jesu bemächtigt. Wie stets bei Bach sind Ausdruck und Struktur als zwei Seiten desselben Prozesses verbunden. Kaum zu begreifen ist es, wie Bach eine derart komplizierte Konstruktion entwerfen und zugleich Themen von derart sprechender Gestik erfinden konnte. Während die Bitte »bleib« in den Rahmenteilen auf betonter Zählzeit akzentuiert wird, wird der Zusatz »bei uns« durch längere Notenwerte hervorgehoben. Dagegen werden die begründenden Worte (»denn es will Abend werden«) mit einer fallenden Kurve verbunden, die den Raum einer Dezime durchmisst, während derselbe Text im Mittelteil auf die drei Themen des Kanons verteilt wird.

Der Eingangschor aus BWV 103 »Ihr werdet weinen und heulen« wird durch ein umfangreiches Ritornell eröffnet, dessen Beginn mit dem Schlussglied der ersten Chorfuge kombiniert wird, während die beiden folgenden Fugen – die sich fast notengetreu entsprechen – am Ende mit dem vollständigen Ritornell gekoppelt werden. Eine Übersicht mag den Grundriss verdeutlichen.[337]

1–26	27–42	43–55 (~ 1–12)	55–75 (~ 1–26)	75–100	101–108	109–128 (~ 1–26)	129–155 (~ 1–26)
Ritornell	Fuge 1 + Chor	Annex + Rit.-Beginn	Fuge 2 + Instrum.	Annex + Ritornell	Adagio piano (Accompagnato)	Fuge 3 + Instrum.	Annex + Ritornell
h – e – fis – h	h – h	h – e	e – h – fis	cis – fis	fis – a	e – h – fis – cis	H

Der Text, der dem Evangelium zu Jubilate entnommen ist (Joh. 16:20), gehört in die Reihe der Leidensankündigungen Christi. Wiewohl Bach solche Christusworte sonst meist solistisch vertonte, werden die umrahmenden Glieder hier dem Chor

---

[337] Mark A. Peters, A Woman's Voice in Baroque Music, S. 98 f., teilt zwar umfängliche Notenbeispiele mit, erwähnte jedoch die Satzstruktur ebenso wenig wie die Untersuchungen Neumanns.

zugewiesen, während das Zwischenglied dem Bass überlassen bleibt. Im Verhältnis zu den Außengliedern, die sich aufeinander beziehen, lässt sich das Binnenglied als Zuspruch Christi verstehen.

Joh. 20a (Chor)	Joh. 20b (Bass solo)	Joh. 20c (Chor)
Ihr werdet weinen und heulen, aber die Welt wird sich freuen;	ihr aber werdet traurig sein,	doch eure Traurigkeit soll in Freude verkehret werden.

Neumanns Bemerkungen beschränkten sich auf die fugierten Abschnitte, die er als Permutationsfugen interpretierte. Doch wird ihr gemeinsames Hauptthema (1) in der ersten Exposition mit zwei Kontrapunkten gepaart (2 und 3), während das von Neumann als vierter Kontrapunkt gezählte Thema nur einmal auftritt (und im folgenden Schema als x bezeichnet wird).[338] Da die Exposition nach dem letzten Einsatz in ein verkürztes Ritornellzitat einmündet, beschränkt sich das Permutationsverfahren auf den einmaligen Stimmtausch der Kontrapunkte, die sich als Comes- und Dux-Blöcke (B bzw. A) entsprechen. Ähnliches gilt für die folgenden Fugen, die durch einen Themeneinsatz der Flöte erweitert werden. Zwar wird die Themenkombination um ein Glied verlängert, bevor sie von den Ritornellzitaten mit Choreinbau abgelöst wird. Entscheidend ist jedoch, dass der zur Dominante modulierende Dux-Block zweifach verdoppelt wird, sodass er auf der Oberquinte beginnt und eine Quinte höher endet. Führt die zweite Fuge von e-Moll über fis- nach cis-Moll, so lenkt die dritte von a-Moll aus nach h-Moll zurück. Während die Fugen das erste Thema teilen, unterscheiden sich die weiteren Kontrapunkte voneinander, weshalb sie nachstehend mit fortlaufenden Ziffern bezeichnet werden (2–3 bzw. 4–6).

Fuge 1

Flauto				
Sopran			1	2
Alt		1	2	3
Tenor	1	2	3	x
Bass				1
	A	B	A	B

Fugen 2 und 3

Flauto					5
Sopran				1	4
Alt			1	4	5
Tenor		1	4	5	6
Bass	1	4	5	6	y
	A	A	B	A	A

Obwohl das Ritornell durch die Figuren des Flauto piccolo geprägt ist,[339] hat die markante Rhythmik der Oboen und Streicher kaum geringeres Gewicht. Mit einem neuen Thema beginnt die erste Chorfuge, deren Exposition durch die obligaten Bläserstimmen aufgefüllt wird. Danach jedoch dupliziert das Orchester den Vokalpart, bevor ein freier Anhang mit den ersten Takten des Ritornells kombiniert wird (T. 43–55^1 ~ 1–13^1). Dabei wird die instrumentale Motivik von den Vokalstimmen übernommen und mit den Worten »aber die Welt wird sich freuen« verbunden. Nach den folgenden Fugen wird der Anhang zu einer Wiederholung des Ritornells erweitert, dessen Fortsetzung mit Choreinbau gepaart wird (T. 75–100 bzw. 129–155 ~ T. 1–26).

---

[338] Neumann, a. a. O., S. 32 f.
[339] Bei einer Wiederaufführung (um 1731) wurde der Flauto piccolo durch eine Traversflöte bzw. Violine ersetzt.

Während das Wort »aber« nach den ersten Fugen durch syllabisch textierte Viertel hervorgehoben wird (T. 45–50 bzw. 77–82), werden die entsprechenden Töne nach der letzten Fuge in Melismen aufgelöst, da das »aber« hier durch das Wort »doch« vertreten wird (T. 129–134). Ähnlich sind die Brückentakte gearbeitet,[340] sofern die Figuren des Ritornells bei Beginn der zweiten Fuge in der Flöte und ersten Oboe fortlaufen (T. 55–60). Nach der zweiten und dritten Fuge dagegen werden die letzten Takte des Ritornells mit einem Anhang verbunden, in dem die Textworte wiederholt und durch Viertelwerte akzentuiert werden (T. 91–98 bzw. 145–152).

Aufgrund dieser Disposition kann an die erste Fuge (»Ihr werdet weinen und heulen«) das Ritornellzitat anschließen (»aber die Welt wird sich freuen«), sodass die Texte unmittelbar aufeinanderstoßen. Da die Themen der folgenden Fugen von vornherein gekoppelt werden, werden die Textglieder hier von Anfang an verknüpft. Trotz ihrer Analogien unterscheiden sich die beiden letzten Fugen nicht nur durch Quinttransposition und wechselnde Stimmverteilung. Vielmehr treffen die textlichen Differenzen mit einer charakteristischen Variante des Hauptthemas zusammen. Während es in den beiden ersten Fugen vom Grundton zur Unterquart absinkt, um danach eine Septime aufwärts zu springen und mit einem Tritonus zur Oberquinte zu lenken, wird die fallende Linie in der letzten Fuge fortgeführt, bis sie am Ende die Unterquarte erreicht:

Notenbeispiel 33

Angesichts der komplexen Struktur ist es bemerkenswert, dass die autographe Partitur (P 122) nur wenige Korrekturen enthält.[341] Kleinere Versehen wurden vielfach sofort berichtigt, doch dürften den fugierten Abschnitten, die fast fehlerfrei notiert sind, eingehende Skizzen vorangegangen sein. Vermutlich wurde die Themenvariante der letzten Fuge erst nachträglich erfunden, da Bach im Bass und im Tenor bereits die frühere Fassung notiert hatte, die er aber noch vor Eintritt der Oberstimmen änderte (T. 110–113¹ und 113–117¹). Ähnlich aufschlussreich sind weitere Korrekturen, die vor allem das Ritornell und seine späteren Kombinationen betreffen. Während die Ritornelle sonst zumeist fehlerfrei notiert sind, zeigt die Flötenstimme hier zahlreiche Korrekturen (T. 7 f., 11 f., 16 f. sowie 20 und 23). Offenbar wurden sie in dem Maß erforderlich, in dem das Ritornell mit dem Vokalpart kombiniert wird. Entsprechende Änderungen finden sich in den anderen Stimmen (so Oboe I T. 45 f., Tenor T. 52 und 65, Bass und Continuo T. 61 und 85, Sopran, Alt und Bass T. 129 sowie Bass und Tenor bzw. Alt und Sopran T. 132 f.).

---

[340] Neumann, ebd., S. 62 f.
[341] NBA I/11.2, hrsg. von Reinmar Emans, KB, S. 31–39. Robert Marshall, a. a. O., Bd. I, S. 10, erwähnte das Autograph zwar als »composing score«, ohne aber auf die Korrekturen einzugehen.

Obwohl die Flötenstimme nachträglich modifiziert wurde, beweisen die Korrekturen, dass das Ritornell im Blick auf seine kombinatorische Funktion entworfen wurde. Bereits die Tatsache, dass es sich mit den Flötenfiguren begnügt, ohne ein eigenes Thema einzuführen, spricht gegen seine »instrumentale Priorität«.[342] Dass »das 2. Antithesenpaar« einer »musikalischen Idee« geopfert werde, lässt sich nur dann behaupten, wenn man die Themenvariante der letzten Fuge und die Bedeutung des Rezitativs verkennt.[343] Indem das mittlere Textglied die beiden letzten Fugen trennt, erscheint es als gesonderte Enklave (T. 101–108: »Ihr aber werdet traurig sein«). Überschrieben als »adagio e piano«, gleicht der Abschnitt einem Accompagnato, das sich durch die Wortwiederholungen zugleich dem Arioso nähert. Der expressive Nachdruck der Takte verdankt sich nicht nur den verminderten Akkorden, die ebenso in anderen Rezitativen begegnen, sondern vor allem der Abstufung der Taktgruppen. Dreimal setzt der Vokalpart an, dessen Worte in den zwei ersten Gruppen nochmals wiederholt werden (T. 101 ff. und 104 ff.: »ihr werdet traurig sein«). Während diese Takte zwei Quintfälle umgreifen (*fis-e-h* bzw. *h-fis-cis*), werden sie im dritten Ansatz durch eine harmonische Erweiterung ersetzt (T. 106–108). Überdies werden die Abschnitte durch analoge Flötenfiguren beschlossen, die ihnen ein latent motivisches Gepräge geben.

Stoßen Ritornell und Fuge im ersten Teil fast unvermittelt aufeinander, so werden sie in den folgenden Teilen desto enger verbunden und zugleich durch das Rezitativ getrennt. Vereinfacht entspräche der Verlauf dem Schema A B – $A^1 B^1$ – Rezitativ – $A^2 B^2$. Doch bildet der Satz die komplexeste Kombinationsform, die Bach bisher geschrieben hatte, während er zugleich auf die komplizierten Fugen hinführt, die im dritten Jahrgang folgen sollten.

Die beiden übrigen Chorsätze stehen an vierter bzw. letzter Stelle der Kantaten BWV 108 und 68, sodass sie ihrer Position gemäß motettische Vokalsätze mit duplierenden Instrumenten darstellen.[344] Zugleich zählen sie insofern zu den Kombinationsformen, als sie auf der thematischen Verschränkung dreier Textglieder beruhen.

Dem Chorsatz aus BWV 108 liegt ein Text aus dem Johannes-Evangelium zugrunde, dessen Glieder trotz ihrer syntaktischen Trennung zusammengehören (Joh. 16:3).

| Wenn aber jener, der Geist der Wahrheit kommen wird, der wird euch in alle Wahrheit leiten. | Denn er wird nicht von ihm selber reden, sondern was er hören wird, das wird er reden; | und was zukünftig ist, wird er euch lehren. |

Den Rahmenteilen liegt das gleiche Thema zugrunde, das im Eingangsteil (T. 1–14) aber knapper verarbeitet wird als im fast doppelt so langen Schlussteil (T. 30–56). Im Mittelteil (T. 15–30^1) wird dagegen ein neues Thema eingeführt, das mit zwei Kontra-

---

342 Vgl. Neumann, a. a. O., S. 63

343 Ebd., S. 93, bedauerte Neumann, dass die »musikalische Abrundung […] entgegen dem Textverlauf erzielt« sei, da »die erste Hälfte« des zweiten Textglieds »ziemlich unmotiviert einem Baß-Arioso« zugewiesen werde.

344 Vgl. dazu die knappen Bemerkungen bei Mark A. Peters, A Woman's Voice in Baroque Music, S. 100 f., sowie Daniel R. Melamed, J. S. Bach and The German Motet, Cambridge 1995, S. 132 f.

punkten gepaart wird, sodass Neumann von einer Permutationsfuge sprach.³⁴⁵ Doch werden nur die zwei ersten Themen beibehalten, während der dritte Kontrapunkt lediglich einmal wiederholt und danach durch freie Varianten ersetzt wird. Im Grunde liegt also eine Doppelfuge vor, die kaum noch den Regeln der Permutationsfuge entspricht.

Sopran				1	2	1	2
Alt		1	2	(3)	y	(3)	
Tenor	1	2	3	x	(3)	x	
Bass				1	2	1	
Continuo	frei	3	3	1	2	1	
Perioden	B	A	B	A	A	A	

Neumann wollte den zweiten Kontrapunkt aus dem Beginn der Continuostimme ableiten, der jedoch eher eine freie Prägung darstellt und mit dem zweiten Thema kaum mehr als eine Formel teilt. Ungleich prägnanter ist das Thema der Rahmenteile, das wechselnd mit Sext- oder Septsprung beginnt, ohne eine Unterscheidung zwischen Dux und Comes zu erlauben. Im ersten Teil lösen sich beide Varianten ab, während die letzten Einsätze – nach einmaliger Engführung – in steigenden Quinten angeordnet werden, bis sie am Ende die Dominante erreichen. Trotz anderer Textierung ist der Schlussteil ähnlich angelegt, doch wird er durch die Verarbeitung eines Kontrapunkts erweitert, der zuvor nur als sequenzierender Themenanhang erschien.³⁴⁶ Unter Hinweis auf diesen Abschluss vermutete Neumann, die Rahmenteile könnten auf einen »instrumentalen Konzertsatz« zurückgehen.³⁴⁷ Zwar endet der Satz mit einem Themeneinsatz des Soprans, der durch die akkordisch gebündelten Unterstimmen gestützt wird. Doch ist die Schlussbildung das Resultat einer Stimmführung, in der instrumentale und kontrapunktische Funktionen ineinandergreifen. Je weiter sich die Fuge vom Leitbild des strengen Satzes löst, desto mehr haben die Vokalstimmen das Fehlen der obligaten Instrumente auszugleichen.

> Das Autograph (P 82) scheint zunächst so wenige Fehler aufzuweisen, dass man zunächst meinen könnte, eine Reinschrift vor sich zu haben. Obwohl mehrere Skizzen vorangegangen sein dürften, waren nicht nur kleine Details der Stimmführung zu korrigieren. Vielmehr wurden die Themen noch nachträglich geändert. So sollte das Thema des ersten Teils im Bass zuerst mit einem Septimsprung (*d-cis¹*) beginnen, der nachträglich zur Sexte (*e-cis¹*) verengt wurde (T. 1).³⁴⁸ Der erste Kontrapunkt des zweiten Teils begann zunächst mit Tonrepetitionen, die anschließend durch die gültige Themengestalt ersetzt wurden (Tenor T. 15).³⁴⁹ Im dritten Teil sollte der Alt vor seinem Themeneinsatz auf der Quinte des h-Moll-Klangs enden, die durch die Terz ersetzt wurde (T. 30 erst *fis¹*, später *d¹*).³⁵⁰ Dass die Themen sofort korrigiert und später in der

---

345 Vgl. Neumann, a. a. O., S. 34 (mit Tafel 18).
346 Zwar meinte Neumann, der Text biete »keinerlei Handhabe« für eine »barocke Bogenform« (ebd., S, 93), doch übersah er das dialektische Verhältnis zwischen den beiden Textgliedern.
347 Ebd., S. 72 f.
348 NBA I/12, hrsg. von Alfred Dürr, KB, S. 62.
349 Ebd., S. 64.
350 Ebd., S. 66.

gültigen Fassung notiert wurden, dürfte dafür sprechen, dass das Autograph keine Reinschrift darstellt. Je weiter die Arbeit voranschritt, desto häufiger unterliefen Versehen, die während der Niederschrift korrigiert wurden (Bass T. 8, Sopran T. 10, Alt T. 19, Tenor T. 23 usf.). Auch der Continuo musste in Takten, in denen er nicht nur als Basso seguente fungierte, noch nachträglich geändert werden (so in T. 17 und 32).

Ähnlich wie in diesem Satz lassen sich im Schlusschor aus BWV 68 drei Textglieder unterscheiden, die gleichzeitig aneinander anschließen (Joh. 3:18). Während die letzten Worte auf das mittlere Textglied zurückweisen, wird am Ende mit dem »Namen des eingebornen Sohnes Gottes« der gemeinsame Bezugspunkt der Textteile genannt.

| Wer an ihn gläubet, | wer aber nicht gläubet, | denn er gläubet nicht an den Namen |
| der wird nicht gerichtet; | der ist schon gerichtet, | des eingebornen Sohnes Gottes. |

Der erste Teil verbindet das Hauptthema (»Wer an ihn gläubet«) mit einem Gegenthema, das im Mittelteil auf das zweite Textglied entfällt (»wer aber nicht gläubet«), während der Schlussteil beide Themen kombiniert und die letzten Worte am Ende mit dem ersten Thema verbindet. Verwenden die ersten Teile zwei weitere Kontrapunkte (3 und 4), so konzentriert sich die abschließende Doppelfuge auf die beiden ersten Kontrapunkte, die daher als Haupt- und Gegenthema zu gelten haben.

Neumanns Interesse beschränkte sich auf die Phasen, die er als Permutationsfugen verstand, wogegen er den Schlussteil außer Betracht ließ, weil er »wesentlich freier gestaltet« sei.[351] Um das Permutationsschema zu vervollständigen, rechnete er zwei »freie Gegenstimmen« als Kontrapunkte 4 und 7 ein, die »nur je einmal« auftreten. In der folgenden Übersicht werden sie daher ebenso wie weitere Zusätze mit Buchstaben bezeichnet.

	Fuge 1 (T. 1–20)				Fuge 2 (T. 21–32)			Kombinationsteil (T. 33–56)				
Takte	1	5	9	13	17	21	25	29	33	37	42	45	49	53
Sopran	–	–	–	1	2	4	5	d	(3)		1	2	x	1
Alt	–	–	1	2	C	2	4	5	(3)	1	2	(x)	x	(2)
Tenor	–	1	2	3	B	–	2	4	1	2	(x)	(x)	x	frei
Bass	1	2	3	a	(1)	–	–	2	d	(d)	–	1	x	frei
Blöcke	A	A	B	A	B	A	A	A	A	B	B	A	–	A
Stufen	V	I	V	I	I–V	I	IV	I	VI	III	VII	V	I	I

Varianten in Klammern, a–d = einmalige freie Bildungen, x = Coda-Motiv, A und B = Dux- und Comes-Block

Die beiden ersten Fugen enthalten jeweils einen weiteren Kontrapunkt (3 bzw. 4), der aber nur einmal wiederkehrt. Dagegen konzentriert sich der Kombinationsteil auf die beiden Hauptthemen, die mit den Worten der ersten Teile verbunden werden,

---

[351] Neumann, a. a. O., S. 92.

während das dritte Textglied erst am Ende nachfolgt. Zwar werden seine Worte mit einer neuen Prägung eingeführt (x), die an verdeckter Stelle aber schon früher begegnet (Tenor bzw. Alt T. 40, 43 und 46). Obwohl die beiden ersten Fugen verschiedene Themen verwenden, teilen sie ein gemeinsames Gegenthema, während sie im dritten Teil zu einer Doppelfuge verschränkt werden und am Ende das letzte Textglied aufnehmen. Die thematische Verschränkung entspricht demnach dem inhaltlichen Zusammenhang der drei Textglieder.

Dagegen liegt dem Eingangschor aus BWV 176 ein ungewöhnlich knapper Text zugrunde, der zudem nicht recht zum Trinitatisfest zu passen scheint. Das Sonntagsevangelium berichtet von Nikodemus, der »bei der Nacht« zu Jesus kam (Joh. 3:19). Den Hinweis auf die Menschen, die »die Finsternis mehr als das Licht« lieben, nahm Frau von Ziegler zum Anlass, der Kantate einen Spruch aus dem Alten Testament voranzustellen: »Es ist ein trotzig und verzagt Ding um aller Menschen Herze« (nach Jer. 17:9a). Bach drängte den Text in einem dreitaktigen Thema zusammen, das zu dem Wort »trotzig« durch Koloraturen erweitert wird. Da die Einsätze abwechselnd auf der I. und V. Stufe eintreten, müssen modulierende Zwischentakte eingefügt werden (T. 1–17). Nach einem Zwischenstück, das zur Tonika zurücklenkt (T. 17–20), werden die Einsätze in der zweiten Durchführung durch modulierende Kadenzglieder verbunden, sodass sie enger zusammenrücken können (T. 20–33). Da sie zuletzt zur IV. Stufe führen, wird wieder ein Zwischentakt erforderlich (T. 34), bevor die letzten Einsätze (T. 35 und 40) durch knappe Kadenzglieder ergänzt werden.

Takte	1	5	10	14	17	20	24	27	31	34	35	39	40	43–44
Stimmen	B.	T.	A.	S.	frei	B.	T.	A.	S.	frei	B.	frei	S.	Kadenz
Stufen	I	V	I	V	V–I	I–V	V–I	V–I	I–IV	IV	IV–I	I	IV	IV–I V–I

Duplieren die Oboen den Vokalpart, so treten die Streicher in der Exposition und in den letzten Takten mit eigenen Figuren hervor, während sie dazwischen den Vokalpart umspielen. Neumann begnügte sich damit, auf »die textliche und melodische Parallelführung« der Stimmen zu verweisen, die mit »starken Baßkadenzschritten« verbunden sei und »starke Duettzüge« aufweise.[352] Dass die Koloraturen des Themas mit parallelen Stimmen gekoppelt werden, verringert aber nicht deren kontrapunktische Bedeutung, die auch dort noch gilt, wo die Stimmen akkordisch gebündelt werden. Vielmehr dienen diese Maßnahmen dem Ziel, den Worten durch synchrone Deklamation erhöhten Nachdruck zu verleihen. Gemeinsam tragen sie dazu bei, den gleichsam trotzigen Charakter auszuprägen, der den ungewöhnlich konzisen Satz von Bachs anderen Chorfugen unterscheidet.

> Die autographe Partitur (P 81) weist zahlreiche Korrekturen auf, die aber weniger die Einsätze des Fugenthemas als die Gegenstimmen betreffen. Offenkundig hatte Bach den Ablauf der Fuge schon so weit skizziert, dass er nur die anderen Stimmen ändern musste.[353] Derartige Korrekturen finden sich im Sopran und Bass (T. 11) und wenig

---

[352] Neumann, a. a. O., S. 80 f.
[353] Vgl. die Nachweise in NBA I/15, hrsg. von Alfred Dürr, Robert Freeman und James Webster, KB, S. 28–32.

später auch im Alt (T. 27) und Bass (T. 25 und 38 f.), doch häufen sie sich vor allem in den Streicherstimmen, die vermutlich erst während der Niederschrift ausgearbeitet wurden (Viola T. 2, 6 und 15 f., Violine I–II T. 17 ff. und 35–39).

Obwohl der Pfingstkantate BWV 74 ein Text Christiana Mariana von Zieglers zugrunde liegt, griff Bach im Eingangschor auf das Duett aus der Kantate BWV 59 zurück, deren Text von Erdmann Neumeister stammte. Dass beide Werke mit demselben Bibelspruch beginnen (Joh. 14:23), muss nicht auf einer Absprache beruhen.[354] Da der Text zum Evangelium am Pfingstsonntag gehört, lag er für beide Librettisten nahe genug. Ohne den Umfang und die Substanz des Duetts zu ändern, gelang Bach eine Erweiterung, die sich nicht nur auf den Zusatz der Oboen und der dritten Trompete beschränkte. Vielmehr wurden die Stimmen so geschickt auf den Chor und die Instrumente verteilt, dass sich die klangliche Abstufung grundlegend änderte. Während die zweistimmigen Abschnitte übernommen oder in den Alt und Tenor verlegt wurden, mussten die vollstimmigen Takte entsprechend erweitert werden. Wo die Stimmen im Duett parallel verliefen, mussten zwei weitere Stimmen hinzugefügt werden, sodass sich dann ein akkordischer Vokalpart ergab. Komplizierter war die Erweiterung der Takte, in denen die Solisten imitierend einsetzten. Sollten daran weitere Stimmen beteiligt werden, so waren sie auf Anleihen bei dem Instrumentalpart angewiesen, der entsprechend verändert werden musste. Eine Übersicht kann das Verfahren am Beispiel der ersten Phasen erläutern (T. 8–35).

Takt 8^a	8^b–9^a	10–15	16–23	24–27^a	27^b–28^a	28^a	28^b–35^a
S. = S.	V. I = B.	S., A. = S., B.	T., B. = S., B.	Ob. = Str.	S. = S.	V. I = B	T. = V. I.
+ A., T., B.	+ V. II, Va.	Ob. = Str.	Str. + Ob.	(in T. 24 + Str.)	+ A., T., B.	+ V. II, Va.	A = Tr. I
							S., B. = S., B.

S. = Sopran gemäß Sopranstimme, + A., T., B., Tr. I = zugefügte Stimmen

Die Hinweise mögen andeuten, wie gründlich die Umformung ausgearbeitet wurde. Überdies wurde der Instrumentalpart durch Spielfiguren oder zusätzliche Einsätze des Kopfmotivs erweitert (Streicher T. 21 und 23, erste Violine T. 40). Die Arbeit war demnach weit aufwendiger als die Neufassung des Duetts aus dem Osteroratorium.

Insgesamt tendieren die Dicta dazu, das Permutationsprinzip durch variablere Verfahren zu ersetzen. Der kanonischen Anlage des Satzes aus BWV 6 steht im Eingangschor aus BWV 103 eine ausgeprägte Kombinationsform gegenüber. Obwohl die Sätze aus BWV 108 und BWV 68 ohne obligate Instrumente auskommen, werden die Satzteile durch thematische Beziehungen verbunden, während sie nur noch begrenzt dem Permutationsverfahren gehorchen. Der Eingangschor aus BWV 176 bildet hingegen eine gedrängte Vokalfuge, die keiner Instrumente bedarf, um die letzten Spuren der Permutation abzustreifen. An diesen Stand schließen die Dicta des dritten Jahrgangs an, in denen das Permutationsverfahren durch weit komplexere Kombinationsformen abgelöst wird.

---

354 Gegen eine Absprache dürfte die Sopranarie Satz 2 sprechen, in der Bach trotz differierender Metrik und Zeilenzahl auf die Bassarie BWV 59: 4 zurückgriff.

b. Choralchorsätze

Da die Kantaten zum Himmelfahrtsfest und zum 2. Pfingsttag mit Choralstrophen beginnen, konnte Bach – erstmals seit Mariä Verkündigung – die Reihe der Choralchorsätze fortführen. Zwar scheinen die Eingangschöre aus BWV 128 und 68 dem geläufigen Typus des Kantionalsatzes mit konzertierenden Instrumenten zu entsprechen. Doch zeichnen sie sich zugleich durch weitere Maßnahmen aus, die dazu beitragen, die Standardform in verschiedener Richtung zu modifizieren.

Der Bearbeitung der Strophe »Auf Christi Himmelfahrt allein« (BWV 128:1) liegt die Melodie »Allein Gott in der Höh sei Ehr« zugrunde, deren Zeilen im Sopran auf halbe und ganze Noten gedehnt werden. Die Unterstimmen folgen dem Cantus firmus mit kurzen Binnenimitationen, die in den Stollenzeilen aus den Choralzeilen abgeleitet sind, während sie im Abgesang von freien Motiven abgelöst werden. Desto deutlicher bezieht sich der Instrumentalpart auf die ersten Melodietöne, die in den Hörnern und Streichern (samt Oboen) umspielt werden. Überdies umschließt das Ritornell ein Fugato, dessen Thema aus der vorangehenden Figuration erwächst, sodass erst das Kadenzglied hervortritt (T. 2–3).[355] Zwischen Dux- und Comes-Form wechselnd, durchläuft das Thema die Stimmen in fallender Reihe, bis ein letzter Einsatz des Dux folgt (T. 16–18 Violine I bzw. Horn I). Während das Fugatothema auch in den Zwischenspielen eintritt, fehlt es in den Zeilen des Abgesangs, in denen nur das erwähnte Kadenzglied verwendet wird.

> Das in Privatbesitz befindliche Autograph enthält ungewohnt zahlreiche Korrekturen, sodass Bach die Partitur geschrieben haben dürfte, ohne über umfangreiche Skizzen zu verfügen.[356] Bereits die eröffnenden Figuren der Hornstimme lassen erkennen, dass sie erst bei der Niederschrift konzipiert wurden. Dasselbe gilt für die erste Fassung des Fugatothemas (T. 3), dessen dominantische Version nachträglich korrigiert werden musste, weil Bach zunächst die Fassung des Dux notiert hatte (T. 7). Noch die letzten Takte des Ritornells zeigen weitere Korrekturen, die sich bei Beginn des Vokalparts vermehren. In den beiden ersten Zeilen mussten die imitierenden Einsätze der Unterstimmen mehrfach verändert werden (T. 18–20 bzw. 24–25). Dagegen bedurfte die Wiederholung im zweiten Stollen weiterer Korrekturen nur dort, wo die vierte Zeile von der zweiten abweicht (T. 29 und 47). Desto mehr häufen sich die Korrekturen wieder in den letzten Zeilen (so in T. 58 ff. und 76 ff.).

Insgesamt ergibt sich ein Mosaik aus verschiedenen Bausteinen, die zugleich miteinander verwandt sind. Einerseits werden die Choralzeilen mit den imitierenden Gegenstimmen gekoppelt, deren Auszierung an die Figuren des Instrumentalparts anschließt. Andererseits umspielen die instrumentalen Figuren die ersten Töne der Choralweise, aus denen das Fugatothema hervorgeht, das nur im Ritornell und in den Zwischenspielen eintritt, während es innerhalb der Choralzeilen auf sein Kadenzglied verkürzt wird.

---

355 Vgl. das Notenbeispiel bei Dürr, Die Kantaten, Bd. 1, S. 283.
356 Dem Bach-Archiv Leipzig verdanke ich die Kopie einer zuvor schon kopierten Vorlage. Da sie zahlreiche Notizen enthält, die Dürr für seine Edition in NBA I/12 eingetragen hat, ist sie nur mithilfe des Kritischen Berichts zu entziffern, auf den für die weiteren Angaben verwiesen werden muss (NBA I/12, KB, S. 160–166).

Etwas schlichter mutet die Bearbeitung der ersten Strophe aus »Also hat Gott die Welt geliebt« an (BWV 68:1). Die Vorlage aus dem Gesangbuch von Vopelius wurde gelegentlich als »Beispiel einer ausdrucksvollen Chor-Aria« bezeichnet,[357] doch unterscheidet sie sich von der späteren Strophenaria, die durch die gleichmäßige Metrik des Textes geprägt ist. Während die Stollenzeilen zwei oder zweieinhalb Takte umfassen, besteht der Abgesang aus zwei Zeilenpaaren mit jeweils drei bzw. zwei Takten.[358] Platen rechnete den Satz zu den »Kombinationsformen«, in denen er Merkmale des »konzertanten« und des »periodischen« Choralchorsatzes wahrnahm.[359] Der Cantus firmus gewinnt zwar durch Dehnungen und Verzierungen einen liedhaften Duktus, der an die Melodien des »Schemellischen Gesangbuchs« erinnert. Dennoch erfüllt der Satz nicht die Kriterien einer »periodischen« Melodie, die Mattheson zufolge durch symmetrische Taktgruppen und entsprechende »Einschnitte« charakterisiert wird.[360] Versetzt in den $^{12}/_8$-Takt, umfassen die Melodiezeilen wechselnd zwei oder vier Takte, die zudem durch Vorwegnahmen oder Anhänge der Unterstimmen erweitert werden. Zugleich überschneiden sich die Kadenzen mit den Phasen des Instrumentalparts, dessen Rhythmik dem Typus des Siciliano entspricht.[361] Ohne eine konzertierende Stimme aufzuweisen, haben Instrumental- und Vokalpart dasselbe Gepräge, sodass auch von keinem konzertanten Satz zu reden ist. Platens Begriffe treffen also nur dann zu, wenn man sie als Hinweise auf Teilmomente versteht, die sich im Verlauf des Satzes kreuzen.

Das Vorspiel umfasst zwar vier Takte, kadenziert aber erst zu Beginn von Takt 5, in dem der Sopran die erste Zeile eröffnet, während die Unterstimmen eine Zählzeit später einsetzen. Dagegen wird die zweite Zeile vom Bass eingeleitet, während die Unterstimmen erst nach der gedehnten Finalis des Soprans auslaufen (T. 8^4–12^3). Beide Abschnitte kehren im zweiten Stollen wieder (T. 13–24^3 ~ 1–12^3), an den sich sofort die fünfte Zeile anschließt. Ihr geht eine zweitaktige Gruppe voran, die aber keine Vorimitation darstellt, da sie nicht das Initium der Melodiezeile verwendet (T. 24–29). Kadenzieren die Instrumente erst nach der Klausel des Soprans, so wird die sechste Zeile auf neun Takte erweitert (T. 31^4–39^1). Obwohl die siebte Zeile im Sopran nur zwei Takte ausfüllt, erreicht sie durch einen Anhang der Unterstimmen fast doppelten Umfang (T. 40^4–45^1), sodass die Stimmen erst in der letzten Zeile gemeinsam beginnen und enden (T. 48^3–51^1).

Die Hinweise sollten genügen, um anzudeuten, dass Begriffe wie »konzertant« oder »periodisch« die komplexe Anlage des Satzes verfehlen. Neben den Eingangschören sind jedoch noch zwei Kantionalsätze zu nennen, die über instrumentale

---

357 Jürgen Grimm, Das Neu Leipziger Gesangbuch des Gottfried Vopelius, S. 187.

358 Die Folge der Takte ergibt sich aus der Silbenzahl und den Reimen der Textzeilen (8a + 9b und 8a + 9b in den Stollen, 9c + 9c und 8d + 8d im Abgesang). Vgl. dazu NBA I/14, hrsg. von Alfred Dürr und Arthur Mendel, KB, S. 54. Vgl. auch Walter Blankenburg, Johann Sebastian Bach und das evangelische Kirchenlied zu seiner Zeit, in: Bachiana et alia musicologica, S. 31–38.

359 Platen, Untersuchungen zur Struktur der chorischen Choralbearbeitung, S. 99.

360 Mattheson, Der vollkommene Capellmeister, S. 224. Anders als spätere Theoretiker bezeichnete Mattheson eine 16 Takte umfassende Gruppe als »Zusammensatz (*Paragraphus*)«, der aus zwei achtaktigen »Periodis« besteht. Vgl. Carl Dahlhaus, Art. Periode, in: Riemann Musik-Lexikon, Sachteil, Mainz 1967, S. 721.

361 Finke-Hecklinger, a. a. O., S. 68, wies darauf hin, dass der Tanzsatz durch die »quasi-motettischen Partien« des Vokalparts modifiziert wird.

Zusatzstimmen verfügen. Während die übrigen Kantaten – BWV 108 ausgenommen – mit mehr oder minder schlichten Kantionalsätzen enden, treten in den Schlusschorälen aus BWV 128 und 175 die Instrumente hervor, die zuvor in den Eingangssätzen dieser Werke verwendet wurden. Im letzten Satz aus BWV 128 fungieren die Hörner, die den ersten Satz prägten, als partiell obligate Stimmen (Satz 5: »Alsdenn so wirst du mich zu deiner Rechten stellen«). Während das zweite Horn weithin dem Alt oder dem Tenor entspricht, bildet das erste Horn eine obligate Stimme, die besonders in den Zeilenklauseln hervortritt. Klarer noch ist die Rollenverteilung zwischen den drei Blockflöten, die im Schlusschoral aus BWV 175 eingesetzt werden (Satz 7: »Nun, werter Geist, ich folge dir«). Während die erste Flöte die im Sopran liegende Melodie »Komm, heiliger Geist« oktaviert, duplieren die zweite und dritte Flöte in den ersten Zeilen (T. 1–5) und im abschließenden »Alleluja« (T. 25–28) die Mittelstimmen, wogegen sie in den Binnenzeilen als obligate Stimmen fungieren.

4. Solistische Spruch- und Choralsätze

a. Solistische Spruchvertonungen

Zu den Eigenarten der Vorlagen zählt eine Reihe von Christusworten, die von Bach zumeist als Solosätze vertont wurden.[362] Soweit sie in den Eingangssätzen erscheinen, werden sie dem Bass übertragen und zu arienhaften Formen mit obligaten Instrumenten erweitert (BWV 85:1, 108:1 und 87:1).[363] Sofern sie in Binnensätzen auftreten, werden sie vom Continuo begleitet (BWV 87:5 und 74:4), während die übrigen Spruchtexte als Rezitative vertont werden.[364]

42:2	Quasimodogeniti	Am Abend aber desselbigen Sabbats (Lk. 24:29)	T., Bc. – h-Moll, 𝄴 (6 Takte Secco)
85:1	Misericordias Domini	Ich bin ein guter Hirt (Joh. 10:12a)	B., Ob. I–II, Str., Bc. – c-Moll (44 Takte)
108:1	Cantate	Es ist euch gut, daß ich hingehe (Joh. 16:7)	B., Ob. d'am. I, Str., Bc. – A-Dur, 𝄴 (48 Takte)
87:1	Rogate	Bisher habt ihr nichts gebeten in meinem Namen (Joh. 16:24a)	B., Str. + Ob. I–II, Bc. – d-Moll, 𝄴 (32 Takte)
87:5		In der Welt habt ihr Angst (Joh. 16:33b)	B., Bc. – c-Moll, ⅜ (75 Takte)
183:1	Exaudi	Sie werden euch in den Bann tun (Joh. 16:2a)	B., Ob. d'am. I–II, Ob. da caccia I–II, Bc. – e-Moll, 𝄴 (5 Takte)

---

[362] Vgl. Mark A. Peters, A Woman's Voice in Baroque Music, S. 86 ff., sowie Martin Geck, Die Vox-Christi-Sätze in Bachs Kantaten, in: Bach und die Stile, Bericht über das 2. Dortmunder Bach-Symposion 1998 (Dortmunder Bach-Forschungen 2), ebd. 1999, S. 79–101.

[363] Zu BWV 85 vgl. NBA I/11.1, KB, S. 124, zu BWV 108 und 87 vgl. NBA I/12, KB, S. 32 und 112.

[364] Zu BWV 74 vgl. NBA I/12, KB, S. 122. Satz 5 aus BWV 74 wurde in NBA I/13, S. 105, als »Aria« bezeichnet, doch findet sich in neun der von Johann Andreas Kuhnau geschriebenen Stimmen die Angabe »Basso solo«, während nur drei Stimmen die »Tacet«-Vermerke mit dem Hinweis »Recit. et Aria« verbinden, vgl. NBA I/13, KB, S. 93–95.

74:4	1. Pfingsttag	Ich gehe hin und komme wieder (Joh. 14:28b)	B., Bc. – e-Moll, ₵ (77 Takte)
74:6		Es ist nichts Verdammliches an denen (Röm. 8:1)	B., Ob. I–II, Ob. da caccia, Bc. – e-Moll, ₵ (5 Takte)
175:1	3. Pfingsttag	Er rufet seinen Schafen mit Namen (Joh. 10:3b)	T., Fl. I–III, Bc. – G-Dur, ₵ (4 Takte)
175:5		Sie vernahmen aber nicht, was es war (nach Joh. 10:6b, anschließend freie Dichtung)	A., Bc. (T. 1–3); B., Str., Bc. (T. 4–14)

Schon im ersten Jahrgang begegneten zwei entsprechende Sätze, die in BWV 166:1 auf der Einbautechnik und in BWV 85:1 auf dem stylus gravis gründeten. Dagegen beruhen die Sätze des zweiten Jahrgangs – wie sich zeigen wird – auf gänzlich anderen Verfahren. Dem Eingangssatz aus BWV 85 »Ich bin ein guter Hirt« liegt ein zweigliedriger Text zugrunde, der eine zweiteilige Anlage nahelegen könnte. Da das erste Glied aber nur sechs Silben umfasst, während das zweite mehr als doppelt so lang ist, entschied sich Bach dafür, beiden Teilen den gesamten Text zugrunde zu legen. Der Satz wird durch ein sechstaktiges Ritornell eröffnet, das vor dem B-Teil auf die V. Stufe versetzt und am Ende wiederholt wird (T. 19^3–25^3 und 38^3–44 ~ T. 1–7). Oboe und erste Violine bilden ein kontrapunktisches Duo, dessen fallende Skalenfiguren von den Mittelstimmen oder vom Continuo aufgenommen werden. Das im Continuo eingeführte Kopfmotiv bleibt dagegen dem Vokalpart vorbehalten, der es anfangs – quasi als Devise – nochmals wiederholt (T. 7–18^{11} und 25^3–38^3), während die Instrumente die Figuren der Fortspinnung ergänzen. Soweit die zweite Violine und die Viola nicht nur der akkordischen Füllung dienen, werden sie in Terzparallelen gepaart (T. 8 und 30). Auch der Vokalpart greift auf die Motivik des Ritornells zurück, das aber erst am Ende des A-Teils wiederholt wird. Der B-Teil hingegen beginnt mit dem transponierten Kopfmotiv, dessen Wiederholung auf der Tonika ansetzt (T. 25 und 27). Da die Fortspinnung zur IV. Stufe lenkt, muss sie eine Quinte aufwärts führen, um zur Tonika zurückzukehren. Dennoch entsprechen nur die ersten Takte dem A-Teil (T. 28–31 ~ 11–14), während der weitere Verlauf neu gefasst wird (vgl. T. 32–38 mit T. 12–19).

In BWV 108:1 wird das Verfahren auf ein Ritornell übertragen, das einem Konzertsatz entlehnt sein könnte. Dem Text gemäß (Joh. 16:7) gliedert sich der Satz in drei Teile, deren wechselnder Umfang dem Gewicht der Textglieder entspricht. Während die beiden ersten Glieder jeweils acht Takte füllen, wird das letzte Glied auf zehn Takte erweitert.

Ritornell	Es ist euch gut, daß ich hingehe,	denn so ich nicht hingehe, kömmt der Tröster nicht zu euch.	Ritornell	So ich aber hingehe, will ich ihn zu euch senden.	Ritornell
$1–9^1$	$9–17^1$	$18–26^1$	$26–32^1$	$32–42^1$	42–48
I – V	I – V	V – VI	VI	VI – I	I – I

Das Ritornell wird durch die konzertierende Oboe d'amore geprägt, während die Streicher als akkordische Stütze fungieren und nur zu Beginn und im Kadenzglied die punktierte Rhythmik der Oboe aufgreifen (Notenbeispiel 34). Wird das Kopfmotiv in einer verzierten Fassung wiederholt, so werden die Figuren der Fortspinnung mit

Notenbeispiel 34

einer modulierenden Sequenz verbunden. Im ersten Teil übernimmt der Bass das Kopfmotiv, das zwar vereinfacht, aber wie im Ritornell wiederholt wird. Anschließend wird der Vokalpart in die Fortspinnungsgruppe eingebaut, bis er in einer zweitaktigen Koloraturenkette ausläuft (T. 12–17¹ ~ 4–9¹). Da der Mittelteil zur Mollparallele moduliert, müssen die instrumentalen Figuren entsprechend modifiziert werden. Der Vokalpart nimmt das zweite Textglied auf, das wiederum in eine viertaktige Koloraturenkette einmündet. Der Schlussteil fällt zwei Takte länger aus, weil das dritte Textglied wiederholt und durch Koloraturen erweitert wird. Die Entwicklung lässt sich an den Melismen ablesen, die auf die maßgeblichen Verbformen entfallen. Im ersten Teil auf eine zweitaktige Sechzehntelkette begrenzt, werden sie im Mittelteil auf doppelten Umfang erweitert, während sie im Schlussteil mit der

Wiederholung des Wortes »senden« zusammenfallen. Obwohl der Satz einer dreiteiligen Arie zu gleichen scheint, bildet er eine Variantenkette, die zugleich auf die unterschiedliche Gewichtung der Textglieder verweist.

Der Eingangssatz aus BWV 87 verwendet einen Text, der zu kurz ist, um aufgeteilt zu werden (Joh. 16:24a: »Bisher habt ihr nichts gebeten in meinem Namen«). Obwohl das Thema der Deklamation der Worte entspricht, tritt es in der Bassstimme nur einmal auf (T. 12–15^1). Im Vorspiel dagegen wird es von der zweiten Oboe als Dux einer zweistimmigen Fuge eingeführt und von der ersten Oboe mit dem Comes beantwortet.[365] Zugleich wird es mit zwei Motiven gepaart, die aber nicht als feste Kontrapunkte, sondern als variable Spielfiguren fungieren. Während das erste Motiv mit dem Dux gepaart wird (Oboe da caccia und Continuo T. 1–4), begleitet das zweite die anschließende Fortspinnung (Oboe da caccia T. 3, Oboe I T. 6–7 und 9–10, Oboe II T. 8–9). Werden die beiden Motive schon im Vorspiel variiert, so begleiten ihre Varianten den Themeneinsatz des Vokalparts. Zwar kehrt die Themenpaarung nochmals wieder (T. 20–25^1), doch gehen ihr hier die Spielfiguren voran, die am Ende die Stelle des Themas vertreten. Das Fugato verwandelt sich damit in eine Kette motivischer Varianten, die weniger auf das Thema als auf die Gegenstimmen zurückgehen.

Waren die früheren Ostinato-Arien an gedichtete Texte gebunden, so wird das Verfahren des Ostinato-Satzes in BWV 87:5 und 74:4 auf biblische Prosatexte übertragen. Beide Sätze werden von achttaktigen Ritornellen umrahmt, deren Motivik aber so variabel verarbeitet wird, dass eher von einem Basso quasi ostinato zu sprechen ist. In BWV 87: 5 (»In der Welt habt ihr Angst«) übernimmt der Vokalpart zu Beginn der zweiten Phase den Themenkopf, während das Kadenzglied auf der Dominante endet (T. 9–16). In der dritten Phase entfällt das Kopfmotiv, während die verlängerte Binnensequenz zur Parallele führt (T. 17–27). Die vierte Phase entspricht der ursprünglichen Themengestalt (T. 27–35^1 ~ 1–9^1), wogegen der fünften Phase eine Pause vorangeht, in der der Vokalpart das zweite Textglied einführt (T. 35 ff.: »aber seid getrost, ich habe die Welt überwunden«), wonach das Bassmodell auf der Durparallele eintritt (T. 36–44). Der sechsten Phase geht wieder eine Pause voran, die sogar einen Takt länger ausfällt, während die Solostimme zur V. Stufe moduliert. Setzt der Continuo hier zwei Takte später ein (T. 46–54^1), so wird danach eine fünftaktige Gruppe eingeschoben (T. 54–58), die auf das Binnenglied des Themas zurückgeht (T. 7). Anschließend folgt zwar wieder die Grundform des Bassmodells, die aber durch die Melismen des Vokalparts überdeckt wird, sodass das Thema erst im Nachspiel wieder hervortritt. Ausgehend von intervallischen Varianten, führt der Prozess über modulierende Eingriffe zur Kreuzung beider Schichten, um nach dem freien Einschub zum Grundmodell zurückzukehren.

Im vierten Satz aus BWV 74 (»Ich gehe hin und komme wieder«) besteht das Bassmodell aus einer Sequenzkette, die sechs Takte lang den Grundton umkreist und im Kadenzglied von der fünften Stufe abgelöst wird (T. 1–9^1). Der zweiten Phase, die auf sechs Takte verkürzt wird, geht eine Pause voran, die durch den Eintritt der Bassstimme ausgefüllt wird (T. 9–16^1). Während der dritten Phase ein Pausentakt vorgeschaltet ist, beschränkt sich das Bassmodell auf drei Takte (T. 17–19). Dagegen

---

[365] Vgl. dazu Konrad (wie Anm. 309), S. 207 f.

wird die vierte Phase durch eine modulierende Quintkette auf 18 Takte erweitert (T. 20–37), bevor nach einem viertaktigen Zwischenspiel das zweite Textglied eingeführt wird (»Hättet ihr mich lieb«). Fortan fungiert das Bassmodell als motivisches Reservoir eines Prozesses, in dem nur die Binnenkadenzen an die Phasen des Ostinato erinnern. Zwar kehrt das Thema im Nachspiel wieder, doch wird der Ostinatosatz in eine motivische Variantenfolge verwandelt, die durch das Bassmodell ausgelöst wird.

Die Bibelworte der Sätze aus BWV 42 und 175 werden hingegen als knappe Secco-Rezitative vertont. In BWV 42:2 wird der Continuo durch eine obligate Fagottstimme ergänzt, in der die Basstöne in repetierte Sechzehntel aufgelöst werden. In BWV 175:5 geht der Spruchtext nach drei Takten in gedichtete Worte über, die im Textdruck als Rezitativ erscheinen. Bach fasste beide Texte zusammen, indem er die Bibelworte als Secco vertonte (T. 1–3), an das die gedichteten Zeilen als Accompagnato anschließen (T. 4–14). Drei weitere Bibeltexte werden als Accompagnato-Rezitative gefasst, die vor allem durch ihre Besetzung auffallen. Während der Eingangssatz aus BWV 183:1 zwei Oboi d'amore und zwei Oboi da caccia verwendet, wird das Accompagnato BWV 74:6 von zwei Oboen und einer Oboe da caccia begleitet. In BWV 183:3 findet sich ein weiteres Accompagnato, in dem der Oboenchor mit Streichern kombiniert wird.[366] Dieselbe Besetzung begegnet in der anschließenden Arie (BWV 183:4), während die Arien BWV 68:3 und 176:6 zwei Oboen und eine Oboe da caccia fordern (die in BWV 176:5 unison gekoppelt werden).[367] All diese »Oboensätze« entstanden zwischen Exaudi und Trinitatis (13. und 27. Mai 1725), als Bach offenbar nochmals über die Spieler verfügte, die er zuvor in fünf Arien aus den Choralkantaten eingesetzt hatte. Dagegen verwendet das Accompagnato in BWV 175:1 drei Blockflöten, die zu dichten Akkordketten zusammengefasst und in gleicher Weise in der anschließenden Arie eingesetzt werden.

Bach unterschied demnach die Texte, die als Worte Jesu kenntlich waren und solistisch vertont wurden, von den Christusworten, die als Mahnung oder Zuspruch verstanden und deshalb dem Chor zugewiesen wurden. Berichtende oder kommentierende Texte werden dagegen als Rezitative gefasst, die mehrfach zu Accompagnati erweitert wurden.

b. Solistische Choralbearbeitungen

Im Unterschied zu den Ziegler-Texten enthalten die vorangehenden Libretti zwei Choraltexte, die Bach als Solosätze vertonte, während er eine weitere Liedstrophe als Duett anlegte.

6:3	2. Ostertag	Ach, bleib bei uns, Herr Jesu Christ	S., Vc. picc., Bc. – B-Dur, ¢[368]
42:3	Quasimodogeniti	Verzage nicht, o Häuflein klein (ohne Cantus firmus)	S., T., Fag. + Vc., Bc. – h-Moll, ¾
85:3	Misericordias Domini	Der Herr ist mein getreuer Hirt	S., Ob. I–II, Bc. – B-Dur, ¾

366 Alle anderen Accompagnati begnügen sich mit begleitenden Streichern (BW 85:4, 87:4 und 175:5).
367 Vgl. dazu Küster, Bach-Handbuch, S. 302.
368 Der Satz wurde um 1748/49 in die Sammlung der sogenannten Schübler-Choräle aufgenommen (vgl. BWV 649).

Statt auf entsprechende Formen der Choralkantaten zurückzugreifen, fand Bach – ähnlich wie in den Choralchorsätzen – wiederum neue Lösungen. In BWV 6:3 wird der Cantus firmus auf halbe Noten gedehnt, während das diminuierte Initium der ersten Zeile als Kopfmotiv des Ritornells verwendet wird. In vereinfachter Fassung vom Continuo imitiert, erscheint es zu Beginn des Vokalparts in allen drei Stimmen (T. 15–16). Prägender als diese Kombination, die nur im zweiten Stollen wiederkehrt, ist die Fortspinnung des Ritornells, das wieder – erstmals seit Neujahr 1725 – dem Violoncello piccolo anvertraut ist. Einer weiträumigen Achtelfolge, die an das Initium anschließt, folgt eine Sequenzierung des Kopfmotivs (T. 6–9^a), die in einer auf Saitenwechsel berechneten Figurenkette ausläuft (T. 9^b–14^a). Obwohl das Kopfmotiv in jeder Choralzeile zumindest einmal erscheint, stützt sich der Instrumentalpart vor allem auf die Spielfiguren des Ritornells.

Kunstvoller noch ist der Satz aus BWV 85, in dem die leicht verzierte Choralweise im Sopran liegt, während die instrumentalen Stimmen das Initium der ersten Zeile verwenden. Im Ritornell wird als Kopfmotiv in der ersten Oboe eingeführt und einen Takt später von der zweiten Oboe auf der Unterquart imitiert. Sobald es vom Continuo übernommen wird, folgen die Oboen in steigenden Quinten, sodass sich eine dreistimmige Engführung ergibt. Im dritten Ansatz wird eine gekürzte Variante zunächst vom Continuo sequenziert und danach mit einer fortspinnenden Figur der Oboen verbunden. Zwar tritt das Kernmotiv in jeder Zeile wenigstens einmal auf, doch wird vor allem die Anschlussfigur benutzt, während die Zwischenspiele auf andere Kombinationen zurückgehen. Da der Choral nur ein Viertel des Umfangs füllt, wird der Satz vor allem durch die instrumentalen Phasen geprägt.

Obwohl die Strophe »Verzage nicht, o Häuflein klein« (BWV 42:2) im Autograph als »Choral. Duetto« bezeichnet ist, stellt der Satz ein freies Duett dar, dem keine Choralweise zugrunde liegt.[369] Die Angabe »Choral« ging vermutlich auf die Textvorlage zurück, in der der Satz – wie die Analoga aus BWV 6 und 85 – an dritter Stelle gestanden haben dürfte (während er in der Kantate infolge der vorangehenden Sinfonia als vierter Satz erscheint). Vermutlich verzichtete Bach auf einen Cantus firmus, weil die zugehörige Melodie in Leipzig nicht gebräuchlich war. Zwar war sie 1636 in einer Sammlung des Altenburger Theologen Joseph Clauder erschienen und 1713 von Daniel Vetter übernommen worden,[370] doch stellten die beiden Sammlungen private Gesangbücher dar, die für den Leipziger Gottesdienst nicht maßgeblich waren. Vopelius gab 1682 den Text (mit zwei Zusatzstrophen) wieder, begnügte sich aber mit dem Zusatz »in seiner bekannten Melodey«, während Crüger 1661 auf die Melodie »Den Herren meine Seel erhebe« verwies.[371] Beide Angaben lassen darauf schließen, dass sich in Berlin wie in Leipzig bis dahin keine bestimmte Weise durchgesetzt hatte.

---

369 Vgl. NBA I/11.1, KB, S. 60. Im Leipziger Textheft aus dem Jahr 1731 wurde der Satz als »Choral« bezeichnet, vgl. ebd., Faksimile S. 182.

370 Vgl. Zahn Nr. 2516 (nach Joseph Clauder, Psalmodiae Novae Pars Tertia, Leipzig 1636, sowie Daniel Vetter, Musicalischer Kirch- und Haus-Ergötzlichkeit Anderer Theil, Leipzig 1713). Zahn zufolge konnte sich die heute verwendete Melodie erst nach 1720 verbreiten.

371 Vgl. Jürgen Grimm, Das Neu-Leipziger Gesangbuch, S. 85; Johann Crüger, Praxis Pietatis Melica, Berlin 1661, Edition und Dokumentation, Bd. I, Teil 1, Halle 2014, S. 399 (Nr. 448).

5. Zur Sinfonia BWV 42:1

Dass der Kantate BWV 42 eine Sinfonia vorangestellt wurde, dürfte daran liegen, dass der Librettist im Eingangssatz einen berichtenden Text gewählt hatte, der sich weniger für einen Chorsatz als für ein Rezitativ eignete. Nach Ausweis einer Skizze hatte Bach bereits einen Satz für zwei Oboen und Streicher in e-Moll begonnen,[372] bevor er sich dazu entschloss, auf einen früheren Satz in D-Dur zurückzugreifen. Dass er eine Vorlage verwendete, geht aus dem Autograph hervor, das sich als Reinschrift mit auffällig geringen Korrekturen erweist.[373]

Rifkin zufolge entstammte der Satz der Köthener Kantate BWV 66a »Der Himmel dacht auf Anhalts Ruhm« (10. Dezember 1718), die nur in der geistlichen Fassung BWV 66 »Erfreut euch, ihr Herzen« (10. April 1724) überliefert ist.[374] Da die weltliche Fassung BWV 66a – so Rifkin – wie BWV 42:1 mit einem Rezitativ begonnen habe (das in BWV 66 entfiel), könne sie mit einem einleitenden Instrumentalsatz begonnen haben. Stehe die Sinfonia wie der Eingangssatz aus BWV 66 in D-Dur, so verwenden beide Sätze ein obligates Bläsertrio mit zwei Oboen und Fagott. Dass die Violinen im A-Teil vielfach im Unisono geführt werden, gelte ebenso für andere Köthener Sätze (BWV 173a:3, BWV 66:1 und 3).

Allerdings ließe sich einwenden, eine Tonart wie D-Dur sei kein geeignetes Kriterium, zumal die Köthener Kantate BWV 173a mit einem Rezitativ beginnt, ohne einen Instrumentalsatz aufzuweisen. Plausibler sind Rifkins Hinweise auf die Führung der Violinen und auf das obligate Bläsertrio, dessen Fagottstimme in BWV 66:1 ähnlich obligat hervortritt wie in BWV 42:1. Rampe stützte Rifkins These durch einen Hinweis auf die Da-capo-Formen im Kopfsatz des Violinkonzerts E-Dur (BWV 1042) und in den Finali der Brandenburgischen Konzerte Nr. 5 und 6 (BWV 1050 und 1051).[375] Doch weisen diese Sätze klare Ritornellzitate auf, die selbst in den modulierenden Mittelteilen nicht fehlen. Dagegen kehrt das Ritornell der Sinfonia BWV 42:1 erst am Ende des A-Teils wieder (T. 1–8 ~ 43–52), doch wird dabei das Kopfmotiv variiert, während der Kadenz ein Zitat aus dem Binnenverlauf vorangeht (T. 49–50 ~ 24–28). Die vermeintliche Episode, die durch den Einsatz des Bläsertrios markiert wird, erweist sich als ein buntes Mosaik mit variablen Spielfiguren (T. 9 f., 17 f.) und kurzen Ritornellzitaten, die zugleich transponiert und variiert werden (T. 11 f., 15 f. u. a.). Der Mittelteil scheint zwar ein Gegenthema einzuführen (Oboe I T. 53 ff.), das aber schon im nächsten Einsatz geändert wird (Oboe II T. 57 ff.). Zudem wird es mit Spielfiguren

---

[372] Vgl. NBA I/11.2, KB, S. 56 f., sowie Faksimile, S. 181, ferner Marshall, a. a. O., Bd. 2, Nr. 149. Die in T. 7 endende Skizze findet sich auf der letzten Seite der Partitur zu BWV 103 (der frei gebliebene Raum wurde für den Schluss der Tenorarie Satz 5 [T. 55–59] und den Schlusschoral Satz 6 verwendet.).
[373] Vgl. Marshall, a. a. O., Bd. I, S. 26 und 29, sowie NBA I/11.1, KB, S. 60 f. Zum analogen Befund in BWV 42:4 vgl. Marshall, a. a. O., S. 28.
[374] Joshua Rifkin, Verlorene Quellen, verlorene Werke – Miszellen zu Bachs Instrumentalkomposition, in: Bachs Orchesterwerke, Bericht über das 1. Dortmunder Bach-Symposion 1996, Witten 1997, S. 59–75, hier S. 65–67.
[375] Siegbert Rampe, Bachs Orchestermusik (Das Bach-Handbuch, Bd. 5/1, Laaber 2012), S. 213 und 293. Vgl. auch ders. und Dominik Sackmann, Bachs Orchestermusik. Entstehung, Klangwelt, Interpretation. Ein Handbuch, Kassel 2000, S. 199 f.

der Streicher kombiniert und durch variierte Zitate aus dem A-Teil verdrängt (T. 61 f. und 63 f. ~ T. 1–2, T. 65–66 ~ 17–20, T. 67–70 ~ 31–34).[376]

Das Verfahren lässt damit eher an einen Satz wie das Finale des 2. Brandenburgischen Konzerts (BWV 1047) denken, das zur älteren Schicht dieser Sammlung gehören dürfte.[377] Das aber würde heißen, dass das »moderne« Da-capo-Schema mit einer eher »konservativen« Satztechnik verbunden wäre. Indes bleibt Vorsicht geboten, solange eine verbindliche Chronologie der Orchesterwerke aussteht, die sich auf satztechnische und nicht nur formale Kriterien zu stützen hätte.[378] Rifkins Datierung bleibt deshalb ein bedenkenswerter Vorschlag, der jedoch der weiteren Prüfung bedarf.

Im Kontext des Kantatenwerks ist die Position des Satzes ohnehin bedeutsamer als die Frage seiner Entstehungszeit. Denn mit dem Rückgriff auf eine Vorlage beginnt in diesem Satz eine Reihe weiterer Rekurse auf frühere Werke. Beschränken sie sich vorerst auf vier Arien, so betreffen sie im dritten Jahrgang zehn und später nochmals fünf Instrumentalsätze, die zumeist eingreifend umgeformt wurden.[379]

6. Arien und Duette

Ähnlich wie die Vorlagen Christiana Mariana von Zieglers bieten auch die Texte des unbekannten Autors nur ausnahmsweise Da-capo-Formen, die erst seit Exaudi etwas häufiger auftreten.[380] Bei der Mehrzahl der Arien handelt es sich um zwei- oder dreiteilige Formen, die durch die Wiederholung der Ritornelle abgerundet werden. Während Continuo-Arien fehlen, behaupten die Sätze mit Soloinstrument einen Anteil von fast einem Drittel. Je ein Fünftel des Bestands entfällt auf Arien mit Streichern bzw. Holzbläsern, neben denen drei Trompetensätze sowie zwei vokale Duette zu nennen sind. Sonderfälle bilden zwei Arien mit obligaten Instrumenten in unisono sowie vier weitere Sätze, die auf frühere Urformen zurückgehen.

a. Arien mit einem Soloinstrument

In vier Arien fällt der Solopart dem Violoncello piccolo zu, das zuvor in den Choralkantaten eingeführt worden war. Neben zwei Sätzen für Oboe da caccia findet sich je eine Arie mit Solovioline bzw. Flauto piccolo, während der Spieler der Traversflöte

---

376 Rampe verband das »›cantabile‹-Thema [...] mit dem Episodenthema im Finale von Vivaldis Concerto a-Moll op. 3,8«, vgl. ders., Bachs Orchestermusik, S. 213 (mit Anm. 1). Doch dient die fragliche Wendung in der Sinfonia BWV 42:1 nur als Glied einer Variantenkette, ohne thematische Geltung zu erreichen.
377 Vgl. Martin Geck, Gattungstraditionen und Altersschichten in Bachs Brandenburgischen Konzerten, in: Mf 23, 1970, S. 139–152; ders., Faßlich und künstlich. Betrachtungen zu Bachs Schreibart anläßlich des zweiten Brandenburgischen Konzerts, in: ders. (Hrsg.), Bachs Orchesterwerke, Dortmund 1997, S. 173–184.
378 Dass Rampe sich mehrfach gegen die Einwände anderer Autoren wenden musste (vgl. ebd., S. 292 f.), dürfte beweisen, dass sich seine Datierungsvorschläge nicht durchsetzen konnten.
379 Vgl. Dürr, Die Kantaten, Bd. 1, S. 54 f., sowie Rifkin, a. a. O., S. 73 f., Anm. 36.
380 Im Textdruck von Zieglers fehlen Da-capo-Verweise, sodass die entsprechenden Formen auf Bach zurückgehen könnten. Doch wäre es auch denkbar, dass die handschriftlichen Vorlagen entsprechende Hinweise enthielten.

offenbar nicht mehr zur Verfügung stand. Da sich die im Unisono zu spielenden Sätze von anderen Arien nur graduell unterscheiden, werden sie im Anschluss an diese Gruppe genannt. Ohnehin fallen die Arien in einen so kurzen Zeitraum, dass die Folge der Daten hinter systematischen Kriterien zurücktreten darf. Ein Kennzeichen der Sätze sind die Ritornelle, deren Kopfmotive zäsurlos in die Figuren der Fortspinnung übergehen und damit die Trennung zwischen Vorder- und Nachsatz relativieren.

6:2	2. Ostertag	Hochgelobter Gottessohn	A – A – B	A., Ob. da caccia o Va., Bc. – Es-Dur, ⅜
85:2	Misericordias Domini	Jesus ist ein guter Hirt	A – A – A	A., Vc. picc. Bc. – g-Moll, ₵
103:3	Jubilate	Kein Arzt ist außer dir zu finden	A – B	A., Fl. picc. (1731 V. conc. o Trav.), Bc. – fis-Moll, ⁶⁄₈
108:2	Cantate	Mich kann kein Zweifel stören	A – B	T., V. solo, Bc. – fis-Moll, ¾
183:2	Exaudi	Ich fürchte nicht des Todes Schrecken	Dc	T., Vc. picc., Bc. – e-Moll, ₵ (»Molt'adagio«)
74:2	1. Pfingsttag	Komm, komm, mein Herze steht dir offen (nach BWV 59:4 Die Welt mit allen Königreichen)	A – B	S., Ob. da caccia, Bc. – F-Dur, 42 ₵ (B., V. solo, Bc. – C-Dur, 42 ₵)
68:2	2. Pfingsttag	Mein gläubiges Herze, frohlocke, sing, scherze (nach BWV 208:13 Weil die wollenreichen Herden)	var. Dc	S., Vc. picc., Bc. – F-Dur, 79 ₵ + Ritornello V., Ob., Vc. picc., Bc. (S., Bc. – Più presto + Ob., V., Bc. – C-Dur, 36 + 27 ₵)
175:4	3. Pfingsttag	Es dünket mich, ich seh dich kommen (nach BWV 173a:7 Dein Name gleich der Sonnen geh)	A – B	T., Vc. picc., Bc. – C-Dur, ₵ (B., Fag. + Vc., Bc. – A-Dur, ₵)
85:5	Misericordias Domini	Seht, was die Liebe tut	var. Dc	T., Str. (in unisono), Bc. – Es-Dur, ⁹⁄₈
176:5	Trinitatis	Ermuntert euch, furchtsam und schüchterne Sinne	A – B – C	A., Ob. I–II + Ob. da caccia (in unisono) – Es-Dur, ⅜

In der Altarie »Hochgelobter Gottessohn« (BWV 6:2) wird wieder – erstmals seit Mariä Verkündigung – die Oboe da caccia als Soloinstrument eingesetzt.[381] Der sechszeilige Text gliedert sich in zwei syntaktisch verbundene Kreuzreime und ein gesondertes Reimpaar mit der abschließenden Bitte »Bleib, ach bleibe unser Licht, / Weil die Finsternis einbricht«. Trotz der zweisilbigen Versfüße entschied sich Bach für den ⅜-Takt, um dem Gleichmaß der Trochäen mittels variabler Melismen zu begegnen. Das viertaktige Kopfmotiv ist mit der figurativen Fortspinnung verkettet, ohne eine Binnenzäsur aufzuweisen (T. 1–16). Daher kann der Vokalpart nur das auf der V. Stufe endende Kopfmotiv übernehmen, das als Devise vorangestellt wird.

---

381 Zur Besetzung mit Oboe da caccia oder Viola vgl. NBA I/10, KB, S. 45 f., zur Verwendung der Oboe da caccia in früheren Sätzen vgl. Prinz, a. a. O., S. 381 f.

Während seine Wiederholung durch die zweite Zeile erweitert wird, greift die dritte Zeile auf das Kopfmotiv zurück, um den Zusammenhang der Zeilen anzudeuten. Indem sich diesmal die vierte Zeile anschließt, fasst der A-Teil die vier ersten Zeilen zusammen (T. 25–48), wogegen die beiden letzten Zeilen zwei gesonderte Abschnitte füllen (B^1 = T. 57–81, B^2 = T. 89–113). Führt die erste Phase zur IV. Stufe, so lenkt die zweite zur Tonika zurück, doch enden beide in der Schlusszeile (»weil die Finsternis einbricht«) mit Ganztonfolgen (T. 76–78: as^1-ges^1-fes^1, T. 108–110: es^1-des^1-ces^1), die zugleich in Quintfallsequenzen integriert sind (T. 76–81: f-B-es-As-Des, transponiert T. 108–113). Obwohl der Instrumentalpart als obligate Stimme fungiert, werden die Figuren des Ritornells kaum jemals wiederholt, sondern ständig variiert, sodass der klaren Disposition des Vokalparts eine ungewöhnlich variable Kontrapunktierung gegenübersteht.

Auch in der Altarie »Kein Arzt ist außer dir zu finden« (BWV 103:3) wird das Kopfmotiv des Ritornells vom Vokalpart übernommen (T. 13 f., 16 f. und 23 f.), während die virtuose Fortspinnung dem Flauto piccolo überlassen bleibt (T. 14 f). So kann der A-Teil, der die vier ersten Zeilen aufnimmt, mehrfach auf die Einbautechnik zurückgreifen (T. $18–20^a$ ~ 2^b–4, T. $20–22^a$ ~ 7–8), wogegen die Zwischenglieder auf die Figuren der Fortspinnung zurückgehen. Dasselbe Verfahren begegnet im B-Teil, in dem der Alt den Beginn der vier folgenden Zeilen mit dem Incipit des Ritornells verbindet (T. 34 f. und 42 f. sowie T. 47 f. und 50 f.), sodass die Flötenstimme mehrfach auf das Ritornell zurückgreifen kann (T. $44–47^a$ ~ 9–12). Der gleichmäßigen Reihe der Textzeilen setzte Bach ein ebenso dichtes wie variables Motivgewebe entgegen, an dem die Stimmen gleichermaßen beteiligt sind.

Die Violinstimme der Arie »Mich kann kein Zweifel stören« (BWV 108:2) ist zwar nicht virtuos zu nennen, doch zeichnet sich das Ritornell durch weit gespreizte Figuren aus, sodass der Vokalpart eigenständig geformt werden muss. Das Ritornell beginnt mit einem synkopisch ansetzenden Kopfmotiv, dessen Rhythmik in den nächsten Takten wiederkehrt, während seine intervallische Gestalt variabel bleibt. Ohne Binnenzäsur schließt sich die Fortspinnung an, die ihrerseits in das Kadenzglied übergeht. Da die Stimmen motivisch voneinander unabhängig sind, können die ersten Takte des Ritornells mit Vokaleinbau wiederholt werden (T. $13–20^1$ ~ $1–8^1$). Anschließend wird das instrumentale Kopfmotiv variiert, wogegen die Fortspinnung im folgenden Zwischenspiel verwertet wird. Dass der B-Teil fast doppelt so lang ist, liegt an der Gliederung des Textes, der zwei getrennte Sätze mit jeweils einer bzw. drei Zeilen enthält. Um die Worte angemessen zur Geltung zu bringen, wird die einleitende Zeile mehrfach wiederholt, während die folgenden Zeilen zwar zweimal, aber deutlich knapper durchlaufen werden. Dabei unterscheiden sich die Phasen sowohl in der Textgliederung als auch im Anteil des Instrumentalparts. Während die Zeilen im ersten Durchgang durch Pausen getrennt und mit isolierten Figuren des Ritornells verbunden werden, werden die Schlusszeilen der zweiten Phase durch vokale Melismen akzentuiert.

Die Stimmen für Violoncello piccolo werden durch weite Akkordbrechungen geprägt, deren sequenzierende Ausweitung zu konstanten und mitunter fast starren Mustern tendiert. Das Ritornell der Altarie »Jesus ist ein guter Hirt« (BWV 85:2) geht von einer Figurenkette mit Saitenwechsel aus, die durch kleine Drehfiguren eröffnet und durch Skalenausschnitte erweitert wird, um in einem knappen Kadenzglied auszulaufen (T. 1–9¹). Da der Text vier Zeilen umfasst, die syntaktisch zusammenhängen, muss er zweimal wiederholt werden, sodass sich der Sonderfall einer dreigliedrigen Form ergibt, deren Teilen derselbe Text zugrunde liegt. Weil der erste Teil zur V. und der Mittelteil zur IV. Stufe lenkt, ließen sich die Ritornellfiguren im Quintabstand auf die Nachbarsaiten übertragen. Der Schlussteil greift als variierte Reprise auf das Ritornell zurück, das im Nachspiel nochmals wiederkehrt. Desto kunstvoller ist die Formung des Vokalparts, dessen kantable Wendungen durch das Wort »denn« unterbrochen werden, während die letzte Zeile in weiträumige Koloraturen zum Wort »rauben« einmündet.

Komplizierter noch ist das viertaktige Ritornell der Da-capo-Arie »Ich fürchte nicht des Todes Schrecken« (BWV 183:2). Das Kopfmotiv umkreist zunächst die Grundstufen, bevor es in eine steigende Sequenzkette übergeht, deren Glieder aus gebrochenen Dreiklängen und gebundenen Drehfiguren bestehen. In gleichmäßiger Sechzehntelbewegung verlaufend, lässt sich das Modell auf andere Stufen überführen oder dem Modulationsgang anpassen. Beide Kennzeichen tragen dazu bei, dass das Ritornell seine Funktionen erfüllen kann. Der A-Teil umfasst die beiden ersten Textzeilen, die zweimal nacheinander durchlaufen werden. Dagegen nimmt der kürzere Mittelteil die vier übrigen Zeilen auf, wobei das erste Zeilenpaar nur einmal und das zweite in doppelter Fassung erscheint. (Im folgenden Schema werden die eintaktigen Zwischenspiele [Zs.] zu den vorangehenden Teilen gezählt).

Ritornell	Devise + Zs.	A¹ + Zs.	A²	Rit.	B¹ + Zs.	B²ᵃ + Zs	B²ᵇ
1–5³	5³–6³–10¹	10–16³–17³	17⁴–24¹	24⁴–28³	28³–33¹–34¹	34²–41¹–42¹	42²–46¹
	Zeile 1	Z. 1–2	Z. 1–2		Z. 3–4	Z. 5–6	Z. 5–6
e	E	e → h	h → e	e	e – fis → D	D – G → a	a – h → G

Führen die Phasen des A-Teils zunächst zur V. Stufe und danach zur Tonika zurück, so wendet sich die erste Phase des B-Teils (Zeilen 3–4) zur II. Stufe, während die zweite Phase zur III. und am Ende zur IV. Stufe moduliert (Zeilen 5–6). Die Kadenzen treten überraschend ein, weil die Stimmführung zuvor in andere Richtung zu lenken scheint. Zielt die erste Phase nach D-Dur, so bricht sie in Takt 30⁴ überraschend nach fis-Moll um. Ähnlich verhält es sich in der zweiten Phase, deren Glieder nach G-Dur bzw. h-Moll führen, um jedoch in G-Dur bzw. a-Moll zu enden. Die instrumentale Figuration wird nur zu Beginn des B-Teils kurz unterbrochen, während die Sequenzketten in den Modulationen variiert werden. Dass sich die Tenorstimme fast wie ein Zusatz ausnimmt, liegt daran, dass sie über kein eigenes Kopfmotiv verfügt. Während die Devise des A-Teils bereits bei ihrer ersten Wiederholung variiert wird, gleichen sich die weiteren Phasen weniger in ihrer Motivik als in ihrer ornamentalen Diktion.

Etwas schlichter wirkt das Ritornell der Tenorarie »Es dünket mich, ich seh dich kommen« (BWV 175:4), die auf die Köthener Arie »Dein Name gleich der Sonnen geh« (BWV 173a:7) zurückgeht. Auftaktig ansetzend, umkreist das Kopfmotiv den Grundton mit einer Drehfigur, deren Sequenzierung durch die Kadenzgruppe ergänzt wird (T. 1–8). Trotz gleichen Beginns ist der Vokalpart derart eigenständig geformt, dass er fast durchgehend mit dem Ritornell gekoppelt werden kann. Während die Vorlage vier Zeilen enthält, umfasst der Text der Neufassung acht Zeilen. Da sich die vier ersten Zeilen syntaktisch entsprechen, ließ sich der erste Teil der Vorlage wiederholen und mit den beiden Zeilenpaaren des neuen Textes koppeln (T. 1–32 = 33–64).[382] Dagegen enthielt der B-Teil der Vorlage die beiden letzten Zeilen in zwei verschiedenen Phasen, die die vier übrigen Zeilen aufnehmen konnten.[383]

BWV 173a:7
Leopold in Anhalts Grenzen
Wird im Fürstenruhme glänzen.
Leopold in Anhalts Grenzen
Wird im Fürstenruhme glänzen.

BWV 175:4 (von Ziegler)
Ich kenne deine holde Stimme,
Die voller Lieb und Sanftmut ist,
Daß ich im Geist darob ergrimme,
Wer zweifelt, daß du Heiland seist.

Um den neuen Text angemessen zu deklamieren, wurden zwei Abschnitte des Vokalparts neu gefasst, während die Instrumentalstimmen unverändert übernommen wurden (vgl. BWV 175:4 T. 72–79 und 97–103 mit BWV 173a:7 T. 40–46 und 65–71). Die erste Phase (T. 71–93) moduliert zur II. Stufe, wogegen die zweite zur Tonika zurücklenkt. Dennoch wird der Vokalpart mit der Motivik des Ritornells kombiniert, dessen Gruppen transponiert und mitunter variiert werden. Je mehr sich die vokalen Koloraturen erweitern, desto mehr beschränkt sich der Instrumentalpart auf Zitate des Kopfmotivs (T. 79–85 und 104–108). Da die letzte Phase des Vokalparts mit zwei Ritornellzitaten verbunden ist (T. 111–126), beschränkt sich das Nachspiel auf das Kopfmotiv und das Kadenzglied.

In der Sopranarie »Komm, komm, mein Herze steht dir offen« (BWV 74:2) griff Bach auf die einzige Arie der Pfingstkantate BWV 59 zurück, die schon 1723 entstanden, aber wohl erst 1724 aufgeführt worden war.[384] Von C-Dur nach F-Dur transponiert, wurde die Bassstimme in den Sopran verlegt, während der Instrumentalpart der Oboe da caccia übertragen wurde. Umfasste Neumeisters Text zehn Zeilen, so fiel Christiana Mariana von Zieglers Vorlage in BWV 74 zwei Zeilen kürzer aus. Da sich die sechs ersten Zeilen in Länge und Metrum entsprechen, konnte der A-Teil fast unverändert übernommen werden (T. 1–23ᵃ). Dagegen musste der B-Teil umgeformt werden, da die letzten Zeilen metrisch und inhaltlich differieren.

BWV 59:4 (Neumeister)
Ach Gott, wie selig sind wir doch!
Wie selig werden wir erst noch,
Wenn wir nach dieser Zeit der Erden
Bei dir im Himmel wohnen werden.

BWV 74:2 (von Ziegler)
Ich zweifle nicht, ich bin erhöret,
Daß ich mich dein getrösten kann.

Während die Vorlage zwei acht- bzw. neunsilbige Reimpaare umfasste, beschränkt sich der neue Text auf ein Zeilenpaar, das an die zum A-Teil gehörigen Zeilen 5–6 anschließt. Hatte Neumeister die Seligkeit »im Himmel« der »Zeit der Erden« gegenübergestellt, so spricht der neue Text von Trost und Erhörung. Da sich die vier letzten

---

382 Vgl. T. 53, 56, 60 und 63 mit T. 21, 25, 28 und 31.
383 Zu den textlichen Differenzen zwischen der Arie und dem späteren Druck vgl. NBA I/14, KB, S. 228 f.
384 Vgl. NBA I/13, hrsg. von Werner Neumann, KB, S. 77 ff.

Zeilen der Urform auf die Phasen des B-Teils verteilten, muss das letzte Zeilenpaar der Neufassung wiederholt werden. Zugleich wird die Textierung der ersten Phase durch Melismen verändert (T. 24f.: »zweifle«, T. 26f.: »erhöret«). Dagegen fiel die zweite Phase in BWV 59:4 knapper aus, sodass sie in BWV 74:2 nicht in gleichem Maß geändert werden musste (T. 28ᵇ–34). Fast unverändert wird jedoch der Instrumentalpart übernommen, der den gemeinsamen Rahmen beider Fassungen darstellt.

Sehr viel mühsamer dürfte es gewesen sein, der Arie »Mein gläubiges Herze« (BWV 68:2) einen Satz aus der »Jagdkantate« BWV 208 zugrunde zu legen. Denn die Arie »Weil die wollenreichen Herden« (BWV 208:13) war ein Ostinatosatz, der vier trochäische Zeilen enthielt. Dagegen umfasste der neue Text sechs daktylische Zeilen, sodass nur das Bassmodell übernommen werden konnte, während der Vokalpart neu gefasst werden musste.

BWV 208:13 (Franck)
Weil die wollenreichen Herden
Durch dies weitgepriesne Feld
Lustig ausgetrieben werden,
Lebe dieser Sachsenheld.

BWV 68:2 (von Ziegler)
Mein gläubiges Herze,
Frohlocke, sing, scherze,
Dein Jesus ist da!
Weg Jammer, weg Klagen,
Ich will euch nur sagen:
Mein Jesus ist nah.

Das viertaktige Bassmodell beginnt mit einem Kopfmotiv, dessen Dreiklangsbrechung im nächsten Takt variiert wird, wogegen die folgenden Takte die Kadenzstufen umkreisen. Zu diesem Grundmodell hatte Bach in BWV 208:13 eine liedhafte Melodik erfunden, deren Zeilen anfangs den Ostinatoperioden entsprechen, während sie später durch Melismen erweitert werden. Das Schema deutet das Verhältnis zwischen den Zeilen und den Perioden an, deren Schlusstakte sequenzierend verlängert werden.

1–4	5–8	9–12 + 13–14	15–18 + 19–20	21–24 + 25–28	29–32	33–36
①	②	③ + Anhang	④ + Anhang	⑤ + Anhang	⑥	⑦
Vorspiel	Zeilen 1–2	Zeilen 3–4, 1	Zeile 2	Zeilen 3–4	Zeilen 2–4	Nachspiel
F	F	C	F → B	B → F	F	F

① ff. = Ostinatoperioden

Die ohnehin kürzeren Zeilen der Neufassung werden in Achtelwerten deklamiert, die miteinander verbunden oder durch Koloraturen erweitert werden. Dagegen werden die drei ersten Zeilen am Ende wiederholt, sodass sich – anders als im Textdruck – eine variierte Da-capo-Form ergibt.

	A			B			A'		
1–4	5–8	9–12	13–16	17–20, 21–24	25–28	29–32, 33–36	37–40	41–44, 44–48	49–52
①	②	③	④	⑤ + Anhang	⑥	⑦ + Anhang	⑧	⑨ + Anhang	⑩
Vs.	Z. 1–2	Z. 1–3	Z. 1–3	Zs., Z. 4–6	Z. 4–6	Zs., Z. 4–6	Z. 1–2	Z. 1–3, 1–3	Z. 1–3
F	F	F	F – C	C – C⁷ → A⁷	D	d – d → C	F	F → C	F

① ff. = Ostinatoperioden, Vs., Zs. = Vorspiel, Zwischenspiel, Z. = Zeilen

6. Arien und Duette

Wie die Übersicht zeigt, moduliert der A-Teil zur V. Stufe, während der B-Teil im Anhang der 5. Periode beginnt und die 8. Periode – mit der die Reprise einsetzt – entsprechend geändert wird. Wäre die Vorlage nicht erhalten, so würde man kaum meinen, die Parodie einer älteren Arie vor sich zu haben.

In zwei weiteren Arien ist der Instrumentalpart in mehrfacher Besetzung zu spielen, weshalb er nicht ebenso anspruchsvoll ausfällt. Da aber für beide Gruppen prinzipiell analoge Voraussetzungen gelten, mögen diese Sätze hier gemeinsam genannt werden. Die Streicherstimme der Arie »Seht, was die Liebe tut« (BWV 85:5) überschreitet nicht die erste Lage, sodass der Klang ungewöhnlich dunkel wirkt und die hoch liegende Tenorstimme desto heller hervortreten kann. Im ⁹⁄₈-Takt stehend, trägt der Satz pastoralen Charakter, ohne etwas mit der Gigue gemein zu haben.[385] In den solistischen Stimmen bildet das Ritornell einen durchgehenden Linienzug, der selbst bei Eintritt des Vokalparts fortgesponnen wird. Obwohl die Tenorstimme einen ähnlich fließenden Duktus zeigt, übernimmt sie nicht die instrumentale Melodik, sodass sie mehrfach mit dem Kopfmotiv des Ritornells verbunden werden kann, ohne auf die Einbautechnik zurückzugreifen. Während das Wort »Seht« in gedehnten Werten vorgezogen wird, wird die zweite Zeile durch mehrfache Tonrepetitionen gekennzeichnet (T. 17f.: »Mein Jesus hält«). Da andere Worte in ähnlicher Weise gedehnt werden (vgl. T. 24f.: »in guter Hut« und T. 34: »Kreuzesstamm«), ergibt sich ein eigenartiger Schwebezustand zwischen der vokalen Deklamation und der fließenden Rhythmik des Instrumentalparts.

Dass die Altarie »Ermuntert euch, furchtsam und schüchterne Sinne« (BWV 176:5) überaus wechselvoll anmutet, liegt am Zusammenfall mehrerer Faktoren. Die Oboe da caccia tritt in den vokalen Phasen solistisch hervor, während sie in den instrumentalen Abschnitten durch zwei Oboen verstärkt wird. Da sich der Solopart auf die Altlage begrenzt, verbindet sich die klangliche Abstufung mit einem eigenartig abgedunkelten Kolorit. Dass der Satz im ³⁄₈-Takt steht, entspricht zwar dem daktylischen Metrum des Textes. Statt aber die Worte gleichmäßig zu skandieren, erfand Bach ein auftaktiges Kopfmotiv, dessen steigende Linie auf der dritten Zählzeit umbricht, um das unbetonte Wort »euch« durch einen Hochton zu akzentuieren (Notenbeispiel 35). Da das Vorspiel zur Dominante lenkt, muss es im Nachspiel geändert werden, und weil die Zwischenspiele weitere Varianten bieten, liegt keine Ritornellform vor. Der Text besteht aus vier- und zweihebigen Zeilen, wobei die Kurzzeilen paarweise zusammengefasst werden, sodass sich eine dreiteilige Anlage ergibt, deren Abschnitte jeweils zwei Zeilen umfassen. Zwar werden die ersten Takte des Vorspiels als vokale Devise übernommen und nach einem Zwischenspiel wiederholt, doch kehrt das Kopfmotiv im Alt nur einmal wieder (T. 31: »erholet euch«), während es im Instrumentalpart vielfach variiert wird. So wird es – um ein paar Beispiele zu nennen – im Continuo in eine sechstönige Linie verwandelt (T. 46, 48, 52 und 61), die später in umgekehrter Richtung verwendet wird (T. 92 und 102). Die vokalen Phrasen beginnen entsprechend mit zwei auftaktigen Sechzehnteln, an die sich zwei Achtel anschließen, sodass sich zunehmend das Gleichmaß des Metrums durchsetzt. Dennoch wird es mitunter von Pausen durchbrochen, die ähnlich schon im Vorspiel

---

385 Vgl. Finke-Hecklinger, a. a. O., S. 113.

Notenbeispiel 35

begegnen (T. 34 und 37: »höret«, T. 63: »wenn«). Weil gleichwohl der Zusammenhang gewahrt bleibt, erscheint die metrische Variabilität als Kehrseite der motivischen Konzentration.

b. Instrumentale Duosätze

Wenn zwei obligate Instrumente eingesetzt wurden, veränderten sich zugleich auch die satztechnischen Voraussetzungen. Falls beide Stimmen gleichberechtigt beteiligt sein sollten, ließ sich die Ritornellmotivik nicht ebenso variabel wie in einer Solostimme verwenden.

42:6	Quasimodogeniti	Jesus ist ein Schild der Seinen	A – B – B	B., V. I divisi, Bc. – A-Dur, c
87:3	Rogate	Vergib, o Vater, unsre Schuld	Dc	A., Ob. da caccia I–II, Bc. – g-Moll, c

Dass es Bach darum ging, die Obligatstimmen gleichberechtigt zu beteiligen, zeigt die Notierung der Bassarie »Jesus ist ein Schild der Seinen« (BWV 42:6). Der Part der zweiten Violine findet sich nämlich in der Dublette der ersten Violinstimme und sollte demnach von einem der ersten Geiger gespielt werden.[386] Das Kopfmotiv der Oberstimme wird sofort von der Gegenstimme imitiert, sodass sich ein fugierter Satz erwarten lässt. Stattdessen setzt im zweiten Takt der Continuo mit einer Dreiklangsbrechung ein, die anschließend von den Violinen übernommen wird. Indem diese Figuren fortan beide Stimmen wechselweise durchlaufen, erweisen sie sich als

---

[386] Vgl. NBA I/11.1, KB, S. 69.

motivische Substanz des Instrumentalparts. Da der sechszeilige Text in die Wiederholung der beiden ersten Zeilen einmündet, bedurfte er eines Materials, das sich in einer gleichsam kreisförmigen Anlage verwenden ließ.

(1–2)   Jesus ist ein Schild der Seinen, / Wenn sie die Verfolgung trifft.
(3–4)   Ihnen muß die Sonne scheinen / Mit der güldnen Überschrift:
(5–6)   Jesus ist ein Schild der Seinen, / Wenn sie die Verfolgung trifft.

Während dem A-Teil die Zeilen 1–2 zugrunde liegen, werden die Zeilen 3–4 in den folgenden Teilen (B bzw. B') mit der Wiederholung der beiden ersten Zeilen gekoppelt. Alle Teile werden durch die instrumentalen Figuren verkettet, sodass der Vokalpart fast durchweg auf der Einbautechnik basiert. Desto bemerkenswerter ist es, dass er zugleich ein überaus eigenständiges Gepräge hat, das durch die weiträumige Dreiklangsmelodik bestimmt ist. Dass der Satz gleichsam um sich kreist, ist am Instrumentalpart abzulesen, der in den Rahmenteilen fast ausnahmslos auf das Ritornell zurückgeht. Der Mittelteil moduliert zur Mollparallele (T. 41–55[1]), sodass sich die Violinen mit einem Einsatz des Kopfmotivs begnügen, das im Zwischenspiel durch eine aus Takt 8 gewonnene Sequenzfigur ergänzt wird. Da der Schlussteil einer verkappten Reprise entspricht, gleicht der Satz einer variierten Da-capo-Form.

Das Ritornell der Altarie »Vergib, o Vater, unsre Schuld« (BWV 87:3) verbindet zwei deutlich verschiedene Taktgruppen, die im weiteren Verlauf umschichtig auftreten. Während die Oboi da caccia anfangs in Terz- oder Sextparallelen gekoppelt und von Dreiklangsfiguren des Continuo begleitet werden, tritt die erste Oboe im dritten Takt mit einer Sechzehntelfigur hervor, um jedoch zwei Takte später zur anfänglichen Konstellation zurückzukehren. Der Wechsel wiederholt sich in der zweiten Hälfte des Ritornells, doch wird erst bei Eintritt des Vokalparts sichtbar, dass die Figuren der ersten Gruppe der Bitte der ersten Zeile entsprechen, während die Figur der zweiten Gruppe auf die zweite Zeile entfällt und die dritte Zeile auf die erste Gruppe zurückgreift. Lenkt die erste Phase des A-Teils nach B-Dur, so lässt die zweite auf dem Rückweg nach g-Moll eine etwas freiere Abfolge erkennen. Dass sich die Gruppierung im B-Teil zunehmend lockert, dürfte an der Aufteilung des Textes liegen. Obwohl die Zeilen einen zusammenhängenden Satz bilden, beginnt der Mittelteil mit der vierten Zeile, die syntaktisch jedoch zum ersten Teil gehört.

A-Teil: Vergib, o Vater, unsre Schuld
            Und habe noch mit uns Geduld,
            Wenn wir in Andacht beten
Mittelteil: Und sagen: Herr, auf dein Geheiß,
            Ach, rede nicht mehr sprüchwortsweis,
            Hilf uns vielmehr vertreten.

Die Aufteilung war zwar unvermeidlich, wenn sich eine Da-capo-Form ergeben sollte. Sie widerstrebt jedoch der Syntax des Textes, sodass sie auf Bach zurückgehen dürfte. Das könnte darauf hindeuten, dass er am Ende der Satzreihe den Wunsch hatte, zur Da-capo-Form zurückzukehren, für die ihm die Librettistin zuvor nur selten Gelegenheit gegeben hatte.

c. Streichersätze

Zwar setzen die Arien mit Streicherchor nach wie vor den blockhaft akkordischen Satz voraus, der die entsprechenden Sätze der Weimarer Werke und des ersten Jahrgangs geprägt hatte. Doch fungiert die erste Violine bereits im Vordersatz der Ritornelle als konzertierende Stimme, um in der Fortspinnung zu variablen Figuren zu wechseln, die mit den Zeilen des Vokalparts verbunden werden können. Da die Texte zwei getrennte Teilsätze enthalten, sind die Arien in der Regel zweiteilig angelegt. Eine entsprechende Gliederung wäre auch in der Bassarie BWV 74:5 möglich gewesen, die sich jedoch als variierte Da-capo-Form erweist.

6:5	2. Ostertag	Jesus, laß uns auf dich sehen	A – B	T., Str., Bc. – g-Moll, c
108:5	Cantate	Was mein Herz von dir begehrt	A – B	A., Str., Bc. – h-Moll, ⁶⁄₈
87:6	Rogate	Ich will leiden, ich will schweigen	A – B	T., Str., Bc. – B-Dur, ¹²⁄₈
74:5	1. Pfingsttag	Kommt, eilet, stimmet Sait und Lieder	var. Dc	B., Str., Bc. – G-Dur, c
176:3	Trinitatis	Dein sonst hell beliebter Schein	A – B – B	S., Str., Bc. – B-Dur, ¢

Das Ritornell der Tenorarie »Jesu, laß uns auf dich sehen« (BWV 6:5) beginnt mit einem Kopfmotiv, das in den akkordischen Satz der Unterstimmen integriert ist. Im dominantisch ansetzenden Nachsatz tritt die Oberstimme mit Triolenketten hervor, die in die synkopischen Figuren der Fortspinnung übergehen. Auf der V. Stufe endend, muss das Ritornell am Schluss des Satzes entsprechend geändert werden, während die Fortspinnungsgruppe in den modulierenden Takten eingesetzt wird. Lenkt die erste Phase des A-Teils zur V. Stufe (T. 17–20), so führt die zweite zur Durparallele, die in der Kadenzgruppe durch ihre Mollterz gefärbt wird (T. 23–27: »auf den Sündenwegen gehen«). Dennoch werden beide Phasen mit der Fortspinnung gekoppelt, die entsprechend auch mit den Zeilen des B-Teils verbunden wird, sodass sie den Verlauf des gesamten Satzes begleitet.

Dem gleichen Prinzip gehorcht die Altarie »Was mein Herz von dir begehrt« (BWV 108:5), deren Ritornell durch die eigenartige Deklamation der ersten Zeilen geprägt ist. Statt dem trochäischen Metrum zu folgen, werden die Zeilen in den ⁶⁄₈-Takt versetzt und in kürzere Glieder geteilt (»Was mein Herz / von dir begehrt / ach, das wird mir / wohl gewährt«). Demgemäß besteht das Ritornell aus eintaktigen Gliedern, die durch Pausen getrennt werden und jeweils auf der V. bzw. I. Stufe enden. Das hat zur Folge, dass die Taktgruppen getrennt eingesetzt und zunehmend variiert werden können. Sobald sie mit den Zeilen des Mittelteils kombiniert werden, müssen sie zu zweitaktigen Gruppen zusammengefasst werden (»Überschütte mich mit Segen, / führe mich auf seinen Wegen …«). Dank seiner Beweglichkeit kann das Material den Verlauf des ganzen Satzes begleiten, der nicht mehr auf die Einbautechnik angewiesen ist.

In der Tenorarie »Ich will leiden, ich will schweigen« (BWV 87:6) wird das Verfahren insofern modifiziert, als der Vordersatz des Ritornells zweieinhalb Takte auf dem Grundton basiert, dem in der Kadenzgruppe ein zweitaktiger Orgelpunkt auf der V. Stufe entspricht. Das Zwischenglied fungiert als Fortspinnung, die mittels einer »Zwischendominante« zur II. und anschließend zur IV. Stufe lenkt, sodass das Ritornell einer erweiterten Kadenz entspricht. Über der ruhigen Klangfolge des Continuo entspinnt sich die weitgefächerte Melodik der Oberstimme, deren schwebende Rhythmik an den Typus des Siciliano gemahnt. Eingangs zur Septime des Grundtons aufsteigend, umkreist sie danach die weiteren Stufen, während die zur Dominante führende Kadenzgruppe durch die Mollvariante der Tonika gefärbt wird. Wie das Schema andeutet, beruhen die Phasen des A-Teils auf der Klangfolge des Ritornells, die zuerst auf der Tonika wiederholt und anschließend auf die V. Stufe versetzt wird (»Ich will leiden, ich will schweigen, Jesus wird mir Hülf erzeigen, denn er tröst' mich nach dem Schmerz«). Als Bindeglied dient die Kadenzgruppe (T. 14 ~ 6^1), mit der zugleich die transponierte Wiederholung beginnt.

T. $9-14^1$ ~ $1-6^1$	$14-22^1$ ~ $1-9^1$
Zeilen 1–2 (zweimal)	Zeilen 1–2 + Zeile 3 (dreimal)
I – V	V – V

Dass die doppelte Wiederholung kaum auffällt, liegt vor allem am Vokalpart, der das Incipit des Ritornells übernimmt, während die Fortsetzung ebenso neu gefasst wird wie die melodische Linie der ersten Violine. Im zweigliedrigen B-Teil muss das Verfahren modifiziert werden, weil die drei folgenden Zeilen in andere Richtung weisen (»Weicht, ihr Sorgen, Trauer, Klagen …«). Den vokalen Phasen gehen kurze Zwischenspiele voraus, die auf das variierte Kadenzglied des Ritornells zurückgreifen (T. $22-24^1$ und T. $30-32^1$ ~ T. $6-9^1$). Der erste Abschnitt moduliert von der Dominante zur Mollparallele, sodass der Vokalpart neu formuliert wird. Sobald er die relative Dominante erreicht, endet er auf dem Orgelpunkt der Kadenzgruppe (T. $28-30^1$). Dasselbe gilt für die zweite Phase, die sich zur Subdominante wendet, sodass sich die ursprüngliche Fassung der Kadenzgruppe anschließen kann (T. $34-38^1$ ~ $5-9^1$). Rechnet man die abschließende Wiederholung des Ritornells ein, so geht der Satz – bis auf wenige Takte des Mittelteils – fast durchweg auf die Struktur der ersten Takte zurück. Die Rekurse werden jedoch durch die melodischen Varianten verdeckt, die von Bachs souveräner Beherrschung der Einbautechnik zeugen.

Dank seiner schwebenden Rhythmik und weitgespannten Melodik eignet dem Satz ein berückender Wohllaut, der nichts von der Leidensbereitschaft zu wissen scheint, von der im Text die Rede ist. Renate Steiger verstand den Satz als »Vergegenwärtigung von Trost im Leiden durch den Siciliano-Typ mit dissonant angereicherter Harmonik«.[387] Dieser theologischen Deutung begegnete Ulrich Konrad mit einem Hinweis auf den analytischen Befund: »Die Töne lassen die Buchstaben hinter sich und schaffen eine eigene, eine musikalische Wirklichkeit«, die nur dann als »Sprache des Glaubens« gelten kann, »wenn man deren Unübersetzbarkeit bedingungslos eingesteht«.[388] Konrads Feststellung wäre wenig hinzuzufügen, hätte ihr nicht Stei-

---

[387] Renate Steiger, Gnadengegenwart. Johann Sebastian Bach im Kontext lutherischer Orthodoxie und Frömmigkeit, Stuttgart – Bad Cannstatt 2002, S. 337.
[388] Konrad, a. a. O., S. 219.

ger unter Berufung auf »das längst erreichte Reflexionsniveau« der theologischen Bach-Forschung widersprochen.[389] Die Diskussion, die hier nicht weiter verfolgt werden kann, ist für die Differenzen zwischen theologischer und musikhistorischer Bach-Forschung exemplarisch. Der Abstand wird sich nicht überbrücken lassen, solange die Vertreter der einen Seite auf ihrem »Reflexionsniveau« beharren, ohne die Argumente der Gegenseite zur Kenntnis zu nehmen.[390]

In der Bassarie »Kommt, eilet, stimmet Sait und Lieder« (BWV 74:5) scheinen sich Vokal- und Instrumentalpart so weit zu unterscheiden, dass man meinen könnte, sie hätten nichts als die zugrunde liegende Klangfolge gemeinsam. Erst nachträglich wird sichtbar, wie genau das Ritornell auf die Deklamation des Textes abgestimmt ist. In den beiden ersten Takten markieren zwei Akkordschläge der Streicher die erste Zählzeit, wogegen die folgenden Werte durch weiträumige Figuren der ersten Violine gefüllt werden. Noch die Fortspinnung wird von der Oberstimme beherrscht, während die Unterstimmen primär als akkordische Füllung fungieren. Zugleich bereichern sie den Satz durch auftaktige Impulse, vor deren Folie sich die Figuration der Oberstimme abhebt (T. 3–6). Sobald die Kadenzgruppe in eine fallende Sequenz einmündet, erscheinen in der zweiten Violine punktierte Achtel, die auf den synkopisch verketteten Sekund- und Quartvorhalten des Continuo basieren (T. 7–8). Bei Eintritt des Basses fallen die einleitenden Akkordschläge auf das vorweggezogene Wort »Kommt« (T. 11–12), an das die Koloraturenkette zum Wort »eilet« anschließt (T. 13–14 ~ 3–4). Indem die Koloraturen zur Dominante lenken, kann sich die entsprechend transponierte Fortspinnung anschließen, die mit der syllabischen Deklamation der ersten Zeilen gekoppelt wird (T. 15–16 ~ 1–2 und T. 21–23 ~ 4^b–7^a). Die dritte Zeile wird dagegen in zwei Hälften getrennt, die abwechselnd vom Kopfmotiv und von fallenden Dreiklängen begleitet werden (T. 24–26: »Geht er gleich weg – so kommt er wieder«), während die vierte Zeile mit der synkopischen Sequenzgruppe verbunden wird (T. 24–31^1: »der hochgelobte Gottessohn«).

Der zweiteilige B-Teil umfasst ebenfalls vier Zeilen, die aber noch variabler als zuvor gegliedert werden. Beide Phasen kadenzieren zwar in h- bzw. e-Moll, doch werden die vierhebigen Anfangszeilen in je eineinhalb Takten absolviert (T. 38–40 bzw. T. 54–56: »Der Satan wird indes versuchen, / Den Deinigen gar sehr zu fluchen«), während die dreihebigen Schlusszeilen durch Koloraturen erweitert werden, sodass sie weitaus mehr Raum einnehmen (T. 41–51^1 bzw. T. 55–67^1: »Er ist mir hinderlich, / So glaub ich, Herr, an dich«).[391] Zugleich werden alle Abschnitte mit Varianten des Kopfmotivs und der das Ritornell beschließenden Sequenz verbunden. Die variierte Reprise unterscheidet sich vom A-Teil nicht nur durch das modulierende Gelenk (vgl. T. 82^b mit T. 14^b). Vielmehr werden der Wiederholung des Ritornells zwei modulierende Takte vorgeschaltet (T. 67 f.), während zwischen die eröffnenden Akkorde vokale Koloraturen zum Wort »eilet« eingefügt werden (T. 79 f.).

---

389 Steiger, a. a. O., S. 318.
390 Das gilt ähnlich auch für Konrad Klek, der nicht zögerte, die Besetzungen und die Takt- und Tonarten als Belege für »hermeneutische Entscheidungen Bachs« heranzuziehen, vgl. Klek, a. a. O., S. 23.
391 Kaum weniger befremdlich ist die Lesart des Drucks: »Der Satan wird indeß versuchen, / Den Seinigen zu fluchen; / Ich aber glaub an dir [!], / Drum hat er gar kein Theil an mir« (vgl. BT, S. 362).

Dass die Sopranarie »Dein sonst hell beliebter Schein« (BWV 176:3) nicht ebenso kompliziert anmutet, liegt ebenso an der tanzartigen Rhythmik wie an der klaren Anlage des Textes. Aus acht vierhebigen Trochäen bestehend, umfasst er zwei vierzeilige Sätze, sodass sich eine zweiteilige Satzanlage abzeichnet. Das gleichmäßige Metrum dürfte Bach dazu veranlasst haben, auf den Typus der Gavotte im Alla-breve-Takt zurückzugreifen.[392] Wie die periodische Taktfolge zeigt, dürfte die Zweiteilung des Ritornells auf die binäre Form des Tanzes zurückgehen. Zugleich entspricht sie der Anlage eines Ritornells, dessen thematischem Vordersatz ein figurativer Nachsatz gegenübersteht. Zwei Zweitaktern, die den tänzerischen Impuls vorgeben und auf der IV. bzw. V. Stufe innehalten (T. 1–4^a), folgt eine sequenzierende Fortspinnung, die zugleich zur Dominante moduliert (T. 4^b–8^a). Wechselt die Oberstimme zu Achteltriolen (T. 8^b–12), so markieren die Mittelstimmen die tänzerische Rhythmik, bis die Stimmen in der Kadenz zusammenfinden (T. 13–16^a). Während der A-Teil die erste Hälfte des Ritornells wiederholt, verarbeitet der B-Teil die Triolen der zweiten Hälfte. Die Anlage lässt sich am leichtesten in einem Schema verdeutlichen:

Ritornell		A-Teil					
a	b	Zeilen 1–2	instrumental	Zeilen 1–2	3–4	Zwischenspiel	
T. 1–8^a	8^b–16^a	16^b–20^a	20^b–24^a	24^b–27^a	27^b–32^a	32^b–36^a	36^b–40^a
		(~ 1–4^a)	(~ 12^b–16^a)	(~ 1–4^a)	(~ 4^b–8^a)	(~ 1–4^a)	(~ 12^b–16^a)
I – V	V – I	I – V	V – I	I – V	V – V	V –	V

Im A-Teil, dem die beiden ersten Zeilen als Devise vorangehen, übernimmt der Sopran die vier ersten Takte des Ritornells, die jedoch mit den Figuren des zweiten Viertakters gekoppelt werden (Violine I T. 16^b–20^b ~ 5^b–8^b). Nach vier instrumentalen Takten, die auf die Kadenzgruppe des Ritornells zurückgehen, wiederholt sich die erste Hälfte des Ritornells, dessen Oberstimme im Vokalpart liegt, während die Fortspinnung der ersten Violine zufällt. Nach einem Zwischenspiel, das den Beginn des Ritornells mit seiner Kadenzgruppe verbindet, schließt sich die erste Phase des B-Teils an. Da sie zur Mollparallele moduliert, müssen die Triolen des Ritornells entsprechend transponiert werden (T. 42^b–48^a, 48^b–52^a ~ 8^b–12^a). In der zweiten Phase, die zur Tonika zurückkehrt, werden die entsprechenden Takte mit Vokaleinbau gekoppelt (T. 56^b–60^a sowie T. 64^b–68^a). Da beide Phasen mit Zitaten der Kadenzgruppe enden, bleiben nur vier vokale Takte, die nicht auf das Ritornell zurückgehen (T. 60^b–64^a). Dabei dienen die Triolen dazu, die gedehnte Finalis des Soprans zu umspielen, die auf das letzte Wort »ruhn« entfällt. Die Rückgriffe auf das Ritornell fallen demnach mit ständig wechselnden Varianten zusammen. Obwohl die tänzerische Anlage ein Sonderfall ist, belegt die Arie ebenso wie die anderen Streichersätze den Variantenreichtum, den Bach im Umgang mit den traditionellen Tanzmodellen erreicht hatte.

---

[392] Vgl. Finke-Hecklinger, a. a. O., S. 34. Zur autographen Korrektur des Kopfmotivs vgl. NBA I/15, KB, S. 33.

d. Trompetenarien

Dass die Arien mit Trompeten wieder Instrumente in D voraussetzen, dürfte darauf hindeuten, dass die vorangegangenen Experimente mit der Tromba da tirarsi unbefriedigend ausgefallen waren.[393] In zwei Arien wird der Tuttisatz durch eine Solotrompete erweitert, die im Wechsel mit der ersten Violine als führende Stimme hervortritt. Wiewohl die dritte Arie zwei statt wie sonst drei Trompeten fordert und somit zu den Sätzen mit zwei Instrumenten gezählt werden könnte, wird sie im Blick auf die Trompetenstimmen an dieser Stelle erwähnt.

103:5	Jubilate	Erholet euch, betrübte Sinnen	A – B – C	T., Tr., Str. + Ob. d'am. I–II, Bc. – D-Dur, **c**
128:3	Himmelfahrt	Auf, auf, mit hellem Schall (mit eingeschaltetem Rezitativ)	A – B	B., Tr., Str., Bc. – D-Dur, ¾, **c**
175:6	3. Pfingsttag	Öffnet euch, ihr beiden Ohren	Dc	B., Tr. I–II, Bc. – D-Dur, ⁶⁄₈

Der Text der Arie »Erholet euch, betrübte Sinnen« (BWV 103:5) besteht aus acht vierhebigen Jamben, die drei getrennte Sätze umschließen. Während die beiden ersten Sätze jeweils zwei Zeilen füllen, beansprucht der letzte vier Zeilen, sodass sich drei Teile verschiedener Länge ergeben, die durch Ritornellzitate getrennt werden (A: Zeilen 1–2 = T. 8–16, B: Zeilen 3–4 = T. 24–31, C: Zeilen 5–8 = T. 37–59). Auftaktig ansetzend, durchmisst das signalartige Kopfmotiv einen steigenden Dreiklang, der sich auf der V. Stufe wiederholt. Der dritte Ansatz wird durch einen verminderten Septakkord gefärbt, dessen Auflösung eine kurze Zäsur bewirkt (T. 3). Sie wird zwar durch den Binnenauftakt der ersten Violine überspielt, der zugleich eine fallende Sequenzfolge einleitet (T. 4–5), doch bildet sie insofern ein Scharnier, als die verminderte Septime durch einen Triller der Trompete akzentuiert und mit Worten wie »betrübte«, »allzu weh« und »traurigen« verbunden wird (T. 10, 14 und 29). Während sich die Trompete anfangs auf kurze Einwürfe beschränkt, tritt sie in der Kadenz mit einer Sechzehntelkette hervor (T. 6–7). Der A-Teil wird durch das Ritornell beherrscht, dessen Oberstimme in den Tenor verlagert wird (T. 8–12 ~ 1–5). Da die folgenden Takte zur Dominante lenken (T. 9–16), kann als Zwischenspiel eine transponierte Fassung des Ritornells folgen (T. 17–23 ~ 1–7). Der Mittelteil moduliert zur Dominantparallele, sodass sich der Anteil der Trompete auf wenige Töne begrenzt. Desto mehr dominiert der Vokalpart, der nur eingangs auf das signalartige Kopfmotiv zurückgreift, wogegen seine Rhythmik in den Streichern anklingt, die einmal auch an das erwähnte Scharnier erinnern (T. 29). Dieser Takt entfällt im Zwischenspiel vor dem Schlussteil, dessen erste Phase von h-nach e-Moll führt, um in einer vokalen Koloratur zu enden, die in Parallelführung mit der Trompete verläuft (T. 39 f.). Erst wenn sich der Satz dem Ende zuneigt, begegnen wieder Ritornellzitate, die erst auf der Doppeldominante und dann auf der Tonika einsetzen (T. 45–46 ~ 1–2, T. 51–53 ~ 1–3).

Eine ähnliche Satzstruktur zeigt die Bassarie aus BWV 128, mit der sich jedoch ein anderes Problem verbindet. Der von Bach vertonte Text unterscheidet sich näm-

---

[393] Zur Tromba da tirarsi, die Bach vor allem in »den beiden ersten Leipziger Amtsjahren« einsetzte, vgl. Ulrich Prinz, Johann Sebastian Bachs Instrumentarium, S. 75–87, besonders S. 78.

lich von der gedruckten Fassung so grundlegend, dass beide Versionen verschiedene Konzepte bedingen. Geht Bachs Arie in ein Rezitativ über, nach dem das Ritornell wiederholt wird, so erscheinen beide Teile im Textdruck als gesonderte Sätze. Auffälliger als die sprachlichen Varianten, die auch in anderen Arien begegnen, sind die metrischen Differenzen. Während Bachs Text aus dreihebigen Jamben besteht, umfasst die gedruckte Fassung wechselnd vier- und dreihebige Jamben, denen am Ende zwei trochäische Zeilen folgen (rezitativische Zeilen kursiv).

BWV 128:3 (1725)	**Textdruck von Ziegler (1728)**
Auf, auf, mit hellem Schall,	Auf! jubilirt mit hellen Schall,
Verkündigt überall:	Verkündiget nun überall,
Mein Jesus sitzt zur Rechten!	Mein Jesus sitzt zur Rechten,
Wer sucht mich anzufechten?	Wer sucht mich anzufechten?
Ist er von mir genommen,	Wird er mir gleich weggenommen,
Ich werd einst dahin kommen,	Werd ich doch dahin auch kommen.
Wo mein Erlöser lebt.	
Mein Augen werden ihn	*Mein Auge wird ihn einst*
In größter Klarheit schauen ...	*in größter Klarheit schauen ...*
(+ 7 Zeilen)	*(+ 4 Zeilen)*

So wirkungsvoll der unerwartete Wechsel ist, so übereilt wäre die Folgerung, Bach habe den Text nach eigenem Ermessen geändert. Denn die Trennung der Sätze entspricht nicht nur den Normen der Gattung, sondern gibt den letzten Zeilen im Wechsel zu Trochäen zusätzlichen Nachdruck. Die Differenzen könnten daher auch auf eine nachträgliche Revision der Dichterin zurückgehen. Trotz mancher Analogien unterscheidet sich die Arie in dreierlei Hinsicht von dem zuvor erwähnten Satz. Zum einen liegt eine zweiteilige Form zugrunde, die durch die Wiederholung des Ritornells abgerundet wird (A: Zeilen 1–3 = T. 17–42, B: Zeilen 4–6 = T. 47–60). Zum anderen gewinnen die Figuren der Solotrompete größeren Raum als in BWV 103:3, da sie den gesamten Nachsatz des Ritornells füllen (T. 7^3–17^1). Überdies gründet der Satz weit mehr auf der Einbautechnik, die vor allem den A-Teil prägt. Die erste Phase basiert auf dem Vordersatz, der von einer gestrafften Variante des Nachsatzes unterbrochen wird (T. 19–27^1 ~ 1–2 + 8–10 + 5–7^1). Die zweite Phase, die auf der Dominante ansetzt, geht auf den Vordersatz des Ritornells zurück, dessen Oberstimme auf den Vokal- und den Instrumentalpart verteilt wird (T. 28–33^1 ~ 1^3–7^1). Der Nachsatz wird durch eine Quintfallsequenz geändert, in der die Figuren der Trompete von der ersten Violine übernommen werden (T. 32–42^1 ~ 7–17^1). Nach einem Zwischenspiel, in dem das transponierte Kopfmotiv mit der Kadenz verbunden wird (T. 43–47^1 ~ 1–3 + 16), folgt der knappere B-Teil, der sich zur Mollparallele wendet, wobei der Nachsatz wieder in die Violine verlagert wird (T. 47–56 ~ 7–6). Der unerwartete Eintritt des Rezitativs beruht nicht zuletzt auf der Klangfolge des Continuo, die am Ende in Terzen abwärts lenkt, sodass das Accompagnato mit einem Cis-Dur-Sextakkord beginnt (T. 60–61).

Vermutlich verfügte der zweite Trompeter nicht über die Virtuosität, die Bach bei seinem Solotrompeter Gottfried Reiche voraussetzen konnte. Sollten beide Stimmen gleichmäßig beteiligt werden, so mussten die spieltechnischen Ansprüche reduziert werden. Das Ritornell der Bassarie »Öffnet euch, ihr beiden Ohren« (BWV 175:6) beginnt mit einem signalartigen Kopfmotiv, während die Fortspinnung aus der Wiederholung einer kleinen Drehfigur besteht. Die vokale Version wird von repetierten Tönen der Trompeten begleitet, zwischen die gelegentlich die Drehfigur der Fortspinnung tritt. Entsprechend sind auch die letzten Takte des A-Teils angelegt, während die Trompeten sonst ebenso schweigen wie im B-Teil. Aufgrund der Korrekturen in den Trompetenstimmen vermuteten Dürr und Mendel, der Satz gehe auf eine ältere Vorlage zurück, die in F-Dur gestanden und für Hörner statt Trompeten bestimmt gewesen sei.[394] Ein Satz in gleicher Tonart und Besetzung liege in der Arie »Jagen ist die Lust der Götter« aus der Jagdkantate (BWV 208:2) vor, sodass der vierte Satz der Köthener Kantate »Heut ist gewiß ein guter Tag« (BWV Anh. 7) als Vorlage in Betracht komme. Zwar ist dieses Werk verschollen, doch ist der Textdruck erhalten, aus dem hervorgeht, dass die Arie »Jagen ist ein groß Ergetzen« (BWV Anh. 7:4) in der Tat dem Satz aus BWV 175 geglichen haben könnte.[395] Beidemal handelt es sich um Da-capo-Formen, die jeweils sechs trochäische Zeilen mit sieben bzw. acht Silben umfassen. Die sprachlichen Differenzen sind kaum größer als in der Tenorarie »Es dünket mich« (BWV 175:4 nach BWV 59:4), sodass die autographen Korrekturen darauf hindeuten könnten, dass Bach die Abweichungen in ähnlicher Weise wie dort auszugleichen suchte.[396]

Wiewohl die Identifizierung vorerst nicht beweisbar ist, dürfte die Arie auf eine ältere Vorlage zurückgehen. Falls die Vermutung Dürrs und Mendels zutrifft, könnte sie zugleich die befremdliche Faktur des Satzes erklären.

e. Arien mit Holzbläsern

Ähnlich wie die Choralkantaten umfasst die anschließende Werkgruppe mehrere Arien mit Holzbläsern. Zwar wird nur einmal der Oboenchor eingesetzt, den Bach zuvor in fünf Arien verwendet hatte. Doch findet sich daneben ein Satz mit drei Flöten, während dreimal Kombinationen mit Oboen begegnen, wie sie in neun Sätzen der Choralkantaten vorkamen.

42:3	Quasimodogeniti	Wo zwei und drei versammlet sind	Dc	A., Ob. I–II, Fag., Str., Bc. – G-Dur, c, »Adagio«, 12/8, »un poc'andante«
183:4	Exaudi	Höchster Tröster, heilger Geist	A – B	S., Ob. da caccia I–II, Str., Bc. – C-Dur, 3/8
74:7	1. Pfingsttag	Nichts kann mich erretten von höllischen Ketten	Dc	A., Ob. I–II, Ob. da caccia, Fag., V. solo, Str., Bc. – C-Dur, 3/8
68:4	2. Pfingsttag	Du bist geboren mir zugute (nach BWV 208:7 Ein Fürst ist seines Landes Pan)	var. Dc (var. Dc)	B., Ob. I–II, Taille, Bc. – C-Dur, 81 c (B., Ob. I–II, Taille, Bc. – C-Dur, 71 c)
175:2	3. Pfingsttag	Komm, leite mich, es sehnet sich mein Geist	var. Dc	A., Fl. I–III, Bc. – e-Moll, 12/8

---

394 NBA I/14, hrsg. von Alfred Dürr und Arthur Mendel, KB, S. 211.
395 Zur Dichtung von Christian Friedrich Hunold vgl. BT, S. 93 und 272, sowie Smend, Bach in Köthen, S. 199–103, hier S. 201.
396 Vgl. NBA I/14, KB, S. 211 f.

Da die Altarie »Wo zwei und drei versammlet sind« (BWV 42:3) im Autograph (P 55) als Reinschrift erscheint,[397] vermuteten Marshall und Dürr, der Satz gehe auf den langsamen Mittelsatz des Instrumentalkonzerts zurück, dessen Kopfsatz der Sinfonia zugrunde liege.[398] Läge ein Konzertsatz für zwei Soloinstrumente und Streicher zugrunde, müssten die instrumentalen Abschnitte den Tuttiritornellen entsprechen, während die vokalen Phasen auf die solistischen Episoden zurückgehen müssten. In der Arie verhält es sich jedoch umgekehrt: Das Ritornell ist nicht nur erheblich länger als in einem langsamen Konzertsatz, vielmehr fungieren die Oboen in den Ritornellen als Solostimmen, während sie in den vokalen Phasen zurücktreten. Dass der Vordersatz zur Dominante lenkt (T. 1–7³) und der Nachsatz zur Tonika zurückkehrt (T. 7⁴–13¹), entspricht eher dem Ritornell einer Arie als dem Verfahren eines Konzertsatzes.

Ritornell	Devise	Zwsp.	A¹	Zwsp.	Devise	Zwsp.	A²	Ritornell
1–7–13¹	13–15¹	15–17¹	17–25¹	25–27³	27³–29³	29³–30	30³–40¹	40–52¹
–	Zeilen 1–2	–	Zeilen 1–4	–	Zeilen 1–2	–	Zeilen 1–4	–
T–D–T	T	T	T–D	D	D–Tp	Tp	D–T	T–D–T

Wie Rifkin sah, deuten die Proportionen darauf hin, dass als Vorlage kein Konzertsatz, sondern eher eine Arie in Betracht kommt.[399] Zugleich meinte Rifkin, das Modell in der vorletzten Arie der verschollenen Köthener Gratulationskantate »Der Himmel dacht auf Anhalts Ruhm und Glück« (BWV 66a:6) gefunden zu haben, der auch die Sinfonia BWV 42:1 entnommen sei.[400] Zwar trifft es zu, dass die beiden ersten Textzeilen »zum verklärten Ton von BWV 42:3 vortrefflich passen« würden.[401] Obwohl beidemal Da-capo-Formen mit jambischen Texten vorliegen, unterscheiden sich die Text nach Zeilenzahl und Silbenfolge derart gravierend, dass Rifkins These zweifelhaft bleibt.

BWV 42:3 (A-Teil)
Wo zwei und drei versammlet sind
In Jesu teurem Namen,
Da stellt sich Jesus mitten ein
Und spricht darzu das Amen.

BWV 66a:6 (A-Teil)
Beglücktes Land von süßer Ruh und Stille!
In deiner Brust wallt nur ein Freuden-Meer.

---

[397] Vgl. NBA I/11.1, hrsg. von Reinmar Emans, KB, S. 61 f.
[398] Vgl. Marshall, The Compositional Process of J. S. Bach, Bd. I, S. 26, sowie Dürr, Die Kantaten, S. 255. Dagegen wies Emans, a. a. O., S. 84, darauf hin, dass der Reinschrift ein Entwurf vorangegangen sein könne.
[399] Rifkin, Verlorene Quellen, verlorene Werke, S. 65 f. Da die Oboen mehrfach auf die triolischen Figuren aus dem Nachsatz des Ritornells zurückgreifen (vgl. T. 19 f., 29 f. und 32 ff.), haben sie entgegen Rifkin keine »rein begleitende Funktion« (vgl. Rifkin, ebd., S. 66).
[400] Ebd., S. 67. Die Kantate entstand zum Geburtstag des Fürsten Leopold am 10. Dezember 1718; zum Text von Christian Friedrich Hunold vgl. Smend, Bach in Köthen, S. 178–183, hier S. 182. Fünf weitere Sätze dieses Werks waren 1724 in die Kantate »Erfreut euch, ihr Herzen« (BWV 66) zum 2. Ostertag eingegangen.
[401] Rifkin, a. a. O., S. 67. Die kurzen Pausen, die in der geistlichen Fassung die Worte »zwei und drei« trennen, wurden in der weltlichen Version durch punktierte Achtelwerte ersetzt.

Rifkins Versuch, der geistlichen Fassung den weltlichen Text zu unterlegen, hätte den Vorzug, dass die Koloraturen, die in BWV 42:3 auf das Wort »ein« entfallen (T. 23 und 36 f.), in BWV 66a:6 dem Begriff »Freuden-Meer« entsprechen würden.[402] Die unterschiedliche Silbenzahl nötigt aber dazu, die zweite Zeilenhälfte des weltlichen Textes zu wiederholen. Dass die Deklamation des geistlichen Textes überzeugender wirkt, muss Rifkins These nicht hinfällig machen, da der Reinschrift der Partitur eine Umarbeitung vorangegangen sein dürfte, sodass sich direkte Rückschlüsse verbieten.

Mit der Identifikation der Vorlage ist dem Verständnis des Satzes freilich wenig gedient. Sein betörender Klangzauber gründet nicht nur auf dem Zwiegespräch der Oboen, sondern ebenso auf dem ruhig bewegten Klanggrund der Streicher. Die ersten vier Takte des Ritornells umkreisen einen Orgelpunkt, der vor der Kadenzgruppe auf der V. Stufe wiederkehrt (vgl. T. 1–4 und 10^3–11^4). Einerseits unterscheidet sich das Kopfmotiv des Vordersatzes von den Triolenfiguren der Fortspinnung, die später als Begleitung der Altstimme dienen, während das instrumentale Kopfmotiv nur zu Beginn der vokalen Phasen und während eines Haltetons erscheint (T. 13, 20 f., 27 f.). Andererseits begünstigt der sparsame Einsatz der Ritornellmotivik die eindringliche Diktion des Vokalparts, die zumal am Ende der Phasen zur Geltung kommt.

Die Sopranarie »Höchster Tröster, heilger Geist« (BWV 183:4) weist im Autograph so umfangreiche Korrekturen auf, dass sich weitere Spekulationen erübrigen.[403] Der tänzerische Ton des Satzes sollte freilich nicht über seine komplizierte Struktur täuschen. Im 3/8-Takt notiert, wird der A-Teil durch die kapriziöse Rhythmik des Kopfmotivs charakterisiert.[404] Während die erste Zählzeit durch Zweiunddreißigstel akzentuiert wird, werden die folgenden Zählzeiten durch Viertel- und Achtelwerte gefüllt, die in die Sequenzfiguren der Fortspinnung einmünden. Die Oboe oktaviert zu Beginn und in den Kadenzen die erste Violine, während sie in der Fortspinnung als Solostimme hervortritt. Das wechselnde Verhältnis der Gruppen charakterisiert den Satz in gleichem Maß wie die eigenartige Form der Textvorlage. Obwohl sie aus einem zusammenhängenden Satz besteht, wurde sie von Bach in zwei Teile getrennt. Im A-Teil folgt auf zwei trochäische Zeilen eine jambische Zeile (7a, 7a, 6b), an die sich im B-Teil drei jambische Zeilen anschließen (9c, 9c, 7b). Der Sopran übernimmt das viertaktige Kopfmotiv, das nach dem ersten Zwischenspiel wiederkehrt, um anschließend zur Dominante zu lenken (T. 39–56). Die jambische Schlusszeile hingegen, die sich anfangs in den Kontext einfügt (T. 54. m. A.), veranlasst ihre nochmalige Wiederholung, die in einer Koloraturenkette ausläuft (T. 61–70. »darauf ich wandeln soll«). Der B-Teil besteht aus zwei Phasen, in denen die drei letzten Zeilen zusammengefasst werden. Während die erste Gruppe nach d-Moll moduliert (T. 79–90), scheint die zweite zur Variante c-Moll zu lenken, um jedoch in C-Dur zu enden (T. 97–108). Alle Zeilen beginnen auf betonter Zählzeit, unterscheiden sich aber durch synkopische Dehnungen vom auftaktigen Ansatz des A-Teils, bis die letzte Zeile wieder durch auftaktige Diktion abgehoben wird. Dass

---

[402] Ebd., S. 68.
[403] Vgl. NBA I/12, hrsg. von Alfred Dürr, KB, S. 298 ff.
[404] Ohne die komplizierte Rhythmik zu erwähnen, zählte Finke-Hecklinger, a. a. O., S. 105, die Arie zur Gruppe der Sätze, die dem Menuett bzw. Passepied nahestehen.

es sich im Grunde um einen Satz mit solistischem Instrumentalpart handelt, wird an zwei Kennzeichen sichtbar. Zum einen wird im Ritornell die Nahtstelle zwischen Vorder- und Nachsatz durch die Fortspinnung der Oboenstimme überspielt. Zum anderen wird der Vokalpart mit wechselnden Varianten des Oboenparts gekoppelt, ohne auf die Einbautechnik zurückzugreifen. Beide Kriterien treffen jedoch eher auf Arien mit einem Solopart als auf vollstimmige Sätze zu.

Für die Altarie »Nichts kann mich erretten« (BWV 74:7) gelten insofern analoge Voraussetzungen, als sie im ⅜-Takt steht und neben den Streichern drei Oboen und eine Solovioline fordert.[405] Dass sich trotzdem eine andere Struktur ergibt, ist an den Arpeggien der Violine abzulesen, die jedoch nicht als obligate Stimme hervortritt. Sie umspielt vielmehr den akkordischen Gerüstsatz, der auf den Oboen- und den Streicherchor verteilt wird. Führen beide Gruppen gemeinsam das Kopfmotiv ein, so wird die blockhaft gebündelte Fortspinnung in repetierte Sechzehntel zerlegt, die von den Streichern dupliert oder durch Haltetöne ersetzt werden (T. 1–18). Wo das Ritornell die Dominante erreicht, wird die Zäsur durch einen Orgelpunkt markiert, den die Oboen mit repetierten Akkorden ausfüllen (T. 10–12). Analog ist auch der Vokalpart geformt, der weithin auf der Einbautechnik beruht. Das Verfahren wird durch die Gliederung des Textes begünstigt, der aus zwei getrennten Sätzen mit jeweils drei daktylischen Zeilen besteht (A: 6a, 6a, 5b; B: 6c, 6c, 5b). Er erlaubte daher eine Da-capo-Form (wiewohl der Druck keinen entsprechenden Hinweis enthält). In beiden Teilen werden die Zeilen in zwei Phasen durchlaufen, die im A-Teil durch das auf die Dominante versetzte Ritornell getrennt werden, während sie im B-Teil unmittelbar aufeinanderfolgen. Merkwürdigerweise will die syllabische Deklamation zur Bedeutung der Worte nicht recht passen. Dass das Wort »Ketten« im A-Teil mit Koloraturen oder Synkopen gepaart ist, denen im B-Teil triolische Ketten zum Wort »lache« entsprechen, mag man mit Dürr als Hinweis auf die »Vorstellung des Rasselns der ›höllischen Ketten‹« auffassen.[406] Befremdlicher ist es, dass der B-Teil vom »Leiden« und »Sterben« Christi spricht, von dem die Musik jedoch wenig zu wissen scheint. Daher ist nicht ganz auszuschließen, dass der Satz – wie die anderen Arien des Werks – auf eine ältere Vorlage zurückgeht. Doch ist der Verdacht nicht zu belegen, weil die autographe Partitur verloren ist.[407]

Desto aufschlussreicher ist die Bassarie »Du bist geboren mir zugute« (BWV 68:4), die auf Satz 7 aus der Jagdkantate BWV 208 zurückgeht. Beide Texte umfassen sechs jambische Zeilen mit jeweils acht bzw. neun Silben. Obwohl die erste Zeile der weltlichen Fassung einen gesonderten Hauptsatz bildet, entschied sich Bach für eine zweiteilige Anlage, deren Teile jeweils drei Zeilen umfassen.[408] Dagegen besteht die geistliche Fassung aus zwei getrennten Sätzen, die jeweils drei Zeilen enthalten und damit eine Da-capo-Form nahelegen.

---

405 Finke-Hecklinger zählte die Arie zu einer Gruppe von Sätzen, die im tänzerischen Dreiertakt stehen, ohne einem konkreten Tanzmodell zu gleichen (a. a. O., S. 20 und 103).
406 Dürr, Die Kantaten, S. 303.
407 Vgl. NBA I/13, hrsg. von Dietrich Kilian, KB, S. 91 f. und 110 f.
408 Vgl. das Faksimile in BT, S. 289.

BWV 208:7 (Franck)
Ein Fürst ist seines Landes Pan!
Gleichwie der Körper ohne Seele
Nicht leben noch sich regen kann,
So ist das Land die Totenhöhle,
Das sonder Haupt und Fürsten ist
Und so das beste Teil vermißt.

BWV 68:4 (von Ziegler)
Du bist geboren mir zugute,
Das glaub ich, mir ist wohl zumute,
Weil du vor mich genung getan!
Das Rund der Erden mag gleich brechen,
Will mir der Satan widersprechen,
So bet' ich dich, mein Heiland, an.

Wichtiger als die formalen Differenzen, die kaum sehr viel größer als in anderen Parodien sind, ist die Tatsache, dass Bach in den harmonischen Ablauf der Vorlage eingriff. Besetzt mit zwei Oboen und Taille, beginnen beide Sätze mit einem zehntaktigen Ritornell, das dreimal durch Vokaleinbau erweitert und am Ende wiederholt wird. In seiner Grundform besteht es aus einem dreitaktigen Kopfmotiv, dessen Fortspinnung eine Quintfallsequenz umschreibt und in die Kadenzgruppe einmündet.

T. 1–3	4–7	8–10
Kopfmotiv (Vordersatz)	Fortspinnung (Nachsatz)	Kadenzgruppe
C	A – d – G – C	G – C

Beide Arien teilen im A-Teil den gleichen Grundriss. Nach der vokalen Devise und einem Zitat des instrumentalen Kopfmotivs (T. 11–14^1) folgt ein erster Abschnitt, der zur V. Stufe führt (T. 14^1–18^1). Anschließend setzt das transponierte Ritornell ein, das mit den drei ersten Zeilen verbunden wird (T. 18^3–28^1). Die einzige nennenswerte Differenz – von kleinen Varianten abgesehen – betrifft den Vokaleinbau in der Kadenzgruppe, der in der zweiten Zeile der Urform einen Halteton auf der Dominante enthält (T. 24^3–27). Ohne den Kontext zu ändern, wird er in der geistlichen Fassung durch eine syllabisch textierte Variante ersetzt (»vor mich genung getan«).

BWV 208:7	1–10	11–12^3	12^3–14^1	14^3–18^1	18^3–28^1	–
BWV 68:4	1–10	11–12^3	12^3–14^1	14^3–18^1	18^3–28^2	28–30^1
Formteil	Ritornell I	vokal Zeile 1	instrumental	vokal Zeilen 2–3	Ritornell II + Zeilen 2–3	Kadenzgruppe
Stufen	C	C	C	C – G	G	G

In der Erstfassung schließt sich der B-Teil an, dessen erste Zeile vorweggenommen wird. Da der Vokalpart nach a-Moll führt, kann zwei Takte später das dritte Ritornell in a-Moll folgen, das mit den Zeilen 4–6 verbunden wird. Die nächste vokale Gruppe, die diesmal nach e-Moll lenkt (T. 40^3–44^1), mündet in den zentralen Abschnitt ein, der zugleich ein viertes Ritornell vertritt (T. 44–59). In e-Moll beginnend, verharrt die Fortspinnung auf der Dominante, um dann aber drei Quinten abwärts zu lenken (T. 46–48: H-e-A-D). Danach erst tritt im Continuo der Tritonus ein, der eine zweite Quintkette eröffnet (T. 49–53: Gis-Cis-H-e-H). Statt in e-Moll zu enden, wird ein Septnonakkord eingeschaltet (T. 54: a-cis-e-g-b). Nach d-Moll aufgelöst, führt er zur Tonika zurück, die durch das Kopfmotiv mit Vokaleinbau befestigt wird (T. 55–59^3). Indem die Quintschritte den Abstand zwischen Cis- und C-Dur durchmessen, wird erstmals das chromatische Potential der Quintschrittsequenz erprobt.

BWV 208:7, B-Teil

28^3–30^2	30^3–40^1	40^3–44^1	44–59^3	60–61	62–71
vokal	Ritornell III	vokal	(Ritornell IV)	vokal	Ritornell V
Z. 4	+ Z. 4–6	Z. 5–6	+ Z. 4–6	Z. 6	–
G – E	a	a – e	modul. erweitert	C	C

In der geistlichen Fassung wird zunächst nur das Kadenzglied des A-Teils geändert und durch die Kadenzgruppe des Ritornells ergänzt (T. 27–30^1). Da diese Takte zwischen den Phasen des Mittelteils und ebenso vor der variierten Reprise wiederkehren, fungieren sie als Scharnier zwischen den Satzteilen (T. 42–44^1 und T. 59^2–61^3). Die vokale Gruppe, die im B-Teil nach e-Moll führt (T. 40^3–44^1), wird in der Neufassung um zwei Takte verlängert (T. 44–50^1). Die gravierendste Änderung erfährt die anschließende Phase, die in der Erstfassung durch die Quintfallsequenz gekennzeichnet war. Statt über d-Moll zur Tonika zu führen, endet sie in der Neufassung in e-Moll, sodass sie als viertes Ritornell hervortreten kann.

BWV 68:4, Mittelteil und variierte Reprise

30^3–32^2	32^3–42^1	42–44^1	44^3–50^1	50–61^3	62–65^1	65^3–69^1	69^1–78^1	79–81^1
vokal	Rit. III	Kadenz	vokal	(Rit. IV)	Devise + Kopfmotiv	vokal	Rit. V	Kadenz
Z. 4	+ Z. 4–6	–	Z. 4–6	+ Z. 4–6	Z. 1	Z. 1–2	+ Z. 2–3	–
G – a	a	a	a – e	modul.	C	C	C	C

Die Neufassung ist in mehrerer Hinsicht aufschlussreich. Zunächst beweist sie, dass der Differenz zwischen zwei- und dreiteiligen Formen nur relative Bedeutung zukommt. Durch die Textierung des letzten Ritornells und den Zusatz einer Kadenzgruppe wird die zweiteilige Vorlage in eine Da-capo-Form verwandelt, deren Teile durch instrumentale Scharniere markiert werden. Ferner werden die Modulationen, die den B-Teil und die Reprise eröffnen, um zusätzliche Takte erweitert, um sich zwischen den Ritornellzitaten behaupten zu können. Obwohl die Abfolge der Ritornelle übernommen wird, wird die Quintschrittsequenz, die in der Erstfassung einen chromatischen Schritt umschloss, in der Neufassung gestrafft, sodass sie die Funktion eines vierten Ritornells erhält. Das Argument, die frühere Version sei durch den Text der Erstfassung bedingt gewesen (»so ist das Land die Totenhöhle …«), ist deshalb nicht stichhaltig, weil die ursprüngliche Fassung zum Text der Parodie ebenso passen würde (»Das Rund der Erden mag gleich brechen …«). Offensichtlich erfolgte die Straffung in der Absicht, die Härten der Erstfassung zu mildern und gleichzeitig ausgewogene Proportionen zu gewinnen.

Die Altarie »Komm, leite mich« (BWV 175:2) lässt sich auf keine belegbare Vorlage zurückführen. Besetzt mit drei Blockflöten, hat der Satz den Charakter eines Pastorales im 12/8-Takt.[409] Der Text umfasst sechs Zeilen, die sich in zwei Teile mit

---

[409] Vgl. Finke-Hecklinger, a. a. O., S. 80. Als Quintett für drei Flöten, Singstimme und Continuo scheint der Satz in Bachs Œuvre eine Ausnahme zu bilden, vgl. Prinz, a. a. O., S. 223.

jeweils einem abgeschlossenen Satz gliedern (A: 4a, 4a, 7b; B: 4c, 4c, 7b).[410] Obwohl eine zweiteilige Form nahegelegen hätte, schrieb Bach eine variierte Da-capo-Arie, deren Rahmenteile sich deutlicher als sonst unterscheiden. Der Vordersatz des siebentaktigen Ritornells umkreist über einem Orgelpunkt die Grundstufen, um sich danach zur dominantischen Binnenzäsur zu öffnen (T. 1–3^a). Der Nachsatz dagegen zerfällt in drei halbtaktige Glieder, die eine »neapolitanische« Wendung umspielen (T. 3^b–5^a), bis sie in die verlängerte Kadenzgruppe einmünden (T. 5^b–7^a). Obwohl die Stimmen akkordisch gebündelt werden, tritt die erste Flöte im Nachsatz als Solostimme hervor. Zugleich wird die Einbautechnik durch eine Fülle von Varianten bereichert, für die hier wenige Hinweise genügen müssen.

Die Zeilen des A-Teils werden zweimal zusammenhängend vorgetragen, bevor sie im dritten Ansatz getrennt werden (T. 13 ff.). Die erste vokale Phase (T. 7^b–9^a) geht auf den Vordersatz des Ritornells zurück, dessen Wiederholung vom Vokalpart dupliziert wird (T. 11^b–13^a). Sobald die Zeilen getrennt werden, fungiert die erste Flöte als Solopart, um anschließend eine vokale Koloratur zu begleiten (T. 15–21^a). Analog werden die Zeilen des Mittelteils zweimal zusammengefasst (T. 25^b–27^a, 29^b–31^a), während ihre Trennung mit einer Variante der »neapolitanischen« Wendung des Nachsatzes zusammenfällt (T. 31^b–33^a: »Mein Herze schmacht', ächzt Tag und Nacht«). Da der B-Teil auf der IV. Stufe endet, muss das anschließende Zwischenspiel zunächst zur Tonika zurückleiten (T. 35–37^a), ehe das verkürzte Ritornell die variierte Reprise eröffnen kann (T. 37^b–39^a ~ 1–3^a). Entsprechend werden die vokalen Phasen gestrafft (T. 39^b–46^a gegenüber T. 7^b–21^a), deren Varianten sich nicht nur auf das modulierende Gelenk beschränken (vgl. T. 42–44 und T. 13–15).

Gegenüber der Arie BWV 68:4, deren Vorlage vom Vokaleinbau beherrscht war, wird hier desto klarer sichtbar, wie differenziert Bach die Einbautechnik inzwischen anzuwenden wusste. Statt das Ritornell durch den Vokalpart zu erweitern, wird es nur ausnahmsweise wiederholt, während seine Motivik vielfachen Varianten unterliegt. In dem Maß, in dem der blockhafte Instrumentalpart aufgelockert wird, wird er der motivischen Arbeit zugänglich, um damit die Grenze zu den geringstimmigen Arien zu relativieren. Es sind diese Verfahren, an die die Arien des dritten Jahrgangs anschließen sollten.

f. Duette

Die Werke des Sommers 1725 enthalten zwei Duette, die gleichermaßen – trotz sehr verschiedener Voraussetzungen – durch kontrapunktische Verfahren geprägt sind.

42:4	Quasimodogeniti	Verzage nicht, du Häuflein klein	Basso quasi ostinato	S., T., Fag. + Vc., Bc. – h-Moll, ¾
128:4	Himmelfahrt	Sein Allmacht zu ergründen	Dc	A., T., Ob. d'am., Bc. – h-Moll, 6/8

---

[410] Im späteren Textdruck werden die Teile durch Punkte getrennt, doch fehlt ein Hinweis auf die Da-capo-Form, vgl. BT 1974, S. 364.

Im Kontext der solistischen Choralbearbeitungen wurde bereits darauf hingewiesen, dass Bach das Duett »Verzage nicht, o Häuflein klein« (BWV 42:4) als »Choral« bezeichnete, obwohl es keine Choralweise verwendet.[411] Dass dem Satz eine Choralstrophe zugrunde liegt, ist allenfalls am zeilenweisen Wechsel der Imitationsmotive zu erkennen, die sich jedoch nur »bei einiger Mühe« aus einer Vorlage ableiten ließen.[412] Der Verzicht auf obligate Instrumente wird durch einen Basso quasi ostinato ausgeglichen, der insgesamt elf Perioden durchläuft. Anfangs als Ritornell eingeführt, kehrt er am Ende wieder, während er im Zwischenspiel auf die V. Stufe versetzt wird. Seine sechstaktige Grundform, die am Continuopart abzulesen ist, besteht aus einem fallenden Quartgang, dessen Töne durch Oktavsprünge verdoppelt und durch eine zweitaktige Kadenz beschlossen werden. In Viertelwerten verlaufend, wird er vom Fagott, das den Anschein einer obligaten Stimme erweckt, in Achtelnoten umspielt, deren Quint- und Oktavsprünge am Ende der Takte durch Halbtonschritte ergänzt werden. Die folgende Übersicht fasst das Verhältnis zwischen den Perioden und den Textzeilen zusammen.

1–6	7–12	13–17	18–26	27–32	33–38	39–47	48–53	54–57	58–63	64–70[1]
Per. ①	②	③	④	⑤	⑥	⑦	⑧	⑨	⑩	= ①
Ritornell	Zeile 1a	Z. 1b	Z. 2	Z. 3	Rit.	Z. 4	Z. 5	Z. 6	Z. 6	Rit.
h	h	h	e – fis	fis	fis	fis – e	e	e	h	h

Das Schema scheint eine symmetrische Anlage anzudeuten, die faktisch jedoch nicht vorliegt. Während die modulierende vierte Periode verlängert wird, fallen die Kadenzen der dritten und der neunten Periode jeweils einen Takt kürzer aus. Komplizierter ist die siebte Periode, in der das Modell gleichsam zweispurig abläuft. In zweitaktigem Wechsel kreuzen sich die Qualträume *h-fis* und *fis-C*, bis sie in der e-Moll-Kadenz zusammentreffen (T. 39–47).

	h		a		G		fis	H	(E)
fis		e		d		C		Fis	h	(e)
T. 39	40	41	42	43	44	45	46	47	(48)

Ähnlich verhält es sich mit der Zeilenfolge des Vokalparts. Während der Beginn der ersten Zeile im Stimmtausch wiederholt wird (T. 7–18: »Verzage nicht«), werden die folgenden Worte gestrafft, indem die Stimmen in Terz- bzw. Sextparallelen zusammentreten (T. 19–22: »du Häuflein klein«). Desto ausgiebiger wird die zweite Zeile verarbeitet, die sowohl die modulierende vierte als auch die in fis-Moll stehende fünfte Periode ausfüllt. Fällt die vierte Zeile in die verlängerte siebte Periode, so deckt sich die fünfte Zeile mit der achten Periode bis die Schlusszeile wiederum zwei Perioden ausfüllt. Das ostinate Bassgerüst erscheint somit als Gegengewicht zum zeilenweisen Wechsel der Satztechnik.

---

411 Vgl. oben, Anm. 369–371.
412 Vgl. Dürr, Die Kantaten, Bd. 1, S. 255.

Das Duett »Sein Allmacht zu ergründen« (BWV 128:4) schließt an jene Sätze der Choralkantaten an, deren zweistimmiger Vokalpart durch obligate Instrumente erweitert wurde.[413] Blieben die Streicher in BWV 111:4 akkordisch gebündelt, so unterschieden sie sich in BWV 91:5 durch punktierte Rhythmik vom imitierenden Vokalsatz. Wiewohl dort beide Gruppen dieselbe Motivik teilten, griffen sie auf das Kopfmotiv besonders dort zurück, wo die Gegenstimmen in fortspinnenden Figuren ausliefen. In BWV 125:4 wurde das vokale Duo mit zwei Violinen zu einem Quartettsatz verbunden, dessen Kopfmotiv in dichter Folge die Stimmen durchlief (T. 14 f. und 34 f.). Dagegen gleicht das Duett aus BWV 128 einer zweistimmigen Arie mit obligater Solooboe, die am imitierenden Vokalsatz gleichberechtigt beteiligt wird.[414] Eine entscheidende Prämisse bildet das Ritornell, dessen Vordersatz aus drei zweitaktigen Gruppen besteht (T. 1–6), denen der Nachsatz als weiträumig figurierende Fortspinnung gegenübersteht (T. 7–14). Obwohl die Vokalstimmen nur das zweitaktige Kopfmotiv übernehmen, ergänzen sich ihre Einsätze als Dux und Comes einer zweistimmigen Fuge, die durch die Oboe auf drei Stimmen erweitert wird (T. 15–20). Zur zweiten Zeile wird ein neues Motiv eingeführt, das an den zweiten Zweitakter des Ritornells anklingt und von der Oboe durch einen zusätzlichen Einsatz des Kopfmotivs ergänzt wird (T. 21–24). Entsprechend ist die letzte Phase des A-Teils gebaut, der im Zwischenspiel ein Themeneinsatz der Oboe vorangeht, sodass das Kopfmotiv fünfmal nacheinander erscheint (T. 37–48). Lediglich in der Binnenphase (T. 31–36) werden die Stimmen parallel geführt, ohne auf den Themenkopf zurückzukommen, wobei ein imitierender Ansatz rasch abbricht (T. 33–36: »mein Mund verstummt und schweigt«). Wiewohl der Mittelteil eine neue Themenvariante einführt, erinnert das instrumentale Zwischenspiel auch hier noch an die ursprüngliche Fassung des Themas (T. 33 f.).

Zwar bedeutete die Paarung des imitatorischen Vokalduetts mit einem gleichrangigen Instrumentalpart für Bach keine neue Aufgabe, doch wurde sie in keinem früheren Satz so überlegen gelöst wie in BWV 128:4. Die kontrapunktische Verdichtung, die dieses Duett auszeichnet, findet ihr Gegenstück in dem variierten Ostinatosatz aus BWV 42:4. Trotz aller Unterschiede weisen beide Sätze auf die hochgradige Differenzierung voraus, die sich als Kennzeichen des dritten Jahrgangs erweisen wird.

7. Zum motivischen Accompagnato

Die Werke des Sommers 1725 umfassen vier Accompagnati, deren Anteil kaum geringer ist als in den anderen Jahrgängen.[415] In den beiden ersten Fällen handelt es sich um Rezitative, in denen der Vokalpart von akkordischem Streichersatz begleitet wird (BWV 85:4 »Wenn die Mietlinge schlafen« und BWV 87:4 »Wenn unsre Schuld bis an den Himmel steigt«). Desto bemerkenswerter sind die beiden Sätze aus den Kantaten zu Exaudi und zum 3. Pfingsttag.

---

413 Vgl. o. S. 114 f und 117 f.
414 Obwohl der obligate Instrumentalpart in der autographen Partitur den Hinweis »Organo« zeigt, wurde er in die Stimme der Oboe eingetragen, vgl. NBA I/12, KB, S. 187 f.
415 Vgl. Hermann Sirp, Die Thematik der Kirchenkantaten J. S. Bachs in ihren Beziehungen zum protestantischen Kirchenlied, in: BJ 1931, S. 1–51, und BJ 1932, S. 52–118, hier S. 51–70.

Notenbeispiel 36

Das Rezitativ »Ich bin bereit, mein Blut und armes Leben« (BWV 183:3) fällt schon durch die Besetzung mit Streichern und zwei Oboi d'amore bzw. da caccia aus dem Rahmen. Noch ungewöhnlicher ist es, dass die motivische Prägung des Instrumentalparts auf die Deklamation der ersten Textworte zurückgeht.[416] Drei auftaktige Sechzehntel, die in der vokalen Fassung auf die betonte Silbe des Wortes »bereit« zielen, werden in den Oboi d'amore vorangestellt und von den Oboi da caccia beantwortet. Diese rhythmische Formel durchzieht im halbtaktigen Wechsel beider Gruppen das zehntaktige Rezitativ, das durch akkordischen Streicherpart aufgefüllt wird (Notenbeispiel 36). In G-Dur beginnend, scheint der Satz über e-Moll nach a-Moll zu lenken, doch wird der a-Moll-Klang durch einen A-Dur-Sekundakkord ersetzt. Dass der anschließende verminderte Klang (T. 7^b: *gis-h-d*) über Cis-Dur nach fis-Moll führt, ist keineswegs ungewöhnlich (T. 8). Desto überraschender ist es jedoch, dass der folgende verminderte Klang (*dis-fis-a*) von einem c-Moll-Klang abgelöst wird (T. 9–10). Da der Klangwechsel aus der Stimmführung hervorgeht, ist er nicht mit einer Rückung gleichzusetzen. Der Baßton *dis* wird in der ersten Oboe verdoppelt und – als *es²* notiert – zur Terz des anschließenden c-Moll-Klangs umgedeutet, dessen Quinte (*g*) durch den Continuo ergänzt wird. Der schroffe Wechsel erweist sich demnach als Resultat einer motivisch und kontrapunktisch legitimierten Satzstruktur.

[416] Vgl. das Notenbeispiel bei Dürr, Die Kantaten, Bd. 1, S. 295.

Das viertaktige Accompagnato, das die Kantate »Er rufet seinen Schafen mit Namen« (BWV 175:1) eröffnet, ist aus anderen Gründen bemerkenswert. Besetzt mit drei Blockflöten, die den Tenor begleiten, führt der Satz auf die anschließende Altarie hin, die dieselbe Besetzung aufweist. Mehr noch als frühere Beispiele weisen beide Sätze auf das motivische Accompagnato voraus, das in der Matthäus-Passion konstitutive Bedeutung gewinnen sollte.

8. Spätere Arien (1728/31–1734/35)

Erst nach 1728 entstanden die vier letzten Choralkantaten, die insgesamt 13 Arien enthalten. In der folgenden Übersicht, in der die Sätze angesichts ihrer geringen Zahl zusammengefasst werden, werden die Besetzungen sowie die Ton- und Taktarten genannt.[417]

Continuo-Satz

97:2	Nichts ist es spat und frühe	zweiteilig (Z. 1–3, 4–6)	B., Bc. – g-Moll, 6/8

Arien mit Soloinstrument

117:6	Wenn Trost und Hülf ermangeln muß	zweiteilig (Z. 1–3, 4–6 + 7)	B., V., Bc. – h-Moll, ₵
97:4	Ich traue seiner Gnaden	zweiteilig (Z. 1–3, 4–6)	T., V., Bc. – B-Dur, ₵, »Largo«
100:3	Was Gott tut … er wird mich wohl bedenken	zweiteilig (Z. 1–4, 5–8)	S., Trav., Bc. – h-Moll, 6/8
100:5	Was Gott tut … muß ich den Kelch gleich schmecken	zweiteilig (Z. 1–4, 5–8)	A., Ob. d'am., Bc. – e-Moll, 6/8

Instrumentale Duosätze

117:3	Was unser Gott geschaffen hat	dreiteilig (Z. 1–2, 3–4, 5–7)	T., Ob. d'am. I–II, Bc. – e-Moll, 6/8
97:8	Ihm hab ich mich ergeben	zweiteilig (Z. 1–3, 4–6)	S., Ob. I–II, Bc. – F-Dur, 2/4

Streichersätze

117:7	Ich will dich all mein Leben lang	dreiteilig (Z. 1–2, 3–4, 5–7)	A., Str. (+ oktavierende Fl. I) – D-Dur, 3/4
97:6	Leg ich mich späte nieder	zweiteilig (Z. 1–3, 4–6)	A., Str., Bc. – c-Moll, ₵
100:4	Was Gott tut … er ist mein Licht, mein Leben	zweiteilig (Z. 1–4, 5–8)	B., Str., Bc. – G-Dur, 2/4

---

417 Vgl. Verf., Nachträge oder Alternativen?, S. 194–199.

Duette

192:7	Der ewig reiche Gott	zweiteilig (Z. 1–4, 5–8)	S., B., Str. (V. I + Fl. I und Ob. I) – D-Dur, ⅔
97:7	Hat er es denn beschlossen	dreiteilig (Z. 1–3, 4–6, 1–6)	S., B., Bc. – Es-Dur, ¾
100:2	Was Gott tut … er wird mich nicht betrügen	zweiteilig (Z. 1–2, 3–8)	A., T., Bc. – D-Dur, ℭ

Abgesehen von dem Duett BWV 97:7, in dem die sechs Choralzeilen am Ende wiederholt werden, entspricht die formale Disposition der Sätze in der Regel der Zeilenfolge der Vorlagen. Ein Sonderfall ist die Arie BWV 117:6, in der die drei ersten Zeilen von den folgenden getrennt werden, obwohl die vierte Zeile an die vorangehende anschließt. Ähnlich wird die fünfte Zeile der Arie BWV 100:3 mit dem A-Teil verbunden, weil sie syntaktisch zu dessen Text gehört. Die Motivik der Choralweisen wird zumeist durch eine frei gebildete Thematik ersetzt, die nur ausnahmsweise an die Melodik der Vorlagen erinnert.

a. Continuo-Satz

Bezeichnenderweise enthält die Gruppe nur noch einen Continuo-Satz (BWV 97:2), in dem die früher dominierende Ostinato-Technik durch die Verarbeitung der Ritornellmotivik ersetzt wird. Im A-Teil greift der Vokalpart zweimal auf die ersten Takte des Ritornells zurück, die anschließend frei fortgeführt werden (T. 13–18 bzw. 25–30 ~ 1–6). Bei der Wiederholung der drei ersten Zeilen wird die Schlusszeile durch ein viertaktiges Melisma erweitert, mit dem das Wort »Sorgen« gesondert hervorgehoben wird (T. 31–34). Im Vokalpart des B-Teils, dem die drei letzten Zeilen zugrunde liegen, wird die Motivik dagegen derart frei variiert, dass nur noch der Continuo an das Ritornell erinnert.

b. Arien mit Soloinstrument

Ein gemeinsames Kennzeichen der Sätze mit Soloinstrumenten ist die Variantentechnik, die an die Stelle des vormaligen Einbauverfahrens tritt. Im ersten Teil der Sopranarie »Wenn Trost und Hülf ermangeln muß« (BWV 117:6) wird der Vokalpart zunächst in das Ritornell eingebaut (T. 9–12 ~ 1–4), doch wird die Fortsetzung mit einem Motiv bestritten, das auf den Instrumentalpart der ersten vokalen Takte zurückweist (T. 14 und 15 ~ T. 9). Im B-Teil dagegen (T. 25–35) beschränken sich die Rekurse auf einzelne Takte (T. 27 ~ 7, T. 31 ~ 9), während der Vokalpart neu geformt wird, sodass die Solovioline für die Rückbindung an das Ritornell zu sorgen hat. Entsprechend geht auch die erste Phase der Sopranarie BWV 100:3 »Was Gott tut … er wird mich wohl bedenken« auf das Ritornell zurück (T. 15–22 ~ 1–8), wogegen das Einbauverfahren auf die ersten Takte begrenzt wird (T. 23–24 ~ 1–2). Obwohl im weiteren Verlauf einzelne Takte des Ritornells zitiert werden (T. 35–38 ~ 3–5 gekürzt), wird der Satz vor allem durch die Variantentechnik geprägt.

Etwas anders verhält es sich in der Tenorarie »Ich traue seiner Gnaden« (BWV 97:4), die sich durch die ungewöhnlich virtuose Violinstimme auszeichnet.

Die ersten Takte des Ritornells (T. 1–2) bilden eine kolorierte Fassung der ersten Choralzeile, während die Fortspinnung Doppelgriffe (T. 3, 5 und 11) und Figuren in Zweiunddreißigsteln umfasst (T. 4 und 7–10). Der Vokalpart greift anfangs auf die ersten Takte des Ritornells zurück, die im Instrumentalpart mit der Fortspinnung des Ritornells gekoppelt werden (T. 13–14 ~ 1–2). Die anschließende Gruppe des Vokalparts bildet eine ornamentierte Variante der vorangehenden Takte, während sich die Violinstimme auf begleitende Akkorde und ein variiertes Ritornellzitat beschränkt (T. 15–16 ~ 1–2). Dagegen wird der Vokalpart im B-Teil neu formuliert, wobei sich die Verbindung mit dem A-Teil auf variierte Zitate der Ritornellmotivik begrenzt (T. 27 ~ 3, T. 43–44 ~ 7–8). Bezeichnend ist es jedoch, dass das Material, das im Instrumentalpart des B-Teils eingeführt wird, anschließend variiert wird (vgl. T. 28, 30, 37 und 39 f.). Die Variantentechnik, die anfangs von der Motivik des Ritornells ausging, greift also auf das zusätzliche Material über, das erst innerhalb des Satzverlaufs hinzutritt. Auch in der Sopranarie BWV 100:3 »Was Gott tut … er wird mich wohl bedenken« begrenzt sich das Einbauverfahren auf die ersten Takte des Ritornells (T. 13–14 ~ 1–2), während die Fortsetzung auf der Variantentechnik basiert. Entsprechend verfährt auch die Arie BWV 100:5 »Was Gott tut … muß ich den Kelch gleich schmecken«, in der die Altstimme anfangs das Ritornell aufgreift (T. 9–10 und 14–16 ~ 1–2) und anschließend in eine Fortspinnung übergeht, die auf das Material des Ritornells zurückgeht. Obwohl man ständig das Ritornell zu hören glaubt, handelt es sich in Wirklichkeit um wechselnde Varianten seiner Motivik.

c. Instrumentale Duosätze

Im Ritornell der Tenorarie BWV 117:3 »Was unser Gott geschaffen hat« werden die beiden Oboen in den ersten Takten parallel geführt (T. 1–4), wogegen die Fortspinnung zu komplementärer Bewegung wechselt (T. 5–8). Solange der Vokalpart die ersten Takte des Ritornells übernimmt, wird er von den Oboen mit einer Figuration begleitet, die auf die Ritornellmotivik zurückgeht (T. 9–12), während das erste Zwischenspiel (T. 17–21) mit motivischen Varianten bestritten wird. Die anschließenden Takte, die zur Durparallele führen, sind der Tenorstimme vorbehalten, wonach die zweite Phase des A-Teils zunächst auf das Einbauverfahren zurückgreift (T. 22–25 ~ 9–11), um anschließend das Ritornell zu variieren. In ähnlicher Weise werden die übrigen Zeilen mit neuen Varianten der Ritornellmotivik kombiniert (vgl. T. 38–45 mit den Zeilen 5–6).

Dagegen zeichnet sich die Sopranarie »Ihm hab ich mich ergeben« (BWV 97:8) durch ihre nahezu tänzerische Tönung aus, die weniger durch das Taktmaß als durch die Pausen im Ritornell begründet ist. Das auftaktige Kopfmotiv wird in der ersten Oboe in eintaktige Glieder aufgetrennt, die sich zu zweitaktigen Gruppen ergänzen (T. 1–4). Die erste Gruppe der Fortspinnung ist als zusammenhängender Bewegungszug angelegt (T. 5–8), während anschließend auf das Material der ersten Takte zurückgegriffen wird (T. 9–16). Der Vokalpart übernimmt die Kopfgruppe des Ritornells, dessen Pausen durch Einwürfe der Oboen ausgefüllt werden, sodass sich die eintaktigen Glieder wechselseitig ergänzen (T. 17–20), während die Figuren der

Fortspinnung verlängert und mit der letzten Phase des Ritornells verbunden werden (Oboen T. 20–23 ~ 12–16).

d. Streichersätze

In der Altarie BWV 117:8 »Ich will dich all mein Leben lang« werden die Stollenzeilen auf den A-Teil verteilt, während die letzten Zeilen nach einem Zwischenspiel wiederholt werden. Umrahmt vom Ritornell, ergibt sich demnach eine zweiteilige Form, deren erster Teil zwei Glieder umfasst, während der zweite Teil durch ein Zwischenspiel gegliedert wird. Da das Ritornell zur Dominante moduliert, muss es im Nachspiel entsprechend geändert werden.

Ritornell	A^1	A^2	Zwischenspiel	B^1	Zwischenspiel	B^2	Ritornell
–	Z. 1–2	Z. 3–4	–	Z. 5–7	–	Z. 5–7	–
1–12	13–21	22–34	35–42	43–52	52–60	61–72	73–84
T	T	T – D	D	T – Tp	Tp	T	T

Der viertaktigen Kopfgruppe, die durch ihre punktierte Rhythmik gekennzeichnet wird, steht im Ritornell eine achttaktige Fortspinnung gegenüber, die sich vom Kopfmotiv durch ihre triolische Bewegung unterscheidet. Fungiert die erste Violine in den instrumentalen Phasen als führende Stimme, so oktaviert sie in den vokalen Phasen die Singstimme. Die erste Phase des A-Teils endet mit einem Halbschluss, während die zweite zur Dominante moduliert, sodass im Hintergrund die Barform der Vorlage noch spürbar bleibt.

Die zweiteilige Arie BWV 97:6 »Leg ich mich späte nieder« wird von einem Ritornell umrahmt, das im Zwischenspiel auf die Dominante transponiert wird (T. 25–33[1] ~ 1–9[1] bzw. 57–65). Der A-Teil, der die ersten drei Zeilen umfasst, moduliert zunächst zur Tonikaparallele (Z. 9–16), um sich danach zur Dominante zu wenden (T. 17–25[1]). Dagegen besteht der B-Teil aus zwei Phasen, in denen die letzten drei Zeilen wiederholt werden. Während der erste Abschnitt zur Subdominantparallele moduliert (T. 41–45[1]), führt der zweite zur Tonika zurück (T. 45–57[1]).

Obwohl die Bassarie BWV 100:4 (»Was Gott tut ... er ist mein Licht, mein Leben«) im ²⁄₄-Takt steht, gewinnt sie durch die synkopische Rhythmik, die das Ritornell und den Vokalpart prägt, nahezu tänzerischen Charakter. Der ersten Phase des A-Teils geht die erste Zeile voran (T. 17–28), die anschließend durch die zweite Zeile ergänzt wird (T. 29–48). In der zweiten Phase hingegen (T. 53–84) folgen die beiden nächsten Zeilen, wogegen nach einem kurzen Zwischenspiel (T. 85–88) der zweiteilige B-Teil anschließt. In seiner ersten Phase wird die fünfte Zeile mit einem Rückgriff auf die vorangehende Zeile 4 gepaart (T. 89–100), bevor die zweite Hälfte des Textes zusammengefasst wird (T. 105–145).

e. Duette

Das Ritornell des Duetts »Der ewig reiche Gott« (BWV 192:7) moduliert im viertaktigen Vordersatz zur Dominante, während der zweite Viertakter mit der achttaktigen Fortspinnung verbunden wird. In den beiden ersten Takten wird das zweitaktige Kopfmotiv eingeführt, dessen auftaktige Achtel im nächsten Zweitakter durch Sechzehntel modifiziert werden, während der Nachsatz und die Fortspinnung rhythmisch der zweiten Taktgruppe entsprechen.

Ritornell	Zeilen 1–4 (Stollen I–II)			Ritornell (~ 8–16)	Zeilen 5–8 (Abgesang)			Ritornell (= 1–16)
1–16	17–26	27–36	37–52	53–60	60–70	71–80	80–97	97–112
T–D	T	D	D	D	D	T	T	T

Da das Ritornell zur Dominante moduliert, muss es im Nachspiel entsprechend modifiziert werden. Werden die Stollenzeilen im A-Teil zusammengefasst, so folgt im B-Teil der vierzeilige Abgesang. Beide Teile beginnen mit der ersten Zeile der Choralweise, die im A-Teil im Bass eingeführt und vom Sopran imitiert wird, während die Stimmen im B-Teil in umgekehrter Folge einsetzen. Gleiches Gewicht wie das Melodiezitat hat das anschließende Motiv, das in die Imitationsgruppen einbezogen wird (vgl. T. 21–25 bzw. 31–35). Wird das Choralzitat mit dem Vordersatz des Ritornells kombiniert, so beschränkt sich die Begleitung der folgenden Takte auf die Rhythmik des Kopfmotivs (T. 21–25 und 31–35 ~ 1–2), sodass der Satz ebenso durch die Ritornellmotivik wie durch die Choralmelodie geprägt wird.

Im Ritornell des Duetts BWV 97:7 »Hat er es denn beschlossen« wird die skalar steigende Achtelkette der beiden ersten Takte auf der Dominante wiederholt und durch eine fallende Figur ergänzt, die anschließend sequenziert wird. Der Vokalpart übernimmt zunächst das Kopfmotiv, das anschließend ebenso wie die Sequenzfigur vom Continuo imitiert wird, während die Fortspinnung durch ein Melisma erweitert wird. Im dritten Teil werden die Zeilen mit derselben Motivik zusammengefasst, sodass der gesamte Verlauf durch das skalare Motiv der ersten Takte geprägt wird.

Da das Ritornell des Duetts BWV 100:2 »Was Gott tut … er wird mich nicht betrügen« zur Tonikaparallele moduliert (T. 1–4), muss es im Nachspiel entsprechend verändert werden (T. 60–63), wogegen es im Zwischenspiel auf die vier ersten Takte verkürzt wird (T. 20ᵇ–23). Der A-Teil, dem die beiden ersten Zeilen zugrunde liegen (T. 5–21), wird durch ein Imitationsmotiv eröffnet, das im Mittelteil durch Koloraturen erweitert wird (T. 24–41). Die vier letzten Zeilen, die wegen des syntaktischen Zusammenhangs unmittelbar anschließend einsetzen, werden im dritten Teil zusammengefasst, in dem das Wort »Geduld« mehrfach abgespalten und wiederholt wird (T. 42–59).

9. Resümee

1. Die Werke, die seit Ostern 1725 entstanden, haben weniger als Anhang des Zyklus denn als gesonderte Gruppe zu gelten. Entscheidend war nicht nur der Wechsel der Texte, der Bach nach der langen Reihe der Choralkantaten willkommen gewesen sein dürfte. Vielmehr stellten sich mit den Vorlagen auch andere Aufgaben, die vor allem in den chorischen und solistischen Dicta sichtbar werden.
2. In den Chorsätzen wird das Permutationsverfahren zunehmend von wechselnden Kombinationsformen abgelöst, die ihre Fortsetzung im dritten Jahrgang finden sollten. Die Skala dieser Kombinationen reicht von der Kanonkette in BWV 6 über die motettischen Binnensätze aus BWV 198 und 68 bis zu den Eingangschören der Kantaten BWV 108 und 176.
3. Zu den Eigenarten der Werke zählen die solistischen Dicta, in denen zwischen den Worten Christi und den anderen Bibeltexten unterschieden wird. Während die Christusworte in den Eingangssätzen zu ausgedehnten Formen mit obligaten Instrumenten erweitert werden, erscheinen sie in den Binnensätzen als Ostinatoformen, wogegen die übrigen Spruchtexte als Secco- oder Accompagnato-Rezitative vertont werden.
4. Die Choralchorsätze aus BWV 68 und 128 scheinen zwar an die modifizierten Kantionalsätze des zweiten Jahrgangs anzuschließen. Im Eingangschor aus BWV 128 wird dieser Typus jedoch durch ein instrumentales Fugato erweitert, wogegen der Satz aus BWV 68 einer chorischen »Aria« gleicht, die an die Generalbasslieder des »Schemellischen Gesangbuchs« denken lässt.
5. Die Arien zeigen nicht mehr derart wechselvolle Besetzungen wie die Sätze der Choralkantaten. Während die Tromba da tirarsi durch C- bzw. D-Trompeten ersetzt wurde, stand offenbar nicht mehr der Flötist zur Verfügung, der zuvor die Traversflöte gespielt hatte. Dagegen wurden die Versuche mit dem Violoncello piccolo fortgesetzt, während weiterhin der Oboenchor verfügbar war, der zuvor in den Choralkantaten eingesetzt worden war.
6. Die Arien mit instrumentalem Solopart zehren weniger von den Kopfmotiven der Ritornelle als von den Figuren der Fortspinnungsphasen. Tritt demgemäß die Einbautechnik zurück, so wird sie nach wie vor in Streichersätzen verwendet, während die Arien mit zusätzlichen Holzbläsern zwischen beiden Polen vermitteln. Das gilt allerdings nicht für die vier Arien, die auf frühere Urformen zurückgehen.
7. Das Osteroratorium ist das früheste Beispiel für Bachs Zusammenarbeit mit Henrici. Obwohl Henricis Autorschaft nur für die weltliche Vorlage belegt ist, dürfte er auch der Autor der geistlichen Fassung gewesen sein. Mit diesem Werk begann die Reihe der Rückgriffe auf frühere Werke, zu denen die Sinfonia aus BWV 42 ebenso zählt wie die vier Arien, die aufgrund der differierenden Texte weniger Parodien als neue Fassungen darstellen.
8. Dass zu den Neufassungen vier Arien nach Texten der Frau von Ziegler gehören, ist aus zwei Gründen bemerkenswert. Zum einen wird sichtbar, dass Bach dazu

überging, trotz differierender Texte auf frühere Werke zurückzugreifen. Zum anderen lässt sich daraus schließen, dass der Kontakt zur Dichterin nicht eng genug war, um von ihr passende Texte zu erbitten. Dagegen dürften die Differenzen zwischen den vertonten und den gedruckten Textfassungen weniger auf Eingriffe Bachs als auf spätere Änderungen der Autorin zurückgehen.

9. Während die Eingangschöre sowohl auf die Dicta des dritten Jahrgangs als auch auf die späteren Choralkantaten hinführen, greifen die Parodien auf Verfahren voraus, die im dritten Jahrgang und im sogenannten Picander-Jahrgang fortgeführt wurden, bevor sie in den oratorischen Werken der 1730er-Jahre dominierende Geltung erhalten sollten.[418]

---

[418] Christoph Wolff, Johann Sebastian Bachs Oratorien-Trilogie und die große Kirchenmusik der 1730er Jahre, in: BJ 2011, S. 11–25.

Teil VI
**Geteilter Turnus:
Der dritte Jahrgang (1725–1727)**

1. Bestand und Datierung

Die Kantaten, die als dritter Jahrgang bezeichnet werden, bilden keine so geschlossene Reihe wie die Werke der vorangegangenen Jahre. Bevor auf die Fragen der Überlieferung und Datierung einzugehen ist, sei eine erste Übersicht vorangestellt.[1] Soweit die Textdichter bekannt sind, werden ihre Namen in Klammern genannt, während Wiederaufführungen, verschollene Werke und zweifelhafte Daten durch Kursive hervorgehoben werden.[2]

1725	Datierung	BWV	Textincipit
1. p. Trin.	*3. 6.*	*–*	*(Bach war in Gera)*[3]
2. p. Trin.	*10. 6.*	*(76?)*	*(WA Die Himmel erzählen?)*
3. p. Trin.	*17. 6.*	*–*	*Ich ruf zu dir, Herr Jesu Christ (Komponist?)*
4. p. Trin.	*24. 6.*	*–*	*Gelobet sei der Herr, der Gott Israel (Telemann?)*
5. p. Trin.	*1. 7.*	*–*	*Der Segen des Herrn machet reich ohne Mühe (Telemann?)*
Mariä Heimsuchung	*2. 7.*	*–*	*Meine Seele erhebt den Herrn (Keiser oder Mattheson?)*
6. p. Trin.	*8. 7.*	*–*	*Wer sich rächet, an dem wird sich der Herr wieder rächen*
9. p. Trin.	29. 7.	168	Tue Rechnung! Donnerwort (Franck)
12. p. Trin.	19. 8.	137	Lobe den Herren, den mächtigen König (Choralkantate)[4]
13. p. Trin.	26. 8.	164	Ihr, die ihr euch von Christo nennet (Franck)
Ratswahl	27. 8.	Anh. 4	*Wünschet Jerusalem Glück (Picander – verschollen)*
17. p. Trin.	23. 9.	148	*Bringet dem Herrn Ehre seines Namens (oder 1723?)*
Reformationstag	31. 10.	79	Gott, der Herr, ist Sonn und Schild
1. Weihn.	25. 12.	110	Unser Mund sei voll Lachens (Lehms)
2. Weihn.	26. 12.	57	Selig ist der Mann (Lehms – »Concerto in Dialogo«)
3. Weihn.	27. 12.	151	Süßer Trost, mein Jesus kömmt (Lehms)
Stg. n. W.	30. 12.	28	Gottlob! Nun geht das Jahr zu Ende (Neumeister)

1 Die Angaben zur Chronologie folgen den Hinweisen in BWV² und im Kalendarium zur Lebensgeschichte Johann Sebastian Bachs, erweiterte Neuausgabe, hrsg. von Andreas Glöckner, Leipzig 2008 (Abweichungen werden in den Anmerkungen begründet). Dürr ließ 1976 den dritten Jahrgang mit der geistlichen Frühfassung der Kantate BWV 36 »Schwingt freudig euch empor« beginnen, doch fügte er hinzu, am 1. Advent 1725 sei »keine Aufführung nachweisbar« (vgl. Dürr, Chronologie, S. 16 und 83).

2 Die Verweise auf wohl nicht von Bach stammende Werke ergeben sich aus den Leipziger Textdrucken, die zwar keine Komponisten nennen, aber durch textliche Konkordanzen auf Werke anderer Autoren verweisen. Zu den Werken Johann Ludwig Bachs vgl. William H. Scheide, Johann Sebastian Bachs Sammlung von Kantaten seines Vetters Johann Ludwig Bach, I–III, in: BJ 1959, S. 52–94, BJ 1961, S. 5–24 und BJ 1962, S. 5–32. Die Quellen dieser Werke erbte Carl Philipp Emanuel Bach, der sie um 1760 einem unbekannten Interessenten zum Kauf anbot, vgl. Bach-Dokumente, Bd. III, Nr. 704, S. 149 f.

3 Vgl. Dok. II, Nr. 183, S. 143.

4 Später dem zweiten Jahrgang zugeordnet.

1726

Neujahr	1.1.	16	Herr Gott, dich loben wir (Lehms)
1. p. Epiph.	13.1.	32	Liebster Jesu, mein Verlangen (Lehms – »Concerto in Dialogo«)
2. p. Epiph.	20.1.	13	Meine Seufzer, meine Tränen (Lehms)
3. p. Epiph.	27.1.	72	Alles nur nach Gottes Willen (Franck)
Mariä Reinigung	2.2.	–	J. L. Bach: *Mache dich auf, werde Licht*
4. p. Epiph.	3.2.	–	J. L. Bach: *Gott ist unser Zuversicht*
5. p. Epiph.	10.2.	–	J. L. Bach: *Der Gottlosen Arbeit wird fehlen*
Septuagesimae	17.2.	–	J. L. Bach: *Darum will ich auch erwählen*
Sexagesimae	24.2.	–	J. L. Bach: *Darum säet euch Gerechtigkeit*
Estomihi	3.3.	–	J. L. Bach: *Ja, mir hast du Arbeit gemacht*
1. Ostertag	21.4.	(15)	J. L. Bach: *Denn du wirst meine Seele nicht in der Hölle lassen*
2. Ostertag	22.4.	–	J. L. Bach: *Er ist aus der Angst und Gericht*
3. Ostertag	23.4.	–	J. L. Bach: *Er machet uns lebendig*
Quasimodogeniti	28.4.	–	J. L. Bach: *Wie lieblich sind auf den Bergen*
Misericordias Domini	5.5.	–	J. L. Bach: *Und ich will ihnen einen einigen Hirten erwecken*
Jubilate	12.5.	–	J. L. Bach: *Die mit Tränen säen*
		146	+ Wir müssen durch viel Trübsal (?)
Cantate	19.5.	–	J. L. Bach: *Die Weisheit kommt nicht in eine boshafte Seele*
Himmelfahrt	30.5.	43	Gott fähret auf mit Jauchzen (Text: Meiningen)
Trinitatis	16.6.	194	WA Höchsterwünschtes Freudenfest (?)[5]
1. p. Trin.	23.6.	39	Brich dem Hungrigen dein Brot (Text: Meiningen)
Johannistag	24.6.	–	J. L. Bach: *Siehe, ich will meinen Engel senden*
Mariä Heimsuchung	2.7.	–	J. L. Bach: *Der Herr wird ein Neues im Land erschaffen*
5. p. Trin.	21.7.	88	Siehe, ich will viel Fischer aussenden (Text: Meiningen)
6. p. Trin.	28.7.	170	Vergnügte Ruh, beliebte Seelenlust (Lehms – Solokantate)
		–	+ J. L. Bach: *Ich will meinen Geist in euch geben*
7. p. Trin.	4.8.	187	Es wartet alles auf dich (Text: Meiningen)
8. p. Trin.	11.8.	45	Es ist dir gesagt, Mensch, was gut ist (Text: Meiningen)
10. p. Trin.	25.8.	102	Herr, deine Augen sehen nach dem Glauben (Text: Meiningen)
11. p. Trin.	1.9.	–	J. L. Bach: *Durch sein Erkenntnis*
12. p. Trin.	8.9.	35	Geist und Seele wird verwirret (Lehms – Solokantate)
13. p. Trin.	15.9.	–	J. L. Bach: *Ich aber ging für dir über*
14. p. Trin.	22.9.	17	Wer Dank opfert, der preiset mich (Text: Meiningen)
Michaelis	29.9.	19	Es erhub sich ein Streit (Vorlage nach Henrici)

---

[5] Zu der bisher zu Trinitatis 1726 oder 1727 bzw. zum Reformationstag 1726 angesetzten Choralkantate BWV 129 vgl. unten Anm. 7.

16. p. Trin.	6.10.	27	Wer weiß, wie nahe mir mein Ende
17. p. Trin.	13.10.	47	Wer sich selbst erhöhet (Helbig)
18. p. Trin.	20.10.	169	Gott soll allein mein Herze haben (Solokantate)
19. p. Trin.	27.10.	56	Ich will den Kreuzstab gerne tragen (Solokantate)
20. p. Trin.	3.11.	49	Ich geh und suche mit Verlangen (»Dialogus«)
21. p. Trin.	10.11.	98	Was Gott tut, das ist wohlgetan
22. p. Trin.	17.11.	55	Ich armer Mensch, ich Sündenknecht (Solokantate)
23. p. Trin.	24.11.	52	Falsche Welt, dir trau ich nicht (Solokantate)

1727

Stg. n. Neujahr	5.1.	58	Ach Gott, wie manches Herzeleid (»Dialogus«)
Mariä Reinigung	2.2.	82	Ich habe genung (Solokantate)
–	6.2.	157	Ich lasse dich nicht (Henrici – Trauermusik von Ponickau)
Septuagesimae	9.2.	84	Ich bin vergnügt mit meinem Glücke (Solokantate)
1. Pfingsttag	1.6.	34	O ewiges Feuer, o Ursprung der Liebe[6]
2. Pfingsttag	*2.6.*	*173*	*WA Erhöhtes Fleisch und Blut*
3. Pfingsttag	*3.6.*	*184*	*WA Erwünschtes Freudenlicht*
Trinitatis	8.6.	129	Gelobet sei der Herr, mein Gott, mein Licht, mein Leben (Choralkantate)[7]

Im Unterschied zu den ersten Jahrgängen umfasst der dritte Turnus eine Reihe von Werken, die sich auf die Kirchenjahre 1725/26 und 1726/27 verteilen. Dürr ließ den Jahrgang ursprünglich mit BWV 36 am 1. Advent 1725 beginnen, während er später die Kantate BWV 39 »Brich dem Hungrigen dein Brot« zum 1. Sonntag nach Trinitatis 1726 an den Anfang rückte.[8] Das hätte zur Folge gehabt, dass die vorangehenden Werke aus der Zeit zwischen Juli 1725 und Januar 1726 außerhalb der Reihe geblieben wären. Daher entschied sich Dürr dafür, BWV 39 in den Jahrgang einzuordnen, der demnach nicht am gleichen Sonntag wie die vorangehenden beginnen würde.[9] Entsprechend geteilt fielen die Meinungen anderer Autoren aus. Da Küster den zweiten Jahrgang auf die Folge der Choralkantaten eingrenzte, begann für ihn der dritte schon mit den anschließenden Werken, die seit Ostern 1725 entstanden waren.[10]

---

[6] Tatjana Schabalina, »Texte zur Music« in Sankt Petersburg. Neue Quellen zur Leipziger Musikgeschichte sowie zur Kompositions- und Aufführungstätigkeit Johann Sebastian Bachs, in: BJ 2008, S. 33–98, hier S. 65 ff. Ebd., S. 61–64, konnte Schabalina nachweisen, dass die verschollene Kantate »Wünschet Jerusalem Glück« nicht erst 1727, sondern schon aus Anlass der Ratswahl am 27. August 1725 aufgeführt wurde.

[7] Vgl. ebd., S. 74–77. Das Werk wurde später dem zweiten Jahrgang zugeordnet. – Für den Namenstag König Friedrich Augusts II. entstand zum 3. August 1727 die nur im Textdruck belegte Kantate BWV 193a »Ihr Häuser des Himmels«, die am 25. August 1728 als Vorlage der unvollständig erhaltenen Ratswahlkantate BWV 193 »Ihr Tore zu Zion« verwendet wurde.

[8] Dürr, Zur Chronologie der Leipziger Vokalwerke J. S. Bachs, in: BJ 1957, Reprint Kassel u. a. ²1976, S. 16 f. Vgl. ders., Zur Notiz »Carl und Christel« des originalen Umschlags, in: NBA I/15 (1968), KB, S. 205 f.

[9] Dürr, Die Kantaten, Bd. 1, S. 52.

[10] Konrad Küster (Hrsg.), Bach-Handbuch, Kassel u. a. 1999, S. 291 ff.

Christine Blanken zufolge setzte der Jahrgang mit BWV 39 ein, doch fügte sie an die 1727 auslaufende Reihe der Solokantaten die Werke an, die 1725 im Anschluss an die Choralkantaten entstanden waren.[11] Dagegen ließ Wolff den Jahrgang im Herbst 1725 mit BWV 168 »Tue Rechnung!« beginnen und mit BWV 84 »Ich bin vergnügt« zu Septuagesimae 1727 enden.[12] Dieser pragmatischen Lösung lässt sich aus zwei Gründen folgen. Zum einen entspricht sie weithin der chronologischen Folge, in der die Werke entstanden. Zum anderen war die Debatte durch die Rede von fünf Jahrgängen ausgelöst worden, die der Nekrolog erwähnt hatte.[13] Die Diskussion setzte voraus, dass es möglich sei, die erhaltenen Werke drei Jahrgängen zuzuordnen. Solange das nicht gesichert ist, verdient die chronologische Folge den Vorzug. Weil sie nur dann ertragreich ist, wenn man sie als Voraussetzung für das Verständnis der Werke begreift, lässt sie sich mit weiteren Kriterien verbinden, die sich in der Folge der Texte und Vertonungen erkennen lassen.

Unsicher ist das Entstehungsdatum der Kantaten 146 »Wir müssen durch viel Trübsal« und BWV 148 »Bringet dem Herrn Ehre«, weil beide Werke nur in späteren Partiturkopien erhalten sind.[14] Während Dürr zufolge für BWV 146 eine alternative Datierung erst nach 1728 in Betracht käme,[15] könnte BWV 148 schon am 19. September 1723 aufgeführt worden sein.[16] Das Werk basiert jedoch auf einem Text, der – wie schon Spitta sah – die Kenntnis einer Vorlage von Henrici voraussetzt, wiewohl nur einzelne Zeilen übereinstimmen.[17] Wäre die Kantate bald nach Bachs Amtsantritt entstanden und die Umdichtung Henrici zuzuschreiben, so wäre sie das erste Beispiel für beider Zusammenarbeit. Andernfalls bliebe zu fragen, ob Bach die Umarbeitung selbst vornehmen oder – gleichsam unter Henricis Augen – einem anderen Autor übertragen konnte. Auch wäre dann nicht leicht verständlich, warum er nicht in anderen Werken des ersten Jahrgangs auf Texte von Henrici zurückgriff.

Weitere Fragen verbinden sich mit der Datierung der Kantaten BWV 34, 129 und 157. Die Pfingstkantate BWV 34 »O ewiges Feuer« liegt in einer autographen Partitur vor, die als Reinschrift um 1746/47 entstand.[18] Da Tatjana Schabalina den Text im Textheft »zur Leipziger Kirchen-Music Auf die Heiligen Pfingst-Feyertage Und das Fest der H. Dreyfaltigkeit« 1727 nachweisen konnte, dürfte das Werk – zumindest in einer ersten Fassung – schon am 1. Pfingsttag 1727 aufgeführt worden sein.[19] Bisher

---

11 Christine Blanken, Der sogenannte »dritte Jahrgang«, in: Das Bach-Handbuch, Bd. 1: Bachs Kantaten, hrsg. von Reinmar Emans und Sven Hiemke, Teilband 2, Laaber 2012, S. 6–13 und 15–88.
12 Christoph Wolff, Johann Sebastian Bach, Frankfurt a. M. 2000, S. 304 f.
13 Dok. III, Nr. 666, hier S. 86.
14 Während BWV 146 in Abschriften von Johann Friedrich Agricola und S. Hering vorliegt, geht die Kopie von BWV 148 auf Johann Christoph Farlau zurück, vgl. Peter Wollny, Neuerkenntnisse zur Bach-Überlieferung in Mitteldeutschland, in: BJ 2002, S. 29–60, hier S. 42 und 46.
15 Vgl. Dürr, Die Kantaten, Bd. 1, S. 269.
16 Vgl. Dürr, Die Kantaten, Bd. 2, S. 458; ders., Zur Chronologie, S. 61.
17 Vgl. Spitta, Bd. II, S. 993 f., sowie Werner Neumann, Johann Sebastian Bach, Sämtliche Kantatentexte, Leipzig 1967, S. 282 f. Ähnliche Umformungen von Vorlagen Henricis begegnen auch in BWV 84 »Ich bin vergnügt« und BWV 19 »Es erhub sich ein Streit«.
18 Im Anschluss an Dürr hatte Dietrich Kilian 1959 das Jahr 1742 genannt (NBA I/13, KB, S. 45 f.), während das Autograph nach Kobayashi erst um 1746/47 anzusetzen ist, vgl. Yoshitake Kobayashi, Zur Chronologie der Spätwerke Johann Sebastian Bachs, in: BJ 1988, S. 7–72, hier S. 55.
19 Schabalina, BJ 2008, S. 66.

galt es als späte Parodie der unvollständig erhaltenen Trauungskantate BWV 34a, die Dürr zufolge in der ersten Hälfte des Jahres 1726 entstand.[20] Aufgrund der beteiligten Schreiber wäre nach Schabalina auch das folgende Jahr in Betracht zu ziehen, womit beide Werke in zeitliche Nachbarschaft rücken würden. Zudem zeige ein Vergleich der Lesarten, dass die Partitur der Pfingstkantate nicht auf die Stimmen der Trauungskantate zurückgehe, sodass auch das umgekehrte Parodieverhältnis denkbar wäre.[21] Allerdings war ohnehin bekannt, dass BWV 34a und damit auch die Substanz der Pfingstkantate in den Zeitraum des dritten Jahrgangs gehört. Das gilt ähnlich für die Choralkantate BWV 129 »Gelobet sei der Herr, mein Gott, mein Licht, mein Leben«, die bisher mit dem Trinitatis- oder dem Reformationsfest 1726 verbunden wurde, während sie laut Schabalina erst zu Trinitatis 1727 erklang.[22] Dürr hatte offengelassen, ob das Werk zu Trinitatis 1726 oder 1727 entstand, ohne eine Aufführung am Reformationstag 1726 auszuschließen.[23] Aus anderen Gründen ist die Kantate BWV 157 »Ich lasse dich nicht« zu nennen, die nur in einer Abschrift von Christian Friedrich Penzel erhalten ist. Schon Spitta wusste, dass der Text von Henrici für einen Gottesdienst entstand, der am 6. Februar 1727 zum Gedenken an Johann Christoph von Ponickau in Pomßen bei Leipzig stattfand.[24] Klaus Hofmann konnte zwar die Zweifel an Bachs Autorschaft ausräumen, da aber die Orgelstimme nur die Angabe »In Festo Purificationis Mar.« enthält, bleibt ungewiss, in welchem Jahr das Werk zu Mariä Reinigung verwendet wurde.[25] Selbst wenn es nicht dem dritten Jahrgang zugehören sollte, ist es jedenfalls in dessen Kontext entstanden.[26]

Am Beispiel dieser Werke zeigt sich, dass neue Datierungen nur insoweit folgenreich sind, wie sie die von Dürr ermittelte Chronologie verändern. In den genannten

---

20 Frederick Hudson vermutete 1958, die Kantate sei 1728 entstanden, vgl. NBA I/33, KB, S. 45f. Fast zu gleicher Zeit stellte Dürr aufgrund der Wasserzeichen und Kopisten fest, dass das Werk zwei Jahre früher entstand, vgl. Dürr, Chronologie, in: BJ 1957, S. 86.

21 Tatjana Schabalina, Neue Erkenntnisse zur Entstehungsgeschichte der Kantaten BWV 34 und 34a, in: BJ 2010, S. 95–109. Offenbar wurde ein Satz aus BWV 34a zusammen mit Sätzen aus BWV 195 am 3. Januar 1736 für eine Hochzeitskantate in Ohrdruf verwendet, vgl. Peter Wollny, Neue Bach-Funde, in: BJ 1997, S. 7–50, hier S. 26 ff.; ders., Nachbemerkung zu »Neue Bach-Funde«, in: BJ 1998, S. 167–169.

22 Vgl. Schabalina, BJ 2008, S. 74–77.

23 Vgl. Dürr, Chronologie 2, S. 92.

24 Spitta II, S. 243 f. Der Text erschien im ersten Teil von Picanders Sammlung »Ernst-Schertzhaffte und Satyrische Gedichte«, Leipzig 1727, S. 434.

25 Klaus Hofmann, Bachs Kantate »Ich lasse dich nicht, du segnest mich denn« BWV 157. Überlegungen zu Entstehung, Bestimmung und originaler Werkgestalt, in: BJ 1982, S. 51–80; der Textdruck enthält außerdem eine Dichtung von Lehms, die möglicherweise ebenfalls von Bach vertont wurde (vgl. BWV Anh. I/209).

26 Wie Christine Blanken zeigte, begegnen rund 30 Texte aus dem dritten Jahrgang in einem Kantatenzyklus, den der aus Franken stammende Theologe Christoph Birkmann 1728 in Nürnberg herausgab, vgl. Christine Blanken, Christoph Birkmanns Kantatenzyklus »GOtt-geheiligte Sabbaths-Zehnden«, in: BJ 2015, S. 13–74. Birkmann hatte sich während seines Theologiestudiums in Leipzig (1724–1727) »fleißig zu dem grossen Meister, Herrn Director Bach und seinem Chor« gehalten, vgl. Dok. III, Nr. 761. Aus Leipzig hatte er offenbar die Texte mitgebracht, die er in seine Ausgabe aufnahm. Da er im Vorwort erwähnte, er teile neben den Dichtungen anderer Autoren auch eigene Texte mit, die er »bey meiner Privat-Andacht verfertiget« habe, nahm Blanken an, er sei der Autor der Texte, die »aus der Sicht eines subjektiven ›Ich‹ verfaßt« worden seien. Weil zu ihnen auch die Texte der Solokantaten BWV 169, 56, 49, 98, 55, 52 und 82 sowie des Dialogs BWV 58 zu rechnen seien, müsse Birkmann ihr Verfasser gewesen sein. Blankens Folgerung beruhte allerdings auf der Annahme, aus Birkmanns Hinweis sei zu schließen, er sei der Autor dieser selbstreflexiven Texte gewesen. Doch könnten die Dichtungen ebenso wie die übrigen von bisher unbekannten Verfassern stammen.

Fällen stand bereits fest, dass die Werke zum Umfeld des dritten Jahrgangs gehören. Die Überlieferung ist jedoch aus weiteren Gründen bemerkenswert. Abgesehen von den abschriftlich erhaltenen Kantaten BWV 148, 146 und 157 und den Sonderfällen in BWV 34 und 193 sind die übrigen Werke sowohl in autographen Partituren als auch in originalen Stimmen überliefert. Ausnahmen bilden die Choralkantaten BWV 137 und 29, die ebenso wie die anderen Choralkantaten in Stimmen aus dem Bestand der Leipziger Thomasschule vorliegen und die Folgerung nahelegen, dass sie später dem Jahrgang der Choralkantaten zugeordnet wurden. Dass in Leipzig auch die Stimmen zu BWV 58 »Ach Gott, wie manches Herzeleid« erhalten sind, obwohl dieser »Dialogus« keine Choralkantate darstellt, dürfte damit zu erklären sein, dass das Werk im Blick auf die umrahmenden Choralverse den Choralkantaten zugewiesen wurde.[27] Die autographen Partituren der übrigen Werke zählten dagegen zumeist zum Erbe Carl Philipp Emanuel Bachs, während die Provenienz der Stimmen, die der Sammlung der Grafen Voß bzw. der Berliner Singakademie entstammen, nicht ebenso einheitlich ist.[28] Doch deutet die Quellenlage darauf hin, dass die Partituren und Stimmen in ähnlicher Weise wie die der ersten Jahrgänge auf die Erben verteilt wurden.[29]

Der Annahme, der dritte Jahrgang habe am 1. Sonntag nach Trinitatis 1725 begonnen, steht die Tatsache entgegen, dass Bach an diesem Tag an der Einweihung der Orgel in der Geraer Johanniskirche beteiligt war.[30] Durch ein seit 1973 bekanntes Textbuch sind für die Zeit zwischen dem 2. und 6. Sonntag nach Trinitatis 1725 Aufführungen von Werken belegt, die vielleicht von Telemann und anderen Autoren stammten.[31] Nach diesem ersten Einschub fremder Werke griff Bach 1726 auf nicht weniger als 18 Kantaten seines Meininger Vetters Johann Ludwig Bach zurück.[32] Eine erste Folge von 13 Werken erklang zwischen Mariä Reinigung und dem Sonntag Cantate, fünf weitere Kantaten folgten – nun neben neuen Werken Bachs – zwischen dem Johannistag und dem 13. Sonntag nach Trinitatis.

Obwohl sich damit der Aufführungskalender für 1725 und besonders 1726 erweitert, verbleiben im Kirchenjahr beträchtliche Lücken. Sie werden auch dann nicht ausgefüllt, wenn man die gesicherten Termine für Wiederaufführungen einfügt oder an nicht sicher datierte Werke denkt. Will man nicht weitere Verluste

---

27   Dagegen gehörte die autographe Partitur zu BWV 58 vielleicht zum Erbe Wilhelm Friedemann Bachs.
28   Zu Bachs Werken aus dem Nachlass des Sohnes vgl. Heinrich Miesner, Philipp Emanuel Bachs musikalischer Nachlaß … (II), in: BJ 1938, S. 81–112, hier S. 87–93.
29   Die meisten Quellen befinden sich in der Staatsbibliothek Preußischer Kulturbesitz Berlin, nähere Nachweise zu ihrer Provenienz bietet das Bach-Compendium, Bd. I-II, hrsg. von Hans-Joachim Schulze und Christoph Wolff, Leipzig 1985–1987.
30   Michael Maul, Johann Sebastian Bachs Besuche in der Residenzstadt Gera, in: BJ 2004, S. 101–119. Bach traf in Gotha spätestens am 30. Mai 1725 ein und blieb bis zum 6. Juni, vgl. ebd., S. 112 ff.
31   Wolf Hobohm, Neue Texte zur Leipziger Kirchenmusik, in: BJ 1973, S. 5–32, besonders S. 18 f.; Andreas Glöckner, Bemerkungen zu den Leipziger Kantatenaufführungen vom 3. bis 6. Sonntag nach Trinitatis 1725, in: BJ 1992, S. 73–76. Zur Autorschaft der Kantate zu Mariä Heimsuchung vgl. Michael Maul, Überlegungen zu einer Magnificat-Paraphrase und dem Leiter der Leipziger Kantatenaufführungen im Sommer 1725, in: BJ 2006, S. 109–125. Unbekannt ist der Autor der am 3. Sonntag nach Trinitatis aufgeführten Kantate »Ich ruf zu dir, Herr Jesu Christ«, der wie in Bachs Kantate BWV 177 der unveränderte Text des Liedes von Johann Agricola zugrunde lag. Kantaten mit wörtlich beibehaltenem Choraltext sind in dieser Zeit sonst nur von Bach belegt.
32   Der Nachweis gelang William H. Scheide, vgl. oben, Anm. 2.

annehmen, so könnte man für die nicht belegten Termine an weitere Wiederaufführungen oder später ausgemusterte Werke anderer Autoren denken.[33] Allerdings ändert sich das Bild, sobald man die Kantaten des Kirchenjahrs 1726/27 hinzunimmt und die Werke der Zeit von 1725 bis 1727 als gemeinsame Reste eines dritten Jahrgangs auffasst.[34] Dann zeigt sich, dass die Termine, für die Bachs eigene Werke gesichert sind, fast ohne Überschneidungen ineinandergreifen. Dass für den 12. Sonntag nach Trinitatis zwei Kantaten vorliegen, erklärt sich daraus, dass Bach für diesen Tag, der 1724 unberücksichtigt geblieben war, 1725 die Kantate BWV 137 schrieb, die nachträglich den Choralkantaten zugeordnet und 1726 durch die Solokantate BWV 35 ersetzt wurde.[35] Ein letzter Sonderfall ist BWV 148, da das Werk ebenso wie die 1726 entstandene Kantate BWV 47 dem 17. Sonntag nach Trinitatis zugehört, weshalb darauf später zurückzukommen ist.

Da sich sonst innerhalb des Bestands keine Überschneidungen ergeben, lässt sich die Annahme ausschließen, man habe es bei der Zusammenstellung der Werke mit Teilen eines dritten und eines vierten Jahrgangs zu tun (wozu als fünfter eventuell der sogenannte »Picander-Jahrgang« käme). Diese Vermutung würde nicht nur voraussetzen, dass Bachs Werke bei der Erbteilung von denen anderer Autoren unterschieden wurden.[36] Vielmehr wäre dann auch anzunehmen, die Jahrgänge seien so genau verteilt worden, dass sich keine Überschneidungen ergaben. Zwar heißt es im Nekrolog: »Die ungedruckten Werke des seligen Bach sind ungefehr die folgenden«, doch ist das Wort »ungefehr« im Verhältnis zur vorangehenden Nennung der gedruckten Werke zu verstehen.[37] An erster Stelle der »ungedruckten« Werke folgt die Angabe: »Fünf Jahrgänge von Kirchenstücken, auf alle Sonn- und Feiertage.« Falls damit vollständige Jahrgänge gemeint waren, sind diese Hinweise kundiger Zeugen – allen voran Carl Philipp Emanuel Bachs – glaubhafter als spätere Mutmaßungen. Als nach der Erbteilung der Nekrolog verfasst wurde, waren die von Bach aufgeführten Werke anderer Autoren vermutlich schon von seinen eigenen Werken getrennt worden.

---

[33] Wie sich neuerdings zeigte, griff Bach zu späterer Zeit auf Kantaten des Gothaer Hofkapellmeisters Gottfried Heinrich Stölzel zurück, vgl. Marc-Roderich Pfau, Ein unbekanntes Leipziger Kantatentextheft aus dem Jahr 1735 – Neues zum Thema Bach und Stölzel, in: BJ 2008, S. 99–122; Peter Wollny, »Bekennen will ich seinen Namen«. Authentizität, Bestimmung und Kontext der Arie BWV 200. Anmerkungen zu Johann Sebastian Bachs Rezeption von Werken Gottfried Heinrich Stölzels, ebd., S. 123–158. Vgl. ferner Andreas Glockner, Ein unbekannter Jahrgang Gottfried Heinrich Stölzels in Bachs Aufführungsrepertoire?, in: BJ 2009, S. 95–115, sowie zuvor schon Christian Ahrens, Neue Quellen zu Bachs Beziehungen nach Gotha, in: BJ 2007, S. 45–60. Zur Leipziger Aufführung einer Passion Stölzels im Jahre 1734 vgl. Schabalina, BJ 2008, S. 77–84. Da all diese Nachweise in die Jahre nach 1730 fallen, für die nur wenige neue Werke Bachs belegbar sind, ist bei Vermutungen über frühere Aufführungen fremder Werke Vorsicht geboten.
[34] Zur Anzahl und Zählung der Jahrgänge vgl. Alfred Dürr, Wie viele Kantatenjahrgänge hat Bach komponiert?, in: Mf 14, 1961, S. 192–195. Eine Übersicht über den dritten Jahrgang (unter Ausschluss der Werke anderer Autoren) findet sich bei Christoph Wolff, Johann Sebastian Bach, Frankfurt a. M. 2000, S. 304 f.
[35] Wurde die Choralkantate BWV 129 erst 1727 aufgeführt (vgl. Anm. 6), so ist für Trinitatis 1726 mit der Wiederaufführung einer vielleicht verkürzten Fassung der Kantate BWV 194 »Höchsterwünschtes Freudenfest« zu rechnen. Zur fraglichen Datierung von BWV 146 und 148 vgl. die Nachweise in Anm. 7.
[36] In der Tat dürften schon früher und vielleicht durch Bach selbst die eigenen Werke von den Kantaten seines Vetters Johann Ludwig getrennt worden sein (freundlicher Hinweis von Peter Wollny).
[37] Dok. III, Nr. 666, S. 86.

Wie das neugefundene Textbuch zeigt, sind für den 1. Pfingsttag und für Trinitatis 1727 neben zwei Wiederaufführungen auch mehrere neue Werke anzusetzen. Daran wird deutlich, dass Bach im Sommer 1727 noch nicht das Interesse an der Erweiterung seines Kantatenwerks verloren hatte. Zumindest potentiell erweitert sich damit die Reihe der Werke, die nach bisheriger Meinung zu einem auf zwei Kirchenjahre verteilten Jahrgang zu rechnen wären. Anschließend an Georg von Dadelsen, äußerte Tatjana Schabalina die »Vermutung, Bach habe für die vorangehenden und folgenden Sonn- und Festtage ebenfalls neue Werke komponiert und diese im Wechsel mit älteren Kompositionen dargeboten«. Falls das zuträfe, könnten die im Jahre 1727 und in der ersten Hälfte des Jahres 1728 aufgeführten Kantaten Bachs vierten Leipziger Jahrgang gebildet haben.[38] Würde man den »Picander-Jahrgang« – falls Bach ihn vertonte – hinzurechnen, so wären die im Nekrolog genannten fünf Jahrgänge wenigstens teilweise erhalten. Allerdings stimmt es bedenklich, dass nach dem Sonntag nach Neujahr – an dem die Landestrauer endete – 1728 kaum weitere Werke nachweisbar sind.[39] Hätte Bach einen Jahrgang für die der Pfingstzeit »vorangehenden und folgenden Sonn- und Festtage« des Jahres 1727 geschrieben und bis zum nächsten Jahr fortgeführt, so würde das für den Beginn und das Ende der Reihe eine Verschiebung bedeuten, die über die Verzögerungen hinausginge, die für den dritten Jahrgang und den sogenannten »Picander-Jahrgang« zur Diskussion stehen. Glaubhafter wäre die Möglichkeit, die Werke aus der Zeit zwischen Trinitatis 1725 und Trinitatis 1727 auf zwei Jahrgänge zu verteilen. Doch spricht auch der Stand der Überlieferung nicht unbedingt für Schabalinas Vermutung. Dass in der Aufteilung der Partituren und Stimmen keine Unterschiede zu erkennen sind, dürfte darauf hindeuten, dass der dritte Jahrgang den Erben als zusammengehöriger Bestand erschien. Plausibler als gewagte Hypothesen bleibt also die Folgerung, der erhaltene Teil habe als Verbindung von zwei Blöcken aus einem größeren Corpus zu gelten. Doch wird sich die Frage erst dann klären lassen, wenn weitere Belege für Bachs Aufführungen in dieser Zeit vorliegen.

Ohnehin ist die chronologische Folge für das Verständnis der Werke belangvoller als die Abgrenzung der Jahrgänge, weil sich der Bestand als Ertrag der beiden Kirchenjahre 1725–1727 auffassen lässt. Rechnet man neben den Kantaten BWV 148 und 146 die verschollene Ratswahlmusik (BWV Anh. I 4) und die Trauerkantate BWV 157 hinzu, so schrieb Bach in dieser Zeit 39 Werke, die sich allerdings auf zwei Jahre verteilten. Fasst man sie als dritten Jahrgang zusammen, so ist ihre Zahl sogar größer als im ersten Jahrgang, ohne jedoch den Umfang des zweiten Jahrgangs zu

---

38 Tatjana Schabalina, »Texte zur Music« in Sankt Petersburg – Weitere Funde, in: BJ 2009, S. 11–48, hier S. 28; allerdings heißt es einschränkend: »Diese Vermutung ist zugegebenermaßen gewagt«, vgl. ebd., S. 29. Vgl. dazu auch Georg von Dadelsen, Beiträge zur Chronologie der Werke Johann Sebastian Bachs, Trossingen 1958 (Tübinger Bach-Studien, 4/5), S. 130.
39 Sonderfälle bilden Werke zu besonderen Anlässen wie die Hochzeitskantate BWV 216 »Vergnügte Pleißen-Stadt« zum 5. Februar 1728 oder die verschollene Ratswechselkantate »Wünschet Jerusalem Glück« (BWV Anh. I 4) zum 27. August 1725 (vgl. Schabalina, BJ 2008, S. 61 ff.). Ob BWV 146 »Wir müssen durch viel Trübsal« zu Jubilate am 18. April entstand, ist ebenso ungewiss wie die Erstaufführung der zum 21. Sonntag nach Trinitatis gehörigen Kantate BWV 188 »Ich habe meine Zuversicht«, die zudem schon in das folgende Kirchenjahr fiele.

erreichen. Wurde der erste Jahrgang durch die Weimarer Werke aufgefüllt, so wären die Aufführungen von Werken anderer Autoren im dritten Jahrgang als Zeichen einer ähnlichen Strategie zu verstehen. Sie deuten darauf hin, dass Bach keineswegs schnell komponierte, sondern für seine Arbeit beträchtliche Zeit brauchte. Deshalb wäre es kaum erstaunlich, wenn sich die Ausarbeitung eines neuen Jahrgangs auf zwei Kirchenjahre verteilte.

Aus den Jahren 1725 und 1726 sind nur einzelne Kantaten aus der Trinitatis- und Weihnachtszeit und für die Sonntage nach Epiphanias erhalten, denen nach Ostern noch zwei oder drei Werke folgen (neben BWV 43 und 129 vielleicht auch BWV 146). Ihnen steht nach Trinitatis 1726 eine auffällig dichte Werkfolge gegenüber, die zwischen dem 6. und dem 23. Sonntag nach Trinitatis 1726 nur wenige Lücken aufweist. Doch bricht die Überlieferung mit dem 1. Advent wieder ab, während sich danach nur noch einzelne Werke zum Sonntag nach Neujahr, zu Mariä Reinigung, Septuagesimae sowie zu Pfingsten und Trinitatis 1727 belegen lassen. Dass in den ersten Monaten des Jahres 1727 nur drei neue Werke nachweisbar sind, ließe sich damit erklären, dass Bach auf eigene oder fremde Werke zurückgriff, um sich auf die Matthäus-Passion zu konzentrieren (falls deren Frühfassung 1727 aufgeführt wurde). Dafür könnte sprechen, dass seit Mitte Oktober 1726 bis zur Passionszeit keine großen Chorsätze, sondern vor allem solistische Werke entstanden. Das würde bedeuten, dass Bach – ähnlich wie im ersten Jahrgang vor der Johannes-Passion – Zeit für die Arbeit an der Matthäus-Passion zu gewinnen suchte.[40] Dennoch bleiben beträchtliche Lücken bestehen. Soweit nicht weitere Wiederaufführungen belegbar sind, müsste man mit verschollenen Werken oder Kompositionen anderer Autoren rechnen. Desto auffälliger ist die phasenweise Konzentration der erhaltenen Kantaten. Als nahezu vollständige Reihe liegen die Werke von der Weihnachtszeit 1725 bis nach Epiphanias 1726 vor, denen eine ähnlich dichte Werkfolge für die Sonntage nach Trinitatis gegenübersteht.

2. Text- und Satzgruppen

Der dritte Jahrgang bildet – anders als der zweite – keinen Zyklus, sondern eine Reihe von Werken, deren Unterschiede an die Zusammensetzung des ersten Jahrgangs erinnern. Das allein müsste nicht befremden, sondern könnte – entgegen Schabalina – die Folgerung nahelegen, dass Bachs Interesse an der raschen Erweiterung seines Repertoires schon seit 1727 zurückging. Nicht undenkbar wäre aber auch, dass eine Erklärung in Bachs Anspruch zu suchen ist, mit wechselnden Vorlagen zugleich verschiedene kompositorische Aufgaben zu wählen. Jedenfalls bleibt bemerkenswert, dass er nicht auf einen der gedruckten Textjahrgänge zurückgriff, die in der Messestadt Leipzig leichter als andernorts zugänglich waren.

---

40 Allerdings wäre die Sachlage zwei Jahre später kaum anders, da vom 1. Weihnachtstag 1728 bis zum Sonntag Estomihi 1729 nur wenige Kantaten nach Texten Picanders belegt sind, die neben dem Eingangschor zu BWV 171 lediglich in BWV 197a einen nach BWV 197 parodierten Chorsatz enthalten.

1725

9. p. Tr.	168	Tue Rechnung! Donnerwort	A – R – A – R – A (Duett) – Choral
12. p. Tr.	137	Lobe den Herren, den mächtigen König der Ehren	Versus 1 (Chor) – Versus 2 (A) – Versus 3 (A) – Versus 4 (A) – Versus 5 (Chor)
13. p. Tr.	164	Ihr, die ihr euch von Christo nennt	A – R – A – R – A (Duett) – Choral
17. p. Tr.	*148*	*Bringet dem Herrn Ehre seines Namens*	Spruch (Chor) – A – R – A – R – Choral
Reformationstag	79	Gott, der Herr, ist Sonn und Schild	Spruch (Chor) – A – Choral (Chor) – R – A (Duett) – Choral
1. Weihn.	110	Unser Mund sei voll Lachens	Spruch (Chor) – A – Spruch (R) – A – Spruch (Duett) – A – Choral
2. Weihn.	57	Selig ist der Mann	Spruch (Solo) – R – A – R – A – R – A – Choral
3. Weihn.	151	Süßer Trost, mein Jesus kömmt	A – R – A – R – Choral
Stg. n. W.	28	Gottlob! Nun geht das Jahr zu Ende	A – Choral (Chor) – Spruch (Solo) – R – A (Duett) – Choral

1726

Neujahr	16	Herr Gott, dich loben wir	Choral (Chor) – R – Aria (Chor) – R – A – Choral
1. p. Epiph.	32	Liebster Jesu, mein Verlangen	A – R – A – R – A (Duett) – Choral
2. p. Epiph.	13	Meine Seufzer, meine Tränen	A – R – Choral – R – A – Choral
3. p. Epiph.	72	Alles nur nach Gottes Willen	Chor (Dichtung) – R – A – R – A – Choral
Jubilate	*146*	*Wir müssen durch viel Trübsal*	Sinfonia – Spruch (Chor) – A – R – A – R – A (Duett) – Choral
Himmelfahrt	43	Gott fähret auf gen Himmel	Spruch (Chor) – R – A – R – A, Seconda parte: Spruch (Solo) – A – R – A – R – Choral
1. p. Trin.	39	Brich dem Hungrigen dein Brot	Prima parte: Spruch (Chor) – R – A, Seconda parte: Spruch (Solo) – A – R – Choral
5. p. Trin.	88	Siehe, ich will viel Fischer aussenden	Spruch (Solo) – R – A, Parte seconda: Spruch (Solo) – A (Duett) – R – Choral
6. p. Trin.	170	Vergnügte Ruh, beliebte Seelenlust	A – R – A – R – A
7. p. Trin.	187	Es wartet alles auf dich	Spruch (Chor) – R – A, Parte 2: Spruch (Solo) – A – R – Choral
8. p. Trin.	45	Es ist dir gesagt, Mensch, was gut ist	Spruch (Chor) – R – A, Parte seconda: Spruch (Solo) – A – R – Choral
10. p. Trin.	102	Herr, deine Augen sehen nach dem Glauben	Spruch (Chor) – R – A – Spruch (Solo), Parte 2da: A – R – Choral
12. p. Trin.	35	Geist und Seele wird verwirret	Concerto – A – R – A, Seconda parte: Sinfonia – R – A

14. p. Trin.	17	Wer Dank opfert, der preiset mich	Spruch (Chor) – R – A, Parte seconda: Spruch (Solo) – A – R – Choral
Michaelis	19	Es erhub sich ein Streit	Spruch (Chor) – R – A – R – A – R – Choral
16. p. Trin.	27	Wer weiß, wie nahe mir mein Ende	Choral (Chor) mit Rez. – R – A – R – A – Choral
17. p. Tr.	47	Wer sich selbst erhöhet	Spruch (Chor) – A – R – A – Choral
18. p. Trin.	169	Gott soll allein mein Herze haben	Sinfonia – Arioso – A – R – A – R – Choral
19. p. Trin.	56	Ich will den Kreuzstab gerne tragen	A – R – A – R – Choral
20. p. Trin.	49	Ich geh und suche mit Verlangen	Sinfonia – A – R – A – R – Duett (A + Choral)
21. p. Trin.	98	Was Gott tut, das ist wohlgetan	Choral (Chor) – R – A – R – A
22. p. Trin.	55	Ich armer Mensch, ich Sündenknecht	A – R – A – R – Choral
23. p. Trin.	52	Falsche Welt, dir trau ich nicht	Sinfonia – R – A – R – A – Choral

1727

Stg. n. Neujahr	58	Ach Gott, wie manches Herzeleid	A (+ Choral) – R – A – R – Duett (A + Choral)
Mariä Reinigung	82	Ich habe genung	A – R – A – R – A
6. Februar	157	Ich lasse dich nicht	Spruch (Duett) – A – R – A – Choral
Septuagesimae	84	Ich bin vergnügt mit meinem Glücke	A – R – A – R – Choral
1. Pfingsttag	34	O ewiges Feuer, o Ursprung der Liebe	Chor (Dichtung) – R – A – R – Chor
Trinitatis	129	Gelobet sei der Herr, mein Gott, mein Licht, mein Leben	Versus 1 (Chor) – Versus 2 (A) – Versus 3 (A) – Versus 4 (A) – Versus 5 (Chor)

Auffällig ist die Zusammensetzung der Textvorlagen, die sich von den Gegebenheiten des ersten Jahrgangs unterscheidet. Für fast die Hälfte der erhaltenen Kantaten ist die Herkunft der Texte bekannt, die sich auf vier verschiedene Autoren verteilen. Hätte Bach eine einheitliche Textreihe wie im zweiten Jahrgang gewünscht, so würde sich die Frage aufdrängen, warum er sich nicht gleich an Picander wandte, den er seit Februar 1725 durch die Zusammenarbeit an BWV 249a für den Weißenfelser Hof kannte.[41] Eine Antwort könnte darin zu suchen sein, dass ihm Picander vor der Matthäus-Passion noch nicht nahe genug stand, um ihn um Mithilfe zu bitten. Stattdessen wählte Bach sechs Texte aus einem Jahrgang von Lehms, auf dessen

---

[41] Die »Schäferkantate« BWV 249a »Entfliehet, verschwindet, entweichet ihr Sorgen« entstand zum Geburtstag des Herzogs Christian von Sachsen-Weißenfels am 23. Februar 1725 und lag im gleichen Jahr dem Osteroratorium BWV 249 »Kommt, eilet und laufet« zugrunde. Je näher es liegt, den Dichter der Parodie in Picander zu suchen, desto mehr müsste Bach schon früh die virtuose Gewandtheit Picanders schätzen gelernt haben.

Dichtungen er in Weimar und zweimal noch später zurückgegriffen hatte.[42] Die Reihe dieser Kantaten wurde durch einen Text von Neumeister unterbrochen, von dem die Vorlagen für zwei Weimarer Werke stammten. Daneben griff Bach auf vier Texte des Weimarer Librettisten Salomon Franck zurück. Schließlich entnahm er die Vorlagen für sieben Kantaten dem Meininger Jahrgang eines unbekannten Librettisten (BWV 43, 39, 88, 187, 45, 102 und 17) und schloss damit an die Reihe der Werke Johann Ludwig Bachs an, deren Texte demselben Jahrgang angehörten.[43] Nach der Kantate zu Himmelfahrt 1726 (BWV 43) bildeten die übrigen eine Reihe aufeinanderfolgender Werke, denen mit BWV 47 am 17. Sonntag nach Trinitatis die einzige Kantate mit einem Text von Johann Friedrich Helbig folgte,[44] während dazwischen die Solokantaten BWV 170 und 35 nach Texten von Lehms lagen. Wäre es Bach um einen Jahrgang mit gleichartigen Texten gegangen, so hätte er in der Messestadt Leipzig gewiss auf geeignete Drucke zurückgreifen können.

Soweit Bach Texte aus gedruckten Jahrgängen wählte, war er eher auf Abwechslung als auf Gleichartigkeit der Vorlagen bedacht. Das zeigen auch die Werkgruppen, die Dürr aufgrund ihrer Textbasis unterschied. Als Beispiele hob er die Meininger Texte hervor, die an die Werke des Meininger Vetters anschließen.[45] So entspricht BWV 43 »Gott fährt auf« einer von Scheide »lange Form« genannten Abfolge, die in sieben Kantaten Johann Ludwig Bachs vorkommt (alttestamentliches Bibelwort – Rezitativ – Arie – neutestamentlicher Spruch – mehrstrophige Dichtung – Choral). Häufiger begegnet die auch von Johann Ludwig Bach verwendete »kurze Form« (alttestamentliches Bibelwort – Rezitativ – Arie – neutestamentliches Bibelwort – Arie – Rezitativ – Choral), die in sechs Kantaten Bachs wiederkehrt (BWV 39, 88, 187, 45, 102 und 17).[46]

Ein Sonderfall ist die für den 25. August 1727 geschriebene Ratswahlkantate BWV 193 »Ihr Tore zu Zion«, von der nur neun Stimmen (Sopran, Alt, zwei Oboen und Streicher) erhalten sind. Offenkundig war das Werk eine Parodie der Kantate BWV 193a »Ihr Häuser des Himmels«), die am 3. August 1727 – dem Namenstag

---

[42] Insgesamt vertonte Bach elf Texte von Lehms (BWV 13, 16, 32, 35, 54, 57, 110, 151, 170, 199 und Anh. I/209), vgl. Elisabeth Noack, Georg Christian Lehms, ein Textdichter Johann Sebastian Bachs, in: BJ 1970, S. 7–18. Zu den Textdrucken von Franck und Neumeister vgl. Teil II, Anm. 12.

[43] Vgl. Walter Blankenburg, Eine neue Textquelle zu sieben Kantaten Johann Sebastian Bachs und achtzehn Kantaten Johann Ludwig Bachs, in: BJ 1977, S. 7–25. Blankenburg lag eine spätere Auflage vor, die 1726 in Rudolstadt gedruckt wurde. Wie Konrad Küster feststellte, wurden sechs Texte dieses Jahrgangs schon 1705 von Georg Caspar Schürmann vertont, vgl. Konrad Küster, Meininger Kantatentexte um Johann Ludwig Bach, in: BJ 1987, S. 159–164, sowie Gustav Friedrich Schmidt, Die frühdeutsche Oper und die musikdramatische Kunst Georg Caspar Schürmanns, Bd. 1, Regensburg 1933, S. 28, Anm. 19. Inzwischen haben sich Exemplare der Meininger Erstausgabe von 1704 und einer späteren Auflage von 1719 gefunden, vgl. Hans-Joachim Schulze, Johann Sebastian Bachs dritter Leipziger Kantatenjahrgang und die Meininger »Sonn- und Fest-Andachten« von 1719, in: BJ 2002, S. 193–199 (zu weiteren Literaturhinweisen vgl. ebd. S. 194, Anm. 6–7).

[44] Johann Friedrich Helbig, Auffmunterung zur Andacht, oder Musicalische Texte, über die gewöhnlichen Sonn- und Fest-Tags Evangelien durchs gantze Jahr, Eisenach 1720.

[45] Vgl. Dürr, Die Kantaten, Bd. 1, S. 53, sowie die in Anm. 2 zitierten Aufsätze von William Scheide.

[46] Rechnet man zu diesen sieben Werken die 18 in Leipzig aufgeführten Kantaten Johann Ludwig Bachs, so ergibt sich eine Reihe von insgesamt 25 Werken aus dem Meininger Jahrgang. In Bachs Praxis wäre sie die umfangreichste Textfolge eines Librettisten zwischen den vorangehenden Choralkantaten und den später folgenden Werken Stölzels.

König Friedrich August II. – aufgeführt worden war, aber nur durch den Textdruck Henricis belegt ist.[47] Der Vergleich der Texte beweist, dass nicht nur der Eingangschor, sondern auch die drei Arien aus BWV 193 (Sätze 1, 3 und 5) auf die Vorlage zurückgingen, während die Rezitative vermutlich neu komponiert worden waren. Zwar ist der Dichter der geistlichen Fassung unbekannt, doch handelte es sich vermutlich um ein Gelegenheitswerk, das Bach von vornherein im Blick auf die geistliche Fassung schrieb. Da die Musik der Erstfassung verloren ist, lässt sich nicht sagen, ob die geistliche Fassung eine Parodie oder eine neue Komposition darstellt.

Insgesamt gewinnt man den Eindruck, Bach habe nach dem zweiten Jahrgang, dessen Choralkantaten er durch Vorlagen Christiana Mariana von Zieglers ergänzte, zunächst auf Texte von Autoren wie Franck, Lehms und Neumeister zurückgegriffen, bevor er durch die Werke Johann Ludwig Bachs zur Wahl der Meininger Vorlagen angeregt wurde. Desto mehr fällt auf, dass er später Texte anderer Herkunft wählte. Doch auch mit gleichartigen Texten verbinden sich nicht immer gleiche kompositorische Lösungen. So beginnen sechs der sieben Kantaten zu Meininger Texten mit Chorsätzen zu Bibeltext (BWV 43, 39, 187, 45, 102, 17 und 47). Dagegen folgt der eröffnenden Sinfonia in BWV 88 ein solistischer Satz, während die Serie der Eingangschöre mit Bibeltexten auch andere Werke wie BWV 79 und 47 einschließt.

Die Frage der Textvorlagen rückt in ein anderes Licht, wenn man wahrnimmt, dass der dritte Jahrgang mehrere Gruppen mit analogen Vorlagen und Formen enthält. Sie decken sich nicht immer mit den genannten Textgruppen, mit denen sie sich mehrfach überschneiden. Dazu müsste nicht der Umstand zählen, dass schon innerhalb des dritten Jahrgangs die Bemühungen begannen, den abgebrochenen Zyklus der Choralkantaten zu ergänzen. Das scheint jedenfalls für die Kantaten BWV 137 und 129 zu gelten, die vermutlich zum 12. Sonntag nach Trinitatis 1725 und zum Trinitatisfest 1727 entstanden. Waren dafür Lücken im dritten Jahrgang in Kauf zu nehmen, so konnte für BWV 137 später die Solokantate BWV 35 einrücken, während für Trinitatis 1726 mit der Wiederaufführung von BWV 194 zu rechnen ist. Dagegen gehören die Kantaten BWV 16 »Herr Gott, dich loben wir«, BWV 98 »Was Gott tut, das ist wohlgetan« und BWV 27 »Wer weiß, wie nahe mir mein Ende« nicht zu den Choralkantaten, weil nur den Eingangssätzen Choralvorlagen zugrunde liegen.

Ferner fällt auf, dass vier der fünf Werke, die Bach als Dialoge bezeichnete, zum dritten Jahrgang gehören (BWV 57, 32, 49 und 58).[48] Überdies fallen acht Solokantaten in das halbe Jahr zwischen dem 6. Sonntag nach Trinitatis 1726 und Septuagesimae 1727 (BWV 170, 35, 169, 56, 55, 52, 82 und 84).[49] Das könnte darauf hindeuten, Bach habe sich mit Bedacht für wechselnde Texttypen und Gattungen entschieden. Zu den Solokantaten kommen zudem weitere Werke, die mehrere Solisten beschäftigen, ohne größere Chorsätze zu enthalten.

---

[47] Der Text erschien in Henricis Sammlung »Ernst-Schertzhaffte und Satyrische Gedichte«, Teil 1, Leipzig 1727.
[48] Die Texte für zwei dieser vier Werke stammen von Lehms; während im dritten Jahrgang in der Regel Dialoge zwischen Jesus und der Seele vorliegen, ging 1723 in BWV 60 »O Ewigkeit, du Donnerwort« ein Dialog zwischen Alt und Tenor als »Furcht« und »Hoffnung« mit zusätzlicher Bassstimme voraus.
[49] Schon in Weimar entstanden die Solokantaten BWV 199 »Mein Herze schwimmt im Blut« und 54 »Widerstehe doch der Sünde«, während BWV 51 »Jauchzet Gott« wohl erst 1730 folgte. Außer Betracht bleibt hier BWV 158 »Der Friede sei mit euch«, da das Werk in einer späten Abschrift und wohl unvollständig erhalten ist.

Dennoch wäre es voreilig, aus der Zahl der solistischen Kantaten zu schließen, dass Bachs Interesse an Chorsätzen oder die Leistungsfähigkeit des Chors nachgelassen habe. Dagegen spricht bereits die Reihe der anspruchsvollen Eingangschöre, die im Sommer und Frühherbst 1726 entstanden.[50] Zu ihnen zählen sechs Choralbearbeitungen (BWV 28:2, 16, 137, 27, 98 und 129), die partiell auf frühere Verfahren zurückgreifen. Vor allem aber sind zwölf Sätze zu biblischen Texten zu nennen. Falls diese Serie nicht in BWV 148 einen Vorboten hatte, begann sie 1725 mit BWV 79 am Reformationsfest und BWV 110 am ersten Weihnachtstag und setzte sich 1726 in BWV 72 (und vermutlich BWV 146) fort. Weitere Sätze schlossen sich in BWV 43 sowie in BW 39, 187, 45, 102, 17 und 19 an, während BWV 47 im Oktober 1726 und BWV 34 am ersten Pfingsttag 1727 folgten.

Beginnend mit BWV 43, zeigen acht Kantaten die Angabe »Parte seconda« oder Ähnliches (ohne den ersten Teil zu benennen).[51] Dazu zählen nach BWV 43 die aufeinanderfolgenden Werke zum 1., 5., 7., 8., 10., 12. und 14. Sonntag nach Trinitatis. Dazwischen liegt die Solokantate BWV 170, die nur fünf Sätze umfasst, ohne zwei Teile aufzuweisen. Verständlich ist die Zweiteilung am ehesten in BWV 43, da das Werk nicht weniger als elf Sätze enthält. Dagegen begnügen sich die übrigen Werke zumeist mit sieben Sätzen und sind daher kaum umfangreicher als andere Kantaten. Während die meisten Werke mit einem Chorsatz beginnen, enthält die Solokantate BWV 35 zwei Instrumentalsätze. Merkwürdigerweise bricht die Reihe der zweiteiligen Kantaten mit BWV 17 zu Michaelis ab, obwohl auch dieses Werk über sieben Sätze und einen Eingangschor verfügt. Falls die Angaben als Hinweise auf die Teile vor und nach der Predigt zu verstehen wären, bliebe dennoch offen, warum nicht weitere Werke ähnlichen Umfangs entsprechend aufgeteilt wurden. Das würde auch unter der Prämisse gelten, dass an den fraglichen Sonntagen keine zweite Kantate aufgeführt wurde, wie es im ersten Jahrgang bei Wiederaufführungen von Weimarer Kantaten der Fall gewesen zu sein scheint. Insgesamt sollte man aber diesen Angaben nicht zu viel Gewicht beimessen, da sie weniger die Substanz der Werke als Fragen der Aufführungspraxis betreffen, die nicht genauer dokumentiert sind.[52]

Obwohl vom dritten Jahrgang kaum sehr viel mehr Werke als im ersten Jahrgang erhalten blieben, ist die Zahl der großen Chorsätze prozentual nicht geringer. Bereits das Zahlenverhältnis widerlegt den Eindruck, Bachs Interesse an Chorsätzen

---

50 Unberücksichtigt bleibt dabei die chorische Aria BWV 16:3.
51 Vgl. Kirsten Beißwenger, Die zweiteiligen Kantaten Johann Sebastian Bachs. Aspekte zur Besetzung als konzeptionellem Mittel, in: Bachs 1. Leipziger Kantatenjahrgang, Dortmunder Bach-Forschungen, Bd. 3, hrsg. von Martin Geck, Dortmund 2002, S. 41–66. Die dort, S. 62–64, mitgeteilte Übersicht verzerrt allerdings in zweierlei Hinsicht die Relationen. Zum einen werden zu den zweiteiligen Werken des dritten Jahrgangs auch fünf Kantaten von Johann Ludwig Bach und (in Klammern) die erst 1738 entstandene Kantate BWV 30 gezählt. Zum anderen rechnen als zweiteilige Werke des ersten Jahrgangs neben BWV 75 und 76 nicht nur die ursprünglich einteiligen Weimarer Kantaten BWV 147, 186 und 70, deren Zweiteilung sich erst in der Leipziger Erweiterung ergab, sondern auch mutmaßliche Doppelaufführungen, bei denen einteilige Leipziger Kantaten mit Wiederaufführungen von weiteren Weimarer Werken gekoppelt wurden.
52 Zur Frage der Verwendung zweiteiliger Werke vgl. Christoph Wolff, Wo blieb Bachs fünfter Kantatenjahrgang?, in: BJ 1982, S. 151 f., sowie Alfred Dürr, Noch einmal: Wo blieb Bachs fünfter Kantatenjahrgang, in: BJ 1986, S. 121 f.

habe im dritten Jahrgang nachgelassen. Wie im ersten Jahrgang handelt es sich nicht durchweg um Gruppen, die in chronologischer Folge entstanden. Vielmehr sind sie im dritten wie im ersten Jahrgang als wechselnde Aufgaben zu begreifen, auf die Bach phasenweise zurückkam, ohne sich an eine feste Abfolge zu binden. Darauf verweist der Umstand, dass in die Jahre 1725/26 nicht weniger als zehn Sätze fallen, die Bach seinen früheren Instrumentalwerken entnahm.[53]

Datierung	BWV	Umformung	Vorlage
25.12.1725	110:1	Chorsatz mit Vokaleinbau	Ouvertüre BWV 1069:1
12.5.1726 (?)	146:1	Sinfonia mit obligater Orgel	Konzert BWV 1052:1
	146:2	Chorsatz mit obligater Orgel und Vokaleinbau	Konzert BWV 1052:2
8.9.1726	35:1	Concerto mit obligater Orgel	Konzert BWV 1059:1
	35:2	Arie mit obligater Orgel und Vokaleinbau	Konzert BWV 1059:2 (?)
	35:5	Sinfonia mit obligater Orgel	Konzert BWV 1059:3 (?)
20.10.1726	169:1	Sinfonia mit obligater Orgel	Konzert BWV 1053:1
	169:5	Arie mit obligater Orgel und Vokaleinbau	Konzert BWV 1053:2
3.11.1726	49:1	Sinfonia mit obligater Orgel	Konzert BWV 1053:3
24.11.1726	52:1	Sinfonia	Konzert BWV 1046a:1

Die Reihe begann bereits am Ende des zweiten Jahrgangs mit BWV 42:1 und wurde in fünf weiteren Werken bis 1731 fortgeführt. Zugleich umfasst sie sehr verschiedene Aufgaben, die von Arien mit obligater Orgel über Arrangements von Konzertsätzen bis zum Einbau chorischer Sätze in instrumentale Vorlagen reichen. Insgesamt verweist sie darauf, dass Bach sich die Entscheidung für wechselnde Aufgaben offenhielt. Statt allein der chronologischen Reihe zu folgen, sind daher Gruppen wie die Choralkantaten, die Dialoge und die Solokantaten im Zusammenhang zu erörtern, ohne die Chronologie aus dem Blick zu lassen.

3. Chorsätze

Auf den ersten Blick scheinen die Chorsätze eine ähnlich bunte Mischung wie der gesamte Bestand zu bieten. Wie im ersten Jahrgang zeichnen sich jedoch mehrere Satzgruppen ab, die nach Besetzung, Textform und Kompositionsart zu unterscheiden sind. Da es sich zumeist um Eingangschöre handelt, werden in der Übersicht nur die Ausnahmefälle eigens bezeichnet.

| 12. p. Tr. 1725 | 137 | Lobe den Herren, den mächtigen König der Ehren (J. Neander) | Choralbearbeitung in instrumentalem Rahmen – C-Dur, ¾ |
| 17. p. Tr. 1725 (?) | 148 | *Bringet dem Herrn Ehre seines Namens (Ps. 29:2)* | *zwei Fugen mit freier Themenpaarung in instrumentalem Rahmen – D-Dur, ¢* |

---

[53] Vgl. die Übersicht bei Dürr, Die Kantaten, Bd. 1, S. 54f.

Reformationsfest 1725	79	Gott, der Herr, ist Sonn und Schild (Ps. 84:12)	Fuge mit zwei Durchführungen in instrumentalem Rahmen – G-Dur, ¢
1. Weihn. 1725	110	Unser Mund sei voll Lachens (nach Ps. 126:2–3)	französische Ouvertüre, fugierter Mittelteil – D-Dur, ¢, ⁹⁄₈, ³⁄₄, ¢
Stg. n. W. 1725	28:2	Nun lob, mein Seel, den Herren (J. Gramann)	motettische Choralbearbeitung – C-Dur, ¢
Neujahr 1726	16:1	Herr Gott, dich loben wir (Luther)	konzertanter Choralsatz – C-Dur, c
	16:3	Laßt uns jauchzen	Imitation, instrumentaler Rahmen – C-Dur, c
3. p. Epiph. 1726	72	Alles nur nach Gottes Willen (Franck)	imitativer Satz in instrumentalem Rahmen – a-Moll, ³⁄₄
Jubilate 1726 (?)	*146:2*	*Wir müssen durch viel Trübsal (Apg. 14:22)*	*Choreinbau in langsamem Konzertsatz – g-Moll, ³⁄₄*
Himmelfahrt 1726	43	Gott fähret auf mit Jauchzen (Ps. 47:6–7)	Fuge mit zwei Durchführungen in instrumentalem Rahmen – C-Dur, c, ¢
1. p. Trin. 1726	39	Brich dem Hungrigen dein Brot (Jes. 58:7–8)	zwei Fugen mit verschiedenen Textgliedern und Zwischenspielen – g-Moll, ³⁄₄, c, ³⁄₈
7. p. Trin. 1726	187	Es wartet alles auf dich (Ps. 104:27–28)	Fuge mit drei Durchführungen in instrumentalem Rahmen – g-Moll, c
8. p. Trin. 1726	45	Es ist dir gesagt, Mensch, was gut ist (Mi. 6:8)	Fuge und Imitationsphasen in instrumentalem Rahmen – E-Dur, ¢
10. p. Trin. 1726	102	Herr, deine Augen sehen nach dem Glauben (Jer. 5:3)	zwei thematisch verschiedene Fugen in instrumentalem Rahmen – g-Moll, c
14. p. Trin. 1726	17	Wer Dank opfert, der preiset mich (Ps. 50:23)	Fuge mit zwei Durchführungen in instrumentalem Rahmen – A-Dur, ³⁄₄
Michaelis 1726	19	Es erhub sich ein Streit (nach Offb. 12:7–9)	Da-capo-Form mit Imitationstechnik in instrumentalem Rahmen – C-Dur, ⁶⁄₈
16. p. Trin. 1726	27	Wer weiß, wie nahe mir mein Ende (Ä. J. v. Schwarzburg-Rudolstadt)	Choralsatz mit Rezitativen bei gleicher instrumentaler Motivik – c-Moll, ³⁄₄
17. p. Trin. 1726	47	Wer sich selbst erhöhet (Luk. 14:11)	Fuge mit drei Durchführungen in instrumentalem Rahmen – g-Moll, ¢
21. p. Trin. 1726	98	Was Gott tut, das ist wohlgetan (S. Rodigast)	Choralbearbeitung in instrumentalem Rahmen – B-Dur, ³⁄₄
1. Pfingsttag 1727	34:1	O ewiges Feuer, o Ursprung der Liebe	Fuge in instrumentalem Rahmen – D-Dur, ³⁄₄
	34:5	Friede über Israel (Ps. 128:6b) / Dankt den höchsten Wunderhänden	langsame Einleitung, zwei wiederholte Teile – D-Dur, c, ²⁄₂
Trinitatis 1727	129	Gelobet sei der Herr, mein Gott, mein Licht, mein Leben (J. Olearius)	Choralbearbeitung in instrumentalem Rahmen – D-Dur, c

Zwar hängt die Anlage der Sätze nicht nur von der Herkunft der Textvorlagen ab, doch fällt es auf, dass neben Choralversen vor allem Bibelsprüche zugrunde liegen, während in BWV 16:3, 72:1, 19:1 und 34:1 bzw. 6 gedichtete Texte verwendet werden. Aus der Übersicht geht hervor, dass sich die Chorsätze mit Spruchtexten auf die Werke seit Himmelfahrt 1726 konzentrieren, deren Vorlagen aus dem Meininger Druck und dem Jahrgang Helbigs stammen.[54] Vergleichbare Sätze finden sich zuvor in BWV 79 und 110, während der Chorsatz aus BWV 19 auf der Paraphrase eines Bibeltextes beruht. Die nicht sicher datierten Sätze aus BWV 148 und 146 erscheinen in der Liste kursiv. Lässt der Text von BWV 148 davor zögern, das Werk bereits 1723 anzusetzen, so könnte der Chorsatz aus BWV 146 als Konzertsatz mit Vokaleinbau dem Experiment des Eingangschors aus BWV 110 entsprechen. Für beide Werke bleibt demnach zu fragen, wieweit analytische Kriterien zur Klärung ihrer Datierung beitragen können.

Zu Beginn und am Ende der Reihe begegnen Choralchorsätze, die in BWV 16:1 und 98:1 Werke mit gemischten Texten eröffnen, während sie in BWV 137 und 129 Kantaten mit Choraltext betreffen, die zum Kontext der Choralkantaten gehören. Dazwischen liegen Sonderfälle wie der motettische Choralsatz BWV 28:2 und der Kantionalsatz BWV 27:1, der – ähnlich wie drei Sätze des ersten Jahrgangs – durch Rezitative erweitert wird. Obwohl die Dichtungen in den Eingangssätzen zumeist als Arien vertont werden, sind einige Ausnahmen zu nennen. Während der Eingangschor aus BWV 72 auf eine Chorfuge verzichtet und der Schlusssatz aus BWV 34 dem Formmodell eines Suitensatzes folgt, rücken die Sätze BWV 34:1 und 16:3 mit vokalen Fugen und konzertanten Instrumenten in die Nähe der Dicta. Insgesamt drängt sich die Folgerung auf, dass Bach nach den gleichartigen Texten des zweiten Jahrgangs, die ihm ein Höchstmaß an interner Differenzierung abverlangten, wieder auf wechselnde Aufgaben bedacht war. Von den Zeitgenossen trennte ihn offenkundig die Scheu, sich auf einen normierten Typus festzulegen.

Die Mehrzahl der Sätze schließt an Verfahren an, die Bach in den letzten Weimarer Werken erprobt und im ersten Jahrgang und am Ende des zweiten Jahrgangs erweitert hatte. Anders als dort begegnen aber nicht mehr Permutationsfugen, sondern individuelle Lösungen, die sich als Kreuzungen instrumentaler Ritornelle mit vokalen Fugen kennzeichnen lassen. Neumann erkannte im »Kombinationsverfahren« ein verbindendes Merkmal dieser Sätze, obwohl er ihren chronologischen Zusammenhang noch nicht kennen konnte.[55] Da ihnen aber das Permutationsverfahren fehlt, das Neumann als Kennzeichen Bach'scher Chorfugen ansah, ging er vom Primat des Instrumentalparts aus, ohne die Fugen genauer zu analysieren. Beide Momente gehören aber zusammen, wenn man Bachs Verfahren verstehen will. Gerade für diese Sätze kann es hilfreich sein, die autographen Partituren zu Rate zu ziehen, die fast durchweg Konzeptcharakter zeigen. Marshall ordnete sie zwar dem Typus der »composing score« zu, doch ging er auf nur wenige Beispiele ein.[56] In

---

54   Eine Ausnahme bildet der Eingangssatz aus BWV 88, der trotz des Spruchtexts einer Arie nahekommt.
55   Werner Neumann, J. S. Bachs Chorfuge. Ein Beitrag zur Kompositionstechnik Bachs, Leipzig 1938, ³1953, S. 53–75.
56   Robert Marshall, The Compositional Process of J. S. Bach. A Study of the Autograph Scores of the Vocal Works, Bd. I–II, Princeton 1972, hier S. 10 f. ein Quellenverzeichnis zum dritten Jahrgang.

der Tat enthalten die Quellen nur selten kleine Skizzen, doch dürfte die auffallend unterschiedliche Verteilung der Korrekturen auf wechselnde Stadien der Arbeit zurückdeuten. Während die Ritornelle und Fugen wohl vielfach schon vorher konzipiert wurden, mehren sich die Änderungen im weiteren Verlauf und vor allem in den abschließenden Kombinationen. Dass sich die Arbeit hier auf die Einfügung des Vokalparts in den Instrumentalpart konzentrierte, kann als Hinweis darauf gelten, dass der Vokaleinbau als Ziel des Kombinationsverfahrens zu verstehen ist.

a. Vokalfuge und Instrumentalsatz

Als erstes Beispiel für die Reihe der Dicta ist der Eingangschor aus BWV 79 zu nennen, weil der vielleicht vorangehende Satz aus BWV 148 erst später erörtert werden kann. In BWV 79:1 entfallen die beiden ersten Textglieder (Ps. 84:12) auf die Rahmenteile (»Gott, der Herr, ist Sonn und Schild« – »Der Herr gibt Gnade und Ehre«), während das letzte Glied (x) der Fuge zugeordnet und am Ende wiederholt wird (»er wird kein Gutes mangeln lassen«). Die Rahmenteile bestehen aus akkordischen Chorblöcken (»Gott, der Herr«) und Imitationsfolgen (»der Herr gibt Gnade«), die in die Außenteile der Eröffnung eingefügt (a) und mit Zitaten des Fugenthemas (b) gepaart werden. Dem Satz geht eine dreiteilige Einleitung voran, die mit 45 Takten einen solchen Umfang erreicht, dass sie kaum noch als Ritornell zu bezeichnen ist. Angemessener als das Wort »Sinfonia«, das Bach für selbstständige Instrumentalsätze verwendete, dürfte die neutrale Angabe »Vorspiel« sein.[57]

Vorspiel			A				B
1–12	13–33	34–45	45–53	53–60	60–72	72–82	82–117
Hörner	Fuge	Hörner + Fugenthema	Hörner – vokal Akkordblock + Fugenthema	Imitation + Fugenthema	Hörner – vokal Akkordblock + Fugenthema	Imitation + Fugenthema	vokale Fuge, Instrumente partiell obligat
A	B	a + b	a + b	x + b	a + b	x + b	B
T	D–T	T	T	D	D	D–T	T

A'		
117–128 ~ 1–12	129–140	140–147 ~ 38–45
Hörner – vokal Akkordblock + Fugenthema	Imitation + Fugenthema – Hörner-thema	Hörner + vokal Akkordblock + Fugenthema
a + b	x + b	a + b
T	T	T

---

57 Spitta zufolge (Bd. II, S. 554) war »Bach von der Idee der Concertform geleitet«, während Dürr (Die Kantaten, Bd. 2, S, 581) von einer »Instrumentalsinfonie« sprach.

Im Vorspiel wird das motivische Material eingeführt, mit dem die Form- und Textglieder ineinander verschränkt werden. Einem breit ausschwingenden Hörnerthema folgt in den Streichern und Holbläsern das konträre Fugenthema, dessen instrumentale Version durch repetierte Achtel und sequenzierte Sechzehntelfiguren geprägt ist. Beide Themen werden am Ende der Einleitung zu einem Modell verbunden, von dem die folgenden Kombinationen ausgehen. Mit dem Fugenthema werden in den Rahmenteilen nicht nur die akkordischen Chorblöcke gepaart, die zwischen die Motivik der Hörner eingeschaltet sind (»Gott, der Herr«). Vielmehr wird das zweite Textglied (»der Herr gibt Gnade«) von den Vokalstimmen in kanonischer Imitation eingeführt und zugleich mit Zitaten des instrumentalen Fugenthemas verbunden, das hier auch in den Hörnern erscheint. Seine Fortspinnung begleitet noch den Beginn der vokalen Fuge, deren Thema im Bass eingeführt und von den Oberstimmen so verdeckt wird, als setze sich der Einbau akkordischer Blöcke fort (T. 82–84). Nachträglich wird deutlich, dass sogar die konstanten Achtelnoten, mit denen die Pauke das Hörnerthema begleitet, aus den Tonrepetitionen des Fugenthemas abgeleitet sind.[58]

> Die autographe Partitur (P 89) zeugt von Bachs Arbeit an dieser komplexen Satzstruktur. Ihr gingen vielleicht größere Skizzen voran, doch zeigt sie eine Vielzahl von Korrekturen, die der Kritische Bericht aufzählte, obwohl die ursprüngliche Fassung oft nicht mehr lesbar ist.[59] Aus der Fülle der Beispiele seien nur einige Fälle herausgegriffen, die auf Änderungen des Konzepts schließen lassen. In der instrumentalen Einleitung sollte offenbar die Melodie der Hörner in Takt 4 und 37 zuerst in Achteln fortgeführt werden, bevor sich Bach für die durch punktierte Viertel geprägte Lesart im einen und für die kurze Zäsur im anderen Fall entschied. Wie der fugierte Ansatz im Vorspiel waren auch die akkordischen Blöcke des Chores so genau konzipiert, dass die Stimmführung nur geringer Korrekturen bedurfte. In der ersten Imitationsfolge dagegen sollte die punktierte Halbe des Motivkopfs vom Sopran und Alt in Achteln fortgeführt werden (T. 52 ff.), ehe Bach sich für eine Viertel und vier Achtel entschied und diese Version im Tenor und Bass übernahm. In der zweiten Durchführung wurde die Sopranstimme in Takt 88–89 nachträglich eine Terz tiefergelegt. Vor dem Tenoreinsatz in Takt 95 war offenbar eine Wendung nach D-Dur geplant, da im Sopran, Tenor, Bass und Alt zunächst ein *cis* (statt *c*) notiert wurde.[60] Genannt sei noch der letzte Themeneinsatz der Hörner, die in Takt 136 ff. – vor dem Rekurs auf das Vorspiel – ähnlich wie in der Einleitung fortgeführt werden sollten, bevor sich Bach zu der gültigen Lösung entschloss.

So treffend Neumann die Bedeutung der »Sinfonie« hervorhob, so übertrieben war die Behauptung, sogar in der Chorfuge sei der »Instrumentalsatz der Entwicklungsträger, aus dem die Chorstimmen in rhythmischer und melodischer Vereinfachung ausgezogen« seien.[61] Zwar bildet das vokale Thema eine vereinfachte

---

58 Spitta, Bd. II, S. 554 verwies auf die »tiefsinnigen Verbindungen«, die den Satz »bis hinab auf die Bewegungen der Pauke durchziehen«.

59 NBA I/31, hrsg. von Frieder Rempp, 1988, KB, S. 17–22.

60 Ebd., S. 20, wurde die Verdickung, die auf ein überschriebenes ♯ schließen lässt, nur im Bass vermerkt, dessen Führung danach in T. 95 eingreifend geändert wurde.

61 Neumann, a. a. O., S. 68, vermerkte sogar ausdrücklich, dass »dies das einzige derartige Vorkommnis im gesamten Fugenschaffen Bachs bedeuten dürfte«.

Notenbeispiel 1

Fassung der instrumentalen Version, deren repetierte Achtel zu Vierteln kontrahiert werden, während die Sechzehntel der Fortspinnung partiell auf Achtel reduziert sind (Notenbeispiel 1). Doch wird der Text so sinnvoll deklamiert, dass am Primat der vokalen Fassung kaum zu zweifeln ist. Der scheinbare Widerspruch, der in der Verbindung der Fortspinnung mit dem Wort »mangeln« vorzuliegen scheint, löst sich auf, wenn man wahrnimmt, dass sich der Text auf die Fülle der Verheißung richtet. Wer eine regelgetreue Fuge erwartet, muss wohl enttäuscht sein. Während der erste Themeneinsatz im Bass auf der Tonika beginnt und dann eine Quinte abfällt, um kadenzierend zum Grundton zurückzukehren, erscheint erst der zweite Einsatz im Alt als Comes (T. 82 ff. bzw. 86 ff.). Dagegen werden die Eintritte des Soprans und Tenors mit zusätzlichen Einsätzen im Alt und Bass verbunden, die nach zwei Vierteln folgen und die steigende Richtung des Themenkopfs so verändern, dass sich der Eindruck einer Umkehrung in Engführung ergibt (T. 91 ff. und 95 ff.). In der zweiten Durchführung (T. 101–117) wird das Verfahren mit Einsatzpaaren auf *e* und *a* bzw. *d* und *h*) systematisch fortgeführt. Zur Verdichtung des Satzes trägt nicht zuletzt der Instrumentalpart bei, der prinzipiell dem Chorsatz folgt, ohne ihn aber nur zu verdoppeln. Ausgehend von der instrumentalen Themenversion, wird ihre Fortspinnung zur konstanten Umspielung des Vokalparts erweitert, um einen partiell obligaten Orchestersatz zu gewinnen.

Der Schlussteil lässt sich in mehrfacher Hinsicht als kombinatorische Krönung des Satzes auffassen. Während die Folge der Textglieder mit kanonischer Imitation und umrahmenden Akkordblöcken auf die vokale Eröffnung zurückgeht, greifen die Rahmenglieder nicht auf ihr vokales Modell, sondern auf die entsprechenden Glieder des Vorspiels zurück, die hier durch Choreinbau erweitert werden (T. 117–129 ~ 1–12 und T. 140–147 ~ 38–45). Zugleich wird ein Zwischenspiel der Hörner eingefügt (T. 136–139), das sowohl die Ausweitung der Imitationsgruppe als auch den Anschluss der Schlussgruppe bewirkt. Traten die Chorblöcke bisher stets zwischen die Segmente des Hörnerthemas, so wird der letzte Block nicht nur mit dem Fugenthema, sondern auch mit dem Hörnerthema verbunden, sodass die simultane Themenkombination als abschließendes Resümee des gesamten Verlaufs erscheint.

Ein halbes Jahr nach BWV 79 entstand zu Himmelfahrt 1726 die Kantate BWV 43 »Gott fährt auf mit Jauchzen«, deren Eingangschor eine Variante dieses Verfahrens zeigt. Dass der Satz als Adagio in punktierter Rhythmik beginnt, mag zunächst an eine französische Ouvertüre erinnern. Ohne am Ende wiederzukehren, wird die Einleitung nach sechs Takten von einem Alla breve abgelöst, in dem die erste Trompete das Fugenthema und anschließend das Gegenthema einführt. Die sukzessive Themenfolge lässt freilich so wenig wie der Eintritt des Chores an den

Notenbeispiel 2

Beginn einer Fuge denken. Wie in BWV 79:1 wird der erste Themeneinsatz in den Bass verlegt und von den Oberstimmen verdeckt, die ihrerseits durch die Figuren der Streicher und die Fanfaren der Trompeten überlagert werden.[62] Da auch die weiteren Einsätze in den Instrumentalsatz integriert werden, wird der Beginn der Fuge erst in dem Maß hörbar, in dem das Thema in die Oberstimmen rückt. Zugleich lässt sich erkennen, dass die Fuge als Zentrum und zudem als Teil des Kombinationsverfahrens zu verstehen ist. In den »merkwürdigen instrumentalen Themenzitaten«, die der Fuge vorangehen, sah Neumann »das Kopfstück eines Instrumentalsatzes«, der später »stückweise herangezogen« werde.[63] Dagegen lässt die Deklamation keinen Zweifel an der vokalen Prägung des Themas zu. Während die Achtelkette des Kopfmotivs auf die Verbform »fähret« entfällt, wird die Kadenz mit dem Wort »Jauchzen« verbunden, wogegen der im Sextsprung erreichte Spitzenton das Wort »auf« auszeichnet (Notenbeispiel 2). Noch klarer wird das am Gegenthema, das im Bass den zweiten Themeneinsatz des Tenors ergänzt und mit markanten Tonwiederholungen auf den Herrn »mit heller Posaune« hinweist. Zwar treten die Einsätze der ersten Durchführung im Wechsel von Dux und Comes ein, doch erweitert sich die Stufenfolge in der zweiten Durchführung, in der das Thema nicht mehr regelmäßig mit dem Gegenthema gekoppelt wird. In der Übersicht werden die Themen mit den Ziffern 1 und 2 bezeichnet, wogegen die Angabe x auf das noch zu erörternde Material des Schlussteils verweist.

Adagio	Alla breve						
1–6	7–21	22–58	59–84	85–94	94–102	102–124	125–132
Streicher Einleitung	Streicher + Trompeten	Tutti: 1. Durchführung	Tutti: 2. Durchführung	Tutti: Anhang	Zwischenspiel	Tutti (3. Durchführung)	Tutti: Coda
(1)	1–2	1 + 2	1 + 2	x	x	1 + x	x
T	T	T – Sp	Sp – Sp	Sp – D – Sp	Sp	Sp – D	D – T

Die tonale Disposition nimmt sich zwar relativ einfach aus, doch wird sie vor allem durch die Einsatzfolge der zweiten Durchführung modifiziert. Endet die erste Durchführung mit einem überzähligen Einsatzpaar auf der Subdominante (T. 49–53: Sopran und Tromba I), so umfasst die zweite nur noch drei Einsätze, die als Comes-Reihe in Quinten von d-Moll nach e-Moll aufsteigen, um mittels einer Quintkette

---

[62] Zur Themenbeantwortung vgl. Eugen Thiele, Die Chorfugen Johann Sebastian Bachs (Berner Veröffentlichungen zur Musikforschung 8), Bern und Leipzig 1936, S. 60 f.

[63] Neumann, a. a. O., S. 72. Die Taktangaben Neumanns rechnen mit Doppeltakten seit Beginn des Alla breve. Die von ihm genannten Abschnitte betreffen die Fortspinnung der zweiten Fugendurchführung (T. 75–84), das anschließende Zwischenspiel (T. 94–102) und die Schlussphase (T. 125–132).

zur Dominante G-Dur zurückzuführen.[64] Da die anschießende Phase ebenso wie das Zwischenspiel in d-Moll endet, bleibt es dem Schlussteil vorbehalten, mit einer Quintschrittsequenz die Tonika zu erreichen.

Beide Themen werden weder gesondert eingeführt noch konsequent kombiniert, sodass eher von einer Fuge mit Kontrasubjekt als von einer Doppelfuge zu sprechen ist. Während der erste Themeneinsatz des Basses noch ohne Gegenthema auskommt (T. 21–27), wird der letzte Basseinsatz erst nachträglich durch das Gegenthema im Sopran ergänzt (T. 68–75). Von einer dritten Durchführung lässt sich nur mit dem Vorbehalt reden, dass das erste Thema statt der Themenpaarung als maßgeblich gilt. Der Text umfasst zwei Verse, die weniger der Länge halber als wegen ihrer Bedeutung kaum in einem durchgehenden Verlauf unterzubringen sind. Denn der Aussage »Gott fähret auf mit Jauchzen« folgt der doppelte Aufruf »Lobsinget, lobsinget Gott, lobsinget, lobsinget unserm Könige« (Ps. 47:6–7). Bach löste das Problem, indem er den zweiten Vers der als »Anhang« bezeichneten Gruppe zuwies (T. 85–102), um im Zwischenspiel das zusätzliche Thema (x) fortzuführen (T. 94–102) und am Ende mit dem ersten Fugenthema zu kombinieren (T. 102–119). Das war nur deshalb möglich, weil sich das scheinbar neue Thema im Grunde auf drei Viertelnoten beschränkt, die mit dem Wort »lobsinget« verbunden und später melismatisch erweitert werden. Nicht grundlos wirkt der Anhang aber nicht als neuer Ansatz. Denn sobald sich Trompeten, Chor und Streicher mit seinem Kernmotiv ablösen (T. 87–90), wird deutlich, dass es auf die Fanfarenmotive zurückweist, mit denen die Trompeten den ersten Einsatz des Fugenthemas überdeckten (vgl. T. 21–25). Weil die thematische Verknüpfung offenbar vorrangig war, wurden in der letzten Durchführung manche Unregelmäßigkeiten in Kauf genommen. So folgen im Alt und Tenor zwei Einsätze in G-Dur aufeinander, bevor der Bass den Comes von C-Dur aus nachträgt, während sich ein letzter Einsatz der Oberstimme auf die erste Violine und den Sopran verteilt (T. 117–124). Dagegen wird die Coda durchweg mit der »neuen« Motivik bestritten, ohne jedoch als Fremdkörper zu wirken (T. 125–132).

> Als Geck Zweifel an der Echtheit von BWV 43 äußerte, berief er sich auf Dürr, der dem Werk »eine gewisse Knappheit, ja Kargheit« bescheinigte, zumal »die Themenerfindung […] bisweilen ein wenig schablonenhaft« wirke.[65] Obwohl Dürr den »großartige[n] Eingangschor« ausnahm, schien der Satz Geck dem »Prinzip motettischer Reihung zu folgen«, das Bach zu dieser Zeit »überwunden hatte«. Die autographe Partitur (P 44) zeigt zwar keine konzeptionellen Änderungen, ist aber so reich an Einzelkorrekturen, dass sie als Arbeitsmanuskript gelten muss.[66] Der Vorwurf der »motettischen Reihung« verkennt jedoch die Struktur der Fuge, in der die Textglieder thematisch verknüpft werden.

---

64 Neumann, a. a. O., S. 72, Anm. 160, monierte den »harten Zugriff«, mit dem das Fugenthema von e- nach d-Moll »umgepreßt« werde, übersah jedoch den Zusammenhang der Quintschrittsequenz (T. 72–75). Das dort gebotene Notenbeispiel soll mit diesen Takten auch die »Deklamationsfrage beim Choreinbau« illustrieren, entstammt jedoch dem letzten und durchaus sinnvoll deklamierten Themeneinsatz der zweiten Fuge.

65 Dürr, Die Kantaten, Bd. 1, S. 287; Martin Geck, Bach oder nicht Bach? Eine subjektiv gefärbte Einführung in die Thematik, in: Bach oder nicht Bach? Bericht über das 5. Dortmunder Bach-Symposion 2004, hrsg. von Reinmar Emans und Martin Geck (Dortmunder Bach-Forschungen 8), Dortmund 2009, S. 9–15, hier S. 10–12.

66 NBA I/12, KB, hrsg. von Alfred Dürr (1960), S. 204–208, wonach das Autograph die von Geck, a. a. O., S. 113, genannte Hypothese einer »Werkstattproduktion« widerlegt.

Auffällig ist der letzte Themeneinsatz, der zuerst nicht nur der ersten Violine, sondern auch dem Sopran zugedacht war (T. 117 ff.). Erst nachträglich wurde sein Beginn im Sopran durch eine Sequenz ersetzt, sodass der Themenkopf nur in der Violine erklingt, während der Sopran erst zu dem charakteristischen Sextsprung einstimmt.[67] Indem die Stimmführung den Vorzug vor der klanglichen Akzentuierung des Themeneintritts erhielt, wurde der instrumentale Themenkopf mit der Koloratur zum Worte »lobsinget« kombiniert. Wollte man weitere »essentials« nennen, die Geck zum Erweis der Echtheit des Satzes forderte, so ließe sich nicht nur auf die stufenreiche Harmonik, sondern auch auf die weithin obligate Funktion der Streicher und Trompeten hinweisen.

Im Blick auf Sätze wie diesen konstatierte Neumann, Bach zeige »eine gewisse Scheu, größere fugische Verläufe […] in geschlossenem Zuge zu gestalten«, da »die eigentliche Fuge« oft »jäh abgebrochen und mit einem stilistisch heterogenen Komplex« kombiniert werde.[68] Obwohl die Beobachtung für andere Sätze zutrifft, impliziert die Formulierung ein Werturteil, das den Grund des Kombinationsverfahrens verkennt. Als »stilistisch heterogen« können solche Sätze nur so lange gelten, wie man sich am Muster einer »geschlossenen« Instrumentalfuge orientiert. Vokalfugen sind indes nicht ohne Rücksicht auf die Disposition der Vorlagen zu verstehen: Je weiter sich die Textglieder unterscheiden, desto mehr sind sie auf ihre Integration angewiesen. Darum war Bach darauf bedacht, auch solche Abschnitte, die Neumann als »heterogen« empfand, durch motivische Beziehungen zu verknüpfen. Dabei sind Fugen nicht anders als Sinfonien oder Akkordblöcke integrale Glieder eines Satzes, in dem sie sich wechselseitig bedingen. Bachs Verfahren werden erst dann begreiflich, wenn man sich von ihrer Komplexität statt vom Ideal »stilistischer« Homogenität leiten lässt.

Das Kombinationsverfahren stieß allerdings auf Grenzen bei einer so komplexen Vorlage wie in BWV 39:1 »Brich dem Hungrigen dein Brot«. Der Text umfasst zwei Verse (Jes. 58:7–8), in denen mehrere Satzglieder verbunden werden. Daher entschied sich Bach für zwei flankierende Teilsätze (A bzw. C), zwischen die ein kurzer Mittelteil tritt (B).[69] Da der Vokalpart in den Außenteilen mehrere Textglieder aufnehmen muss, fällt die Aufgabe ihrer Verbindung dem Instrumentalpart zu, der zwischen obligater und begleitender Funktion vermittelt. Die folgende Übersicht verweist auf analoge Abschnitte, ohne alle Differenzen erfassen zu können.

Das Vorspiel besteht aus einer Kette akkordischer Achtel, die zwischen den Blockflöten, Oboen und Streichern wechseln, sodass sich ein ebenso dichter wie transparenter Klang ergibt. Aus diesem Muster bricht die der Kadenz vorangehende Quintkette aus, in der sich die Holzbläser mit sequenzierten Sechzehntelfiguren ablösen. Durch das Fehlen prägnanter Motive ist das Vorspiel für den Vokaleinbau prädestiniert, dessen Text in zwei Blöcken mit vertauschten Stimmpaaren zusammengefasst wird. Sobald die Worte »so im Elend sind« folgen, erscheinen chromatische Segmente (T. 30 f.), die zur Fortführung »führe ins Haus« von Melismen abgelöst

---

[67] Zur getilgten Lesart vgl. ebd., S. 207.
[68] Neumann, a. a. O., S. 73; die Feststellung bezieht sich auf Komplexe »über gleichen Text«, gilt aber mehr noch für Abschnitte mit verschiedenen Textgliedern.
[69] Vgl. dazu die hilfreiche Übersicht bei Dürr, a. a. O., S. 335.

Vorspiel	**A** (Jes. 58:7a)			**B** (Jes. 58:7b)
¾, T. 1–23	23–47	47–70	70–94	C, T. 94–106
Flöten, Oboen und Streicher	(a) Brich dem Hungrigen …	(b) Brich dem Hungrigen … und die …	(a') Brich dem Hungrigen …	So du einen nacket siehest …
	Choreinbau (~ T. 1–23)	Fugenexposition	Choreinbau (~ T. 23–47)	Imitation, akkordische Raffung

C (Jes. 58:8)			Coda (Jes. 58:8c)
106–137	138–166	167–205	206–218
(a) Alsdenn wird dein Licht …	(b) und deine Besserung …	(a') und die Herrlichkeit des Herrn …	und die Herrlichkeit des Herrn …
Fuge 1	zwei akkordische Abschnitte	Fuge 2 (partiell ~ T. 138–166)	an Fuge 2 anschließend

werden (T. 37–39), während in die Kadenzgruppe eine Imitationsfolge eingefügt wird (T. 42–44). Zwar wirkt es erstaunlich, dass die Sinfonia derart verschiedene Gebilde aufnehmen kann, doch beweist sie ihre Funktion gerade darin, dass sie den Wechsel der Motive zu überbrücken vermag.[70] Ihr rhythmisches Muster wird im fugierten Mittelteil beibehalten, dessen Eintritt wie in BWV 79:1 und 43:1 durch die vorangehende Kadenz verdeckt wird. In ihm wird derselbe Text mit drei prägnanten Kontrapunkten verbunden, die jedoch den Regularien des Permutationsverfahrens nicht recht gehorchen. Und wenn am Ende des ersten Teilsatzes seine Eröffnung wiederkehrt, so bildet sie keine genaue Wiederholung, sondern eine quintversetzte Variante mit veränderter Kadenz.

Obwohl sich der Zwischensatz (T. 94–106) durch den neuen Text und das gerade Taktmaß unterscheidet, bewahrt der Instrumentalpart auch hier seine verbindende Funktion. Zwar wird der Vokalpart durch syllabische Deklamation geprägt und durch ein analoges Gegenmotiv ergänzt (»So du einen nacket siehest« – »so kleide ihn«). Doch lösen sich die Instrumente mit dem rhythmischen Modell des Imitationsmotivs ab, an dem sie auch dann festhalten, wenn die Chorstimmen akkordisch gebündelt werden. Während dieser Abschnitt eher als Einschub denn als eigner Satz wirkt, erscheint der zweite Teilsatz als Gegenstück des ersten, sofern er bei Wechsel zum ⅜-Takt wiederum drei Satzglieder zusammenfasst. Allerdings verkehrt sich die Abfolge insofern, als diesmal zwei fugierte Abschnitte einen Mittelteil umrahmen, dessen akkordische Deklamation an das motivische Material der Außenteile anschließt. Die beiden Fugen teilen das gleiche Thema, das im Kopfmotiv etwas modifiziert wird, um dem unterschiedlichen Beginn der Texte zu entsprechen. Die Analogien reichen so weit, dass man in der zweiten Fuge eine transponierte Wiederholung der ersten zu hören glaubt. Dabei entsprechen sich die beiden ersten Einsätze in Bass und Tenor, während der Sopraneinsatz der ersten Fuge in der zweiten durch den Alt vertreten wird, dessen Einsatz durch den Sopran auf gleicher Stufe wieder-

---

[70] Dass die vokale Fassung länger als die Sinfonia ist, liegt am Einschub von zwei Takten (T. 28–29).

holt wird (vgl. T. 181–189 mit 199–207). Daher kann der Sopran als letzte Stimme eintreten, um danach mit einem nochmaligen Einsatz die Coda zu eröffnen. Die Varianten sind nicht nur als Steigerung, sondern als Folgen der partiellen Transposition zu verstehen. Führen die Einsatzpaare der ersten Fuge eine Quinte aufwärts (von c- bzw. g-Moll nach g-Moll bzw. d-Moll), so beginnt die zweite Fuge in B-Dur[71], sodass zwei Quintschritte erforderlich sind, um im letzten Einsatz die Tonika g-Moll zu erreichen (B – F – c mit g-Moll-Kadenz). Beide Fugen zeigen erneut, wie souverän Bach über die Regeln verfügte, die die Theoretiker später aus seinen Instrumentalwerken ableiteten.

> Die Korrekturen im Autograph (P 62) verteilen sich derart ungleich, dass man annehmen möchte, Bach sei nicht in allen Abschnitten von vorbereitenden Skizzen ausgegangen. Waren im eröffnenden Teil und seiner Wiederaufnahme nur kleinere Versehen zu berichtigen, so mehren sich die Korrekturen im fugierten Zwischenglied (»und die, so im Elend sind«). Dabei wurde der Tenor vor seinem ersten Themeneinsatz und in den folgenden Einsätzen des Alts und Soprans revidiert (T. 43 und 50–60), während weitere Korrekturen in den Bläserstimmen erforderlich waren.[72] Während sie im Schlussteil zurücktreten, häufen sie sich besonders in der Exposition der ersten Fuge (»Alsdenn wird dein Licht herfürbrechen«). Offenbar verfügte Bach hier über keine Skizze, sodass er sich genötigt sah, den dritten bzw. fünften Thementakt im Bass und im Tenor zu verändern, an dessen Einsatz auch die Fortführung des Basses angepasst werden musste (T. 108–125). Kurz vor dem Ende der Fuge war nach Takt 161 eine Fortsetzung der Melismen des Soprans und des Basses geplant, die dann zugunsten des knappen Schlusses aufgegeben wurde.[73]

Trotz seiner Länge dürfte Bach den Text als eine besondere Herausforderung gesehen haben, die einer ungewöhnlichen Lösung bedurfte. Doch entspricht der Satz weniger dem Prinzip der »motettische[n] Reihung«[74] als einer zyklischen Disposition, in der zwei Teilsätze ein knappes Mittelstück umgeben. Obwohl sie eine Reihe verschiedener Textglieder zu absolvieren haben, werden sie durch den obligaten Instrumentalpart verkettet. An ihm sind auch die Blockflöten beteiligt, die innerhalb der Fugen im Unisono hervortreten.

In BWV 187 hatte Bach zwei Psalmverse vor sich, die jedoch zusammengefasst werden konnten (Ps. 104:27–28: »Es wartet alles auf dich, daß du ihnen Speise gebest zu seiner Zeit« – »Wenn du ihnen gibest, so sammlen sie, wenn du deine Hand auftust, so werden sie mit Güte gesättiget«). Im Vorspiel wird das Material eingeführt, das sowohl den Imitationen des ersten Teils als auch den Durchführungen des zweiten Teils zugrunde liegt. Der Text wird auf die beiden Teile verteilt, während er in der Coda in gedrängter Form wiederholt wird.

---

[71] In den tonalen Relationen sah Thiele, a. a. O., S. 58, einen Hinweis auf das »Elend«, das als »Fremde« verstanden werde.
[72] NBA I/15, hrsg. von Alfred Dürr, Robert Freeman und James Webster, 1968, KB, S. 179–188, hier S. 180 ff.
[73] Zu den genannten Takten vgl. ebd., S. 184 und 186.
[74] So Neumann, a. a. O., S. 93.

Vorspiel T. 1–28[1]			kanonische Imitation T. 28–49[1] (Ps. 104:27)			Zwischenspiel T. 49–66
1–14	14–20	20–28	28–34[1]	35–41	42–49[1] (~ 6–13)	49–54 (~ 1–6), 55–66
g –	d –	g	g – D	g – F	F – d	d – d

Fuge T. 66–111 (Ps. 104:28)			Zwischenspiel	Coda (Ps. 104:27–28)
66–82/83	84–98[1]	98–111[1]	111–112	113–125 (~ 1–27 mit Choreinbau)
1. Durchführung	2. Durchführung	3. Durchführung		
g – d – B	B – c – g	g – d	d – B	B – g

Das Vorspiel, das ein Fünftel des Umfangs ausfüllt, wirkt derart konzertant, dass man ihm kaum zutraut, als thematische Basis eines kontrapunktischen Satzes zu taugen. Das Kopfmotiv beginnt mit einem Quartsprung, der durch eine fallende Skala ausgeglichen wird. Zwar überlagern sich die Einsätze der Oberstimmen in halbtaktigem Abstand, doch werden die Imitationen in Sequenzen integriert und durch den Wechsel zwischen Oboen und Streichern überlagert, sodass sich eher der Gedanke an einen Konzertsatz als an eine Fuge aufdrängt. Dennoch muss Bach bei der Niederschrift des Vorspiels bereits die kanonischen Imitationen im Blick gehabt haben, die in dreifacher Staffelung den ersten Teil bestimmen. Denn die Vokalstimmen setzen in halbtaktigem Abstand mit dem Quartsprung an, dessen Fortführung so umgeformt wird, dass sich die Stimmen über mehr als zwei Takte hin entsprechen. Da sie paarweise im Quintabstand ansetzen, nähert sich ihre Abfolge im ersten Abschnitt einem Fugato, das von g-Moll nach d-Moll lenkt. Etwas anders ist der zweite Abschnitt angelegt, in dem sich der Abstand der Einsätze auf einen Takt erweitert, während das erste Textglied (»Es wartet alles …«) in den Gegenstimmen durch die syllabisch deklamierte Fortsetzung ergänzt wird (»daß du ihnen …«). Der dritte Abschnitt fasst den kanonischen Ansatz des ersten mit der Textpaarung des zweiten Abschnitts zusammen, um am Ende die Stimmen in einer d-Moll-Kadenz zu bündeln. Die Kombination der Verfahren wird dadurch ermöglicht, dass die Oberstimmen als kanonische Sequenz im Quintabstand verbunden werden, während die Unterstimmen nach dem eröffnenden Quartsprung zu freier Fortführung mit dem zweiten Textglied wechseln. Dagegen erweist sich der dritte Abschnitt als quintversetzter Choreinbau in die zweite Gruppe des Vorspiels (T. 41–48 ~ 6–13).

Beide Satzteile werden durch ein Zwischenspiel getrennt, dessen Außenglieder auf die Einleitung zurückgehen (T. 49–54 und 62–66 ~ T. 1–6 bzw. 24–28), während im mittleren Glied die Oboen und Streicher konzertierend wechseln. Dass die Fuge als neuer Formteil eintritt und zugleich an den bisherigen Verlauf anschließt, liegt an zwei Maßnahmen. Zum einen wird der auftaktige Quartsprung, mit dem das Imitationsmotiv ansetzte, im Fugenthema zu einem auftaktigen Oktavsprung erweitert, nach dem der Spitzenton repetiert wird, um dann mit ähnlichen Figuren wie das frühere Imitationsmotiv fortgesponnen zu werden. Zum anderen ist nur die erste Durchführung als reguläre Abfolge von Dux und Comes angeordnet,[75] während die

---

75 Vgl. dazu Thiele, a. a. O., S. 61 f.

beiden anderen Durchführungen etwas lockerer geformt sind. In ihnen werden die Einsätze des Themas von den Gegenstimmen zugleich mit weiteren Textgliedern verbunden, sodass sich die Durchführungen ähnlich zueinander verhalten wie zuvor die kanonischen Imitationsphasen. Entsprechend erweitert sich der harmonische Ambitus, sofern die erste Durchführung von der Tonika ausgeht, um mit dem zusätzlichen Themeneinsatz zur Parallele B-Dur zu führen. Dagegen lenkt die zweite Durchführung nach g-Moll zurück, während die dritte nur noch drei Einsätze aufweist und erneut in d-Moll ausläuft. Dennoch genügen die latenten Analogien, um die Satzteile zusammenzuschließen. Maßgeblich tragen dazu die Oboen bei, die zwar die thematischen Phasen colla parte ergänzen, die akkordischen Gruppen jedoch mit analogen Figuren wie zuvor begleiten.

Die Coda erscheint zunächst als Wiederholung der zweiten Hälfte des Vorspiels mit zusätzlichem Vokaleinbau. Erst auf den zweiten Blick zeigt sich, dass das Verfahren noch kunstvoller als sonst verwendet wird. Zum einen beginnt die Wiederkehr der Einleitung bereits vor dem Abschluss der Fuge, deren d-Moll-Kadenz durch die entsprechende Klausel des Vorspiels überlagert wird (T. 109–111 ~ 12–14).[76] Zum anderen liegt die dort anschließende Quintschrittsequenz dem Zwischenspiel zugrunde, das die Fuge von der Coda zu trennen scheint (T. 111–113 ~ 14–16). Zum dritten tritt der Chor innerhalb der Quintkette ein, die im Vorspiel von der Dominante zur Tonika führte und nun durch Choreinbau erweitert wird (T. 113 f. gegenüber T. 16 f.). Die Einsätze eröffnen einen Kanon im Abstand einer Viertel und schließen damit an Verfahren an, die den Satz schon früher prägten. Der Kunstgriff wird dadurch möglich, dass die punktierten Viertelnoten, die in der Quintkette des Vorspiels kaum auffielen, im Vokalpart durch vorangestellte Quartsprünge motivisches Profil erhalten. Ausgelöst durch den Einsatz der ersten Oboe in Takt 16, entsprechen die Einsätze dem Beginn der kanonischen Imitationen, mit denen der Chorsatz begann.[77] Anders als in BWV 39:1 dürfte Bach bei der Fuge von vorbereitenden Skizzen ausgegangen sein. Auf der Höhe seiner Meisterschaft wusste er jedoch dem Choreinbau eine neue Dimension zu erschließen. Indem die partielle Wiederholung des Vorspiels zum Anlass seiner motivischen Profilierung wird, verändert sich das instrumentale Modell derart, dass der Vokalpart nicht als Zusatz, sondern als thematische Reformulierung erscheint.

> Während der letzte Kanon im Autograph (P 84) fehlerfrei notiert ist, zeigt der Sopran in der vorangehenden Kadenz (T. 109 f.) zahlreiche Korrekturen, die durch die Kombination mit dem Instrumentalpart entstanden.[78] Im Vorspiel sollte die erste Oboe in Takt 21 zunächst die Sechzehntelkette des vorangehenden Taktes fortführen, bevor sie durch das Imitationsmotiv ersetzt wurde, das in der zweiten Oboe von vornherein fehlerfrei erscheint. Die Durchführungen der Fuge beginnen zwar ohne nennenswerte Versehen, doch mehren sich die Korrekturen im weiteren Verlauf (Sopran und Alt T. 80 f. und 90 f.) während der Sopran vor der Kadenz »mehrfach korrigiert« wurde.[79]

---

[76] Nach Neumann, a. a. O., S. 62, wird »die Ansatzstelle durch Hinüberziehen des Textes« verdeckt.
[77] Wer nur anmerkt, die Chorstimmen seien »aus den konzertierenden Instrumenten« herausgezogen, sollte gleichzeitig die schlüssige Stimmführung hervorheben, die vor allem dort sichtbar wird, wo die Töne verschiedenen Instrumentalstimmen entnommen sind (vgl. Neumann, a. a. O., S. 62).
[78] Vgl. NBA I/18, hrsg. von Alfred Dürr und Leo Treitler, KB (1967), S. 80–85, hier S. 84.
[79] Ebd., S. 84.

Umgekehrt kann die Vokalfuge in den Dienst des Kombinationsverfahrens genommen werden, wenn die instrumentale Einleitung so ausgedehnt ist wie in BWV 45 »Es ist dir gesagt, Mensch, was gut ist«. Obwohl der Spruchtext nicht besonders lang ist, enthält er zwei verschiedene Satzglieder, die miteinander zu verbinden waren: (a) »Es ist dir gesagt, Mensch, was gut ist und was der Herr von dir fordert« – (b) »nämlich: Gottes Wort halten und Liebe üben und demütig sein vor deinem Gott« (Mi. 6:8). Eine Besonderheit ist es, dass der Satz im Alla-breve-Takt steht und damit an die motettischen Sätze früherer Jahre anzuknüpfen scheint. Wurde dort der strenge Satz durch instrumentale Züge modifiziert, so ist es hier die instrumentale Eröffnung, die den Verlauf derart beherrscht, dass die Fuge darin aufzugehen scheint. Dabei wirkt das Vorspiel mit seiner ausgedehnten Fortspinnung in Achteln derart instrumental, dass Neumann von »konzertierenden Stimmen« sprach.[80] Dennoch fügen sich die Figuren als vokale Melismen bruchlos in den motettischen Satz ein, der zugleich neutral genug bleibt, um den Anforderungen des Textes entsprechen zu können. Die nachstehende Übersicht deutet das Verhältnis der Satzteile zueinander und zu den Textgliedern an, ohne die harmonischen Eingriffe zu erfassen, die vor allem die Phasen mit zusätzlichem Vokaleinbau betreffen.

1–37	37–54	54–79 (54–65 ~ 1–12)	79–101 (~ 13–36)	101–107 (~ 1–5 + 36)	107–116	116–158 (~ 1–37)	159–169 (~ 1–12)	169–186 (~ 37–54)	186–228 (~ 1–37)
Vorspiel	Imitationsfeld	vierstimmige Fuge	Choreinbau	Zwischenspiel	Einschub	Choreinbau	Zwischenspiel	Imitationsfeld	Choreinbau
	a	Text a	a		Text b	b		b	a + b
T–D–T	T	T–D	D–D	D	D–D	S	S–T	T–D	Tp–T

Geht man vom Wechsel der Textglieder aus, so ergibt sich der Eindruck einer zweiteiligen Anlage, die von analogen Außengliedern umrahmt wird. Die Nahtstelle zwischen dem ersten Zwischenspiel und dem anschließenden Einschub wird dadurch betont, dass sich mit dem neuen Textglied (b) akkordische Blöcke paaren, die in gedehnte Akkordfolgen einmünden (T. 107–116). Das Vorspiel beginnt mit dem späteren Fugenthema, das in der zweiten Violine bzw. Oboe mit verlängertem Binnenauftakt ansetzt und anschließend den gesamten Satz beherrscht. Zugleich wird der Satz in den Außenstimmen durch zwei halbe Noten eröffnet, die ab Takt 107 dem zweisilbigen Wort »nämlich« Nachdruck verleihen. Die anschließenden Akkordfolgen, die sich mit dem Wort »halten« verbinden, bilden Glieder einer Quintschrittsequenz, die von E-Dur ausgeht und auf der Subdominantparallele abbricht (T. 110–116: E^7-A-D-gis-Cis-fis), um über zwei weitere Quintschritte zur Tonika zurückzukehren. Sie greift damit auf das Vorspiel zurück, dessen zweite Hälfte eine Quintfolge durchläuft, um dann über ein modulierendes Gelenk zur Tonika zurückzulenken (T. 13–26: Fis-H-E-A → E). Wie Neumann zeigte, setzen mit der Quintkette die Eingriffe in den Phasen an, in denen das Vorspiel mit Choreinbau

---

[80] Ebd., S. 65.

verbunden wird.[81] Die erste Phase (T. 79–101) beginnt auf der Dominante, doch wird die Sequenz um ein Glied verkürzt (vgl. T. 79–82 mit 13–18), nach dem die weiteren Gruppen des Vorspiels mit Vokaleinbau in der Dominante folgen. In der zweiten Phase (T. 116–158) wird die Quintkette nach dem Einschub von fis-Moll aus verlängert (T. 128–140: Gis-cis-fis-h-E-A-D), um diesmal die Subdominante A-Dur zu erreichen. In der dritten Phase, die zugleich als krönende Coda fungiert, setzt das Vorspiel wieder in der Tonika an, doch schlägt die Quintkette »in jähem Ruck«[82] von der Dominante nach Gis-Dur um, sodass sie um zwei Glieder erweitert werden muss (T. 200–204: Fis/Gis-cis-Fis), bevor sie zur Tonika zurückführen kann.

Bisher wurden die Abschnitte übergangen, die dem Vorspiel folgen und der Coda vorangehen. Zwar verdichtet sich der Satz in ihnen zur Imitation und zur Fuge, doch bildet das erste Imitationsfeld einen Vorbau der Fuge, während dem zweiten die Coda folgt. Beide Felder bestehen aus drei sechstaktigen Gruppen, die in E-Dur, fis-Moll und A-Dur ansetzen. Das Kopfmotiv, das alle Satzgruppen verbindet, durchläuft jeweils die Vokalstimmen, die von den Instrumenten mit Varianten der Fortspinnung begleitet werden. Obwohl die Einsätze regelmäßig zwischen der I. und V. Stufe wechseln, sind sie keine »rein vokal konzipierten […] Imitationskomplexe […] in Dux-Comes-Alternation«,[83] weil die Stimmen in Haltetönen münden und damit den instrumentalen Phasen entsprechen. Die Fuge dagegen bildet nicht mehr das Zentrum des Satzes, sondern begnügt sich mit einer Durchführung, die in 25 Takten das Thema mit demselben Kontrapunkt wie im Vorspiel verbindet. Das Vorspiel stellt demnach ein Modell bereit, von dem der ganze Satz zehrt. Statt einer Doppelfuge liegt eher ein Thema vor, das mit einem festen Kontrapunkt gekoppelt wird. Während dieser Satzkern in allen Phasen wiederkehrt, erscheint die Fuge fast als Episode. Das Kombinationsverfahren ändert sich demnach weniger in formaler als in satztechnischer Hinsicht, sofern alle Phasen vom Vorspiel ausgehen, dessen Wiederholungen harmonisch modifiziert und an den Ansatzstellen verdeckt werden.

> Die zahlreichen Korrekturen, die in allen Teilen des Autographs (P 80) zu finden sind, legen den Gedanken nahe, Bach habe nur über erste Skizzen verfügt. Bereits im Vorspiel waren zahlreiche Änderungen notwendig.[84] Zu Beginn der Fuge notierte Bach im vierten Thementakt des Soprans (T. 55) zuerst eine halbe Note, bevor er sich an die Fassung des Vorspiels erinnerte, während an der analogen Stelle der Tenorstimme die erste Violine eingehend revidiert werden musste (T. 70 f.). Merkwürdigerweise waren in der die Fuge beschließenden H-Dur-Kadenz in mehreren Stimmen Korrekturen erforderlich, obwohl die Passage satztechnisch nicht sonderlich kompliziert ist (T. 98 f.). Wenig später wurde der Sopran im ersten akkordischen Chorblock zweimal geändert (T. 107 und 110), während in der anschließenden Imitationsphase mehrmals der Tenor korrigiert wurde (T. 117 und 120). Zahlreiche Korrekturen begegnen auch in der ersten

---

81 Ebd., S. 65 f.
82 Vgl. Neumann, ebd., S. 65; der Hinweis, der Satzverband werde »eine Terz tiefer gesetzt«, erklärt nicht seine gleichzeitige Erweiterung um sechs Takte.
83 Ebd., S. 66.
84 So in T. 5, 13 und 32, wobei Dürr von »unklaren Korrekturen« sprach, vgl. NBA I/18, KB, S. 196.

Erweiterung der Quintschrittsequenz (T. 134–139). Ein »Übertragungsfehler«,[85] der in der ersten Violine kurz nach Beginn der Einbauphase unterlief (T. 197), dürfte darauf zurückgehen, dass Bach vom Vorspiel (T. 12) ausging.

Während Neumann von einem »Konzertverlauf« sprach, redete Dürr vom »Wechsel zwischen fugischem und konzertantem Prinzip«.[86] Obwohl der Gedanke an ein Konzert befremdlich wirkt, trifft er einen scheinbar paradoxen Sachverhalt. Was sich als Vorspiel maskiert, wird zur Basis eines motettischen Satzes, dessen Teile sich nur durch ihre Besetzung unterscheiden, sodass die eine Fassung als Kehrseite der anderen erscheint. Neumann konzentrierte sich auf den Instrumentalpart, weil er sich durch die frühere Forschung herausgefordert fühlte, die sich auf die Textdeutung konzentriert hatte. Ebenso einseitig war es jedoch, dass er das »Fehlen einer einheitlich-thematischen Bindung eines textlichen Sinnzusammenhangs« bedauerte, das im Eingangssatz aus BWV 102 »besonders schroff« hervortrete.[87] Indes lag Bach – ähnlich wie in BWV 39:1 – ein Bibelvers mit drei verschiedenen Aussagen vor, deren Trennung unvermeidbar war: (a) »Herr, deine Augen sehen nach dem Glauben.« (b) »Du schlägest sie, aber sie fühlens nicht; du plagest sie, aber sie bessern sich nicht.« (c) »Sie haben ein härter Angesicht denn als ein Fels und wollen sich nicht bekehren« (Jer. 5:3). Während die beiden letzten Glieder (b bzw. c) als Fugen mit verschiedenen Themen vertont werden, kehrt das erste (a) nicht nur am Schluss, sondern auch zwischen den Fugen wieder, sodass es insgesamt dreimal erscheint.

Vorspiel	**A** Text a (+ b)	**B** Text b	**A′** Text (b +) a	**C** Text c	**A″** Text (c +) a (+ b)
1–21	21–44–46	46–59	60–69–72	72–98	98–118 (Coda)
	23–25 ~ 18–20, 26–29 ~ 1–4, 32–33 ~ 18–20, 34–43 ~ 1–10, 44–45 ~ 1–2	Fuge 1	60–69 ~ 11–20, 70–71 ~ 1–2	Fuge 2	98–118 ~ 1–21
T – D – T	T – D°	D°/T – S	S – S	S – T	T – D – T

Die Teile A, A′ und A″ enthalten Rekurse auf das Vorspiel, die Neumann in einer Tabelle zusammenfasste, um zu beweisen, dass der Chorsatz »kein thematisches Profil erhält, sondern seine musikalische Gestalt jeweilig aus der Stelle des Sinfonieverlaufs bezieht, an die er gerade zu liegen kommt.«[88] Sieht man aber diese Rückgriffe im Kontext, so erweisen sie sich als ebenso schlüssig wie die vokale Stimmführung. Der A-Teil setzt zweimal mit dem ersten Textglied an, das in einer Stimme eingeführt und von den Streichern begleitet wird (T. 21–22 und 30–31). Beidemal folgen kurze Zwischenspiele (T. 23–25 bzw. 32–33), die auf der Tonika bzw. Dominante die Kadenzgruppe des Vorspiels aufgreifen. Der Eintritt des Chors fällt mit der ersten Einbauphase zusammen (T. 26–29), die mit den ersten Takten des Vorspiels beginnt. Kehren dieselben Takte in der zweiten Phase auf der Dominante wieder, so

---

[85] Ebd., S. 201.
[86] Vgl. ebd., S. 66, sowie Dürr, Die Kantaten, Bd. 2, S. 386.
[87] Ebd., S. 61, wo vom »Auseinanderfall der textlichen und musikalischen Periodengliederung« die Rede ist.
[88] Ebd., S. 61; in der Tabelle ließ Neumann die Zwischenspiele T. 23–25 und 32–33 einen Takt früher beginnen, doch handelt es sich beidemal um verlängerte Auftakte, die keine Entsprechung zu T. 17 zeigen.

werden sie diesmal um sechs Takte verlängert (T. 34–43), während das Zwischenspiel (T. 44–45) auf den Satzbeginn zurückgeht. Entsprechend setzt der Choreinbau im Mittelteil (A') in der zweiten Hälfte des Vorspiels an, die um einen halben Takt versetzt und durch ein analoges Zwischenspiel ergänzt wird (T. 60–71). Zusammengenommen umfassen die Einbauphasen das gesamte Vorspiel, das in der Coda (A'') nochmals wiederholt wird. Der Staffelung der Rekurse entspricht der Vokalsatz mit einer Deklamation, die deshalb so überzeugend wirkt, weil das Vorspiel von vornherein auf den Text bezogen ist.

Die erste Fuge (C) umfasst mit vier Einsätzen die Exposition des Themas, das auf einer Quintschrittsequenz basiert und an die vorangehende Dominante anschließt, wogegen der nächste Einsatz zur Tonika zurücklenkt. Dem Thema werden die beiden ersten Glieder des Textes zugeordnet (c: »Du schlägest sie, aber sie fühlens nicht«), während die folgenden Glieder auf die Fortspinnung entfallen, die nach den ersten Einsätzen im Alt und Sopran als Kontrapunkt dient.[89] Dass die Fuge mit Halbschluss zur Subdominante endet, liegt an einem zusätzlichen Einsatz des Soprans in f-Moll. Zwar scheint der Bass in einer Engführung zu folgen, die aber in der dreitaktigen Kadenzgruppe aufgeht (T. 57–59). In diesen Takten wird der Vokalpart vom Orchester colla parte gestützt, während er davor durch nachschlagende Achtel der Oboen aufgefüllt wird. So selbstständig die Fuge ist, so umsichtig wird sie mit dem Kontext verbunden. Zum einen endet sie mit einem akkordischen Anhang, in dem der Text mit dem Choreinbau des Mittelstücks gekoppelt wird. Zum anderen wird der Text bereits in den Rahmenteilen antizipiert, deren Choreinbau auf die erste Hälfte des Vorspiels zurückgeht (T. 38–39 bzw. 101–103 und 109–111).

Mehr noch scheint die zweite Fuge aus dem Zusammenhang herauszufallen, obwohl ihr Ende mit dem Beginn der Coda zusammenfällt (T. 98 f.). Mit zwei Durchführungen ist sie fast doppelt so lang wie die erste Fuge, mit deren Thema sie nur die in das zweite Glied verlagerte Quintkette teilt. Zugleich schließt sie an den Themenkopf an, der anfangs eine Kadenz umschreibt, um danach eine Quinte aufwärts zu führen. Damit ergibt sich ein transponierendes Thema, das real beantwortet wird, während die Glieder der Fortspinnung den Einsatz des Themenkopfs kontrapunktieren. Wie Neumann zeigte, löste Bach das Problem dadurch, dass »die dreigliedrig absteigende Sequenz« des Dux am Ende des Comes »um ein Glied erweitert wird«, um damit zum Eintritt des Dux zurückzuführen.[90] Lässt man mit Neumann den ersten Themeneinsatz im Bass als Comes gelten (T. 73 ff.), so würde die erste Durchführung mit dem zweiten Eintritt des Dux im Sopran enden (T. 80 ff.), während die zweite Durchführung mit dem Dux im Sopran (T. 86 ff.) beginnen und mit dem letzten Einsatz des Comes im Bass schließen würde (T. 95 ff.). Doch geht aus Neumanns Tabelle nicht hervor, dass sich die Verhältnisse durch einen zusätzlichen Einsatz in f-Moll ändern, der an der Nahtstelle beider Durchführungen in die instrumentale Oberstimme verlagert und um einen halben Takt verschoben wird (T. 84 ff. Violine I und Oboe I). Damit die zweite Durchführung über c- nach g-Moll zurückführen kann, folgen dem Dux des Soprans nur drei Sequenzglieder, die eine Quinte aufwärts

---

[89] Entgegen Neumann, a. a. O., S. 95, entspricht »der Viergliederordnung« des Textes keine »Vierthemigkeit«.
[90] Ebd., S. 31, Anm. 43.

zum Comes im Alt führen (T. 89 ff.). Während die Instrumente anfangs die Vokalstimmen duplieren, fungiert die erste Violine (bzw. Oboe) seit ihrem Themeneinsatz als obligate Zusatzstimme, sodass sich beide Durchführungen durch das Verhältnis der Stimmen und Themeneinsätze unterscheiden. Doch wird die Fuge nicht nur mit dem abschließenden Choreinbau verschränkt, vielmehr tritt nach dem Themenkopf in einer Gegenstimme eine Folge von sechs Sechzehnteln auf, die mehrfach auch zu den Sequenzgliedern erscheint. Denkt man sich diese Figur im Legato, das im Instrumentalpart vorgeschrieben ist, so wird ihre latente Beziehung zum Vorspiel deutlich. Während sie in der Verlängerung der Sequenz fehlt, tritt sie vor dem Beginn der Coda ein (T. 96 f.), sodass spätestens hier ihre integrierende Funktion sichtbar wird. Wie planvoll sie eingesetzt wurde, zeigen die Korrekturspuren der autographen Partitur.[91]

> Obwohl das Vorspiel in der autographen Partitur (P 97) fast wie eine Reinschrift wirkt, zeigen manche Korrekturen, dass sich die Arbeit noch während der Niederschrift fortsetzte. So begann die erste Oboe in Takt 7 zunächst mit einer halben Note, um die Sequenzierung der Figuren aus Takt 5–6 zu verlängern, doch wurde sie zu einer Viertel verkürzt und mit Quartsprung fortgeführt, während der anschließende Quintsprung der zweiten Oboe keine Korrektur aufweist. Auch die Drehfigur der ersten Oboe, die am Ende von Takt 14 die erste Phase des Vorspiels abschließt und auf die analoge Wendung der ersten Violine in Takt 1 zurückweist, war das Ergebnis einer Korrektur. Dasselbe gilt für den ersten Ton des folgenden Taktes, der die Skalenfiguren der nächsten Taktgruppe eröffnet. Soweit der Instrumentalpart des A-Teils aus dem Vorspiel übernommen werden konnte, lassen sich kleinere Korrekturen innerhalb des Choreinbaus erkennen. So wurden die Takte 34–43, die in Quinttransposition die zehn ersten Takte aufgreifen, zunächst mit geringen Korrekturen geschrieben, bis Bach sich in Takt 38 dafür entschied, nachträglich die Stimmen der ersten Oboe und ersten Violine auszutauschen, um damit den Wechsel beider Gruppen in den folgenden Takten einzuleiten.[92] Kaum zufällig betrifft die Korrektur gerade den Takt, in dessen Vokalpart erstmals das Thema der ersten Fuge anklingt (»Du schlägest sie«). Weist die erste Fuge zunächst nur geringe Verbesserungen in den füllenden Instrumentalstimmen auf, so mehren sich die Änderungen in der Zusammenfassung der Vokalstimmen (T. 57–59) und in der anschließenden Einbauphase (T. 65 f. und T. 68). Wie Marshall zeigte, wurde das zweitaktige Zwischenspiel vor Beginn der zweiten Fuge (T. 70–71) erst nachträglich eingefügt.[93] Damit wurde zugleich ein Pendant zu dem Zwischenspiel gewonnen, das der ersten Fuge voranging (T. 44–45). Desto auffälliger ist es, dass Bach das Thema der zweiten Fuge noch während der Niederschrift umformte. Obwohl die von Marshall rekonstruierte Erstfassung nicht mehr eindeutig lesbar ist, kann es als sicher gelten, dass der das Thema prägende Tritonus zunächst nicht im Sprung erreicht, sondern durch eine vorgeschaltete Sekundfolge vorbereitet wurde.[94] Sobald aber der Instrumentalpart auf die kleine Drehfigur des Vorspiels zurückgreift, die zur Integration der Satzschichten beiträgt, lässt das Autograph wieder mehrfache Korrekturen erkennen (so in T. 75 und 91), wobei der Themeneinsatz der ersten Oboe in Takt 84 durch Beginn mit einer Viertel- statt Achtelnote akzentuiert wurde.[95] Dass Bach in der letzten Ein-

---

91 Vgl. NBA I/19, hrsg. von Robert Marshall, KB (1989), S. 200–205, zum Vorspiel hier S. 200.
92 Ebd., S. 201.
93 Marshall, The Compositional Process, Bd. 1, S. 215; ders., NBA I/19, KB, S. 203.
94 Vgl. das Notenbeispiel KB, S. 203.
95 Ebd., S. 204.

bauphase zunächst den Instrumentalpart aus dem Vorspiel übernahm, um ihn dann während der Arbeit zu modifizieren, zeigen die Takte 102–104, die in den Violinen zuerst gemäß Takt 5–6 notiert und danach erst im Blick auf den Vokalpart modifiziert wurden.[96]

Offensichtlich ging Bach zunächst von mehr oder minder umfassenden Entwürfen aus, doch deutet die Änderung des zweiten Fugenthemas darauf hin, dass spätestens von hier an nur Skizzen vorlagen, die wohl erst während der Niederschrift ausgearbeitet wurden.

In der Kantate BWV 17 »Wer Dank opfert« vertonte Bach letztmals einen Text aus dem Meininger Druck. Dem Eingangschor liegt ein Psalmvers zugrunde, dessen Aussagen aufeinander verweisen: (a) »Wer Dank opfert, der preiset mich«, (b) »und da ist der Weg, daß ich ihm zeige das Heil Gottes« (Ps. 50:23). Der Chorsatz besteht aus einer Fuge mit zwei analogen Durchführungen und zwei angefügten Teilen, die auf die Gruppen des Vorspiels mit zusätzlichem Choreinbau zurückgehen. Alle Teile enthalten beide Textglieder und unterscheiden sich nur darin, dass die Fugen mit dem ersten Glied beginnen, dem das zweite nachfolgt, während die Einbauphasen beide Textglieder verbinden. Da die erste Hälfte von der Tonika zur Dominante führt, muss die zweite in der Subdominante beginnen, um eine Quinte aufwärts und damit zur Tonika zurückführen zu können. Zwischen beiden Teilen ist daher ein Einschub erforderlich, der zur Subdominante moduliert (T. 71–81).

Vorspiel	Fuge	Einbauphase 1	Einschub	Fuge 2	Einbauphase 2
T. 1–11–21–28	28–57	57–64 + 64–70 (~ 11–17 + 21–28)	71–81	81–111	111–117 + 118–125 (~ 1–7 + 21–28)
	Text a + b	Text a + b	Text a + b	Text a + b	Text a + b
T – D – S – T	T – D	D	D – T, T – S	S – T	T

Statt auf die Fugen einzugehen, beschränkte sich Neumann auf die Einbauphasen und ihr Verhältnis zu den »Sinfonien«, die er als Barformen mit zwei »Stollen« und »Abgesang« auffasste.[97] Allerdings werden die Gruppen dadurch verschränkt, dass das Ende der einen mit dem Beginn der nächsten zusammenfällt (T. 11 bzw. 21). Während sich der erste »Stollen« zur Dominante wendet, lenkt der zweite zur Tonika, wogegen der »Abgesang« von der Subdominante zur Tonika führt. Da die erste Fuge auf der Dominante endet, wird in der ersten Einbauphase (T. 57–70) der verkürzte zweite »Stollen« (T. 11–17) mit dem quintversetzten »Abgesang« (T. 21–28) kombiniert. Analog schließt sich an die zweite Fuge die zweite Einbauphase an (T. 111–125), in der dem »Abgesang« der erste »Stollen« vorangeht (T. 1–7). Beidemale entfällt das modulierende Gelenk (T. 17–18 bzw. 7–8), während der Continuo der vorangehenden Takte zu einer vokalen Variante umgebildet wird (T. 60–62 bzw. 114–116).[98] In der ersten Fuge, in der der Dux und der Comes regelmäßig wechseln, wird das Thema mit einem Kontrasubjekt gepaart, wogegen die zweite Fuge mit dem Dux und

---

96 Ebd., S, 205.
97 Neumann, a. a. O., S. 54 f.
98 Vgl. ebd., S. 55; zur Bassführung der Takte 60 ff. und 114 ff. vgl. ebd., Anm. 110.

dem Comes im Bass und Tenor einsetzt. Danach wird ein variierter Themeneinsatz des Soprans eingefügt (T. 93 ff.), bevor mit den folgenden Einsätzen des Alts und des Soprans die Tonika erreicht wird.[99] Das Autograph erweist sich als Konzepthandschrift mit zahlreichen Korrekturen, die aber nicht die thematische und formale Konzeption betreffen und daher für Bachs Arbeitsweise weniger aufschlussreich als im Falle von BWV 102 sind.

> Die autographe Partitur (P 45 adn. 4) lässt an der Verteilung der Korrekturen erkennen, dass im Vorspiel zuerst die Oboenstimmen ausgearbeitet und danach die duplierenden Violinstimmen notiert wurden.[100] Die zweite Note in Takt 11 wurde sowohl in der ersten Oboe wie in der ersten Violine geändert, sodass die Korrektur erst nachträglich erfolgt sein dürfte. Wie eine Rasur im Continuo andeutet, sollte der fragliche Ton wohl *dis²* lauten, doch wurde er dann in den Generalbass verlegt und in den Oberstimmen durch *h¹* ersetzt. Andererseits wurden die Figuren der ersten Oboe in den Takten 19–21 zuerst wohl eine Oktave höher geschrieben und nachträglich der Oktavlage der ersten Violine angeglichen, während weitere Korrekturen in Takt 21 beide Stimmen betrafen.[101] In der ersten Durchführung der Fuge wurden die Achtelnoten, mit denen der Tenor in Takt 38 das im Alt liegende Thema kontrapunktiert, erst nachträglich der Texturierung zuliebe korrigiert, wogegen bei Eintritt der Instrumente die Einsätze der ersten Oboe bzw. Violine erst nachträglich an die Sopranstimme angeglichen wurden. In der anschließenden Einbauphase (T. 57–64) mehren sich die Korrekturen im Vokalpart, während die der zweiten Durchführung vorgelagerten Duos fehlerfrei geschrieben wurden. Bei Beginn der zweiten Durchführung sollte zunächst die erste Oboenstimme in Takt 81 fortgeführt werden, doch wurden die entsprechenden Noten später verwischt und durch Pausen ersetzt.[102]

Obwohl die Instrumente weithin colla parte geführt sind, tendiert der Satz keineswegs zur bloßen Reihung der Phasen. Vielmehr gründet das Kombinationsverfahren in den thematischen Beziehungen, die das Vorspiel mit den Fugen verbinden. Die Figuren, die in den ersten Takten des Vorspiels zwischen den Oberstimmen wech-

Notenbeispiel 3

---

99 Durch Einschub eines modulierenden Takts (T. 104) fällt die zweite Fuge einen Takt länger als die erste aus.
100 Vgl. NBA I/21, 1958, hrsg. von Werner Neumann, KB (1959), S. 170–175.
101 Ebd., S. 171.
102 Ebd., S. 173.

seln, werden im Fugenthema zu einem Linienzug verbunden, der in zwei Ansätzen zur Septime der Dominante und der Tonika führt und insgesamt eine Dezime durchmisst (Notenbeispiel 3). Da die Einbauphasen durch Imitationen des Themenkopfs erweitert und die Duos mit demselben Material bestritten werden, erreicht der Satz eine Geschlossenheit, die dem Rang der anderen Sätze nicht nachsteht.

Das letzte Dictum des dritten Jahrgangs bildet der Chorsatz »Wer sich selbst erhöhet« (BWV 47:1), der zugleich zu den komplexesten Eingangschören zählt. Mit einem Ritornell, das am Ende mit Choreinbau wiederkehrt, sowie drei fugierten Phasen, die durch kurze Zwischensätze getrennt werden, wirkt die formale Disposition recht klar, und der Umfang von 228 Takten wird durch die zusätzliche Angabe »Allegro« relativiert. Doch sind die Fugen besonders dicht angelegt und werden zunehmend mit dem Ritornell verbunden.[103]

Ritornell	1. Fuge	Zwischensatz	2. Fuge	Zwischensatz	3. Fuge	Zwischensatz	Ritornell mit Choreinbau
1–45	45–89	89–104	104–152	152–161	161–181	181–184	184–228
g	g – B	B-Es-As-f-d-g	g – Es	Es-As-f-B-g	g – d	D – g	g (~ 1–45)

Obwohl Spitta annahm, das Werk sei bereits in Köthen entstanden, erkannte er den Rang des Eingangschors, der sich »nicht nur durch die großartige Ausspannung aller Proportionen« auszeichne. Vielmehr verbinde Bach eine »Doppelfuge«, in der das »weite Ausgreifen der Stimmen in die Augen« springe, mit einem Instrumentalsatz, dem er »ein eigenes Thema zuertheilte«, sodass er »aus dem Material von drei selbständigen Gedanken seinen Tonpalast aufführte«.[104] Das Verständnis dieses »Tonpalastes« setzt demnach den Blick auf die »drei selbständigen Gedanken« voraus.

Die Einleitung, die Spitta an »ein italiänisches Concert« erinnerte,[105] fungiert insofern als Ritornell, als sie die Gliederung des Satzes prägt. Die eröffnenden Akkorde, die wechselnd voll- und auftaktig ansetzen und auf die Oboen und die Streicher verteilt werden (T. 1–4), münden in eine Quintschrittsequenz ein, die im Halbschluss auf der Dominante endet (T. 5–12). Sie wird durch die Achtelfiguren der Violinen ausgefüllt, die in den Streichern fortgesponnen werden, während die Oboen ein zusätzliches Motiv beisteuern. Bei Erreichen der Dominante werden die Sequenzen zu einer steigenden Kette erweitert (T. 12–15), in der Dürr eine Vorform des Fugenthemas sah.[106] Für die Wendung zur Molldominante genügen zwei Takte, in denen die Sequenzkette variiert und von den Streichern mit dem Zusatzmotiv der Oboen ergänzt wird (T. 15–16). Zwar scheint sich danach der bisherige Verlauf zu wiederholen, doch wird die Quintkette abgebrochen (T. 17–28) und von einer modulierenden Quintschrittsequenz abgelöst, die zur Tonika zurückführt (T. 28–39). Wo sie die Tonikaparallele berührt, setzt im Continuo die steigende Sequenzkette

---

103 Im Blick auf Neumanns Analyse (a. a. O., S. 81, Anm. 187) nennt die Übersicht Tonstufen statt Funktionen.
104 Spitta I, S. 625; die Datierung stützte sich auf den 1720 erschienenen Textdruck von Helbig und auf die irrige Einordnung des verwendeten Papiers, vgl. ebd., S. 821 f., Anm. 35.
105 Spitta I, S. 625.
106 Dürr, Die Kantaten, Bd. 2, S. 465. Der Beginn des Ritornells erinnert an das Modell des Orgelpräludiums c-Moll BWV 546, dessen Datierung nicht gesichert ist.

Notenbeispiel 4

an (T. 32–35), in der sich wiederum das Fugenthema abzeichnet. Zwar scheint das Ritornell von der Fuge unabhängig zu sein, doch weisen die Sequenzfolgen auf das Fugenthema und zugleich auf die Zwischensätze voraus (Notenbeispiel 4).

1–4	5–15	15–16	17–20	21–28	28–39	39–45
Akkorde –	Quintkette	Modulation	Akkorde –	Quintkette	modulierende Quintkette	Kadenzgruppe
g		g–d	d		d-G-c-F-B-Es (-a) – D	g

Der Text (Lk. 14:11) umfasst zwei Satzglieder, deren Aussagen sich gegenseitig ergänzen: »Wer sich selbst erhöhet, der soll erniedriget werden; und wer sich selbst erniedriget, der soll erhöhet werden«. Dafür erfand Bach ein ungewöhnlich kompliziertes Themenpaar, dessen gegenläufige Glieder der traditionellen Paarung simultan steigender und chromatisch fallender Linien ein höchst individuelles Gepräge abgewinnen. Obwohl nur das erste Thema gesondert eingeführt und danach stets mit dem Gegenthema gekoppelt wird, lässt sich mit höherem Recht als in anderen Sätzen von einer Doppelfuge statt von einem Thema mit einem festen Kontrapunkt reden. Dabei werden die unterschiedlichen Themenglieder so verschränkt, dass sich die konträren Textworte ständig wechselweise kommentieren. Im achttaktigen ersten Thema folgt der diatonisch steigenden Sequenz (a: »wer sich selbst erhöhet«) der chromatisch gefärbte Abstieg (b: »der soll erniedriget werden«), während das neuntaktige Gegenthema eine chromatisch durchsetzte Linie umschreibt (α: »und wer sich selbst erniedriget«) und dann in skalarem Anstieg den Raum einer Dezime durchmisst (β: »der soll erhöhet werden«). Der differierende Umfang der Themen erklärt sich daraus, dass dem Gegenthema ein erweiterter Auftakt vorangestellt wird, der im Wechsel von der Tonika zur Dominante bzw. umgekehrt als Schaltstelle fungiert.

In der ersten Durchführung werden die Themen zusätzlich mit der Eingangsgruppe des Ritornells kombiniert, deren rhythmisches Modell bewahrt wird, während die Stufenfolge geringfügig modifiziert werden muss. Die Instrumente pausieren nur dort, wo im zwei- bzw. dreistimmigen Vokalsatz das jeweils zweite Themenglied (b bzw. β) einsetzt. Das gilt bis zum letzten Themeneinsatz im Bass (T. 72–75), wogegen mit Eintritt seines zweiten Glieds die Streicher colla parte geführt werden (T. 77 ff.). Sobald aber im Bass das Gegenthema folgt, tritt in den Oboen das erste Thema hinzu. Indem es statt auf dem Grundton auf seiner Terz ansetzt, bewirkt es die Wendung zur Tonikaparallele, der sich die Führung der Bassstimme anpassen muss, sodass die erste Durchführung in B-Dur enden kann.[107] Das folgende Schema mag den Überblick über die Themenkombinationen und Ritornellzitate erleichtern.[108]

Takte	45	49/50	53/54	58/59	62/63	67/68	72/73	76/77	81/82	85/86
Instrumente	Akk.	Akk.	Akk.	—	Akk.		Akk.	colla parte	a (Oboen)	b (Oboen)
Sopran					a	b	α	β	~~~~~	~~~~~
Alt			a	b	α	β	~~~~~	~~~~~		
Tenor	a	b	α	β	~~~~~	~~~~~				
Bass							a	b	α	β
Stufenfolge	T	T	D°	D°	T	T	D°	D°	Tp	Tp

a, b, α, β = Glieder im Haupt- und Gegenthema; Akk. = instrumentale Akkordfolge; ~~~~~ = freie Stimmführung

Die zweite Durchführung entspricht zwar prinzipiell der ersten, doch verändert sich nicht nur die Stimmenfolge zu fallender Anordnung vom Sopran bis zum Bass (der wiederum als letzte Stimme einsetzt). Vielmehr ergibt sich der um drei Takte verlängerte Umfang aus zwei Einschüben, die durch das Ziel des Abschlusses in Es-Dur bedingt sind. Zum einen werden zwischen dem ersten und dem zweiten Stimmenpaar zwei Takte eingefügt, in denen der Sopran das erste Glied des Gegenthemas im Alt imitiert (α in T. 121 f.). Zum anderen bedingt die Wendung zur Subdominantparallele vor dem Basseinsatz die Einschaltung einer Sequenz, die in den vorangehenden Einsatz des Tenors verlegt wird (T. 134 f.). Zugleich ändert sich der Instrumentalpart, der in bisheriger Weise nur das erste Themenglied des Soprans begleitet, wogegen das zweite Glied mit einer instrumentalen Variante des Gegenthemas gepaart wird (Oboe I T. 107–112). Danach duplieren die Instrumente wieder den Vokalsatz, bis das Gegenthema des Basses wie zuvor durch das Hauptthema in den Oboen ergänzt wird (T. 144–152).

Bevor auf die dritte Durchführung eingegangen werden kann, ist ein Blick auf die vorangehenden Zwischensätze erforderlich. Neumann widmete sich ihrer harmonischen Anordnung, die von den erweiterten Sequenzfolgen des Generalbasses getragen wird. Eine fallende Quintkette, die im ersten Fall von B- und im zweiten von Es-Dur aus ansetzt, wird durch mehrfache Einschaltung des Tritonus eine Terz verschoben, sodass am Ende das Fugenthema in der Tonika g-Moll anschließen kann.[109] Mit den Sequenzketten in Basslage verbinden sich nicht nur

[107] Dabei gleicht die Bassstimme in T. 82–84 der Oberstimme in der Modulationsphase des Ritornells (T. 33–35).
[108] Neumann, a. a. O., S. 80 f., sah in dem Satz »starke Duettzüge« und deutete die »Bindung an einen Ostinato« mit »Kadenzabschluß jeder Periode« als »Arien-Reminiszenzen«. Indes ergibt sich der zweistimmige Kernsatz aus der Anlage einer Doppelfuge, deren harmonisches Gerüst bis zum Themeneintritt des Basses beibehalten, aber gleichzeitig mehrfach modifiziert wird, sodass auch von keinem »Ostinato« im strengen Sinn zu reden ist.
[109] Vgl. das harmonische Schema ebd., S. 81, Anm. 187. Mit der Bemerkung, im zweiten Zwischensatz werde durch Kürzung der Quintkette die »Bogenstruktur des Vorbildes zerstört«, übersah Neumann, dass die Straffung der letzten Satzphasen vom Plan ihrer prozessualen Annäherung geleitet ist.

die wechselchörigen Akkordfolgen, mit denen das Ritornell begann. Vielmehr laufen die Sequenzen auch dann fort, wenn zwischen die Ritornellzitate zwei chorische Blöcke eingefügt werden. Dass dabei der Bass zugleich das Kopfmotiv des ersten Fugenthemas zitieren kann, verdeutlicht erneut die latenten Beziehungen zwischen Ritornell und Fuge. Dennoch erscheinen die vokalen Blöcke als unvermittelte Einschübe, sofern sich ihre Akkordfolgen aus der Imitation eines neuen Motivs ergeben, das durch abtaktige Viertel und eröffnenden Quartsprung gekennzeichnet ist. Indem aber dem Quartsprung eine fallende Sekunde folgt, gleicht sich die Stimmführung gleichzeitig der instrumentalen Motivik an.

Zwischensatz 1					Zwischensatz 2			
89–92	92–95	95–98	98–101	101–104	152–155	155–158	158–161	161–164
instrum.	vokal	instrum.	vokal	instrum.	instrum.	vokal	instrum.	vokal
B – Es	Es – As	As – f	F – B	B – g	Es – As	As – f	f – B	B – g

Abgesehen von der harmonisch bedingten Kürzung scheint der zweite Zwischensatz dem Muster des ersten zu entsprechen. Doch kreuzt sich der letzte Vokalblock mitsamt der Binnenimitation mit einem vorgezogenen Einsatz des Fugenthemas im Bass, sodass sich beide Schichten erstmals überlagern (T. 161–164). Rückblickend erscheint es als kein Zufall, dass das modulierende Glied zu Beginn des Gegenthemas stets mit einem prägnanten Quartsprung einsetzte und mehrfach imitierend potenziert wurde. Zwar begnügt sich die dritte Durchführung mit drei Einsätzen, doch geht ihr ein Themeneinsatz des Basses in B-Dur voraus, während seine Fortsetzung nach g-Moll lenkt. Danach erst folgt im Tenor und Alt die gewohnte Themenpaarung (T. 154–174), deren letztes Glied mit dem regulären Themeneinsatz des Basses zusammenfällt (T. 174–181). Gleichzeitig setzt der Sopran mit Quartsprung zu einer Variante des Gegenthemas an (T. 173 ff.). Und wenn der Auslauf der Fuge von einem dreitaktigen Rekurs auf den Zwischensatz abgelöst wird (T. 181 ff.), so verfließen die Differenzen der Teile, sodass es nur folgerichtig wirkt, wenn in der abschließenden Einbauphase – mit Spitta zu reden – »der ganze Chor in den Instrumentalsatz des Anfangs zurückgerissen wird.«[110] So unumgänglich es im Vokaleinbau zu »Stimmstückungen« kommt, so sinnfällig ist die vokale Stimmführung, die den Worten ihren angemessenen Nachdruck gibt.[111]

Obwohl das Autograph aufgrund zahlreicher Korrekturen »ausgeprägten Konzeptcharakter«[112] hat, dürften die Satzteile verschiedene Stadien des Arbeitsprozesses spiegeln. Da in den fugierten Abschnitten nicht die Themeneinsätze, sondern nur Details der Gegenstimmen verbessert wurden, dürften hier recht detaillierte Vorarbeiten vorausgegangen sein. Dagegen musste Bach im Ritornell und vor allem in den Zwischensätzen mehrfach eingreifen, um die instrumentale Stimmführung seinen Absichten gemäß zu modifizieren.

---

110 Spitta I, S. 626.
111 Neumann, a. a. O., S. 60.
112 NBA I/23, hrsg. von Helmuth Osthoff und Rufus Hallmark, 1982, KB (1984), S. 164–170, hier S. 164.

In der autographen Partitur (P 163) ist der Klangwechsel zu Beginn des Ritornells ebenso fehlerfrei geschrieben wie der Ansatz der sequenzierten Fortspinnung. Dennoch musste in Takt 6–9 nicht nur die füllende Viola, sondern in Takt 9–12 auch die erste Oboe geändert werden, wogegen weitere Korrekturen Viola (T. 22 und 28) und Violine II (T. 39) betrafen.[113] In der ersten Fuge galten die Verbesserungen vorab dem Instrumentalpart, der zum Themeneintritt der Vokalstimmen den Beginn des Ritornells aufnimmt (so Oboe II in T. 45 f. oder Violine II und Viola in T. 51–53).[114] Nach dem letzten Einsatz des Basses musste der Alt mehrfach korrigiert werden (T. 73 und T. 87–88), während die Instrumentalstimmen hier fast fehlerfrei blieben. Ähnlich verhält es sich in der zweiten Fuge, in der sich die Korrekturen wieder eher auf die Instrumental- als die Vokalstimmen richten (Continuo T. 107, Oboe I und Sopran T. 126 sowie Alt T. 135).[115] Und der fehlerfrei geschriebene Beginn der dritten Fuge deutet darauf hin, dass die anfängliche Überlagerung des Themas durch imitierende Oberstimmen von vornherein geplant gewesen sein dürfte (T. 161–163), während später nur Details im Alt (T. 164) und im Generalbass (T. 172) verbessert wurden. Desto auffälliger sind die Korrekturen der Abschnitte, die behelfsweise als »Zwischensätze« bezeichnet wurden.[116] Im ersten Fall (T. 89–104) folgt der Bass der Sequenzkette des Continuo, in der nur das Kadenzglied Korrekturspuren zeigt, während Sopran und Tenor neu gefasst wurden (T. 93–95). Wird diese Taktgruppe dann sequenziert, so sind es nicht die Vokal-, sondern die Instrumentalstimmen, die mehrfach korrigiert wurden (Violine I–II und Viola in T. 97–98). In der erheblich kürzeren zweiten Phase bedurften nur die Oboen einer kleinen Änderung (T. 159), während der letzte, auf vier Tate beschränkte Einschub, der ohne das sequenzierende Bassgerüst auskommt, eine ausführliche Korrektur im Tenor aufweist (T. 182–183). Dass der Instrumentalpart der abschließenden Einbauphase aus dem Ritornell bezogen wurde, zeigt eine Korrektur der Violinen in Takt 186, deren erste Lesart Takt 3 entsprach und dann dem Chorsatz zuliebe verändert wurde, während weitere Änderungen primär den Vokalpart betrafen (Sopran T. 203 und 309, Tenor T. 18).

Man kann den Rang des Satzes kaum prägnanter umschreiben als mit Spittas Worten: »Es ist dies ein Tonstück, das aus der unbeschränktesten Herrschaft über alle großen und kleinen Formen hervorging und zugleich das Problem der gleichmäßigen Verschmelzung von Instrumental- und Vocal-Musik in denkbarster Vollendung löste. Eine äußere Steigerung konnte nach diesem Eingange nicht mehr in Bachs Absicht liegen«.[117] Obwohl sich die letzte Formulierung auf den Schlusschoral des Werkes bezieht, trifft sie zwei grundlegende Kennzeichen. Kaum ein zweites Mal hat Bach einen Satz geschrieben, in dem Chor und Orchester voneinander derart unabhängig eintreten, um dann aber Schritt für Schritt aufeinander bezogen zu werden. Ebenso einzigartig ist die Fuge mit ihren zweigliedrigen Themen, die sich in ihrer Paarung wechselweise ergänzen. In der Verbindung einer derart komplexen Vokalfuge mit einem eigenständigen Ritornell fand das Kombinationsverfahren seine definitive Lösung. Obwohl in den folgenden Jahren weitere Chorsätze mit Bibeltexten ent-

---

113 Ebd., S. 164.
114 Ebd., S. 165.
115 Ebd., S. 167.
116 Vgl. dazu die Nachweise ebd., S. 166, 168 und 169.
117 Spitta I, S. 626.

standen, kam Bach nicht noch einmal auf die Aufgaben zurück, die er sich in der Satzreihe des dritten Jahrgangs gestellt hatte.

Hier ist der Ort, um auf die Kantate BWV 148 »Bringet dem Herrn Ehre seines Namens« zurückzukommen, deren Datierung nicht gesichert ist. Das Werk ist in einer Partiturkopie Johann Christoph Farlaus erhalten, in der es dem 17. Sonntag nach Trinitatis zugewiesen ist.[118] Da dieser Sonntag 1724 durch BWV 114 und 1726 durch BWV 47 belegt ist, bleibt die Wahl zwischen dem 19. September 1723 und dem 23. September 1725.[119] Weil der vierte Satz mit drei Oboen rechnet, die nicht im Eingangschor mitwirken, ist zweifelhaft, ob Farlau die Vorlage vollständig kopierte. Der Text schließt an eine 1725 gedruckte Dichtung von Henrici an, deren strophische Anlage für eine Kantate ungeeignet war. Allerdings fehlt hier der Psalmtext des Eingangschors aus BWV 148, und mit Ausnahme von Satz 4 stimmen nur einzelne Zeilen überein.[120] Während Dürr und Schulze der Datierung in das Jahr 1723 zuneigten, sprachen die »stilistischen Merkmale« für Küster gegen das frühe Datum.[121] Bevor sich die Frage klären lässt, ist daher der Eingangschor in den Blick zu nehmen, weil er am ehesten geeignete Kriterien verspricht. Der Text umfasst zwei Aufforderungen, die keiner Trennung bedürfen: »Bringet dem Herrn Ehre seines Namens; betet an den Herrn im heiligen Schmuck« (Ps. 29:2).[122] Entsprechend klar ist die formale Gliederung: Beide Textglieder werden den fugierten Abschnitten zugewiesen und durch das Ritornell eröffnet, das die Themen der Fugen vorwegnimmt und am Ende mit Choreinbau wiederkehrt.

1–34	34–41	41–50	51–73	73–100	100–110	110–113	114–147 (~ 1–34)
Ritornell Thema 1+2	vokaler Vorbau	Zwischenspiel	Fuge 1: Thema 1	Fuge 2: Thema 2	Zwischenspiel	vokaler Vorbau	Ritornell mit Choreinbau
T–D–T	T		T–D	D–Tp	Tp	Tp	Tp–D

Im Ritornell, das als »bautechnische Grundlage« fungiert,[123] intoniert die Trompete die beiden Themen, die von vornherein auf die Deklamation der Textglieder abgestimmt sind. Dem volltaktig betonten Grundton, der das Wort »bringet« akzentuiert, folgt die synkopisch verlängerte Quinte zum Verbum »betet«, während die anschließenden Sequenzfiguren mit den folgenden Worten verbunden werden. Beide Themen teilen die punktierten Halben, mit denen die Worte »Ehre« und »betet« aufeinander bezogen werden (Notenbeispiel 5). Werden die Themen von der ersten Violine auf der Dominante übernommen, so folgt auf der Subdominante in der Trompete das erste Thema, bevor eine Quintschrittsequenz zur Tonika und damit zum letzten

---

[118] Siehe oben, Anm. 14.
[119] Das in BWV²ᵃ genannte Datum »23.9.1727« beruht auf einem Druckfehler (der entsprechende Sonntag fiel 1727 nicht auf den 23. September, zudem war zu dieser Zeit Landestrauer angeordnet). Vgl. Kalendarium, S. 43 und 51 f.
[120] Vgl. die Nachweise in Anm. 15.
[121] Dürr, Die Kantaten, Bd. 2, S. 458; Schulze, Die Bach-Kantaten, S. 437; und Küster, Bach-Handbuch, S. 337.
[122] In BC, Bd. 2, S. 603 (A 140) wird alternativ auf Ps. 96:8–9 verwiesen, doch werden in diesem Psalm die beiden Textglieder durch einen weiteren Satz getrennt (»bringt Geschenke und kommt in seine Vorhöfe«).
[123] Neumann, a. a. O., S. 70.

Notenbeispiel 5

Einsatz im Continuo zurückführt (T. 27–30). Da die Fortspinnung mit Varianten der Kopfmotive bestritten wird, erscheint das Ritornell als homogener Block, sodass sich eher ein Konzertsatz als eine Chorfuge erwarten ließe.

Der ersten Fuge geht ein doppelter Vorbau voran, in dem die Themen in akkordischem Satz eingeführt werden. Während das erste Thema in der Trompete eintritt (T. 34–37[1]), wird das zweite in den Bass verlegt (T. 34–41). Dagegen verbindet das folgende Zwischenspiel die tonikale und die subdominantische Version des ersten Themas mit den fortspinnenden Figuren, die an die synkopische Rhythmik des Gegenthemas anschließen (T. 41–50). Was danach als Wiederholung des Vorbaus ansetzt, erweist sich zugleich als Beginn der ersten Fuge, deren Thema im Sopran eintritt. Bei regelmäßigem Wechsel von Dux und Comes begnügt sich die Fuge mit einer Durchführung, in der die Chorstimmen von den Streichern dupliziert werden, bis ein überzähliger Themeneinsatz der Trompete zur Tonika zurückführt. Da das Thema mit den Figuren der Fortspinnung verkettet wird, scheinen alle Stimmen thematisch geprägt zu sein. Das gilt auch für die zweite Fuge, in der der Comes und der Dux in anderer Stimmenfolge wechseln. Der letzte Basseinsatz wendet sich zur Subdominante, sodass ein modulierender Einschub erforderlich wird, der zur Subdominantparallele lenkt und damit den Teilschluss auf der Tonikaparallele vorbereitet (T. 94–100). Indem beide Fugen nach dem Muster des Ritornells direkt aneinander anschließen, erscheinen sie als durchlaufender Prozess, der die primär vokale Prägung des Ritornells beweist. Dem Satzschluss geht jedoch in der Mollparallele ein zweiter Einschub voraus, in dem sich die Reihenfolge des Zwischenspiels und des Vokalsatzes umkehrt. Der akkordische Chorsatz wird dabei auf das erste Thema verkürzt, dem das Ritornell mit Choreinbau folgt. Neumann meinte zwar, »die Texturierung des Instrumentalparts« entspreche »nicht einmal annäherungsweise der Melodiestruktur«.[124] Entscheidend ist jedoch, dass die Themen erst in der vokalen Fassung gleichsam zu sich selbst kommen. Je mehr sie durch die Texturierung Profil gewinnen, desto eher erscheint das Ritornell als Basis der Doppelfuge, die im abschließenden Vokaleinbau ihr Ziel erreicht.

Setzt man voraus, der Satz sei am 19. September 1723 aufgeführt worden, so fiele er in die Reihe der wechselnden Choralkombinationen. Freilich besagt das weniger als der Vergleich mit den entsprechenden Sätzen des ersten Jahrgangs. Am ehesten wäre dann der Eingangschor aus BWV 69a »Lobe den Herrn, meine Seele« in Betracht zu ziehen. Entstanden zum 15. August 1723, beschloss er die erste Folge dieser Sätze, die erst in der Weihnachtszeit mit BWV 40 fortgesetzt wurde. Dagegen

---

[124] Neumann, a. a. O., S. 70.

liegt in BWV 69a eine Doppelfuge mit getrennter Durchführung der Themen vor, die anschließend miteinander kombiniert werden. Das konzertant geprägte Ritornell enthält nur das erste, nicht aber das zweite Thema, während seine abschließende Wiederkehr ohne Choreinbau auskommt, der erstmals im Schlusteil des Chorsatzes aus BWV 190 »Singet dem Herrn« begegnet. Zudem geht die erste Fuge aus BWV 69a noch vom Permutationsverfahren aus, das zuvor in den Fugen mit Spruchtext nachwirkte. Nimmt man hinzu, dass die Fugenthemen in BWV 69a in einer vom Continuo gestützten Stimme exponiert werden, so dürften diese Indizien eher gegen als für die frühe Datierung des Satzes sprechen. Anders verhält es sich, wenn man annimmt, er sei später entstanden.[125] Falls er zum dritten Jahrgang gehörte, stünde er dort am Beginn der Kombinationsformen, die durch die wechselweise Verschränkung konzertanter und fugierter Phasen geprägt sind. Hier würde ihm der Chorsatz aus BWV 79 »Gott, der Herr, ist Sonn und Schild« folgen, der allerdings etwas komplizierter angelegt ist. Doch wird das thematische Material ebenfalls im Vorspiel eingeführt, während der Beginn der Vokalfuge durch instrumentale Figuren und akkordischen Chorsatz verdeckt wird. Näher noch steht der folgende Eingangschor aus BWV 43 »Gott fähret auf«, der ebenfalls ein Alla breve darstellt. War dieses Zeitmaß im ersten Jahrgang den motettisch angelegten Sätzen vorbehalten, so wird es in BWV 148 von konzertanten Zügen gekreuzt, die im Ritornell vorgebildet sind. Obwohl der Satz aus BWV 43 noch komplexer ist, teilt er mit dem Eingangschor aus BWV 148 die prägende Funktion der ersten Trompete und den Wechsel zwischen fugierten und akkordischen Phasen. Ebenso charakteristisch ist der Beginn der Fuge mit einem Einsatz des Basses, der durch das akkordische Tutti überdeckt wird. Zwar fehlt noch die abschließende Wiederholung des Ritornells mit Choreinbau, die den folgenden Sätzen gemeinsam ist.[126] Vor allem aber ist den Chorfugen die Distanz zum Permutationsschema gemeinsam, dem die Sätze des ersten Jahrgangs bis Weihnachten 1723 verpflichtet waren.[127]

Falls BWV 148 zu den Werken des dritten Jahrgangs gehört, würde sich nicht nur eine Lücke in der Chronologie schließen. Vielmehr rückt der Eingangschor in ein anderes Licht, wenn man ihn im Kontext der folgenden Sätze sieht. Der freie Umgang mit den Prinzipien der Fuge erscheint dann nicht mehr als Defizit, sondern als Zeichen jener Souveränität, die die Dicta des dritten Jahrgangs auszeichnet.

b. Chorsätze in instrumentalen Vorlagen

Neben den Werken nach »Meininger« Texten stehen zwei weitere Chorsätze, die ebenfalls Spruchtexte verwenden, aber auf anderen Voraussetzungen basieren. Die »vielbestaunten Choreinbauten« in BWV 110:1 und 146:2, die Neumann als »Kuriosa«

---

[125] Vgl. Küster, a. a. O., S. 338.
[126] Vgl. dazu die Chorsätze aus BWV 187, 45, 102, 17 und 47 (ein Sonderfall ist der Satz aus BWV 39 mit seiner textbedingten Zweiteilung).
[127] Der Abschied vom Permutationsprinzip, das Neumann mit der Bach'schen Chorfuge gleichsetzte, war ihm Grund genug, statt der andersartigen Fugen, die eigentlich sein Thema sein müssten, primär die Einbauphasen hervorzuheben, um den Primat des Instrumentalparts zu demonstrieren und den Vokalpart desto mehr zu tadeln.

betrachtete,[128] setzen präexistente Instrumentalsätze voraus, in die der Chorsatz nachträglich eingefügt wurde. Während die Kantate BWV 110 »Unser Mund sei voll Lachens« in einer autographen Partitur erhalten ist, die für den 1. Weihnachtstag 1725 entstand und den Eingangschor als Reinschrift bietet, liegt BWV 146 »Wir müssen durch viel Trübsal« in zwei Partituren vor, die beide den Sonntag Jubilate nennen, aber erst nach 1750 von Johann Friedrich Agricola und S. Hering geschrieben wurden und daher keine Auskunft über die Datierung der Werke geben. Nicht viel besser ist es um die Quellenlage der instrumentalen Vorlagen bestellt. Die D-Dur-Ouvertüre BWV 1069, deren erster Satz dem Eingangschor aus BWV 110 zugrunde liegt, ist in Stimmen überliefert, die Christian Friedrich Penzel um 1755 anfertigte, sodass die Entstehungszeit des Werks ungewiss bleibt.[129] Dagegen ist das d-Moll-Konzert BWV 1052, auf das die beiden ersten Sätze aus BWV 146 zurückgehen, in der autographen Sammlung der Cembalokonzerte enthalten, die Bach um 1738 anlegte. Doch geht diese Fassung offenbar auf eine frühere Version für ein Melodieinstrument – wohl Violine – zurück, die jedoch verschollen ist.

Während Wolff davor warnte, die Orchesterwerke, die vor der Leipziger Zeit entstanden, in die Köthener Jahre zu verlegen,[130] hielt es Geck für problematisch, sie »mehr oder weniger pauschal für die Leipziger Zeit zu reklamieren«.[131] Die chronologischen Probleme sind bereits mehrfach erörtert worden, sodass sie hier nicht nochmals resümiert werden müssen.[132] Sie ändern nichts an dem paradoxen Befund, dass die vokalen Fassungen als früheste Quellen der Sätze gelten müssen, die gleichzeitig ihre Vorlagen waren.[133] Das gilt aber auch für weitere Kantatensätze, deren Vorlagen ihrer Bearbeitung vorangingen und insgesamt fast ein Viertel der erhaltenen Orchesterwerke betreffen.[134] Will man sich nicht mit der Feststellung begnügen, aufgrund der desolaten Quellenlage sei nicht mehr zu sagen, so ist man auf den Vergleich der Fassungen angewiesen. Dabei kann man davon ausgehen, dass die Orchesterwerke nicht erst in Leipzig entstanden sein dürften. Denn es ist unwahrscheinlich, dass Bach schon bald nach Amtsantritt über ein entsprechendes Ensemble verfügte und neben der Fülle seiner Kantaten noch Zeit für neue Orchesterwerke fand. Auch seine Scheu, die eigenen Werke in dichten Abständen zu wiederholen, passt kaum zu der Annahme, er könne Orchesterwerke der ersten Leipziger Jahre wenig später in vokalen Fassungen aufgeführt haben. Daher lässt sich annehmen,

---

128 Neumann, a. a. O., S. 100.
129 Vgl. Siegbert Rampe, Bachs Orchester- und Kammermusik, Teilband I: Orchestermusik, Laaber 2013, S. 114–117. Dem Werk ging vermutlich eine Erstfassung ohne Trompeten voraus, vgl. Joshua Rifkin, »Klangpracht und Stilauffassung. Zu den Trompeten der Ouvertüre BWV 1069, in: Bach und die Stile. Bericht über das 2. Dortmunder Bach-Symposion 1998 (Dortmunder Bach-Forschungen 2, hrsg. von Martin Geck), S. 327–340.
130 Christoph Wolff, Die Orchesterwerke J. S. Bachs. Grundsätzliche Erwägungen zu Repertoire, Überlieferung und Chronologie, in: Bachs Orchesterwerke. Bericht über das 1. Dortmunder Bach-Symposion 1996 (Dortmunder Bach-Forschungen 1, hrsg. von Martin Geck), Dortmund 1997, S. 17–30, hier S. 24 f.
131 Martin Geck, »Köthen oder Leipzig?« – Erwiderung auf Christoph Wolff, ebd., S. 31 f.
132 Vgl. Konrad Küster, Zur Überlieferung des Bachschen Orchesterwerks, ebd., S. 33–58, besonders S. 57 f.
133 Das darf auch für BWV 146:1–2 gesagt werden, da das Werk jedenfalls vor 1738 entstanden ist.
134 Vgl. dazu die Tabelle 1 bei Wolff, a. a. O., S. 24 f.

dass die fraglichen Orchesterwerke eher in die Köthener als in die Leipziger Jahre zurückgehen dürften.[135]

Trotz aller Unwägbarkeiten lassen die erhaltenen Fassungen die Verfahren erkennen, die Bachs Choreinbauten auszeichnen. Dabei ist von dem Eingangschor aus BWV 110 auszugehen, dessen Datierung als gesichert gelten darf.[136] Da die Rahmenteile der Vorlage übernommen werden, beziehen sich die folgenden Bemerkungen auf den fugierten Mittelteil. Die »Trompetenbesetzung« der Ouvertüre hielt Küster für eine »nachträgliche Erweiterung der vokalen Fassung, auf deren zusätzlichen Glanz« Bach später »nicht mehr verzichten wollte«.[137] Obwohl die Hauptquellen den Trompetenpart enthalten, ist die Vermutung nicht unbegründet, weil sich die Trompeten auf akkordische Akzente beschränken und im Übrigen nur die anderen Stimmen duplieren.[138] Daher kann sich der Überblick auf die Streicher und die Oboen beschränken, die weithin colla parte geführt und als Oboenchor zusammengefasst werden.[139] In den fugierten Phasen werden die Gruppen zusammengeführt, während sie dazwischen getrennt eingesetzt werden. Dass sich die Satzteile nicht so klar wie in BWV 1069 unterscheiden, liegt an zwei Maßnahmen.[140] Zum einen zehren die Zwischenspiele, die dort durch konzertante Figuren abgehoben werden, in BWV 1069 von der Thematik der Fuge, deren Fortspinnung alle Satzteile prägt. Zum anderen werden sie durch zweitaktige Gruppen getrennt, die auf der zuvor erreichten Stufe verharren und im folgenden Schema als Zusätze (+) bezeichnet werden. Während das erste Zwischenspiel den Oboen und das letzte den Streichern vorbehalten ist, wird das mittlere durch den Wechsel der Gruppen hervorgehoben. Da der Mittelteil durch einen Themeneinsatz des Basses eröffnet und durch zwei Einsätze der Oberstimmen ergänzt wird, werden die Differenzen der Teile zunehmend unterlaufen.

24–45 + 46–47	48–66 + 67–68	69–86 + 87–88	89–125 + 126–127	128–146	147–166 (= 28–45)
1. Durchführung	1. Zwischenspiel	2. Durchführung	2. Zwischenspiel (mit 3. Durchführung 95–105)	Fortsetzung	4. Durchführung (= 1.): »Reprise«
2 – 3, 1 – 4	Oboen	1 – 4, 1 – 2	(Ob. 1–3, B.)	Streicher	1 – 4
e – a, a – d		e – a, h – e	(g – fis – e)		a – d
T – D – T	T – D	D – D	D – Tp – S	S – T	T – D – T

1 – 4 = 1. – 4. Stimme (in fallender Folge); e – a = Einsatzstufen der Themenpaare

---

135 Eine Ausnahme ist die 1729 datierte Sinfonia BWV 174:1, deren Vorlage BWV 1048:1 in der 1721 entstandenen Widmungspartitur der Brandenburgischen Konzerte erhalten ist.
136 Neben den in Anm. 88–89 genannten Beiträgen ist das Literaturverzeichnis von Konrad Küster zu nennen, vgl. Bach-Handbuch, hrsg. von dems., Kassel u. a. 1999, S. 934 f.
137 Konrad Küster, ebd., S. 932.
138 Dass BWV 1069 ursprünglich ohne Trompeten und Pauken auskam, vermuteten bereits Besseler und Grüß, vgl. NBA VII/1, 1967, KB, S. 85 f. und 91.
139 In BWV 110 treten zwei Flöten hinzu, die nicht in der autographen Partitur, sondern nur in den Stimmen enthalten sind und mit den Violinen bzw. Oboen zusammengeführt werden, vgl. dazu die Quellenbeschreibung von Dürr in: NBA I/2, KB, S. 54–65.
140 Erst eingehende Vergleiche könnten zeigen, ob diese Unterschiede als Kriterien einer relativen Chronologie gelten können.

So befremdlich eine »Reprise« in einer Lehrbuchfuge wäre, so schlüssig fungiert sie hier als Resümee des motivischen Prozesses, der vom Fugenthema ausgeht und den gesamten Satzverlauf umspannt. Das Thema beginnt mit zwei Sequenzgliedern,[141] die einen Terzraum umschreiben, bevor sie im dritten Takt durch punktierte Tonrepetitionen abgefangen und fortgesponnen werden. Da diese Formeln als motivische Ableitungen wirken, scheinen die Zwischenspiele an das Thema anzuschließen, dessen erste Takte mehrfach eingeblendet werden. Je mehr der dritte Thementakt abgespalten wird, desto mehr werden die punktierten Tonrepetitionen in das motivische Geflecht einbezogen. In dem Maß, in dem das Fugenthema zum Gegenstand der motivischen Arbeit wird, verfließen die Grenzen der Formteile. Da anfangs jeweils zwei Themeneinsätze kanonisch gepaart werden, nennt das Schema neben der Stimmlage die Einsatzstufen, während die Angaben zu den Einsätzen des zweiten Zwischenspiels eingeklammert werden. Die Einsatzfolge hängt insofern mit dem harmonischen Plan zusammen, als den beiden ersten Durchführungen Zwischenspiele folgen, die zur Dominante bzw. Parallele führen. Desto freier sind die gekürzten Themeneinsätze des zweiten Zwischenspiels, das zur Subdominante lenkt, um am Ende die Tonika zu erreichen.

Zu den Prämissen des Satzes zählt die Textvorlage, die eine Kontraktion der Verse 2–3 aus Psalm 126 darstellt.[142] Durch Auslassung des ersten Worts aus Vers 2 (»dann«) und Austausch der folgenden Worte (»wird unser«) ergibt sich ein erstes Glied (α: »unser Mund sei voll Lachens und unsre Zunge voll Rühmens«), dem statt des folgenden Verses die kürzere Fassung aus Vers 3 folgt (β: »denn der Herr hat Großes an uns getan«). Zwar schließt der Vokaleinbau an die vorgegebenen Instrumentalstimmen an, da jedoch die Binnenauftakte entfallen, kann das Fugenthema mit dem ersten Textglied verbunden werden, während das zweite Glied auf die Zwischenspiele entfällt (Notenbeispiel 6). Obwohl die Schlüsselworte angemessen deklamiert werden, wird die Disposition durch die Texturierung überformt. Dürr wies darauf hin, dass der erste Takt der Vorlage eliminiert und durch einen eingefügten Takt kompensiert wird (T. 24 bzw. T. 27).[143] Demnach beginnt die Chorfassung mit dem Alteinsatz, der durch zusätzliche Einsätze im Tenor und Sopran ergänzt wird,

Notenbeispiel 6

---

141 Die auftaktige Artikulation führt auch hier zu einer Taktverklammerung, die im Blick auf die abweichende Vokalfassung im nachfolgenden Schema unberücksichtigt bleibt.
142 Zum Text vgl. Elisabeth Noack, BJ 1970, S. 15. Michael Maul vom Bach-Archiv Leipzig verdanke ich eine Kopie der Quelle, aus der hervorgeht, dass die Kontraktion des Textes auf Lehms zurückgeht.
143 Vgl. NBA I/2, KB, S. 68 f.

sodass sich zugleich die Stufenfolge der Einsätze verschiebt. Entsprechend werden im Schlussteil die ersten Takte der Vorlage (T. 147–151) durch die Takte 24–28 ersetzt, die zugleich die »Reprise« der Exposition eröffnen.[144]

24–45 + 46–47	48–67	67–87	87–99	99–108	108–113	113–126/ 128	128–146	147–168
1. Durchf.	1. Zwsp.	2. Durchf.	2. Zwsp.	3. Durchf.	3. Zwsp.	Engführung	4. Zwsp.	= 28–44
A – T, S – B	S, A, T	S – B, S – A	S, A, T, B	S, A, T, B	S, A, B – B	S – A, T – B	B	A – T, S – B
$a-d, e-d$		$e-a, h-e$		$fis - h - cis - h$		$d-g, a-g$		$a-d, e-d$
α	β	α	β	α	β – α – β	α	β	α

S, A, T, B = Sopran, Alt, Tenor, Bass; α, β = Glieder der Textvorlage

Entscheidend sind jedoch weitere Änderungen, die Bach im internen Satzverlauf vornahm. Während das Textglied β in den beiden ersten Zwischenspielen auf drei bzw. vier Stimmen verteilt wird, erscheint es in den Takten vor der Reprise nur in der Bassstimme. Die Themeneinsätze, die sich im zweiten Zwischenspiel der Vorlage abzeichneten, werden in der Bearbeitung derart erweitert, dass sie zu einer Durchführung umgebildet werden. Zum einen werden die motivischen Figuren, die in der Vorlage das Zwischenspiel eröffneten, im Bass zu verkürzten Themeneinsätzen mit dem Textglied α umgebildet und durch Tenoreinsatz ergänzt, der in der Orchesterfassung fehlte (T. 99–108). Anschließend werden die Textglieder simultan gekoppelt (T. 108–117), doch folgt ihnen eine weitere Kette von Einsätzen, die aufgrund der fallenden Folge der Stimmen als reguläre Durchführung erscheinen (T. 117–126).

Obwohl die vokale Fassung aus dem Orchestersatz abgeleitet ist, bildet sie eine neue Version der Vorlage. Die Abstufung zwischen den Durchführungen und den Zwischenspielen wird durch den Vokalpart verdeckt, sodass sich vom Tuttisatz nur noch die Episode mit dem Basssolo abhebt (T. 128–147). Zwar wird das Fugenthema in den eingefügten Einsätzen auf den ersten Takt verkürzt, doch bedarf es nur dieses Taktes, um in der Folge der Stimmen den Eindruck einer Durchführung zu erwecken. Das Verfahren der »Themenstückung«, das Neumann am Choreinbau kritisierte,[145] dient hier der kontrapunktischen Überformung des Satzes. Nicht selten genügten einzelne Töne für die Erfindung einer Linie, die selbst Pausen der Vorlage zu überbrücken vermag. Schon im dritten Takt entsteht aus instrumentalen Tonwiederholungen ein Melisma des Alts, das mit dem Wort »Lachens« zusammenfällt (T. 26). Und im ersten Zwischenspiel lässt sich verfolgen, wie bloße Füllstimmen zur prägnanten Formulierung des Vokalparts umgeformt werden (T. 58–67). Dass auf gleiche Weise die Vokalstimmen im dritten Zwischenspiel abgeleitet werden, zeigen exemplarisch die Takte 118–122, in denen der Sopran, der Alt und der Bass auf instrumentale Figuren zurückgehen, während der verkürzte Einsatz des Tenors eine Formel der zweiten Stimme ausnutzt.

---

144 Vgl. die Notenbeispiele ebd., S. 70 f.
145 Neumann, Bachs Chorfuge, S. 95.

Die autographe Partitur (P 153) wirkt weithin wie eine Reinschrift, in der die Arbeit am Choreinbau nur geringe Spuren hinterließ. Dass der Instrumentalpart eine Abschrift bildet, die nur wenige Versehen aufweist, versteht sich von selbst. Die ursprünglich geplante Wiederholung der Einleitung wurde nachträglich gestrichen, sodass der erste Ton des Themas entsprechend geändert werden musste. Dass der Vokaleinbau bei den Eingriffen am Beginn und am Ende der Fuge kaum Korrekturen zeigt, legt den Gedanken nahe, Bach habe auf eine Skizze zurückgegriffen. Je weiter der Choreinbau fortschritt, desto eher begegnen in den Vokalstimmen einzelne Verbesserungen, die im Kritischen Bericht detailliert genannt werden. So zögerte Bach im ersten Zwischenspiel, bevor er sich dazu entschloss, den ersten Ton des Soprans in Takt 51 von einer Halben zur Viertelnote zu verkürzen und die folgenden Noten in der gültigen Form zu schreiben. Ähnlich entschied er sich im dritten Zwischenspiel erst nachträglich dafür, eine Viertelnote des Alts in Takt 128 so zu ändern, dass sich ein steigender Dreiklang ergab, während er die in Terzparallelen verlaufende Tenorstimme ohne Korrektur notierte. Mitunter hatte er auch Schwierigkeiten, im dichten Stimmgeflecht den Text unterzubringen, doch bleibt es erstaunlich, mit welcher Sicherheit er den Vokalsatz niederschrieb.

Das Verfahren des Vokaleinbaus wird in BWV 110 zu einer Virtuosität getrieben, die ihresgleichen sucht. Ein Gegenbeispiel wäre der Eingangschor aus BWV 146 (Satz 2), der aber nur in Abschriften überliefert ist, sodass seine Datierung offen ist.[146] Weil am Sonntag Jubilate 1724 und 1725 die Kantaten BWV 12 und 103 aufgeführt wurden, kann BWV 146 frühestens 1726 entstanden sein. Da die ersten Sätze auf das Cembalokonzert BWV 1052 zurückgehen, dessen Finale die wohl 1728 entstandene Kantate BWV 188 eröffnet, wollte Dürr »die Entstehung der Kantate 146 nicht später als 1728 ansetzen«.[147] Doch ist der Verweis auf BWV 188 aus mehreren Gründen nicht zwingend. Zum einen müssen zwei Kantaten, die Sätze desselben Konzerts verwenden, nicht in zeitlicher Nähe entstanden sein. Zum anderen handelt es sich in BWV 188:1 und 146:1 um Instrumentalsätze ohne Vokaleinbau. Daher läge es näher, Arien wie BWV 35:2 oder 169:5 heranzuziehen, die ebenfalls aus Konzertsätzen hervorgingen. Die Einfügung einer Solostimme in einen Konzertsatz war jedoch eine andere Aufgabe als der Einbau eines Chorsatzes. Als nächste Parallele wäre daher der Chorsatz aus BWV 110 zu nennen, der zu Weihnachten 1725 entstand. Da er wie die genannten Arien zum dritten Jahrgang zählt, liegt die Folgerung nahe, dass BWV 146 in diesem Kontext und somit zu Jubilate 1726 entstanden sein dürfte.

Der langsame Satz aus BWV 1052 kommt dem Vorhaben des Choreinbaus insofern entgegen, als er im Unisono beginnt und endet. Statt in beiden Phasen denselben Chorsatz zu verwenden, formte Bach sie zu Eckpfeilern eines Prozesses, der vom akkordischen Beginn bis zur Imitationskette des Schlussteils reicht. Dabei

---

[146] Zu den Abschriften von Agricola und Hering vgl. NBA I/11.2, hrsg. von Reinmar Emans, KB S. 68 f.
[147] Dürr, Die Kantaten, Bd. 1, S. 269. Zur mutmaßlichen »Urform« als Violinkonzerts vgl. Ulrich Siegele, Kompositionsweise und Bearbeitungstechnik in der Instrumentalmusik Johann Sebastian Bachs, Neuhausen-Stuttgart 1975 (Tübinger Beiträge zur Musikwissenschaft 3), S. 101–112; Werner Breig, Bachs Violinkonzert d-Moll – Studien zu seiner Entstehungsgeschichte, in: BJ 1976, S. 7–34; Ralph Leavis, Zur Frage der Authentizität von Bachs Violinkonzert d-Moll, in: BJ 1979, S. 19–28. Ein Rekonstruktionsversuch von Wilfried Fischer erschien in NBA VII/7, 1970, S. 3–30 (vgl. dort auch KB, S. 36–62).

Notenbeispiel 7a

Notenbeispiel 7b

war er jedoch an die Struktur der Vorlage gebunden, die einen Variationensatz mit ostinatem Bassmodell darstellt. Obwohl nicht von einer Passacaglia zu reden ist, wird man an den Chorsatz »Weinen, Klagen« aus BWV 12 erinnert, der allerdings noch strenger geformt ist. Der Text »Wir müssen durch viel Trübsal in das Reich Gottes eingehen« (Apg. 14:22), der vom Evangelium zu Jubilate ausgeht, legte eine ähnliche Tönung nahe. Es ist also nicht auszuschließen, dass der Gedanke an das frühere Werk Bach dazu veranlasste, als Vorlage den Ostinatosatz aus BWV 1052 zu wählen, dessen Solopart für Orgel umgeschrieben wurde. Dass die Solostimme eine Oktave tiefer als in der Cembalofassung notiert ist, ist deshalb zweitrangig, weil sich die Differenz auf der Orgel durch ein 4'-Register ausgleichen lässt.[148] Ohnehin wird der Solopart, der im Konzertsatz den Variationsprozess übernimmt, in BWV 146 durch den Chorsatz überdeckt. (Zum Folgenden vgl. Notenbeispiel 7a–b.)

Der Vergleich mit dem Ostinatothema aus BWV 12 macht die kompliziertere Struktur des Modells aus BWV 1052 einsichtig. Während dort das Gleichmaß des 3/2-Takts den gesamten Verlauf prägte, wird hier das Gefälle des 3/4-Takts wechselnd modifiziert. Beginnend auf dem Grundton, wird ein steigender Dreiklang in repetierte Achtel zerlegt und durch eine fallende Septime ergänzt, um im nächsten Einsatz mit einer Pause zu enden. Ein neuer Ansatz auf der Dominante beginnt zwar analog, doch wird die Dreiklangsbrechung diesmal auf drei Takte erweitert und durch eine dreitaktige Sequenz verlängert, deren Wechselnoten mit Sprungfiguren kombiniert

---

[148] Vgl. dazu Werner Breig, NBA VII/4, KB, S. 53, sowie Reinmar Emans, NBA I/11.2, KB, S. 83 ff., ferner Siegbert Rampe, Bachs Orchestermusik, S. 372–375.

werden. Von der Teilung in drei Achtel, die sich dabei abzeichnet, geht der auftaktige Ansatz der letzten Gruppe aus, die eine »neapolitanische« Kadenz umschreibt. Damit ergibt sich ein Thema mit drei Gliedern, die zuerst zwei, danach drei plus drei und zuletzt zwei plus zwei Takte umfassen. Obwohl die repetierten Achtel volltaktig beginnen, setzen die anschließenden Zweitakter auftaktig an, sodass das zwölftaktige Modell in Takt 13 ausläuft. Zwölf viertaktigen Perioden in BWV 12, die nahtlos ineinandergreifen, stehen in BWV 1052 sechs, aber erheblich längere Perioden gegenüber. Da das Ostinatomodell mehrfach transponiert wird, werden kurze Einschübe erforderlich, die das folgende Schema anzudeuten sucht.

Periode 1	Periode 2	Einschub	Periode 3	Einschub	Periode 4	Einschub	Periode 5	Periode 6
1–13	14–26	26–29	29–42	43–44	45–57	57–60	60–74	75–87
g	g – c	c – d	d – B	G^7	c – c	c – g	g – c – g	g

Die durch Pausen markierte Gruppierung, die im Unisono der ersten Periode besonders deutlich hervortritt, bleibt auch dann noch wirksam, wenn das Bassgerüst durch akkordischen Streichersatz ausgefüllt wird. In ihm zeichnen sich steigende oder fallende Linien ab, die jenseits der Pausen korrespondieren. Die Aufgabe, die Zäsuren durch die Ornamentierung zu überspielen, fällt dem Solopart zu, der die Ansätze der Streicher vorwegnimmt, um kleine Imitationen anzudeuten. Wenn umgekehrt der Solist der Begleitung den Vortritt lässt, so ergibt sich im Wechsel der Partner ein Prozess, der über die Zäsuren hinwegträgt.

Man mag bedauern, dass dieses filigrane Geflecht im Kantatensatz hinter dem Choreinbau zurücktritt. Der scheinbare Verlust wird jedoch durch die Kunst ausgeglichen, die den Vokalpart auszeichnet. Eine erste Maßnahme bestand in der Reduktion der solistischen Ornamentierung. Trotz mancher Varianten in den Abschriften ist kaum zu bezweifeln, dass die Orgelstimme auf eine authentische Vorlage zurückgeht. Obwohl der Rahmensatz übernommen wird, weist der Solopart nur selten kleinere Werte als Sechzehntel auf, während die Vorlage von Zweiunddreißigsteln durchzogen war. Offenbar wurde die Figuration zurückgenommen, um im gemessenen Tempo des Chorsatzes dem Affektgehalt des Textes Nachdruck zu geben. Der Vokalpart überlagert nicht nur die Pausen, sondern auch die Periodenfolge des Ostinato, sodass dem Solisten mit den Streichern nur der erste Einschub überlassen bleibt (T. 26–29), während die Orgel die Pausen des Chores ausfüllt (T. 15, 31, 46 und 62). In der Regel werden die Zäsuren durch auftaktige Einsätze (T. 13, 42 und 60) oder durch die Melismen des Chores verdeckt (T. 11, 13, 33 f., 38 und 64 f.). Zwar lässt sich das Verfahren auf keine Formel bringen, doch sind die Rahmenteile exemplarisch, weil sie dem Vokaleinbau mehr Raum als sonst lassen.

In der ersten Periode scheint ein akkordischer Chorsatz vorzuliegen, der durch kleine Melismen bereichert wird. Während die Oberstimmen zu akkordischen Vierteln gebündelt werden, wird der steigende Dreiklang des Ostinato zu einer skalaren Linie umgebildet (T. 1). Sobald sie dem Septsprung der Vorlage folgt, erweitert sich der Sopran zu einem Melisma, das den Spitzenton des Modellsatzes übersteigt, um zum Wort »Trübsal« in einem Halteton zu verharren (T. 2 ff.). Während er von den Mittelstimmen mit weiten Melismen ausgefüllt wird, werden im Bass die repetierten

Achtel der Vorlage zu Vierteln zusammengefasst (T. 3–5). Wo in der Vorlage eine sequenzierte Pendelfigur ansetzt (T. 6–8), wechselt der Chorsatz zu gleichmäßiger Achtelbewegung, deren Stimmführung auf die letzten Worte hinführt, um danach abzusinken (T. 9–13: »in das Reich Gottes eingehen«). Zwar ist der Chorsatz nicht an die Töne gebunden, die im Streicherpart der folgenden Perioden vorgegeben sind. Desto bemerkenswerter ist die Kunst, mit der die Vorlage durch die Textierung umgeformt wird. Das lässt sich zumal an den Nahtstellen verfolgen, die durch vorgezogene Auftakte des Vokalparts überbrückt werden (T. 13, 29, 42 oder 57). Je weiter der Prozess voranschreitet, desto mehr löst sich der Sopran von der Oberstimme der Vorlage, um eine eigene Gegenstimme auszubilden (vgl. T. 48–55). Wo in den Pausen der Vorlage ein vorgezogener Einsatz durch die Gegenstimmen beantwortet wird (T. 42 f. und T. 52 ff.), deutet sich das Imitationsverfahren an, das der letzten Periode vorbehalten bleibt. Ihr Beginn wird durch repetierte Achtel des Soprans verdeckt, die ein Motiv ausbilden, das die übrigen Stimmen imitieren (T. 74–77), bevor sie im Schlussglied der ersten Periode münden (T. 81–87 ~ 7–13).

Die schrittweise Verdichtung des Satzes bekundet ein konstruktives Denken, über das nur Bach verfügte. Es ist daher unverständlich, dass die Authentizität des Satzes bezweifelt werden konnte, obwohl der Parallelfall in BWV 110 seit jeher bekannt war.[149] Der Vokaleinbau im Ostinatosatz ist zwar nicht mit dem Chorzusatz in einer Fuge gleichzusetzen, bei allen Unterschieden werden aber beide Vorlagen in gleicher Richtung umgeformt. Wie der Chorsatz die Phasen der Fuge übergreift, so verdeckt er im Ostinatosatz die Grenzen der Perioden. Die Hinweise dürften hinreichend beweisen, dass die Sätze – mit Neumann zu reden – keine bloßen »Kuriosa« sind. Sie bilden vielmehr die Quintessenz einer Einbaukunst, die im dritten Jahrgang auch die Schlussphasen der großen Dicta prägt.

Der Preis für die Transformation der instrumentalen Sätze lag in ihrer Umbildung, mit der die Vorlagen aber keineswegs entwertet wurden, wie ihre späteren Aufführungen zeigen. Während in BWV 110:1 die Struktur der Fuge verschleiert wurde, blieb in BWV 146:2 die Orgelstimme ein Relikt des ursprünglichen Konzertsatzes. Zwar mag Bach diese Experimente als Herausforderungen verstanden haben, doch hat er sie später nicht nochmals wiederholt. Jedenfalls weist keiner der erhaltenen Chorsätze auf eine instrumentale Vorlage zurück, sodass man sich vor weiteren Vermutungen hüten sollte. Verführerisch wäre es, beide Sätze als Vorstufen zu den Schlussteilen der folgenden Dicta zu betrachten. Dagegen sprechen nicht nur frühere Sätze, sondern auch die Varianten in späteren Chören. Insgesamt zeichnet sich aber eine schrittweise Erweiterung des Verfahrens ab, die mit seiner wachsenden Differenzierung einherging. Ausgehend von den Ritornellen der Arien, wurde der Vokaleinbau in Weimar auf Chorsätze zu metrischen Dichtungen überführt. Im ersten Leipziger Jahrgang begannen die Versuche, ihn auch bei Spruchtexten einzusetzen, während er im zweiten Jahrgang für die entsprechenden Phasen der Choralchorsätze verwendet wurde, um schließlich die Schlussphasen der Dicta des dritten Jahrgangs

---

[149] Vgl. besonders Arnold Schering, Beiträge zur Bachkritik, in: BJ 1912, S. 124–133, hier S. 127 f., sowie die weiteren Nachweise von Reinmar Emans in NBA I/11.2, KB S. 82 f.

zu krönen. Insofern sind die Sätze aus BWV 110 und 146 Stationen eines Weges, an dessen Ende die Umarbeitung deutsch textierter Kantatensätze zu Bestandteilen lateinischer Messen stand.

c. Chorsätze zu Dichtungen

Mit Ausnahme einiger Parodien basierten die Leipziger Eingangschöre bisher auf Bibel- oder Choraltexten, die zum Fundus des liturgischen Repertoires zählten. Erstmals seit der Weimarer Zeit greifen aber fünf Chorsätze des dritten Jahrgangs auf gedichtete Texte zurück. Am Beginn dieser Reihe steht mit BWV 72 (zum 3. Sonntag nach Epiphanias 1726) eine Dichtung aus demselben Jahrgang von Salomon Franck, den Bach in den Weimarer Kantaten verwendet hatte.[150] Am Neujahrstag ging die Kantate BWV 16 voraus, deren Eingangschor eine Choralbearbeitung darstellte. Dass der Text in BWV 19:1 mit einem Bibelvers begann, war wohl der Anlass dafür, den Satz als Fuge anzulegen. Wie der Eingangschor aus BWV 34 zeigte, konnten mitunter aber auch gedichtete Texte als Fugen vertont werden.

Obwohl der erste Satz aus BWV 72 bei Franck als »Aria« bezeichnet ist, schrieb Bach – ähnlich wie in den Weimarer Kantaten BWV 31 und BWV 161 – einen Chorsatz, der durch das Metrum der Verse geprägt ist. Zwar war kein Da capo vorgeschrieben, da die erste Zeile aber am Ende wiederkehrt, entwarf Bach eine variierte Da-capo-Form, deren erster Teil (Zeilen 1–3) zur Subdominante führt, während der Mittelteil (Zeilen 4–5) zur Molldominante moduliert und der Schlussteil (Zeilen 6–7) zur Tonika zurückkehrt. Die Rahmenteile gründen auf dem Material des Ritornells, das sich auf die Deklamation der ersten Zeile bezieht (T. 1–17). Dabei lösen sich die Violinen mit Sechzehntelfiguren ab, die durch akkordische Viertel der Oboen ergänzt werden. Während das Tutti das Wort »Alles« in Vierteln deklamiert, wird es im Sopran in eine Koloratur aufgelöst, die anschließend von den Unterstimmen imitiert wird. Sobald die Stimmen in Achteln auslaufen, entsprechen sie dem trochäischen Metrum der Textvorlage. Bei der Kombination der Motive ergibt sich ein akkordischer Satzverband, der durch die instrumentalen Figuren konzertante Züge erhält und mit der Wiederholung des Ritornells mit Choreinbau abgeschlossen wird (T. 17–61). Im Mittelteil dagegen werden die Worte »Gottes Wille soll mich stillen« (Zeile 4) in Achteln deklamiert und vom Orchester in akkordischen Vierteln begleitet (T. 61–76). Der zwei Quinten aufsteigende Modulationsweg bedient sich einer Sequenzkette, deren Glieder durch Haltetöne verbunden und mit einer Kadenz in e-Moll abgeschlossen werden. Desto überraschender greift die folgende Zeile auf die Koloraturen des ersten Teils zurück, die sich mit den Worten »bei Gewölk und Sonnenschein« verbinden (T. 76–80). Indem die Anfangszeile auf gleicher Stufe anschließt, wird der Mittelteil mit dem Da capo verkettet, während am Schluss des Satzes das Ritornell mit Choreinbau wiederholt wird.

> Obwohl die Satzstruktur nicht ganz so komplex wie in den fugierten Dicta ist, weist das Autograph (P 54) zahlreiche Korrekturen auf, die darauf hindeuten dürften, dass

---

150 Salomon Franck, Evangelisches Andachts-Opffer, Weimar 1715.

der Niederschrift kein Entwurf voranging. Dafür spricht auch eine Skizze (Bl. 1ʳ), die dem Part des Continuo in Takt 13–16 entspricht und dort nochmals korrigiert wurde.[151] Mitunter wurde der Vokalpart geändert wie in Takt 30, wo der zunächst tiefer liegende Sopran in den ersten drei Noten um eine Terz aufwärts versetzt wurde. Im Übrigen aber gewinnt man den Eindruck, als habe Bach zunächst den Vokalsatz notiert und anschließend den Instrumentalpart eingetragen. Das gilt besonders für die Nahtstelle zwischen dem Mittelteil und der variierten Reprise, wo die Streicherstimmen in Takt 75–78 mehrfach berichtigt wurden.

Insgesamt schließt der Satz nicht an die letzten Weimarer Eingangschöre an, die erstmals konzertante und fugierte Satzteile verbanden.[152] Während sie im Textdruck als »Chorus« bezeichnet waren, zeigte der Text zu BWV 72:1 – wie erwähnt – die Angabe »Aria«. Sie war wohl der Anlass zur Wahl einer Struktur, die den Satz in die Nähe der Pendants aus BWV 31 und 161 rückt und zugleich von den Dicta des dritten Jahrgangs unterscheidet. Obwohl für BWV 16 kein Textdruck vorliegt, sind die Voraussetzungen insofern vergleichbar, als der dritte Satz mit »Aria tutti« überschrieben ist.[153] Desto überraschender ist es, dass die chorischen Anteile von Neumann als Permutationsfugen bezeichnet wurden.[154] Da die Fugen des dritten Jahrgangs nicht dem Permutationsverfahren entsprechen, wäre es erstaunlich, wenn es in einer Arie zur Geltung käme. Doch handelt es sich um eine variierte Da-capo-Form, deren Rahmenteile mit den Worten »Laßt uns jauchzen, laßt uns freuen« beginnen (T. 1–24 bzw. 47–70). Während die drei ersten Zeilen vom Chor gesungen werden (s. Notenbeispiel 8), bleiben die folgenden dem Bass überlassen. Da der Mittelteil durch die erste Zeile unterbrochen wird (T. 32–34), wirken die chorischen Teile wie ein Refrain.

Der A-Teil wird vom Bass mit einer Dreiklangsfigur eröffnet, die im Sopran wiederholt und durch die Unterstimmen ausgefüllt wird (T. 1–2). Die auf die Dominante versetzte Wiederholung (T. 3–4) wird durch eine viertaktige Fortspinnung der Streicher ergänzt (T. 5–8), bevor sich die erste der Phasen anschließt, die Neumann als Permutationsfugen betrachtete (T. 9–14).[155] Zwar trifft sein Schema zu, soweit es den Stimmtausch innerhalb des Chorsatzes erfasst. Zieht man aber die »Themen« heran, die Neumann im Anhang mitteilte, so wird einsichtig, dass sie dem eröffnenden Block entstammen und nur die I. und V. Stufe umkreisen.[156] Dabei genügen unmerkliche Eingriffe, um die zuvor getrennten Glieder in taktweisem Wechsel zu verbinden. Das Verfahren wiederholt sich im chorischen Schlussteil, in dem die Stimmen auf der Dominante einsetzen, um durch zweifache Reihung des dominantischen Blocks die Subdominante zu erreichen (T. 53–60). Zwar ist es bemerkenswert, dass Bach in Blöcken, die keine Fugen darstellen, das Prinzip des Stimmtausches einsetzte, das der Permutationsfuge zugrunde lag. Doch wäre es verfehlt, alle Sätze mit derartigem Stimmtauch als Fugen zu bezeichnen. Neumann zufolge entspräche das Verhältnis

---

[151] Vgl. NBA I/6, hrsg. von Ulrich Leisinger und Peter Wollny, 1996, KB, S. 61–64.
[152] Vgl. Teil II, Kap. 4 e.
[153] Die Angabe findet sich in den Originalstimmen, vgl. NBA I/4, hrsg. von Werner Neumann, 1965, KB, S. 84.
[154] Neumann, J. S. Bachs Chorfuge, S. 30 und 63f.
[155] Ebd., S. 30.
[156] Ebd., Thementafel 15.

Notenbeispiel 8

zwischen dem Instrumental- und dem Vokalpart dem Einbauverfahren.[157] Da aber Chor und Orchester gemeinsam den Satzbeginn bestreiten, ist nicht von einer »Sinfonie« mit Choreinbau zu reden. Vielmehr treten die Gruppen zusammen ein, bis der Chor die Phasen übernimmt, die von den Instrumenten dupliert werden.

Im Unterschied zu den Vorlagen in BWV 72 und 16 liegt dem Kopfsatz der Michaelis-Kantate BWV 19 eine Dichtung zugrunde, deren erste Zeile den Beginn der Epistel zitiert (Offb. 12:7a).[158] Wie Spitta zeigte, deutet der Text der anschließenden Arien auf ein strophisches Gedicht zurück, das Henricis »Sammlung erbaulicher Gedancken« (1724/25) entstammte und für Bach in eine madrigalische Fassung verwandelt wurde.[159] Da nur die dritte Strophe in Satz 3 fast unverändert wiederkehrt, während den anderen Strophen nur einzelne Zeilen entnommen werden, liegt eine ähnlich freie Umdichtung wie in BWV 148 vor. Wie dort lässt sich fragen, ob dafür ein anderer Autor als Henrici in Frage kam, der seit der »Schäferkantate« BWV 249a

---

[157] Vgl. ebd., S. 63f., wo die fraglichen Takte formal korrekt, aber sachlich unangemessen beschrieben werden.
[158] Während das erste Wort (»und«) entfällt, wird die Fortsetzung des Bibelverses ausgelassen.
[159] Spitta II, S. 237–243.

und ihrer Umformung zum Osteroratorium BWV 249 im Jahr 1725 für Bach tätig war. Daher lässt sich kaum vorstellen, dass Bach im Vorfeld der Matthäus-Passion Henricis Gedicht von einem anderen Autor umformen ließ.

Allerdings gilt das nicht für den dreiteiligen Chorsatz, dessen Text in Henricis Gedicht keine Entsprechung findet. Obwohl der A-Teil die erste Zeile verwendet, während der B-Teil die übrigen fünf Zeilen zusammenfasst, unterscheiden sich beide Teile weniger im Umfang als in ihrer Satzstruktur. Dem fugierten A-Teil (T. 1–42) steht der primär akkordische B-Teil gegenüber (T. 42–89), nach dem der A-Teil – mit verändertem Anschluss – wiederholt wird (T. 90 + 3–42). Zwar »gebärdet« er sich Neumann zufolge als Fugenexposition, ohne aber zu klarer »Themenformung« oder »Comesform« zu gelangen.[160] Dennoch liegt ein fugierter Satz vor, der allerdings nicht den gängigen Normen folgt. Das ebenso kurze wie konzise Thema verbindet ein Kopfmotiv aus repetierten Achtelnoten, deren syllabische Textierung durch Oktavsprung profiliert wird, mit einer Fortspinnung aus sequenzierten Sechzehntel-Koloraturen. Ließe man den ersten Basseinsatz auf c (mit Halbton c^1-h) als Dux gelten, so entspräche der einen Takt später folgende Tenoreinsatz auf g (mit Ganzton g^1-f^1) einem Comes, dessen Fortspinnung zur Dominante G-Dur lenkt. Indem nach zweitaktigem Abstand Alt und Sopran in gleicher Folge eintreten, ergibt sich eine extrem gestraffte Exposition (T. 1–8).[161] Nach dreitaktigem Orgelpunkt auf der Dominante folgt eine zweite Staffel, die auf der Subdominante ansetzt, sodass ein zusätzlicher Basseinsatz nötig wird, um nach C-Dur zurückzukehren (T. 12–18), während die fortspinnende Quintkette mit Orgelpunkt auf der Tonika endet.

A T. 1–42				B T. 42–89			A T. 3–42
Zeile 1				Zeilen 2–3	Zeile 4	Zeilen 5–6	Zeile 1
1–8	9–12	12–18–20	21–30, 30–33, 34–42	42–58, 58–62	62–64–66	66–82, 82–89	89–90
Staffel 1	+ OP	Staffel 2	Quintkette + OP, Kadenz + Nachspiel	1. Quintkette + Zwsp.	Kadenz + Zwsp.	2. Quintkette + Zwsp.	~ 1–2
C – G	G	C – F – C	C	A	G	a – e	C

OP = Orgelpunkt

Im Mittelteil werden zwei Quintschrittsequenzen, denen die Zeilen 2–3 bzw. 5–6 zugeordnet sind, durch eine G-Dur-Kadenz getrennt, die auf die zentrale Aussage der Zeile 4 entfällt (T. 62–64: »Aber – Michael bezwingt«). Obwohl die Quintketten an die Fortspinnung des Fugenthemas anschließen, werden sie verschieden abgestuft. Die Koloraturen zu den Zeilen 2–3 umschreiben im Bass eine Sequenz, die durch die Oberstimmen ausgefüllt wird (»Die rasende Schlange …«). Dagegen bilden die Stimmen in den Zeilen 5–6 Glieder einer modulierenden Quintkette, die in e-Moll endet (»stürzt des Satans Grausamkeit«).

---

[160] Neumann, a. a. O., S. 10, schloss den Satz deshalb aus seiner Untersuchung aus.
[161] Im Sopraneinsatz wird das modulierende Gelenk zu syllabisch textierten Achtelnoten kontrahiert (T. 7).

Trotz der komplizierten Struktur des Satzes ist die autographe Partitur (P 45 ad. 7) bemerkenswert sicher geschrieben. Darüber täuscht der Kritische Bericht insofern hinweg, als er kleine Versehen und Schwärzungen nennt, bei denen der Notentext in Tabulatur verdeutlicht wurde (Tenor T. 7 f., Bass T. 23, Violine I in T. 37–39 und Bass T. 44 f.).[162] Die Stimmführung musste zwar mitunter nachträglich verändert werden (so im Sopran und Alt in T. 30–31), doch halten sich die Korrekturen in engeren Grenzen als in dem Satz aus BWV 72.

So genau die Satzteile auf die Textglieder abgestimmt sind, so eng sind sie zugleich motivisch verbunden. Der Satz unterscheidet sich von dem aus BWV 72 durch den fugierten A-Teil, ohne jedoch an die letzten Weimarer Chöre anzuschließen, die auf die Verklammerung der fugierten Phasen mit der Ritornellmotivik abzielten. Im dritten Jahrgang dagegen entschloss sich Bach erst nach der Kette der Dicta dazu, auch zu gedichteten Texten fugierte Abschnitte vorzusehen. Wie verschieden sie aber ausfielen, zeigt der wohl schon etwas früher entstandene Eingangschor aus BWV 34 bzw. 34a.

Einleitend wurde bereits darauf hingewiesen, dass die unvollständig überlieferte Trauungskantate BWV 34a nach Schabalina 1726 oder erst 1727 entstanden ist.[163] Zwar liegt die Pfingstkantate BWV 34 »O ewiges Feuer« nur in einer autographen Partitur aus der Zeit um 1746/47 vor,[164] doch dürfte zumindest eine erste Fassung früher anzusetzen sein, da schon das Textheft zum 1. Pfingsttag 1727 ein Werk mit gleichem Textanfang nennt.[165] Aus einem Vergleich der Lesarten folgerte Schabalina, dass das Autograph nicht auf die Stimmen zu BWV 34a zurückgehe, die ihrerseits mehrfache Korrekturen erkennen lassen. Stelle demnach BWV 34 »keine direkte Parodie der angeblich früheren Trauungskantate BWV 34a« dar, so ergebe sich »zweifelsfrei, daß das Parodieverhältnis zwischen der Trauungskantate und der Pfingstkantate genau andersherum verlief, als bisher angenommen«.[166] Je näher aber beide Fassungen zusammenrücken, desto eher besteht Grund zur Annahme, dass Bach sie nebeneinander im Blick hatte.

Der Eingangschor, der in beiden Fassungen substantiell identisch ist, stellt eine Da-capo-Anlage dar, deren A-Teil aber erheblich länger als in BWV 19 ist. Bildet der erste Teil eine Ritornellform mit integrierter Fuge, so zehrt der zweite vom Material des Ritornells, ohne jedoch ein Ritornellzitat zu enthalten. Auf den ersten Blick scheint das Ritornell kaum mehr als Streicherfiguren zu bieten, die mit einem Quartsprung und Halteton der ersten Trompete und kurzen Einwürfen der Oboen verbunden werden, während später ein kleines Imitationsmotiv der Oboen eintritt. Dass das Ritornell aber das Material des ganzen Satzes enthält, wird erst bei Eintritt des Chores zunehmend deutlich. Denn nicht nur die Phasen mit Choreinbau,

---

[162] NBA I/30, hrsg. von Marianne Helms, 1974, KB, S. 59–63.
[163] Vgl. Anm. 19.
[164] Vgl. Anm. 18.
[165] Vgl. Anm. 20.
[166] Schabalina, BJ 2010, S. 104 f. Dass Satz 3 der Pfingstkantate vier Takte kürzer ist als Satz 5 der Trauungskantate, wäre nach Schabalina, ebd., S. 104, nicht als spätere Kürzung in BWV 34, sondern als nachträgliche Erweiterung in BWV 34a aufzufassen.

sondern auch die zentrale Chorfuge, der zwei Kanons vorangestellt sind, gehen auf die Substanz des Ritornells zurück.

A T. 1–102				B T. 102–142	
Zeilen 1–2				Zeilen 3–5	
Ritornell	Kanon, Rit.-Zitat + Choreinbau	Kanon, Rit.-Zitat + Choreinbau	Chorfuge + Choreinbau	vokale Phase, Ritornell + Chor	vokales Duo + Imitationsphase
1–14, 14–27	27–31, 32–35–39	39–43, 44–47–64 (~ 9–14, 15–20)	65–90, 90–102 (~ 15–27)	102–106–116	116–123–142
T – D – T	T T – D	D D – D	T – D D – T	Tp	Dp

Wie das Schema zeigt, beruht der A-Teil weithin auf der Einbautechnik, und entsprechend werden auch die anderen Abschnitte mit dem Material des Ritornells verbunden. Maßgeblich sind die Figuren der Streicher, die im Wechsel mit dem Grundton steigende und fallende Skalen umschreiben. Eine kleine Variante genügt, um das Kopfmotiv zur Septime zu erweitern und zum Fugenthema (»entzünde die Herzen«) umzubilden. Dazu tritt der Halteton, der zu Beginn in der Trompete lag und nun mit dem Text »O ewiges Feuer« gepaart wird. In den Bass verlegt, bildet er auch die Basis der beiden dreistimmigen Kanons für Sopran, Alt und Tenor, die von den Oboen durch ähnliche Einwürfe wie im Ritornell ergänzt werden (T. 27–31 bzw. 39–43). Während sich an den ersten Kanon das erste Ritornellzitat mit partiellem Choreinbau anschließt, folgt dem zweiten die Fortsetzung des Ritornells, dessen Imitationsmotiv auf das Textglied »o Ursprung der Liebe« entfällt. Die Fortspinnung erreicht im Vokalpart eine derart eigenständige Qualität, dass sie zum Modell der vokalen Phasen des B-Teils wird (vgl. T. 56 ff. mit 102 ff.). Zwei Takte später beginnt die Fuge in den Mittelstimmen, die als Comes und Dux durch die Außenstimmen ergänzt werden (T. 65–75). Nach einem Duo, in dem das Imitationsmotiv der Oboen im Sopran und Tenor übernommen und von den Streicherfiguren begleitet wird, folgt in den Außenstimmen das zweite Einsatzpaar mit dem Kontrapunkt in den Mittelstimmen (T. 80–90). Da diesmal zwei Einsätze des Dux gekoppelt werden, kann sich auf der Dominante die zweite Hälfte des Ritornells mit Choreinbau anschließen. Bemerkenswerter als die »mosaikartige« Zusammensetzung der Vokalstimmen[167] ist es, dass die letzten Takte auf das Schlussglied der vorausgehenden Einbauphase zurückgreifen (T. 95–102 ~ 56–63) und damit auf den entsprechend beginnenden B-Teil hinführen.

Falls der Satz zum 1. Pfingsttag 1727 komponiert wurde, stünde er am Ende der Reihe jener Dicta, in denen die vokalen Fugen mit der Motivik der instrumentalen Einleitungen verschränkt werden. Das würde bedeuten, dass Bach ein Verfahren, das er für biblische Prosatexte entwickelt hatte, auf die durch Ritornelle geprägte Vertonung eines gedichteten Textes übertrug. Im Vergleich mit dem letzten Weimarer Pendant aus BWV 147 (»Herz und Mund und Tat und Leben«) wird freilich sichtbar,

---

[167] Neumann, a. a. O., S. 58, Anm. 117, hob nur »das fast mechanisch anmutende Zusammenstücken der Chorstimmen« hervor.

wie sehr mit dem Umfang des Satzes auch die motivische Verklammerung seiner Teile gewachsen ist. Selbst wenn die Trauungskantate früher entstanden sein sollte, würde das nicht die Feststellung schmälern, dass sich die Struktur des Eingangschors schlüssig in den Zusammenhang des dritten Jahrgangs einfügt.[168]

Das gilt nicht für den Schlusschor der Pfingstkantate, der in BWV 34a am Ende des ersten Teils steht, während der zweite Teil mit der Arie beginnt, die in BWV 34 in die Mitte gerückt und von zwei Rezitativen umrahmt wird. Mit zwei Teilen, die zuerst vom Orchester präsentiert und dann mit Choreinbau wiederholt werden, zeigt der Satz eine Anlage, die im dritten Jahrgang kein Gegenstück findet. Eher erinnert sie an die Schlusschöre der Köthener Kantaten, die als früheste Beispiele des Parodieverfahrens in den ersten Leipziger Jahrgang eingingen. Der fragliche Satz könnte eher zu einer weltlichen Festmusik passen als zum Kontext des dritten Jahrgangs. Doch unterscheidet er sich von anderen Gelegenheitswerken durch zwei eröffnende Takte, die als »Adagio« in akkordischem Tuttisatz den Worten »Friede über Israel« Nachdruck geben. Zudem erscheinen diese Worte nicht nur anfangs, sondern auch zwischen den folgenden Zeilen. Während die Vorlage für BWV 34 dem Textdruck zu entnehmen ist, lässt sie sich für BWV 34a nur aus den Stimmen erschließen.[169]

BWV 34
Friede über Israel.
Dankt den höchsten Wunder-Händen,
Dankt! Gott hat an euch gedacht.
Ja, sein Segen wirkt mit Macht,
Friede über Israel,
Friede über euch zu senden.
Friede über Israel.

BWV 34a
Friede über Israel.
(A) Eilt zu denen heilgen Stufen,
Eilt, der Höchste neigt sein Ohr!
(B) Unser Wünschen dringt hervor,
Friede über Israel,
Friede über euch zu rufen.
(A′) Eilt zu denen heilgen Stufen,
Eilt, der Höchste neigt sein Ohr!

Wie in BWV 34a werden die ersten Zeilen in BWV 34 am Ende wiederholt, obwohl sie im Textheft nicht abgedruckt sind. Durch die Wiederholung deutet sich innerhalb der zweiteiligen Anlage ein Rückgriff an, der an eine Da-capo-Anlage erinnert. Bezeichnend ist es, dass das Psalmzitat »Friede über Israel« im Druck als Devise hervorgehoben wird.[170] Dem ersten Teil, der für zwei Zeilen 12 Takte benötigt, stehen 31 Takte im zweiten Teil gegenüber, der neben drei Zeilen und dem Psalmzitat die Wiederholung der beiden ersten Zeilen umfasst. In der Orchesterfassung des A-Teils geht der erste Viertakter in eine viertaktige Fortspinnung über, die in der viertaktigen Kadenzgruppe fortgeführt wird, sodass die Takte miteinander verkettet werden (T. 12–14). In der vokalen Fassung dagegen setzt der Sopran mit einer vorgezogenen Koloratur ein, nach der die erste Zeile vier Takte ausfüllt und den ersten Takt der Fortspinnung einschließt (T. 15–19). Entsprechend wird die Gliederung der Vorlage auch zur zweiten Zeile umgebildet, die durch das vorangestellte Wort »dankt« erweitert und nochmals wiederholt wird (T. 20–26). Ähnlich verhält es sich im B-Teil,

---

168 Zu dieser Möglichkeit vgl. Schabalina, BJ 2010, S. 107.
169 Vgl. das Faksimile bei Schabalina, BJ 2008, S. 93. Zum Vergleich wird der Text in heutiger Schreibweise wiedergegeben, während für BWV 34a in Klammern die Formteile genannt werden.
170 Gegenüber dem Schluss des Psalmverses (Ps. 125:5) fehlt das zweite Wort (»sei«). Vgl. auch Ps. 128:6.

dessen Kopfmotiv in der Dominante A-Dur beginnt, während die Fortspinnung zur Subdominantparallele e-Moll führt, um dann nach A-Dur zurückzulenken und in die Wiederholung des A-Teils einzumünden. In der vokalen Version füllt die Zeile »Ja, sein Segen wirkt mit Macht« zweimal drei Takte mit akkordischem Choreinbau aus, dessen Stimmführung sich am Orchestersatz orientiert (T. 58–63). In der Modulationsphase jedoch löst ein Halteton der instrumentalen Oberstimme (T. 33) einen Chorblock zu den Worten »Friede über Israel« aus, dessen Fortführung auf die Sequenzfiguren der Fortspinnung entfällt (T. 64–76). Die melodische Linie, die im Sopran den Friedensgruß auszeichnet, schlägt den Bogen zurück zum Adagio und zeigt, dass der Orchestersatz erst im Choreinbau sein Ziel erreicht.

So einfach die zweiteilige Form wirkt, so deutlich unterscheidet sie sich von den Köthener Schlusschören.[171] In dem Maß, in dem sich der Orchestersatz durch den Einbau der Textzeilen verändert, löst sich der Chorsatz vom instrumentalen Modell. In gedrängter Form zeigt der Satz, dass der Choreinbau keine Füllung der Vorlage, sondern ihre erweiterte Fassung darstellt. Zwar könnte man darauf hinweisen, dass die eröffnende Koloratur eher zum Wort »eilet« in BWV 34a als zu »danket« in BWV 34 passe und damit für den Vorrang der Trauungskantate spreche. Doch ließe sich einwenden, dass sich der betonte Friedensgruß eher an die Gemeinde als an ein Brautpaar richtet. Indes relativieren sich die Differenzen desto mehr, je enger die Werke zusammenrücken. Da Bach sie gemeinsam im Blick hatte, darf offenbleiben, ob das eine als Verkürzung des anderen oder umgekehrt zu gelten hat.

Obwohl der dritte Jahrgang nur fünf Chorsätze zu freier Dichtung enthält, lässt sich an ihrer Abfolge eine klare Tendenz ablesen. Während die chorischen Anteile an BWV 16:3 zu einer Arie gehören, ist der Eingangschor aus BWV 72 durch die als »Aria« bezeichnete Vorlage geprägt. Von ihr unterscheidet sich der Text zu BWV 19:1 durch das Bibelzitat, das seine fugierte Vertonung veranlasste. Mithin lässt sich die Kombination der Ritornellform in BWV 34 bzw. 34a als Konsequenz der vorangehenden Dicta verstehen.

d. Choralchorsätze

Dass die Reihe der Chorsätze mit den Choralbearbeitungen in BWV 137 und 129 beginnt und endet, dürfte ein Zufall sein. Beide Kantaten sind jedoch die ersten Werke zu Choraltexten, mit denen Bach den abgebrochenen Zyklus der Choralkantaten zu ergänzen begann. Da sie später dem zweiten Jahrgang zugeordnet wurden, wurden sie bereits im Anschluss an die Choralkantaten erwähnt, sodass hier nur auf die übrigen Choralchorsätze einzugehen ist.

Zum Sonntag nach Weihnachten entstand 1725 die Kantate BWV 28 »Gottlob! Nun geht das Jahr zu Ende«, in der der eröffnenden Sopranarie als zweiter Satz die motettische Bearbeitung der Choralstrophe »Nun lob mein Seel den Herren«

---

171 Der Text des Schlusschors der Trauungskantate 34a (Satz 7 »Gib, höchster Gott, auch hier dem Worte Kraft«) umfasst zwischen gedichteten Zeilen die Worte des aaronitischen Segens (4. Mose 6:24–26). Da nur die Stimmen für Sopran, Bass, zwei Violinen und Generalbass erhalten sind, wird nicht hinlänglich klar, wie sich die im Sopran und Bass angestimmte Melodieformel in den Zusammenhang des Satzes einfügte.

folgt.¹⁷² Eine variierte Fassung des Satzes findet sich in der Motette »Jauchzet dem Herrn, alle Welt« (BWV 28/2a), in der sie mit zwei Sätzen von Telemann kombiniert wurde. Da Klaus Hofmann die Fassungen miteinander verglichen hat, bleibt hier nur auf den Kantatensatz einzugehen.¹⁷³ Die Vokalstimmen werden durch Streicher und Cornetto bzw. Posaunen verstärkt, während die im Sopran liegende Melodie in halben Noten erscheint, die zu Beginn und am Ende der Zeilen gedehnt und mitunter durch Viertel aufgelockert werden. Die Choralzeilen werden durch imitierte Kontrapunkte eingeleitet, die in den ersten Zeilen neu gebildet und in den folgenden der Choralweise entnommen werden. Indem ihre Verarbeitung nach dem Eintritt des Cantus firmus fortgesetzt wird, führt sie zugleich zur Kombination der Verfahren. Denn den beiden letzten Zeilen gehen Imitationen der Initien voran, die gleichzeitig durch neue Motive ergänzt werden.¹⁷⁴

Takte	Zeilen	Text	Kontrapunkte	Anmerkungen
1–14	1	Nun lob, mein Seel, den Herren,	c. f. + Kp. a	Vorimitation Tenor, T. 1–6 Engführung Alt, T. 8–12
13–25	2	was in mir ist, den Namen sein!	c. f. + Kp. b	
25–38	3 = 1	Sein Wohltat tut er mehren,	c. f. + Kp. a	
37–49	4 = 2	vergiß es nicht, o Herze mein.	c. f. + Kp. b	
49–68	5	Hat dir dein Sünd vergeben	c. f. + Kp. c	
68–80	6	und heilt dein Schwachheit groß,	c. f. + Kp. d	
81–98	7	errett' dein armes Leben,	c. f. + Z. 7 dimin.	
98–113	8	nimmt dich in seinen Schoß,	c. f. + Z. 8	
113–127	9	mit reichem Trost beschüttet,	c. f. + Z. 9	Engführung Bass, T. 120–124
127–141	10	verjüngt dem Adler gleich.	c. f. + Z. 10	
141–156	11	Der Kön'g schafft Recht, behütet,	c. f. + Kp. e (Z. 11)	Engführung Bass, T. 151–152
156–174	12	die leiden in seinem Reich.	c. f. + Kp. f (Z. 12)	Vorimitation Alt, T. 156–160

Die ersten Stollenzeilen (1 bzw. 3) und die letzten Abgesangszeilen (11–12) werden durch Engführungen bzw. Vorausnahmen ausgezeichnet, während der Anfang und

---

172 Erdmann Neumeister, Geistliche Poesien mit untermischten Biblischen Sprüchen und Choralen auf alle Sonn- und Festtage, Frankfurt a. M. 1714.
173 Vgl. Klaus Hofmann, Johann Sebastian Bach. Die Motetten, Kassel u. a. 2003, S. 209–235; ders., Alter Stil in Bachs Kirchenmusik. Zu der Choralbearbeitung BWV 28/2, in: Alte Musik als ästhetische Gegenwart. Bericht über den internationalen musikwissenschaftlichen Kongreß Stuttgart 1985, hrsg. von Dietrich Berke und Dorothee Hanemann, Kassel u. a. 1987, Bd. 1, S. 164–169; ders., Zur Echtheit der Motette »Jauchzet dem Herrn, alle Welt« BWV Anh. 160, in: Bachiana et alia musicologica. Festschrift für Alfred Dürr, hrsg. von Wolfgang Rehm, Kassel 1983, S. 126–140.
174 Die Übersicht entspricht dem Schema von Hofmann (J. S. Bach. Die Motetten, S. 229), während die zusätzlichen Taktangaben die Verkettung der Abschnitte andeuten.

das Ende durch Wiederholungen bzw. Orgelpunkt akzentuiert werden.[175] Die Disposition bildet zugleich den Rahmen für die Verarbeitung der Kontrapunkte, die entweder auf den Text oder die Melodik der Zeilen verweisen. So lässt sich – um einige Beispiele zu nennen – der Kontrapunkt zur ersten bzw. dritten Zeile (a) als verkürzte Umkehrung auffassen, während im Imitationsmotiv der zweiten bzw. vierten Zeile (b) die ersten Worte hervorgehoben werden. Entsprechend verweist die chromatische Linie (c) zu Zeile 5 auf das Wort »Sünd«, wogegen der Kontrapunkt zu Zeile 6 (d) auf das Wort »Schwachheit« hinweist, usf.

> Die autographe Partitur (P 92) bietet neben dem Vokalsatz auch die Instrumentalstimmen, die Bach hier – wohl wegen der rhythmischen Differenzen – ausnahmsweise ausschrieb.[176] Wider Erwarten wurde nicht durchweg zuerst der Vokal- und danach der Instrumentalpart notiert. Vielmehr lassen manche Korrekturen das umgekehrte Verhältnis erkennen, so in Takt 59 f., wo eine Korrektur der zweiten Note in der Violine II durch Tabulatur verdeutlicht werden musste, während die Altstimme fehlerfrei geschrieben wurde. Dasselbe gilt für das Verhältnis der Stimmen in Takt 94 ff., wogegen in Takt 75 Violine I und Sopran gleichermaßen korrigiert wurden. Von den umfangreichen Korrekturen in Takt 98–102 waren dagegen die Vokal- und Instrumentalstimmen gleichermaßen betroffen.

Der Kantatensatz unterscheidet sich von der Fassung in BWV 28/2a durch die Führung des Generalbasses, der nicht nur die Vorimitationen überbrückt, sondern zunehmend als obligate Stimme fungiert (T. 120–124 und 146–150), um sich am Ende als Orgelpunkt von der Bassstimme zu lösen.[177] Die wechselnde Stimmführung trennt den Satz zugleich von den Choralbearbeitungen im strengen Stil, die in BWV 2 »Ach Gott, vom Himmel«, BWV 38 »Aus tiefer Not« und BWV 121 »Christum wir sollen loben schon« vorangingen. Paradoxerweise hat die Zweitfassung, deren Authentizität nicht zweifelsfrei feststeht, wegen ihres Verzichts auf den Generalbass in manche Neuausgaben und in die Praxis Eingang gefunden. Die ebenso einprägsame wie umfängliche Vorlage dürfte dazu beigetragen haben, dass dieser Choralsatz als Motette eine Verbreitung erfahren hat, die man auch den anderen motettischen Kantatensätzen wünschen möchte.

Zu Neujahr 1726 folgte die Kantate BWV 16 »Herr Gott, dich loben wir« nach einer Vorlage von Lehms, der Bach in Weimar den Text der Solokantate BWV 199 entnommen hatte.[178] Dass kurz nacheinander – zum 30. Dezember 1725 und zum 1. Januar 1726 – zwei Choralbearbeitungen entstanden, war durch die Wahl der Texte von Neumeister und Lehms bedingt. Der ungewöhnlich gedrängte Eingangs-

---

175 Partielle Analogien der Stimmführung (wie im Tenor, T. 120 f.) können nicht als Melodiezitate gelten, während die von Hofmann (a. a. O., S. 229) genannte Engführung des Basses in T. 94–97 mit dem Kontrapunkt der Zeile 7 identisch ist.
176 In NBA I/3.2, S. 87–95, hrsg. von Klaus Hofmann (2000), wurden die Stimmen zusammengezogen und Varianten der Instrumentalparts im Kleinstich berücksichtigt; zu den Korrekturen im Autograph vgl. ebd., KB, S. 58–61.
177 In BWV 28/2a hatte der Fortfall des Generalbasses Änderungen der Stimmführung zur Folge, vgl. Hofmann, J. S. Bach. Die Motetten, S. 227 f.
178 Georg Christian Lehms, Gottgefälliges Kirchen-Opffer, Darmstadt 1711.

chor aus BWV 16 beschränkt sich auf die vier ersten Zeilen aus Luthers Umbildung des mittelalterlichen Hymnus, deren Melodie vom Sopran gesungen und durch ein Corno da caccia verstärkt wird. Kurzgefasst ließe sich konstatieren, der auf halbe Noten gedehnte Cantus firmus werde von den Unterstimmen kontrapunktiert, die durch eine obligate Instrumentalstimme und den weithin obligaten Generalbass ergänzt werden. Allerdings wäre damit nichts über das Verhältnis der Stimmen zueinander und zur phrygischen Weise der Vorlage gesagt.

Gemäß dem Modus der Vorlage ist der Satz ohne Vorzeichnung notiert. Während die erste Zeile auf *e* und die dritte auf *c* beginnt, enden beide in *a*, wogegen die Zeilen 2 und 4 in *g* schließen, aber mit den Tönen *c* bzw. *a* anfangen. Die entsprechend differenzierte Harmonik lässt sich am Verhältnis zwischen den Initien und Klausen der Zeilen ablesen.

Takte	5–8	11–15	18–23	28–34
Melodiezeilen	Z. 1: *e – a*	Z. 2: *c – g*	Z. 3: *c – a*	Z. 4: *a – g*
Klangstufen	e – <u>d</u>-a	a – <u>D^7-G</u>	C – <u>A^7</u>-d	a – <u>C-G</u>

Statt die analogen Schlüsse mit gleichen Kadenzen zu versehen, verbinden sich die *a*-Klauseln der Zeilen 1 und 3 zuerst mit einem Plagal- und danach mit einem Vollschluss, während die *g*-Klauseln der Zeilen 2 und 4 wechselnd als V-I- und IV-I-Kadenzen erscheinen. Anders gesagt: Den »modalen« Klauseln der Außenzeilen stehen die »funktionalen« Kadenzen der Binnenzeilen gegenüber. Der Generalbass bildet ein konstantes Fundament, das durch eine rhythmische Formel geprägt ist und nur in kadenzierenden Zäsuren Ausnahmen kennt. Da die ersten Takte dem Continuo überlassen sind, ist deutlich zu hören, dass diese Formel eine diminuierte und zugleich kontrahierte Variante der ersten Melodietöne bildet. Während ihre Reihung anfangs einen Oktavraum ausfüllt (T. 1), erreicht sie bei Eintritt der ersten Melodiezeile den doppelten Ambitus (T. 5–6). Obwohl ihre intervallischen Konturen später verblassen, basiert der Satz auf ihrer rhythmischen Prägnanz. Aus dem Terzsprung, mit dem die erste Zeile beginnt, wird das Imitationsmotiv abgeleitet, das die Unterstimmen zu den beiden ersten Zeilen verarbeiten. Nachdem es zur ersten Choralzeile alle drei Stimmen durchlaufen hat, folgen zwei zusätzliche Einsätze im Alt (T. 8 bzw. 10). Entsprechend wird die zweite Zeile mit drei Einsätzen gekoppelt und durch drei weitere beschlossen (T. 14–15). Erst die dritte Zeile fordert mit den Worten »Dich, Gott Vater« eine andere Akzentuierung, die durch auftaktige Achtel und Viertelnoten geprägt wird, während sich die Stimmen in der letzten Zeile nach imitierendem Beginn zu einem Verband zusammenschließen. In ihn wird auch die instrumentale Oberstimme integriert, die zuvor an den Imitationen beteiligt ist. Trotz seiner Kürze erreicht der Satz eine Konzentration, in der sich die strukturelle Einheit und die interne Differenzierung die Waage halten.[179]

---

[179] Das Autograph (P 45 adn. 6) wurde von Neumann als »Gebrauchshandschrift« charakterisiert, die zwischen Konzept- und Reinschrift steht, vgl. NBA I/4, hrsg. von dems., 1964, KB, S. 66; zu den Korrekturen im Eingangschor vgl. ebd., S. 67f.

Im Eingangssatz der Kantate BWV 27 »Wer weiß, wie nahe mir mein Ende« griff Bach am 16. Sonntag nach Trinitatis ein letztes Mal auf das Verfahren zurück, einen Kantionalsatz durch Rezitative zu erweitern und beide Schichten durch einen obligaten Instrumentalpart zu verbinden. Die zum Lied »Wer nur den lieben Gott läßt walten« gehörige Melodie enthält sechs Zeilen in einer Barform, sodass vier verschiedene Zeilen zu vertonen waren. Mit jeweils vier Takten würden sie insgesamt nur 24 von 86 Takten ausfüllen, wenn nicht die Finalis der Zeilen 2 bzw. 4 und 5–6 auf vier Takte gedehnt würde. Desto deutlicher tritt das Duett der Oboen hervor, das von fallenden Akkordbrechungen der Streicher begleitet wird. Das Ritornell, das am Ende wiederholt wird, stellt ein Material zur Verfügung, mit dem nicht nur die Zwischenspiele, sondern auch die Choralzeilen und die Rezitative bestritten werden. Maßgeblich ist sein imitiertes Kopfmotiv, das eine punktierte Wendung mit einer »Seufzerfigur« verbindet, deren Varianten mit den chorischen und solistischen Satzgliedern gekoppelt wird. Dass die Violinen vor der Kadenzgruppe des Ritornells einen Halteton der Oboen in Sechzehnteln umspielen, bleibt folgenlos, weil sie deren Motivik sonst nur am Ende der Zeilen übernehmen. Obwohl der Satz höchst affektvoll wirkt, erreicht er kaum die Dichte seiner Vorgänger aus dem ersten Jahrgang. Wurden die Choralzeilen im entsprechenden Satz aus BWV 138 von der Oboe vorweggenommen, so erwies sich die instrumentale Motivik im Eingangschor aus BWV 95 als Variante der ersten Choralzeile, während die Choralbearbeitung in BWV 73 von dem der Vorlage entnommenen Motto des Horns durchzogen wurde. Dass Bach in BWV 27 nicht weniger sorgsam verfuhr, geht aus der autographen Partitur (P 164) hervor, die zwar keine Änderungen der Konzeption, wohl aber zahlreiche Korrekturen im Detail erkennen lässt.[180]

Die fünf Wochen später folgende Kantate BWV 98 »Was Gott tut, das ist wohlgetan« unterscheidet sich von den Bearbeitungen desselben Lieds in BWV 99 und 100 insofern, als sich die Folgesätze nicht mehr auf die Choralvorlage des Eingangssatzes beziehen. Die Besetzung hat eine kammermusikalische Tönung, die im Eingangssatz besonders deutlich zur Geltung kommt. Während der Chor – verstärkt durch drei Oboen – im Kantionalsatz die Choralzeilen übernimmt, wird der Streichersatz von der ersten Violine dominiert, die von der zweiten Violine und der Bratsche gestützt wird. Die Wiederholung der Stollenzeilen schließt das 16 Takte umfassende Ritornell ein, das mit einer harmonisch bedingten Variante am Ende wiederkehrt und das Material für die Zwischenspiele liefert. Ein Gegengewicht bietet nur der Continuo mit einer Achtelbewegung, die am Ende des Ritornells mit Sechzehnteln auf die Figuren der Oberstimme reagiert und entsprechend auch die Choralzeilen begleitet. Während Chor und Orchester in den Stollenzeilen alternieren, werden sie in den folgenden Zeilen kombiniert. Dagegen beginnt die letzte Zeile wieder im Chorsatz, der erstmals durch Melismen erweitert wird, bis zur Finalis das Schlussglied des Ritornells hinzutritt.

Der Charme des Satzes liegt in der instrumentalen Oberstimme, die sich zu weiten Bögen aufschwingt, um danach abzufallen und erneut auszugreifen. Anfangs in Viertakter gegliedert, die durch eine Quintkette verbunden werden (I-V-VI-II-V-I),

---

180 Vgl. NBA I/23, hrsg. von Helmuth Osthoff und Rufus Hallmark, 1984, KB, S. 94–97.

umspielt sie am Ende die Dominante. Die Spitzentöne der Melodiekurven fallen zugleich mit den Dissonanzen zusammen, die jeweils die dominantischen Stationen markieren. Die kleinen Varianten, mit denen sich die Figuren dem harmonischen Verlauf anpassen, tragen unmerklich über alle Wiederholungen hinweg. Statt vom »Schwanken zwischen Zweifel und Gottvertrauen«[181] zeugt die Figuration eher von fröhlicher Gewissheit, um einmal nach den Worten »der in der Not« kurz nach c-Moll zu lenken (T. 70 f.). Desto bezwingender ist der doppelte Aufschwung zur Folgezeile, der mit zwei Quartsprüngen aufwärts über die Doppeldominante zur Dominante führt (T. 74 ff.: »mich wohl weiß zu erhalten«). Ähnlich genügt ein kleiner Eingriff, um das Nachspiel über die Subdominante zur Tonika zurückzuführen (vgl. T. 97–100 mit T. 5–8).

> Wie die zahlreichen Korrekturen zeigen, bildet die autographe Partitur (P 160) eine erste Niederschrift, in der die erste Violine und der Generalbass weit seltener verbessert wurden als die Mittelstimmen.[182] Dass mitunter auch die Oberstimme korrigiert werden musste, zeigen zwei Passagen. In der Modulation der Takte 70–72 ging der gültigen Lesart in der ersten Violine als drittletzte Note eine nicht mehr klar lesbare Fassung voran. Während die Sequenzfolge des Continuo fehlerfrei notiert ist, wurden die Mittelstimmen mehrfach durch Streichung oder Tabulatur korrigiert. Im Nachspiel wurde die Oberstimme bei Beginn der Variante geändert, die zur Tonika statt wie zuvor zur Dominante lenkt (T. 97). Offenbar zögerte Bach, bevor er sich für die definitive Fassung entschied. Dagegen blieb hier die Generalbassstimme unangetastet, während die Viola nachträgliche Korrekturen aufweist.

Insgesamt wirkt der Satz etwas schlichter als die Pendants aus den Choralkantaten BWV 99 und 100. Zugleich erinnert er an die erweiterten Kantionalsätze, die zu Beginn des ersten Jahrgangs auf die Choralchorsätze des zweiten Jahrgangs hinführten. Im dritten Jahrgang fehlen solche Sätze fast völlig, während der modifizierte Kantionalsatz zu einer Norm wird, von der nur selten abgewichen wird (so im Rückgriff auf den Satz Rosenmüllers in BWV 27:6 oder in den durch Bläser und Pauken bereicherten Sätzen aus BWV 79 und 19). Eine Ausnahme bildet die Strophe »Nun danket alle Gott« (BWV 79:3), die der Chor in halben Noten singt, während die Hörner auf die Motivik des Eingangschors zurückgreifen. Da sie auch in den Zwischenspielen verwendet wird, gleicht der Satz den erweiterten Schlusschorälen des ersten Jahrgangs. Als Binnensatz und durch die zyklische Funktion, die er mit dem Rückgriff gewinnt, bleibt er gleichwohl ein Sonderfall.

Da wenige weitere Choralsätze mit obligaten Instrumentalstimmen begegnen, lässt sich hier auf einige Ausnahmefälle hinweisen. Zu nennen ist zunächst der Schlusschoral aus BWV 19, in dem die Trompeten und Pauken nicht nur die Zeilenklauseln mit fanfarenhaften Einwürfen markieren, sondern als obligate Stimmen fungieren (BWV 19:7 »Laß dein Engel mit mir fahren«). Bescheidener ist im Schlusschoral aus BWV 52 die Funktion der beiden Hörner, die in der Regel nur die Vokalstimmen verstärken (»In dich hab ich gehoffet, Herr«). Die Kantionalsätze zeichnen

---

[181] Dürr, Die Kantaten, Bd. 2, S. 498.
[182] Vgl. NBA I/25, hrsg. von Ulrich Bartels, KB, S. 183–185.

sich durch eine Souveränität der Stimmführung aus, die den Weimarer Sätzen noch fremd war. Sie reicht von der harmonischen Differenzierung in BWV 72:6 (»Was mein Gott will, das gscheh allzeit«) über die komplementäre Achtelbewegung in BWV 157:4 (»Meinen Jesum laß ich nicht«) bis zum Schlusschoral der »Kreuzstab-Kantate« (BWV 56:5 »Komm, o Tod, du Schlafes Bruder«). Desto auffälliger ist es, dass Bach zwei Kantionalsätze älterer Autoren verwendete. Dass er 1724 im Schlusschoral aus BWV 8 einen Satz von Daniel Vetter übernommen hatte, war insofern begreiflich, als die Kantate »Liebster Gott, wann werd ich sterben« auf der erst 1713 erschienenen Vorlage von Vetter basierte.[183] Dass im Schlusschoral aus BWV 27 mit Rosenmüllers Text »Welt ade, ich bin dein müde« der fünfstimmige Satz dieses Komponisten übernommen wurde, kann als Zeichen des Respekts vor der lokalen Tradition aufgefasst werden. Nicht ganz so leicht verständlich ist es, dass Bach in BWV 43 für zwei Strophen aus Johann Rists Lied »Du Lebensfürst, Her Jesu Christ« den entsprechenden Satz von Christoph Peter übernahm, der 1652 in Freiberg erschienen war. Obwohl er ihn dem Leipziger Gesangbuch von Gottfried Vopelius entnahm,[184] lässt sich die Wahl des auffällig schlichten Satzes nicht ebenso wie in den anderen Fällen motivieren.

Dass die Chorsätze des dritten Jahrgangs von Choralchorsätzen flankiert werden, mag auf einem Zufall beruhen. Auffällig ist jedoch der Kontrast zwischen den kontrapunktischen Sätzen in BWV 28 und 16 und den erweiterten Kantionalsätzen in BWV 27 und 98.

*

Im Zentrum der Chorsätze stehen die Dicta, die seit Himmelfahrt 1726 eine eigene Reihe bilden. Neben dem Eingangschor aus BWV 79 kann auch der postum überlieferte Satz aus BWV 148 als erster Vorbote vom Herbst 1725 gelten. Und wie die »vokale Ouvertüren-Fuge« aus BWV 110 dürfte auch der »Konzertsatz« aus BWV 146 zu dieser Werkreihe zählen. An die Seite der Dicta gehören ferner die Chorsätze aus BWV 19 und 34, die sich trotz der gedichteten Texte von der »Aria« aus BWV 72 durch ihre fugierten Phasen unterscheiden. Während die Choralchorsätze aus BWV 28 und 16 in die Phase vor der Folge der Dicta fielen, folgten die erweiterten Kantionalsätze aus BWV 27 und 98 erheblich später. Trotzdem wäre es verfehlt, in dieser Satzfolge eine zielgeleitete Planung zu sehen. Falls sie nicht nur auf einem Zufall beruhte, dürfte sie eher auf die wechselnden Interessen Bachs verweisen.

Die Relationen verändern sich, sobald man die Werke mit Chorsätzen gegenüber den anderen Kantaten des »geteilten Turnus« in den Blick nimmt. Während sie einerseits nur einen Teil des Bestands bilden, in dem ihnen die Kantaten mit solistischen Eingangssätzen vorausgehen, entstand andererseits nach ihnen die umfangreichste Serie der Solokantaten. Gegen die Annahme, Bach habe zeitweilig auf die verminderte Leistungsfähigkeit der Thomaner Rücksicht nehmen müssen, sprechen die außerordentlichen Ansprüche der Solokantaten, die beweisen, dass ihm genügend befähigte Sänger zur Verfügung standen. Eine Erklärung könnte eher in den Interessen zu suchen sein, von denen Bach sich leiten ließ. So ist nicht auszuschließen,

---

[183] Daniel Vetter, Musicalische Kirch- und Haus-Ergötzlichkeit, Leipzig 1713.
[184] Gottfried Vopelius, Neu Leipziger Gesangbuch, Leipzig 1682.

dass ihn nach der langen Kette der Chorsätze, die im zweiten Jahrgang entstanden waren, die Möglichkeit lockte, in geringstimmig besetzten Werken neue Alternativen zu erproben. Falls die erste Fassung der Matthäus-Passion 1727 aufgeführt wurde, würden die Kantaten des dritten Jahrgangs in das Vorfeld dieses Hauptwerks rücken. Erinnert man sich der langfristigen Planung, mit der sich Bach auf die Johannes-Passion vorbereitete, dann ist es nicht undenkbar, dass die Planung der »großen Passion« in Zusammenarbeit mit Henrici schon weit früher begonnen wurde. Träfe das zu, dann könnte darin ein Grund dafür zu suchen sein, dass seit dem Herbst 1726 vor allem solistische Werke entstanden, die geringere Mühe machten, weil weniger zu kopieren und zu proben war. Allerdings sollte man nicht vergessen, dass der Bestand manche Lücken zeigt, sodass weitere Verluste nicht auszuschließen sind. Solange nicht weitere Belege vorliegen, lassen sich nur vorläufige Überlegungen anstellen. Unabhängig davon bleibt aber festzuhalten, dass das Herzstück des Jahrgangs die Kombinationsformen bilden, die zu Bachs bedeutendsten Leistungen zählen.

4. Solistische Spruchvertonungen

Dass Solosätze mit Bibeltexten im dritten Jahrgang öfter als im ersten begegnen, liegt an der Wahl von Textvorlagen, die in die frühe Phase der madrigalischen Kantate zurückweisen. Wie die Übersicht zeigt, konzentrieren sich diese Sätze auf Texte von Lehms und Neumeister, die Bach in der Weihnachtszeit 1725 vertonte, und auf die »Meininger« Vorlagen, die er seit Himmelfahrt 1726 verwendete. Ein Nachzügler war das Duett aus der 1727 entstandenen Trauermusik BWV 157, die zu Mariä Reinigung verwendet wurde. Die »Meininger« Vorlagen enthalten an vierter Stelle neutestamentliche Texte, die den Eingangschören mit alttestamentlichen Sprüchen gegenüberstehen. Nur einmal findet sich ein solistischer Eingangssatz mit alttestamentlichem Text, der ähnlich wie der erste Satz aus BWV 57 einer Arie gleicht. Beide Sätze sind aber nicht als »Aria« bezeichnet und unterscheiden sich zumindest graduell von anderen Sätzen ähnlicher Faktur. Während in der Weihnachtsphase 1725 mit Rezitativ, Arioso, Arie und Duett wechselnde Formen erprobt wurden, wurde im Sommer 1726 das Arioso zu einer Lösung mit bemerkenswerten Varianten, wogegen zu Beginn und am Ende der Reihe Rezitative begegnen. Das wechselnde Gewicht dieser Sätze lässt sich an den Taktzahlen ablesen, die deshalb in die Übersicht aufgenommen werden.

1725

110:3	1. Weihn.	Dir, Herr, ist niemand gleich (Jer. 10:12)	B., V. 1–2, Va., Bc. – A-Dur, fis-Moll, 5 Takte ¢	Accompagnato
110:5	1. Weihn.	Ehre sei Gott in der Höhe (Lk. 2:14)	S., T., Bc. – A-Dur, 51 12/8	Duett
57:1	2. Weihn.	Selig ist der Mann (Jakobus 1:12)	B., Ob. 1–2, Taille, Str., Bc. – g-Moll, 115 ¾	Arie
28:3	Stg. n. W.	So spricht der Herr: Es soll mir eine Lust sein (Jer. 32:41)	B., Bc. – e-Moll, 26 ¢	Arioso

1726

43:4	Himmel-fahrt	Und der Herr, nachdem er mit ihnen geredet hatte (Mk. 16:19)	S., Bc. – H-Dur, e-Moll, 5 ₵	Secco
39:4	1. p. Trin.	Wohlzutun und mitzuteilen (Hebr. 13:16)	B., Bc. – d-Mol, 154 ₵	Arioso
88:1	5. p. Trin.	Siehe, ich will viel Fischer aussenden (Jer. 16:16)	B., Hr. 1–2, Str., Ob., Bc. – D-Dur, G-Dur, 197 ⁶⁄₈, ₵	quasi Arie
88:4	5. p. Trin.	Jesus sprach zu Simon (Luk. 5:10)	T., B., Str., Bc. – G-Dur, D-Dur, 57 ₵	Arioso
187:4	7. p. Trin.	Darum sollt ihr nicht sorgen (Mt. 6:31–37)	B., V. I–II, Bc. – g-Moll, 103 ₵	Arioso
45:4	8. p. Trin.	Es werden viele zu mir sagen (Mt. 7:22–23)	B., Str., Bc. – A-Dur, 69 ₵	Arioso
102:4	10. p. Trin.	Verachtest du den Reichtum seiner Gnade (Röm. 2:4–5)	B., Str., Bc. – B-Dur, 69 ₵	Arioso
17:4	14. p. Trin.	Einer aber unter ihnen (Lk. 17:15–16)	T., Bc. – cis-Moll, fis-Moll, 9 ₵	Secco

1727

157:1	6. Februar	Ich lasse dich nicht (1. Mose 32:27)	T., B., Trav., Ob. d'am. I–II, V. solo, Bc. – h-Moll, 57 ₵	Duett

Das fünftaktige Accompagnato aus BWV 110 wird durch ein rhythmisches Modell der Streicher geprägt, ohne sich von entsprechenden Sätzen zu gedichteten Vorlagen abzuheben. Das gilt auch für die kurzen Rezitative aus BWV 43 und 17, deren Texte berichtenden Charakter haben und demgemäß als Secco vertont werden. Desto deutlicher unterscheiden sich davon die Sätze mit Texten in direkter Rede, die dem Bass überlassen sind und oft als »Arioso« bezeichnet werden. Dass dieser Terminus in den autographen Partituren fehlt, lässt sich als Hinweis auf den Sonderstatus dieser Sätze verstehen. In BWV 28:3 werden die einleitenden Worte (»So spricht der Herr«) als Bassrezitativ deklamiert, während die Fortsetzung durch ein Motiv des Generalbasses zusammengeschlossen wird.[185] Zwar werden die Satzglieder durch Binnenkadenzen getrennt, doch trägt die Motivik des Continuo über ihre wechselnde Deklamation hinweg. Schließt dieses Verfahren an entsprechende Sätze aus dem ersten Jahrgang wie BWV 15:3, 154:4 und 81:4 an, so wird es in BWV 39:4 weiter abgestuft. Das prägende Motiv des Generalbasses, das im fünftaktigen Vorspiel eingeführt wird, umfasst zwei Glieder, deren erstes vom Vokalbass übernommen wird (»Wohlzutun und mitzuteilen«), während die Figuren der Fortspinnung für kurze Zwischenspiele genutzt und im Vokalpart variiert werden. Da das Kopfmotiv im Continuo auch dort erscheint, wo der Vokalpart die syntaktische Ergänzung nachträgt (»denn solche Opfer gefallen Gott wohl«, T. 18–23 und 38–41), vermittelt der Satz zwischen

---

[185] Die Angabe »Recit. Arioso« begegnet nur in den Stimmen, vgl. NBA I/23, hrsg. von Klaus Hofmann, KB, S. 81.

motivischer Verdichtung und Variabilität. Ähnlich basiert das Pendant in BWV 88:4 auf einer instrumentalen Formel, der im Vokalpart die Worte »von nun an wirst du Menschen fahen« entsprechen.[186] Sie verweist zugleich auf den Eingangssatz, dessen zweiter Teil dasselbe Schlüsselwort enthält (»fahen auf allen Bergen«). In Satz 4 wird sie in der Eröffnung eingeführt (»Jesus sprach zu Simon«), die im Tenor vorangestellt und mit der Fortsetzung durch analoge Figuren der Streicher verbunden wird.

Dem wachsenden Umfang der Sätze entspricht die Erweiterung des Instrumentalparts, der von einer Violinstimme in BWV 137:4 bis zum Streichersatz in BWV 45:4 und 102:4 reicht. In BWV 137:4 bildet der Bass mit den Violinen einen zweistimmigen Kernsatz, an dem der Generalbass meist stützend und nur partiell motivisch beteiligt ist. Dem Alla-breve-Takt entspricht eine kontrapunktische Struktur, die durch instrumentale Spielfiguren modifiziert wird. Obwohl die Melismen des Vokalparts auf zentrale Begriffe entfallen, bleibt der Satz vom Wechsel der Worte unabhängig, sodass die Bibelverse eng aneinander anschließen. Indem das Schlussglied des zweiten Verses (»Denn euer himmlischer Vater weiß«) durch die Motivik der Bassstimme auf den Beginn des Satzes bezogen wird (»Darum sollt ihr nicht sorgen«), zeichnet sich eine variierte Da-capo-Form ab, die den gesamten Text übergreift. Demgemäß wird das 15 Takte umfassende Vorspiel am Ende vollständig und dazwischen in gekürzter Form wiederholt.

Die Annäherung an die Arie erfasst in BWV 45:4 die Struktur des Satzes, sofern die erste Violine durch Dreiklangs- und Wechselfiguren geprägt wird, während die Unterstimmen nur anfangs imitieren und sonst als Begleitung fungieren. Das Vorspiel erinnert an das Ritornell eines Konzertsatzes in A-Dur, doch erscheinen in Zwischenspielen, die in E-Dur und cis-Moll die harmonischen Stationen des Satzes markieren, nur die beiden ersten Takte. Bei aller Geschlossenheit unterscheiden sich die Teile dadurch, dass im A-Teil der erste Vers in das Vorspiel eingebaut wird (T. 14–21 ~ 1–7 mit Varianten, T. 25–37 ~ 1–13), während im B-Teil die Koloraturen zum Wort »weichet« auf die Figuren der ersten Violine zurückgreifen (vgl. T. 45–48). Da das Vorspiel am Ende des Satzes mit Vokaleinbau wiederholt wird (T. 57–69 ~ 1–13), wird die zweiteilige Textvorlage durch eine latente Da-capo-Form überformt.

In BWV 102:4 schließlich – dem letzten dieser Sätze – hatte Bach kein Christuswort, sondern einen Text aus dem Römerbrief zu vertonen.[187] Daher entschied er sich für einen Satz im ³⁄₈-Takt, dessen tänzerischer Impuls durch wechselnde Akzentuierung reduziert und zugleich der Deklamation des Textes angepasst wird (»Verachtest du den Reichtum ...«). Beginnend mit einem Septsprung, fungiert die zweite Violine zu Beginn des Vorspiels als führende Stimme, die vom Continuo kontrapunktiert und durch die erste Violine und die Viola ergänzt wird (T. 1–8). Die Wiederholung der Gruppe auf der Dominante wird mit Stimmtausch variiert und durch einen Anhang erweitert, der die Stimmen in komplementären Achtelwerten verkettet (T. 9–16 und

---

[186] Als »Recit. et arioso« o. ä. wird der Satz nur in den Stimmen bezeichnet, vgl. NBA I/17.2, hrsg. von Reinmar Emans, KB, S. 81.
[187] Die Bezeichnung »Aria« findet sich nur in einer späteren Kopie der Bassstimme, vgl. NBA I/19, hrsg. von Robert Marshall, KB, S. 209 und 241.

17–22). Da der Vokalpart mit gleicher Motivik eingefügt wird, ergibt sich ein kontrapunktischer Satz, in dem die Akzentuierung des Taktmaßes ebenso variabel bleibt wie das Verhältnis zwischen führenden und füllenden Stimmen. Obwohl die Glieder des ersten Verses durch Generalpause getrennt sind, werden sie durch gleiche Motivik und Struktur zu einem A-Teil verbunden, der von Es-Dur zur Parallele c-Moll führt (T. 23–52 und 65–78). Der zweite Vers hebt sich davon in gleichmäßiger Achtelbewegung ab (T. 79–120), doch setzt sich zunehmend das Material des A-Teils durch, auf dessen Kopfmotiv das Zwischenspiel in As-Dur zurückgreift (T. 120–126). Da am Ende die ersten Worte mit der Wiederkehr des Vorspiels verbunden werden, ergibt sich durch die Paarung von Ritornell und Vokaleinbau eine eigenartige Kreuzung zwischen Arie und Rezitativ.

Die solistischen Eingangssätze aus BWV 57 und 88 gelten als Arien, obwohl Bach sie nicht derart bezeichnete.[188] Zugleich zeigen sie Eigenheiten, die durch die Prosatexte bedingt sind. Der Satz aus BWV 57 eröffnet einen Dialog, dessen Partner als »Jesus« und »Anima« bezeichnet und auf Sopran und Bass verteilt werden. Der etwas gekürzte Bibelvers (Jak. 1:12) wird in drei Teile gegliedert, die trotz ungleicher Länge mit analoger Motivik vertont werden: (a) »Selig ist der Mann, der die Anfechtung erduldet«, – (b) »denn nachdem er bewähret ist«, – (c) »wird er die Krone des Lebens empfahen«. Das Vorspiel stellt das Material des Instrumentalparts bereit, ohne jedoch als Ritornell zu fungieren oder dem Vokalpart vorzugreifen. Die Motivik ergibt sich durch die Imitation eines intervallischen Kerns, der nach einer Achtelpause ansetzt, sodass die folgenden Achtel ineinandergreifen. Das Kopfmotiv, das die Quinte und Terz der Tonika umkreist, wird über einem dreitaktigen Orgelpunkt von den Gegenstimmen imitiert (Notenbeispiel 9). Seine fallende Richtung wird durch eine steigende Linie der Oberstimme ergänzt, die in Takt 5 mit Halbschluss abbricht. Die anschließende Sequenzgruppe wird in Gegenbewegung fortgeführt, bis eine chromatisch fallende Linie über Orgelpunkt die Kadenz erreicht (T. 1–20).

Notenbeispiel 9

---

[188] Vgl. NBA I/3.1, hrsg. von Andreas Glöckner, KB, S. 73, sowie NBA 17.2, hrsg. von Reinmar Emans, KB, S. 72.

Vorspiel	A (Textglied a)	A' (b + c)	A'' (b + c)	Nachspiel
1–20	21–48	48–69	69–104	104–115 (~ 33–45)
g	g – d	g – g	g – g	g

Der melodische Strom gründet in einer Fortspinnungstechnik, die im Wechsel sinkender und steigender Linien keine kadenzierenden Einschnitte zulässt. Der Einsatz der Bassstimme fügt sich in die ersten Takte des Vorspiels mit einem Halteton auf der Quinte ein, der auf dem Grundton im Continuo basiert. Kehrt dieses Modell dreimal – versetzt um eine Terz abwärts – leicht verändert wieder, so erreicht es am Ende die Subdominante, bis es in Takt 33 (analog T. 5) abbricht. Indem der Vokalpart in die anschließende Sequenzgruppe eingefügt wird, zeichnet der erste Teil die Struktur des Vorspiels nach. Statt aber dessen Motivik zu übernehmen, akzentuiert er den Strom der fallenden und steigenden Linien. Wo das Modell auf die weiteren Textglieder überführt wird, werden die Haltetöne mit den Worten »bewähret« und »empfahen« verbunden, während die Verheißung der »Krone des Lebens« durch Haltetöne und Melismen ausgezeichnet wird. Zwar endet der Satz mit einem Nachspiel, das dem Schluss des ersten Vokalteils entspricht (T. 104–115 ~ 33–45). Von anderen Arien trennt ihn aber nicht nur das Fehlen von Zwischenspielen, sondern die enge Verbindung der Teile. Daraus erklärt sich eine Korrektur, die Bach während des Kompositionsprozesses vornahm.[189] Im Mittelteil war zunächst eine Wiederholung der ersten Worte vorgesehen (»Selig ist der Mann«), sodass der Satz erheblich länger geworden wäre, wenn danach erst der weitere Text begonnen hätte. Daher entschied sich Bach nachträglich dafür, dem Mittelteil das zweite Textglied zu unterlegen (»denn nachdem er bewähret ist«). Um für diese Worte Raum zu gewinnen, musste viermal ein Takt eingefügt werden (T. 48f., 54f., 60f. und 69f.).

Dass der Eingangssatz aus BWV 88 »Siehe, ich will viel Fischer aussenden« als einziger aus der »Meininger« Reihe solistisch besetzt ist, wird durch den Text motiviert, dessen direkte Rede als Zusage Gottes und zugleich als Hinweis auf die Worte Christi im vierten Satz zu verstehen ist (»denn von nun an sollst du Menschen fahen«). Neben dem Umfang waren es die Bilder dieses Textes, die Bach dazu veranlassten, eine mehrteilige Formanlage zu entwerfen. Einem ersten Teil im 6/8-Takt (T. 1–100: »Vivace«), dem die sechs ersten Worte zugrunde liegen, steht ein Alla breve gegenüber (T. 101–197: »Allegro e presto«), das einen erheblich längeren Text zu bewältigen hat (»Und darnach will ich viel Jäger aussenden, die sollen sie fahen auf allen Bergen und Hügeln und in allen Steinritzen«). So deutlich der A-Teil vom Kontext des Wortes »fischen« inspiriert ist, so unüberhörbar ist der B-Teil durch den Zutritt von zwei Hörnern als »Jagdmusik« charakterisiert.

A T. 1–100: Vivace 6/8						B T. 101–197: Allegro e presto ₵				
1–18	19–49	49–52	53–65	65–68	69–100	101–116	116–124	125–147	147–155	155–197
	a	Zwsp.	a'	Zwsp.	a''	b	Zwsp.	b'	Zwsp.	b''
T – D	T – D	D	Tp	Tp	D – T	T	T – D	T – Tp	Tp	Tp – S

a, b = Textglieder, Zwsp. = Zwischenspiele

[189] Zur Erstfassung vgl. NBA I/3.1, KB, S. 74–76.

Zwar mag man versucht sein, die vokalen Initien beider Satzteile aufeinander zu beziehen, doch unterscheiden sich ihre Strukturen derart, dass die Analogien hinter den Differenzen zurücktreten. Das Vorspiel des A-Teils setzt als Akkordfolge über Orgelpunkt an, zu der vier Takte später die Sechzehntelketten der Oberstimmen treten. Gehen sie danach in die Mittelstimmen über, so umkreisen sie wiederum einen Orgelpunkt, um am Ende zur Dominante zu führen.[190] In den Satz der Streicher und Oboen fügt sich der Vokalpart mit einer Diktion ein, die zwar die Rhythmik des Instrumentalparts aufnimmt, auf seine Motivik aber nur in gelegentlichen Melismen zurückweist. Obwohl der Orchestersatz pausenlos fortläuft, wird er durch kurze Pausen des Vokalparts in drei Teile gegliedert. Ebenso instrumental ist der vom Bass eröffnete B-Teil geprägt, in dem der Vokal- und der Instrumentalpart in Figurationen zum Worte »fahen« ineinandergreifen. Dabei werden punktierte Viertelnoten mit gleichen, aber um ein Viertel verschobenen Werten zu einem synkopischen Gewebe verflochten, das auf die Stimmgruppen verteilt wird, während die Aufgabe, mit repetierten Vierteln das Taktmaß zu artikulieren, den Hörnern zufällt.

Den Eingangssätzen aus BWV 57 und BWV 88 kamen die Erfahrungen zugute, die Bach in der Kette der Arien gewonnen hatte, doch bewahren sie in der Diktion des Vokalparts einen gleichsam »ariosen« Charakter. Obwohl ihnen die gliedernden Ritornelle der Arie fehlen, werden sie durch die Motivik des Instrumentalparts geprägt. Den Normen der Arie widerspricht auch, dass sich der eine Satz auf einen begrenzten harmonischen Ambitus konzentriert, während der andere auf der Subdominante schließt. Bei allen Unterschieden behaupten beide Sätze eine eigenartige Zwischenstellung, die sie von den Arien ebenso trennt wie von anderen ariosen Sätzen.

Mit den beiden Duetten, die hier noch zu erwähnen sind, verbinden sich Fragen der Überlieferung, die verschiedene Gründe haben. Das Duett »Ehre sei Gott in der Höhe« (BWV 110:5) geht auf den Einlagesatz »Virga Jesse floruit« zurück, der 1723 für die Uraufführung des Magnificats Es-Dur entstanden war, im Autograph aber nicht vollständig erhalten ist.[191] Dagegen liegt der Eingangssatz aus BWV 157 »Ich lasse dich nicht« in einer nicht sicher datierbaren Fassung zu Mariä Reinigung vor, der eine verschollene Trauermusik vom Februar 1727 zugrunde lag.[192] Beidemal handelt es sich also um spätere Fassungen, deren Verhältnis zu den ursprünglichen Versionen sich nicht mehr genau bestimmen lässt.

Gegenüber der in F-Dur stehenden Erstfassung für Sopran und Tenor wurde das Duett in BWV 110 für Sopran und Bass nach A-Dur transponiert. Es umfasst hier 51 Takte, während der Einlagesatz in Takt 30 abbricht. Wie Dürr feststellte, enthält die Bearbeitung in dem überprüfbaren Abschnitt »6½ eingeschobene Takte (Takt 18, 22ᵇ–24ᵃ, 26–27ᵃ, 33–34 mit Änderung des Taktes 35«), sodass die Vokalstimmen »weitgehend umgestaltet« werden mussten.[193] Zwar stimmt der Continuo weithin

---

[190] Doris Finke-Hecklinger, Tanzcharaktere in Johann Sebastian Bachs Vokalmusik (Tübinger Bach-Studien 6), Trossingen 1970, S. 81, klassifizierte den Satz als Pastorale, doch gilt das nur für die Rhythmik und nicht für die Binnenstruktur, die von einem Tanzsatz denkbar weit entfernt ist.
[191] Vgl. dazu NBA II/3, hrsg. von Alfred Dürr, KB, S. 15, sowie NBA I/2, hrsg. von dems., KB, S. 70 f.
[192] Vgl. ferner oben, Anm. 24.
[193] NBA I/2, KB, S. 71 (dort auch die weiteren Zitate).

überein, doch wurde das erste Zwischenspiel (T. 18–21ª) in BWV 110 anfangs mit einem Vokalpart versehen und danach durch einen Einschub ersetzt (= T. 22–24ª). Dennoch unterscheiden sich die Vokalstimmen derart, dass die differierenden Texte und Motive die Ergänzung der Erstfassung erschweren.

A Virga Jesse floruit,   **A** Ehre sei Gott in der Höhe
Emanuel noster apparuit;
B Induit carnem hominis,   **B** und Friede auf Erden
Fit puer delectabilis;
C Alleluja.   **C** und den Menschen ein Wohlgefallen.

Das eröffnende Imitationsmotiv entspricht als steigender Dreiklang mit fortspinnender Koloratur der Zeile »Virga Jesse floruit«, sodass es zum deutschen Text zwar übernommen wurde, ohne aber ebenso prägnant hervorzutreten. Im nächsten Ansatz des A-Teils, der auf die zweite Zeile abgestimmt war, eliminierte Bach eine auftaktige Achtelnote und ersetzte die Imitationen der Vorlage durch die melismatische Fortführung der Unterstimme. Noch größer sind die Differenzen im B-Teil, dessen fallendes Imitationsmotiv für die Zeile »Induit carnem« erfunden war und durch eine rhythmisch beruhigte Fassung zum wiederholten Wort »Friede« vertreten werden musste. Während die Melismen des Vokalparts bei teilweisem Stimmtausch verändert wurden, wurden die Pausen des Continuo durch fortlaufende Achtelbewegung ersetzt. Am weitesten reichen die Unterschiede im Schlussteil, in dem statt des »Alleluja« fünf deutsche Worte unterzubringen waren. Dürr bildete die Motivik der erhaltenen Fassung zu der motivischen Variante um, die im letzten Takt des Fragments zum Wort »Alleluja« eingeführt wird, sodass die Ergänzung tatsächlich »in fast sämtlichen Noten auf Bachsche Vorbilder zurückzuführen ist«.[194] Dennoch bleibt ungewiss, ob die erhaltene Fassung im Schlussteil nicht ähnlich wie in den anderen Satzphasen umgeformt wurde.

    Es gibt zu denken, dass der Neufassung des Duetts im Eingangschor der Kantate die Umformung der D-Dur-Ouvertüre BWV 1069 gegenübersteht. Obwohl nicht von Parodien zu reden ist, zählen beide Sätze zu den frühesten Beispielen eines Arbeitsverfahrens, auf das Bach nach 1727 immer häufiger zurückgriff. Im Blick auf die neuen Werke, die er zum 2. und 3. Weihnachtstag 1725 komponierte, ist es nicht auszuschließen, dass es ihm in BWV 110 um eine Entlastung ging. Dennoch sind beide Bearbeitungen derart aufwendig, dass sie kaum sehr viel weniger Zeit als neue Kompositionen gekostet haben dürften. Durch die Fülle ihrer Änderungen warnen sie zugleich vor Versuchen, verlorene Erstfassungen aus belegten oder vermeintlichen Parodien abzuleiten.

    Da die Kantate »Ich lasse dich nicht« (BWV 157) nur in einer nach 1750 entstandenen Kopie von Christian Friedrich Penzel erhalten ist, die in einer Flötenstimme den Hinweis »Festo Purificat: Mariae« enthält, bleibt die Datierung und Bestimmung des Werkes ungewiss. Fraglich ist auch, ob Penzel die Erstfassung vorlag, die am

---

[194] Dürrs Rekonstruktion erschien in seiner praktischen Ausgabe der Frühfassung des Magnificat (Kassel 1959).

6. Februar 1727 als »Trauer-Music« auf Johann Christoph von Ponickau erklang.[195] Unter der Prämisse, dass die überlieferte Fassung in das Jahr 1727 zurückweist, gehört der Eingangssatz zum Umfeld des dritten Jahrgangs. Trotz des biblischen Textes (1. Mose 32:27) unterscheidet er sich – ähnlich wie die Spruchvertonungen in BWV 57 und 88 – kaum von den Sätzen mit gedichteten Vorlagen. Obwohl die Worte im Bericht vom Jakobskampf als Anrede Gottes zu verstehen sind, entschied sich Bach dafür, sie als Duett für Tenor und Bass mit Traversflöte, Oboe d'amore und Solovioline zu vertonen. Demgemäß schrieb er einen kontrapunktischen Satz für drei Instrumente, in deren Geflecht sich die Vokalstimmen einfügen. Der Text beschränkt sich auf zwei Glieder, die wiederholt und miteinander verschränkt werden (»Ich lasse dich nicht, du segnest mich denn«). Das Ritornell wird am Ende wiederholt, doch dient es nur einmal als Zwischenspiel (T. 17–25 ~ 1–8). Bei der ständigen Wiederkehr der Worte und der zugehörigen Motivik könnte der Satz zur Monotonie tendieren, sodass er desto mehr auf die Differenzierung der Stimmen angewiesen ist. Während der Instrumentalpart von ornamentalen Wendungen ausgeht, die sich als Binnenauftakte auf Haltetöne richten, setzen die Vokalstimmen mit Quartsprüngen an, die imitierend zu Vorhaltdissonanzen geschichtet werden. Das vokale Modell wird im ersten Abschnitt eingeführt, an dem die Instrumente nur teilweise beteiligt sind, um dann erst wieder im Zwischenspiel hervorzutreten. So geschlossen der Satz wirkt, so unüberhörbar ändern sich die Relationen der Stimmgruppen. Hebt sich der Vokalpart anfangs von den instrumentalen Stimmen ab, deren Figuren in die vokalen Melismen einfließen, so dringt die instrumentale Motivik zunehmend in die Vokalstimmen ein, bis sich beide Schichten kaum unterscheiden. Die Konstruktion kulminiert in zwei Taktgruppen, in denen die Vokalstimmen durch kanonische Imitationen verbunden und mit imitierenden Einsätzen der Instrumente gekoppelt werden (T. 32–35 und T. 44–47). Seinen Reiz verdankt das Duett nicht nur seiner intimen Tönung, sondern ebenso der kontrapunktischen Abstufung aller Stimmen.

Trotz mancher Unterschiede teilen die Duette mit den Solosätzen zu Bibeltext eine homogene Struktur, die statt trennender Ritornelle nur kurze Zwischenspiele zulässt. Obwohl sich die Sätze den Arien zu nähern scheinen, weisen sie zugleich auf die Rezitative zurück, die auf motivisch geprägtem Generalbass basieren. Damit waren zwei Varianten einer Kompositionsweise gefunden, in der biblische Texte ähnlich wie gedichtete Vorlagen in einen motivischen Zusammenhang integriert werden konnten. Dass diese Sätze nicht gesondert bezeichnet wurden, sollte kein Grund dafür sein, ihren eigenen Status zu verkennen.

---

195 Vgl. dazu Klaus Hofmann, Bachs Kantate »Ich lasse dich nicht, du segnest mich denn« BWV 157. Überlegungen zu Entstehung, Bestimmung und originaler Werkgestalt, in: BJ 1982, S. 51–80. Hofmann legte auch eine Rekonstruktion der mutmaßlichen Erstfassung mit solistischer Besetzung vor (Stuttgart 1984). Vgl. ferner NBA I/34, hrsg. von Ryuichi Higuchi, S. 31 ff.

5. Solistische Choralbearbeitungen

Außer den vier Choralkantaten, die schon früher erörtert wurden, umfasst der dritte Jahrgang die bereits erwähnten Choralchorsätze. Daneben finden sich nur wenige Solosätze, in denen Choralverse verwendet werden. War die solistische Choralbearbeitung im ersten Jahrgang noch viermal vertreten, so kommt sie nun nur noch einmal vor (BWV 13:3), während die dialogischen Kantaten, auf die noch gesondert einzugehen ist, drei Duette mit Choralversen enthalten (BWV 49:7 sowie BWV 58:2 und 5).

In BWV 13:5 singt der Alt zur Strophe »Der Gott, der mir hat versprochen« in Viertelnoten die Melodie von »Freu dich sehr, o meine Seele«, die von zwei Blockflöten samt Oboe da caccia dupliert wird. Dazu bilden zwei Violinen und Continuo einen Triosatz, in dem die Viola nur als zusätzliche Füllstimme mitwirkt. Als nächste Parallele aus dem ersten Jahrgang erscheint der Satz BWV 86:3 für Sopran mit zwei Oboen d'amore und Generalbass. Während dort die Oboen mit einer Motivik, an der auch der Generalbass partizipiert, imitierend den Cantus firmus kontrapunktieren, werden hier die Violinen in Terz- oder Sextparallelen mit Spielfiguren verbunden, die sich fast durchweg aus Gruppen von zwei gebundenen Sechzehnteln zusammensetzen. Dass der Satz trotz scheinbar schlichter Faktur sehr genau disponiert ist, zeigt sich am Verhältnis der Violinen zum Choral und zum Generalbass. Während die Violinen im Vorspiel, das nicht nur am Ende, sondern transponiert auch zwischen den Zeilen wiederkehrt und damit als Ritornell fungiert, durchweg parallel geführt sind, wechselt die Oberstimme bei Eintritt der Choralzeilen zu synkopischen Wendungen, um sich als kontrapunktische Gegenstimme vom Cantus firmus abzuheben und am Zeilenende zum vorherigen Muster zurückzukehren. Der Wechsel der Stimmführung tritt desto klarer hervor, weil sich dabei die zweite Violine von der ersten löst und dem rhythmischen Modus der füllenden Bratsche anschließt. Zugleich geht der Generalbass, dessen Achtelbewegung sonst von Pausen durchbrochen wird, während der Choralzeilen zu unausgesetzten Achtelfolgen über, die gemeinsam mit dem Cantus firmus das Fundament der kontrapunktierenden Oberstimme bilden. Innerhalb des Satzes vollzieht sich also eine rhythmische Differenzierung, die seine scheinbar einfache Struktur unterläuft.

In BWV 98 steht dem Choralchorsatz »Was mein Gott will« als Schlusssatz eine Arie gegenüber, die mit der ersten Zeile des Liedes »Meinen Jesum laß ich nicht« beginnt (BWV 98:5). Indes handelt es sich weniger um eine Choralbearbeitung als um eine Arie, in deren erster Zelle der unbekannte Textautor auf den Beginn des Lieds von Wolfgang Keimann zurückgriff. Bach nahm das zwar zum Anlass, mit den Worten auch die zugehörige Melodiezeile zu verbinden. Sie erscheint jedoch ausschließlich im Vokalpart, wogegen das Ritornell von ihr so unabhängig ist, dass eher von einem beziehungsreichen Zitat zu reden wäre, das die Struktur des Satzes nur mittelbar bestimmt.

Die Duette aus BWV 49 und 58, die in zweimonatigem Abstand entstanden, sind hingegen durch die Paarung gedichteter Texte mit Choralstrophen gekennzeichnet. Von anderen Choralkombinationen unterscheiden sie sich als Bestandteile von Dialogen, deren Anlage vom Dichter vorgegeben war. Obwohl die Textdrucke fehlen, entspricht die Angabe »Dialogus« auf den autographen Titelblättern der engen Verflechtung der Texte. Nach sieben Weimarer Arien mit instrumentalen Choralzitaten die wohl auf Bach zurückgingen, enthielt die Johannes-Passion in den Sätzen 24 und 11⁺ zwei Arien mit vokalen Chorälen, ohne einem dialogischen Konzept zu folgen. In den Dialogen hingegen werden die Choralweisen von einer Sopranstimme gesungen, während die gedichteten Zeilen dem Bass zufallen. So liegt es nahe, die Bezeichnungen »Jesus« und »Anima«, die Lehms der Vorlage zu BWV 57 beigab, auch auf diese beiden Dialoge zu übertragen. Beidemal treten die beiden Partner in den Schlusssätzen zusammen, während sie in BWV 58 schon im ersten Satz verbunden werden. Alle Sätze teilen jedoch die Aufgabe, die Stimmen voneinander abzuheben und zugleich in den gemeinsamen Kontext zu integrieren.

In BWV 49:6 wird die Melodie »Wie schön leuchtet der Morgenstern« zur Strophe »Wie bin ich doch so herzlich froh« auf halbe Noten gedehnt, sodass die Stollenzeilen mit verlängerter Finalis rund acht Takte im $^2\!/_4$-Takt ausfüllen, während die beiden Kurzzeilen des Abgesangs den halben Umfang haben und die zwei letzten Zeilen zusammengezogen werden. Dagegen deklamiert der Bass die Worte »Dich hab ich je und je geliebet« in einer Diktion, in der anfangs Achtelwerte eine synkopische Viertel umrahmen, um dann zu syllabisch textierten Achteln zu wechseln (Notenbeispiel 10). Eine dritte Ebene bildet der obligate Orgelpart, in dem die linke Hand den Generalbass übernimmt, während die rechte Figuren in Sechzehnteln und Zweiunddreißigsteln einstreut. Der akkordische Orchestersatz liefert dazu eine Begleitung, die nicht nur füllende Funktion hat, sondern die Taktschwerpunkte markiert und mit auftaktigen Einsätzen eigene Akzente setzt. Der Vielfalt des rhythmischen Gefüges, dessen ruhende Achse die Choralweise bildet, entspricht eine motivische Substanz, die ebenso wechselvoll auf die Stimmen verteilt wird. Das Ritornell wird derart vom Orgelpart beherrscht, dass die orchestrale Oberstimme nur als seine vereinfachte Variante erscheint. Dass es sich anders verhält, wird erst deutlich, wenn der Bass bei seinem Eintritt dieselbe Motivik anstimmt, sodass nun die Orgelstimme wie eine Umspielung des Vokalparts wirkt. Da das gemeinsame Kopfmotiv den intervallischen Rahmen der ersten Choralzeile ausfüllt, trägt es zur melodischen Affinität der Stimmen bei, von der sich ihr rhythmisches Wechselspiel desto klarer abhebt. Dabei werden die Choralzeilen von den Gegenstimmen kontrapunktiert und durch Taktgruppen getrennt, die mit transponierten Varianten des Ritornells bestritten und auf die Stimmgruppen verteilt werden. Die vielfältigen Konstellationen tragen über zahlreiche Wiederholungen hinweg, die vom Ritornell aus auf den ganzen Satzverlauf ausstrahlen. Ohne einem Tanztyp zu gleichen, entspricht das Ritornell in der Folge von 4 + 4 + 8 Takten mit wiederholtem Vordersatz auf der Tonika und längerem Nachsatz auf der Dominante einem Suitensatz en miniature, sodass die Taktgruppen getrennt wiederholt, transponiert und variiert werden können. So kehrt mit der Wiederholung der Stollen der ganze Satzverband wieder (T. 1–55 = 56–110 mit geändertem Anschluss). Und der Schlussteil (T. 162–177) erweist sich als Rückgriff auf das Ritornell (T. 1–16), das wie schon früher mit Vokaleinbau versehen und im Schlussglied auf die Tonika versetzt wird. Das motivische und rhythmische Kaleidoskop gehorcht also einem rationalen Ordnungssystem, in dem sich das Gleichmaß der Choralzeilen als beruhigte Antwort auf den Zuspruch der Dichtung ausnimmt.

Notenbeispiel 10

Im Eingangssatz aus BWV 58 antwortet der Bass mit den Worten »Nur Geduld, mein Herze« auf die Choralstrophe des Soprans »Ach Gott, wie manches Herzeleid«. Beide Ebenen wechseln zur ersten Zeile und rücken sich in der zweiten näher, und dasselbe Verhältnis gilt für die beiden letzten Zeilen. Da der Choral nur vier Zeilen enthält, die im ¾-Takt jeweils vier Takte ausfüllen, bleibt der Bassstimme Raum, um die Worte der Dichtung zu wiederholen. Die Deklamation greift zwar auf die punktierte Rhythmik des Instrumentalparts zurück, ohne jedoch dessen Motivik zu übernehmen. Eher erscheint der Vokalpart als Einbau in das Material des Ritornells, obwohl nur dessen Kadenzgruppe zitiert wird (T. 30–33 ~ 14–17, 56–58 und 84–87).

1–17	17–21	21–33	34–36	37–42	42–59	59–62	61–74	75–83	84–87	1–17
Ritornell	Zeile 1		Zeile 2		Ritornell	Zeile 3		Zeile 4		Ritornell
		Zeile a –	———	b ——			c ——	d	a + b ——	
T			D	D	D				T	T

Zeilen 1–4 = Choral (Sopran), Zeilen a–d = Dichtung (Bass)

Endend in Takt 17, umfasst das Vorspiel 16 Takte, die anfangs getrennt und anschließend zu einer geschlossenen Gruppe verbunden werden. Während sie nur kurze

Pausen zulässt, verschärft sich der drängende Effekt der punktierten Rhythmik durch die chromatisch fallende Basslinie, die der eröffnenden Akkordfolge zugrunde liegt (T. 1–4). Ihr entspricht die chromatisch fallende Oberstimme, mit der die abschließende Kadenzgruppe ausläuft (T. 13–16/17). Da das Ritornell – anders als in BWV 49:6 – auf die Bassstimme bezogen ist, erscheinen zu den Choralzeilen nur freie Varianten der instrumentalen Motivik. Dennoch sorgt die punktierte Rhythmik für die Verzahnung der Satzteile, die durch den Klangwechsel zwischen vokalen und instrumentalen Phasen abgestuft werden. Wird der vokale Dialog nur von Streichern begleitet, so treten im Ritornell, das als Zwischenspiel auf der Dominante und am Ende auf der Tonika wiederkehrt, zusätzlich zwei Oboen samt Taille hinzu. Zuvor jedoch greift der Bass nach der letzten Zeile der Dichtung nochmals auf ihren Beginn zurück, sodass den Worten »zur Freude nach dem Schmerze« der Zuspruch »nur Geduld, mein Herze« folgt. Das Wort »Schmerz« wird dabei mit den chromatischen Stimmzügen des Ritornells verbunden, die noch in der Kadenzgruppe nachwirken (T. 79–86).

Obwohl der letzte Satz ähnlich angelegt ist, hat der Instrumentalpart eine andere Funktion, durch die sich auch die Struktur verändert. Gedehnt auf Halbe, wird die erste Zeile des Chorals vom Sopran intoniert (»Ich hab für mir ein schwere Reis«), während danach im Bass der gedichtete Text eintritt, dessen Fortführung mit den übrigen Choralzeilen kombiniert wird. Das Ritornell umfasst wiederum 16 Takte, da es aber zur Dominante moduliert, muss es am Ende auf der Subdominante ansetzen, um mit zusätzlichem Vokaleinbau auf der Tonika zu schließen, wogegen das Zwischenspiel auf die dominantische Fortspinnung verkürzt wird. Das Kopfmotiv entspricht dem Einsatz des Basses, der die ersten Worte in Vierteln markiert (»Nur getrost, ihr Herzen«). Die Fortspinnung wird jedoch durch sequenzierte Spielfiguren geprägt, die derart instrumental erfunden sind, dass sie als Begleitung fungieren, ohne vom Vokalpart übernommen zu werden. Da das Kopfmotiv durch seine Rhythmik geprägt ist, kann es mit intervallischen Varianten vom Bass und von den Instrumenten zitiert werden (T. 47, 67, 89, 93 und 97ff.). Zugleich sind die Figuren der Fortspinnung so flexibel verwendbar, dass ihre Varianten den gesamten Satzverlauf begleiten. Vor der Folie der Spielfiguren hebt sich das Gespräch zwischen dem Choral und der Bassstimme ab, in der Worte wie »Herrlichkeit« und »Freude« durch Koloraturen hervorgehoben werden. Obwohl der Schlussteil eine transponierte Wiederholung des Ritornells darstellt, wird er durch den Vokaleinbau in zweifacher Hinsicht modifiziert. Wie im Eingangssatz greift der Bass auf die Worte der ersten Zeilen zurück, die hier aber zusammengezogen werden (»Nur getrost, hier ist Angst, dort Herrlichkeit«). Doch setzt der Text verspätet an, da die vierte Zeile mit der verlängerten Finalis des Cantus firmus endet, während die Bassstimme zur Subdominante lenkt, auf der das Ritornell eintritt (T. 92–97). Folglich erklingt der Aufruf »Nur getrost« mit dem zugehörigen Kopfmotiv erst zur Fortspinnungsgruppe des Ritornells (T. 97–100), und da das Wort »Angst« wie im ersten Satz chromatisch gefärbt wird, verändert der Vokaleinbau das Ritornell ähnlich wie in den Eingangschören.

Dass BWV 58 zwischen den »Choral-Duetten« nur eine weitere Arie enthält, dürfte erklären, dass das Werk bei der Erbteilung den Choralkantaten zugeordnet wurde. Wie das Duett aus BWV 49 unterscheiden sich auch diese Sätze von anderen Arien und Duetten durch eine Komplexität, die das Ergebnis der Kreuzung von Dichtung und Choral ist. Dass sie zugleich »Gespräche« bilden, liegt nicht nur an der formalen Disposition, sondern auch am Instrumentalpart, der die Partner des Dialogs verbindet. Damit bilden die Sätze Sonderfälle sowohl in der Reihe der Arien »a due« als auch in der Folge der Choralbearbeitungen.

6. Bearbeitungen instrumentaler Vorlagen

Zu den Kennzeichen des Jahrgangs gehören zehn Sätze, die auf instrumentale Vorlagen zurückgehen, aber anders instrumentiert oder durch Vokaleinbau erweitert wurden. Anders als in späteren Sätzen wie BWV 207:1 und BWV 29:1, für die autographe Vorlagen aus den Köthener Jahren verfügbar sind, liegen die Sätze des dritten Jahrgangs nur in Bearbeitungen für Cembalo vor, die um 1738 entstanden sind.[196] Da zu der Sammlung, die sieben Konzerte und das Fragment eines weiteren Satzes umfasst, auch drei Werke zählen, die auf die Violinkonzerte BWV 1041 und 1042 und das dritte Brandenburgische Konzert BWV 1048 zurückgehen, sind für die übrigen Werke entsprechende Vorlagen anzunehmen, die jedoch als verschollen gelten müssen. Immerhin lassen die Solostimmen von drei weiteren Konzerten darauf schließen, dass es sich bei den Vorlagen um Konzerte für Solovioline bzw. Oboe d'amore und um ein Doppelkonzert für Violine und Oboe gehandelt haben dürfte.[197] Während das d-Moll-Konzert BWV 1052 die Vorlage für zwei Sätze der Kantate BWV 146 war,[198] ist die Quellenlage der Konzerte misslicher, die in BWV 35, 169 und 49 benutzt wurden. Aus der erhaltenen Version des E-Dur-Konzerts BWV 1053 lässt sich nicht die Besetzung der Vorlage erschließen, die in BWV 169 und 49 zugrunde lag. Und vom d-Moll-Konzert BWV 1059, das als Vorlage für drei Sätze aus BWV 35 diente, ist in der Fassung für Cembalo nur ein Fragment des ersten Satzes erhalten, das in Takt 9 abbricht.[199] Ist man in diesem Fall auf Vermutungen angewiesen, so lassen sich die 1726 entstandenen Sätze aus BWV 169 und 49 nur mit der um 1738 geschriebenen Bearbeitung vergleichen. Besser bestellt ist es um die Sinfonia aus BWV 52:1, der der Eingangssatz des ersten Brandenburgischen Konzerts BWV 1046 in einer Fassung ohne obligate Orgel zugrunde liegt, die vor dem 1721 datierten Widmungsautograph entstanden sein muss. Zwar ist die Datierung der anderen

---

[196] Vgl. dazu die Edition von Werner Breig in NBA VII/4, 1999.

[197] Entsprechende Fassungen der Cembalokonzerte BWV 1052, 1055 und 1056 finden sich in NBA VII/7, Verschollene Solokonzerte in Rekonstruktionen, hrsg. von Wilfried Fischer, 1971. Vgl. ferner Ulrich Siegele, Kompositionsweise und Bearbeitungstechnik in der Instrumentalmusik Johann Sebastian Bachs (Tübinger Beiträge zur Musikwissenschaft 3) Neuhausen-Stuttgart 1975, S. 101–153.

[198] Vgl. Werner Breig, Bachs Violinkonzert d-Moll. Studien zu seiner Gestalt und seiner Entstehungsgeschichte, in: BJ 1976, S. 7–34; ders, Zum Kompositionsprozeß in Bachs Cembalokonzerten, in: Johann Sebastian Bachs Spätwerk. Bericht über das wissenschaftliche Symposion anläßlich des 61. Bachfestes, Duisburg 1986, hrsg. von Christoph Wolff, Kassel 1988, S. 32–47.

[199] Werner Breig, Bachs Cembalokonzert-Fragment in d-Moll (BWV 1059), in: BJ 1979, S. 29–36; Siegele, a. a. O., S. 103 ff., sowie Siegbert Rampe, Bachs Orchestermusik, S. 390–396.

Vorlagen unsicher, doch dürften sie in frühere Jahre zurückreichen, da Bach in den ersten Leipziger Jahren keine neuen Konzerte geschrieben haben dürfte.[200]

Erhaltene Fassungen	Urfassungen	Kantatensätze
Cembalokonzert BWV 1052 d-Moll, Sätze 1–2	Violinkonzert d-Moll	BWV 146:1 Sinfonia mit obligater Orgel
		BWV 146:2 Chorsatz »Wir müssen durch viel Trübsal« mit obligater Orgelstimme
Cembalokonzert BWV 1053 E-Dur, Sätze 1–3	Besetzung und Tonart unbekannt	BWV 169:1 Sinfonia mit obligater Orgel
		BWV 169:5 Arie »Stirb in mir« mit obligater Orgel
		BWV 49:1 Sinfonia mit obligater Orgel
Cembalokonzert BWV 1059 d-Moll, Satz 1 (Sätze 2–3?)	Vorlage unbekannt	BWV 35:1 Concerto mit obligater Orgel
		(BWV 35:2 Arie »Geist und Seele wird verwirret« mit obligater Orgel)
		(BWV 35:5 Arie »Gott hat alles wohlgemacht« mit obligater Orgel)
Konzert BWV 1046a:1	–	BWV 52:1 Sinfonia

Während sich die Sätze aus BWV 146 und 169 mit den erhaltenen Fassungen für Cembalo und Streicher vergleichen lassen, ist man für die Sätze aus BWV 35 auf Vermutungen angewiesen. Für BWV 52:1 steht die »Sinfonia« BWV 1046a zur Verfügung, die in einer Kopie von Christian Friedrich Penzel überliefert ist. Nachdem Bach 1725 in BWV 110 eine instrumentale Vorlage durch Choreinbau erweitert hatte, kombinierte er dieses Verfahren in BWV 146 mit der Bearbeitung eines Satzes aus dem Konzert, die er dem Eingangschor voranstellte. Im Herbst 1726 wurden in BWV 169 und 35 weitere Konzertsätze verwendet, während andere Sätze dieser Konzerte zu Arien umgeformt wurden, bis sich im November 1726 die Kantaten BWV 49 und 52 mit instrumentalen Eingangssätzen nach früheren Vorlagen begnügten. Wurde in BWV 52 der Orchestersatz nur geringfügig modifiziert, so musste in anderen Fällen die Solostimme neu gefasst werden. Komplizierter war es, solche Sätze zu Arien umzuformen, die damit zu Gegenstücken der Sätze mit Choreinbau wurden. Wie aufschlussreich es sein kann, die Fassungen der Cembalokonzerte mit den früherliegenden Kantatensätzen zu vergleichen, haben die Untersuchungen von Siegele und Breig gezeigt. Da sich die Kantatensätze aber nicht an späteren Fassungen oder Rekonstruktionen messen lassen, können hier wenige Bemerkungen genügen. Anders steht es mit der Sinfonia BWV 52:1 und der Arie BWV 169:5, deren Vorlagen nur in der Fassung aus BWV 1053 erhalten sind.

Die Sinfonia aus BWV 146 unterscheidet sich vom Kopfsatz aus BWV 1052 durch den Zusatz von zwei Oboen und Taille, während die verschollene Vorlage wohl nur Streicher verwendete.[201] Vermutlich wurden die Bläserstimmen zugefügt, weil die

---

200 Zur Problematik der Datierungen vgl. die in Anm. 130–131 genannten Arbeiten von Christoph Wolff und Martin Geck.
201 Vgl. die Rekonstruktion in NBA VII/7, hrsg. von Wilfried Fischer, S. 3–14, sowie ebd., KB, S. 44–48. Zur Vorlage vgl. NBA VII/4, hrsg. von Werner Breig, S. 25 ff.

Spieler für die Solopartien der Sätze 5 und 7 verfügbar waren. Obwohl sie in der Sinfonia zumeist nur die Streicher duplieren, bereichern sie die Ritornelle und Episoden mit eigenen rhythmischen Akzenten (T. 3 f. und 7 f. sowie T. 22–26). Die Orgelstimme entspricht zwar dem Solopart des Cembalokonzerts, doch rechnet ihre Notierung in den Kopien von Agricola und Hering mit einer 4'-Registrierung.[202]

Obwohl die Arien aus BWV 169 keine Holzbläser fordern, wird die Sinfonia – anders als in BWV 1053:1 – durch zwei Oboi d'amore und Taille erweitert.[203] Sie folgen zumeist zwar dem Streichersatz, der aber in den Episoden auf Streicher und Bläser verteilt wird, sodass die Oboen mitunter solistisch hervortreten (wie in T. 13 f., 66 f., 125 f.). Im Gegensatz zu anderen Bearbeitungen, deren Fassungen trotz abweichender Stimmführung gleichen Umfang haben, ist der Satz in BWV 169 zwei Takte kürzer als die E-Dur-Fassung BWV 1053:1, in der das erste Solo im A-Teil und in der Reprise um einen Takt erweitert wurde (vgl. T. 13 bzw. 126).[204] Während diese Gruppen in der Sinfonia jeweils acht Takte umfassen, fallen die solistischen Phasen in BWV 1053:1 einen Takt länger aus. Die Differenz dürfte weniger auf eine Kürzung der Vorlage als auf eine Erweiterung der Cembalofassung zurückgehen, deren periodische Taktgruppierung differenziert wurde.[205] Der letzte Satz dieses Konzerts kehrt in der Kantate BWV 49 als Sinfonia wieder. Während die Arien Nr. 4 und 6 mit einer Oboe d'amore rechnen, wurde in der Sinfonia eine Oboenstimme zugefügt, die der ersten Violine entspricht.[206] Da der Satz wie der aus BWV 169 im Autograph als Reinschrift erscheint, fehlen in beiden Fällen Korrekturen, die Rückschlüsse auf die Besetzung der Vorlagen erlauben könnten.[207]

Für die Sinfonia der Kantate BWV 52 »Falsche Welt, dir trau ich nicht« ist die Quellenlage günstiger, weil sich neben dem Widmungsautograph der Brandenburgischen Konzerte die abweichende Fassung in Penzels Kopie (BWV 1046a:1) heranziehen lässt.[208] Abgesehen von weiteren Differenzen, teilt die Sinfonia mit der Fassung Penzels das Fehlen der Stimme für Violino piccolo, die sich nur im Widmungsautograph findet. Wie Siegele zeigte, dürfte es sich dabei um eine nachträgliche Erweiterung handeln, die durch die Einfügung des dritten Satzes bedingt war.[209] Nur in diesem Satz bildet der mit D-Dur-Stimmung rechnende Violinpart eine obligate

---

202 Vgl. die Synopse beider Kopien in NBA I/11.2, hrsg. von Reinmar Emans, S. 143–158. Den letzten Satz des Konzerts verwendete Bach 1728 als Einleitung der Kantate BWV 188 »Ich habe meine Zuversicht«, doch enthält das fragmentarisch überlieferte Autograph nur die letzten Takte (vgl. NBA I/25, hrsg. von Ulrich Bartels, S. 267–289). Eine Rekonstruktion des Satzes findet sich in der Edition von Werner Breig, Wiesbaden 2007 (Breitkopf & Härtels Partitur-Bibliothek Nr. 4688); vgl. ders, Zur Gestalt der Eingangs-Sinfonia von Bachs Kantate »Ich habe meine Zuversicht« (BWV 188), in: Cöthener Bach-Hefte 11, 2003, S. 41–60.
203 Vgl. dazu Siegbert Rampe, Bachs Orchestermusik, S. 289–293 und 383 ff.
204 Vgl. dazu die Nachweise bei Siegele, a. a. O., S. 137 ff.; zu BWV 1053 vgl. NBA VII/4, KB, S. 66 ff.
205 Vgl. Wilfried Fischer in NBA VII/7, KB, S. 133–137.
206 Zu den Abweichungen vgl. Siegele, a. a. O., S. 140 f., und Fischer, NBA VII/7, KB, S. 132 f., sowie Rampe, a. a. O., S. 375 f.
207 Vgl. Fischer in NBA VII/7, KB, S. 132 f. Dagegen wollte Siegele, a. a. O., S. 141 ff., nicht ausschließen, dass die verlorene Vorlage ein Oboenkonzert in Es-Dur gewesen sein könnte.
208 Vgl. dazu Siegele, a. a. O., S. 146–149, sowie NBA I/16, hrsg. von Andreas Glöckner, KB, S. 125 f. Vgl. auch Rampe, Bachs Orchestermusik, S. 173–185.
209 Zur Stimme für Violino piccolo vgl. Siegele, a. a. O., S. 149 f. Dem abschließenden Menuett folgt in BWV 1046 eine Polonaise, die in BWV 1046a entfällt.

Stimme, die in normaler Stimmung schwer zu spielen wäre, während sie in den übrigen Sätzen von einer Violine übernommen werden kann. Zwar könnte die durch Penzel überlieferte Fassung auch als spätere Bearbeitung gelten, in der der dritte Satz ausgelassen wurde. Während Rudolf Gerber 1952 bezweifelte, dass sie auf Bach zurückgehe, gilt sie seit Besselers Edition als Frühfassung.[210] Siegele konnte durch den Vergleich der Lesarten zeigen, dass die drei erhaltenen Fassungen »auf ein und dieselbe, uns nicht überlieferte Vorlage zurückgehen«, die vermutlich mit der Kompositionspartitur identisch war.[211] Bemerkenswerterweise wurde die Besetzung mit Hörnern, Oboen, Fagott und Streichern in BWV 52:1 beibehalten, obwohl nur Satz 5 drei Oboen fordert.

Besonders dürftig ist die Quellenlage für die vier Sätze, die in der Kantate »Geist und Seele wird verwirret« (BWV 35) eine obligate Orgelstimme enthalten. Da nur die ersten neun Takte des eröffnenden »Concerto« in einem Fragment vorliegen, das Bach am Ende des Autographs der Cembalokonzerte notierte, steht für den Vergleich der Fortsetzung und der übrigen Sätze keine Vorlage zur Verfügung.[212] Und weil beide Sinfonien im Partiturautograph in Reinschrift vorliegen, fehlen auch Korrekturen, die auf die verschollene Vorlage zurückweisen könnten. Aus dem Umfang des Diskants der Orgelstimme schloss Siegele, dass die Vorlage ein Oboenkonzert war, auf das auch die zweite Sinfonie der Kantate zurückgehe. Fischer verzichtete jedoch auf eine Rekonstruktion, da er es für unsicher hielt, ob ein Konzert für Orgel oder für ein Melodieinstrument zugrunde lag. Falls es sich um ein Oboenkonzert gehandelt habe, könne ihm nicht das in der Arie BWV 35:2 verwendete Siciliano entstammen, in dem »der Orgeldiskant den Tonumfang der Oboe« überschreite.[213] Doch lässt sich dieses Argument nicht ohne einen Seitenblick auf die Arie aus BWV 169 erörtern, für die im Mittelsatz aus BWV 1053 eine spätere Fassung zum Vergleich herangezogen werden kann.

Obwohl der Orchestersatz in den Sinfonien umgebildet wurde, blieb die Struktur der Vorlagen erhalten. Das Verfahren musste jedoch modifiziert werden, wenn ein Konzertsatz zu einer Arie umgeformt wurde, deren Vokalpart mit der instrumentalen Solostimme konkurrieren und zugleich den Text berücksichtigen sollte. Die Arie »Stirb in mir« (BWV 169:5) geht auf ein Modell zurück, das in der Fassung aus BWV 1053 ein Siciliano im ⁹⁄₈-Takt darstellt.[214] Es wird von einem sechstaktigen Ritornell eröffnet, das erst am Ende des Satzes wiederkehrt (T. 1–6 bzw. 31–37). Der Satz wird durchweg durch den Solopart geprägt, der auch die umrahmenden Ritornelle umspielt. Wo in Takt 14 die Dominante erreicht wird, wäre eine Zäsur möglich, die aber von der Solostimme überdeckt wird. Sobald die Tonika restituiert wird, greift der Solist auf den Beginn zurück, um damit eine latente Zweiteilung anzudeuten (T. 19f). Die Fortführung erweist sich als Rekurs auf die Sequenz, die

---

210 Rudolf Gerber, Bachs Brandenburgische Konzerte, Kassel 1951, S. 57; vgl. NBA VII/2, hrsg. von Heinrich Besseler, S. 225–242, sowie KB, S. 37–44.
211 Siegele, a. a. O., S. 146 sowie S. 148.
212 Vgl. NBA VII/4, S. 313 f., sowie KB, S. 205–208.
213 Fischer, a. a. O., S. 138.
214 Vgl. Rampe, Bachs Orchestermusik, S. 375 f.

zuvor dem Incipit des Ritornells folgte und hier den Ansatz der Reprise markiert (T. 19–22 ~ 1–6).

Siciliano BWV 1053:2

1–6	7–18	19–31	31–37
Ritornell	Solo	Solo (19–22 ~ 1–6)	Ritornell
T	T – D – T	T – S – T	T

Dagegen steht die Arie in h-Moll und unterscheidet sich vom Konzertsatz durch ein zusätzliches Ritornellzitat, das an der Stelle eingefügt wird, wo in der Vorlage die Zäsur auf der Dominante überspielt wurde (T. 14 ff). Da die Anschlusstakte entsprechend geändert werden müssen, erweitert sich die Arie um acht Takte, während die durchgehende Präsenz des konzertanten Soloparts durch eine zweiteilige Anlage ersetzt wird.

Arie »Stirb in mir« BWV 169:5

1–7	7–14	15–20	21–39	39–45
(~ 1–7)	*(~ 7–14)*		*(~ 14–31)*	*(~ 31–37)*
Ritornell	Solo	Ritornell	Solo	Ritornell
T	T – D	D	D – S – T	T

Kursive Taktzahlen ~ Siciliano

Wird der Solist im Konzert durch akkordische Achtel der Streicher begleitet, die zugunsten der Cembalostimme durch Pausen getrennt werden, so werden sie in der Arie zu Vierteln verlängert und durch neue melodische Wendungen bereichert (T. 10, 12 und 38). Der Diskant der Orgelstimme fungiert in der Arie weniger als Umspielung denn als Partner des Vokalparts. Ob der Solopart mit Rücksicht auf die Vokalstimme reduziert oder erst im späteren Konzertsatz derart ornamentiert wurde, ist wegen des Verlusts der Vorlage kaum zu entscheiden.[215] Als gemeinsames Gerüst erweist sich die Bassstimme, die aus Achtelpausen und nachschlagenden Achtelnoten besteht. Das Versschema der Textvorlage schließt zwar eine Da-capo-Form nicht aus, fordert sie aber nicht, weil die erste Zeile zu Beginn des zweiten Teils wiederholt wird (3a, 8b, 3c, 7d, 8b | 3a [= Zeile 1], 7c, 8b). Während der erste Teil die fünf ersten Zeilen verwendet, ist der zweite auf die drei übrigen Zeilen angewiesen und greift daher auf die ersten Zeilen zurück, sodass sich die zweiteilige Anlage mit dem Da capo des Textes verbindet. Obwohl sich der Orgel- und der Vokalpart weithin decken, kreuzen sie sich häufig, um sich in den Melismen voneinander zu trennen (T. 13 f., 28 f., 33 f. und 37 f.). Ihr Verhältnis tritt deshalb so deutlich hervor, weil beide Teile mit einem Halteton des Alts beginnen, der das Wort »stirb« hervorhebt und gleichzeitig den Prozess der Annäherung und Entfernung der Stimmen einleitet.

---

215 Vgl. dazu Siegele, a. a. O., S. 139 f., und Fischer, a. a. O., S. 74 f., ferner NBA I/20, hrsg. vom Klaus Hofmann, KB, S. 187 f.

Die Sätze müssen als eigenständige Umbildungen eines Modells gelten, das in der verlorenen Vorlage zu suchen ist. Eine ähnliche Umwandlung dürfte die Altarie »Geist und Seele wird verwirret« (BWV 35:2) erfahren haben. Sie bildet ebenfalls ein Siciliano im ⁶⁄₈-Takt, doch lässt sich diesmal keine Vorlage zum Vergleich heranziehen. Der Text von Lehms gibt eine Da-capo-Anlage vor, in der die zwei ersten und die drei folgenden Zeilen getrennte Sätze darstellen. Demgemäß entfallen die ersten Zeilen auf den A-Teil und die restlichen auf den Mittelteil, nach dem der A-Teil wiederholt wird. Wie in der Mehrzahl der Sinfonien bilden die Streicher und die Oboen zwei Klanggruppen, die sich im Ritornell wechselnd colla parte verbinden oder überlagern. Während der A-Teil durch das Ritornell gegliedert und instrumental begleitet wird, weist der Mittelteil nur ein längeres Ritornellzitat auf, dessen letzte Takte mit dem Vokalpart gekoppelt werden (T. 59–63). Zwar wird der Alt in den nächsten drei Takte mit Akkorden begleitet, die sich auf die Streicher und Bläser verteilen, doch bricht ein zweites Ritornellzitat rasch ab (T. 70–72), sodass die übrigen Takte dem Vokalpart und der obligaten Orgelstimme überlassen sind (T. 53–58, 69–70 und 73–76). Mit Ausnahme der ersten Takte wird die Orgelstimme durch Zweiunddreißigstel beherrscht, ohne wie in BWV 169:5 an der Melodik des Vokalparts zu partizipieren.

A-Teil, T. 1–52					B-Teil, T. 53–76		
Ritornell	Zeilen 1–2	Ritornell	Zeilen 1–2	Ritornell	Zeilen 3–5	Rit.-Zitat	Zeilen 3–5
1–10	11–18	19–28	29–42	43–52	53–58	59–62	63–76
T – D°	T – D°	D°	D – T	T – T	T – S	S	S – Tp

Die unterschiedliche Struktur der Teile wäre am leichtesten durch die Annahme zu erklären, der B-Teil stelle einen in der Vorlage fehlenden Zusatz dar. Da der A-Teil eine zweigliedrige Anlage bildet, die vom Ritornell flankiert wird, ließe sich auf eine Vorlage schließen, in der das transponierte Ritornellzitat fehlte. Zwar ist der A-Teil mit 52 statt 45 Takten etwas länger als in BWV 169:5, doch ändern sich die Proportionen, wenn man die Differenz zwischen dem ⁹⁄₈- und dem ⁶⁄₈-Takt einberechnet. Dennoch sind die Unterschiede der Texte so wenig zu übersehen wie die Tatsache, dass der Satz aus BWV 169 sechs Wochen nach BWV 35 entstand und damit vom ersten Versuch profitieren konnte. Das schließt nicht aus, dass beide Sätze als Alternativen geplant waren. Obwohl die Arie aus BWV 35 keine Rückschlüsse auf die Vorlage erlaubt, reichen die Analogien zu BWV 169:5 so weit, dass wenig gegen die Vermutung spricht, sie gehe auf den Mittelsatz des Konzerts zurück, das dem eröffnenden »Concerto« und auch der zweiten Sinfonia zugrunde lag.[216] Da die Figuration der Orgelstimme auf eine gründliche Umformung des Modells deutet, gestattet sie keine Rückschlüsse auf den Umfang der ursprünglichen Solostimme, die deshalb – entgegen Fischer – auch für Oboe bestimmt gewesen sein könnte.[217]

---

216 Vgl. Siegele, a. a. O., S. 145, wo auch gefragt wird, ob die Vorlagen beider Sinfonien »mit der Autorschaft Bachs vereinbar seien«. Dass Bach im Autograph einer Kantate das Konzert eines anderen Autors verarbeitet hätte, wäre jedoch ein derart singulärer Fall, dass Zweifel an der Authentizität der Vorlagen kaum angebracht sein dürften.
217 Vgl. dagegen Fischer, a. a. O., S. 138.

Da die Sinfonien aus den Vorlagen übernommen wurden, bilden sie weniger neue Kompositionen als Zeugnisse des veränderten Umgangs mit früheren Werken. So bedauerlich es ist, dass eine Chronologie der Solokonzerte fehlt, so zweifelsfrei ist es, dass diese Werke eine entscheidende Voraussetzung der Leipziger Werke waren. Hatte Bach in BWV 110 erstmals einen Instrumentalsatz durch Choreinbau erweitert, so schloss er in BWV 146 daran an und arbeitete zugleich einen Konzertsatz zur Sinfonia um. Dagegen ging es ihm in solistisch besetzten Kantaten wie BWV 169, 35 und 49 offenbar darum, den Ausfall der Chorsätze durch instrumentale Eingangssätze zu kompensieren. Dass die Konzertsätze zu Arien umgeformt werden konnten, deutet auf die Angleichung der Formtypen hin. Dennoch fällt es auf, dass Bach es vorzog, frühere Vorlagen umzuarbeiten, statt neue Sätze zu schreiben. Angesichts der neuen Werke dieser Zeit lässt sich aber kaum von Zeichen der Ermüdung reden. Maßgeblich war eher die Umformung eigener Werke und damit ein Verfahren, das zum leitenden Prinzip der späten Vokalwerke werden sollte.

7. Gruppen und Formen der Arien

Wie die Übersicht zeigt, kreuzt sich die Zeitfolge der Werke mit der Gruppierung, die sich durch die Textvorlagen ergibt. In der ersten Gruppe, die von vier Werken der Zeit nach Trinitatis 1725 bis in die Phase nach Epiphanias 1726 reichte, wählte Bach Texte, die auf Franck, Lehms und andere Autoren zurückgehen. In den Sommer und Herbst 1726 fielen die Werke nach Meininger Vorlagen, zwischen denen zwei Solokantaten entstanden. Die solistischen Werke, die später in den Vordergrund traten, können ebenso wie die Dialoge als eigene Gruppen gelten, denen noch drei weitere Werke folgten. Die folgenden Bemerkungen suchen daher die chronologische Folge mit der Gruppierung der Textvorlagen zu verbinden.

a. Juli 1725 bis Januar 1726

In der Zeit vor Weihnachten ist der Aufführungskalender so lückenhaft, dass offenbleiben muss, wieweit er durch eigene Kantaten oder durch Werke anderer Autoren aufgefüllt wurde. Selbst wenn man die Kantate BWV 148 einberechnet, die vielleicht in diese Zeit fiel, liegen aus dem Herbst 1725 nur vier vereinzelte Werke vor.[218] Zwei von ihnen verwenden Vorlagen von Franck, und da Bach seit Weinachten auf sechs Texte von Lehms zurückgriff, zwischen die eine Vorlage von Neumeister trat, ergab sich eine Reihe älterer Texte, an deren Ende eine weitere Dichtung von Franck stand.[219] Insgesamt drängt sich der Eindruck auf, als habe Bach sich gescheut, sofort nach dem zweiten Amtsjahr einen neuen Jahrgang zu beginnen.

---

[218] Hier und weiterhin bleibt die Choralkantate BWV 137 außer Betracht, die zwar ebenfalls in diese Phase fiel, aber ebenso wie BWV 129 nachträglich dem zweiten Jahrgang zugeordnet und daher in dessen Zusammenhang erörtert wurde.

[219] Die Angaben zu Tanzsätzen folgen den Hinweisen von Doris Finke-Hecklinger, Tanzcharaktere in Johann Sebastian Bachs Vokalmusik (Tübinger Bach-Studien 6), Trossingen 1970.

BWV 168 Tue Rechnung! Donnerwort (9. Sonntag nach Trinitatis – Franck)

1	Tue Rechnung! Donnerwort	A – B (+ A')	B., Str., Bc. – h-Moll, ¢
3	Kapital und Interessen meiner Schulden	A – B – B' (Menuett)	T., Ob. d'am. I–II in unisono, Bc. – fis-Moll, 3/8
5	Herz, zerreiß des Mammons Ketten	A – B – C	S., A., Bc. – e-Moll, 6/8 (Duett)

BWV 164 Ihr, die ihr euch von Christo nennet (13. Sonntag nach Trinitatis – Franck)

1	Ihr, die ihr euch von Christo nennet	A – B – A' – B'	T., Str., Bc. – g-Moll, 9/8
3	Nur durch Lieb und durch Erbarmen	A – B – B	A., Trav. I–II, Bc. – d-Moll, ¢
5	Händen, die sich nicht verschließen	A – B – B	S., B., je zwei Trav., Ob., V. in unisono, g-Moll, 6/8 (Duett)

BWV 148 Bringet dem Herrn Ehre seines Namens (17. Sonntag nach Trinitatis – Text nach Henrici)

2	Ich eile, die Lehren des Lebens zu hören	var. Dc (Gigue)	T., V. solo, Bc. – h-Moll, 6/8
4	Mund und Herze steht dir offen	Dc	A., Ob. d'am. I–II, Ob. da caccia, Bc. – G-Dur, ¢

BWV 79 Gott, der Herr, ist Sonn und Schild (Reformationstag – Textautor unbekannt)

2	Gott ist unsre Sonn und Schild	A – B – A' (stilisierte Gigue)	A., Ob., Bc. – D-Dur, 6/8
5	Gott, ach Gott, verlaß die Deinen nimmermehr	A – B – B	S., B., V. I–II in unisono, Bc. – h-Moll, ¢ (Duett)

BWV 110 Unser Mund sei voll Lachens (1. Weihnachtstag – Lehms)

2	Ihr Gedanken und ihr Sinnen	A – B	T., Trav. I–II, Fag., Bc. – h-Moll, ¢
4	Ach Herr, was ist ein Menschenkind	A – B	A., Ob. d'am., Bc. – fis-Moll, 3/4
6	Wacht auf, wacht auf, ihr Adern und ihr Glieder	var. Dc	B., Tr. I, Str., Bc. – D-Dur, ¢

BWV 57 Selig ist der Mann (2. Weihnachtstag – Lehms)

3	Ich wünsche mir den Tod	var. Dc	S., Str., Bc. – c-Moll, 3/4
5	Ja, ja, ich kann die Feinde schlagen	Dc	B., Str., Bc. – B-Dur, 3/4
7	Ich ende behende mein irdisches Leben	A – B	S., V. solo, Bc. – g-Moll/B-Dur, 3/8

BWV 151 Süßer Trost, mein Jesus kömmt (3. Weihnachtstag – Lehms)

1	Süßer Trost, mein Jesus kömmt	Dc (Pastorale)	S., Trav., V. I + Ob. d'am., V. II, Va., Bc. – G-Dur, 12/8
3	In Jesu Demut kann ich Trost, in seiner Armut Reichtum finden	var. Dc	A., Ob. d'am., Str. in unisono, Bc. – d-Moll, ¢

BWV 28 Gottlob! Nun geht das Jahr zu Ende (Sonntag nach Weihnachten – Neumeister)

1	Gottlob! Nun geht das Jahr zu Ende	A – B – C	S., Ob. I–II, Taille, Str., Bc. – a-Moll, ¾
5	Gott hat uns im heurigen Jahre gesegnet	A – B – C	A., T., Bc. – D-Dur, 6/8 (Duett)

BWV 16 Herr Gott, dich loben wir (Neujahr – Lehms)

3	Laßt uns jauchzen, laßt uns freuen	»Chorarie«	Chor und Bass (s. o. Kap. 3c)
5	Geliebter Jesu, du allein	Dc	T., Ob. da caccia, Bc. – F-Dur, ¾

BWV 32 Liebster Jesu, mein Verlangen (1. Sonntag nach Epiphanias – Lehms)

1	Liebster Jesu, mein Verlangen	A – B – C	S., Ob., Str., Bc. – e-Moll, c
3	Hier, in meines Vaters Stätte	Dc (Menuett)	B., V. solo, Bc. – G-Dur, 3/8
5	Nun verschwinden alle Plagen	Dc	S., B., Ob., Str., Bc. – D-Dur, c (Duett)

BWV 13 Meine Seufzer, meine Tränen (2. Sonntag nach Epiphanias – Lehms)

1	Meine Seufzer, meine Tränen	Dc (stilisiertes Pastorale)	T., Fl. I–II, Ob. da caccia, Bc. – d-Moll, 12/8
5	Ächzen und erbärmlich Weinen	var. Dc	B., Fl. I–II + V. solo, Bc. – g-Moll, c

BWV 72 Alles nur nach Gottes Willen (3. Sonntag nach Epiphanias – Franck)

3	Mit allem, was ich hab und bin	A A' – B – A'	A., V. I–II, Bc. – d-Moll, c
5	Mein Jesus will es tun	var. Dc	S., Ob. I, Str., Bc. – C-Dur, ¾

Die Textwahl war insofern nicht folgenlos, als die Vorlagen von Franck und Lehms im Unterschied zu den Texten aus BWV 148 und 79 zumeist keinen Anlass zu Eingangschören gaben. Für Franck mochte dabei – wie Bachs frühere Werken zeigten – die Rücksicht auf die begrenzten Möglichkeiten der Weimarer Hofkapelle maßgeblich gewesen sein. Dagegen schrieb Lehms seine Texte für die Darmstädter »Nachmittags-Andachten« und verzichtete deshalb auf die Mitwirkung des Chores. Dass er die Texte für den 1. Weihnachtstag und Neujahr mit einem Dictum bzw. einem Choral beginnen ließ, gab Bach Gelegenheit für zwei Chorsätze, während die chorische Fassung der ersten Aria aus BWV 72 – wie zuvor in BWV 31 – auf seine Entscheidung zurückging. Folglich beginnt mehr als die Hälfte der Werke solistisch (BWV 168, 164, 57, 151, 32, 28 und 13). Ein Sonderfall ist der Eingangssatz aus BWV 57, der einen Spruchtext verwendet (und deshalb früher erwähnt wurde). Sieht man ferner von BWV 28 ab, wo Neumeister an zweiter Stelle die Choralstrophe »Nun lob, mein Seel, den Herren« vorsah, so verbleibt dem Chor in den übrigen Werken nur der Schlusschoral. Steht der kleinen Gruppe anspruchsvoller Chorsätze eine größere Zahl solistischer Kantaten gegenüber, so zeichnet sich darin eine Konstellation ab, die seit dem Sommer 1726 noch deutlicher hervortreten sollte. Aus der Wahl der Texte ergab sich gleichzeitig die Form der Arien. Weil Francks Arien in der Regel kein Da capo vorgaben, hatte Bach andere Lösungen zu finden. Während die Form primär vom Text abhängig war, konnte er über die Besetzung entscheiden, die als maßgebliche Prämisse der Satzstruktur gelten darf.[220]

An die Stelle der Continuo-Arien treten ariose Sätze mit Spruchtexten und zwei Duette. Obwohl sie sich durch ostinate Techniken auszeichnen, lassen sie sich im Blick auf die vokale Besetzung mit den drei übrigen Duetten zusammenfassen. Mit elf Sätzen dominieren – wie im ersten Jahrgang – vollstimmige Besetzungen, die neben den Streichern mehrfach Oboen oder Flöten verwenden. Den Gegenpol bilden neun Arien und drei Duette mit einer Instrumentalstimme, während vier weitere Sätze mit zwei Instrumenten rechnen. Ein Sonderfall ist die Arie BWV 13:1, die zwei Flöten mit Oboe da caccia und obligatem Generalbass zu einem Quartettsatz verbindet, in den der Tenor einbezogen wird.

Continuo-Sätze

Während die Continuo-Arien in Weimar eine größere Gruppe bildeten, enthielt der erste Jahrgang zumindest anfangs noch vergleichbare Sätze. An ihre Stelle treten im dritten Jahrgang zwei Duette mit Bassmodellen, die zugleich die Funktion des Ritornells übernehmen. Anfangs streng beibehalten, werden sie zunehmend variiert, um am Ende wieder restituiert zu werden. Obwohl die trochäischen Verse in BWV 168:5 ein gerades Taktmaß nahelegen könnten, zog Bach den ⁶⁄₈-Takt vor, in dem sich einzelne Worte durch Pausen und Synkopen akzentuieren ließen. Der Text des Duetts »Herz, zerreiß des Mammons Ketten« bedurfte eines Verfahrens, das den mahnenden Worten durch variierte Wiederholungen Nachdruck geben konnte. Um den Spielraum der Variationen zu erweitern, entschied sich Bach für zwei Vokalstimmen, um die Perioden durch Imitationen miteinander zu verzahnen.

1–4	5–8	9–12	13–16	17–20	21–28	29–32	33–38	39–42	43–46–48	49–52
Ritornell	Zeilen 1–2			Ritornell	Zeilen 3–4	Ritornell	Zeilen 5–6			Ritornell
Periode I	II	III	IV	V	VI	VII	–	VIII	IX	X
e	e	H	e – G	G	G – e – a	a	a – D	G	e	e

Das viertaktige Bassgerüst gründet auf einer fallenden Skala, die zunächst den Raum einer Sexte ausschreitet, um ihn in der Kadenzgruppe zur Oktave zu erweitern.

---

[220] Auch wenn Bach die Fähigkeiten der Musiker zu berücksichtigen hatte, blieb ihm genügend Spielraum für die Wahl der beteiligten Instrumente, die für die Struktur der Sätze maßgeblich waren.

Prägend ist vor allem die Rhythmik, die anfangs gezackte Figuren mit weiten Sprüngen koppelt und sich danach auf punktierte Werte beschränkt. Die Basslinie umschreibt eine fallende Sequenz, deren Glieder durch Septakkorde auf betonter Zählzeit verkettet werden. Ihre Motivik, die auf das Wort »zerreiß« verweist, ist jedoch derart unsanglich, dass sie im Vokalpart durch eine Variante in Viertel- und Achtelwerten ersetzt werden muss. Anfangs durch Achtelpausen unterbrochen, wird sie später durch Koloraturen erweitert, die dem wechselnden Wortlaut der Zeilen folgen. Um die Gegenstimme auf der Quinte eintreten zu lassen, wird das Modell in der III. Periode auf die Dominante und später auf die Parallele und die Subdominante transponiert. Die VI. Periode moduliert nach a-Moll und erreicht dabei doppelten Umfang (T. 21–28), wogegen die VII. zum Grundmodell zurückkehrt, das anschließend aufgegeben wird, um dem Text der letzten Zeilen Rechnung zu tragen (T. 33–38: »das im Himmel ewig bleibet, wenn der Erden Gut zerstäubet«). Während der Continuo die Motivik des Ostinato variiert, wird der imitierende Vokalsatz so konsequent fortgeführt, dass fast von einer zweistimmigem Motette zu reden ist, deren Abschnitte dem Wechsel der Textglieder folgen und zugleich durch den Ostinato verbunden werden.

Im Duett »Gott hat uns im heurigen Jahre gesegnet« (BWV 28:5) wird dieses Muster in mehrfacher Hinsicht modifiziert. Zum einen legt der Text mit den Worten »wir« und »uns« eine zweistimmige Fassung näher als in BWV 168:5. Zum anderen bietet er drei Verspaare, deren daktylisches Metrum es nahelegt, die zwölfsilbigen Zeilen in zwei auftaktig ansetzenden ⁶⁄₈-Takten unterzubringen (♪ | ♪♪♪ ♪♪♪ | ♪♪♪ ♪♪). Demgemäß wählte Bach ein sechstaktiges Bassgerüst, in dessen Rahmen die Verse auf die imitierenden Stimmen verteilt und durch Koloraturen erweitert werden. Im Blick auf den Text begnügt sich der Ostinato mit zwei Sequenzfolgen, die eine zweitaktige Zwischengruppe umrahmen. Während die flankierenden Zweitakter die Tonika umkreisen, wird im mittleren Glied ein Orgelpunkt auf der Dominante umspielt. Allerdings wird die Ordnung schon in der zweiten Periode durch einen modulierenden Einschub verschleiert, in dem die erste Zeile auf der Tonika und die imitierende Gegenstimme auf der Dominante einsetzt, während die dritte Periode durch Koloraturen ausgefüllt wird. Da die Sequenzen Ausschnitte aus einer Quintkette bilden, lassen sie sich so verlängern, dass sie sich auch in modulierenden Phasen verwenden lassen.

1–6	7–10	11–16	17–22	23–28	29–35	36–41	42–46	46–48	+ 49–54	55–60	61–66
Ritornell	Zeilen 1–2			Ritornell	Zeilen 3–4		Ritornell	Zeilen 5–6			Ritornell
Periode I	–	II	III	IV	–	V	VI	VII		VIII	IX
C	C – G	C	G	G	G –	a	a	d –	F –	C	C

Die Motivik der Vokalstimmen lehnt sich nur anfangs an das Ostinatomodell an, von dem sie sich bereits im zweiten Verspaar zu lösen beginnt. Die Worte »wir hoffen's von seiner beharrlichen Güte« werden dabei mit einem chromatischen Motiv verbunden und in einem Einschub untergebracht. Weil die Fortführung aber wieder in Koloraturen ausläuft, wirkt der Satz geschlossener als das Pendant aus BWV 168. Zwischen diesen Sätzen zum 9. Sonntag nach Trinitatis und zum Sonntag nach Weihnachten entstand das Duett aus der Kantate zum ersten Weihnachtstag (BWV 110:5), dessen quasi ostinate Phasen etwas variabler ausfallen.[221] Doch geht der Satz auf das zwei Jahre zuvor entstandene »Virga Jesse« aus dem Magnificat zurück, sodass im Vergleich der Duette weniger von einer Entwicklung als von verschiedenen Lösungen derselben Aufgabe zu reden ist.

Einen anderen Ansatz vertreten die beiden Duos, die durch einen Instrumentalpart erweitert werden und damit eine Satzart erproben, die sich von den anderen Duetten unterscheidet. Beidemal handelt es sich um kontrapunktische Sätze im Alla-breve-Takt, deren vokale Phasen der Textgliederung folgen und durch die instrumentale Motivik verbunden werden. Das Duett »Händen, die sich nicht verschließen« (BWV 164:5) beginnt mit einem Vorspiel, das die Motivik der Vokalstimmen vorwegnimmt. Statt ihrer kanonischen Imitation vorzugreifen, bilden der Instrumentalpart und der Generalbass einen zweistimmigen Gerüstsatz, in dem das Kopfmotiv fortgesponnen wird. Da der Text drei analoge Zeilenpaare enthält, ohne ein Da capo zu fordern, übernahm Bach diese Gliederung, die er durch die Wiederholung aller Zeilen zu einer variierten Da-capo-Anlage umformte.

A. Händen, die sich nicht verschließen, / Wird der Himmel aufgetan.
B. Augen, die mitleidend fließen, / Sieht der Heiland gnädig an.
C. Herzen, die nach Liebe streben, / Will Gott selbst sein Herze geben.

Obwohl die drei Zeilenpaare mit einer halben Note auf der ersten Zählzeit beginnen, unterscheiden sie sich in ihrer rhythmischen und melodischen Formulierung. Während die ersten Zeilen (A) durch einen Intervallsprung eröffnet werden, an den sich die Fortspinnung anschließt, werden die beiden folgenden (B und C) in gebundenen Viertelnoten fortgeführt. Davon unberührt bleibt nicht nur der Instrumentalpart, der an der eingangs eingeführten Motivik festhält, sondern auch die Satzstruktur, die in allen Abschnitten von kanonischer Imitation der Kopfmotive ausgeht. Allerdings wechselt nicht nur der Umfang, sondern auch der Zeit- und Intervallabstand der kanonischen Phasen, die im A-Teil einen sechs Takte umfassenden Oktavkanon bilden, während die folgenden Teile mit Quint- bzw. Quartkanons beginnen. Ebenso unterschiedlich werden die folgenden Zeilen eingeführt, die zwar imitierend ansetzen, aber rasch in freie Fortspinnung übergehen. In dem von Bach angefügten Schlussteil werden die Differenzen insofern verschleiert, als die Motivik der ersten Zeile (A) in jeweils einer Stimme auf die Worte der weiteren Teile (B bzw. C) überführt wird (T. 107–136). Indem die Zeilen aneinander angeglichen werden, erweist sich die Motivik des A-Teils als gemeinsame Klammer aller Teile.

Trotz gleicher Voraussetzungen bietet das Duett BWV 79:5 eine andere Lösung, der aber eine ähnlich eigenwillige Textgliederung zugrunde liegt. Die Vorlage beginnt mit zwei Verspaaren, die eine Kurz- und eine Langzeile durch Reim verbinden, während sich die beiden letzten Zeilen in Reim und Versmaß entsprechen (8a, 3b, 8a, 3b, 8c, 8c). Statt die Verse in drei Teilen zusammenzufassen, ließ Bach sich vom syntaktischen Verhältnis des ersten Verspaars (A) zu den weiteren Zeilen (B) leiten.

---

221 Das hielt Finke-Hecklinger nicht davon ab, dem Satz insgesamt eine »quasi-ostinate Prägung« zu attestieren, a. a. O., S. 110 f. mit Anm. 1.

(A) Gott, ach Gott, verlaß die Deinen / Nimmermehr.
(B) Laß dein Wort uns helle scheinen; / Obgleich sehr
Wider uns die Feinde toben, / So soll unser Mund dich loben.

Während das erste Zeilenpaar im A-Teil viermal durchlaufen wird (T. 1–55), verbindet der B-Teil die folgenden Zeilen zu einem dreifach gestaffelten Block (T. 56–87), der abschließend in transponierter Fassung wiederholt wird (T. 88–113 mit Nachspiel T. 113–121). Die Gliederung kreuzt sich zugleich mit den motivischen Korrespondenzen, die das erste Zeilenpaar (»Gott, ach Gott …«) mit der folgenden Zeile (»Laß dein Wort …«) und der Schlusszeile verbinden (»so soll unser Mund …«). Beginnen diese Abschnitte mit Terz- bzw. Sextparallelen der Vokalstimmen, so heben sich desto klarer die Imitationen ab, die den Zwischensatz kennzeichnen (»Obgleich sehr / wider uns die Feinde toben«). Auf ihn bezieht sich die instrumentale Motivik, die mit Dreiklangsbrechungen, Oktavfällen und Tonrepetitionen dem Topos der sogenannten »Tumultmotive« entspricht. Sie wird nach dem Beginn des A-Teils eingeführt und in den folgenden Gliedern und Zwischenspielen verarbeitet. Wo sie vom Generalbass übernommen wird, ergibt sich ein vierstimmiger Satz, dessen Partner aneinander angeglichen werden. Die Unterscheidung der Textglieder wird also von einem Instrumentalpart überlagert, der sich auf den Einschub bezieht und dennoch alle Teile zusammenschließt.

Indem die kontrapunktischen Alla-breve-Sätze dem Satzpaar mit variiertem Ostinato gegenüberstehen, zeichnet sich in den Duos eine Konstellation ab, die ihre Parallelen in den Choralbearbeitungen und Spruchvertonungen findet. Wo Bach Texte vor sich hatte, die keine charakteristischen Affekte boten, ersann er besonders kunstvolle Konstruktionen, die sich am metrischen und syntaktischen Gefüge der Vorlagen orientierten. Gleichzeitig war er darauf bedacht, immer neue Aufgaben und Lösungen zu finden.

Neben dem erwähnten Satz aus BWV 110 bildet das Duett aus dem Dialog BWV 32:5 eine weitere Ausnahme, da es sich als ein Tanzsatz erweist, der zwischen solistischem und vollstimmigem Instrumentalpart vermittelt. Finke-Hecklinger konnte zeigen, dass sich »bei Vergrößerung der Notenwerte« von Achteln zu Vierteln »das typische Bild einer Gavotte ergeben« würde.[222] Dem entspricht ein akkordischer Satz, der aber von der ersten Violine umspielt wird, als solle ein Tanz zusammen mit seinem Double erklingen. Das gilt vor allem für die erste und letzte Gruppe des Ritornells, während die dazwischenliegenden Takte durch die Violine gefüllt und nur sparsam vom akkordischen Tuttisatz gestützt werden (T. 6–7). Ebenso eigenartig ist das Verhältnis zwischen dem Instrumental- und dem Vokalpart. Der A-Teil wird durch das Ritornell umrahmt, das in einer verkürzten Variante als Zwischenspiel dient. Dazwischen bleiben den Vokalstimmen zwei Phasen mit 8 und 15 Takten, in denen das Orchester fast ununterbrochen präsent ist, sodass sein Material den gesamten A-Teil prägt. Dagegen bildet der B-Teil ein vokales Duo, das von einem transponierten Ritornellzitat unterbrochen wird (T. 54–57 ~ 6–8 mit neuer Kadenz). Sofern der A-Teil durch das Ritornell geprägt ist, wären längere Einbauphasen zu erwarten. Dass sie hier fehlen, ist durch die imitierenden Einsätze der Vokalstimmen bedingt, die sich zu Beginn der Phasen ablösen und danach überlagern. Die Imita-

[222] Vgl. das Notenbeispiel bei Finke-Hecklinger, a. a. O., S. 34.

tionstechnik, die auch andere Duette des dritten Jahrgangs kennzeichnet, steht quer zur akkordischen Struktur des Ritornells, dessen tänzerischer Impuls den Satz bestimmt. Die Mischung tänzerischer und kontrapunktischer Züge verdankt er der Position in einem Dialog, der am Ende »Jesus« und die »Seele« verbindet. Der A-Teil vereint beide Stimmen mit gleichem Text (»Nun verschwinden alle Plagen ...«), während sich die Zeilen des B-Teils gegenseitig ergänzen (»Nun will ich nicht von dir lassen« – »und ich dich auch stets umfassen«). Man muss kaum darauf hinweisen, dass das Duett auf diese Vorlage abgestimmt ist.

Arien mit einem Soloinstrument

Die Sätze, die Finke-Hecklinger als stilisierte Tänze auffasste, fallen vor allem in die Gruppe der Arien mit Soloinstrument. In der Mehrzahl handelt es sich um Arien in dreizeitigem Taktmaß, das an das Menuett oder die Gigue erinnert.[223] In der Tenorarie »Kapital und Interessen meiner Schulden groß und klein« (BWV 168:5), deren lehrhafter Text keine affektvolle Vertonung forderte, entschied sich Bach für einen tänzerischen Satz im ⅜-Takt, dessen Ritornell in der Folge viertaktiger Gruppen anfangs an einen Tanzsatz anklingt. Gespielt von zwei Oboi d'amore in unisono, scheinen sich die ersten Viertakter rhythmisch zu entsprechen. Während der erste auf der dritten Zählzeit endet, erscheint im zweiten an gleicher Stelle ein Halteton, der im folgenden Takt eine Figurenkette eröffnet, deren Synkopen die anfängliche Gruppierung überspielen. Die viertaktigen Gruppen treten besonders im Vokalpart hervor, der von der Instrumentalstimme unabhängig ist und durchweg mit Varianten des Ritornells gepaart wird. Dabei werden jeweils drei der sechs Textzeilen zu einem Satzteil zusammengefasst, sodass sich der Grundriss durch die variierte Wiederholung der zweiten Hälfte zu einer dreiteiligen Form erweitert, deren Glieder durch Ritornellzitate getrennt werden.

Die Tenorarie »Ich eile, die Lehre des Lebens zu hören« (BWV 148:2) scheint eher einer Gigue im ⁶⁄₈-Takt zu entsprechen. Das Ritornell beginnt mit einer achttaktigen Gruppe der Solovioline, die in einem Halteton ausläuft. Mit weiträumigen Sequenzen, in denen Saitenwechsel- mit umspielenden Trillerfiguren wechseln, lässt die zwölftaktige Fortspinnung die symmetrische Ordnung hinter sich. Der Vokalpart kann den Beginn der Spielfiguren übernehmen, die sich natürlich auf das Wort »eile« beziehen. Sie werden jedoch derart umgebildet, dass die Violine mehrfach auf Taktgruppen des Ritornells zurückgreifen kann, in die der Vokalpart eingebaut wird (T. 28–30 ~ 1–3, T. 43–45 ~ 1–3 und T. 50–66 ~ 1–12). Die Rahmenteile der variierten Da-capo-Form stützen sich auf die Figuration des Vordersatzes, während die Fortspinnung dem Mittelteil vorbehalten ist. Dennoch wäre es voreilig, die Spielfiguren auf das »frohe Getöne« zu beziehen, von dem der Text redet. Zum einen erscheinen die Figuren nur im ersten und nicht im zweiten Textdurchgang, zum anderen begegnen sie auch in den Zwischenspielen der Außenteile. Offenbar war es Bach weniger um die Ausdeutung des Textes als um die Differenzierung der Figuren zu tun, die auf den Typus der Gigue zurückweisen.

---

[223] Zu BWV 168:5 und 79:2 vgl. Finke-Hecklinger, S. 106, zu BWV 148:2 ebd., S. 40, zu BWV 57:7 ebd., S. 128, sowie zu BWV 32:3 ebd., S. 141.

In der Altarie »Gott ist unsre Sonn und Schild« (BWV 79:3) erfährt die Gigue eine Stilisierung, die durch die Deklamation des Textes bedingt ist. Der rhythmische Fluss, der die Gigue charakterisiert, wird im Kopfmotiv des Ritornells durch die Folge einer Achtel- und einer Viertelnote modifiziert. Da die viertaktige Fortspinnung in einer Sechzehntelbewegung verläuft, die sich in den folgenden sechs Takten fortsetzt, entspricht das Ritornell einer symmetrischen Folge von zwei sechstaktigen Gruppen. Das ändert sich bei Eintritt der Altstimme, die in den ersten Takten dreimal das Incipit übernimmt. Während die betonte Achtelnote mit den Substantiven »Gott« und »Schild« verbunden wird, werden Worte wie »ist« oder »und« durch Viertelnoten akzentuiert. Die scheinbar sinnwidrige Deklamation setzt sich im Mittelteil fort, in dem die Worte »denn« und »er« hervorgehoben werden, während die unbetonte Silbe des Worts »ferner« auf eine Viertelnote entfällt (T. 33 f.). Dieselbe Wendung wird mit den Worten der Zeile »ob die Feinde Pfeile schnitzen« verbunden, wogegen die Koloratur zum Wort »Lästerhund« durch eine Pause unterbrochen wird (T. 37 f.). Wieder geht es weniger um einzelne Wörter als um eine metrische Differenzierung, die dem Satz seinen gleichsam trotzigen Charakter gibt.

Subtiler noch wird der 3/8-Takt in der Sopranarie »Ich ende behende mein irdisches Leben« (BWV 57:7) abgewandelt. Der erste Teil des Textes umfasst zweimal zwei Kurzzeilen und eine doppelt so lange Zeile, während der zweite Teil zwei elfsilbige Zeilen enthält (3a, 3a, 6b – 3c, 3c, 6b | 11d, 11d).[224] Das Ritornell wird durch die Sechzehntel der Solovioline geprägt, die den gesamten Satzverlauf durchziehen. Zugleich werden sie durch Synkopen gestaut, und da sie durch die Wiederholung einer zweitaktigen Figur erweitert werden (T. 5–6 = 7–8), verlängert sich das Ritornell auf zwölf Takte. Das Verfahren wird auf die umfangreiche Fortspinnung übertragen (T. 13–34), in die eine Figurenfolge aus drei mal drei Takten eingefügt ist (T. 16–18). Die Zeilen des A-Teils werden vom Sopran als Folge syllabisch texterter Achtel eingeführt, deren auftaktiger Ansatz vom Continuo durch abtaktige Achtel gestützt wird (T. 35–46). Sobald die Stimmen zusammentreten, trifft die vokale Deklamation

Notenbeispiel 11

224 Vgl. das Faksimile in NBA I/3.1, KB, S. 180 f.

auf die Figuration der Violine, sodass der tänzerische Fluss des Vokalparts ständig durch die Synkopen des Instrumentalparts gestaut wird (Notenbeispiel 11). Im zweiten Durchgang, der zur Durparallele moduliert (T. 47–77), werden die Kurzzeilen durch Pausen getrennt, in denen die instrumentale Figuration fortläuft (T. 47–62), während in der nächsten Phase (T. 78–95) die Worte »mit *Freu*den« und »ver*lang* ich« durch Melismen und Haltetöne verlängert werden (T. 63–94). Einem gekürzten Ritornellzitat (T. 96–107) folgt der Schlussteil (T. 108–138), der zur V. Stufe führt und durch ein Ritornellzitat beschlossen wird (T. 138–151).

A¹					A²		B¹		B²
1-12-34	35-46	47-77	78-95	96-107	108-137	138-151	152-159	160-189-192	193-230
Ritornell	Zeilen 1-6			Ritornell	Zeilen 1-6	Ritornell	Zeilen 7-8		Zeilen 7-8
g – B – g	g	g – B	B	B	B – d	D	g	c – Es	f – g – B

Die zweiteilige Anlage ist durch den Text bedingt, der mit einer Frage endet (»hier hast du mein Leben, was schenkest du mir?«). Der B-Teil umfasst nur zwei Zeilen, die jedoch verschieden vertont werden. Die eröffnenden Worte der ersten Zeile werden zweimal vorgezogen und danach mit der Fortsetzung verbunden (»mein Heiland, ich sterbe/mit höchster Begier«), während die Motivik der Violine durch Figuren mit Saitenwechsel erweitert wird (T. 160–172). In der zweiten Zeile hingegen wird die Frage »was?« durch Pausen vom Kontext getrennt, zugleich aber in die synkopische Figuration der Violine integriert (T. 176 f. bzw. 224 f.). Führt der erste Textdurchgang von c-Moll nach Es-Dur, so beginnt der zweite in der Tonika g-Moll, um auf der Parallele B-Dur zu enden (T. 160–189 ~ 201–230). Beide Abschnitte unterscheiden sich jedoch in der vorgezogenen Zeile, die im ersten Block in g-Moll und im zweiten in f-Moll beginnt, sodass der anschließende Abschnitt zuerst mit einem Quintfall (T. 153–163: g-c) und später mit einem Sekundschritt ansetzt (T. 193–204: f-g). Eine unscheinbare, aber nicht unwichtige Differenz zeigen die letzten Takte. Zur Frage »was schenkest du mir« schließt der Sopran beidemal auf der Terz (T. 177 bzw. 183), die im ersten Durchgang in fallender Richtung, im zweiten jedoch mit einem Sextsprung erreicht wird, sodass sich der fragende Schluss zur Antwort des Schlusschorals öffnet: »Richte dich, Liebste, nach meinem Gefallen und gläube«[225] (Notenbeispiel 12).

Die hier erreichte Differenzierung des Taktmaßes setzte eine Besetzung voraus, die eine hohe Stimme mit einem Instrument wie der Violine verband. In den folgenden Arien war Bach daher auf andere Lösungen bedacht. Die Bassarie »Hier in meines Vaters Stätte« (BWV 32:3) gehört in den Zusammenhang eines Dialogs, in dem sie als Antwort Christi auf die Klage der »Anima« zu verstehen ist. Spuren des Menuetts, wie sie Finke-Hecklinger zu sehen glaubte, sind freilich nur im ⅜-Takt zu finden, der aber durch die triolischen Sechzehntel der Violine überformt wird.[226] Sie bilden die Fortspinnung des Themenkopfes, dessen Achtelbewegung von der Bassstimme fortgeführt wird. Ihre kantablen Linien lassen kaum noch den rhyth-

---

[225] Da der Druck von Lehms einen anderen Schlusschoral vorsieht, dürfte die Entscheidung für die Strophe von Ahasverus Fritzsch, die an den vorangegangenen Dialog anschließt, auf Bach zurückgehen.
[226] Vgl. Finke-Hecklinger, a. a. O., S. 141.

Notenbeispiel 12

mischen Impuls eines Tanzes spüren, sondern folgen dem Metrum der Verse und den Akzenten der Wörter. Das gilt auch für den zweiten Teil, der gemäß dem Da-capo-Schema wiederholt wird.

Dass ein dreizeitiges Taktmaß nicht zu tänzerischen Zügen führen muss, beweisen die Arien BWV 110:4 und BWV 16:5, die sich trotz gleicher Taktart grundlegend unterscheiden. Im Ritornell der Altarie »Ach Herr, was ist ein Menschenkind« (BWV 110:4) umschreibt die Oboe d'amore eine steigende Linie, in die zwei fallende Segmente eingeschaltet sind, um am Ende des Vordersatzes in punktierter Rhythmik abzusinken (T. 2–5). Dagegen besteht die Fortspinnung aus fallenden Linien, deren triolische Achtel von Sechzehnteln durchsetzt sind. Da ein dritter Ansatz analoge Segmente verbindet, ergibt sich eine ungewöhnlich komplexe Anlage, die sich auf den gesamten Satz auswirkt. Die vier ersten Takte des Vokalparts gehen auf den Vordersatz des Ritornells zurück (T. 18–21 ~ 1–4), doch wird der erste Takt des Continuo, der dort dem Eintritt der Oboe voranging, mit dem Alteinsatz gekoppelt, dem im Zwischenspiel die Fortspinnung der Oboe folgt (T. 22–25 ~ 10–13). Die Wiederholung der Gruppe wird von der Oboe begleitet, in deren Fortspinnung der Vokalpart eingebaut wird (T. 30–39 ~ 6–15). Da sie zugleich das modulierende Gelenk enthält (vgl. T. 34 mit T. 10), können die weiteren Takte auf der Dominante anschließen. Nach einem Zwischenspiel (T. 42–49 ~ 1–4 + 10–13) folgt der B-Teil als neuer Ansatz auf der Dominantparallele (T. 49–56), doch erweist sich seine Fortführung als Vokaleinbau in das Ritornell (T. 57–68 ~ 1–13). Da das Ritornell auch am Ende wiederkehrt (T. 77–88 = 1–17), besteht der B-Teil – mit Ausnahme eines Einschubs (T. 68–71) – fast durchweg aus Rückgriffen auf das Ritornell.

Von der rhythmischen Komplexität dieses Satzes unterscheidet sich die Tenorarie »Geliebter Jesu, du allein« (BWV 16:5) durch die gleichmäßige Figuration der Oboenstimme, die durch Synkopen oder Verzierungen modifiziert wird.[227] Da der Vokalpart nur eine verzierte Wendung der Instrumentalstimme übernimmt und sonst eigenständig ist, bleibt das Material des Ritornells der Oboe überlassen. Gleichwohl erlaubt es so vielfältige Varianten, dass mitunter Ritornellzitate mit Vokaleinbau vorkommen (so T. 25^b–28 ~ 3^b–6 und T. 43^b–47^a ~ 9^b–14^a). Der B-Teil dagegen begnügt sich mit wenigen Einwürfen der Oboe, die neben einem Zwischenspiel nur ein transponiertes Ritornellzitat mit Vokaleinbau beisteuert (T. 75^b–77^a ~ 1^b–3^a und T. 81^b–84^a ~ 3^b–6^a).

Trotz anderer Thematik ist die Bassarie »Ächzen und erbärmlich Weinen« (BWV 13:5) ähnlich aufgebaut. Beginnend mit einer vokalen Variante des Kopfmotivs, wird die Fortsetzung mit freier Begleitung kombiniert (T. 9–14), die in ein instrumentales Ritornellzitat mit Vokaleinbau übergeht (T. 15–17 ~ 3–5). Das modulierende Gelenk (T. 20 f.) wird in einen zweiten Ansatz verlegt, in dem das Ritornellzitat verlängert wird (T. 18–23 ~ 9–14 und T. 24–28 ~ 3–7). Da nach zwei vokalen Takten (T. 29–30) das Ritornell folgt (T. 31–38), besteht der A-Teil weithin aus Ritornellzitaten, zwischen die drei vokale Taktgruppen eingefügt sind. Entsprechend verhält sich die variierte Reprise, die zur Dominante zurücklenkt (T. 67 f.). Der Mittelteil enthält dagegen nur drei instrumentale Zweitakter, die auf die gleiche Gruppe des Ritornells zurückgehen (T. 43 f., 44 f. und 58 f. ~ 6–7). Eine andere Konstruktion zeigt erst die letzte Phase, in der die Bassstimme das Wort »Freudenlicht« durch Figuren hervorhebt, die sonst der instrumentalen Fortspinnung vorbehalten sind (T. 48–52). Der entscheidende Unterschied zu BWV 16:5 liegt im Material des Ritornells, das zwei konträre Konstruktionen verbindet. In der Kopfgruppe werden die Hauptstufen durch Halbtöne umrahmt, die eine Folge verminderter Intervalle umschreiben (T. 1–2). Dagegen wechselt die Fortspinnung zu Zweiunddreißigsteln, die auf einer diatonischen Sequenzkette basieren (T. 5–8). Als vermittelndes Scharnier fungiert eine Zweitaktgruppe, deren chromatische Basslinie von der Oberstimme übernommen und zugleich durch ornamentale Figuren ergänzt wird, sodass sich Momente beider Konstruktionen überlagern. Die Struktur des Ritornells, das auf die konträren Affekte der Textvorlage verweist, war wohl der Anlass für die Besetzung der Oberstimme mit Flöten und Violinen in unisono. Doch ist die Fortspinnung derart instrumental erfunden, dass der Bass nur das Incipit übernehmen kann, um es dann eigenständig fortzuführen. Trotz der komplexen Anlage ließ sich Bach nicht davon abhalten, in zwei verschiedenen Arien dasselbe Bauprinzip zu verwenden.

Dem Dialog BWV 57 folgte einen Tag später die Altarie »In Jesu Demut kann ich Trost und Reichtum finden« (BWV 151:3), die trotz der analogen Besetzung völlig anders angelegt ist. Notiert als Alla breve, steht sie dem »alten Stil« denkbar fern und entspricht dem Text durch eine Motivik, deren Achtelketten den gesamten Satz prägen. Das achttaktige Ritornell beginnt mit einem auftaktigen Kopfmotiv, in dem eine betonte Achtel mit drei fallenden Achtelnoten wechselt. Nach mehrfacher

---

[227] Der ursprünglich der Oboe da caccia zugewiesene Instrumentalpart wurde erst bei späteren Aufführungen durch eine Violetta ersetzt, vgl. NBA I/4, hrsg. von Werner Neumann, KB, S. 73 ff. und 86 ff.

Sequenzierung besteht die Fortspinnung aus entsprechenden Gruppen, deren rhythmisches Gleichmaß durch wechselnde Oktavlagen differenziert wird. Bestimmt zunächst für Streicher in unisono, wurden sie nachträglich durch Oboe d'amore verstärkt und mit genauer Phrasierung versehen.[228] Da der Alt die Motivik des Ritornells übernimmt, ist der Instrumentalpart auf konsonante Parallelführung angewiesen, die durch Haltetöne oder Pausen modifiziert wird. Je genauer man die melodischen Linien verfolgt, desto deutlicher wird ihre interne Differenzierung. Erst nachträglich wird einsichtig, dass der betonte Septsprung, mit dem der Vordersatz des Ritornells endet, in der vokalen Fassung auf das Wort »Trost« zielt, das durch eine Viertelnote hervorgehoben wird. Entsprechend bleiben die Melismen dem Wort »Reichtum« vorbehalten, während gelegentliche Haltetöne der Instrumente im Mittelteil der variierten Da-capo-Form auf das Wort »Stand« entfallen. Die Hinweise mögen andeuten, wie genau Bach selbst eine vergleichsweise schlichte Arie im Blick auf den Affekt und Wortlaut der Vorlage plante.

Instrumentale Duosätze

Geringer noch als die Zahl der Duette ist der Anteil der Arien mit zwei obligaten Instrumenten. Die Arien aus BWV 164 und 110, die formal der zweiteiligen Anlage der Texte entsprechen, verbinden zwei Traversflöten zu einem imitierenden Duo, wogegen die Vokalstimmen nur die Kopfmotive übernehmen, während der Generalbass als stützendes Fundament in Achtelbewegung dient. In der in d-Moll stehenden Altarie »Nur durch Lieb und durch Erbarmen« (BWV 164:3) wird das Kopfmotiv von der ersten Flöte eingeführt und im nächsten Takt von der zweiten Flöte imitiert. Da es in der Oberstimme auf der Dominante endet und die Unterstimme eine Zählzeit später auf der Molldominante einsetzt, stehen A-Dur und a-Moll querständig nebeneinander. Auch in der Fortspinnung überlagern sich die Stimmen mit Vorhaltdissonanzen, die mehrfach verminderte Intervalle umgreifen. Der Alt übernimmt zwar den ersten Takt, doch geht er in eine freie Fortspinnung über, die von den Flöten mit Varianten des Kopfmotivs ergänzt wird. Je enger die drei Stimmen kombiniert werden, desto weniger erlaubt der kontrapunktische Triosatz blockweise Ritornellzitate. Werden die Zeilen des A-Teils zweimal durchlaufen und durch eine verkürzte Variante des Ritornells abgeschlossen, so durchmisst der B-Teil seine drei Zeilen mit einem ähnlichen Zwischenspiel, sodass das vollständige Ritornell erst am Ende wiederkehrt.

Die Tenorarie »Ihr Gedanken und ihr Sinnen, schwinget euch anitzt von hinnen« (BWV 110:2) modifiziert das zweiteilige Schema durch mehrfache Wiederholung der Textzeilen, die durch ein Zwischenspiel getrennt werden. Die zweite Flöte intoniert das Kopfmotiv, das von der Oberstimme nach eineinhalb Takten auf der Dominante imitiert wird. Da das dominantische Terrain nicht mehr verlassen wird, endet das Ritornell auf der V. Stufe, auf der die Flöten eine motivisch neutrale Kadenzgruppe anfügen, während der Generalbass seine stützende Funktion mit einer Variante des Kopfmotivs vertauscht (T. 9–10). Um das Nachspiel auf der Tonika enden zu lassen,

---

228 Im Anhang zu NBA I/3.1 teilte Dürr die Fassung der autographen Partitur mit, in der der Instrumentalpart den Streichern zugewiesen wird, während er in den Originalstimmen durch eine Oboe d'amore erweitert wird, deren Stimme in Details der Dynamik und Phrasierung abweicht.

muss in die zuerst einsetzende Oberstimme ein Takt eingefügt werden (T. 51), sodass die Unterstimme auf der I. statt auf der V. Stufe anschließt. Da das Kopfmotiv der Flöten in Sechzehnteln ansetzt, ist der Vokalpart auf motivische Varianten angewiesen, die sequenzierend erweitert werden, um dem Wortlaut des Textes zu folgen. Vom A-Teil, der durchweg mit dem instrumentalen Kopfmotiv verbunden wird, scheint sich der B-Teil anfangs durch die freie Begleitung der Flöten zu unterscheiden. Doch kehrt nach drei Takten das Kopfmotiv zurück, das nur einmal aussetzt, um sich dann wieder im Continuo zurückzumelden (T. 47 f.).

Dass die Altarie »Mit allem, was ich hab und bin« (BWV 72:3) ausnahmsweise mit der vokalen Devise beginnt, während das Ritornell erst danach folgt, ist durch das vorangehende Rezitativ motiviert, dessen letzte Zeile auf die Arie vorausweist.[229] Daher ließ Bach das Rezitativ auf der Dominante enden, an die sich attacca die Arie anschließt. Mit drei Zeilenpaaren, die bei gleichem Reim zwischen acht und sieben Silben wechseln und in die Wiederholung der ersten Zeilen einmünden, entspricht der Text von Franck eher der älteren Strophenarie als der zeitgemäßen Da-capo-Arie.

A^1 Mit allem, was ich hab und bin, / Will ich mich Jesu lassen,
A^2 Kann gleich mein schwacher Geist und Sinn / Des Höchsten Rat nicht fassen;
B   Er führe mich nur immerhin / Auf Dorn- und Rosenstraßen!
A'   Mit allem, was ich hab und bin / Will ich mich Jesu lassen.

Die Gliederung der Vorlage inspirierte Bach zu einer besonders eigenartigen Lösung. Statt einer Da-capo-Form wählte er eine quasi strophische Anlage, in der die Zeilenpaare zu gesonderten »Strophen« erweitert werden:

A^1 T. 1–27 A^2 T. 27^b–53^a (= 1–27^a)   B T. 53^b–68   A' T. 68^b–77   Nachspiel T. 78–92

Die vokalen Devisen der »Strophen« A^1 und A^2 (T. 1–4 = 27^a–31^a) umfassen jeweils vier Takte und kommen durch ihre syllabische Deklamation dem Tonfall der strophischen Aria nahe. An ihrem Ende steht ein zwölftaktiges Ritornell, dessen Sequenzfiguren auch in einem Doppelkonzert begegnen könnten. Eingeführt in der ersten Violine, werden sie von der zweiten Violine auf der Dominante imitiert, um anschließend in den Continuo und danach wieder in die Oberstimmen zu wechseln (T. 5–16 = 31–42). Der Widerspruch zwischen der strophischen Aria und dem fugierten Instrumentalsatz löst sich erst in der abschließenden Kombination, in der die letzte Zeile durch Melismen erweitert und mit Varianten der instrumentalen Sequenzfiguren verbunden wird (T. 17–27 = 43–53). Beide »Strophen« stehen in d-Moll, doch bricht der Vokalpart auf der Dominante ab, während das Nachspiel mit einer »neapolitanischen« Kadenz endet, an die sich der nächste Abschnitt anschließt. Da die dritte »Strophe« (B) sowohl auf die Devise als auch auf das Ritornell verzichtet, umfasst sie nur elf Takte. Obwohl sie in g-Moll ansetzt, endet das entsprechend modifizierte Nachspiel wie zuvor auf der Dominante, sodass die vierte und letzte Strophe (A') zur

---

[229] Francks Dichtung sieht zwei getrennte Sätze vor, die durch das Demonstrativpronomen am Ende des Rezitativs verbunden werden (»wenn mir dein Geist dies Wort ins Herze spricht«). Vgl. dazu auch Dürr, Die Kantaten, Bd. 1, S. 193, wo die formale Anlage der Arie als »Reprisenbar« beschrieben wird.

Grundtonart zurückkehren kann. Zwar kommt sie wie die vorige ohne Devise und Ritornell aus und begnügt sich mit zehn Takten, doch verbindet sie den Rückgriff auf die beiden ersten Zeilen mit der Satzart der dritten »Strophe«. In dem Maß, wie die syllabische Deklamation durch Melismen und Haltetöne bereichert wird, nähert sich das »Strophenlied« einer variierten Da-capo-Arie, deren Vokalpart mit der Ritornellmotivik gekoppelt wird. Die Konsequenz daraus zieht das auf 15 Takte erweiterte Nachspiel, in dem sich der »Konzertsatz« durchsetzt, um die Transformation des Strophenlieds zur Arie abzuschließen.

Obwohl die Tenorarie »Meine Seufzer, meine Tränen« (BWV 13:1) dem Da-capo-Schema entspricht, bildet sie durch ihre Instrumentation einen Sonderfall. Zwei Blockflöten werden mit einer Oboe da caccia und dem partiell motivischen Generalbass zu einem intimen Quartettsatz verbunden, in den der Vokalpart eingefügt wird. Während dem A-Teil das erste Zeilenpaar zugrunde liegt, das viermal durchlaufen wird, umfasst der B-Teil vier Zeilen, die nur einmal wiederholt werden. Dennoch verschieben sich die Proportionen, sofern der erste Teil von einem achttaktigen Ritornell umrahmt und durch ein zweitaktiges Zwischenspiel gegliedert wird, wogegen der zweite Teil nur zwei eintaktige Einwürfe enthält. Dem Topos des »Pastorale«[230] entspricht nur die Rhythmik der Flöten, die den $12/8$-Takt in Viertel- und Achtelnoten ausfüllen und auf den Generalbass ausstrahlen, soweit er nicht nur stützende Funktion hat. Zum Pastorale passt jedoch nicht die Oboenstimme, die den Abstand der Außenstimmen mit weiträumigen Sechzehntelketten ausfüllt. Die Figuren durchziehen den ganzen Satz und klingen mitunter in den Flöten an, die sonst in Terz- oder Sextparallelen verlaufen, während ihre Motivik kaum in den Part der Oboe eingeht. Das Ritornell kann als Musterfall einer Konstruktion gelten, in der sich gegenläufige Linien in Vorhaltdissonanzen überlagern, um danach sequenzierend verlängert zu werden. Über der erweiterten Kadenz des Basses steigen die Flöten so auf, dass die Stimmzüge komplementär ineinandergreifen und auf betonter Zählzeit Dissonanzen bilden, deren Auflösung mit dem Stufenwechsel zusammentrifft. Der ersten Taktgruppe (T. 1–4), die durch die »Doppeldominante« erweitert wird, entspricht die zweite durch eine subdominantische Wendung, die mit einer »phrygischen« Klausel in der Kadenzgruppe mündet (T. 5–8). Von dieser Konstruktion gehen die Abschnitte des A-Teils aus, die durch eingefügte Quintketten erweitert werden (T. 11–13 bzw. 17–20).[231] Trotz gleichen Materials ist der B-Teil partiell anders konstruiert. Die erste Phase moduliert von der Tonika d-Moll nach c-Moll (T. 33–40), doch führen drei Quintfälle mit dominantischen Zwischenschritten nach b- und f-Moll (Es⁷-As⁷ | F⁷-b | C⁷-f), um mit einer »neapolitanischen« Wendung nach g-Moll aufgelöst zu werden. Nicht ganz so kompliziert ist die zweite Phase, die auf das Ritornell zurückgeht (T. 40–43 ~ 1–4) und auf der Dominante endet. Doch wird die relative Dominante wiederum durch eine »neapolitanische« Kadenz erreicht, in die die chromatisch fallenden Quartzüge der Flöten eingefügt werden (T. 42–43). Zugleich werden die Stimmen durch Dissonanzen so geschmeidig verkettet, dass die Figuren der Oboe ausnahmsweise in den Vokalpart übergehen, um das Wort »verschwinden« durch eine Koloratur aus-

---

230 Vgl. Finke-Hecklinger, S. 82.
231 Vgl. T. 9–11 und 14–16 ~ T. 1–3 bzw. 2–4 sowie T. 21–25 ~ T. 5–8.

zuzeichnen. Die Oboenstimme, die zunächst als bloße Umspielung erscheint, erweist sich als Achse, in der das Gefüge des Satzes verankert ist. Müßig wäre die Frage, ob der kontrapunktische Satz die Klangfolgen bedinge oder das Klanggerüst die Prämisse der Stimmführung sei: Beide Momente sind Kehrseiten desselben Sachverhalts.

Instrumentale Tuttisätze

Die zuletzt genannten Sätze führen zu den Arien mit vollem Streichersatz hin, der seit Weihnachten durch solistische Bläser erweitert wird, während sonst der akkordische Instrumentalpart dominiert. Ein Musterfall ist der Eingangssatz aus BWV 168 »Tue Rechnung! Donnerwort«, der zugleich die erste Arie im dritten Jahrgang darstellt. Der Text enthält zwei Teile, die in ihrer letzten Zeile die Mahnung der ersten Zeile aufgreifen. Demgemäß plante Bach einen zweiteiligen Satz mit analogen Teilschlüssen. Das achttaktige Ritornell geht von drei Akkordblöcken aus, deren punktierte Rhythmik an die französische Ouvertüre erinnert, hier aber an die triolische Notierung des Continuo anzugleichen ist.[232] Wechselnd zwischen Tonika und Dominante, wird der erste Block von h-Moll nach A- und G-Dur transponiert. Da der dritte Ansatz zur Subdominante moduliert, kann die erste Taktgruppe auf der Dominante enden (T. 1–4^a). Im zweiten Viertakter hingegen geht die Triolenkette des Continuo in die Oberstimme über, während die punktierte Rhythmik in den akkordischen Unterstimmen nachklingt, bis die Kadenz die Stimmen zu Triolen im Unisono koppelt (T. 4^b–8). Der A-Teil, der mit einer vokalen Devise beginnt (T. 9), besteht aus entsprechenden Blöcken mit Vokaleinbau (T. 10–14^a ~ 1–5^a, analog auf der Dominante T. 19–22^a). Dazwischen werden vier vokale Takte eingeschaltet, die durch instrumentale Triolenfiguren ergänzt werden. Da die Einschübe ebenso wie die Devise auf der Triolenkette des Continuo basieren, gründet der gesamte A-Teil auf dem Ritornell. Das Verfahren ändert sich im B-Teil nur graduell, sofern zwei Ritornellzitaten hier zwei längere vokale Gruppen vorausgehen, sodass die Arie durchweg vom Material des Ritornells zehrt.

Dass der vierstimmige Streichersatz nicht kontrapunktische Verfahren ausschließen muss, beweist der Eingangssatz der Kantate BWV 164. Die Anlage der Tenorarie »Ihr, die ihr euch von Christo nennet« (BWV 164:1) ist durch den Text bedingt, dessen syntaktische Gliederung sich mit der Folge der drei Reimpaare kreuzt (ab ab cc). Daher fasste Bach jeweils drei Zeilen zusammen (A = Zeilen 1–3, B = Zeilen 4–6), die er durch doppelte Vertonung zu einer vierteiligen Anlage erweiterte (A – B – A' – B'). Davon unabhängig ist die motivische und satztechnische Struktur, die im achttaktigen Ritornell vorgezeichnet ist. Die beiden Violinen bilden einen Einklangkanon im Abstand eines Taktes, der im fünften Takt in freier Fortspinnung ausläuft. Werden die Unterstimmen anfangs gekoppelt, so folgt die Viola danach der Oberstimme, während der Continuo als stützende Stimme fungiert. Allen Stimmen ist die fließende Rhythmik im ⁹⁄₈-Takt gemeinsam, in der kadenzierende Zäsuren vermieden werden, sodass sie keinem Tanztyp zuzuordnen ist.[233]

---

[232] Die wechselnde Notierung verweist darauf, dass die punktierten Werte non legato zu spielen sind.
[233] Finke-Hecklinger, S. 113, rechnete die Arie zu einer Satzgruppe, in der sich die »Merkmale der Giga und des Pastorale die Waage zu halten« scheinen (ebd., S. 109).

Ritornell	A	Rit.	B	Zwsp.	A'	Zwsp.	B'	Rit.
1–9	9–42	42–50	51–71/72	71–74	75–86	86–87	88–99/101	99–106
g	g–d	D	d–c–f	b–c	C	C	c–g	G

Die kanonische Eröffnung kehrt nicht nur innerhalb der Ritornelle, sondern auch in den Zwischenspielen wieder. Sie sind in der Übersicht nur soweit erfasst, wie sie die Formteile trennen, während die instrumentalen Einschübe unberücksichtigt sind (T. 13–15, 28–31 und 42–50). Zwar übernimmt der Tenor in der Devise das instrumentale Kopfmotiv, doch wird er nur ausnahmsweise in den instrumentalen Kanon einbezogen (T. 28–31) und sonst akkordisch begleitet, sodass sich die vokalen und instrumentalen Satzgruppen deutlich unterscheiden. Während der Vokalpart den Text syllabisch deklamiert und nur eine längere Koloratur aufweist, läuft er im B-Teil zum Wort »Stein« in Haltetönen aus, die sich mit dem Beginn des Ritornells kreuzen (T. 71 f. bzw. 99 ff.). Als sei es damit nicht genug, verband Bach die kunstvolle Stimmführung mit einer harmonischen Erweiterung, die im B-Teil und im anschließenden Zwischenspiel in fallenden Quinten bis b-Moll führt, um in der variierten Reprise auf umgekehrtem Weg zur Tonika g-Moll zurückzukehren. Da die beiden Texthälften nur durch einen Takt getrennt werden, erscheinen sie als zusammengehöriger Block, sodass sich am Ende – entgegen Francks Text – der Eindruck einer variierten Da-capo-Form ergibt.

Falls die Kantate BWV 148 im Herbst 1725 entstand, wäre die Altarie »Mund und Herze steht dir offen« (Satz 4) der erste Da-capo-Satz im dritten Jahrgang.[234] Wie in der Bassarie aus der frühen »Jagdkantate« (BWV 208:7), deren geistliche Fassung im Mai 1725 erklungen war (BWV 68:4), griff Bach auf den dreistimmigen Oboenchor zurück (der vermutlich durch ein Fagott ergänzt wurde). Der weithin akkordische Satz könnte daran zweifeln lassen, das abschriftlich erhaltene Werk erst 1725 statt 1723 anzusetzen. Erst auf den zweiten Blick wird sichtbar, wie subtil das Material des Ritornells eingesetzt wird, um einen ebenso variablen wie geschlossenen Satzverlauf zu erreichen. Das Ritornell besteht aus zwei analogen Viertaktgruppen, die von den melodischen Bögen der Oberstimme überwölbt werden, sodass sich auf den Scheitelpunkten Nonenakkorde ergeben (T. 2 bzw. 6). Eine unauffällige Wendung der Oberstimme genügt, um die erste Gruppe auf der Dominante enden zu lassen, während es in der zweiten nur eines Halbtonschritts der zweiten Oboe bedarf, um die Dominante durch ihre Variante zu ersetzen, sodass die Gruppe auf der II. Stufe wiederkehren kann (Notenbeispiel 13).

Beidemal wird der eröffnende Melodiebogen durch eine Kadenzgruppe ergänzt, in der die Achtelbewegung durch Sechzehntel modifiziert wird (T. 3 bzw. 7). Dennoch ist das ganze Ritornell so kantabel, dass es fast unverändert vom Alt übernommen werden kann (T. 9–16 ~ 1–8). Die Stimmen trennen sich erst in der nächsten Gruppe, die anfangs zur Parallele lenkt, um danach in eine erweiterte Fassung des zweiten

---

[234] Wie schon Spitta sah, geht der Text dieser Arie und des vorangehenden Rezitativs auf eine Dichtung von Christian Friedrich Henrici zurück (Sammlung erbaulicher Gedancken …, Leipzig 1724/25), während sich die übrigen Sätze aus BWV 148 nur an einzelne Zeilen dieser Vorlage anlehnen. Vgl. Spitta II, S. 992 ff., und NBA I/23, KB, S. 125 f.

Notenbeispiel 13

Viertakters einzumünden (T. 16–25). Dabei löst sich die erste Oboe vom Vokalpart mit Sechzehntelketten, die den weiteren Verlauf durchziehen und am Ende in die Altstimme übergehen (T. 23–25). Motivische Bedeutung gewinnen sie im Mittelteil, der von der Tonikaparallele zur Dominantparallele moduliert und mit motivischen Varianten auf die Syntax des Textes reagiert. Eine transponierte Fassung der ersten Taktgruppe wird dabei im Vokalpart durch Pausen unterbrochen, sodass die komplementären Worte »Ich in dich – und du in mich« analog deklamiert werden können. In der nächsten Zeile erscheint dieselbe Sechzehntelfigur, die im zweiten Durchgang des A-Teils eingeführt wurde (T. 37–40: »Glaube, Liebe, Dulden, Hoffen«). Zugleich wird sie von den Oboen im Einklang imitiert, während der Alt die Textworte deklamiert (T. 37–38). Zwar setzen die Oboen aus, sobald der Alt die letzte Zeile anfügt (T. 39–40: »soll mein Ruhebette sein«). Doch folgt ihr ein viertaktiges Zwischenspiel, das die imitierenden Oboen in einer Kette fallender Sextakkorde über einem Orgelpunkt verbindet und damit nachträglich die Textworte kommentiert. In die transponierte Wiederholung des Abschnitts wird der Vokalpart eingefügt, der vor den Schlusstakten den Orgelpunkt zu einer Liegestimme umbildet, die auf das Wort »Ruhebette« hinweist (T. 55–58).

Die problematische Quellenlage nötigte dazu, auf den Satz näher einzugehen. Bereits die Tatsache, dass erst der zweite Jahrgang Arien mit Oboenchor enthält, kann als chronologisches Indiz gelten. Vor allem aber dürfte die Struktur der Altarie dafür sprechen, dass die Kantate BWV 148 nicht 1723, sondern erst 1725 entstanden sein kann.

Wie differenziert Bach selbst dort verfuhr, wo er sich auf den Streicherchor beschränkte, zeigt die in c-Moll stehende Sopranarie »Ich wünschte mir den Tod« (BWV 57:3), die in der dialogischen Anlage des Werks als Antwort der »Anima« auf den Eingangssatz zu verstehen ist. Der Text umfasst vier Zeilen, sodass Bach eine variierte Da-capo-Arie schrieb, deren Teile sich auf jeweils zwei Zeilen beschränken. Das Ritornell (T. 1–20) besteht im Kern aus zwei analogen Gliedern, die jeweils acht Takte umfassen (Notenbeispiel 14). Da das erste auf der Dominante endet und das zweite auf gleicher Stufe beginnt, könnten beide unmittelbar aneinander anschließen.

Notenbeispiel 14

Zwischen sie tritt jedoch ein viertaktiger Einschub, der von der Dominante G-Dur zur Parallele Es-Dur wechselt, um danach in sequenzierten Quintschritten (Es-B, f-c) zur Tonika zurückzulenken, auf der sich die zweite Achttaktgruppe anschließt. Dem Wechsel der Gruppen entsprechen die motivischen Differenzen, die am Verhältnis zwischen der Oberstimme und dem Generalbass abzulesen sind. Der Continuo durchschreitet in repetierten Vierteln eine steigende Skala, die auf der Subdominante endet (T. 1–4). Sie mündet in eine fallende Basslinie ein, die durch Sextsprünge unterbrochen wird, bevor sie auf der Dominante innehält (T. 5–8). Sobald die eingefügten Quintschritte (T. 9–12) die Dominante erreichen, setzt die achttaktige Schlussgruppe ein (T. 13–20), deren Kadenz durch eine »neapolitanische« Wendung erweitert wird (T. 17). Die Stufenfolge wird durch die zweite Violine und die Viola ausgefüllt, während die erste Violine in »seufzenden« Achteln den Gerüstsatz umschreibt. Die ersten Ansätze stauen sich in Haltetönen, die durch weite Sprünge in tiefe Lage erreicht werden. Geht die Achtelbewegung in die Mittelstimmen über (T. 2 bzw. 4), so setzt sie sich danach wieder in der Oberstimme durch (T. 5–8). In dem Einschub dagegen wechselt die Führung zwischen den Violinen (T. 9–12), um in der letzten Gruppe wieder in die Oberstimme überzugehen (T. 12–20). Nur einmal wird sie von einem gehaltenen Akkord unterbrochen, der den Takt markiert, in den die »neapolitanische« Wendung des Continuo fällt (T. 16). Man muss das Ritornell so genau verfolgen, wenn deutlich werden soll, dass es die Grundlage des Vokalparts bildet, der sich von ihm gleichwohl in ungewohntem Maß löst. Zur Verständigung folge eine Übersicht über den A-Teil.

Ritornell								Ritornell
1–8	9–12	13–20	21–24 (~ 1–2 + 7–8)	25–32 (~ 1–8)	33–36 (~ 9–12)	37–40	41–60 (~ 1–20)	61–88 (~ 9–20)
c – (G)	Es – c	c	c – (G)	c – G	Es – c	G	G	G

(G) = Halbschluss, G = Ganzschluss

Die ersten vier Takte des Vokalparts bilden eine variierte Kontraktion des Beginns und der ersten Kadenz des Ritornells (T. 21–24). Der Sopran singt den Text in einer Diktion, die durch die Synkopen und die syllabisch textierten Achtel an die Deklamation eines Rezitativs erinnert. Erklingt anschließend zweimal die erste Zeile, so fügt sie sich zwar beidemal in die Viertakter des Ritornells ein, doch wird der Text nicht weniger frei als zuvor deklamiert (T. 25–32). Wo sich dagegen die zweite Zeile mit dem Einschub des Ritornells paart, wird die vokale Stimmführung auf die Schrittfolge des Continuo abgestimmt (T. 33–36), während die Wiederholung der ersten Zeile zum Duktus der früheren Phasen zurückkehrt (T. 37–40).[235] Mit Ausnahme

---

[235] Dürr, Die Kantaten, Bd. 1, S. 127, fand es bezeichnend »für die Ästhetik der Bachzeit«, dass »das Irreale der Aussage – ›ich wünschte, wenn nicht‹ – ganz unbeachtet« bleibe, obwohl »Tod (in der Jesusferne) und Leben (in der Liebe Jesu)« die Gegensätze seien, »aus denen der Komponist sein Themenmaterial« gewinne. Doch werden die Worte »wenn du, mein Jesu ...« subtil abgehoben, indem sie mit der im Ritornell vorgegebenen Wendung nach Es-Dur zusammenfallen.

dieser Takte beruht der A-Teil fast durchweg auf der Einbautechnik, die aber durch den Vokalpart verdeckt wird, sodass sie nur bei blockweiser Wiederholung ganzer Gruppen erkennbar ist. Entsprechend geht auch der Schlussteil auf das Ritornell mit Vokaleinbau zurück (T. 97–112 ~ 21–36 sowie T. 113–120 ~ 53–60 in Quinttransposition). Der Mittelteil übernimmt zwar das Material des Ritornells, das aber in doppelter Hinsicht umgeschichtet wird. Fungiert der Continuo im ersten Textdurchgang als motivische Stimme, die von den Streichern begleitet wird, so übernimmt danach die erste Violine die Führung. Zwar sprechen nicht wenige Sätze Bachs von der Hoffnung auf die Vereinigung mit Jesus. Doch ist diese Arie wie kaum eine andere ein Paradigma der Kunst, die genaue Planung mit der freien Formung der Details zu verbinden.

Die Antwort auf diesen Satz bildet die nach B-Dur wechselnde Bassarie »Ja, ja, ich kann die Feinde schlagen« (Satz 5), die wiederum nur Streicher verwendet. Dass der Satz nicht auf die Einbautechnik zurückgreift, dürfte an seiner akkordischen Struktur liegen. Während der Generalbass mit einer rhythmisch markierten Formel die Grundstufen betont, werden die fanfarenhaften Dreiklangsbrechungen der Oberstimme in Tonrepetitionen zerlegt. Da sich die Struktur ohne größere Eingriffe dem harmonischen Prozess anpassen lässt, braucht hier nur kurz auf den Beginn des Ritornells verwiesen zu werden (T. 13–16 ~ 1–4). So genau das Modell zur ersten Zeile passt, so wenig eignet es sich für den weiteren Text. Denn Lehms verband drei metrisch analoge Zeilen mit konträren Bildern, die vom Beistand gegen die »Feinde« bis zum Zuspruch »hör auf zu weinen« reichen. Ohne das Satzprinzip zu ändern, vertauschte Bach die Fanfarenmotivik in der zweiten Zeile mit verminderten Septakkorden, die von den Streichern in fallende Achtelketten aufgelöst werden, während die vorherige Rhythmik der Oberstimme nur noch im Continuo anklingt (T. 29–31 bzw. 55–58), bis sie sich mit dem Ritornell erneut durchsetzt. Eine dritte Variante zeigt der B-Teil zu den Worten »Bedrängter Geist, hör auf zu weinen«. Der Continuo wird auf repetierte Achtel reduziert, die im ersten Durchgang nach f-Moll lenken, um im zweiten nach g-Moll zu führen (T. 80–92 bzw. 98–111). Während die Mittelstimmen pausieren, umspielt die erste Violine die Akkorde mit seufzerartigen Wendungen, die jedoch rasch abbrechen. Beide Durchgänge werden durch ein Zwischenspiel getrennt, dessen imitierender Beginn auf den Tonrepetitionen des Continuo basiert. Damit beweist der Satz erneut Bachs Fähigkeit, die Struktur eines Satzes dem Text gemäß zu modifizieren.

Dem Dialog zum 2. Weihnachtstag ging am Vortag die festliche Kantate BWV 110 voraus, die in der Bassarie »Wacht auf, ihr Adern und ihr Glieder« einen ähnlich angelegten Satz enthält (BWV 110:6). Wiederum handelt es sich um ein akkordisches Gerüst, das durch die Sechzehntelfiguren der ersten Violine und die begleitenden Unterstimmen ausgefüllt wird. Dass es nicht ebenso wie in BWV 57:5 hervortritt, liegt weniger an der zusätzlichen Trompetenstimme als an der Substanz der Figurationen. Bestanden sie dort aus der Zerlegung der Grundstufen, so fungieren sie hier als skalare Bindeglieder, die zugleich motivische Funktion übernehmen. Weil dieses Satzgefüge nicht ebenso variabel wie eine Akkordkette ist, werden die Rahmenteile mit blockweisen Ritornellzitaten und Vokaleinbau bestritten, wie die nachstehende Übersicht andeuten mag.

	A		B		A'	
Ritornell	Zeilen 1–3	Ritornell	Zeilen 4–6	Ritornell	Zeilen 1–3	Ritornell
1–12	13–23–26 (~ 1–11 + Kadenz)	27–30 (~ 9–13)	31–53	54–59 (~ 1–4 + 11–12)	60–73 (~ 13–19 + 25–26)	74–86 (= 1–12)
D	D – A	A	h – fis	D	D	D

Bemerkenswert ist die ungewöhnlich selbstständige Trompetenstimme, die das Ritornell in Dreiklangsbrechungen eröffnet, während sie in der Quintkette der Fortspinnung die führende Funktion der Violine übernimmt und die abschließende Kadenz durch Synkopen markiert. Das eröffnende Signal wird vom Vokalpart übernommen, sodass die Clarinstimme geändert werden muss, während der Bass den Text syllabisch deklamiert und nur gelegentlich Koloraturen aufweist. Da der Mittelteil nach fis-Moll moduliert, muss das Material des Ritornells modifiziert werden, wogegen die Trompete nur einmal einen Halteton beisteuert.

Die Sopranarie »Gottlob! Nun geht das Jahr zu Ende« (BWV 28:1) verbindet die Oboen und die Streicher in einem akkordischen Satz, der durch den Wechsel beider Gruppen konzertante Züge erhält. Das Ritornell basiert auf einer zweitaktigen Zelle, die im Wechsel von Achteln und Sechzehnteln eine Kadenz umschreibt. Durch ihre Versetzung auf andere Stufen ergibt sich ein vierstimmiges Satzgerüst, in dessen Rahmen die Bläser und Streicher getrennt oder colla parte eingesetzt werden. Dabei genügt der Wechsel der Klangfarben, um die gleichmäßige Folge zwei- und viertaktiger Gruppen zu variieren. Der Text umfasst acht jambische Zeilen, die weder eine klare Zweiteilung noch eine Da-capo-Form nahelegen, da die Zeilen 3–5 und 7–8 zusammenhängende Sätze bilden, denen die Zeilen 1–2 und 6 als Aussagen vorangehen. Bach entschied sich für eine dreiteilige Anlage, deren Außenteile die Zeilen 1–5 und 7–8 zusammenfassen, sodass die sechste Zeile mit den Worten »stimm' ihm ein frohes Danklied an« in die Mitte des Satzes rückt.[236]

Zeilen 1–5   A   Gott Lob! Nun geht das Jahr zu Ende. / Das Neue rücket schon heran. / Gedencke, meine Seele, dran, / Wie viel dir deines GOttes Hände / Im alten Jahre Guts gethan.
Zeile 6   B   Stimm' Ihm ein frohes Danck-Lied an.
Zeilen 7–8   C   So wird er ferner dein gedencken, / Und mehr zum Neuen Jahre schencken.

Der Sopran löst sich mitunter vom metrischen Gepräge des Orchestersatzes, um einzelnen Worten Nachdruck zu geben. In der zweiten Zeile verharrt er auf der Quinte der Kadenzgruppe, um das Wort »gedenke« hervorzuheben, das in der Wiederholung dagegen dem Metrum untergeordnet wird (T. 26–28 bzw. 36–38), während die sechste Zeile im Mittelteil mit Koloraturen bedacht wird. Solche Details sorgen gemeinsam mit dem Wechsel der Klanggruppen dafür, dass der Satz nicht vom Metrum der Dichtung beherrscht wird.

---

[236] Die Wiedergabe des Textes folgt dem Druck von Neumeister.

Bläserstimmen im Streichersatz

Eine Gruppe für sich bilden die drei Sopranarien, in denen der Streichersatz durch eine Flöte oder Oboe erweitert wird. Entstanden binnen eines Monats, fallen sie in die Schlussphase der Werkreihe, die den dritten Jahrgang eröffnet. Für die Texte von Lehms, die von der nach Jesus verlangenden Seele sprechen, erfand Bach in BWV 32 und 151 ornamentale Bläserstimmen, die vom akkordischen Streichersatz getragen werden. Für einen Text Francks dagegen, der vom Vertrauen auf Jesu Hilfe handelt, entwarf er in BWV 72:5 einen Solopart, an dessen Motivik die anderen Stimmen partizipieren können.

Bezeichnet als »Molt'Adagio«, ähnelt der A-Teil der Arie »Süßer Trost, mein Jesus kömmt« (BWV 151:1) einem Pastorale im $^{12}/_8$-Takt, den die Streicher in Vierteln und Achteln ausfüllen. Ihre melodischen Bögen umgreifen zugleich den harmonischen Verlauf, der durch Quintschrittsequenzen erweitert und vom Continuo gestützt wird. Darüber entfalten sich die weitgefächerten Figuren der Flöte, die nach synkopischer Verzögerung ansetzen und zunächst wie ornamentale Arabesken wirken. Ihre thematische Funktion erweisen sie erst bei Eintritt des Soprans, dessen Kopfmotiv eine kantable Variante des instrumentalen Initiums bildet (T. 11–12). Sobald die Flöte wieder einsetzt, fungiert die vokale Fortspinnung als Gegenstimme, sodass die beiden Stimmen ein Duo bilden, das in den Streichersatz integriert ist. Das Vorspiel umschließt die motivische Substanz, deren Wiederholungen und Varianten den A-Teil ausfüllen. Dazwischen werden zwei zweitaktige Gruppen eingefügt, von denen die erste auf der Quintkette basiert (T. 19–20), während die zweite (T. 21–23) zur Tonikaparallele lenkt und anschließend in die Kadenzgruppe einmündet (T. 25–26^a + 26^b–29).

Ritornell	Zeile 1	Zeilen 1–2	Zeile 1^a	Zeilen 1–2	Ritornell	
1–5^a, 5^b–8, 9–10	11–12	13–18	19–20	21–24	25–26^a,	26^b–29
	(~ 1–2)	(~ 3–8)		(~ 1–2 + 9–10)		(~ 7–9)
G – D, E – a – D – G	G	D – G	E – a – D – G	G – D – G	e – e, a – D – G	

Der Zauber des Satzes lässt das nahezu mechanische Verfahren vergessen, mit dem seine Glieder zusammengefügt sind. Offenbar vertraute Bach seiner Erfindung so sehr, dass er es vorzog, sie mehrfach zu wiederholen statt zu verarbeiten. Weil sie sich nicht auf die übrigen Zeilen übertragen ließ, entschied er sich im Mittelteil für eine andere Lösung. Da die Deklamation dem trochäischen Metrum des Textes folgt und nur am Zeilenende – zu Worten wie »treuet« und »Himmel« – kleine Melismen und Dehnungen enthält, nähert sie sich der älteren Strophenarie, die einst im Eingangschor der Weimarer Kantate »Himmelskönig, sei willkommen« (BWV 182:1) anklang. In BWV 151:1 wird sie durch triolische Figuren der Flöte modifiziert, die die auf Sopran und Streicher verteilten Taktgruppen umspielen und am Zeilenende in den Vokalpart übergehen. Der liedhafte Charakter entspricht dem intimen Ton des A-Teils, während der Flötenpart die Satzglieder zusammenschließt.

Trotz analoger Struktur und Besetzung musste die Arie »Liebster Jesu, mein Verlangen« (BWV 32:1) anders angelegt werden, weil der Text drei analoge Zeilenpaare enthält, die sich als Bitten und Fragen der »Seele« an Christus richten. Damit lag ein dreiteiliger Grundriss nahe, dessen Abschnitte durch akkordische Achtel der Streicher verbunden werden. Obwohl das Vorspiel (T. 1–9[1]) nicht minder geschlossen als sonst anmutet, bilden das Kopfmotiv und die Fortspinnung zwei verschiedene Glieder, die von vornherein getrennt eingesetzt werden. So kehrt der Doppelschlag des Kopfmotivs auf der Dominante und in der Kadenzgruppe wieder (T. 3 bzw. 7), während die chromatisch steigende Linie der Fortspinnung (T. 2–3) in komplementäre Stimmzüge aufgespalten wird (T. 6–7). Wird das Initium im A-Teil mit der Anrede »Liebster Jesu« verbunden, so wird die Fortspinnung mit dem Wort »Verlangen« gekoppelt. Zur Frage »wo find ich dich« wird der Sopran von Pausen durchbrochen, während die Oboenstimme geschlossene Linien ausbildet. Der B-Teil benutzt dasselbe Material, um die Worte »soll ich dich so bald verlieren« zu trennen. Der Schlussteil dagegen greift auf die Zweiunddreißigstel zurück, die im Ritornell als Varianten des Kopfmotivs erschienen (T. 5) und nun dazu dienen, der Bitte »erfreue mich« Rechnung zu tragen (T. 35–37 bzw. 41–42). Das Material des Ritornells, das die Satzteile verbindet, wird demnach motivisch verarbeitet. Bestehend aus seinen Segmenten, bilden die Stimmen ebenso expressive wie kantable Linien, die sich den Textgliedern anpassen.

Im Gegensatz zu den Vorlagen von Lehms besteht Francks Text »Mein Jesus will es tun« (BWV 72:5) aus vier Alexandrinern, deren paarweise Reime eine Zweiteilung vorgeben und mit der Wiederholung der ersten Worte enden. Da sich die Einschränkung der zweiten Zeilen sowohl auf die vorangehende als auch auf die folgende Zeile beziehen lässt, entwarf Bach eine abweichende Gliederung.[237]

(A) Mein Jesus will es thun! Er will dein Creutz versüssen
     Ob gleich dein Hertze liegt in viel Bekümmernissen;
(B) Soll es doch sanfft und still in seinen Armen ruhn /
(C) Wenn ihn der Glaube faß't! Mein Jesus will es thun.

Das erste Verspaar wird im A-Teil zusammengezogen, der durch die vorgezogene Devise verlängert wird. Die beiden anderen Zeilen werden harmonisch verbunden, zugleich aber durch eine markante Zäsur getrennt, sodass sie zwei verschiedene Teile bilden. Alle drei Teile basieren auf dem Ritornell, dessen Kopfmotiv in der Oboe eingeführt und vom Tutti sowie vom Sopran aufgegriffen wird. Zwar umspielt es nur die Quinte der Tonika C-Dur, indem es aber eine Septim aufwärts springt, wechseln zweimal die erste und fünfte Stufe auf engstem Raum, bevor die Kadenz zur Subdominante lenkt und im Halbschluss ausläuft (Notenbeispiel 15). In der Fortspinnung wird die Drehfigur des Initiums in der Oboe verdoppelt und in den Streichern zu Skalensegmenten umgeformt, die komplementär ineinandergreifen (T. 5–8). Die Konstruktion basiert auf einer Quintkette, die auf der dritten Stufe ansetzt (III-VI-II-V), bis die Oboe wieder das Kopfmotiv aufgreift, um diesmal sequenzierend zur Dominante zu lenken (T. 9–13). Sobald sie erreicht ist, umkreisen die Streicher in repetierten Achtelnoten einen Plagalschluss, zu dem im Generalbass zweimal das Kopfmotiv erscheint (T. 14–16). Das Ritornell fungiert nicht nur als Basis des A-Teils, sondern

---

[237] Die Wiedergabe folgt dem Textdruck, in dem die ersten Zeilen durch kein Satzzeichen getrennt werden, während die NBA dem Autograph folgt, in dem das Wort »ihn« in der Schlusszeile durch »es« ersetzt wird.

Notenbeispiel 15

dient in variierter Fassung auch als Grundlage der folgenden Abschnitte. Im A-Teil scheint anfangs nur eine Wiederholung vorzuliegen (T. 17–32 ~ 1–16), in deren Beginn die Devise des Soprans einfügt wird (T. 17–20). Doch bilden die Takte eine Variante, in der die Quintkette eine Stufe höher als zuvor ansetzt, um diesmal zur Tonika zu führen (VII-III-VI-II-V-I). Erst im dritten Ansatz rückt die zweite Taktgruppe des Ritornells auf die Dominante (T. 35–36), auf der sich die Fortspinnung anschließt (T. 37–40 ~ 21–24). Wie das Zwischenspiel ist auch der letzte Abschnitt auf das Ritornell zurückzuführen (T. 41–56), wobei die Septimen der Sequenzstufen im Vokalpart gedehnt und zu Nonen erweitert werden, um den Worten »dein Kreuz versüßen« Nachdruck zu geben (T. 36–39).

Ritornell	Zeilen 1–2				Ritornell
1–16	17–32	33–34, 35–36	37–40	41–50	51–56
	(~ 1–16)	(~ 1–2)	(~ 21–24)	(~ 1–2 + 9–16)	(~ 9–14)
C-G | E-A-d- | G-C	C-G | h-E-a-D- | G-C	C – G	G	G	G

Der zweite Teil wirkt zwar kürzer, weil die Devise entfällt, doch gründet er ebenfalls auf dem Ritornell, dessen Sequenzfolgen verändert werden. Beginnend in G-Dur, umspannen sie zur dritten Zeile sechs Quintschritte und scheinen in e-Moll zu enden (T. 50–68). Da aber der Continuo eine Terz tieferrückt, wird die Kadenz nach a-Moll verlagert, um in einem Halbschluss zu münden, der durch eine Fermate betont wird (T. 69–73). Getrennt durch diese Zäsur, schließt sich in a-Moll die vierte Zeile an, die erneut eine Sequenzkette durchläuft, die über g-Moll bis F-Dur reicht und in C-Dur endet (T. 74–83), sodass sich die Wiederholung des Ritornells anschließen kann. Erst die letzten Takte erweisen den Grund der plagalen Kadenz, in die der Sopran die letzten Worte einfügt, die zugleich die Devise aufnehmen (T. 96–98). Das Verfahren, mit dem in BWV 148:4 das Nachspiel mit einem Textzitat verbunden wurde, prägt in BWV 72:5 eine Konstruktion, die auf den Schluss hinzielt: »Mein Jesus will es tun«.

Man muss bis in die Weimarer Jahre zurückgehen, um in der »Jagdkantate« (BWV 208:7) eine Arie mit ähnlich umfangreichen Quintschrittsequenzen zu finden (die in der geistlichen Fassung BWV 68:4 gekürzt wurden). Obwohl sie in BWV 72:5 nicht den gleichen Umfang erreichen, treten sie hier desto planvoller in den Dienst der Satzstruktur.

Die Arie steht am Ende einer ersten Gruppe von Kantaten, die zum dritten Jahrgang gerechnet werden. Methodisch sind diese Werke besonders aufschlussreich, weil für sie – erstmals seit den Weimarer Kantaten – authentische Textvorlagen zur Verfügung stehen.[238] Da sie denselben Publikationen von Franck, Lehms und Neumeister entstammen, die Bach in Weimar verwendet hatte, darf man annehmen, dass er diese Drucke besaß, sodass sich der Wortlaut mit seinen Lesarten vergleichen lässt. Dabei zeigt sich, dass er die Texte mit geringen Abweichungen übernahm und nur in Ausnahmefällen wie BWV 164:5 von ihren Vorgaben abwich. Lag es nicht in seinem Ermessen, ob sich zwei- oder dreiteilige Arien ergaben, so blieb ihm bei vorgeschriebenem Da capo nur die Wahl zwischen regulären und variierten Da-capo-Formen. Belangvoller als formale Schemata ist die Textwahl, bei der Bach offenkundig genügend Freiheit hatte, um sich seit Sommer 1726 ganz anderen Dichtungen zuzuwenden.

Zweifellos hatten die Texte ihren Anteil an dem, was man mit dem Wort Inspiration zu umschreiben pflegt. So unergründlich die Entstehung eines »Einfalls« ist, so genau lassen sich seine Folgen für die Struktur und den Verlauf eines Satzes erfassen. Es fällt daher auf, dass die Korrelation zwischen Besetzung und Struktur, der früher zu beobachten war, nun zunehmend gelockert wird. Zwar tendieren Continuo-Sätze nach wie vor zur Ostinatobildung, und wie die Tanzmodelle vorzugsweise in Sätzen mit einem Soloinstrument erscheinen, so unterscheiden sich die Arien mit zwei Instrumenten von denen mit vollem Orchestersatz, der vielfach für den Vokaleinbau genutzt wird. Unübersehbar sind aber die Grenzen zwischen Besetzungen und Satzarten durchlässiger geworden. So treten an die Stelle der Ostinato-Arie zwei entsprechende Duette (BWV 164:5 und 28:3), deren Bassmodelle aber weit freier als zuvor variiert werden, während zwei weitere Duette (BWV 79:5 und 164:5) durch eine Instrumentalstimme zu Triosätzen erweitert werden. Dagegen klingen Tanzmodelle fast nur noch in Arien an, die ein dreizeitiges Taktmaß mit einem solistischen Instrumentalpart verbinden, ohne jedoch die periodische Gliederung erkennen zu lassen (BWV 168:3, 148:2 und 32:3). Wie der ⅜-Takt in BWV 57:3 keinem Tanztyp gleicht, so fehlt auch dem ¾-Takt in BWV 110:4 oder 16:5 der Tanzcharakter. Wo bei geradem Takt die Rhythmik der Gavotte oder des Pastorale nachklingt, reicht die Stilisierung noch weiter als zuvor (BWV 32:5 und 13:1). Dagegen zeichnen sich die Arien mit zwei Flöten durch imitierende Arbeit aus (BWV 164:3 und 110:1), während das fugierte Violinduo in BWV 72:5 einen strophisch geformten Vokalpart ergänzt. Zwar erreicht der Quartettsatz BWV 13:1 ein Höchstmaß an kammermusikalischer Differenzierung, so wenig aber die kontrapunktische Arbeit solchen

---

238 Die neun Texte von Zieglers, die Bach 1725 vertonte, weichen von den 1729 gedruckten Fassungen derart ab, dass ungewiss ist, ob die Differenzen auf Bach oder frühere Fassungen der Dichterin zurückgehen.

Sätzen vorbehalten ist, so wenig sind die Arien in voller Besetzung stets in gleichem Maß wie in BWV 168:1 auf den akkordischen Satz mit Vokaleinbau angewiesen. Setzen die Violinen in BWV 164:1 als kanonisches Duo ein, so wird die fanfarenhafte Motivik in BWV 57:6 durch konzertante Züge und in BWV 110:5 durch eine Trompete modifiziert. Besonders individuell sind die Eingangssätze, in denen die Streicher eine Flöten- oder Oboenstimme begleiten. In BWV 151:1 wird auf den Vokaleinbau verzichtet, der desto ausgiebiger in BWV 32:1 verwendet wird, während die Oboe in BWV 72:5 mit dem Streichersatz verflochten ist.

Je durchlässiger die Grenzen zwischen den Satzarten werden, desto mehr kommt es zu Lösungen, die sich jeder Typologie zu entziehen scheinen. Das heißt freilich nicht, dass die Korrelation zwischen Besetzungen und Strukturen ihre Geltung verlöre. Falls eine Typologie nicht nur die Ordnungsliebe des Autors spiegelt, erschöpft sie sich nicht in der Zuordnung, sondern richtet sich auf die Unterscheidung genereller Kategorien und individueller Fälle. Es bleibt abzuwarten, wie sich dazu die Arien verhalten, die seit dem Sommer 1726 folgten.

b. Sommer und Herbst 1726

Nachdem im Januar 1726 die erste Gruppe neuer Kantaten endete, führte Bach seit Mariä Reinigung mit Werken seines Vetters Johann Ludwig erstmals eine Serie von Kantaten eines anderen Autors auf. Seit Himmelfahrt jedoch entschied er sich dafür, weitere Texte desselben Librettisten für eigene Werke zu wählen, die fortan bis zum 13. Sonntag nach Trinitatis mit Werken Johann Ludwig Bachs wechselten. Obwohl die Folge dieser sieben Werke von zwei Solokantaten zu Texten von Lehms durchbrochen wurde, kann sie aus mehreren Gründen als gesonderte Gruppe gelten. Zum einen ist der Textdruck verfügbar, dessen Fassungen sich mit Bachs Lesarten vergleichen lassen. Zum anderen zeichnen sich die Werke – mit Ausnahme von BWV 88 – durch Eingangschöre aus, wie sie auch in zwei anschließenden Kantaten begegnen. Angesichts der zeitlichen Streuung dieses Bestands dürfen systematische Aspekte den Vorrang vor der chronologischen Folge erhalten. Daher werden zunächst die Kantaten zu »Meininger Texten« und die anschließenden Werke erörtert, um danach auf die Solokantaten und Dialoge einzugehen. In der ersten Gruppe wird auch die nicht genau datierbare Kantate BWV 146 erfasst, da ihre Eingangssätze auf instrumentalen Vorlagen basieren und damit auf den dritten Jahrgang hindeuten könnten. Am Ende werden die Kantaten BWV 19 und 27 genannt, die durch ihre Eingangschöre an die »Meininger« Reihe anschließen.

BWV 146 Wir müssen durch viel Trübsal in das Reich Gottes eingehen (Jubilate)

3	Ich will nach dem Himmel zu	Dc	A., Org. obl. (oder V.?), Bc. – B-Dur, ₵
5	Ich säe meine Zähren	A – B – B'	S., Trav., Ob. d'am. I–II, Bc. – d-Moll, ₵
7	Wie will ich mich freuen	Dc (Gigue)	T., B., Ob. I–II, Str., Bc. – F-Dur, ⅜

BWV 43 Gott fähret auf mit Jauchzen (Himmelfahrt – Meiningen)

3	Ja, tausendmal tausend begleiten den Wagen	A – A' (Gigue)	T., V. I–II, Bc. – G-Dur, ⅜
5	Mein Jesus hat nunmehr	A – B – Rit.	S., Str. + Ob. I–II, Bc. – e-Moll, ¢
7	Er ists, der ganz allein	A – B – Rit.	B., Tr. I (oder Violine), Bc. – C-Dur, ¢
9	Ich sehe schon im Geist	A – B – Rit.	A., Ob. I–II, Bc. – a-Moll, ¾

BWV 39 Brich dem Hungrigen dein Brot (1. Sonntag nach Trinitatis – Meiningen)

3	Seinem Schöpfer noch auf Erden	A – B – B'	A., Ob. I, V. I solo, Bc. – F-Dur, ⅜
5	Höchster, was ich habe	A – B – Rit. (Passepied – Menuett)	S., Fl. I–II, Bc. – B-Dur, ⅜

BWV 88 Siehe, ich will viel Fischer aussenden (5. Sonntag nach Trinitatis – Meiningen)

3	Nein, nein! Gott ist allezeit geflissen	A – B – B' (Text: »Da capo«)	T., Ob. d'am. I, Bc. (Ritornello: + Str. + Ob. d'am. II) – e-Moll, ⅜
5	Beruft Gott selbst, so muß der Segen	A – B – B'	S., A., Ob. d'am. I–II + V. I–II, Bc. – A-Dur, ¢ (Duett)

BWV 187 Es wartet alles auf dich (7. Sonntag nach Trinitatis – Meiningen)

3	Du Herr, du krönst allein das Jahr	var. Dc (Passepied – Menuett)	A., Str. + Ob. I, Bc. – B-Dur, ⅜
5	Gott versorget alles Leben	A – B – Rit.	S., Ob. I solo, Bc. – Es-Dur, ¢ – ⅜

BWV 45 Es ist dir gesagt, Mensch, was gut ist (8. Sonntag nach Trinitatis – Meiningen)

3	Weiß ich Gottes Rechte	A – B – Rit. (Passepied – Menuett)	T., Str., Bc. – cis-Moll, ⅜
5	Wer Gott bekennt aus wahrem Herzensgrund	var. Dc	A., Trav. I, Bc. – fis-Moll, ¢

BWV 102 Herr, deine Augen sehen nach dem Glauben (10. Sonntag nach Trinitatis – Meiningen)

3	Weh der Seele, die den Schaden	var. Dc	T., Ob., Bc. – f-Moll, ¢
5	Erschrecke doch, du allzu sichre Seele	var. Dc	T., Trav. (o V. picc.) Bc. – g-Moll, ¾

BWV 17 Wer Dank opfert, der preiset mich (14. Sonntag nach Trinitatis – Meiningen)

3	Herr, deine Güte reicht, so weit der Himmel ist	A – B – C	S., V. I–II, Bc. – E-Dur, ¢
5	Welch Übermaß der Güte	var. Dc	T., Str., Bc. – D-Dur, ¢

BWV 19 Es erhub sich ein Streit (Michaelis – nach Henrici?)

3	Gott schickt uns Mahanaim zu	A – B	S., Ob. d'am. I–II, Bc. – G-Dur, ¢
5	Bleibt, ihr Engel, bleibt bei mir	A – B – C (Siciliano)	T., Tr., Str., Bc. – e-Moll, 6/8

BWV 27 Wer weiß, wie nahe mir mein Ende (16. Sonntag nach Trinitatis)

3	Willkommen! will ich sagen	var. Dc (A – B – C – A′)	A., Ob. d caccia, Cemb. (o Org.) obl., Bc. – Es-Dur, 3/4
5	Gute Nacht, du Weltgetümmel	A – B – A′	B., Str., Bc. – g-Moll, 3/4

BWV 47 Wer sich selbst erhöhet (17. Sonntag nach Trinitatis – Helbig)

2	Wer ein wahrer Christ will heißen	Dc (Menuett)	S., V. solo (o Org.), Bc. – d-Moll, 3/8
4	Jesus, beuge doch mein Herze	A – B – C	B., Ob., V., Bc. – Es-Dur, ¢

Auf den ersten Blick fällt auf, dass reguläre Da-capo-Formen nur in den Kantaten BWV 146 und 47 vorkommen, die nicht mehr der Meininger Reihe angehören. Zu den Eigenarten der Meininger Texte, die Georg Caspar Schürmann schon 1705 vertont hatte, gehören die wechselnden Formen der Arien und die eingefügten Bibelsprüche, die Bach zu Arien erweiterte. Ein weiteres Kennzeichen, das von Blankenburg und Schulze übergangen wurde, sind die gelegentlichen Hinweise auf Da-capo-Formen.[239] Solange nur der Rudolstädter Druck von 1726 verfügbar war, konnte man meinen, Bach habe das geforderte Da capo nur in zwei Sätzen beachtet (BWV 45:5 und 102:3) und in fünf weiteren Fällen ignoriert (BWV 39:3 und 39:5 sowie BWV 88:3, 45:3 und 102:5). Das wäre bemerkenswert, weil er die Vorgaben der Texte sonst recht genau beachtete. Zieht man aber die Meininger Auflage von 1719 heran, so zeigt sich, dass Bach sich auch hier an die Vorlage hielt. Im Meininger Druck fehlen zumeist die Da-capo-Angaben, die sich in der Rudolstädter Ausgabe finden. Ausnahmen bilden die Sätze BWV 187:3 und 45:5, in denen die Wiederholung der ersten Zeile ausgedruckt ist, und die Arie BWV 102:3, der ausnahmsweise der Vermerk »Da capo« zugefügt wurde. Dass Bach nur diese drei Texte als variierte Da-capo-Arien vertonte, darf als Beweis dafür gelten, dass ihm tatsächlich – wie Schulze vermutete – die Meininger Ausgabe vorlag. Zugleich zeigt sich, dass er mit diesen Texten – wie mit denen von Franck und Lehms – auf Vorlagen zurückgriff, die nicht regelmäßig ein Da capo forderten. Ein Grund seiner Vorliebe für ältere Texte dürfte also darin zu suchen sein, dass er nicht ausschließlich Da-capo-Arien schreiben wollte.

Die Arie BWV 88:3 ist insofern ein Grenzfall, als ihre solistische Besetzung im anschließenden »Ritornello« zum Tuttisatz erweitert wird, sodass die Anlage einem

---

[239] Während fünf von diesen Werken in der NBA erschienen, bevor Blankenburg auf den Rudolstädter Druck von 1726 hinwies (vgl. BJ 1977, S. 7–25), wurden die Texte in späteren Bänden nach diesem Druck wiedergegeben. Erst nach Abschluss der NBA wurde die Meininger Auflage von 1719 bekannt, die Bach als Vorlage diente, vgl. Hans-Joachim Schulze, Johann Sebastian Bachs dritter Leipziger Kantatenjahrgang und die Meininger »Sonntags- und Fest-Andachten« von 1719, in: BJ 2002, S. 193–199.

Lied mit nachfolgendem Ritornell ähnelt. Ebenso auffällig ist der Rückgang vollstimmiger Besetzungen, die viermal in der »Meininger Serie« (in BWV 43:5, 45:3, 187:3 und 17:5) und dreimal in weiteren Werken verwendet werden (im Duett BWV 146:7 und in den Arien BWV 19:5 und 27:5). Desto häufiger finden sich Sätze mit ein oder zwei Instrumentalstimmen, die fast zur Regel werden. Während für die Spruchtexte der »Meininger« Reihe der Continuo-Satz verwendet wird, fallen entsprechende Arien aus. Ferner begegnen lediglich zwei Duette, die sich in BWV 146:7 an der vollstimmigen Arie und in BWV 88:5 am Alla-breve-Typus orientieren. Somit drängt sich der Eindruck auf, Bach habe den Eingangschören intimer getönte Arien gegenüberstellen wollen, während die Solokantaten in der Regel ein oder zwei vollstimmige Arien enthalten.

Arien mit Soloinstrumenten

Falls BWV 146 zu Jubilate 1726 entstand, lägen in diesem Werk erstmals zwei Arien vor, deren obligater Orgelpart an die Besetzung der Eingangssätze anschlösse. Doch ließe sich die Oberstimme der Altarie »Ich will nach dem Himmel zu« (BWV 146:3) auch auf der Violine spielen, sodass man fast eine entsprechende Vorlage annehmen möchte.[240] Das gilt für die Dreiklangsbrechungen des Kopfmotivs ebenso wie für die Sequenzfiguren der Fortspinnung, die mit ständigem Saitenwechsel zu rechnen scheinen. Während die Figuration im B-Teil ähnlich pausenlos wie im Ritornell abläuft, wird sie im A-Teil mehrfach von Pausen durchbrochen, um dem Alt Gelegenheit zur Wiederholung einzelner Worte zu geben (T. 15–21, 31–37 und 43–46: »schnödes Sodom – ich und du – sind nunmehr – geschieden«). Indes ist der Solopart so instrumental erfunden, dass der Alt nur seine Rhythmik übernimmt und im Übrigen neu gefasst wird. Merkwürdig sind auch die Proportionen zwischen dem umfangreichen A-Teil mit drei Textdurchgängen und dem ungleich kürzeren Mittelteil. Ginge der Satz auf eine instrumentale Vorlage zurück, so müsste sie eine so gründliche Umarbeitung erfahren haben, dass ein Rekonstruktionsversuch von vornherein zum Scheitern verurteilt wäre.

Obwohl der Instrumentalpart der Bassarie »Er ists, der ganz allein« (BWV 43:7) in einer späteren Aufführung von einer Violine übernommen wurde, bildet die ursprüngliche Fassung das erste Beispiel einer Arie, in der die Trompete so virtuos eingesetzt wird, dass sie sich von anderen Instrumenten nur graduell unterscheidet. Während sie im Ritornell fast pausenlos beschäftigt ist, werden ihr in den vokalen Abschnitten kurze Atempausen gegönnt. Da der Generalbass als obligate Gegenstimme fungiert, bildet er gemeinsam mit der Trompete den Rahmen des Vokalparts, der dem Siegesruf »Er ists, der ganz allein« ebenso Raum gibt wie den anschließenden Worten »die Kelter hat getreten«. Selbst wo das helle C-Dur chromatisch getönt wird, um Worte wie »Schmerzen« oder »Qual« abzuheben, wird die Trompete unter Ausnutzung ihrer chromatischen Stufen beteiligt (T. 22–24).

Eine weitere Eigenart der »Meininger« Texte ist das Vorkommen alexandrinischer Verse, wie sie in der Tenorarie »Ja, tausendmal tausend begleiten den Wagen«

---

[240] In Agricolas Abschrift wird sie der Orgel zugeordnet, während sie in Herings Kopie ohne Bezeichnung eines Instruments erscheint, vgl. NBA I/11.2, Vorwort, S. VI.

zu finden sind (BWV 43:3). Weil die vier Zeilen syntaktisch zusammenhängen, fasste Bach sie in drei Teilen zusammen, denen durchweg derselbe Text zugrunde liegt. Da der erste Teil zur Dominante führt und der letzte in der Tonika bleibt, ergibt sich dennoch der Eindruck einer variierten Da-capo-Arie, deren Mittelteil von der Dominante zur Mollparallele lenkt. Eine weitere Folge der Vorlage ist es, dass die Zeilen prinzipiell syllabisch deklamiert und nur selten durch längere Koloraturen bereichert werden. Dass der Satz trotzdem höchst lebendig wirkt, liegt vor allem am Instrumentalpart, der von allen Violinen gemeinsam zu spielen ist. Durch Drehfiguren im ⅜-Takt gewinnt er geradezu tänzerische Züge, die an eine Gigue denken lassen.[241] Der Vokalpart übernimmt nur das Kopfmotiv, dessen Dreiklangsbrechung vereinfacht wird, doch wird er fast durchweg von den Violinen begleitet, die einmal den Beginn (T. 29–36 ~ 1–8), desto öfter aber die Fortspinnung zitieren (T. 41–44 und 48–56 sowie T. 101–108 ~ 13–16).

Das Ritornell der Sopranarie »Höchster, was ich habe, ist nur deine Gabe« (BWV 39:5) bildet eine pausenlose Figurenkette, in der das Kopfmotiv und die Fortspinnung ineinandergreifen. Dagegen besteht der Vokalpart des A-Teils aus kantablen Stimmzügen, die dreimal die beiden ersten Zeilen durchlaufen und nur zwei kurze Pausen zulassen. Die Zeilen des B-Teils hingegen werden mehrfach von Pausen durchbrochen, während im B'-Teil die letzten Worte vertauscht und durch Intervallsprünge akzentuiert werden (T. 53–59: »willt du doch kein Opfer – kein Opfer – kein Opfer, willt du doch – willt du doch kein Opfer nicht«). Die doppelte Negation war offenbar der Anlass dafür, die Kantabilität des Vokalparts zu sprengen. Davon unberührt bleibt die Flötenstimme, die von zwei Blockflöten zu spielen ist. Sie ist ein vorzügliches Beispiel für die Kunst einer Figuration, die im Grunde nur aus Dreiklangsbrechungen und skalaren Gliedern besteht. Sie werden jedoch so kunstvoll zusammengefügt, dass sie getrennt oder kombiniert verwendet werden können:

Notenbeispiel 16

[241] Finke-Hecklinger, a. a. O., S. 127.

Der Text der Sopranarie »Gott versorget alles Leben« (BWV 187:5) lässt erst auf den zweiten Blick erkennen, warum Bach ihn in zwei konträre Teile trennte. Den Ausschlag gab offenbar die Einsicht, dass das zweite Zeilenpaar des A-Teils mit einer Frage endet, die in den folgenden Zeilen beantwortet wird (»sollt er mir allein nicht geben, was er allen zugesagt? Weicht, ihr Sorgen, seine Treue ist auch meiner eingedenk«). Daher entschied sich Bach dafür, ein »Adagio« im geraden Takt mit einem »Un poco allegro« im ⅜-Takt zu verbinden. Dem A-Teil geht das Ritornell voran, dessen Kopfmotiv einen Oktavraum umspielt, während der Grundton sequenzierend eine Sekunde aufwärts rückt. Charakterisiert durch punktierte Sechzehntel, werden die Sequenzglieder anfangs durch Pausen getrennt und später durch skalare Zweiunddreißigstelen verbunden, bis sie am Ende die fünfte Stufe erreichen. Der Vokalpart übernimmt das Kopfmotiv, das von der Oboe imitiert wird, während die Fortspinnung durch kurze Phrasen mit eingefügten Pausen ersetzt wird. Führt der erste Durchgang zur Dominante, so moduliert der zweite zur Mollparallele und endet mit dem transponierten Ritornell. Desto überraschender ist der Umschlag zum Allegro im ⅜-Takt, das durch den Sopran eröffnet wird. Die Außenstimmen bilden einen Rahmensatz, in dem sich die Sprungmotive der Oboe und die Figuren des Generalbasses ergänzen, während die zwei- und viertaktigen Gruppen des Vokalparts der Gliederung der Textzeilen folgen. Die Phrasen setzen auf unbetonter Zählzeit an und brechen auf der Dominante ab, um von den Instrumenten abgefangen zu werden. So leicht gefügt der Satz wirkt, so eng sind seine Glieder miteinander verzahnt.

Das Ritornell der Altarie »Wer Gott bekennt aus wahrem Herzensgrund« (BWV 45:5) kehrt dagegen zur Reihung vierttaktiger Gruppen zurück, in denen das Kopfmotiv durch Halbschluss von der Fortspinnung getrennt wird. Erst bei Eintritt der Altstimme zeigt sich der Grund der auffällig regelmäßigen Gliederung. Der Satz greift nämlich auf das Einbauverfahren zurück, das bisher den vollstimmigen Sätzen vorbehalten war. Wie es auf den geringstimmigen Satz überführt wird, lässt sich am besten am A-Teil zeigen.

Ritornell				Ritornellzitat	
1^b–5^a, 5^b–9^a	9^b–14^a (~ 1^b–5^a)	14^b–19^a	19^b–23^a (~ 5^b–9^a)	23^b–27^a (= 5^b–9^a)
–	Zeilen 1–2	Zeilen 1–2	Zeilen 1–2	–
I – V, V – I	I – V	V	V	V

Während der A-Teil aus den Taktgruppen des Ritornells besteht, werden die Sequenzglieder der Kopfgruppe in der variierten Reprise (A′) durch Takte getrennt, in denen die Flöte pausiert. Da das modulierende Scharnier des A-Teils entfällt, kann trotzdem das komplette Ritornell verwendet werden (T. 48^b–49^a, 50^b–51^a + 52^b–54^a ~ 1^b–2^a, 2^b–3^a + 3^b–5^a und T. 56^b–59^a ~ 5^a–9^a). Dagegen beschränkt sich die Flötenstimme im Mittelteil auf wenige Einwürfe, die auf den ersten Takt der Fortspinnung zurückgehen. Da das Zwischenspiel die erste Taktgruppe des Ritornells aufgreift, entsteht der Eindruck ständiger Ritornellzitate, die partiell durch Vokaleinbau erweitert werden. Während der Instrumentalpart mit den Taktgruppen des Ritornells bestritten wird, beruht der Vokalpart auf der Einbautechnik. Desto erstaunlicher ist die Sicherheit, mit der Bach das Einbauverfahren auf die kleine Besetzung übertrug.

Damit bestätigt sich die Beobachtung, dass die Korrelation zwischen den Besetzungen und den Satzarten durchlässiger wird, um zugleich besonders eigenartige Lösungen zu erlauben.

Obwohl sich das Ritornell der Altarie »Weh der Seele, die den Schaden« (BWV 102:3) durch die unablässige Fortspinnung des Kopfmotivs auszeichnet, wird wiederum auf die Einbautechnik zurückgegriffen. Das Ritornell beginnt mit Haltetönen, die durch die Achtelketten des Continuo zu Vorhaltdissonanzen werden, um sich dann in der Fortspinnung aufzulösen (T. 1–10^a). Aufgrund dieses Verfahrens schließen die Phasen eng aneinander an, während sie im weiteren Verlauf getrennt eingesetzt werden. Da der erste Teil wie das Ritornell (T. 10–21) zur Dominante moduliert, hätte dessen Übernahme nahegelegen. Stattdessen erfand Bach eine Mischung aus Einbau- und Variantentechnik, die sich am Beginn der Altstimme verfolgen lässt (Notenbeispiel 17). Während das geringfügig veränderte Kopfmotiv im Vokalpart liegt, deutet die Oboe eine diminuierte Variante an, deren Fortspinnung in den dritten Takt des Ritornells übergeht (vgl. T. 10–12 mit 1–3). In Takt 13 setzt der Alt ähnlich an wie das Ritornell in Takt 4, wogegen die Oboenstimme eine Wendung aus Takt 3 aufnimmt. Wurde bisher der Continuo übernommen (T. 10–13^a ~ 1–4^a), so wird er fortan durch eine neue Fassung ersetzt, die mit dem modulierenden Glied der Oboenstimme gekoppelt wird (T. 15–17 und 19^b–21 ~ T. 5–7 und 8^b–10^a). Ein weiteres Beispiel bietet der Mittelteil (Oboe T. 30–34 ~ 1–4), während der Beginn der Reprise auf den A-Teil zurückgeht (T. 40–44 = 10–15). Dass die expressiven Linien des Satzes ständig neue Impulse erhalten, liegt vor allem an den vielfachen Varianten der instrumentalen Motivik.

Notenbeispiel 17

Die Tenorarie »Erschrecke doch, du allzu sichre Seele« (BWV 102:5) verwendet eine Soloflöte, sodass sich beide Arien des Werks mit solistischem Instrumentalpart begnügen. Zum Ausgleich steht dem komplexen dritten Satz im fünften eine dreiteilige Anlage gegenüber, die weit lockerer gefügt ist, um die Bilder des Textes aufnehmen zu können. Die Flötenstimme beschränkt sich darauf, das Incipit des Ritornells in die vokalen Phrasen einzuschalten, während die Fortspinnung als rhythmisches Modell der Sechzehntelketten dient, deren intervallische Fassung desto wechselhafter ausfällt.[242] So wird das Schlüsselwort »Erschrecke« im Tenor mit gezackten Figuren verbunden, die durch Pausen unterbrochen werden. Dagegen treten zu den anschließenden Worten Figuren hinzu, die auf den Beginn der Fortspinnung zurückweisen (vgl. T. 24–26 mit T. 5 ff.). Dasselbe gilt für die Rede vom »Joch« im zweiten Teil (T. 45–51) und für die letzte Zeile des dritten Teils (»damit der Zorn hernach dir desto schwerer sei«). Während Flöte und Continuo mit Sechzehnteln und Achteln an die Rhythmik der Fortspinnung anknüpfen, wird der Generalbass auf Tonrepetitionen reduziert, die mit konstanten Dreiklangsbrechungen der Flöte gekoppelt werden (T. 68–73 und 88–90^1). Deklamiert der Vokalpart die Worte in syllabisch textierten Achtelnoten, so weitet er sich anschließend zu synkopisch gedehnten Melismen, die der Flöte für die »geschuppten« Figuren des Ritornells Raum lassen (T. 74–88).

Trotz regulärer Da-capo-Form ist die Sopranarie »Wer ein wahrer Christ will heißen« (BWV 47:2) insofern ein Sonderfall, als sich der Kontrast des Mittelteils nicht von der Frage der Besetzung trennen lässt.[243] Die autographe Partitur zeigt die Angabe »Organo«, doch ist der Vokalpart zwischen den Systemen des Continuo und der obligaten Oberstimme notiert, die Bach ursprünglich im Chorton begann, danach aber in Klangnotation schrieb. Bleibt demnach offen, ob der Vermerk »Organo« weiterhin gelten sollte, so liegt der Solopart in einer autographen Einzelstimme vor, die keine Besetzungsangabe enthält und erst um 1731 ergänzt wurde.[244] Da die zweistimmigen Akkorde des Mittelteils so umgeformt wurden, dass sie auf der Geige zu spielen sind, wurde die Stimme im Haupttext der NBA der Violine zugewiesen, während im Anhang die autographe Fassung als Orgelpart mitgeteilt wurde. Doch ist fraglich, ob die Stimme tatsächlich für Orgel bestimmt war. Während beide Versionen in den Rahmenteilen keine signifikanten Differenzen zeigen, bietet der Mittelteil in der Partitur zweistimmige Akkorde, die auch von einem Geiger zu bewältigen wären.[245] Allerdings liegen sie weniger günstig als in der Einzelstimme, in der Terz- oder Quartgriffe zu besser spielbaren Sexten verändert wurden. Es ist also nicht auszuschließen, dass Bach zunächst an die Orgel dachte, sich dann aber für die Violine entschied und die Stimme später noch einmal schrieb, um sie leichter spielbar zu gestalten.

---

242 Die Stimme der Traversflöte liegt auch in einer späteren Fassung für Violino piccolo vor, die durch die genaue Phrasierung von Interesse ist, vgl. NBA I/19, S. 276.

243 Vgl. NBA I/23, hrsg. von Wolfgang Osthoff und Rufus Hallmark, Faksimile S. X, sowie KB, S. 170. Am Rande sei vermerkt, dass im Textdruck nur die zwei ersten Zeilen wiederholt werden, wogegen der A-Teil der Da-capo-Arie auch die dritte Zeile umfasst.

244 Vgl. ebd., S. 175. Dagegen fehlt der Solopart in der transponierten Continuostimme für Orgel.

245 Der Hinweis ebd., S. 170, »die engliegenden Doppelgriffe« sprächen »gegen eine Bestimmung für Violine«, ist kaum triftig.

Der A-Teil zeigt exemplarisch, wie das Kopfmotiv des Ritornells zu einer vokalen Fassung umgeformt wird, die erst auf den zweiten Blick als Variante zu erkennen ist. Die Fortspinnung ist so instrumental konzipiert, dass der Vokalpart auf der Basis des Bassgerüsts neu formuliert werden muss. Daher kann der Instrumentalpart auf Varianten des Ritornells zurückgreifen, die durch Vokaleinbau erweitert werden (T. 34 f. ~ T. 5 sowie T. 48–51 und 54–59 ~ T. 9–15). Der Kontrast des Mittelteils wird erst durch den Text verständlich: »Hoffart ist dem Teufel gleich, Gott pflegt alle die zu hassen, so den Stolz nicht fahren lassen.« Diesen Worten entsprechen die Doppelgriffe des Instrumentalparts, während der Vokalpart erst in den letzten Takten eine Koloratur enthält. Der Continuo, der sich im A-Teil auf stützende Achtel beschränkt, greift im Mittelteil die Sechzehntelketten auf, von denen der Violinpart des A-Teils ausgeht, sodass die Kontraste durch verbindende Züge gemildert werden.

Aus anderen Gründen ist die Besetzung der Altarie »Willkommen! will ich sagen« (BWV 27:3) nicht ganz klar. In der autographen Partitur geht eine Skizze voraus, vor der Bach vermerkte: »Aria à Hautb. da caccia / e Cembalo obligato«. Der fragliche Part findet sich nicht in der transponierten Continuostimme, sondern in einer gesonderten Stimme, die ursprünglich keine Überschrift zeigte und wohl für Cembalo bestimmt war.[246] Die Skizze ist auch deshalb von Interesse, weil sie in den ersten vier Takten sowohl die Oboen- als auch die Cembalostimme umfasst, wogegen die Fortsetzung (T. 5–16) nur den Oboenpart bietet. Er erweist sich in der Tat als führende Stimme, während das Cembalo wechselnd füllende oder obligate Funktion hat. Das Ritornell setzt mit dem repetierten Grundton an, über dem tonikale und subdominantische Klänge wechseln, um über die Dominante zur Tonika zurückzuführen (T. 1–4). Die Fortspinnung (T. 5–8) variiert dagegen ein synkopisches Motiv, bevor sie zur Dominante moduliert und dabei die »neapolitanischen« Nebenstufen berührt. Analog ist die zweite Hälfte gegliedert, die zugleich eine neue Fassung bildet und auf der Tonika endet (T. 9–16). Angesichts der Satzstruktur wäre zu erwarten, dass der Vokalpart weitgehend auf der Einbautechnik beruht. Doch ist das instrumentale Kopfmotiv nur für die erste Zeile verwendbar, während in der zweiten Zeile ein Takt eingefügt werden musste (T. 17–19). Daher kommt es erst dort zu einem Ritornellzitat, wo die erste Zeile wiederholt und die zweite übergangen bzw. verkürzt wird (T. 22–23 ~ 1–2 und T. 25–29 ~ 5–8). Der Grund dafür ist das komplizierte Versschema, dessen jambischem Beginn eine trochäische Zeile folgt, an die sich Zeilen mit wechselnder Länge anschließen (7a, 7b–9c, 3c–6a, 3b). Das erste Zeilenpaar entfällt auf die Außenteile, während die folgenden Zeilen auf den zweigliedrigen Mittelteil verteilt werden, der das Material des Ritornells verarbeitet. Die variierte Reprise greift nur anfangs auf den A-Teil zurück (T. 60–67 = 18–24), dessen Fortführung neu gefasst wird. Selbst das Nachspiel bildet keine Wiederholung, sondern eine gestraffte Variante des Ritornells. Die sorgfältige Arbeit, von der die Skizze zeugt, erstreckte sich also auf den gesamten Satzverlauf.

Ein letzter Sonderfall ist die Tenorarie BWV 88:3, die ohne Ritornell beginnt, während erst später eine Oboe eintritt und am Ende ein Ritornell mit begleitenden

---

246   Vgl. NBA I/23, Faksimile S. XII, sowie KB, S. 97 f.

Streichern folgt. Das vorausgehende Rezitativ endet mit einer Frage, die in der Arie beantwortet wird: »Und überläßt er uns der Feinde Tück?« – »Nein! Gott ist allezeit geflissen.« Daher ließ Bach den Tenor allein einsetzen, der das Wort »Nein« wiederholt und von den folgenden Zeilen trennt. Die Oboe wiederholt die vier ersten Takte in einer ornamentierten Fassung, deren Figuren den A-Teil begleiten. Entsprechend werden im B-Teil die Worte »Ja, ja« abgehoben, nach denen die weiteren Zeilen gebündelt und nochmals wiederholt werden. Obwohl im Ritornell die Streicher hinzutreten, handelt es sich im Kern um eine Arie mit Soloinstrument.

Instrumentale Duosätze

Die Altarie »Ich sehe schon im Geist« (BWV 43:9) fällt zunächst nur dadurch auf, dass die Oboen fast durchweg parallel geführt werden. Desto bemerkenswerter ist eine kleine Imitationsgruppe, deren Funktion sich aus dem Text erklärt. Fünf zusammengehörigen Zeilen folgt eine längere Schlusszeile, die bei ihrer Teilung die Reimfolge sprengen würde.

(1–2) Ich sehe schon im Geist, / Wie er zu Gottes Rechten /
(3–4) Auf seine Feinde schmeißt, / Zu helfen seinen Knechten /
(5)   Aus Jammer, Not und Schmach.
(6)   Ich stehe hier am Weg und schau ihm sehnlich nach.

Bach respektierte die Gliederung, indem er die vier ersten Zeilen im A-Teil zusammenfasste und die zwei letzten Zeilen gesondert vertonte. Umrahmt von zweitaktigen Zwischenspielen in e- und g-Moll, fungiert die fünfte Zeile als Mittelteil (T. 46–60, in dem die Worte »Jammer« und »Schmach« auf gehaltene Töne der Altstimme entfallen, während die Oboen das Kopfmotiv des Ritornells imitieren. Die Imitationen werden mit einer harmonischen Konstruktion verbunden, die auf einer Terzreihe des Continuo basiert (T. 48–52: $d^1 - b - g - es - c$). Den Kerntönen gehen kleine Sekunden voran, die als leittönige Bindeglieder fungieren, während die Oboen in Terzabständen ansetzen und die Zwischenstufen des Basses mit Sekundschritten überbrücken. Dagegen beginnt die sechste Zeile mit gedehnten Tonwiederholungen, die zwar auch im ersten Teil begegnen (T. 46–49 bzw. 52–55), ohne aber ebenso hervorgehoben zu werden (T. 63–76).

Auch die Phasen der Altarie »Seinem Schöpfer noch auf Erden« (BWV 39:3) beginnen mit Imitationen der Oboen, die sich aber auf das Kopfmotiv beschränken und anschließend in komplementäre Figuren übergehen. So einheitlich das Verfahren ist, so variabel wird es gehandhabt. So wird der dritte Takt des Ritornells im ersten Zwischenspiel durch eine Variante ersetzt (vgl. T. 29ff. mit T. 1ff.), entsprechend wird das Kopfmotiv im nächsten Ritornellzitat variiert (T. 52ff.), mit weiteren Varianten beginnen auch die Abschnitte des zweiten Teils (T. 78ff. und 91ff.), und selbst das Nachspiel bildet keine Wiederholung, sondern eine neue Fassung des Ritornells. Das Verfahren führt nicht nur zu einer ungewohnt gleichmäßigen Rhythmik, sondern dient vor allem als Widerpart der motivischen Varianten. Durch die doppelte Vertonung der zweiten Texthälfte ergeben sich drei Teile, die der Alt mit einer vereinfachten Version des instrumentalen Incipits eröffnet, während er sonst eine Zusatzstimme bildet, die den Textworten angepasst wird. Als Beispiele seien die Koloraturen hervorgehoben, die für die Worte »streuen« und »dornig« verwendet und mit Varianten der instrumentalen Figuration gekoppelt werden (T. 70–82 sowie T. 105–108).

Eine weitere Spielart zeigt die Sopranarie »Herr, deine Güte reicht, so weit der Himmel ist« (BWV 17:3), deren erste Zeile einen Psalmvers zitiert (Ps. 36:6). Da der Text aus sechs paarweisen Alexandrinern besteht, bedingt er eine dreiteilige Anlage (A – B – C), deren Schlussteil zugleich eine verdeckte Reprise umschließt. Das Vorspiel beginnt zwar – ähnlich wie das Ritornell aus BWV 72:3 – als fugiertes Violinduo, erweist sich aber als Mosaik aus drei Elementen. Die skalare Sechzehntelkette des Kopfmotivs (Violine I, T. 1–2^2 = a) läuft in einer punktierten Wendung aus (T. 2^3 = b), die später eigenen Rang gewinnt, während die dominantische Beantwortung (Violine II, T. 3–4^2 = a) durch einen synkopischen Kontrapunkt ergänzt wird (Violine I = c). Statt ihn zu übernehmen, greift die Unterstimme auf die punktierte Wendung (b) zurück, deren Sequenzierung durch die Oberstimme imitiert wird (T. 4^3–6^2), bevor der Themenkopf mit dem Kontrapunkt gepaart und durch die Kadenz ergänzt wird (T. 6^2–11^1).

Takte	1–2^3	2^4	3–4^2	4^3–6^2	6^3–6^4	7	8	9–10 + 11^1
Violine I	a	b	c	b	~~~	a	c	a + Kadenz
Violine II			a	b	a	c	a	c + Kadenz
Bc.	I – V	V	V – I	II – V^0	IV	V	V	IV – V – I

Ohne wiederholt zu werden, hat das Vorspiel in doppelter Hinsicht die Funktion eines Ritornells. Je weniger es sich für den Vokaleinbau eignet, desto eher lassen sich seine Glieder gesondert einsetzen. Zum einen dienen seine Taktgruppen dazu, den Vokalpart zu begleiten, zum anderen werden sie in den Zwischenspielen kombiniert (T. 23–29 ∼ 3–4 + 6–10 auf der V. und T. 36–39 ∼ 7–10 auf der VI. Stufe). Das Kopfmotiv (a) wird im Mittelteil verwendet, während es in den Rahmenteilen mit dem synkopischen Kontrapunkt (c) gepaart wird. Die punktierte Wendung (b) dagegen begegnet erst in den letzten Takten des Schlussteils, an dessen Ende das Ritornell mit Vokaleinbau wiederholt wird (T. 49–59^1 ∼ 1–11^1).

Takte	49–50 (∼ 1–2)	51–52^2 (∼ 3–4^2)	52^3–53^2 (∼ 4^3–5^2)	53^3–54^2 (∼ 5^3–6^2)	54^3–54^4 (∼ 6^3–6^4)	55 (∼ 7)	56 (∼ 8)	57 (∼ 9)	58–59^1 (∼ 10–11^1)
Violine I	c	c	–	b	–	a	c	a	a + Kadenz
Violine II		a	b	b	a	–	a	c	c + Kadenz
Sopran	a	~~~	b	~~~	~~~	~~~	~~~	~~~	∼ + Kadenz

Der Rückgriff fällt zwar kaum auf, weil der Themenkopf im Sopran liegt. Unverkennbar wird jedoch das Gerüst des Ritornells übernommen, obwohl die Violinstimmen zugunsten des Vokalparts geändert oder von Pausen unterbrochen werden, während im Nachspiel die ersten und letzten Takte des Ritornells zusammengefügt werden.

Gegenüber diesem komplexen Satz muten die beiden nächsten Arien etwas einfacher an, sofern sie über ausgedehnte Ritornelle verfügen, deren kantable Themen vom Vokalpart übernommen werden. Obwohl die Themen als Dux und Comes auf der I. bzw. V. Stufe eingeführt werden, handelt es sich beidemal nicht um fugierte Sätze. Vielmehr bilden die Kopfmotive gemeinsam mit der Fortspinnung ein motivisches Reservoir, aus dem die vokalen Phasen schöpfen. Das dreitaktige Thema der Sopranarie »Gott schickt uns Mahanaim zu« (BWV 19:3)[247] wird im Ritornell mit einem Kontrapunkt gepaart, der zum dritten Einsatz wiederkehrt, während die vokalen Phasen mit dem Kopfmotiv und einer Drehfigur bestritten werden, die dem Kontrapunkt entnommen ist. Nachdem die ersten Einsätze auf den Sopran und die Oboen verteilt werden, werden die Stimmen in einer Engführung zusammengeführt, die sequenzierend verlängert wird, während sich der zweite Ansatz auf die Oboen beschränkt (T. 24–28 bzw. 33–34). Im B-Teil scheint anfangs nur die Rhythmik des Kopfmotivs nachzuklingen, bis ein Themeneinsatz der ersten Oboe einen Takt später vom Sopran beantwortet wird (T. 53–57). In der Bassarie »Jesu, beuge doch mein Herze« (BWV 47:4) wird das Verfahren insofern variiert, als das Kopfmotiv des Ritornells von der Fortspinnung getrennt wird, die für einen Themeneinsatz des Continuo genutzt wird (T. 9–11). Überdies wird der zweite Themeneinsatz von der Gegenstimme durch die Imitation des Kopfmotivs ergänzt, sodass sich ein motivischer Fundus ergibt, mit dessen Kombinationen der gesamte Satzverlauf bestritten wird. Die Devise, die den Vokalpart eröffnet, bildet eine kantabel geglättete Themenvariante, die im A-Teil nur einmal wiederkehrt (T. 19–20), um jedoch am Ende der folgenden Teile erneut zu begegnen (T. 42 f. und T. 59 f.). Im A-Teil dagegen wird der Vokalpart in eine transponierte Fassung der Takte eingefügt, die im Ritornell auf dem Themenzitat des Continuo basierten (T. 23–25 ~ 8–11). Auf dieselbe Konstellation geht die Taktgruppe des Schlussteils zurück, in der die Themenvariante sowohl im Continuo als auch im Vokalbass erscheint (T. 58–60). Die Imitation des Kopfmotivs, die auf das Ritornell zurückgeht, findet sich nicht nur zu Beginn der Zwischenspiele (T. 30 f. und 46 f.), sondern auch im Mittel- und im Schlussteil (T. 34 f. und 61 f.).

Ohne das Vexierspiel des Satzes aus BWV 17 zu wiederholen, profitieren beide Arien von diesem Verfahren. Ihm verdanken sie ihre ungewöhnliche Homogenität, die bereits Dürr auffiel.[248] Zugleich verfügen sie über ihr Material in einer Souveränität, die sich an den vielfältigen Kombinationen und der geschmeidigen Stimmführung ablesen lässt.

Ähnlich wie der Eingangssatz aus BWV 13 fällt die Sopranarie »Ich säe meine Tränen« (BWV 146:5) durch ihre Besetzung aus dem gewohnten Rahmen. Stand dort eine Oboe da caccia zwei Blockflöten gegenüber, so wird hier eine Traversflöte mit zwei Oboi d'amore kombiniert. Falls BWV 146 zum Sonntag Jubilate 1726 entstanden wäre, lägen zwischen den beiden Sätzen nur vier Monate. Obwohl das nicht als Argument für die Datierung des Werks gelten kann, fallen doch weitere Entsprechungen auf. Beidemal geben Schlüsselworte wie »Zähren« und »Tränen« Anlass zu ungewöhnlichen Kombinationen der Holzbläser. Und beidemal ergibt sich damit eine intime Färbung, die durch die Sopran- bzw. Tenorstimme betont wird. Trotz ihrer kammermusikalischen Faktur zeigen beide Sätze zugleich die Unterschiede, die bei solchen Satzpaaren zu erwarten sind. Erscheint die Oboenstimme in BWV 13:1 zunächst als Umspielung der beiden Flöten, um sich später als Achse des kontrapunk-

---

[247] Der Text des Satzes entstammt einem Gedicht von Christian Friedrich Henrici (Sammlung erbaulicher Gedancken…, Leipzig 1724/25), auf das sich die übrigen Sätze des Werkes nur in einigen Wendungen beziehen, vgl. Spitta II, S. 237–241.
[248] Dürr, Die Kantaten, Bd. 2, S. 467 und 572.

tischen Gefüges zu erweisen, so dominiert in BWV 146:5 von vornherein die Flötenstimme, während die Oboen als paarige Füllstimmen fungieren. Die Flöte beginnt mit dem Kopfmotiv, das in vereinfachter Fassung vom Sopran übernommen wird, während die Dreiklangsbrechungen der Fortspinnung durch Vorhaltdissonanzen verkettet werden. Nur bei Haltetönen der Flöten und in Kadenzgruppen sind die Oboen mit terzparallelen Figuren beteiligt, wogegen sie sonst gemeinsam mit dem Continuo das Duo der führenden Stimmen stützen. Der Sopran gewinnt dadurch Spielraum für eine Stimmführung, die sich an der Flötenstimme orientiert. Daher kommt es im A-Teil nur einmal kurz zum Vokaleinbau (T. 19–20 ~ 1–2), der sich zwei Takte später in transponierter und gleich darauf in ursprünglicher Fassung wiederholt (T. 22 f. bzw. 25). Bemerkenswerter ist es, dass sich mit dieser Konstellation eine Modulation von g- nach a-Moll verbindet. Die Takte sind nur ein Beispiel für die harmonischen Nuancen, die dem Satz ständig neue Facetten verleihen. Dem umfangreichen A-Teil steht ein fast ebenso langer B-Teil gegenüber, dessen Text im Schlussteil wiederholt und durch ausgedehnte Koloraturen erweitert wird. Ohne kontrapunktisch so intrikat wie BWV 13:1 zu sein, ist die Arie nicht minder differenziert und darf auch dann als Äquivalent gelten, wenn sie erst ein Jahr später entstanden sein sollte.

Duette

Die beiden Duette, die hier zu nennen sind, schließen einerseits an das seit Spätsommer 1725 ausgebildete Alla breve und andererseits an den akkordischen Satz an, der bereits in den Köthener Kantaten begegnete. In BWV 88:5 »Beruft Gott selbst, so muß der Segen« werden der Sopran und der Alt wie in BWV 164:4 und 79:5 durch eine Instrumentalstimme ergänzt, die hier von den Violinen und Oboen gemeinsam zu spielen ist. Der Alla-breve-Takt wird durch den rhythmischen Impuls modifiziert, der vom Binnenauftakt des Ritornells ausgeht. Beginnend mit drei Achtelnoten, verbindet er Kopfmotiv und Fortspinnung zu einer auf- und abschwingenden Linie, die mitunter Sechzehntel umschließt (T. 1–4). Bevor sie sich in der Kadenzgruppe fortsetzt (T. 7^3–10), stagniert sie in den Zwischentakten, in denen durch Pausen getrennte Achtel die Dominante umkreisen (T. 5–7^2). Angesichts der ebenso lehrhaften wie umfangreichen Textvorlage war Bach auf ein Ritornell bedacht, dessen Material sich schrittweise entfalten ließ, um sehr verschiedene Textglieder aufzunehmen. Während das Kopfmotiv in der vokalen Fassung syllabisch textiert wird, verlängert sich die Fortspinnung zu einem Melisma, das von der imitierenden Gegenstimme übernommen wird (T. 11–20). Kehren danach die ersten Takte des Ritornells mit Vokaleinbau wieder, so werden die Zwischentakte durch den Vokalpart gefüllt und durch Melismen erweitert, die auf dem in den Continuo verlagerten Modell der Gruppe basieren (T. 25–32). Indem die Instrumente eine choralartige Linie in Halben einfügen, werden die Zwischentakte auf vier Stimmen erweitert. Die Konstellation wiederholt sich wenig später und kehrt mit geringen Änderungen auch am Ende der weiteren Satzteile wieder, die trotz unterschiedlicher Texte dem A-Teil entsprechen. Rückblickend wird sichtbar, dass Bach bei der Erfindung des Ritornells den gesamten Text- und Satzverlauf im Blick hatte.

Den denkbar größten Kontrast bildet das Duett »Wie will ich mich freuen« aus der nicht sicher datierbaren Kantate »Wir müssen durch viel Trübsal« (BWV 146:7).

Tenor und Bass setzen zwar imitierend an, wechseln aber rasch zu Parallelführung und stehen einem akkordischen Orchestersatz gegenüber, dessen Taktgruppen auf die Oboen und Streicher verteilt werden. Trotz seiner tänzerischen Züge lässt sich der Satz – entgegen Finke-Hecklinger[249] – nicht der Gigue zurechnen, da die fließende Rhythmik des Tanzes durch klar akzentuierten ⅜-Takt ersetzt wird, dessen Achtelwerte mit Zweiunddreißigsteln und Sechzehnteln wechseln. Desto mehr erinnert die Arie an die tänzerischen Chorsätze der Köthener Kantaten, deren duettierende Phasen in den Leipziger Fassungen chorisch aufgefüllt wurden.[250] Ein Blick auf das Ritornell sollte genügen, um die gelegentlich geäußerten Zweifel an Bachs Autorschaft zu zerstreuen.[251] Da der Generalbass einen Takt später als die Oberstimmen einsetzt, werden das Kopfmotiv und die Fortspinnung verschränkt, sodass sich ihre rhythmischen Formeln überlagern und im jeweils zweiten Takt Vorhaltdissonanzen bilden. Dass gegenüber der achttaktigen ersten Gruppe die zweite 13 Takte umfasst, liegt daran, dass der Kadenz ein Orgelpunkt auf der Dominante vorangeht, der auf drei statt zwei Takte erweitert wird (T. 1–21 = 4 + 4, 4 + 4 + 3 + 2 Takte). Durch den akkordischen Satz und die periodische Gliederung ist das Ritornell für die Einbautechnik prädestiniert, die jedoch durch harmonische Varianten und zusätzliche Takte bereichert wird.

Ritornell	A^1		Ritornell	A^2		Ritornell
1–8, 9–21	22–29 (~ 1–8)	30–37 + 38–44 (~ 9–19 + Kadenz)	45–52 (~ 1–8)	53–60	61–83 (~ 9–21)	84–104 (= 1–21)
I – [V] – I	I – [V] – I	I – [V] – V	V	III – II – V^7	I – [V] – I	I – [V] – I

An den Halbschluss, mit dem die erste Gruppe des Ritornells endet (hier als [V] bezeichnet), schließt sich in der vokalen Fassung die Modulation zur Dominante an (T. 38–44). Der Sequenz der ersten Taktgruppe entspricht auch die erste Gruppe des zweiten Satzteils, die sequenzierend zur Tonika zurückführt (T. 53–60). Auf die Worte »vergängliche Trübsal« verweisend, werden die Zielstufen der Teile in den Kadenzen kurz durch die Mollvarianten ersetzt. Zugleich wird die Substanz des Ritornells so kunstvoll auf die Vokalstimmen und das Orchester verteilt, dass die Analogien der Taktgruppen kaum wahrzunehmen sind. Zwar bedient sich auch der B-Teil der Da-capo-Anlage desselben motivischen Materials, doch beschränkt er sich auf die Vokalstimmen, ohne das Orchester einzubeziehen. Die satztechnische Kunst, mit der die Einbautechnik im A-Teil verwendet wird, unterscheidet sich von den Köthener Chorsätzen, sodass kaum zu bezweifeln ist, dass der Satz auf keine ältere Vorlage zurückgeht. Das schließt zwar nicht aus, dass Bach eine Vorlage benutzt haben

---

249 Finke-Hecklinger, a. a. O., S. 125.
250 Vgl. BWV 134a:8 »Ergetzet auf Erden« und BWV 134:6 »Erschallet, ihr Himmel« sowie BWV 173:8 »Nimm auch, großer Fürst, uns auf« und BWV 173:6 »Rühre, Höchster, unsern Geist«. Dagegen ist die Vorlage des Chorsatzes »Erfreut euch, ihr Himmel« (BWV 66:1) nur aus dem Textdruck zu erschließen (BWV 66:8 »Es strahle die Sonne«).
251 Vgl. dazu Schering, BJ 1912, S. 127 f.; Finke-Hecklinger, a. a. O., S. 103, wies zwar darauf hin, dass das »Durchbrechen der Viertakt-Periodik […] bei einem Satz, dessen Echtheit bezweifelt wird«, bemerkenswert sei, ließ jedoch offen, ob der Sachverhalt für oder gegen die Echtheit des Werkes spreche.

könnte, die dann aber einer verschollenen Kantate der Leipziger Jahre entstammen dürfte. Statt weiterer Spekulationen sollte man den Satz als das sehen, was er ist: ein Meisterstück ebenso dichter wie differenzierter Satzkunst.

Tuttisätze

Dass den Eingangschören dieser Gruppe nur sechs Arien mit Orchestersatz gegenüberstehen, darf als Hinweis darauf gelten, dass es Bach um die klangliche Abstufung der Sätze ging. Das Grundmuster der Tuttisätze, in denen die Oboen und Violinen colla parte geführt sind, vertritt die zweiteilige Sopranarie »Mein Jesus hat nunmehr das Heilandwerk vollendet« (BWV 43:5), die fast durchweg aus Ritornellzitaten mit Vokaleinbau besteht.

Ritornell	A-Teil (Zeilen 1–4)			Zwsp.	B-Teil (Zeilen 5–6)		Ritornell	
1–3, 3–7	7–9^1 ($\sim$ 1–3^1)	9^3–13^1 ($\sim$ 3^1–7^1)	13–14 ($\sim$ 1–2)	15–16	17–25 ($\sim$ 3–7)	26–30 (+ 2 × 1–2)	31–35 ($\sim$ 3–7)	35–41 (= 1–3, 3–7)
instr.	vok.	instr. + vok.	instr.	vok.	instr.	vok.	instr. + vok.	instr.
T – D	T	T – D	D	→ Tp	Tp	D – T	T	T – T

vok., instr. = analoge Takte primär in instrumentaler bzw. vokaler Lage

Während der Sopran die beiden ersten Takte des Ritornells wiederholt (T. 7–9^1 $\sim$ 1–3^1), fällt die Fortspinnung dem Orchester mit Vokaleinbau zu (T. 9^3–13^1 $\sim$ 3^3–7^1). Zwar schließen sich nochmals die ersten Takte auf der Dominante an, doch wird das Verfahren insofern variiert, als die Kopfgruppe durch eine freie Version ersetzt wird (T. 15–16), die zur Tonikaparallele führt und durch die transponierte Fortspinnung ergänzt wird (T. 15–25). Auf sie geht auch das Zwischenspiel zurück, während das Orchester im B-Teil zweimal die Kopfgruppe zitiert (T. 26 f. und 28 f.), um nach zwei vokalen Takten die Fortspinnung zu ergänzen und auf der Tonika zu enden (T. 31^3–35^1 $\sim$ 3^3–7^1). Da das Ritornell mit variierter Kadenz im Nachspiel wiederholt wird, beruht die Arie – mit Ausnahme der vokalen Einschübe – fast durchweg auf Zitaten des Ritornells.

Sofern die Einbautechnik geschlossene Phasen voraussetzt, die sich transponieren lassen, ist der Satz zugleich ein Grenzfall. Je enger die Glieder des Ritornells verkettet werden, desto mehr ist der Vokaleinbau auf zusammenhängende Ritornellzitate angewiesen. Soll er flexibler eingesetzt werden, so setzt er ein Ritornell voraus, dessen Gruppen sich trennen lassen, wie es für die Altarie »Du Herr, du krönst allein das Jahr« (BWV 187:3) gilt. Der Text besteht aus zwei gereimten Alexandrinern, die zwei siebensilbige Mittelzeilen umrahmen, während die erste Zeile am Ende wiederholt wird. Damit ergibt sich eine variierte Da-capo-Form, in deren Mittelteil die Zeilen 2–4 zusammengeführt werden:

A   Du Herr, du krönst allein das Jahr mit deinem Gut!
B   Es träufet Fett und Segen / Auf deines Fußes [allen deinen] Wegen,
     Und deine Gnade ists, die alles Gutes tut.
A'   Du Herr, du krönst allein das Jahr mit deinem Gut!

Notenbeispiel 18

Verteilt auf zwei sechstaktige Gruppen, die später durch Koloraturen erweitert werden, stehen den Alexandrinern in den Binnenzeilen drei zweisilbige Takte gegenüber. Demgemäß setzt das Ritornell mit zwei dreitaktigen Gliedern ein, denen drei viertaktige Gruppen folgen.[252] Da sie getrennt und zudem verschieden gegliedert sind, lässt sich nur unter Vorbehalt von einem »Kopfmotiv« und seiner »Fortspinnung« reden. Während die dreitaktigen Glieder der »Kopfgruppe« wiederholt werden (T. 1–3 = 4–6), werden die viertaktigen Gruppen durch eine steigende Sequenz (B^7-Es, C^7-F) eröffnet, an die sich ein dominantischer Orgelpunkt mit umspielender Oberstimme anschließt, bis die Kadenz zur Tonika B-Dur zurücklenkt (T. 5–18). Das Gefälle des ³⁄₈-Takts kommt erst in der »Fortspinnung« zur Geltung, während es im »Kopfmotiv« und in der Kadenz hemiolisch gestaut wird (Notenbeispiel 18).

Wie variabel die Satzgruppen verwendet werden, zeigt bereits die erste vokale Phase, die mit sechs Takten des Alts beginnt, ohne den »Kopf« des Ritornells zu übernehmen. Da sie auf der Dominante endet, schließt statt der modulierenden Sequenz die »Fortspinnung« mit der Kadenz an, der dann erst die »Kopfgruppe« mit Vokaleinbau folgt (T. 19–32). Während das Sequenzglied der »Fortspinnung« mit einer vokalen Variante des »Kopfmotivs« zusammentrifft (T. 38–42), wird in die dreitaktigen Glieder der »Kopfgruppe« eine Imitation des ersten Takts eingefügt (T. 46). Die Folge sechstaktiger Gruppen scheint sich in den vokalen Koloraturen des zweiten Textdurchlaufs zu lockern (T. 38–69), doch setzt sie sich wieder durch, wenn der Alt mit der Rhythmik der »Kopfgruppe« und dem Binnenglied der »Fortspinnung« kombiniert wird (T. 57–66). Die motivische Arbeit erreicht eine weitere Stufe im B-Teil, in dem die »Kopfgruppe« zuerst in der Oberstimme des Orchesters erscheint, um dann in die Unterstimmen verlegt zu werden, während beide Zitate durch transponierte Varianten der Fortspinnung abgelöst werden (T. 91–101 und 102–114). Die Umschichtung betrifft auch die variierte Reprise, obwohl sie weitgehend dem ersten Teil entspricht (T. 124–142 = T. 1–6 + 18–37). Da das eröffnende Ritornell auf die »Kopfgruppe« verkürzt wird, schließt sie sich mit dem Zitat der »Fortspinnung« zu einem Block zusammen, in den sechs vokale Takte eingefügt sind. Auch das modulierende Scharnier, das die Reprise zur Tonika zurückführt, geht auf das Binnenglied des Ritornells zurück, dessen Kadenzgruppe in den Vokalpart verlagert wird (T. 143–154).

Die Anlage des Ritornells lässt seine Glieder so verfügbar werden, dass man versucht ist, den Begriff der motivischen Arbeit zu verwenden, der eigentlich erst für die

---

[252] Vgl. Finke-Hecklinger, S. 105, wo auf die Taktgruppierung verwiesen wird, ohne auf ihre Folgen einzugehen. Am Rande sei erwähnt, dass die komplizierte Anlage kaum der Zuordnung zum Passepied entspricht.

Satztechnik der »Wiener Klassik« gilt. Doch ist er am ehesten geeignet, ein Verfahren zu benennen, das zugleich dem Vokalpart einen ungewöhnlichen Freiraum gibt. Dass der Alt gerade dort, wo das Orchester aussetzt, die sechstaktige Gliederung der »Kopfgruppe« aufgreift, weist wiederum auf die metrischen Vorgaben des Textes zurück. Bemerkenswert ist daher die Selbstständigkeit, die der Vokalpart selbst dort wahrt, wo er mit Gliedern des Ritornells kombiniert wird. Seine Dominanz reicht so weit, dass er als primäre Schicht erscheint, die von motivischen Varianten des Orchesters begleitet wird. In dem Maß, in dem sich die Tuttisätze den Verfahren nähern, die zuvor für die solistischen Sätze galten, greifen die Solosätze auf den Vokaleinbau zurück, der zuvor primär für Tuttisätze galt. Beide Vorgänge indizieren erneut, dass die Grenzen zwischen Besetzungen und Satzarten durchlässiger werden.

Ein nicht ganz so kompliziertes Beispiel ist die in cis-Moll stehende Tenorarie »Weiß ich Gottes Rechte, was ists, das mir helfen kann« (BWV 45:3), deren zweiteilige Anlage dem bevorzugten Schema des Meininger Autors entspricht. Das Ritornell gliedert sich in vier- und sechstaktige Gruppen, die harmonisch in sich geschlossen sind, ohne sich so deutlich zu unterscheiden wie in BWV 187:3. Nach dem Halbschluss des ersten Viertakters setzt in E-Dur der nächste an, der seinerseits in fis-Moll sequenziert wird (T. 1–12). Während das Gefälle des ⅜-Takts in diesen Gruppen durch Umstellung der Achtel- und Viertelwerte gestaut wird, werden die nächsten sechs Takte durch Synkopen verbunden, bis die Kadenzgruppe eine synkopisch steigende Linie bildet (T. 13–18 + 19–24).[253] Im A-Teil, der die vier ersten Zeilen aufnimmt, intoniert der Tenor die viertaktige Kopfgruppe, die das Orchester wiederholt. Sie wird zugleich vom Vokalpart imitiert (T. 25–32 ~ 2 × T. 1–4), der auch die nächsten Gruppen übernimmt (T. 33–42 ~ 5–14), bis die folgenden Takte zur Dominante lenken (T. 43–49). Während das Ritornell primär im Vokalpart liegt, fallen dem Orchester die letzten Glieder zu, sodass nur hier vom Vokaleinbau zu reden ist (T. 50–60 ~ 15–25).

Die additive Gliederung des Ritornells führt im B-Teil zu weiteren Konsequenzen. Bereits das vorausgehende Zwischenspiel bildet keine Wiederholung, sondern eine Kombination aus transponierten und partiell variierten Gliedern des Ritornells (T. 61–79). Während der B-Teil in der ersten Phase die Zeilen 5–8 zusammenfasst (T. 80–123), werden die Schlusszeilen vom Tenor wiederholt (T. 125–143), um die warnenden Worte hervorzuheben (»Qual und Hohn/Drohet deinem Übertreter«). Gewichtiger ist jedoch die erste Phase, deren vokale Linie durch einen Pausentakt unterbrochen wird. Bis auf die ersten Takte, in denen das Orchester die Rhythmik des Ritornells diastematisch uniformt, geht der der Instrumentalpart auf das Ritornell zurück. Da seine Glieder aber getrennt und transponiert werden, wirken sie wie eine thematische Begleitung, ohne den Zusammenhang des Ritornells erkennen zu lassen.

80–87	88–95	96–99	100–103	114–119	120–123
rhythmisch ~ 1, 5, 9	~ 5–8 + 1–4	~ 13–16	~ 1–4	~ 19–24	~ 5–8
cis-Moll → H-Dur	E-Dur	fis-Moll	fis-Moll	cis-Moll	cis-Moll

---

253 Finke-Hecklinger, S. 196, rechnete die Arie zu den Sätzen, die dem Menuett verpflichtet seien, überging jedoch die ungewöhnlich komplizierte Rhythmik, die sie vom tänzerischen Menuett unterscheidet.

Wie in BWV 187:3 wirkt der Vokalpart als primäre Schicht, die das Orchester mit Elementen des Ritornells begleitet. Und wie dort ist es die Gruppierung des Ritornells, die seine Glieder getrennt verfügbar macht. Wo aber ein rhythmischer Impuls eine andere diastematische Gestalt gewinnt, wird wiederum die Grenze zur motivischen Arbeit erreicht.

Im Unterschied zu den letzten Sätzen scheint die Tenorarie »Welch Übermaß der Güte schenkst du mir« (BWV 17:5) zum blockweisen Vokaleinbau zurückzukehren. Dass jedoch die ersten Takte des Ritornells als Echo wiederholt werden (T. 1–3 = 3–5), ist ein Indiz dafür, dass sie eine geschlossene Gruppe bilden, die sich separieren und transponieren lässt. Zwar kehrt ihr rhythmischer Umriss in einem dritten Ansatz wieder (T. 5–6), der sich aber zur Dominante wendet, um in die Fortspinnung überzugehen (T. 7–11). Obwohl die Takte als zusammengehörige Gruppe erscheinen, ist es dieser Einschub, der die Gruppen getrennt verfügbar macht. Der Text besteht aus drei Verspaaren, die einerseits geschlossene Sätze bilden und andererseits eine Barform andeuten, sofern je zwei Zeilen mit sieben plus drei Silben dem letzten Zeilenpaar mit zweimal acht Silben gegenüberstehen. Die damit vorgezeichnete Dreiteilung verschränkte Bach jedoch mit einer variierten Da-capo-Anlage, indem er das letzte Zeilenpaar doppelt vertonte und dabei im zweiten Ansatz auf den ersten Teil zurückgriff. Der Rekurs war nur dadurch möglich, dass sich die Glieder des Ritornells umschichtig so versetzen lassen, wie es das folgende Schema des A-Teils andeutet.

Ritornell		A (Zeilen 1–2)				Ritornell	
1–3 = 3–5	5–6 + 7–11	11–15 (~ 1–5)	15–16 (~ 5–6)	16–19 (~ 6–9)	19–21 (~ 2 × 1–2)	21–22 (~ 10–11)	23–29 (~ 4–11)
instrumental		instr. + vok.	vok. + instr.	instr. + vok.	vok.	vok. = instr.	instr.
T	T–D	T	T	D	D–T	D	D

Analog wird der B-Teil (zu den Zeilen 3–4) mit transponierten Ritornellzitaten auf der Tonikaparallele bestritten (T. 31–33 ~ 1–3, T. 34–37 ~ T. 36 sowie Zwischenspiel T. 37–42 ~ 7–11), denen zwei vokale und demgemäß thematisch freie Takte vorangehen (T. 29–31). Während die erste Phase des Schlussteils ähnlich frei gebildet und nur sparsam vom Orchester gestützt wird (T. 42–47), geht die zweite durchweg auf das Ritornell zurück, dessen Fortspinnung auf die Tonika versetzt wird. Auf gleiche Weise kann das Nachspiel das gesamte Ritornell wiederholen und dennoch in der Tonika enden. Der bestrickende Wohllaut jedoch, der die Arie auszeichnet, lässt den Hörer kaum gewahr werden, dass ihr Klangstrom aus einem Mosaik kurzer Bauglieder gewonnen ist.

Die Souveränität, mit der Bach den kompakten Orchestersatz der Einbautechnik und zugleich der motivischen Verarbeitung zugänglich machte, war die Voraussetzung für die zwei letzten vollstimmigen Arien dieser Gruppe, die indes so unterschiedliche Probleme lösen, dass sie nur getrennt zu erörtern sind. In der Tenorarie »Bleibt, ihr Engel, bleibt bei mir« (BWV 19:5) kombinierte Bach den akkordischen Streichersatz mit der von der Trompete gespielten Choralweise »Herzlich lieb hab ich dich, o Herr«. In Kenntnis des gesungenen Textes bedurfte es keines Hinweises, dass die letzte Strophe des Liedes gemeint war (»Ach Herr, laß dein lieb Engelein«). Sieht man von den Choralkombinationen ab, die der Zyklus der Choralkantaten enthält, so ist diese Arie die erste seit Weimarer Zeiten, der ein instrumentales Choralzitat zugefügt wird. In Weimar allerdings begrenzten sich solche Zitate zunächst auf Continuo-Sätze (BWV 12:5 und 172:5) und auf Arien mit einer Instrumentalstimme (BWV 80a:1 und 31:8), um dann auch Duette (BWV 185:1 und 163:5) und schließlich eine Arie mit zwei obligaten Instrumenten zu erfassen (BWV 161:1).[254] Die Eigenart der Arie aus BWV 19 liegt also darin, dass erstmals ein Choralzitat auf einen instrumentalen Tuttisatz trifft. Um das Zitat in den Satz zu integrieren, bedurfte es eines Ritornells, das sich ebenso blockweise versetzen ließ, wie es sich zur Ableitung motivischer Bauglieder eignete, um den Zusammenhalt beider Schichten zu gewährleisten. Der Grundriss des Satzes ist rascher beschrieben als die satztechnische Kunst, die sich in seinem Rahmen entfaltet. Die erste Zeile der Dichtung wird mit dem ersten Stollen der Choralweise kombiniert, während der Wiederholung zum zweiten Stollen der Text der folgenden Zeilen unterlegt wird und die sechs Zeilen des Abgesangs mit den übrigen Zeilen der Arie verbunden werden. Da danach auch die erste Zeile wiederkehrt, deutet die Textverteilung zugleich ein Da capo an.

Takte	1–8	9–34 + 35–36 (~1–4)	37–40	41–66 + 67–71 (~9–34)	72–98	99–134	135–140 (~1–8)
Arie	Ritornell	Zeile 1	Ritornell	Zeilen 2–3	Zeilen 4–6	Zeile 1	Ritornell
c.-f.-Zeilen	–	1–3	–	4–6	–	7–10	11–12	–

In e-Moll stehend, folgt die Arie dem rhythmischen Muster eines Siciliano im ⁶⁄₈-Takt.[255] Im Ritornell wird es insofern modifiziert, als die Folgen punktierter Achtel- und Sechzehntelnoten auf betonter Zählzeit im Bass erklingen, während punktierte Viertel der Oberstimmen synkopisch gedehnt und durch die Kernformel quasi auftaktig ergänzt werden. In der komplementären Verschränkung der Stimmen, die erst in den Kadenzen zusammenfinden, wird die schwebende Rhythmik in dem Maß gestaut, wie sie sich durch die auftaktigen Impulse ständig erneuert. Wo die vokalen Phasen nicht mit variierten Ritornellzitaten verbunden sind, werden sie von akkordischem Instrumentalpart mit der rhythmischen Grundformel begleitet. Im Hintergrund ist es jedoch die in G-Dur eingeführte Choralweise, die den Satz soweit regiert, dass er auf ihre harmonische Disposition zu reagieren hat. Ohne gedehnt oder vom Siciliano berührt zu werden, erklingt sie in punktierten Vierteln, die zu eingefügten Durchgangstönen in Halbe und Achtel aufgeteilt werden. Dabei kadenzieren ihre Zeilen nicht immer so, wie zu erwarten wäre. So lenkt die erste Zeile nach D- statt G-Dur, während die zweite auf h-Moll bezogen wird, sodass erst die letzte Stollenzeile in G-Dur endet. Eine Übersicht mag das Verfahren für diesen Abschnitt erläutern.

---

[254] Vgl. Teil II, Kap. 6d.
[255] Vgl. Finke-Hecklinger, S. 88, wo sich auch ein vereinfachtes Formschema findet.

Takte	1–8	9–12 (~ 1–4)	12–16	17–20 (~ 1–4)	21–25	25–28, 29–30 (~ 2 + 5–8)	30–34	35–36
instrumentale/ vokale Phasen	Ritornell	vokal + instr.	vokal + instr.	vokal + instr.	vokal	vokal – instr.	vokal + instr.	vokal + instr.
c.-f.-Zeilen	–	–	1	–	2		3	
Stufenfolge	I – V^0	I	III	II – V^0	V^0	V^0	V^0 – III	III

Infolge der Unterschiede zwischen dem Ritornell und dem Begleitsatz kommt die Einbautechnik am ehesten zur Geltung, wo nicht auf das Choralzitat Rücksicht zu nehmen ist. Das schließt nicht aus, dass sich das rhythmische Muster des Ritornells mit dem Eintritt der Choralzeilen kreuzen kann (so T. 30 f. zu Zeile 2, T. 72 f. zu Zeile 7 oder T. 90 ff. zu Zeile 9). Trotz der doppelten Regulierung bleibt der Gerüstsatz flexibel genug, um sich dem Vokalpart anzuschmiegen. Ausgehend vom Ritornell, dessen Oberstimme er anfangs übernimmt, wandelt er dessen Melodik so frei ab, dass er eine weite Skala zwischen syllabischer Deklamation und weiträumigen Koloraturen durchmisst. Dabei können dieselben Melismen, die in der ersten Zeile das Wort »Engel« auszeichnen, in den Folgezeilen ebenso zwanglos auf die Verbformen »führet« bzw. »gleiten« entfallen. Eine derart biegsame Stimmführung war nur möglich, weil Bach das scheinbar kompakte Ritornell so anzulegen wusste, dass es sich sowohl en bloc versetzen als auch motivisch verarbeiten ließ.

Eine weitere Variante der Einbautechnik begegnet in der Bassarie »Gute Nacht, du Weltgetümmel« (BWV 27:5). Angesichts eines Textes, dessen Eingangszeile zwei denkbar konträre Begriffe koppelt, entwarf Bach ein Ritornell, dessen achttaktige Gruppen durchweg auf akkordischem Satz im ¾-Takt gründen, um sich aber rhythmisch desto schärfer zu unterscheiden. Werden die gedehnten Akkorde des Vordersatzes durch kantable Linien in Achtelbewegung verbunden, so wird das Akkordgerüst der Kontrastgruppe in repetierte Sechzehntel zerlegt. Gegenüber der ersten Gruppe, die von der Tonika g-Moll zur Parallele lenkt, setzt die zweite in B-Dur an, um nach g-Moll zurückzuführen. Die Außenteile der variierten Da-capo-Anlage paaren das Ritornell mit der ersten Zeile, während sich der Mittelteil mit den weiteren Zeilen auf die Substanz des Vordersatzes konzentriert. Im A-Teil wird die Melodik des Vordersatzes in die Bassstimme verlegt (T. 17–24 ~ 1–4) und zu den Worten »Gute Nacht« noch nach Eintritt der Kontrastgruppe fortgesponnen (T. 25–31 ~ 9–15) und erst dort aufgegeben, wo die Worte »du Weltgetümmel« syllabisch deklamiert und zuletzt mit Koloraturen an die instrumentale Rhythmik angeglichen werden (T. 30). An eine in B-Dur endende erste Phase (T. 32–34) schließt die zweite an, in der die erste Gruppe auf drei Takte gekürzt und die zweite nach d-Moll versetzt wird (T. 35–37, T. 38–46). Dieser Phase entspricht die äußerst gestraffte Reprise, die von der Subdominante zur Tonika führt (T. 78–89). Da sich das abschließende Ritornell auf den Vordersatz beschränkt, müssen die modulierenden Takte (T. 5–8) durch eine Kadenz in der Tonika ersetzt werden (T. 93–96). Um die konträren Textworte sinnfällig zu verbinden, wird die Einbautechnik dafür eingesetzt, die Kontraste des Ritornells auf Instrumental- und Vokalpart zu verteilen und zu verschränken.

Die Werke aus dem Sommer und Herbst 1726 erscheinen zunächst nur im Blick auf die Eingangschöre als zusammengehörige Gruppe. Das müsste freilich nicht heißen, dass ihre Arien verbindende Kennzeichen erkennen lassen. Unverkennbar sind jedoch zwei gegenläufige Tendenzen, die diesen Arien gemeinsam sind. Zum einen kommt die Einbautechnik, die sonst den vollstimmig besetzten Sätzen zukam, den Arien mit ein oder zwei Instrumenten zugute, in denen sie sich mit den kontrapunktischen und konzertanten Techniken kreuzt, die diese Sätze kennzeichnen. Zum anderen wird der Vokaleinbau aufgrund der Ritornelle differenziert, die sowohl die Versetzung geschlossener Gruppen als auch die motivische Verarbeitung einzelner Glieder erlauben. Da die Relationen zwischen den Besetzungen und Satzarten durchlässiger werden, ergeben sich höchst vielfältige Lösungen.

c. Die Arien der Solokantaten (1726/27)

Obwohl die Solokantaten BWV 170 und 35 schon im Sommer 1726 entstanden, lassen sie sich als Vorboten der Serie solistischer Werke auffassen, die zu Septuagesimae 1727 ihren Abschluss fand und später durch BWV 51 ergänzt wurden. Bereits in Weimar hatte Bach zwei Solokantaten zu Texten von Lehms geschrieben, dessen Dichtungen auch den beiden ersten Solokantaten des Jahres 1726 zugrunde lagen. Während die Autoren der folgenden Vorlagen nicht ermittelt sind, geht der Text von BWV 52 auf ein Gedicht zurück, das Henrici ein Jahr später in veränderter Fassung veröffentlichte. Stehen zwei Kantaten aus dem Juli und September 1726 zwei weitere aus dem Februar 1727 gegenüber, so entstanden dazwischen die weiteren Werke. Da sich die chronologische Folge am Beginn und Ende der Gruppe mit anderen Kantaten kreuzt, kann hier auch die 1730 folgende Kantate BWV 51 »Jauchzet Gott in allen Landen« hinzugezogen werden.

Dass Bach drei dieser Werke – ähnlich wie früher BWV 54 und 199 – ausdrücklich als »Cantata« bezeichnete, dürfte darauf hindeuten, dass er die Solokantate als eigene Gattung betrachtete.[256] Der Ausfall der Chorsätze und partiell auch der Schlusschoräle könnte es nahelegen, für diese Werke von der Position der Arien statt von der Besetzung auszugehen. Doch ist diese Überlegung insofern hinfällig, als beide Kriterien ohnehin korrelieren. Falls nicht wie in BWV 35, 159 und 55 eine Sinfonia vorangeht, beginnen die Werke mit Arien in voller Besetzung. Eine Ausnahme ist die Kantate BWV 55, deren erste Arie zwei Holzbläser und zwei Violinen zu einem Quartettsatz verbindet, während der Streicherchor nur an einem Rezitativ und am Schlusschoral beteiligt ist. Auch die letzten Arien bilden vollstimmige Sätze, denen in BWV 56, 55, 52 und 84 ein Schlusschoral folgt. Ein Sonderfall ist die Kantate BWV 51, die mit einer solistischen Choralbearbeitung und einem angehangten »Alleluja« endet.

---

[256] Der Terminus »Cantata« findet sich im autographen Kopftitel der Partituren von BWV 170, 82 und 84 (P 154, 114 und 108), während die anderen Werke die übliche Angabe »Concerto« zeigen.

BWV 170 Vergnügte Ruh, beliebte Seelenlust (6. Sonntag nach Trinitatis 1726 – Lehms)

1	Vergnügte Ruh, beliebte Seelenlust	var. Dc (Pastorale)	A., Ob. d'am., Str., Bc. – D-Dur, 12/8
3	Wie jammern mich doch die verkehrten Herzen	A – B (+ Zeile 1)	A., Org. obl., Violini e Viola in unisono – fis-Moll, ¢
5	Mir ekelt mehr zu leben	Dc	A., Org. obl. (o Trav.), Str. + Ob. d'am., Bc. – D-Dur, ¢

BWV 35 Geist und Seele wird verwirret (12. Sonntag mach Trinitatis 1726 – Lehms)

2	Geist und Seele wird verwirret	Dc (Siciliano)	A., Ob. I–II, Taille, Str., Org. obl., Bc. – a-Moll, 6/8
4	Gott hat alles wohlgemacht	A – B (+ Zeile 1)	A., Org. obl., Bc. – F-Dur, ¢
7	Ich wünsche nur bei Gott zu leben	A – B – B (Passepied – Menuett)	A., Ob. I–II, Taille, Str., Org. obl., Bc. – C-Dur, 3/8

BWV 169 Gott soll allein mein Herze haben (18. Sonntag nach Trinitatis 1726)

3	Gott soll allein mein Herze haben	Dc	A., Org. obl., Bc. – D-Dur, ¢
5	Stirb in mir, Welt und alle deine Liebe	A – B (+ Zeile 1) (Siciliano)	A., Org. obl., Str., Bc. – h-Moll, 12/8

BWV 56 Ich will den Kreuzstab gerne tragen (19. Sonntag nach Trinitatis 1726)

1	Ich will den Kreuzstab gerne tragen	A – B	B., Ob. I–II, Taille, Bc. – g-Moll, ¾
3	Endlich wird mein Joch	Dc	B., Ob. solo, Bc. – B-Dur, ¢

BWV 55 Ich armer Mensch, ich Sündenknecht (22. Sonntag nach Trinitatis 1726)

1	Ich armer Mensch, ich Sündenknecht	A – B (+ Zeile 1) (Gigue – Pastorale)	T., Trav., Ob. d'am., V. I–II, Bc. – g-Moll, 3/8
3	Erbarme dich, laß die Tränen dich erweichen	A – B – B	T., Trav., Bc. – d-Moll, ¢

BWV 52 Falsche Welt, dir trau ich nicht (23. Sonntag nach Trinitatis 1726)

3	Immerhin, wenn ich gleich verstoßen bin	var. Dc	S., V. I–II, Bc. – d-Moll, ¢
5	Ich halt es mit dem lieben Gott	var. Dc	S., Ob. I–III, Bc. – B-Dur, ¾

BWV 82 Ich habe genung (Mariä Reinigung 1727)

1	Ich habe genung	A – B – B (+ Zeile 1) (Siciliano)	B., Ob., Str., Bc. – c-Moll, 3/8
3	Schlummert ein, ihr matten Augen	Dc	B., Str. (+ Ob. da caccia), Bc. – Es-Dur, ¢
5	Ich freue mich auf meinen Tod	var. Dc (Gigue)	B., Ob., Str., Bc. – c-Moll, 3/8

BWV 84 Ich bin vergnügt in meinem Glücke (Septuagesimae 1727 – nach Henrici)

1	Ich bin vergnügt in meinem Glücke	var. Dc	S., Ob., Str., Bc. – e-Moll, ¾
3	Ich esse mit Freuden mein weniges Brot	var. Dc (Gigue)	S., Ob., V. I (solo), Bc. – G-Dur, ⅜

BWV 51 Jauchzet Gott in allen Landen (15. Sonntag nach Trinitatis 1730 »et in ogni Tempo«)

1	Jauchzet Gott in allen Landen	var. Dc	S., Tr., Str., Bc. – C-Dur, ₵
3	Höchster, mache deine Güte	var. Dc	S., Bc. – a-Moll, 12/8
4	Sei Lob und Preis mit Ehren – Alleluja	Choralsatz mit Alleluja	S., V. I–II solo, Bc. – C-Dur, ¾; S., Tr., Str., Bc. – C-Dur, ¾

Vorgreifend lässt sich konstatieren, dass die von Finke-Hecklinger genannten Tanzmodelle derart gründlich stilisiert werden, dass sie weder den Affekt noch die Struktur der Sätze prägen.[257] Aus der Position der Arien erklärt sich, dass die Tuttisätze mit zwölf Fällen dominieren. Neben fünf Arien mit Soloinstrument stehen zwei Sätze mit zwei Instrumenten sowie je ein Quartett- und Triosatz (während ein Continuo-Satz nur in BWV 51 begegnet). Dass sich die Relationen gegenüber anderen Gruppen ändern, liegt am Fehlen von Chorsätzen. Dagegen hängen die Formen nicht von der Stellung und Besetzung der Sätze ab. Wie die Übersicht zeigt, finden sich neben fünf regulären und acht variierten Da-capo-Arien vier zweiteilige Sätze und vier Arien mit wiederholter Mottozeile. Zwar lässt sich nicht prüfen, wieweit die Formen durch die Texte bedingt sind, da nur für BWV 170 und 35 gedruckte Vorlagen verfügbar sind.[258] Dagegen fällt auf, dass Bach vielfach Texte wählte, deren Sprachform eine solistische Vertonung nahelegte. Dass er neben je drei Werken für Alt bzw. Sopran zweimal den Bass, aber nur einmal den Tenor bedachte, dürfte mit den verfügbaren Solisten zu tun haben.

Sätze mit Soloinstrumenten

Zu den Besonderheiten der drei ersten Solokantaten zählen die obligaten Orgelstimmen, die in BWV 35 und 169 den Solopart der Sinfonien und Arien übernehmen. In BWV 170 hingegen – dem ersten Werk der Reihe – wird die Orgel nicht im Eingangssatz, sondern erst in der mittleren und der abschließenden Arie eingesetzt. Da die Altarie »Wie jammern mich doch die verkehrten Herzen« (BWV 170:3) ohne gesonderte Continuostimme auskommt, zählt sie zu den Sätzen senza basso, die Bach im ersten Jahrgang ausgebildet hatte.[259] Während Violinen und Viola in unisono das Fun-

---

[257] Während Sätze wie BWV 35:7 und 55:1 nach Finke-Hecklinger, a.a.O., S. 105 und 113, zwischen verschiedenen Typen stünden, trügen so unterschiedliche Arien wie BWV 55:1 und BWV 82:5 oder 82:3 gleichermaßen Züge der Gigue (vgl. ebd., S. 85 und 40 f.). Entsprechend unterscheiden sich auch die dem Siciliano zugerechneten Sätze BWV 35:2 und 82:1, vgl. ebd., S. 86 f.

[258] Für BWV 84 lässt sich nicht die von Henrici 1728 publizierte Fassung heranziehen, da sie eine tiefgreifende Umarbeitung darstellt.

[259] BWV 4:5 »Doch Jesus will auch bei der Strafe« sowie BWV 105:3 »Wie zittern und wanken« (dagegen ist der Satz »Suscepit Israel« BWV 243:10 ein vokales Trio senza basso).

Notenbeispiel 19

dament bilden, ist die Orgelstimme für beide Hände – mit dem Vermerk »à 2 Clav.« – im Violinschlüssel notiert, sodass sich die linke Hand und der Vokalpart in der Mittellage kreuzen. Der Orgelpart des Ritornells besteht aus einem Quintkanon (T. 1–7^1) und einer Kadenzgruppe (T. 8–10^1), die mit dem Kopfmotiv bestritten wird (Notenbeispiel 19). Maßgeblich ist vor allem das Initium, das anschließend sequenziert wird. Da die Leittöne, die den Grundton und die Quinte umrahmen, auch in die Fortspinnung einziehen, wird der Satz durchweg von leittönigen Spannungen durchzogen, die auf den vom Text vorgegebenen Affekt reagieren. Dennoch verbindet der Vokalpart die erste Textzeile des A-Teils nicht mit der Ritornellmotivik, sondern mit einer freien Umbildung, während die zwei folgenden Zeilen in das Ritornell eingebaut werden (T. 12–19^1 ~ 1–7^1). Erst die vierte Zeile gab mit den Worten »Rach und Haß« Anlass, die bisherige Struktur mit vokalen Koloraturen in Zweiunddreißigsteln zu vertauschen (T. 20–24^1), die sich zur Durparallele wenden. Im Orgelpart werden sie durch komplementäre Skalenfiguren beantwortet, die nur ein verdecktes Zitat des Kopfmotivs erlauben (T. 22). In welchem Ausmaß die folgenden Teile diesen Verlauf nachzeichnen, mag die Übersicht andeuten.

	A				B			C	
1–10	11–12	12–19 (~ 1–7)	20–25	26–27	27–28, (~ 1–7)	29–36 (~ 20–27)	36–44	45–48, 49–54, 55–57 (~ 27–28, 1–7)	57–66 (= 1–10)
Ritornell	Zeile 1	Z. 2–3	Z. 4	instr.	Z. 5–6		Z. 7	Z. 8–9 (= 1)	Ritornell
I – V – I	I	I – V	III	III	V		VII	IV – V	I – V – I

Demnach bildet der Mittelteil eine transponierte Variante des A-Teils, dessen erste Takte mit Zitaten des Kopfmotivs verbunden und zugleich erweitert werden, wobei die Kontrastgruppe durch das Wort »frech« motiviert ist. Dass der letzte Teil auf dasselbe Modell zurückgreift, ist durch die abschließende Wiederholung der ersten Zeile bedingt, mit der sich zugleich eine variierte Da-capo-Form andeutet. Die Konstruktion ist so eng an den Text gebunden, dass die auf Vokaleinbau beruhenden Teile auf kein präexistentes Modell zurückgehen dürften.

In zwei weiteren Arien, in denen die Orgel als Solinstrument fungiert, hat sie nur die eigene Stimme zu spielen, während die akkordische Füllung dem gesonderten Continuo obliegt. Der Solopart der Arie »Gott hat alles wohlgemacht« (BWV 35:4) ist im Bassschlüssel notiert, sodass die Ausgangslage einem Continuo-Satz zu ähneln scheint. Trotz tiefer Lage kann daher der Solopart eine Beweglichkeit erreichen, die mit der kompletten Continuo-Gruppe kaum denkbar wäre. Mit den Continuo-Arien teilt der Satz jedoch die Tendenz zur Ostinatobildung, die aber von wechselnden Varianten und Einschüben überlagert wird. Die Voraussetzungen liegen im Ritornell, dessen Kopfmotiv zwei Takte lang die Grundstufen umkreist und sich deutlich von der figurativen Fortspinnung unterscheidet. Lässt man es als Grundmodell gelten, so würde nach Eintritt des Vokalparts ein erster Rekurs beginnen, in dem der Kopf und die Fortspinnung drastisch verkürzt würden (T. 11–14^2 ~ 2–5^2). Analog beginnt ein weiterer Ansatz, in dem die Fortspinnung zur Dominante lenkt und entsprechend länger ausfällt (T. 17–25), bis das komplette Ritornell erst im Zwischenspiel wiederkehrt (T. 25–32^1 ~ 1–8^1). Noch freier verfährt der B-Teil, der zwei transponierte Ansätze des Kopfmotivs mit wechselnden Varianten der Fortspinnung kombiniert (T. 37 f. und 39 f.), wonach sich das zweite Zwischenspiel auf die Fortspinnung beschränkt (T. 42–46^3 ~ 3^2–7^1). Während der Text mit der Wiederholung der ersten Zeile endet, verband sie Bach mit der vorangehenden Zeile, die syntaktisch eigentlich zum Mittelteil gehören müsste. Statt auf den A-Teil zurückzugreifen, wird die Variantenbildung konsequent vorangetrieben, sodass im Grunde nur zwei Zitate des Kopfmotivs verbleiben (T. 52 f. und 57), die nach zwei eingeschobenen Takten durch die Fortspinnung ergänzt werden (T. 60–65^1 ~ 3–8^1).

Für das Wechselverhältnis der satztechnischen Verfahren ist die Arie in zweifacher Hinsicht aufschlussreich. In dem Maß, in dem sich die Züge der Continuo-Arie und des konzertanten Solosatzes mischen, kreuzen sich die Relikte der Ostinatobildung mit den Kennzeichen der Variantentechnik, die durch das Ritornell ausgelöst wird.

Als letzter Satz mit Orgelsolo ist die Da-capo-Arie »Gott soll allein mein Herze haben« (BWV 169:3) zu nennen. Im Ritornell ist die rechte Hand des Spielers mit Figurationen in Zweiunddreißigsteln beschäftigt, die derart keinem anderen Instrument zuzumuten wären. Weniger motivisch als figurativ geprägt, dient das Vorspiel als Reservoir für die Abspaltung kleinster Bausteine. Am Ende des Satzes kehrt es lediglich verkürzt wieder (T. 30–33 ~ 5–8), während die Zwischenspiele nur einige Takte zitieren (T. 10^4–12 ~ 2^4–4, T. 19–20 ~ 1–2). In die vokalen Abschnitte wird zumeist nur das transponierte Kopfmotiv eingefügt, und in ähnlicher Weise werden die Glieder der Fortspinnung eingesetzt (T. 4^a in T. 16^a und 17^a, T. 7^b in T. 23^a und T. 4^a in T. 44^b), während nur ausnahmsweise ganze Takte des Ritornells mit dem Vokalpart gekoppelt werden (so T. 26 ~ T. 1 und T. 28–29 ~ T. 7–8). Durch die Aufspaltung des Ritornells ergibt sich ein durchsichtiger Solopart, der dem Alt weiten Freiraum lässt, um die vokale Version des Kopfmotivs auszuspinnen. Die ungewöhnliche Dominanz des Vokalparts erklärt sich aus dem Verhältnis zum vorausgehenden Satz, der die erste Zeile der Arie vorwegnimmt. Der unbekannte Textautor gab hier ein Rezitativ vor, dessen erste Worte zweimal als Devise wiederholt werden. Bach vertonte sie in drei ariosen Abschnitten, die sich von den rezitativischen Teilen durch den ⅜-Takt unterscheiden. Sie gehen von einer motivischen Zelle aus, die im Vorspiel vom Continuo eingeführt und im Vokalpart aufgenommen wird. Ohne der Arie vorzugreifen, eignet diesen Abschnitten eine Kantabilität, die sie desto deutlicher von den rezitativischen Phasen abhebt.

Wie genau der Solopart und die Satztechnik aufeinander abgestimmt werden, zeigen die beiden nächsten Arien. Das Ritornell der Bassarie »Endlich wird mein Joch wieder von mir weichen müssen« (BWV 56:3) wird durch die Melodiebögen der Oboe geprägt, die zugleich durchaus sangbar sind, während das Ritornell der Tenorarie »Erbarme dich« (BWV 55:3) in filigranen Figuren der Flöte ausläuft (Notenbeispiel 20), sodass der Vokalpart nur das Kopfmotiv übernehmen kann. Obwohl in BWV 56:3 die Taktgruppen des Ritornells eng ineinandergreifen, lassen sich drei Ansätze unterscheiden, die für die Struktur des Satzes maßgeblich sind. Während das Kopfmotiv zu einer zweitaktigen Gruppe erweitert wird, besteht die Fortspinnung aus einer dreistufigen Sequenz, deren Glieder durch Pausen getrennt werden (T. 3–5) und in der Kadenzgruppe auslaufen (T. 6–10). Bei Eintritt des Vokalparts zeigt sich, dass das Kopfmotiv und die Fortspinnung zugleich kontrapunktisch gedacht sind. Scheint der Bass zunächst nur das Kopfmotiv zu wiederholen, so wird der Ambitus im nächsten Takt zur None erweitert und damit an den Spitzenton der Fortspinnung angeglichen. Dieser Kontraktion folgt einen Takt später die Oboe mit der Imitation des Kopfmotivs (T. 11–12), dessen Fortspinnung sequenzierend erweitert und quasi kanonisch mit der Bassstimme verschränkt wird (T. 12–15). Die enge Verkettung der Figuren entspricht zugleich der drängenden Ungeduld, die der Text umschreibt. So wird die Imitation des Kopfmotivs mehrfach zum Einklangskanon im Abstand einer Viertelnote vorangetrieben (so T. 15 f., 20 f., 32 f. und 47 f.), während die kanonische Verkettung der Stimmen selbst dort noch nachwirkt, wo sie nicht mehr kanonisch geführt sind (vgl. T. 21 f., 35 f. und 47 f.). Zwar kehrt die Konstruktion erst in der letzten Phase des A-Teils wieder, in der sie durch Stimmtausch zum Septimkanon verändert wird (T. 40–43). Doch wird sie hier ähnlich fortgeführt (T. 36–53 ~ 11–26), während das Zwischenglied durch ein Ritornellzitat eröffnet und etwas freier angelegt wird (T. 26–27). Beschränkt sich der A-Teil auf die zwei ersten Textzeilen, so werden die übrigen Zeilen derart zügig deklamiert, dass der B-Teil weit kürzer ausfällt, ohne die Stimmen ebenso eng zu verbinden.

Der Tenorarie »Erbarme dich« (BWV 55:3) liegt eine ähnliche intervallische Zelle wie der Altarie BWV 170:3 zugrunde, sofern der Grundton und die Quinte durch Halbtöne umrahmt werden, deren chromatische Spannungen sich auf den gesamten Satz auswirken. Eingeführt vom Grundton aus, wiederholt sich das Kopfmotiv eine Quinte höher, um in einer filigranen Fortspinnung auszulaufen. Indem es vom Tenor übernommen und von der Flöte mit einer Variante des zweiten Glieds beantwortet wird, entsteht ein Imitationsgeflecht das sich im übernächsten Takt unter Stimmtausch wiederholt. In der folgenden Modulationsphase, die wiederum auf einer Quintkette basiert, werden die weiteren Textzeilen mit Varianten der instrumentalen Fortspin-

Notenbeispiel 20

nung verbunden. Mangels einer gedruckten Vorlage ist ungewiss, wie der unbekannte Autor die Zeilen angeordnet hatte. Vermutlich waren zwei Zeilenpaare von der Anrufung »Erbarme dich« eingerahmt, die in der Arie nicht nur dem ersten, sondern auch dem zweiten Zeilenpaar vorangestellt wird, wonach die letzten Zeilen nochmals wiederholt und durch die erste Zeile beschlossen werden. Die dreiteilige Anlage, die sich damit abzeichnet, erweckt den Anschein einer variierten Da-capo-Form, weil sich der Rückgriff auf die erste Zeile mit der Wiederholung der Konstruktion verbindet, die den ersten Teil eröffnete (T. 30 f. ~ 7 f.). Dagegen wird das Kopfmotiv im Mittelteil nur einmal in der Flöte zitiert (T. 24), während seine chromatische Spannung auch hier wirksam bleibt (T. 22 f. und 25 f.).

Instrumentale Duosätze

Gemessen an den Solosätzen, wirken die beiden Arien mit zwei Instrumenten auf den ersten Blick überraschend schlicht. Man machte es sich zu einfach, wenn man den Grund in den Texten suchen wollte, die in heutiger Sicht ein wenig naiv anmuten mögen. Obwohl es sich beidemal um variierte Da-capo-Arien mit zwei Zeilen im A- und drei weiteren in B-Teil handelt, sind die Sätze denkbar verschieden angelegt. In der Sopranarie »Immerhin, wenn ich gleich verstoßen bin« (BWV 52:3) werden die Violinen zumeist in Terz- oder Sextparallelen gekoppelt, und da das Ritornell mit einer viertönigen Skalenformel beginnt, scheint seine motivische Prägnanz recht begrenzt zu sein. Obwohl das Kopfmotiv ab- wie aufsteigend begegnet, wäre es übertrieben, von einer intervallischen Umkehrung zu reden. Während es in der ersten Viertaktgruppe auf die Violinen und den Continuo verteilt wird (T. 1–4), wird es in der Kadenzgruppe auf drei Töne verkürzt (T. 7^b–12). Im Zwischenglied hingegen werden drei Quintfälle in steigender Folge gestaffelt, um von der Tonika d-Moll zur Dominante zu lenken (T. 5–7^a: D-g, A-d, E-A). Zugleich greifen die Stimmen imitierend ineinander, sodass das modulierende Scharnier mit einer dreistimmigen Imitationsgruppe zusammenfällt. Die dreitönige Formel ist auf das dreisilbige Wort »immerhin« ausgelegt (T. 13–14), das aber ebenso mit dem viertönigen Kopfmotiv der Violinen gepaart wird (T. 17–19). Entsprechen diese Takte der ersten Gruppe des Ritornells, so setzt das modulierende Zwischenstück eine Quinte höher an, um über die Doppeldominante nach a-Moll zu führen. Bemerkenswert ist der Einbau des

Vokalparts, der von kurzen Interjektionen ausgeht, um sich während der Imitationen zu Melismen zu erweitern. Obwohl der Mittelteil zwei Phasen umfasst, begnügt sich der Instrumentalpart mit dem viertönigen Kopfmotiv, das in den letzten Takten mit einer Variante der Kadenzgruppe kombiniert wird (T. 39 f.). Da der B-Teil auf der Subdominante endet und die Reprise auf gleicher Stufe beginnt, kann der A-Teil eine Quinte tiefer wiederkehren und diesmal zur Tonika zurückführen. Somit ergibt sich eine variierte Da-capo-Arie, deren Reprise eine transponierte Wiederholung des ersten Teils darstellt.

Dagegen verbindet die Sopranarie »Ich esse mit Freuden mein weniges Brot« (BWV 84:3) zwei Instrumente gleicher Lage, die das Ritornell in modifiziertem Unisono eröffnen. Das tänzerische Thema der Oboe wird anfangs durch die Violine umspielt, bis sich beide Stimmen in imitierten Skalen kreuzen, deren Richtung auf der Septime umbricht. Ähnlich differenziert wird das Thema begleitet, sobald es vom Sopran übernommen und durch die Fortspinnung ergänzt wird. Bevor es erneut mit Vokaleinbau wiederkehrt, werden acht Takte eingeschoben, die um den Quartsextakkord der Subdominante kreisen (T. 37–44). Ein Anhang eröffnet den Weg zur Dominante, die anschließend in vier vokalen Takten bekräftigt wird, bis der A-Teil mit der auf die Dominante versetzten Wiederholung des Ritornells endet.

1–24	24–36 (~ 1–12)	37–44	45–60 (~ 1–16)	61–68 + 69–72	73–96
Ritornell	Vokaleinbau	Einschub	Vokaleinbau		Ritornell

Entsprechend ist die Reprise angelegt (T. 161–226 = 1–66), in der nur das modulierende Scharnier geändert wird, um den Satz in der Tonika abzuschließen. Auch der Mittelteil knüpft an dieses Modell an, doch wird seine erste Phase vom Vokalpart beherrscht, der die Deklamationsweise des A-Teils übernimmt, während der Continuo an die Rhythmik des Ritornells erinnert. Nur einmal greifen die Violine und die Oboe in ein synkopisch gestautes Melisma ein, das durch eine steigende Sequenz das Wort »Not« hervorhebt (T. 108–111), bevor der Abschnitt in der Mollparallele endet. Erst ein kurzes Zwischenspiel greift auf das Ritornell zurück, dessen Kadenzglied entsprechend variiert wird (T. 117–128). Komplizierter ist die zweite Phase angelegt, die in der Dominantparallele endet (T. 129–160). Die Modulation vollzieht sich über eine Quintkette, die von den Instrumenten imitierend eröffnet und mit komplementären Figuren begleitet wird, bevor sich wieder das Modell des Ritornells durchsetzt. Zwar läuft der Abschnitt auf die synkopische Sequenz der ersten Phase zu, die um zwei Glieder erweitert wird, um auf der Dominante mit Fermate innezuhalten (T. 148–156). Dennoch genügen vier vokale Takte, bis das Ritornell die Reprise eröffnet. Mit Ausnahme des Mittelteils ist es also das tänzerische Modell des Ritornells, das die gleichsam »quadratische« Periodik des gesamten Satzes prägt.[260] Daraus dürfte sich zugleich erklären, dass die Arie trotz der geringstimmigen Besetzung weithin auf das Verfahren des Vokaleinbaus zurückgreift.

---

[260] Zu Recht führte Finke-Hecklinger, a. a. O., S. 40, den Satz auf den Typus der Gigue zurück.

Trio und Quartettsatz

Auch in den Solokantaten ergeben sich durch ungewöhnliche Besetzungen besonders aparte Konstellationen.[261] Ob dabei der Text oder die Klangvorstellung maßgeblich war, ist deshalb zweitrangig, weil beide Momente in der Konzeption eines Satzes zusammengehören. Doch liegt es auf der Hand, dass Bach in der Sopranarie »Ich halt es mit dem lieben Gott« (BWV 52:5) drei Oboen wählte, weil die Spieler für die Sinfonia verfügbar waren.[262] Da sich das Fagott auf die Verstärkung des Continuo beschränkt, liegt im Kern ein Triosatz für Oboen und Generalbass vor. Der Bläsersatz ist insofern nicht belanglos, als sich sein Klang dazu eignet, die tänzerische Note des Instrumentalparts zu unterstreichen. Fraglos liegt ein Tanzsatz vor, wiewohl er keinem gängigen Tanztyp entspricht.[263] Auftaktig ansetzend, wird die erste Zählzeit von zwei Achteln besetzt, denen eine punktierte Viertel- samt Achtelnote folgt. Da der Generalbass aber mit Binnenauftakt und Oktavfall die dritte Zählzeit betont, ergänzen sich die Akzente zu einer eigentümlich schwankenden Rhythmik, die am Ende der Gruppen in Achtelketten verebbt. Die Oboen werden zu einem Akkordsatz zusammengefasst, der anfangs nur die Grundstufen umkreist, um in der zweiten Viertaktgruppe stufenweise aufwärts zu steigen und dabei in Gegenbewegung der Außenstimmen die Nebenstufen zu berühren, bevor er über die Subdominante und Dominante zum Stillstand kommt. Der Bläserklang, der Tanzsatz und die akkordische Struktur greifen so eng ineinander, dass verständlich ist, wenn Bach an dieser Erfindung festhielt, um sie fast unausgesetzt zu wiederholen.

A (Zeilen 1–2)			B (Zeilen 3–5)			A' (Zeilen 1–2)			
1–16	17–24	25–28 (~ 1–4)	29–44 (~ 1–16)	45–54 + 55–58	59–62 (~ 1–4)	63–72 + 73–80	81–92 (~ 17–28)	93–100 (~ 1–12)	100–104	104–120
Rit.									Einschub	Ritornell
T	T	T–D	D	D–Tp	Tp	Tp – Dp	T	T	T	T

Dass der Satz dennoch nicht in der Repetition des Ritornells aufgeht, verdankt er vor allem dem Vokalpart, der nicht als Zusatz, sondern als eigene Schicht fungiert. Betont er anfangs – anders als die Oboen – mit punktierter Viertelnote auf erster Zählzeit die Silbe »Ich«, so akzentuiert er einen Takt später auf zweiter Zählzeit das Wort »Gott«, bis beide Schichten in einer syllabisch textierten Achtelfolge zusammenfinden (»die Welt mag nur alleine bleiben«). Zwischen die Ritornellzitate werden weitere Taktgruppen eingefügt, die trotz thematischer Prägung neu gebildet sind. Das gilt nicht nur für den ersten Einsatz des Soprans (T. 17–24), sondern ebenso für die instrumental begleiteten Gruppen des Mittelteils, die jeweils zehn Takte umfas-

---

[261] So etwa in den Arien BWV 13:1 und 145:3.
[262] Die Sinfonia geht auf eine Frühfassung des Kopfsatzes aus dem Konzert BWV 1046 zurück. In BWV 52 wurde der Schlusschoral mit zwei Hörnern bereichert, da die Hornisten für die Sinfonia verfügbar waren.
[263] Wäre es kein Anachronismus, könnte man versucht sein, von einer Spielart des Walzers zu reden. Immerhin geht der Walzer auf ältere Drehtänze im Tripeltakt zurück, die als Dreher, Weller oder Spinner bezeichnet wurden und trotz ihrer ländlichen Herkunft an den Habsburger-Hof gelangten, vgl. Rudolf Flotzinger, Art. Walzer, in: MGG², Sachteil, Bd. 9, Sp. 1873–1896, hier Sp. 1874 f.

sen (T. 45–54 und 63–72). Die Rhythmik des Ritornells bleibt selbst in den Taktgruppen wirksam, die dem Vokalpart überlassen sind (T. 55–58, 73–80 und 100–103). Am Verhältnis beider Schichten wird sichtbar, dass der homorhythmische Satz bei Bach keine Folge von Harmonien, sondern ein Resultat der kontrapunktischen Stimmführung darstellt.

Im Eingangssatz der Kantate BWV 55 »Ich armer Mensch, ich Sündenknecht« wählte Bach mit Flöte, Oboe und zwei Violinen eine ähnlich gemischte Besetzung wie zuvor in den Arien »Meine Seufzer, meine Tränen« (BWV 13:1) und »Ich säe meine Zähren« (BWV 146:5). Obwohl dabei die Affektlage der Texte mitgespielt haben mag, tendiert der Satz weniger zur Individualisierung der Stimmen als zur paarweisen Bündelung der Streicher und Holzbläser. Im ⁶⁄₈-Takt stehend, umkreisen die Stimmpaare im Ritornell (T. 1–17) die Grundstufen, bis der Continuo nach vier Takten auf einem Orgelpunkt innehält.[264] In umschichtigem Wechsel mit Haltetönen sorgen engräumige Achtelfiguren für den Fluss der Bewegung, die in der Kadenzgruppe durch die »neapolitanische« Wendung des Generalbasses eine harmonische Akzentuierung erfährt. Weil das Ritornell scheinbar neutral verläuft, sieht man ihm kaum das Potential an, das seine wandlungsfähige Motivik birgt. In sie fügt sich noch der erste Einsatz der Tenorstimme ein (T. 18 f.), während erst nach ihrem zweiten Ansatz (T. 21 f.) sichtbar wird, dass der scheinbar akkordische Satz dennoch kontrapunktisch gedacht ist. Indem die Stimmen synkopisch verschoben und intervallisch erweitert werden, kreuzen sie sich in Vorhaltdissonanzen, deren Auflösung mit dem beschleunigten Wechsel der Klangstufen einhergeht. Ausgehend von g-Moll, werden Quintfälle in steigender Folge hintereinandergeschaltet, aber rasch zur Dominante zurückgebogen, auf der die Konstruktion endet (T. 24–29: G-c, D-A-D). Die resultierenden Klänge jedoch, die man in ahistorischer Verkürzung als »verminderte Septakkorde« zu bezeichnen pflegt, sind die Folgen einer linearen Stimmführung, in der die konsonant vorbereiteten Vorhalte durch die Gegenstimmen zu Dissonanzen gemacht werden, deren Auflösung mit derselben Konstellation im nächsten Glied zusammenfällt. Nach kurzem Zwischenspiel (T. 30–33 ~ 1–4) setzt die zweite Phase des A-Teils auf der fünften Stufe ähnlich wie die erste an, mit dem Unterschied jedoch, dass ihr zweiter Ansatz zur Tonika zurücklenkt. An ihn schließt die nächste Konstruktion an, in der die Folge der Quintfälle um ein drittes Glied erweitert wird (T. 41–45: D-g, A-D, E-A), womit sich dieselbe Konstellation wie in der eine Woche später entstandenen Arie »Immerhin« (BWV 52:3) ergibt. Dem A-Teil, von dem bisher die Rede war, liegen die drei ersten Zeilen zugrunde, die syntaktisch so eng verbunden sind, dass sich der B-Teil auf die vierte Zeile beschränkt, die durch die mehrfache Wiederholung der Eingangszeile ergänzt wird. Eröffnet durch ein transponiertes Ritornellzitat (T. 60–71 ~ 1–12), ist er kaum kürzer als der A-Teil, doch begnügt er sich mit dem Material des Ritornells, dessen Motivik auf die Stimmpaare verteilt wird. Nur einmal wiederholt sich bei voller Besetzung die Konstruktion des ersten Teils, die diesmal zwei Quinten tiefer ansetzt und damit zur Tonika g-Moll zurückführt (T. 89–93: C-f, G-c, D-g).

---

264 Im Blick auf das Taktmaß sah Finke-Hecklinger, a. a. O., S. 41, in dem Satz eine Gigue, die hier jedoch durch weithin syllabische Deklamation und entsprechend maßvolle Bewegung überformt wird.

Vollstimmige Sätze

Als einzige Arie der drei Solokantaten verwendet der Eingangssatz aus BWV 170 »Vergnügte Ruh, beliebte Seelenlust« statt einer obligaten Orgel nur Streicher mit duplierender Oboe d'amore. Ausnahmsweise folgte Bach nicht den Vorgaben von Lehms, in dessen Text die fünfte Zeile eine Wiederholung der ersten bildet und durch zwei weitere Zeilen vervollständigt wird. Dagegen schrieb Bach eine variierte Da-capo-Arie, deren A-Teil die fünf ersten Zeilen umfasst, sodass dem Mittelteil nur die beiden übrigen Zeilen verbleiben, während die variierte Reprise die erste und die vierte Zeile zusammenfasst.[265]

	Lehms		**Bach**
1	Vergnügte Ruh! beliebte Seelen-Lust!	A	Vergnügte Ruh, beliebte Seeelenlust!
2	Dich kann man nicht bey Höllen-Sünden		Dich kann man nicht bei Höllensünden,
3	Wohl aber Himmels-Eintracht finden /		Wohl aber Himmelseintracht finden,
4	Du stärckst allein die schwache Brust /		Du stärkst allein die schwache Brust,
5	Vergnügte Ruh! Beliebte Seelen-Lust!		Vergnügte Ruh, beliebte Seelenlust!
6	Drum sollen lauter Tugend-Gaben	B	Drum sollen lauter Tugendgaben
7	In meinem Hertzen Wohnung haben.		In meinem Herzen Wohnung haben.
			Vergnügte Ruh, beliebte Seelenlust!
		A'	Vergnügte Ruh, beliebte Seelenlust!
			Du stärkst allein die schwache Brust,
			Vergnügte Ruh, beliebte Seelenlust!

In Bachs Lesart wird die erste Zeile also zur Devise, die alle Zeilen und Teile prägt. Im Blick auf sie komponierte Bach ein Ritornell, das man fast als Kontrapunkt der Klänge statt der Linien charakterisieren könnte. In D-Dur stehend, wandelt es den Topos des Pastorale[266] im 12/8-Takt zu einer Klangfolge, in der die Tonika durch sinkende Bassschritte des Continuo gefärbt wird, um im zweiten Takt zum Sekundakkord der Dominante geführt zu werden (Notenbeispiel 21). Im nächsten Ansatz scheint die umspielende Sechzehntelfigur, die zuvor die Bewegung der Oberstimme einleitete, in die Basslage zu rücken, in der sie den Continuo in Terzschritten aufwärts zur Quinte leitet, sodass die Oberstimmen zwangsläufig zur Dominante geführt werden. Verharrt der Generalbass für zwei Takte als rhythmisierter Orgelpunkt auf der relativen Dominante (der Doppeldominante in heutiger Sicht), so wird sie von den Streichern in Sechzehntelfiguren umspielt, die den H-Dur-Klang mit verminderter Septime eintrüben, bis der Stimmverband direkt vor Eintritt des Vokalparts unerwartet entschieden zur Tonika zurücklenkt (T. 1–8).

Am erstaunlichsten ist es, dass dieser Klangteppich in seine Teilglieder zerlegt werden kann, ohne seinen Charakter zu verlieren. Der Grund dafür liegt im Vokalpart, der fast durchweg in kaum veränderte Ritornellzitate integriert wird. Zugleich überwölbt er sie aber in melodischen Bögen, die den Zusammenhang unabhängig vom Ritornell garantieren.

---

265 Die Wiedergabe folgt in der linken Spalte dem Textdruck und in der rechten der Fassung der NBA.
266 Vgl. Finke-Hecklinger, a. a. O., S. 80.

Notenbeispiel 21

9–10²	10³–11⁴	12–13	14–15²	15³–16	17	18–19¹	19³–20	21–22	23–24	25
~ 1–2³	~ 4³–5⁴	~ 1–2	~ 1–2²	~ 4³–5	–	(~ 8¹⁻²)	~ 1 (2×)	~ 4–5	~ 8 (2×)	–
+ vokal	instrumental	+ vokal	+ vokal	+ vokal	vokal	+ vokal	+ vokal	+ vokal	+ vokal	vokal
T	T	T	D	T–D	D	Dp – D	D	D	D	D

Obere Zeile: Instrumentalpart, mittlere Zeile: Vokalpart solistisch oder zusätzlich (+)

Analog ist auch der Mittelteil angelegt, obwohl er zur Tonikaparallele moduliert und nur zwei kurze Ritornellzitate aufweist. Vom A-Teil wird er durch die Wiederholung des auf die Dominante versetzten Ritornells getrennt, dem nur ein instrumentaler Takt folgt, bevor sich die variierte Reprise anschließt, die ihrerseits dem Muster des ersten Teils entspricht.

Obwohl in kleine Gruppen zerlegt, bleibt das Ritornell in den Rahmenteilen ständig präsent. Während seine Wiederholung sonst darauf zielt, einen Satz zusammenzufassen, genügt hier die Ubiquität seines Materials, um den Zusammenhang des Satzes zu garantieren.

Ähnlich wie die Siciliano-Sätze aus BWV 35 und 169, die im Zusammenhang mit den instrumentalen Vorlagen erörtert wurden, gehören auch die Schlusssätze aus BWV 170 und 35 zusammen. Beiden ist neben ihrer Position vor allem die Funktion der Orgel gemeinsam, die in den Ritornellen als Soloinstrument aus dem Tuttisatz hervortritt. Dass der Altstimme im A-Teil der Arie »Mir ekelt mehr zu leben« (BWV 170:5) nur 17 von insgesamt 47 Takten bleiben, deutet auf die Dominanz des Instrumentalparts hin, der durch die Figuration der Orgelstimme geprägt ist. Obwohl auf beide Teile je zwei Textzeilen entfallen, umfasst der B-Teil nur 13 Takte, die aber durchweg dem Alt gehören, während der A-Teil durch das Ritornell geprägt wird. So deutlich sich der Tritonussprung des Kopfmotivs auf die ersten Worte des Textes bezieht, so genau entspricht die steigende Linie des zweiten Takts der Folgezeile »drum nimm mich, Jesu, hin«. Beide Takte schließen sich zu einer ersten Gruppe zusammen (a), deren steigende Linie in der nächsten Gruppe (b) durch eine ornamentale Wendung der Orgel verlängert und anschließend auf die Subdominante versetzt wird, bis das Kadenzglied in Figurationen der Orgel ausläuft (c). Während sich die Kopfgruppe auf den Vokalpart richtet, bezieht sich die Fortspinnung primär auf die Orgelstimme.[267]

1–2	3–6	6–8	9–11	12–15	16–21/22	22–30	31–32	33–36/37	40–47
a	b	c	~ 1–2 + x	~ 1–2 + Sequenz	~ 1–7	= 1–8	~ 1–2	~ 1–7	= 1–8
Ritornell			+ vokal	+ vokal	+ vokal	Ritornell	+ vokal		Ritornell
T – D	D – S	D – T			D	D			T

Ergänzend bleibt anzufügen, dass die ersten Glieder des Vokalparts sequenzierend erweitert werden (T. 9–11 bzw. 12–15), während seine letzten Takte von der Orgel begleitet werden (T. 21 f. und 37 f.). Das schmälert nicht die Feststellung, dass der gesamte A-Teil in dem Maß vom Ritornell zehrt, wie der kurze B-Teil der Altstimme und der Orgel überlassen und nur phasenweise vom akkordischen Orchestersatz gestützt wird.

Eine eingehende Übersicht über die Arie »Ich wünsche nur bei Gott zu leben« (BWV 35:7) ist insofern entbehrlich, als sie ein entsprechendes Bild vermitteln würde. Ein Unterschied liegt im Beginn des Ritornells, das so instrumental geprägt ist, dass der Alt nur die ersten vier Töne übernehmen kann. Anders als in BWV 170:5 liegt ein zweiteiliger Satz vor, in dem die Zeilen des B-Teils doppelt durchlaufen werden. Bach folgte damit der Vorlage, die keine Da-capo-Angabe enthält (obwohl die Wiederholung der ersten Zeilen ähnlich sinnvoll wie in BWV 170:1 wäre). Desto länger sind die Phasen des B-Teils, wobei die zweite mit 38 Takten mehr als doppelt so lang wie die erste ist. Zwar liefert das Orchester nur die Begleitung, die jedoch auf die Rhythmik des Incipits zurückgeht. Dagegen könnte seine Dominanz im A-Teil dazu verleiten, einen präexistenten Instrumentalsatz zu vermuten.[268] Indes ist Vorsicht geboten, weil das umfängliche Mittelglied des Ritornells vom Orgelpart beherrscht

---

267 Der Tritonus des Kopfmotivs mag an den Eingangssatz aus BWV 54 »Widerstehe doch der Sünde« erinnern, in dem er jedoch als kleine Septime in einen dominantischen Septakkord über tonikalem Orgelpunkt integriert war, während er in BWV 170:5 von der führenden Stimme als intervallischer Sprung eingeführt wird.
268 Finke-Hecklinger, a. a. O., S. 105, sah den Satz auf der Grenze zwischen Passepied und Menuett, wiewohl sich die Deklamation zur tänzerischen Rhythmik »eigenartig« verhalte. Auffälligerweise steht die Arie in C-Dur, während die Konzertsätze, die beide Teile der Kantate eröffnen, in d-Moll stehen. Das ist bemerkenswert, weil sich die Rahmensätze der anderen Solokantaten durch gleiche bzw. parallele Tonarten entsprechen.

wird, während das Ritornell eines Konzertsatzes in der Regel dem Tutti zufällt. Doch relativiert sich das Problem, wenn man die Bearbeitung instrumentaler Vorlagen als Spezialfall eines Verfahrens auffasst, das vom Primat des Ritornells ausgeht.

Die Eingangssätze der Kantaten für Basssolo zählen zu den gewichtigsten Arien, die Bach hinterlassen hat. Obwohl sich ihre Ausdruckskraft nicht in Worten fassen lässt, gründet sie in satztechnischen Prämissen, zu deren Verständnis die Analyse beitragen kann. Der in g-Moll stehenden Arie »Ich will den Kreuzstab gerne tragen« (BWV 56:1) liegt ein sechszeiliger Text zugrunde, der zwei jambische Zeilenpaare und zwei daktylische Zeilen verbindet. Damit ergibt sich eine dreiteilige Anlage, in der die Zeilen doppelt vertont und vom Ritornell umrahmt werden:

	Zeilen 1–2			Zeilen 3–4			Zeilen 5–6		
Ritornell	A^1	A^2	Ritornell	B^1	B^2	Ritornell	C^1	C^2	Ritornell
1–17	17–38/41	42–54	54–70	70–91	91–111	111–117	117–143	143–151	151–167
$T – D^0 – T$	$T – Dp/T$	$S – D^0$	D^0	$D^0 – Tp$	$Tp – S$	S	$S – Sp$	$Sp – T$	T

Dass das Ritornell viermal (teilweise verkürzt) erscheint, verweist auf seine Bedeutung, obwohl es nur partiell mit Vokaleinbau verbunden wird. Durch die Kopplung der Streicher und Oboen ergibt sich ein dichter Klang, dessen Akkorde die kontrapunktische Struktur verdecken. Maßgeblich ist das in der zweiten Stimme eingeführte Thema, in dessen Anstieg der Grundakkord durch einen Tritonus erweitert wird, der zugleich als Leitton zur Dominante fungiert (T. 1–4: d^1-g^1-b^1-cis^2-d^2). Ebenso bedeutsam ist die fallende Linie der Gegenstimme, deren Achtelfolgen durch Sextparallelen der Gegenstimmen betont werden (Notenbeispiel 22). Versetzt auf die Subdominante, führt die Konstruktion zur Tonika zurück (T. 5–8), wobei der Kontrapunkt zu einer Fortspinnung verlängert wird, die aus Sextparallelen der Außenstimmen gebildet und durch die chromatischen Zwischenstufen der Oberstimme gefärbt wird (T. 8–10). Da sie zur Subdominante lenken (T. 10–11), kann das Thema ein drittes Mal in Basslage wiederkehren und damit das Ritornell in der Tonika abschließen.

Während der Vokalpart zu Beginn des A-Teils das Thema übernimmt (T. 17–23 ~ T. 1–7), werden die Gegenstimmen durch akkordische Begleitung ersetzt, wobei die Fortspinnung im Bass erweitert und durch die Instrumente ergänzt wird. Ähnlich ist die zweite Phase angelegt, in der das Thema durch eine subdominantische Wendung verändert wird (T. 42–46), während die Fortspinnung dem Ritornell entspricht (T. 45–49 ~ 6–11). Beide Phasen werden insofern verkettet, als die erste auf der Parallele endet, während ihre letzten Worte unter Rückwendung zur Tonika wiederkehren, bevor die zweite Phase ansetzt (T. 38–41). Dagegen zehrt der B-Teil von der Fortspinnung, deren »geschuppte« Achtel nur einmal mit dem Thema des A-Teils verbunden werden (T. 78–81). Dennoch bleiben die Konturen des Themas im Vokalpart spürbar, dessen Phrasen mit Varianten des Kopfmotivs ansetzen (T. 91, 93, 95 und 99f.). Obwohl sich der Satz von der Konstruktion entfernt, von der er ausging, ist ihre Motivik ständig präsent. Am weitesten entfernt sich von ihr der Schlussteil, dessen daktylische Zeilen in triolische Achtel umgesetzt und syllabisch textiert werden. Als Bindeglied dienen die Achtelketten der Fortspinnung, die durchweg akkordisch gerafft werden. So genau das Verfahren dem Text entspricht (»da

Notenbeispiel 22

wischt mir mein Heiland die Tränen selbst ab«), so deutlich bleibt die Rückbindung an die Motivik, die im Ritornell restituiert wird. Das Ritornell bildet also die Grundlage des ersten Teils, während sich die folgenden Abschnitte von ihm lösen, um nur noch an sein Material zu erinnern.

Einen anderen Weg verfolgt der Eingangssatz aus BWV 82 »Ich habe genug«, in dem der Streicherchor mit einer Solooboe gepaart wird.[269] Zwar scheint eine zweiteilige Form vorzuliegen, in der die Textzeilen doppelt durchlaufen werden, während die Oboe und der Vokalpart durch akkordischen Streichersatz begleitet werden.[270] Erst auf den zweiten Blick zeigt sich, dass Streicher und Generalbass einen kontrapunktischen Satz bilden, in den sich die Oboe ebenso einfügt wie der Solobass. Während der eröffnende c-Moll-Klang von den Streichern umspielt wird, sinkt der Continuo in Sekundschritten ab, sodass sich dabei Vorhaltdissonanzen auf betonter Zählzeit ergeben. Über repetierten Achteln des Continuo und Sechzehnteln der Streicher steigt die Oboe im ersten Ansatz des Kopfmotivs empor, das später als vokale Devise dient. Bei der Wiederholung des Modells (T. 7–13 ~ 1–5) setzt die Oboe einen Takt früher ein, sodass ihr Spitzenton eine Quartdissonanz zum Bass bildet (T. 8: es^1 versus b). Wie diese Taktgruppe gehen auch die folgenden auf die ersten Takte zurück, sodass sich die erste Phase des A-Teils der Periodenfolge eines Ostinatosatzes nähert.

1.	2.	3. (a-b)	4.	5.	6. (+ Vokalpart)	7. (+ Vokalpart)
1–7	7–13 (~ 1–6)	13–15–22	22–28	28–33/34	33/35–39 (~ 1–6)	39–45 (~ 7–13)
c – c	c – c	c – Es	D^v → f – c	c – c	c – c	c – c

269 Die folgenden Bemerkungen beziehen sich auf die 1727 entstandene Erstfassung in c-Moll. Nachdem das Werk um 1730/31 in einer Fassung in e-Moll mit Sopransolo aufgeführt worden war, griff Bach in späteren Aufführungen um 1746/47 und 1747/48 erneut auf die erste Fassung zurück, vgl. NBA I/28.1, KB, S. 90 ff.
270 Der Hinweis auf das Siciliano bei Finke-Hecklinger, a. a. O., S. 87, betrifft lediglich das Kopfmotiv in Oboe und Bass, nicht jedoch den weiteren Satzverlauf.

Während die Varianten der Basslinie kaum weiter gehen als in einer Ostinato-Arie, wird das Kopfmotiv in der Oboe zu ornamentalen Figurenketten verlängert. Mitunter auf Haltetönen verweilend, zu denen die Streicher hervortreten, erweitern sie sich zu Zweiunddreißigsteln, die synkopisch gestaut werden. Das Gerüst wird erst dort gesprengt, wo sich der Satz über zwei Sequenzgruppen zur Dominante g-Moll wendet (T. 46–49, 50–57). Zugleich löst sich das Tutti in Stimmgruppen auf, die im taktweisen Wechsel der Streicher, der Oboe und des Continuo den Bass begleiten (T. 47–66), bis am Ende die Oboe und der Bass die Führung übernehmen (T. 66–73). Der A-Teil stellt damit die Verfahren bereit, die im B-Teil erweitert werden. Als verbindende Klammer dient die erste Textzeile, die am Ende der Phasen angefügt wird. Während die erste Phase zur Subdominante führt, um in der zweiten zur Tonika zurückzulenken, geht beiden das Kopfmotiv voraus. Beide Phasen werden durch ein Zwischenspiel getrennt, das eine transponierte Kontraktion des Ritornells bildet (T. 135–149 ~ 1–4 + 23–37). Unverkennbar durchlaufen sie aber den gleichen Prozess, der zur Auflösung des Satzgerüsts führt, bis es im abschließenden Ritornell restituiert wird. Das Verfahren wäre kaum denkbar ohne die Voraussetzungen, die durch die Paarung der Streicher und der Solooboe gegeben waren.

Dagegen rechnet die Arie »Schlummert ein, ihr matten Augen« (BWV 82:3) mit dem Streicherchor (dessen Oberstimme wohl durch die Oboe da caccia dupliert wurde).[271] Dass Anna Magdalena Bach die Arie in ihr (zweites) Notenbüchlein eintrug, ist ein Zeichen der persönlichen Bedeutung, die der Satz für sie hatte.[272] Wenn sie den nach e-Moll transponierten Satz auf den Sopran und den – unvollständig notierten – Continuo reduzierte, so beweist das die ungewöhnliche Dominanz des Vokalparts. Allerdings bedeutet der Verzicht auf die Ritornelle nicht nur einen klanglichen Verlust. Denn der Instrumentalpart präsentiert nicht nur die thematische Substanz, sondern übernimmt auch die Gliederung des Satzes und füllt die Haltetöne der Bassstimme motivisch aus. Begleitet von Achtelfolgen des Continuo, bildet die erste Violine die führende Stimme, deren synkopischer Impuls zunächst einen Terzraum ausfüllt, um sich im nächsten Ansatz zur Septime zu erweitern und dann in Achteln abzufallen (T. 1–4). Nach kurzer Pause wird das Modell zweimal auf der Dominante von den Violinen wiederholt, bevor das Ritornell durch Quintschritte erweitert wird (T. 5–10^1). Zum Charakter des Satzes trägt ebenso der Generalbass bei, dessen Achtelfolgen die Fortschreitungen umschreiben. Die Kantabilität des Ritornells erlaubt seine Übernahme im Vokalpart, in den nur zwei Taktgruppen eingefügt werden. Nach der Wiederholung der vier ersten Takte hält der Bass – begleitet vom Kopfmotiv – auf der Terz der Tonika inne (T. 14f.). An diesen ersten Einschub schließt sich die vokale Wiederholung des Ritornells an, dessen Oberstimme durch die erste Violine dupliert wird. Beide Stimmen trennen sich erst im Schlusston, der im Bass gehalten wird, während die fallenden Achtel der Streicher durch Pausen in »Seufzer« getrennt werden (T. 24^b–25). Der erneuten Wiederholung des Ritornells gehen zwei vokale Takte voran, deren absinkende Achtelkette verlängert und synkopisch verzögert wird (T. 26–27).

---

271 Vgl. NBA I/28.1, hrsg. von Matthias Wendt und Uwe Wolf, Vorwort, S. VI.
272 Vgl. NBA V/4, hrsg. von Georg von Dadelsen, S. 122 ff., sowie KB, S. 105–111 (in beiden Niederschriften wurden die Ritornelle ausgelassen und die Zwischenspiele im Continuopart notiert).

Ritornell	A (Zeilen 1–2)		Ritornell	B¹ (Zeilen 3–5)	A'	B² (Zeilen 6–8)	
1–9	10–13 + 14–15 (~ 1–4)	16–25 + 26–27 (~ 1–9)	28–36 (= 1–9)	37–48 B. + Bc.	49–66–68¹ (= 10–27)	68–73 B. + Bc.	74–85 + Instr.
T	T	T	T	T – Tp	T	T – Sp	Sp – S

Während die Zeilen des A-Teils mit dem Ritornell bestritten werden, liegen dem Mittelteil sechs Zeilen zugrunde, die auf zwei Abschnitte verteilt werden (B¹ und B²). Dazwischen tritt die vokale Phase des A-Teils, die ihrerseits auf dem Ritornell beruht (T. 49–66 = 10–27). Wird der erste Abschnitt vom Continuo gestützt, ohne auf das Ritornell zurückzugreifen, so beginnt der zweite zwar analog, doch geht ihm ein instrumentaler Einschub voran, der auf die vokale Schlusswendung des eingeschalteten A-Teils antwortet (T. 66–68¹). Wo der Vokalpart mit einem Halteton zum Worte »Ruh« ausläuft, greifen die Instrumente erneut auf die Motivik des Ritornells zurück (T. 73–76). Die folgenden Takte bilden die einzige Gruppe, in der das Material verarbeitet und mit dem Vokalpart verbunden wird (T. 77–82). Desto anrührender ist der Schluss, in dem der Vokalpart auf dem Wort »Ruh« verharrt, während die Kadenz mit derselben Wendung wie die vokale Phase des A-Teils endet (T. 82–85: »süßen Frieden, stille Ruh«). Indem der A-Teil innerhalb des B-Teils wiederkehrt, scheint sich die Da-capo-Form einem Rondo zu nähern. Entscheidend ist jedoch, dass das Gewicht des Ritornells in dem Maß zunimmt, wie es der Verarbeitung entzogen bleibt.

Dass der Schlusssatz trotz gleicher Besetzung anders angelegt ist, liegt weniger an der formalen Disposition als an der Struktur des Ritornells. Löste sich im Eingangssatz die solistische Oboe vom Streichersatz, so werden die Stimmen in der Arie »Ich freue mich auf meinen Tod« (BWV 82:5) zu einem Block verbunden, der sich nur begrenzt auftrennen lässt. Soweit er nicht mit Vokaleinbau wiederholt wird, beschränkt sich der Instrumentalpart auf die Funktion der Begleitung, aus der die Oboe in wenigen Takten hervortritt (T. 18–23 bzw. 120–125 in den Rahmenteilen und T. 96–107 im Mittelteil). Die rollenden Figuren der Oberstimme brechen im Ritornell nach vier Takten ab, sich um nach kurzer Pause fortzusetzen, bis sie in der letzten Gruppe die Kadenz erreichen (T. 1–17). Im Vokalpart wird die Figuration durch kreisende Koloraturen ersetzt, die von den Instrumenten gestützt werden. Setzt danach wieder das Ritornell ein, so werden seine ersten Takte mit Vokaleinbau gepaart (T. 26–29), während das modulierende Glied der Fortspinnung so verändert wird, dass es zur I. statt zur V. Stufe führt (vgl. T. 37 f. mit T. 10 f.). Im nächsten Abschnitt lenkt der vom Continuo begleitete Bass erneut zur Molldominante (T. 48–58), auf der sich das komplette Ritornell anschließt. Infolgedessen kann die Reprise den A-Teil leicht gekürzt wiederholen, wobei nur das modulierende Gelenk geändert werden muss (T. 125–128). Kommt der Mittelteil dagegen ohne Ritornellzitate aus, so trennt sich hier einmal die Oboe vom Tutti, um die Glieder einer vokalen Sequenzgruppe zu überbrücken (T. 96–107).

In BWV 82 konnte in allen Arien dieselbe Besetzung verwendet werden, weil sich die Palette der satztechnischen Verfahren inzwischen erweitert hatte. Dem Kopfsatz für Solooboe und Streicher steht im Mittelsatz eine kantable Melodik gegenüber, die

Notenbeispiel 23

den Vokal- und Instrumentalpart verbindet, während der Schlusssatz die Stimmen zusammenführt. Eine Woche später folgte in BWV 84 »Ich bin vergnügt« ein Tuttisatz mit konzertanter Oboe, der die erste Violine und der Generalbass gegenüberstehen, während die zweite Violine und die Viola die Füllung übernehmen.[273] Lässt man die punktierten Achtel, die den ersten Takt der Oboe ausfüllen, als Kopfmotiv gelten, so ist zu konstatieren, dass dieselbe Formel einen Takt später in der Violine und im Continuo auftritt (Notenbeispiel 23). Im dritten Takt wird sie durch die synkopische Rhythmik der Oboe abgelöst, die zwei Takte später auf die punktierte Formel im Continuo trifft (T. 5). Würden nicht die Mittelstimmen die Zählzeiten markieren, so würde die kapriziöse Rhythmik das reguläre Taktmaß verschleiern. Die wechselnden Kombinationen münden in Haltetöne des Continuo bzw. der Streicher ein, über denen die Oboe ihre synkopischen Ketten ausspinnt, um in den Sechzehntelfiguren der Kadenzgruppe auszulaufen. Die folgende Übersicht nennt die Taktgruppen, die

[273] Während im Schlusssatz nur die letzte Zeile der 1728 gedruckten Vorlage Henricis nahekommt, entsprechen ihr im Eingangssatz sowohl das erste Zeilenpaar als auch die Schlusszeile, vgl. Spitta II, S. 274 f., sowie NBA I/7, hrsg. von Werner Neumann, KB, S. 41 f. Da BWV 84 im Vorfeld der Matthäus-Passion entstand, liegt es näher, als Autor der Umformung Henrici selbst – und nicht Bach – zu vermuten.

im Ritornell eng verzahnt werden, während sie im Satzverlauf getrennt eingesetzt und mitunter auch verändert werden.

1–4	4–8, 9–15	15–19	20–24
Kopfmotiv	Sequenz – Fortspinnung	Sequenz über Orgelpunkt	Kadenzgruppe
T – S	S – D^0	D^0	D – S – D – T

Die Außenteile der variierten Da-capo-Arie lehnen sich an das Ritornell an, während der Mittelteil dessen Motivik übernimmt. Da sich ihre Verarbeitung nur an wenigen Beispielen zeigen lässt, mag die folgende Übersicht wenigstens die Gliederung andeuten.

Ritornell	A (Zeilen 1–2)				Ritornell	B (Zeilen 3–5)		
1–24	25–32 ~ 1–7	32–36 ~ 15–18	37–45 ~ 1–9	46–49, 50–53 modul. Sequenz + Kadenz	53–67 ~ 1–2 + 13–24	68–79	79–88 instrum. ~ 10–14 + Kadenz	89–107
T	T			T – D^0	D^0	D^0 – Dp	Dp	Dp – T

In den ersten Takten des A-Teils übernimmt der Sopran das Kopfmotiv der Oboe (T. 25–28 = T. 1–4), der er danach die Fortführung überlässt. Sie wird jedoch im nächsten Takt durch ein Zwischenglied ersetzt, das zur V. Stufe führt (T. 30–32), sodass der um einen Takt verlängerte Orgelpunkt eintreten kann, der im Ritornell der Kadenzgruppe vorausging (T. 30 ~ 5, T. 31 ~ 7, T. 32–36^1 ~ 15–18^1). Danach erst schließt die Einbauphase an (T. 37–45 ~ 1–9), die in dem zur Dominante lenkenden Scharnier endet, das in der variierten Reprise zur Tonika zurückführt (vgl. T. 46 ff. mit T. 137 ff.). Zuvor jedoch folgt die Reprise dem ersten Teil (T. 117–136 = 25–44), dessen letzter Abschnitt auf wenige Takte gestrafft wird (T. 139–144). Wer die Partitur heranzieht, wird überall die Glieder des Ritornells wiederfinden, die sich mitunter imitierend oder sequenzierend auf den Sopran und die Oboe verteilen (T. 15 f., 39 und 46 f.). An ihnen partizipieren nicht nur die beiden Hauptstimmen, sondern auch die erste Violine und der Continuo, in deren Stimmen die punktierte Wendung des Kopfmotivs anklingt. Die eigenartige Rhythmik erfasst auch die vokale Deklamation, in der die ergänzenden Sechzehntel des Kopfmotivs mit den punktierten Achteln gekoppelt werden, sodass sich der Eindruck betonter Vorschläge ergibt. Ähnlich subtil ist der durch ein Zwischenspiel gegliederte Mittelteil angelegt, der entsprechende Imitationen und Sequenzen enthält (T. 69 f., 74 f., 76 f.). Selbst die Zwischenspiele bestehen nicht aus blockweisen Zitaten des Ritornells, sondern aus wechselnden Kombinationen seiner Glieder. Während die Nachspiele der Rahmenteile den Beginn des Ritornells mit seinem Schlussglied verbinden (T. 54–67 bzw. 145–158 ~ 1–2 + 13–24), werden im Mittelteil transponierte Ausschnitte durch entsprechende Kadenzen ergänzt (T. 79–83 ~ 10–14 + Kadenz, T. 107–116 ~ 8–12 + 20–24).

Die Differenzierung, die der Vokaleinbau in diesen Arien erfährt, lädt zum Vergleich mit der letzten Solokantate BWV 51 ein. Dass sie durch die Besetzung mit Solotrompete und durch die abschließende Choralbearbeitung ein Sonderfall ist, wurde bereits früher erwähnt. Entsprechend markant sind die Differenzen in der

Anlage der Arien. Im Ritornell des Eingangssatzes »Jauchzet Gott in allen Landen« (BWV 51:1) wird eine fanfarenhafte Dreiklangsbrechung in Tonrepetitionen zerlegt, die auch die Fortspinnung beherrschen (T. 1–4, 5–9[1]). Ohne zu modulieren, wird sie vom Kopfmotiv durch einen Septsprung getrennt, der später zum Quintsprung verengt wird und damit den Weg zur Dominante eröffnet (T. 13). Die knappe Modulation fällt in die erste Einbauphase (T. 10–18[1]), der eine eintaktige Koloratur des Solosoprans vorgeschaltet wird. Ein weiterer Ansatz lenkt von der Tonika C-Dur aus zur Subdominante (T. 22–25[1] ~ 1–4[1]), während sich ein drittes Zitat auf das Kopfmotiv beschränkt (T. 28). Zwischen die Ritornellzitate werden kurze Episoden eingefügt, die dem Sopran und der Trompete vorbehalten sind (T. 18–21 und 25–31). Soweit das Tutti am Mittelteil beteiligt wird, beschränkt es sich auf Zitate der ersten Takte (T. 42–46[1] in a-Moll, T. 55 und T. 57f. in e-Moll), während die Trompete in den modulierenden Zwischengliedern durch die erste Violine vertreten wird. Da der Mittelteil in der Parallele endet, ist eine Rückmodulation erforderlich (T. 65–6), bevor die Reprise mit der ersten Einbauphase ansetzen kann (T. 67–97 = 10–39). Dass die blockweisen Zitate mit Vokaleinbau verbunden werden können, liegt an der Anlage des Ritornells, das auf den Tonvorrat der obligaten Trompete berechnet ist.

Wie der Eingangssatz greift die Arie »Höchster, mache deine Güte« (BWV 51:3) auf ein Verfahren zurück, das den Solokantaten bisher fremd war. Erstmals seit langem begegnet wieder eine variierte Da-capo-Arie mit einem Ostinato, der in 17 Perioden reich variiert wird. Das Bassmodell bildet eine Quintschrittsequenz in a-Moll, die mit der angefügten Kadenz drei Takte umfasst. Während sich die dritte Periode durch Dreiklangsbrechungen verlängert (T. 7–10), wird die vierte durch eine trugschlüssig ansetzende Taktgruppe erweitert (T. 10–15). In die Perioden des Mittelteils wird mehrfach ein Tritonus eingefügt, um einerseits nach e- und h-Moll und andererseits nach C-Dur zu modulieren (Perioden 7–12 in T. 22–35), während in der Reprise weniger das Bassmodell als der Vokalpart verändert wird. So ist es primär der Vokalpart, dessen Melismen das Bassgerüst variieren und seine Perioden so verzahnen.

Am kompliziertesten ist der zweiteilige Schlusssatz. Die Choralbearbeitung des ersten Teils ist ein Sonderfall, weil sie in ein Fugato der Violinen integriert ist, an dem auch der Continuo beteiligt ist. Der Melodie »Nun lob mein Seel den Herren«, die mit dem Text der Strophe »Sei Lob und Preis mit Ehren« im Sopran liegt, geht ein Vorspiel voran, in dem das Thema in den Violinen als Dux bzw. Comes einer Fuge eintritt und zugleich die Funktion des Ritornells übernimmt. Während der Choralzeilen wird es durch motivische Varianten ersetzt, die dem Themenkopf oder der Fortspinnung entnommen werden. Doch wird es zwischen den Zeilen erneut aufgenommen, sodass sich die Abschnitte weniger substantiell als satztechnisch unterscheiden. Während die erste (bzw. dritte) Zeile mit einem verkürzten Themeneinsatz des Continuo verbunden wird (T. 11f. bzw. 33f.), entfällt vor der zehnten Zeile ein gesonderter Einsatz der Violinen (T. 89–93). In den Zeilen 1 bzw. 3 und analog auch in Zeile 11 fällt der Einsatz des Continuo mit einer Quintkette zusammen, die von a-Moll ausgeht und am Ende zur Tonika C-Dur zurückführt. Dennoch ergibt sich der Eindruck eines fugierten Satzes, der zugleich auf das krönende »Alleluja« hinführt. Denn in ihm liegt eine Fuge vor, an der neben dem Sopran und der Trompete ebenso die Violinen und einmal auch der Generalbass beteilig sind. Das Thema, das im Sopran und in der Trompete als Dux bzw. Comes eingeführt wird, tritt dreimal in Quintabständen ein, bevor es zu drei weiteren Schritten gestaffelt und zuletzt von der Motivik der Fortspinnung überlagert wird.[274] Die Skalenformel, in der das Thema ausläuft, wird auf- oder absteigend verlängert, sodass sie als modulierende Fortspinnung fungieren kann. Im Anschluss an die letzten Themeneinsätze paaren sich die Skalen effektvoll mit steigenden Dreiklängen, die im Sopran und in der Trompete die Spitzentöne c^3 bzw. d^3 erreichen (T. 175–180 bzw. 189–194). Der letzte Einsatz eröffnet zugleich eine Quintschrittsequenz, die von d-Moll bis F-Dur reicht (T. 194–206) und von einer steigenden Quintfolge abgelöst wird (T. 207–210), die in die Kadenzgruppe einmündet. Je mehr die Fuge im konzertanten Satz aufgeht, desto mehr treten die Außenstimmen hervor, denen sich die Streicher unterordnen.

Die Feststellung, dass die Arien der letzten Solokantate an Verfahren anschließen, die die früheren Pendants nicht kannten, bedeutet kein Werturteil. Vielmehr zeigt sich Bachs Meisterschaft in der Fähigkeit, die Choralbearbeitung mit einem Fugato zu kombinieren. Der Einsatz der Trompete im Eingangssatz ist mindestens ebenso bemerkenswert wie ihr Anteil am Finale, in dem sich die abschließende Fuge im Concerto auflöst. Der Vergleich lässt jedoch desto klarer die gemeinsamen Züge hervortreten, die den acht Solokantaten eigen sind. Ihren Ausgang nehmen sie vom solistischen Orgelpart, mit dem die drei ersten Werke zugleich an die vorangehenden Bearbeitungen früherer Instrumentalsätze anschließen. Die erneute Beschäftigung mit diesen Vorlagen war offenbar ein Impuls, der dazu beitrug, die Strukturen der Ritornelle so aufzulockern, dass aus ihnen einzelne Glieder herausgelöst wurden, mit denen sich der Vokaleinbau differenzieren ließ. Doch betrifft das nicht nur die Tuttisätze, sondern ebenso die geringstimmigen Arien, die mehr als zuvor an der Einbautechnik partizipieren. Waren es in den vorausgehenden Kantaten die Chorsätze, deren kontrapunktische Konzentration in den Arien nicht folgenlos blieb, so verbinden die Sätze der Solokantaten kontrapunktische und konzertante Elemente in einem Maß, durch das die Korrelationen zwischen den Besetzungen und den Satzarten aufgehoben werden. Dass Bach sich der Solokantate nur deshalb zuwandte, weil er dem Chor nicht zu viel zumuten wollte, ist wenig glaubhaft angesichts der Aufgaben, die er den Solisten zumutete. Vielmehr ist nicht auszuschließen, dass er sich der Solokantate in der Absicht zuwandte, in dieser Gattung extrem anspruchsvolle Arien zu erproben. Dass er sich ihnen desto konzentrierter widmen konnte, weil die Chorsätze ausfielen, lässt sich besonders an den Eingangsarien verfolgen, deren Komplexität den Komplikationen der Chorfugen nicht nachsteht.

Zusammengenommen bilden die Solokantaten den letzten geschlossenen Problemkreis in Bachs Kantatenwerk. Neben einigen Einzelwerken folgten ihnen die Nachträge zum Zyklus der Choralkantaten und die Werke des sogenannten »Picander-Jahrgangs«, die sich weniger durch neue Verfahren als durch Rückgriffe auf frühere Werke auszeichnen. Die Solokantaten des dritten Jahrgangs bilden zugleich die Pendants zu den beiden ersten Solowerken, die noch in Weimar entstanden waren.

---

[274] Einsatzpaare: T. 118–126 und 131–138 in C-G (Sopran-Trompete bzw. Violine I-II), T. 139–146 in d-a (Violine I-II), T. 158–165 in C-F (Trompete-Sopran) sowie T. 171–174 in G (Violine I) und T. 182–188 in a-d (Sopran-Violine I).

Wie Bach sich die Gattung um 1713 erschloss, so kehrte er zwölf Jahre später zu ihr zurück, um den Vorrat seiner Arien nochmals zu erweitern.

d. Die Arien der Dialoge (1726/27)

Die beiden Dialoge, die Bach zum 3. November 1726 und zum 5. Januar 1727 schrieb, entstanden innerhalb der Gruppe der Solokantaten. Während BWV 49 durch die einleitende Sinfonia und den solistischen Orgelpart an frühere Werke anschließt, schlägt BWV 58 mit den Choralbearbeitungen der Rahmensätze die Brücke zu den Choralkantaten, denen die Originalstimmen bei der Nachlassteilung zugesprochen wurden.[275] Dennoch unterscheiden sich beide Kantaten von den zeitlich benachbarten Werken durch ihre dialogische Anlage, die sie zugleich in die Nähe der rund ein Jahr zuvor entstandenen Dialoge BWV 57 und 32 rückt. Dialogische Züge ergeben sich zwar auch in anderen Werken, in denen die Worte Christi durch Arien oder Choräle beantwortet werden. In den regulären Dialogen dagegen sind alle Sätze in ein Gespräch einbezogen, das durch die Textvorlage vorgegeben ist. Trotz ihres Zeitabstands gehören die vier Dialoge des dritten Jahrgangs insofern zusammen, als ihnen nur 1724 ein vergleichbares Werk vorangegangen war. Bemerkenswerterweise wurden in Bachs Autographen nur diese fünf Werke als »Dialogus« bezeichnet.[276] Doch bildete der »Dialogus zwischen Furcht und Hoffnung« in BWV 60 ein allegorisches Gespräch, das in Satz 4 durch die Verheißung »Selig sind die Toten« erweitert wurde. Dagegen legte Lehms die Texte in BWV 57 und 32 als Gespräche zwischen »Jesus« und der »Seele« an, und analog sind auch die Vorlagen zu BWV 149 und 58 als Dialoge zwischen »Jesus« und der »Anima« zu verstehen. Obwohl die beiden früheren Werke bereits zuvor erörtert wurden, ist ihr Zusammenhang mit den letzten Dialogen ein Anlass, sie nochmals in den Blick zu nehmen.[277]

Mattheson hielt es 1713 für möglich, jedes »Stück mit 2. Sing-Stimmen« als »einen Dialogum, nach Beschaffenheit des Textes« anzulegen.[278] Dagegen definierte er 26 Jahre später die »Dialogi« als »gesungene Gespräche« zwischen »Schrifftmäßigen Personen«.[279] Da die »ungestörte Abwechselung des Gespräches« aber »weder rechte Recitative noch Arien« dulde, seien die Dialoge »eine etwas abgebrachte Gattung der Kirchen-Stücke, welche anitzo auf einen andern Fuß gesetzet sind«. So heißt es weiter: »Obigen Gesprächen hat man denn billig vorgezogen« das »Oratorium«, zu »dessen Arten Die Passiones« gehören. Anders als in »einem dürren Gespräch« habe man hier Gelegenheit zu »beweglichen Sätzen von allerhand Art«, zu denen »Choräle, Chöre, Fugen, Arien, Recitative« zählen. All diese Kriterien gelten auch für Bachs

---

275   Die Stimmen gingen wie die der Choralkantaten an Anna Magdalena Bach, die sie der Stadt Leipzig verkaufte.
276   In den autographen Partituren begegnet die Angabe »Dialogus« (für BWV 5 »Concerto in Dialogo«) entweder in Kopftiteln (zu BWV 57 und 49) oder auf gesonderten Titelblättern (zu BWV 32 und 58), während sich die zitierte Bezeichnung von BWV 60 auf dem autographen Titelblatt der Stimmen findet.
277   Vgl. Verf., Gespräch und Struktur. Über Bachs geistliche Dialoge, in: Johann Sebastian Bach. Schaffenskonzeption – Werkidee – Textbezug, Bericht Leipzig 1989 (Beiträge zur Bach-Forschung 9/10), Leipzig 1991, S. 45–59 (das dort, S. 56, für BWV 57 genannte Jahr 1726 ist zu 1725 zu korrigieren).
278   Johann Mattheson, Das Neu-Eröffnete Orchestre, Hamburg 1713, S. 156.
279   Ders., Der Vollkommene Capellmeister, S. 219 f.

Dialoge, die freilich keine Oratorien, sondern – mit Mattheson zu reden – »Kirchen-Stücke« sind.[280]

Die Dialoge teilen gemeinsame Züge, obwohl sie sich in ihrer Anlage unterscheiden. Zwar fehlen keineswegs Rezitative und Arien, wie sie auch in anderen Werken vorkommen. Doch begegnen neben zweistimmigen Rezitativen häufiger als sonst Duette, die als Teile der Gespräche zu verstehen sind. In BWV 60 bildet ein Duett mit Choral zusammen mit dem Schlusschoral den Rahmen für zwei Rezitative, zwischen die ein zweites Duett eingeschaltet ist. Dagegen lösen sich in BWV 57 Arien und Rezitative ab, ohne die Stimmen als Duett zu kombinieren, sodass sich die dialogischen Züge auf das Verhältnis der Sätze konzentrieren, das im Vergleich zwischen der letzten Sopranarie und dem anschließenden Schlusschoral am klarsten zur Geltung kommt. In BWV 32 dagegen stehen sich zwei Arien für Sopran und für Bass gegenüber, wobei das zweite Rezitativ zum Zwiegespräch erweitert wird, bis beide Partner im abschließenden Duett verbunden werden. In BWV 49 erweitert sich das mittlere Rezitativ zum Duett, während die einleitende Sinfonia mit obligater Orgel im abschließenden Duett mit Choral und Orgelstimme ein Gegenstück findet. Am weitesten reicht die Analogie der Außensätze aus BWV 58, in denen zwei Choralstrophen vom Sopran gesungen und mit gedichteten Texten im Bass kombiniert werden.

Findet sich in BWV 32:3 die einzige reguläre Da-capo-Form, so bilden die übrigen Sätze zumeist variierte Da-capo-Arien, neben denen in BWV 49:2 eine weitere Variante begegnet. Ein anderes Kennzeichen, das die späten Dialoge von den früheren nach Lehms unterscheidet, sind die Duette mit Choralstrophen, die auf Vorlagen eines gemeinsamen Textautors deuten könnten. Dass diese Choral-Duette eine Besonderheit der Dialoge bilden, können zwei ergänzende Hinweise zeigen. Vergleichbare Sätze finden sich nur in den sechs frühesten Vokalwerken, die nicht weniger als vier Kombinationen von Choral und Bibelwort enthalten.[281] Nachdem die Weimarer Kantaten mehrere Arien mit instrumentalen Choralzitaten umfassten, die vermutlich Zutaten Bachs waren, enthielt die Johannes-Passion erstmals zwei Arien mit gesungenen Choralstrophen, die möglicherweise von Bach zugefügt wurden.[282] In den Dialogen hingegen bilden die Choralverse Bestandteile, die zweifellos vom Textautor vorgegeben waren. Ähnliche Kombinationen finden sich nur in drei weiteren Kantaten, die aber erst nach den Dialogen entstanden, sodass die entsprechenden Sätze aus BWV 49 und 58 als spezifische Kennzeichen der Dialoge gelten können.[283]

---

280   Ebd., S. 215.
281   BWV 71:2 »Ich bin nun achtzig Jahr« (+ Choral »Soll ich auf dieser Welt«); BWV 106:3 »Heute noch wirst du mit mir« (+ Choral »Mit Fried und Freud ich fahr dahin«); BWV 131:2 »So du willt, Herr« (+ Choral »Erbarm dich mein in solcher Last«); BWV 131:4 »Meine Seele wartet« (+ Choral »Und weil ich denn in meinem Sinn«).
282   Satz 32 »Mein teurer Heiland, laß dich fragen« (+ Choral »Jesu, der du warest tot«) und Satz 11⁺ »Himmel reiße, Welt erbebe« (+ Choral »Jesu, deine Passion«). Dagegen kann das Terzett BWV 122:4 (1724) hier außer Betracht bleiben, da es eine Strophe des Chorals enthält, der dem ganzen Werk zugrunde liegt.
283   BWV 159:2 »Ich folge dir nach« (+ Choral »Ich will hier bei dir stehen«) (Henrici, 1729?); BWV 156:2 »Ich steh mit einem Fuß im Grabe« (+ Choral »Machs mit mir, Gott, nach deiner Güt«) (Henrici, 1729?); BWV 158:2 »Welt ade, ich bin dein müde« (+ Choral »Welt ade, ich bin dein müde«). Da Henricis Autorschaft für zwei Texte gesichert ist, ist nicht auszuschließen, dass auf ihn auch die Vorlagen zu BWV 49 und 68 zurückgehen.

BWV 49 Ich geh und suche mit Verlangen (20. Sonntag nach Trinitatis 1726)

2	Ich geh und suche mit Verlangen	A – B – A – B – A	B., Org. obl., Bc. – cis-Moll, ⅜
4	Ich bin herrlich, ich bin schön	var. Dc	S., Ob. d'am., Vc. piccolo, Bc. – A-Dur, ₵
6	Dich hab ich je und je geliebet / Wie bin ich doch so herzlich froh	Choral-Dialog	S., B., Ob. d'am., Str., Org. obl., Bc. – E-Dur, ⅔

BWV 58 Ach Gott, wie manches Herzeleid (Sonntag nach Neujahr 1727)

1	Ach Gott, wie manches Herzeleid / Nur Geduld, Geduld mein Herze	Choral-Dialog	S., B., Ob. I–II, Taille, Str., Bc. – C-Dur, ¾ (»Adagio«)
3	Ich bin vergnügt in meinem Leiden	var. Dc	S., V. solo, Bc. – d-Moll, ₵
5	Ich hab für mir ein schwere Reis / Nur getrost, getrost ihr Herzen	Choral-Dialog	S., B., Ob. I–II, Taille, Str., Bc. – C-Dur, ⅔

Die Bassarie »Ich geh und suche mit Verlangen« (BWV 49:2) zählt zu den Sätzen, in denen die solistische Instrumentalstimme durch die obligate Orgel vertreten wird. Da die Figuration nur die rechte Hand beschäftigt, konnte der Spieler des Soloparts auch den Continuo übernehmen.[284] Das Figurenwerk setzt sich aus ähnlichen Triolen zusammen, wie sie das sequenzierte Kopfmotiv eröffnen und in der Fortspinnung kettenweise verlängert werden. Die Bassstimme bildet eine vereinfachte Version der drei ersten Takte, die zu Achteln reduziert und zugleich auf zwei Takte kontrahiert werden, bevor sie in Sechzehnteln auslaufen. Von der vokalen Rhythmik, die auch den Generalbass beherrscht, heben sich desto deutlicher die triolischen Figuren der Orgelstimme ab. Obwohl sie sich mit dem Vokalpart kombinieren ließen, setzen sie gerade dort aus, wo sich mit dem Rückgriff auf die ersten Zeilen eine variierte Reprise ankündigt (T. 102–114). Doch folgen nochmals die beiden Zeilen des Mittelteils, ehe der Satz nach erneutem Rekurs auf die ersten Zeilen mit der Wiederholung des Ritornells endet. Der Grund für diese Disposition dürfte weniger in der Kürze des Textes als im Verhältnis zum folgenden Satz zu suchen sein, der wie ein Recitativo accompagnato für Sopran und Bass beginnt. Doch geht er nach sechs Takten in ein Duett über, das wie die vorangehende Arie im ⅜-Takt steht und zudem ihre erste Textzeile aufnimmt. Unverkennbar verbindet sich damit eine nach E-Dur versetzte Variante ihres Kopfmotivs, das allerdings anders fortgesponnen und von den Streichern begleitet wird. Setzt nochmals kurz das Rezitativ des Soprans ein, so wird es erneut als Duett fortgeführt und mit der gleichen Motivik der Streicher verbunden, ohne nochmals auf die erste Zeile zurückzukommen. Dass sie nur anfangs einmal erscheint, dürfte Bach dazu veranlasst haben, dem Kopfmotiv inmitten der Arie besonderen Nachdruck zu geben.

Der tänzerische Tonfall des Duetts erklärt sich aus dem Text, in dem der Autor das Gleichnis vom Königsmahl zum Anlass für Bezüge auf das Hohelied und die Tradition der Brautmystik nahm.[285] Das gilt auch für die folgende Sopranarie »Ich bin

---

[284] Der Orgelpart findet sich nur in der Partitur, während die Originalstimmen keine gesonderte Stimme für Organo obligato enthalten, vgl. NBA I/25, hrsg. von Ulrich Bartels, Vorwort, S. VI, sowie KB, S. 93.
[285] Dürr, Die Kantaten, Bd. 2, S. 489, nannte den Satz »ein regelrechtes Liebesduett im tänzerischen Dreiertakt, wie es jeder Oper der Zeit zur Zierde gereicht hätte«.

herrlich, ich bin schön« (BWV 49:4), die durch ihre Besetzung mit Oboe d'amore und Violoncello piccolo auffällt. Zwar beginnt das Ritornell als zweistimmige Fuge, deren Thema im Cello eingeführt und von der Oboe auf der V. Stufe beantwortet wird. Da es viereinhalb Takte beansprucht, nimmt die Exposition des Themas neun von zwölf Takten ein, sodass den komplementären Spielfiguren der Fortspinnung nur wenige Takte bleiben. Diese Figuren dienen der Begleitung des Soprans, während das Thema des Ritornells die Pausen ausfüllt. Erst auf den zweiten Blick zeigt sich, dass die Themeneinsätze in Imitationsfolgen angeordnet sind, die mehrfach kleine Kanons bilden und die Sopranstimme einbeziehen. Im ersten Teil beginnen sie mit zwei Einsätzen der Instrumente, die in eintaktigem Abstand auf der V. und I. Stufe eintreten. Da sich ein dritter Einsatz des Soprans auf der Unterterz anschließt, der von zwei weiteren im Cello und Sopran gefolgt wird, ergibt sich eine Folge von fünf Einsätzen, die in einen dreistimmigen Einklangskanon mündet (T. 17–24). Mit diesem Kanon beginnt die variierte Reprise, bevor die vorige Einsatzkette in transponierter Fassung wiederkehrt, die in einem zweistimmigen Kanon ausläuft (T. 59 f. und 64–70). Der Mittelteil hingegen begnügt sich mit den Figuren, mit denen die übrigen Takte der Rahmenteile bestritten werden. Die Pointe des Satzes liegt darin, dass die im Ritornell begonnene Fuge in eine Folge kanonischer Imitationen verwandelt wird.

Auch in BWV 58 erscheint als Mittelsatz eine Sopranarie, die jedoch nicht in der Fassung von 1727 erhalten ist. Während sie in der autographen Partitur und in den Stimmen für Sopran und Violine durch einen um 1733/34 ergänzten Satz ersetzt wurde, enthalten die Continuostimmen den Generalbass der ursprünglichen Fassung. Sie bildete eine Da-capo-Form in d-Moll für Sopran und Violine, die im $^{12}/_8$-Takt stand, was nicht heißen muss, dass ihr derselbe Text wie dem erhaltenen Satz zugrunde lag.[286] In der erhaltenen Fassung wird das Kopfmotiv des Ritornells sequenziert und mit Figuren fortgesponnen, die nicht weniger als neun der insgesamt zwölf Takte ausfüllen. Zwar wird das Incipit in den Rahmenteilen als Devise dem Sopran vorangestellt, der es anschließend wiederholt und erweitert, während es danach weder im A-Teil noch im Mittelteil erscheint. Stattdessen dominiert die Figuration der Violine, die den ganzen Satz durchzieht, ohne jedoch das Ritornell zu zitieren. Die auffällige Struktur ließe sich damit erklären, dass der Satz außerhalb der Probleme entstand, die Bach 1726/27 beschäftigten. Desto rätselhafter ist, was ihn dazu veranlasste, die ursprüngliche Fassung gegen die erhaltene Arie auszutauschen.

Prinzipiell andere Voraussetzungen bestanden in den Choral-Dialogen, die neben den gedichteten Texten und den Choraltexten die zugehörigen Melodien zu berücksichtigen hatten.[287] Dem ersten dieser Sätze (BWV 60:1, 1723) lag in der Paarung der Strophe »O Ewigkeit, du Donnerwort« mit einem Spruchtext (1. Mose 49:18) eine Kombination zugrunde, die nicht der Hilfe eines Dichters bedurfte. In BWV 49:6 liegen dagegen zwei Texte vor, die weder im Versmaß noch in der Zeilenzahl aufeinander abgestimmt sind.[288]

---

286   Vgl. NBA I/4, hrsg. von Werner Neumann, KB, S. 147 f.
287   Vgl. zum Folgenden auch die Hinweise oben in Kap. 9, S. XXX.
288   Während sich die erste Zeile der Dichtung auf Jer. 31:3 bezieht, lehnt sich die vorletzte an Offb. 3:20 an.

Dich hab ich je und je geliebet,	Wie bin ich doch so herzlich froh,
	Daß mein Schatz ist das A und O,
	Der Anfang und das Ende.
Und darum zieh ich dich zu mir.	Er wird mich doch zu seinem Preis
	Aufnehmen in das Paradeis,
	Des klopf ich in die Hände.
Ich komme bald,	Amen! Amen!
Ich stehe vor der Tür,	Komm, du schöne Freudenkrone, bleib nicht lange,
Mach auf, mein Aufenthalt.	Deiner wart ich mit Verlangen.

Denkt man sich zur Länge der Liedstrophe die Melodie hinzu, so dürfte einsichtig sein, dass der Satz auf den Choral ausgerichtet ist, in den sich der Text des Basses einordnen muss. Obwohl die Choralweise im Sopran auf Halbe gedehnt wird, füllt sie mit 66 von 177 Takten kaum mehr als zwei Fünftel des Satzes aus. Dass sich der Bass und der Orgelpart dennoch an ihr orientieren, zeigt am deutlichsten die erste Zeile. Ihr Initium umfasst einen Dreiklang, der im Bass um einen Takt verschoben und in der rechten Hand der Orgelstimme umspielt wird. Mit demselben Thema beginnt das Ritornell, sodass der Satz indirekt vom Choral gelenkt wird. Obwohl die Beziehungen nicht immer so offen zutage liegen, regiert der Cantus firmus auch die weiteren Kombinationsphasen. Zwar richten sie sich weniger an der Melodie als an der stufenreichen Klangfolge aus, die sich auf einen latenten Choralsatz zurückführen ließe. Wendet sich die erste Zeile zur Dominante, so lenkt die Klausel der zweiten auf deren Parallele, sodass erst die dritte Zeile zur Tonika zurückkehrt. Da der erste Abschnitt im zweiten Stollen wiederkehrt (T. 56–110 = 1–55), aus dessen Taktgruppen auch die Schlussphase besteht (T. 162–177 ~ 17–20 + 71–75 + 31–37), werden für die übrigen Zeilen nur 50 Takte neu gefasst (T. 111–161). Entscheidend ist die straffe Rhythmik im ¾-Takt, der durch Auftakte und punktierte Achtel markiert wird (Notenbeispiel 24). Die akkordische Füllung liefern die Streicher, deren Oberstimme – verstärkt durch die Oboe d'amore – zugleich die Kerntöne des Orgelparts akzentuiert, während die obligate Orgelstimme als Widerpart des Basses und des Chorals fungiert. Umspielt sie im Ritornell die Töne, die später im Bass liegen, so ergeben sich aus ihren Doppelschlägen ornamentale Spielfiguren, die sich in das vokale Duett einfügen.

In den Ecksätzen aus BWV 58 bestanden insofern andere Voraussetzungen, als die gedichteten Texte in der Zeilenzahl mit den Choralversen übereinstimmen. Die Melodie zu »Ach Gott, wie manches Herzeleid« umfasst nur vier Zeilen, sodass für die Zwischenspiele und die ausgedehnten Phasen des Basses genügend Raum blieb.[289] Während die Erstfassung 1727 nur Streicher vorsah, wurden 1733 oder 1734 drei Oboen zugefügt, die in den Ritornellen und Zwischenspielen die Streicher duplizieren. In beiden Sätzen steht den klagenden Worten der Anima der tröstliche Zuspruch Christi gegenüber, sodass zwei konträren Affekten zugleich gerecht zu werden war. Bach löste die Aufgabe durch eine kontrapunktische Struktur, deren C-Dur-Klänge von chromatischen Segmenten durchsetzt werden.

---

[289] Die Melodie, die in Satz 1 zur ersten Strophe aus Martin Mollers Lied erscheint, wird in Satz 5 mit der zweiten Strophe aus Martin Behms »O Jesu Christ, meins Lebens Licht« verbunden.

Notenbeispiel 24

Im ¾-Takt stehend, greift der erste Satz auf die punktierte Rhythmik »in Stylo Francese« zurück.[290] Indem die akkordischen Gruppen des Ritornells auf unbetonter Zählzeit ansetzen, richten sie sich als verlängerte Auftakte auf die betonten Werte. Die Taktgrenzen werden zudem durch synkopische Vorhaltdissonanzen verdeckt,

---

[290] In der autographen Partitur wurde die untere Vokalstimme im Altschlüssel notiert und nachträglich durch einen Vermerk dem Bass zugewiesen, vgl. NBA I/4, KB, S. 134, wo auch eine Skizze des Satzes mitgeteilt wird.

Notenbeispiel 25

während die Kadenzen der nächsten Gruppe überspielt werden. Einer ersten, die Tonika umkreisenden Gruppe entspricht eine zweite, die zur V. Stufe führt und mit der erweiterten Kadenzgruppe verbunden wird (T. 1–5^1, 5–9^1 sowie 9–17^1). Wird die erste Gruppe durch chromatischen Schritt des Continuo gefärbt (T. 2), so kehrt dieses Modell in der zweiten wieder (T. 6), während die Terz des G-Dur-Klangs in der Binnenkadenz erniedrigt wird, um zur II. Stufe zu führen (T. 9–12). An sie schließt sich eine Quintfolge an, deren Glieder durch chromatische Vorhalte verkettet werden (T. 13–16). Vereinfacht ließe sich von einer Folge verminderter Septakkorde reden, deren Grundtöne in Quinten angeordnet sind. Eine harmonische Reduktion übersähe jedoch die intervallische Konstruktion, in der die Stimmen durch vorgehaltene Septimen verschränkt werden (Notenbeispiel 25). Ohne gedehnt zu werden, läuft die erste Choralzeile ab, die ebenso wie die folgende erste Phase des Basses vom punktierten Modell des Ritornells begleitet wird. Seine chromatischen Linien klingen erst am Ende des Abschnitts an (T. 30–33 ~ 6–9), während nach der zweiten Choralzeile auf die Konstruktion der Kadenzgruppe zurückgegriffen wird (T. 39–42). Das anschließende Zwischenspiel erweist sich als Quinttransposition des Ritornells, dessen Kadenzgruppe diesmal von a-Moll ausgeht und damit auf die zweite Satzhälfte hinführt. Wiewohl sie der Anlage der ersten Zeilen entspricht, wird das Wort »Gang« in der Bassstimme durch Melismen ausgezeichnet, die zugleich auf das chromatische Modell des Ritornells treffen (T. 65–68 ~ 6–9), wogegen seine geschärfte Chromatik höchst sinnfällig mit dem Worte »Schmerzen« zusammenfällt (T. 79 f.).

War es in BWV 49:6 der Choral, auf den sich das Ritornell ausrichtete, so ist es in BWV 58 umgekehrt das Ritornell, in dessen Material sich die Choralzeilen einfügen. Offenbar ging es Bach weniger um die Choralbearbeitung als um ihre Paarung mit der Bassstimme, während er beide Schichten in die Konstruktion des Ritornells integrierte. Derselben Intention entspricht die energische Rhythmik des letzten Satzes, dessen Ritornell als steigender Dreiklang in Viertelnoten ansetzt und sich rasch zur Dominante wendet. Die Fortspinnung dagegen besteht aus einer Figurenkette, deren Sechzehntel auf diatonischen Quintschrittfolgen basieren. Sie sind so flexibel geformt, dass sie sich mit der ersten Choralzeile kombinieren lassen, während die erste Phase des Basses in die Wiederholung des Ritornells eingebaut wird

(T. 31–43 ~ 1–4). Nehmen seine letzten Takte den Beginn der zweiten Choralzeile auf, so wird die Fortsetzung des Instrumentalparts zur Zeilenklausel des Cantus firmus modifiziert, sodass sie mit der melismatischen Bassstimme gekoppelt werden kann (T. 44–58). Hier erst begegnet zum Wort »Angst« eine chromatische Linie, die sich vorerst auf den Vokalpart beschränkt (T. 43 f.). Doch wird sie von Varianten des instrumentalen Initiums abgefangen, dessen Fortspinnung eine abgeschwächte Version der chromatischen Trübung aufnimmt (T. 53). In gleicher Weise werden die zwei letzten Zeilen verarbeitet, während das abschließende Ritornell eine eindrucksvolle Variante des Vokaleinbaus umfasst. Setzt die Kopfgruppe auf der Subdominante F-Dur an, so umspielt die Bassstimme die Finalis des Chorals in einer Koloratur, deren Kadenz in einem Zitat des Initiums ausläuft. Es trifft zugleich mit der instrumentalen Fortspinnung des Ritornells zusammen, die durch den Bass ihre chromatische Trübung erfährt (T. 103). Erst nachträglich wird sichtbar, dass die Fortspinnungsgruppe auf einer Folge steigender Dreiklänge des Continuo basiert, deren synkopische Verschiebung in der vokalen Fassung begradigt wird, sodass sie mit der energischen Formulierung des Initiums zur Deckung kommt.

Die beiden Sätze aus BWV 58 differieren weniger in ihrer Anlage als in einer Rhythmik, die untrennbar mit der Konstruktion der Ritornelle zusammenhängt. In dem Maß, wie sie sich von dem Pendant in BWV 49 unterscheiden, ist ihnen eine Problemstellung gemeinsam, die als Kennzeichen dieser Dialoge gelten kann. Sie bilden damit ein Werkpaar, das den beiden früheren Dialogen des Jahrgangs gegenübersteht, während sie gleichzeitig an die Solokantaten anschließen, mit denen sie durch die solistische Besetzung verbunden sind. Die Dialoge nach Lehms machten zuerst sichtbar, wie Bach den Ausfall des Chores durch besonders eindrucksvolle Eingangssätze auszugleichen suchte. Zugleich teilen alle Dialoge die Problematik der dialogisch gespaltenen Affekte, deren äußerste Pointierung die Choral-Duette repräsentieren. Bei allen Besonderheiten sind die Dialoge beredte Beispiele für Bachs Strategie, gleiche Probleme in verschiedenen Lösungen zu umkreisen, die vielfach ineinandergreifen.

e. Nachlese

Bevor der dritte Jahrgang im Februar 1727 endete, entstanden zwei Kantaten, die keinem der genannten Werkkreise angehören. Während BWV 98 trotz des einleitenden Choralchorsatzes keine Choralkantate darstellt, wurde BWV 157 für eine Trauerfeier geschrieben und später für Mariä Reinigung verwendet. Dass im Juni 1727 die Pfingstkantate BWV 34 folgte, dürfte an ihrem Zusammenhang mit der Hochzeitsmusik BWV 34 liegen, deren genaue Datierung allerdings nicht feststeht.[291]

BWV 98 Was Gott tut, das ist wohlgetan (21. Sonntag nach Trinitatis 1726)

| 3 | Hört, ihr Augen, auf zu weinen | A – B (+ Zeile 1) | S., Ob., Bc. – c-Moll, 3/8 |
| 5 | Meinen Jesum laß ich nicht | var. Dc | B., V. I–II, Bc. – B-Dur, ₵ |

---

[291] Vgl. Tatjana Schabalina, Neue Erkenntnisse zur Entstehung der Kantaten BWV 34 und 24a, in: BJ 2010, S. 95–109.

BWV 157 Ich lasse dich nicht (Trauermusik 1727, hernach zu Maria Reinigung – Henrici)

| 2 | Ich halte meinen Jesum feste | A – B – B (+ Zeile 1) | T., Ob. d'am., Bc. – fis-Moll, ⅜ |
| 4 | Ja, ja, ich halte Jesum feste | A – B – C – Rezitativ | B., Trav., V. solo, Bc. – D-Dur, c |

BWV 34 O ewiges Feuer, o Ursprung der Liebe (1. Pfingsttag 1727)

| 3 | Wohl euch, ihr auserwählten Seelen | var. Dc | A., Trav. I–II in 8va, Str., Bc. – A-Dur, c |

Während sich der Choralchorsatz »Was Gott tut, das ist wohlgetan« (BWV 98:1) als Variante früherer Satzarten erwies,[292] fordern die Arien dieses Werkes nur eine obligate Instrumentalstimme. Das Ritornell der Sopranarie »Hört, ihr Augen, auf zu weinen« (BWV 98:3) enthält eine Oboenstimme, deren Kopfgruppe vom Vokalpart übernommen wird, während die Glieder der Fortspinnung in den Zwischenspielen verwendet werden. Als Beispiel sei der zweite Einsatz des Soprans genannt, in dem das Kopfmotiv wiederholt (T. 25–28 ~ 1–4) und mit dem vorletzten Takt des Ritornells kombiniert wird (T. 25 f. ~ 14), wogegen die Oboenstimme der folgenden Takte auf weitere Glieder des Ritornells zurückgeht (T. 29–32 ~ 5–8, T. 34 ~ 13, T. 36–39 ~ 1–4 usf.). Nicht ganz so offen liegen die Beziehungen im B-Teil zutage, dessen Instrumentalpart aber ebenso auf die Figuren der Fortspinnung verweist. Besonders eindrucksvoll ist der abschließende Rückgriff auf die erste Zeile, deren Text nach beiden Durchgängen der zweiten Hälfte wiederkehrt (T. 93–104). Da die gedruckte Vorlage fehlt, ist ungewiss, ob die Wiederholung vom Textautor vorgesehen oder von Bach zugefügt wurde. Die Melismen jedoch, die das Wort »weinen« hervorheben, werden am Ende des Satzes so erweitert, dass sie als Ziel des ganzen Verlaufs erscheinen.

Dass der Text der zweiten Arie die erste Zeile des Liedes »Meinen Jesum laß ich nicht« zitiert, nahm Bach zum Anlass, auf die entsprechende Melodiezeile zurückzugreifen (BWV 98:5). Allerdings beschränkt sich das Zitat auf den Vokalpart, während der Instrumentalpart auf die Motivik des Ritornells zurückgeht. Das Kopfmotiv wird mehrfach variiert und mit dem Vokalpart gekoppelt, während die skalare Fortspinnung in die vokalen Abschnitte eingefügt wird (so T. 31–32 ~ 9–10). Wäre es darum gegangen, das Werk in die Nähe der Choralkantaten zu rücken, so hätte es nahegelegen, die abschließende Arie auf das Choralzitat zu konzentrieren. Da das unterblieb und auch ein Schlusschoral fehlt, lässt sich nicht von einer Choralkantate reden. Dagegen nähert sich die Kantate »Auf Christi Himmelfahrt allein« (BWV 128) den Choralkantaten, weil der einleitende Choralchorsatz von einem Schlusschoral – wiewohl aus einem anderen Lied – beantwortet wird. Da die Stimmen dieses Werks in Leipzig vorliegen, gehörten sie zum Erbteil Anna Magdalena Bachs und wurden offenbar den Choralkantaten des zweiten Jahrgangs zugezählt.[293] Weil das aber nicht für BWV 98 gilt, bleibt das Werk ein Sonderfall.

---

[292] Vgl. oben, Teil VI, Kap. 3d.
[293] Die autographe Partitur zählt ebenso wie die Originalstimmen zum Berliner Bestand (P 160 bzw. St 98).

Sofern die Kantate »Ich lasse dich nicht« (BWV 157), die in Penzels Kopie Mariä Reinigung zugewiesen ist, der Trauermusik entsprach, die im Gedenkgottesdienst für Johann Christoph von Ponickau am 6. Februar 1727 erklang, würde sie in die Nachbarschaft der zum 2. und 9. Februar entstandenen Solokantaten BWV 82 und 84 gehören.[294] Bei bescheidener Besetzung, die nur im Schlusschoral vier Vokalstimmen fordert, stellen beide Arien nicht geringe Ansprüche an die Mitwirkenden. Die Tenorarie »Ich halte meinen Jesum feste« (BWV 157:2) gönnt der solistischen Oboe d'amore nur in acht von 218 Takten kurze Pausen und verbindet schon im umfangreichen Ritornell höchst kantable und geradezu virtuose Passagen. Zweimal auf der Quinte ansetzend, wird der gedehnte Ausgangston – dem im Tenor das Wort »halte« entspricht – von aufwärts schwingenden Wendungen abgelöst, die beidemal verschieden ausfallen. Erst nach zwei weiteren Varianten schließt sich die ausgedehnte Fortspinnung an, in der die Haltetöne mit kurzen Figuren wechseln und am Ende in einer Kette von Zweiunddreißigsteln auslaufen. So wechselvoll wie die Fortspinnung ist ihre Paarung mit dem Vokalpart, der nur das Kopfmotiv übernimmt, um danach in Achtelbewegung zu verlaufen und mitunter die instrumentalen Figuren aufzugreifen. Wie die Oboe nur ausnahmsweise einzelne Taktgruppen des Ritornells zitiert (T. 123–130 ~ 1–7), dessen Material sie ständig neu ausspinnt, geht auch die Tenorstimme nur vereinzelt auf das Ritornell zurück. Von ihm zehrt der Satz zwar durchweg, ohne jedoch auf Zitate oder auf die Einbautechnik angewiesen zu sein, die sich nur einmal andeutet (T. 164–170 ~ 1–7). Zwar kommt es gelegentlich zu Imitationen (wie in T. 45 ff.), doch bleiben die Stimmen weithin voneinander unabhängig. So sind es vor allem die rhythmischen Zellen des Ritornells, die in beiden Stimmen mit wechselnden intervallischen Varianten gepaart werden, während kadenzierende Zäsuren umgangen oder überspielt werden (vgl. T. 44 und T. 56). Erst der zweigliedrige B-Teil greift auf die Figuren zurück, die vor dem Ende des Ritornells eingeführt worden waren. Dass sie hier auf das Wort »Gewalt« entfallen (T. 115–119 bzw. 155–159), schließt weder intervallische Varianten noch die Paarung mit der Eingangszeile des A-Teils aus. Fast scheint es, als habe Bach erproben wollen, wieweit sich der Verlauf durch rhythmische Beziehungen steuern lasse, ohne seine Kohärenz zu gefährden.

Ein Sonderfall ist auch die Bassarie »Ja, ja, ich halte Jesum feste« (BWV 157:4), die als zweiteiliger Satz mit abschließendem Rekurs auf die erste Zeile beginnt, aber durch einen rezitativischen Anhang erweitert wird, in den die Zeilen der Arie eingeblendet werden. Doch bildet der Satz kein Experiment, das sich der Entscheidung des Komponisten verdankt. Wie im rezitativischen Einschub aus BWV 199:2 war Bach auf einen Dichter angewiesen, der ihm Gelegenheit für solche Formen gab. Ungleich klarer als in der ersten Arie basiert der Satz auf dem Ritornell, das wie eine Fuge beginnt, aber rasch in eine freie Fortspinnung übergeht. Während sich die Zwischenspiele auf die Fortspinnung stützen, werden die vokalen Abschnitte vom Thema eröffnet und danach mit Varianten der Fortführung gepaart. Dass sich das Verfahren auf alle drei Teile erstreckt, trägt umso mehr zur Geschlossenheit des Satzes bei, als die letzten Zeilen nochmals auf der Tonika wiederkehren.

---

294 Zum Eingangssatz vgl. Klaus Hofmann, in: BJ 1983, S. 51–80.

Rit.	A	Zs.	B	Zs.	C	Zs.	C'	Rez.	(A) adagio (B)	Rez.	(C)	Ns.
–	Z. 1–2	–	3–4	–	5–6	–	5–6	7–10	1–2, 11–12, 3–4	13–16	5–6	–
T. 1	13	36	42	50	54	62	65	74	79–82–86–89	89	94	110–113
T	T–D	D	D–Tp	Tp	Tp–S	S–D	T	T–D	T–Tp–Dp	Tp–T	T	T

Rit. = Ritornell, Rez. = Rezitativ, Zs. = Zwischenspiel, Ns. = Nachspiel, Z. = Zeilen, T. = Takte (bezogen auf den Beginn der Abschnitte)

Desto überraschender ist der Wechsel zum Rezitativ (T. 74–78), das nach fünf Takten im Rückgriff auf die Arie abbricht. Werden auch die weiteren Einschübe von Rekursen auf die Arie abgelöst, so greifen die beiden Schichten am engsten ineinander, wo die ersten Zeilen in einem Accompagnato mit begleitendem »Tremolo« münden, das in das Zitat des letzten Zeilenpaars übergeht (T. 79–89). Gerade hier wird deutlich, dass Bachs Verfahren nicht ohne einen Dichter möglich war, der das letzte Rezitativ mit den Zeilen der Arie enden ließ.[295]

Nimmt man diesen singulären Satz und die ebenso individuelle Tenorarie mit dem Eingangssatz zusammen, der in vokalen Kanons mit instrumentalen Imitationen kulminierte, so erscheint BWV 157 als ein ungewöhnlich komplexes Werk, dessen Anlage auf den besonderen Anlass zurückweist. Ob Bach Verbindungen zu dem Verstorbenen hatte, dessen Gedächtnis die Trauerfeier galt, ist unbekannt. Doch genügt es zu wissen, dass es wie im »Actus tragicus« BWV 106 ein Trauerfall war, der ihn zu diesem Ausnahmewerk anregte.

Sofern am ersten Pfingsttag 1727 die Kantate BWV 34 aufgeführt wurde, dürfte ihre weltliche Fassung als Hochzeitskantate vorangegangen sein, deren Vorlage der Textdichter wohl wie im Fall des Osteroratoriums im Blick auf die doppelte Verwendung geplant hatte. Nach der Zusammenarbeit in BWV 157 liegt es nahe, auch hier in Henrici den Autor beider Texte zu vermuten. Wie in den Chorsätzen mussten in der Altarie »Wohl euch, ihr auserwählten Seelen« (bzw. »Schafe«) nur einzelne Worte ausgetauscht werden, um sich an die Gemeinde statt an ein Brautpaar zu richten. Die Feststellung, es handle sich um eine variierte Da-capo-Form, deren Rahmenteile die beiden ersten Zeilen verwenden, während der Mittelteil drei weitere Zeilen zweimal durchläuft, sagt nichts über die Struktur und den berückenden Klang des Satzes. Obwohl das Kopfmotiv dem Beginn der Arie »Schlummert ein, ihr matten Augen« (BWV 82:3) gleicht, fügt es sich in einen ganz anderen Kontext ein. Statt sich wie dort zum Grundton zu wenden, wird es wiederholt und mit einem in Achtel aufgelösten Orgelpunkt verbunden, sodass es zwei Takte lang um sich selbst zu kreisen scheint, bevor die weiteren Glieder folgen, in denen der Continuo die Subdominante und Dominante umschreibt (T. 1–4 + 6–7). Bevor der Satz wieder auf dominantischem Orgelpunkt ruht, wird in den Violinen und duplierenden Flöten eine Kette »geschuppter« Sechzehntel eingefügt, die erst später zur Geltung kommt. Wiederholt der A-Teil zunächst die ersten vier Takte, in denen der Alt die instrumentale Oberstimme verdoppelt (T. 9–12 ~ 1–4), so bekräftigt ein zweitaktiger Einschub (T. 13–14)

---

[295] Die Bezeichnungen »Recitativo« bzw. »Arioso« in der NBA entsprechen den von Penzel geschriebenen Stimmen, vgl. NBA I/34, KB, S. 27 f., 33 und 37 f.

die Dominante, auf der sich die weiteren Gruppen des Ritornells anschließen, um aber durch einen Takt mit der »geschuppten« Figur erweitert zu werden (T. 17). Nach einigen weiteren Takten, in denen der Vokalpart nur sparsam instrumental gestützt wird, läuft der A-Teil aus. Statt das Ritornell zu wiederholen, greift das erste Zwischenspiel auf die »geschuppten« Figuren zurück, die zuvor kaum hervortraten. Denkbar anders wird der belehrende Text des Mittelteils abgehandelt, der dem Vokalpart überlassen ist und nur ein kurzes Zwischenspiel aufweist. So könnte die Reprise dem A-Teil gleichen, in dem nur das modulierende Scharnier geändert werden müsste. Statt des Ritornells kehren aber nur seine ersten Takte wieder, die dann nochmals mit Vokaleinbau erscheinen und in einem Zwischenspiel auslaufen, bevor die weiteren Gruppen folgen und durch das kurze Nachspiel ergänzt werden.

All solche Hinweise erklären nicht die bestrickende Wirkung, die von dem Thema ausgeht und trotz aller Wiederholungen nicht ihren Reiz verliert. Sie gründet vor allem in den synkopischen Impulsen, die den Orgelpunkt umkreisen und die dominantischen Stufen akzentuieren. Indem die Violinen von zwei Traversflöten oktaviert werden, entfaltet der Satz einen pastoralen Zauber, dem man sich nur schwer entziehen kann. Was in heutiger Sicht als Akkordfolge erscheint, basiert auf einem kontrapunktischen Gerüst, das am Verhältnis zwischen den Oberstimmen und dem Bass abzulesen ist. Treten die Terz und die Septim der V. Stufe auf unbetonter Zeit über dem Grundton ein, so werden sie durch synkopische Dehnung zu betonten Dissonanzen, die sich auflösen, bevor sich die Wendung wiederholen kann.

Die drei zuletzt erörterten Kantaten fallen zwar in den Zeitraum des dritten Jahrgangs, ohne jedoch den übrigen Werkgruppen anzugehören. Während BWV 98 zum Umfeld der nachgetragenen Choralkantaten zählt, werden in BWV 157 und 34 die Folgerungen aus Problemen gezogen, die Bach früher beschäftigt hatten. Dazu rechnet die kontrapunktische Anlage der Einleitungssätze und die Integration des Rezitativs in BWV 157:4 oder die Arbeit mit rhythmischen Formeln in der Tenorarie dieses Werks, während die Anlage der Altarie aus BWV 34 eine singuläre Lösung bleibt.

8. Arioso und Accompagnato

Mehr als die Hälfte der Werke des dritten Jahrgangs enthält Rezitative, die partiell als Accompagnato oder Arioso angelegt sind. Damit werden Verfahren, die zuvor Ausnahmen waren, fast zur Regel. Ein erstes Beispiel ist das Accompagnato »Es ist nur fremdes Gut« (BWV 168:2), in dem die begleitenden Oboi d'amore am Ende zu Dreiklangsbrechungen wechseln. Dass ein schlichtes Accompagnato höchst wirkungsvoll sein kann, zeigt der Satz »So, wie der Hirsch nach frischem Wasser schreit« (BWV 148:3), der »die Kinder dieser Nacht« mit verminderten Septakkorden auszeichnet, um danach desto inniger zu enden: »denn Gott wohnt selbst in mir«. Ein ähnlicher Prozess vollzieht sich in dem Accompagnato »Wer sollte sich demnach wohl hier zu leben wünschen« (BWV 170:4). Während das Zwiegespräch zwischen Jesus und der Seele in BWV 57 als Secco-Rezitativ vertont ist, ist der Satz aus BWV 32 als Accompagnato angelegt, in dem die Paraphrase des Psalmverses als »Tremolo« der Streicher abgehoben wird (T. 8 ff.: »wie lieblich ist doch deine Wohnung« nach Ps. 84:2–3).

Obwohl sich die Accompagnati zumeist auf akkordischen Streicherpart beschränken, werden mitunter einzelne Worte figürlich hervorgehoben (so die raschen Skalenfiguren zum Ausruf »Flügel her!« in BWV 27:4). Seltener verbindet sich damit ein motivisches Gepräge, wie es in BWV 168:2 begegnet (»Wie kann ich dir, gerechter Gott, entfliehen?«). Wie hier handelt es sich dann zumeist um gebrochene oder repetierte Akkordfolgen (in BWV 43:6 »Es kommt der Helden Held«) oder kleine Drehfiguren (in BWV 102:6 »Bei Warten ist Gefahr«). Nur ausnahmsweise erreichen solche Wendungen die Prägnanz der Sätze aus der »Kreuzstab«-Kantate, in der die Rede von der »Schiffahrt« 20 Takte in wiegenden Dreiklangsfiguren veranlasst (BWV 56:2). Indem sie zu den Worten »So tret ich aus dem Schiff« aussetzen, wird die Rückkehr zum Secco zum Ziel des Satzes. Während der Wechsel hier durch die Worte bedingt war, greift das zweite Rezitativ am Ende auf den Mittelteil des Eingangssatzes zurück (»Da leg ich den Kummer auf einmal ins Grab«).

Dass ein kunstvolles Rezitativ dissonanzreiche Modulationen enthalten konnte, zeigt das Musterbeispiel, das Mattheson mitteilte.[296] Entsprechend moduliert das Accompagnato »Ach, wer doch schon im Himmel wär« (BWV 146:4) in drei Takten von g-Moll nach b- und f-Moll, um vier Takte später fis-Moll zu erreichen und danach wieder nach g-Moll zurückzulenken. Der Satz bietet zugleich ein Beispiel enharmonischer Notierung, wobei der Ton *gis^1* im Sopran als *as^1* erscheint, um nach c-Moll zu lenken (T. 11). Im Secco »Mein liebster Heiland« (BWV 13:2) gibt die Furcht, Gott »vergebens« anzurufen, den Anlass für ein ausgedehntes Melisma, in dem sich Vorhaltdissonanzen mit »neapolitanischen« Sextakkorden verbinden (T. 8–11). Die Ausführung in festem Taktmaß, die hier durch die rhythmische Notierung gefordert ist, wird sonst vielfach durch die Angabe »arioso« vorgeschrieben. Wie sich zeigte, fehlt sie in den solistischen Spruchvertonungen, die gleichwohl entsprechend auszuführen sind. Da die Neue Bach-Ausgabe sowohl die Autographe als auch die Originalstimmen berücksichtigte, ist nicht immer zwischen den Angaben Bachs und denen der Kopisten zu unterscheiden, sodass sich die Differenzen nur dann ermitteln lassen, wenn man die Kritischen Berichte heranzieht. Eine Reihe von Stichproben ergab jedoch, dass Bach den Begriff »arioso« primär als Bezeichnung rhythmisch fixierter Abschnitte in Rezitativen verwendete. Zwei Beispiele finden sich in BWV 32 »Liebster Jesu, mein Verlangen«. Obwohl das erste Rezitativ »Was ists, dass du mich gesuchet?« auf einen Bibeltext zurückgeht (Lk. 2:49a), wird es weder als Accompagnato noch als »arioso« hervorgehoben, da der biblische Wortlaut durch eine Paraphrase ersetzt wird, die sich an die »Anima humana« richtet (BWV 32:2). Das zweite Rezitativ bildet als Dialog zwischen »Jesus« und der »Seele« ein Accompagnato, in dem das Psalmzitat durch die rhythmische Begleitung markiert wird, ohne als »arioso« bezeichnet zu werden. Andererseits zeigt ein viertaktiger Abschnitt im Rezitativ BWV 164:2 die Angabe »arioso«, obwohl die Melismen darauf hinweisen, dass ein festes Zeitmaß gefordert ist (T. 3–6: »Die mit Barmherzigkeit den Nächsten hier umfangen«). Maßgeblich war offenbar die Unterscheidung dieser Takte vom vorangehenden und vom anschließenden Secco.

---

296 Der vollkommene Capellmeister, S. 190 f.

Trotz der Abstufung der Rezitative begegnen ariose Abschnitte nicht so häufig wie in den Weimarer Kantaten und im ersten Leipziger Jahrgang. Entfielen sie im zweiten Jahrgang besonders auf Choralzeilen, die in gedichtete Rezitative eingefügt waren, so umfassten die »Meininger« Vorlagen als Binnensätze vielfach Bibeltexte, die nicht als Rezitative, sondern als Ariosi vertont wurden, ohne entsprechend bezeichnet zu werden. Andererseits konnten Bibelworte in solistischen Eingangssätzen wie denen aus BWV 57 und BWV 88 in einer Weise erweitert werden, die sie weithin den Arien anglich, ohne dass sie jedoch als »Aria« benannt wurden. Wollte man Bachs Terminologie genauer belegen, so wäre eine systematische Untersuchung der Quellen erforderlich, die hier zu weit führen würde. Offenbar war Bach aber daran gelegen, bei der Fülle der Chorsätze und Arien die Rezitative eher knapp zu fassen als zu erweitern. Dass sie dennoch oft eindringlich genug ausfallen, muss nicht eigens gesagt werden. Bezeichnend ist jedoch, dass die ariose Satzweise, die im Rezitativ bedeutsame Aussagen oder Bibelzitate auszeichnete, einerseits für ganze Sätze verwendet und andererseits als Brücke zur Arie eingesetzt wurde. Das erste Beispiel dieser Verklammerung begegnete im ersten Rezitativ aus BWV 72, das weithin als Arioso angelegt ist, während die Schlussklausel harmonisch auf die folgende Arie gerichtet ist (BWV 72:2–3). In ähnlicher Weise wird der zweite Satz aus BWV 169 mit der anschließenden Arie »Gott soll allein mein Herze haben« verbunden, wogegen das erste Rezitativ aus BWV 49 zum Duett erweitert wurde (BWV 49:2). Schlägt das letzte Rezitativ aus BWV 56 den Bogen zum Eingangssatz zurück (BWV 56:4), so nimmt die letzte Arie aus BWV 157 rezitativische Glieder auf, die sich zum Arioso verdichten (BWV 157:4).

All diese Maßnahmen setzten geeignete Texte voraus. Bach scheint daher auf Vorlagen geachtet zu haben, die solche Verbindungen ermöglichten. Offenbar ging es ihm nicht um die Unterscheidung zwischen Sätzen und Satzarten, sondern um Kreuzungen, die den Abstand zwischen den Rezitativen und den Arien verringerten. Sie entsprechen nicht nur den Kombinationsformen der Eingangschöre, sondern auch den Tendenzen der Arien, in denen die Korrelationen zwischen der Besetzung und der Satztechnik zunehmend durchlässig werden.

9. Trauerode und Markus-Passion

Nachdem am 5. September 1727 die sächsische Kurfürstin Christiane Eberhardine gestorben war, bat der Student Hans Carl von Kirchbach die Universität um die Genehmigung eines Trauerakts in der Paulinerkirche. Zuvor schon hatte er Gottsched um eine Dichtung gebeten, mit deren Komposition er Bach beauftragt hatte. Da Johann Gottlieb Görner als akademischer Musikdirektor den Auftrag beanspruchte, verband die Universität ihre Zustimmung mit der Auflage, Görner mit der Komposition zu beauftragen.[297] Als Kirchbach darauf hinwies, Bach habe bereits »seit

---

[297] Dok. II, Nr. 225–226 (9.9.1727). Vgl. die Darstellung von Werner Neumann, in: NBA I/38, KB, S. 126, sowie Alfred Dürr, Bachs Trauer-Ode und Markus-Passion, in: NZfM 124, 1963, S. 459–466.

8. Tagen dran componiret«, wurde ihm auferlegt, Görner zu entschädigen und Bach bestätigen zu lassen, dass er zu weiteren Aufführungen »nicht berechtiget wäre«.[298] Nachdem die Auflagen erfüllt worden waren, konnte am 17. Oktober 1727 die Trauerfeier stattfinden, in der Bach die Trauerode BWV 198 »Laß, Fürstin, laß noch einen Strahl« leitete.

Bachs Textfassung unterscheidet sich von der gedruckten Vorlage nicht nur in manchen Details, sondern vor allem in der formalen Disposition.[299] Während Gottscheds Ode neun Strophen mit acht vierhebigen Jamben umfasst, besteht Bachs Werk aus drei Chorsätzen, vier Rezitativen und drei Arien.[300] Nicht grundlos sprach der Leipziger Chronist Christoph Ernst Sicul von einer »Trauer-Music, so dießmahl der Herr Capellmeister, Johann Sebastian Bach, nach Italiänischer Art componiret hatte«.[301]

Satz 1	Laß, Fürstin, laß noch einen Strahl (Chor)	Strophe I, Zeilen 1–4
Satz 2	Dein Sachsen, dein bestürztes Meißen (Recitativo)	I, 5–8 + II, 1–4
Satz 3	Verstummt, verstummt ihr holden Saiten (Aria)	II, 5–8
Satz 4	Der Glocken bebendes Getön (Recitativo)	III, 1–8
Satz 5	Wie starb die Heldin so vergnügt (Aria)	IV, 1–4
Satz 6	Ihr Leben ließ die Kunst zu sterben (Recitativo)	IV, 5–8 + V, 1–4
Satz 7	An dir, du Fürbild großer Frauen (Chor)	V, 5–8
Satz 8	Der Ewigkeit saphirnes Haus (Aria)	VI, 1–8
Satz 9	Was Wunder ists? Du bist es wert (Recitativo)	VII, 1–8 + VIII, 1–8
Satz 10	Doch, Königin! Du stirbest nicht (Chor)	IX, 1–8

Von anderen Kantaten unterscheidet sich das Werk weniger formal als durch den Text und die Besetzung. Neben Streichern werden je zwei Traversflöten und Oboi d'amore und überdies zwei Gamben und zwei Lauten verwendet. Da das gleichförmige Versmaß der Ode an die Stelle der madrigalischen Dichtung tritt, werden die Rezitative in kurze Teilglieder getrennt, die durch den obligaten Instrumentalpart verbunden werden. Die Zeilen des ersten Rezitativs (Satz 2) werden – um ein Beispiel zu nennen – zunächst in Halbzeilen aufgeteilt und erst am Ende im Zusammenhang deklamiert. Das gilt auch für das dritte Rezitativ (Satz 6), während die Zeilen des zweiten Rezitativs (Satz 4) durch interne Modulationen markiert werden. Statt die Strophen 7–8 auf zwei Sätze zu verteilten, werden sie im letzten Rezitativ (Satz 9) zusammengefasst und wechselnd als Secco, Arioso und Accompagnato vertont.[302]

---

298   Dok. II, Nr. 227 (11. 10. 1727) und Nr. 228 (11.–13. 10. 1727). Der Revers liegt in einem Exemplar ohne Bachs Unterschrift vor, vgl. ebd., Nr. 228, Kommentar II.
299   Der Text liegt in insgesamt fünf Drucken vor, als Vorlage Bachs gilt ein 1727 datierter Präsentdruck, vgl. Dürr, S. 460 f. sowie NBA I/38, KB, S. 120 ff.
300   Vgl. ebd., S. 124 f.
301   Dok. II, Nr. 232.
302   Wie Dürr vermutete (a. a. O., S. 463), könnte Bach in »zeitliche Bedrängnis« gekommen sein.

1	Laß, Fürstin, laß noch einen Strahl	S., A., T., B., Trav. I–II, Ob. d'am. I–II, Str., Va. da gamba I–II, Liuto I–II, Bc. – h-Moll, ₵
2	Dein Sachsen, dein bestürztes Meißen	S., Str., Bc. – fis-Moll, ₵
3	Verstummt, verstummt ihr holden Saiten	S., Str., Bc. – h-Moll, ₵
4	Der Glocken bebendes Getön	A., Trav. I–II, Ob. d'am. I–II, Str., Va. da gamba I–II, Liuto I–II, Bc. – D-Dur → fis-Moll, ₵
5	Wie starb die Heldin so vergnügt	A., Va. da gamba I–II, Liuto I–II (Bc.?) – D-Dur, 12/8
6	Ihr Leben ließ die Kunst zu sterben	T., Ob d'am. I–II, Bc. – G-Dur → fis-Moll, ₵
7	An dir, du Fürbild großer Frauen	Besetzung wie Satz 1 – h-Moll, 2/2
8	Der Ewigkeit saphirnes Haus	T., Trav. I, Ob d'am. I, V. I–II, Va. da gamba I–II + Liuto I–II, Bc. – e-Moll, 3/4
9	Was Wunder ists? Du bist es wert	B., Trav. I–II, Ob. I–II, Bc. – fis-Moll → h-Moll, ₵
10	Doch, Königin! Du stirbest nicht	Besetzung wie Satz 1 – h-Moll, 12/8

Der akkordische Orchestersatz des Eingangschors wird durch punktierte Rhythmik geprägt, die im Vokalpart zu gebundenen Sechzehnteln geglättet wird. Schon das Vorspiel lässt erkennen, dass die Bläser und die Gamben konzertierend aus dem Tutti hervortreten (T. 1, 3–5 und 7), mit dem sie in den Kadenzgliedern verbunden werden (T. 6f. und 8f.). Dasselbe Verfahren bestimmt den Vokalpart, dessen letzte Zeilen vom Orchester colla parte begleitet werden. Einem ersten Block, der von h- nach fis-Moll moduliert (T. 11–37), steht ein zweiter gegenüber, der von e- nach h-Moll führt (T. 43–56). Lenkt das Zwischenspiel von h- nach e-Moll (T. 37–42), so wird das abschließende Ritornell durch Vokaleinbau erweitert (T. 57–58 ~ T. 1–2, T. 61–69 ~ 3–11). Nicht ganz so kompliziert ist der fugierte Satz 7 (»An dir, du Fürbild großer Frauen«), der aus zwei Durchführungen und einem Zwischenspiel besteht. In der ersten Durchführung werden die Stimmpaare bei regelmäßigem Wechsel zwischen Dux und Comes durch sechs Takte getrennt (T. 1–17), während in der zweiten Durchführung zwei Einsätze durch thematische Varianten ergänzt werden (T. 46–59). Beide Durchführungen werden mit instrumentalen Figuren gekoppelt, die sowohl die akkordischen Schlussglieder als auch das Zwischenspiel begleiten. Von zwölftaktigen Ritornellen umrahmt, gliedert sich der Schlusschor (Satz 10 »Doch, Königin! du stirbest nicht«) in zwei wiederholte Vokalteile mit begleitendem Orchester. Der liedartige Charakter des Satzes verdankt sich dem 12/8-Takt, in dem das metrische Gleichmaß der Verse mehr als sonst zur Geltung kommt.[303]

Dass die Arie »Wie starb die Heldin so vergnügt« (Satz 5) nicht ebenso liedhaft wirkt, liegt an den synkopischen Wendungen, die das Ritornell und ebenso den Vokalpart prägen. Der A-Teil beruht fast durchweg auf Vokaleinbau (T. 9–12 ~ 1–4, T. 18–23 ~ 1–7), der in der variierten Reprise transponiert und zugleich modifiziert wird (T. 54–62 ~ 1–16, T. 64–68 ~ 17–24), während der Mittelteil neu gefasst wird (T. 34–53). Auch der A-Teil der letzten Arie (Satz 8 »Der Ewigkeit saphirnes Haus«) basiert auf der Einbautechnik (T. 22–34^1 ~ 1–13^1 und T. 34–41^1 ~ Continuo T. 13–19^1 mit geändertem Vokalpart), während der erweiterte B-Teil neu gefasst ist. Dagegen

---

[303] Vgl. ebd., S. 463.

wird die erste Arie (Satz 3 »Verstummt, verstummt, ihr holden Saiten«) mit der Motivik des Ritornells bestritten, ohne auf das Einbauverfahren zurückzugreifen.

Als weltliches Gelegenheitswerk wäre die Trauerode hier nicht zu erwähnen, wenn Bach sie nicht 1731 in der verschollenen Markus-Passion (BWV 227) verwendet hätte. Henricis Textdruck lässt erkennen, dass dem Eingangs- und dem Schlusschor sowie drei Arien die Rahmenchöre und Arien der Trauerode zugrunde lagen.[304] Offenbar hatte Bach die Absicht, diese Sätze in der Passion zu verwenden.[305]

Trauerode		**Markus-Passion**	
Satz 1	Laß, Fürstin, laß noch einen Strahl	Satz 1	Geh, Jesu, geh zu deiner Pein
Satz 3	Verstummt, verstummt, ihr holden Saiten	Satz 17	Er kommt, der kommt, er ist vorhanden!
Satz 5	Wie starb die Heldin so vergnügt	Satz 9	Mein Heiland, dich vergess ich nicht
Satz 8	Der Ewigkeit saphirnes Haus	Satz 24	Mein Tröster ist nicht mehr bei mir
Satz 10	Doch, Königin! du stirbest nicht	Satz 46	Bei deinem Grab und Leichen-Stein

Da die Passion verschollen ist, bleibt ungewiss, ob es sich um Parodien oder neue Fassungen handelte.[306] Aufgrund des vierjährigen Abstands der Werke dürften die Sätze ähnlich eingreifend wie in den analogen Fällen des zweiten und dritten Jahrgangs umgearbeitet worden sein. Es wäre daher ein Missverständnis, den Sätzen der Trauerode die Texte der Passion zu unterlegen, um auf diese Weise die Markus-Passion zu rekonstruieren.

10. Resümee

Wie sich zeigte, bildete der dritte Jahrgang weder einen geschlossenen Zyklus noch eine Folge einzelner Werke. Die Textvorlagen deuteten vielmehr auf zwei verschiedene Gruppen, die durch eine Zäsur zwischen dem Januar und dem Mai 1726 getrennt waren. Einer ersten Gruppe mit Texten von Franck, Lehms und Neumeister folgte seit Himmelfahrt die Reihe der Kantaten, die auf die aus Meiningen stammenden Texte zurückgingen, daneben aber auch Vorlagen anderer Herkunft umfassten, während die Autoren weiterer Texte unbekannt sind.

Bachs Arbeit vollzog sich offenbar in mehrfachen Kreisen, die sich überschnitten und in ihrer zeitlichen Folge kreuzten. Sie nötigte daher zu einer systematischen Trennung von Satzgruppen, deren Unterschiede gesondert zusammenzufassen waren. Statt den Befund für die verschiedenen Gruppen erneut zu rekapitulieren, bleibt rückblickend zu fragen, wieweit der Bestand dieser Werke durch eine übergreifende Strategie geleitet war.

---

[304] Picanders Ernst-Schertzhaffte und Satyrische Gedichte, Dritter Theil, Leipzig 1732, S. 49–67, Faksimile in BT, S. 326–332.
[305] Vgl. NBA II/5, hrsg. von Alfred Dürr, KB, S. 248f. und 261–266.
[306] Zu den Versuchen, weitere Arien der Passion mittels ihrer mutmaßlichen Vorlagen wiederzugewinnen, vgl. Dürr, ebd., S. 248f., sowie Friedrich Smend, Bachs Markus-Passion, in: BJ 1939, S. 1–32, hier S. 15–25; Nachdruck in ders., Bach-Studien. Gesammelte Reden und Aufsätze, hrsg. von Christoph Wolff, Kassel u. a., S. 110–136, hier S. 120–129.

Von vornherein zeichnete sich ab, dass die Wahl der Texte zugleich Unterschiede in der Besetzung und Anlage der Werke zur Folge hatte. Gaben die Vorlagen bis zum Januar 1726 nur ausnahmsweise Anlass zu größeren Chorsätzen, so stieg deren Anzahl desto deutlicher im Sommer des Jahres, ohne jedoch Texte anderer Autoren auszuschließen. Noch innerhalb dieser Werkfolge begann die Reihe der Solokantaten, die sich bis zum Januar 1727 fortsetzte.

Zu den solistisch besetzten Werken zählten die Dialoge BWV 49 und 58, die sich im Rückblick als Pendants zu den früheren Dialogen BWV 57 und 32 erwiesen. Sie gehörten gemeinsam mit einer Reihe weiterer Kantaten zu einer ersten Werkgruppe, die primär mit Solostimmen rechnete und schon im Herbst 1725 einsetzte.

Wenn Bach auf fähige Solisten vertrauen konnte, die zugleich auch im Chor mitwirkten,[307] sind die Gründe für die Solokantaten nicht in Rücksichten auf die begrenzen Fähigkeiten des Ensembles, sondern in der Absicht des Komponisten zu suchen, der sich mit höchst anspruchsvollen Arien die Gattung der solistischen Cantata erschließen wollte.

Mit der Wahl der Texte überschneiden sich also weitere Kriterien, die auf andere Gründe verweisen. Setzten die Dialoge entsprechend disponierte Texte voraus, so war die Wahl solistischer Besetzungen nicht nur textlich bedingt. Zwar entfielen die Solokantaten vor allem auf Vorlagen, die sprachlich einem Subjekt zugeschrieben waren, doch wäre der Text der Kantate BWV 35 auch für eine chorische Vertonung geeignet gewesen.

Die drei ersten Solokantaten (BWV 170, 35 und 169) rechnen zwar mit obligater Orgel, doch begrenzt sich der solistische Einsatz der Orgel nicht auf die Solokantaten. Vielmehr finden sich solche Orgelstimmen sowohl in zwei Sätzen eines Dialogs (BWV 49:2 und 6) als auch in der Sinfonia und im Chorsatz aus der nicht sicher datierbaren Kantate BWV 146 und begegnen später noch in BWV 29:1 (1731) und BWV 188:1 (um 1728?).

Die solistischen Orgelstimmen kreuzen sich mit der Reihe der Sätze, die auf frühere Orchesterwerke zurückgehen. Sie konzentrieren sich zwar auf die ersten Solokantaten, kommen aber sowohl in BWV 52 als auch im Dialog BWV 49 vor. Zugleich enthalten die Kantaten BWV 110 und BWV 146 neben Sinfonien auch Eingangschöre mit Vokaleinbau. Während die Sinfonia des Osteroratoriums BWV 249 auf eine verschollene Vorlage zurückgeht, sind die Modelle für die späteren Sätze aus BWV 29 und 120 erhalten.

Die systematische Gruppierung nach diesen Kriterien beruht demnach nicht auf einer Konstruktion, sondern ergibt sich aus der Beharrlichkeit, mit der Bach seine Aufgaben umkreiste, die sich mitunter kreuzen oder überlagern konnten. Sie treten noch deutlicher in den Blick, wenn man die Aspekte der Textwahl und der Besetzung heranzieht, die mit den unterschiedlichen Satzarten verbunden waren.

Angesichts der Bedeutung, die den Texten für seine Arbeit zukam, dürfte Bach bei ihrer Auswahl die Aufgaben im Blick gehabt haben, die ihn erwarteten. Damit die Hörer mitlesen konnten, wurden jeweils mehrere Texte in Heften gebündelt, für deren Druck

---

307   Vgl. Michael Maul, »welche jeder Zeit aus den 8 besten Subjectis bestehen muß.« Die erste »Cantorey« der Thomasschule – Organisation, Aufgaben, Fragen, in: BJ 2013, S. 11–77.

Bach zuständig war. Dass sie dem Superintendenten Salomon Deyling vorzulegen waren, heißt nicht, dass Bach sich dessen »Censur« zu »unterwerfen« hatte.[308] Vielmehr dürfte er bei der Auswahl der Texte einen beträchtlichen Freiraum gehabt haben.

Eine Folge der Textwahl war es, dass die Werke mit Meininger Vorlagen (ausgenommen BWV 88) anspruchsvolle Eingangschöre enthalten, denen die Chorsätze in BWV 43 und 47 entsprechen. Ihr Kennzeichen ist die Verschränkung der Vokalfugen und Ritornellformen, mit denen Bach schon im ersten Jahrgang und im Sommer 1725 experimentiert hatte. Bereits im Herbst 1729 entstand der Eingangschor aus BWV 79, während die Chorsätze aus BWV 110 und 146 auf instrumentale Vorlagen zurückgingen. Ein Nachzügler war der Eingangschor aus BWV 34, wogegen der Satz aus BWV 72 mit gedichtetem Text ein Sonderfall blieb.

Die kombinatorischen Interessen, von denen die Chorsätze zeugten, kamen auf andere Weise auch den Arien zugute. So konzentrierten sich die Sätze mit Soloinstrumenten nicht auf konzertante Verfahren, sondern gründeten zunehmend auf der Einbautechnik, die zuvor die vollstimmig besetzten Arien kennzeichnete. Zugleich wurden die Ritornelle mit vollem Orchestersatz so angelegt, dass aus ihnen einzelne Segmente herausgelöst werden konnten, die sich getrennt einsetzen ließen. Je durchlässiger die Korrelationen zwischen den Besetzungen und den Satzarten wurden, desto vielfältiger wurden die Ergebnisse des Austausches.

Zu den Kennzeichen der Meininger Vorlagen gehören die Binnensätze mit Spruchtexten, die Bach als Rezitative oder ariose Solosätze vertonte. Daher enthält der dritte Jahrgang eine bemerkenswerte Zahl solistischer Spruchsätze, die in Ausnahmefällen wie den Eingangssätzen aus BWV 88 und 57 den Umfang einer Arie erreichen konnten.

Dass dagegen nur selten größere Choralsätze vorkommen, dürfte sich daraus erklären, dass Bach im zweiten Jahrgang die Möglichkeiten der Gattung ausgelotet hatte. Das schloss nicht aus, dass er die Ergänzung der abgebrochenen Reihe im Blick behielt. Können die im Herbst 1725 und zu Trinitatis 1727 entstandenen Kantaten (BWV 37 und 129) als solche Nachträge gelten, so ist das für BWV 98 nicht ebenso gesichert.

Eine Folge der Textwahl ist es, dass die Choralmotette in BWV 28 ebenso eine Ausnahme ist wie der Eingangschor aus BWV 16. Doch kommt auch nur ein solistischer Binnenchoral vor (BWV 13:5), während die späteren Dialoge drei Duette enthalten, die zugleich mit Choralversen verbunden werden (BWV 49:7 sowie BWV 58:1 und 5).

Anders als in den ersten Jahren plante Bach im Herbst 1725 offenbar keinen neuen Jahrgang. Vielmehr begann er mit einzelnen Kantaten, deren Folge sich in der Weihnachtszeit verdichtete, um sich seit Himmelfahrt 1726 fortzusetzen, bis nach Beginn des nächsten Jahres die letzten Werke folgten. Solange unklar ist, ob der Bestand nicht erst nachträglich zusammengefasst wurde, ist also fraglich, wieweit von einem dritten Jahrgang zu reden ist.

Die auffällig wechselvolle Verteilung der Satzfolgen verdankte sich dem Wechsel der Textvorlagen, von denen die Beobachtungen ausgingen. Die Anzeichen deuteten darauf hin, dass Bach sich die Entscheidung offenzuhalten suchte. Offenbar wollte

---

308 Spitta II, S. 56; vgl. auch Dok. II, Nr. 439, S. 338 f.

er sich nicht nochmals einem so dichten Arbeitstakt wie im zweiten Jahrgang aussetzen, um stattdessen wechselnde Vorhaben zu verfolgen.

In ein anderes Licht rückt damit die Datierung der Kantaten BWV 148 und 146. Wie sich zeigte, kann die mit drei Oboen besetzte Altarie aus BWV 148 erst nach dem zweiten Jahrgang entstanden sein. Muss das Werk demnach im Herbst 1725 komponiert worden sein, so kann der Eingangschor als Vorstudie zu den Chorsätzen des Sommers 1726 gelten. Nicht ganz so deutlich sind die Indizien für BWV 146. Sollte der Eingangschor 1725 entstanden sein, so wäre er der Reihe der Sätze nach instrumentalen Vorlagen vorangegangen.

Die Frage verliert an Gewicht, wenn man sich von der Vorstellung löst, ein Komponist habe sich ständig zu entwickeln. Da feststehen dürfte, dass die beiden Werke nicht vor 1725 entstanden, ist ihre genaue Datierung zweitrangig. Selbst wenn sie erst 1727 anzusetzen wären, würden sie zum Umfeld der Werke zählen, die als dritter Jahrgang bezeichnet werden.

Wenig Anlass besteht zu Spekulationen über verschollene Werke oder bisher übersehene Parodien. Da der vorliegende Bestand im Erbteil Carl Philipp Emanuel Bach erhalten blieb, ist es unwahrscheinlich, dass zuvor eine größere Anzahl von Werken ausgegliedert wurde. Soweit dazu autographe Partituren gehören, stellen sie Arbeitsmanuskripte dar, die durch die Fülle der Korrekturen nicht auf das Vorliegen von Parodien schließen lassen.

Mit der Folge der Texte verbanden sich verschiedene Aufgaben, die in der Verteilung der Gattungen und Satzarten sichtbar wurden. Wenn Carl Philipp Emanuel Bach berichtete, sein Vater habe »bey Anhörung« einer Fuge voraussagen können, »was für *contra*punctische Künste möglich anzubringen wären«,[309] so darf man diese Aussage weiter fassen: Mit derselben Umsicht, mit der Bach bei der Themenerfindung den Satzverlauf im Blick hatte, behielt er bei der Wahl der Texte seine eigenen Intentionen im Auge.

---

[309] Dok. III, Nr. 801, hier S. 285.

Teil VII

Reste oder Einzelwerke?
Der »Picander-Jahrgang« und die späteren Werke (1728–1735?)

1. Probleme der Überlieferung

Wie erstmals Philipp Spitta zeigte, veröffentlichte Christan Friedrich Henrici (alias Picander) 1728 einen Druck mit »Cantaten auf die Sonn- und Fest-Tage durch das gantze Jahr«, den er 1732 in den dritten Band seiner Sammlung »Ernst-Schertzhaffte und Satyrische Gedichte« aufnahm.[1] Im Vorwort des Bandes heißt es: »Ich habe solches Vorhaben desto lieber unternommen, weil ich mir schmeicheln darf, daß vielleicht der Mangel der poetischen Anmuth durch die Lieblichkeit des unvergleichlichen Herrn Capellmeisters, Bachs, dürfte ersetzet und diese Lieder in den Haupt-Kirchen des andächtigen Leipzig angestimmet werden«.[2] »Gegen allen Brauch« – so Spitta – beginne »der Jahrgang mit dem Johannisfest« und schließe »mit dem vierten Trinitatis-Sonntage«. Zwar seien nur neun Werke erhalten, da die Texte aber »für Bach bestimmt« gewesen seien und »einem unerwartet ausgesprochenen Wunsche des letzteren« entsprochen hätten, seien sie von Bach auch vertont worden.[3]

Bevor auf weitere Fragen einzugehen ist, sei an die Belege für die Beziehungen zwischen Bach und Henrici erinnert. Neben der Matthäus-Passion, in deren Autograph Henrici als Autor der »poesia« genannt wird, bildet der Jahrgang von 1728 das wichtigste Zeugnis ihrer Zusammenarbeit, deren Ausmaß freilich erst dann sichtbar wird, wenn man sich die Anzahl der Texte Henricis vergegenwärtigt, die Bach vertonte.

Verschollene Werke und differierende Texte werden durch Kursive hervorgehoben.

Textdruck[4]	BWV	Textincipit	Datum
1724/25	148	*Bringet dem Herrn Ehre seines Namens* (Umdichtung)	1725
1725	249a	Entfliehet, verschwindet, entweichet ihr Sorgen	1725
I/1727	205	Zerreißet, zersprenget, zertrümmert die Gruft	1725
I/1727	36a	Steigt freudig in die Luft	1725/26 (?)
1724/25	19	*Es erhub sich ein Streit* (Umdichtung)	1726
III/1728	84	*Ich bin vergnügt* (Umdichtung)	1727
1727	157	Ich lasse dich nicht, du segnest mich denn	1727 (?)
1727	193	Ihr Häuser des Himmels	1727
II/1729	Anh. I 4	*Wünschet Jerusalem Glück*	um 1727
1729	244	Matthäus-Passion	1727/1729
1732	244a	*Klagt, Kinder, klagt es aller Welt*	1729

1 Spitta II, S. 172, Anm. 23, und S. 174 f.
2 Vgl. Dok. II, Nr. 243, S. 180.
3 Vgl. Spitta, a. a. O., S. 175.
4 Die Jahreszahlen entsprechen den Erscheinungsdaten der Textdrucke (Sammlung erbaulicher Gedancken, Leipzig 1724/25, Ernst-Scherthaffte und Satyrische Gedichte, Teile I–V, ebd. 1727, 1729, 1732, 1737, 1751).

1728/29		sieben Werke des »Picander-Jahrgangs«	1728/29
II/1729	216	Vergnügte Pleißenstadt	1728
III/1732	201	Geschwinde, geschwinde, ihr wirbelnden Winde	1729
III/1732	120b	Gott, man lobet dich in der Stille	1730
III/1732	190a	Singet dem Herrn ein neues Lied	1730
IV/1737	213	Laßt uns sorgen, laßt uns wachen	1733
III/1732	211	Schweigt stille, plaudert nicht	1734
1737	30a	Angenehmes Wiederau	1737
III/1732	Anh. I 3	*Gott, gib dein Gerichte dem Könige*	1730
IV/1737	Anh. I 10	*So kämpfet nur, ihr muntern Töne*	1732
IV/1737	Anh. I 11	*Es lebe der König*	1732
1737	Anh. I 12	*Frohes Volk, vergnügte Sachsen*	1733
1742	212	Mer hahn en neue Oberkeet	1742

Ein frühes Beispiel der gegenseitigen Beziehungen wäre die 1723 oder 1725 entstandene Kantate BWV 148 »Bringet dem Herrn Ehre«, deren Text zwar nicht von Henrici stammt, aber die Kenntnis einer Vorlage von ihm voraussetzt.[5] Ähnlich verhält es sich mit den Kantaten BWV 84 »Ich bin vergnügt« (1727?) und BWV 19 »Es erhub sich ein Streit« (1726).[6] Wie in diesen Fällen handelt es sich in BWV 148 um eine »vollständige Umarbeitung«,[7] die mit Henricis Vorlage nur in Satz 3 und zu Beginn von Satz 6 übereinstimmt, während die übrigen Sätze umgeformt oder zugefügt wurden.

Somit ist das Libretto der 1725 entstandenen Schäferkantate BWV 249a der erste Text, dessen Umdichtung zum Osteroratorium vielleicht – wiewohl nicht sicher – auf Henrici zurückgeht. Die unvollständig überlieferte Ratswahlkantate »Ihr Tore zu Zion« BWV 193, die zum 25. August 1727 entstand, basiert auf BWV 193a »Ihr Häuser des Himmels« (zum Namensfest Friedrich Augusts II. am 3. August 1727). Wieder erschien das Modell in Henricis Sammlung (1728), während der Autor der geistlichen Fassung ungewiss ist. Neben der verschollenen Ratswahlkantate »Wünschet Jerusalem Glück« (BWV Anh. I 4, um 1727?) fällt nur noch die Kantate BWV 157 »Ich lasse dich nicht« in das Vorfeld des »Picander-Jahrgangs«. Erstmals aufgeführt als Trauermusik am 6. Februar 1727, wurde die Kantate später für Mariä Reinigung verwendet, während Henrici den Text 1727 publizierte. Vor 1727 ist dieses Werk die einzige geistliche Kantate, deren Text von Henrici stammte. Wie die Ratswahlkantate lag auch die Trauermusik außerhalb des De tempore und wurde erst sekundär als Kirchenkantate verwendet. Weitere Beispiele in den Kirchenkantaten – unter Einschluss der Parodievorlagen – gehören erst in spätere Jahre. Die Kantaten BWV 190a »Singet dem Herrn ein neues Lied« und BWV 120b »Gott, man lobet dich in der Stille« entstanden 1730 zur 200. Wiederkehr der Confessio Augustana, während Henrici die Texte beider Werke 1732 veröffentlichte.[8] BWV 190 war bereits zu Neujahr

5   Vgl. Werner Neumann, Sämtliche Kantatentexte, S. 283, ders., Sämtliche ...Texte, S. 136.
6   Ders., S. 92 und 353 bzw. S. 61 und 338.
7   Vgl. ders., S. 283 sowie S. 91f. und 351 bzw. S. 136 sowie 165f.
8   Vgl. ders., S. 392ff. bzw. S. 180f.

1724 entstanden, während BWV 120b auf der 1729 (oder früher) anzusetzenden Ratswahlkantate BWV 120 basierte (die 1729 zur Trauungskantate BWV 120a »Herr Gott, Beherrscher aller Dinge« umgearbeitet wurde), in beiden Fällen ist jedoch die Autorschaft der neuen Texte ungewiss. Die erhaltene Fassung der Kantate BWV 36 »Schwingt freudig euch empor« wurde am 1. Advent 1732 aufgeführt, ihr war jedoch zwischen 1726 und 1730 eine frühere Fassung vorausgegangen. Beide Versionen gingen auf eine Kantate mit gleichem Textbeginn zurück (BWV 36c), die im April oder Mai 1725 zum Geburtstag eines Lehrers entstanden war und im November 1725 oder 1726 – mit dem Text »Steigt freudig in die Luft« (BWV 36a) – für den Geburtstag der Köthener Fürstin Charlotte Friederike verwendet wurde. Lediglich diesen Text veröffentlichte Henrici im ersten Teil der Sammlung (1727), während seine Beteiligung an der letzten Fassung für ein Mitglied der Familie Rivinus zwar möglich, aber nicht bewiesen ist. Weitere Werke zeigen zwar auffällige Ähnlichkeiten mit Texten Henricis, ohne jedoch seine Dichtungen zu zitieren. Daneben wäre die 1737 entstandene Huldigungskantate »Angenehmes Wiederau« (BWV 30a) zu nennen, die 1738 in der Kantate »Freue dich, erlöste Schar« (BWV 30) verwendet wurde. Die Kantate »Laßt uns sorgen« (BWV 213), die 1733 zum Geburtstag des Kurprinzen entstanden war, ging 1734/35 in das Weihnachtsoratorium (BWV 248) ein. Schließlich ließen sich zwei weltliche Texte Henricis nennen, die Bach vertonte, ohne sie jedoch in seinen Kirchenkantaten zu verwenden.[9]

Je näher die Daten der Erstfassungen und der Parodien zusammenrücken, desto mehr gewinnt man den Eindruck, die doppelte Verwendung der Werke sei von vornherein geplant gewesen. Dann aber läge es nahe, in Henrici den Librettisten beider Fassungen zu sehen. In der Regel publizierte er nur die weltlichen Texte, während die geistlichen Fassungen ungedruckt blieben, sodass ihre Autorschaft ungewiss ist. Nur ausnahmsweise veröffentlichte er beide Fassungen, wie es für die Köthener Trauermusik (BWV 244a) gilt, in der Bach auf mehrere Sätze aus der Matthäus-Passion zurückgriff.[10]

Vor der Matthäus-Passion und dem 1727 erschienenen Jahrgang ist Henricis Autorschaft also nur für weltliche Werke gesichert. So nahe es liegt, in ihm auch den Autor der entsprechenden geistlichen Fassungen zu sehen, so wenig lässt sich diese Annahme belegen. Zwar hätte es den Dichter befremden können, wenn Bach für die Parodien einen anderen Autor herangezogen hätte, doch bewegt man sich mit solchen Überlegungen bereits im Bereich der Vermutungen. Nicht ebenso gewagt sind dagegen drei weitere Folgerungen:

1. Henrici hatte sich vor 1727 primär als Autor weltlicher Texte bewährt (deren geistliche Umformung er vielleicht übernahm).
2. Die Matthäus-Passion war das erste geistliche Werk, das Bach in enger Verbindung mit Henrici schrieb.
3. Danach erst ergab sich mit dem Jahrgang von 1727/28 ein weiteres Projekt, das offenbar als Zyklus angelegt war.

9   BWV 211 »Schweigt stille, plaudert nicht« und BWV 212 »Mer hahn en neue Oberkeet«.
10 Der Text der Matthäus-Passion erschien 1729, während das Libretto der Trauermusik (nach dem Einzeldruck von 1729) erst 1732 publiziert wurde.

Ohne die Hypothesen Klaus Häfners zu übernehmen,[11] hielt Klaus Hofmann es für möglich, dass der »Picander-Jahrgang« weithin aus Parodien bestand. Seinen Vorschlag fasste er in einer These zusammen: »Bachs Picander-Jahrgang war ein Parodien-Jahrgang«.[12] Dass Bach die Texte vertont habe, hatte William H. Scheide mit dem Argument bezweifelt, der Jahrgang biete nur zu den Hauptfesttagen Spruchtexte, die für Eingangschöre – Bachs »Lieblingsform« – geeignet gewesen seien.[13] Dagegen hatte Häfner eingewandt, Bach könne auch Arientexte in chorischer Besetzung vertont haben.[14] Allerdings müsste die geringe Zahl der Chorsätze nicht unbedingt besagen, dass Bach die Texte nicht vertont habe. Schon in den zwei ersten Jahrgängen war zu beobachten, dass Bach an weniger herausgehobenen Tagen solistische Werke aufführte, um dadurch den Chor zu entlasten. Ähnlich verhielt es sich im dritten Jahrgang, der nur ausnahmsweise anspruchsvolle Chorsätze enthielt. Hofmann folgerte jedoch, Picanders Texte seien für den Plan eines »Parodien-Jahrgangs« prädestiniert gewesen, da sich durch die geringe Zahl der Chorsätze der Aufwand verringert habe, den die Umarbeitung solcher Sätze gefordert habe.[15] Doch muss man die geringe Zahl der Chorsätze nicht nur mit den Schwierigkeiten ihrer Umformung motivieren. Falls Bach daran lag, die Beanspruchung des Chors zu reduzieren, dann konnte es ihm nur willkommen sein, wenn nicht er selbst, sondern der Textautor für die verminderte Zahl der Chöre verantwortlich war. Dass die Chorsätze der Auszeichnung besonderer Festtage dienten, machte ihre Beschränkung zu einer Regel, die für die Hörer verständlich gewesen sein dürfte.

Hofmann nahm an, die Vorlagen für ein derart umfangreiches Parodievorhaben seien »offenbar reichlich vorhanden« gewesen, da Bach zuvor schon etwa 40 weltliche Kantaten geschrieben habe. Träfe das zu, so bliebe zu fragen, was man sich unter der »komplexen Arbeitssituation« vorzustellen hat, die Hofmann für das Zusammenwirken des Librettisten und des Komponisten voraussetzte. Wenn die Texte in vierteljährlichen Lieferungen erschienen, musste Henrici zuvor wissen, welche Sätze Bach zu parodieren plante. Anders gesagt: Hätte Bach nicht zuvor eine Auswahl vornehmen müssen, die er Henrici mitteilte? Oder sollte man annehmen, er habe Henrici die Partituren geliehen? Oder hätte er zumindest die Texte der fraglichen Sätze exzerpiert? Man sieht: Je weiter man die Vermutungen treibt, desto mehr gerät man in unwegsames Gelände. Bescheidet man sich dagegen mit dem erhaltenen Bestand, so genügt die Annahme, dass Henrici seine Text selbstständig verfasste, während Bach sich an ihn nur dann wandte, wenn ihm daran lag, für einzelne Sätze geeignete Vorlagen nutzbar zu machen.[16]

---

11 Klaus Häfner, Der Picander-Jahrgang, in: BJ 1975, S. 70–113, hier S. 74.
12 Klaus Hofmann, Anmerkungen zum Problem »Picander-Jahrgang«, in: Bach in Leipzig – Bach und Leipzig, Konferenzbericht Leipzig 2000, Hildesheim u. a. 2002, S. 69–87, hier S. 74f.; der Beitrag wurde – ergänzt um ein Nachwort – in das von Reinmar Emans und Sven Hiemke edierte Bach-Handbuch aufgenommen (Bd. 1, Teilband 2, S. 181–203 (im Folgenden wird stets die erste Veröffentlichung zitiert).
13 William H. Scheide, Ist Mizlers Bericht über Bachs Kantaten korrekt?, in: Mf 14, 1961, S. 192–195.
14 Vgl. Hofmann, a. a. O., S. 73f.
15 Vgl. dazu Hofmann, ebd., S. 74ff.
16 In den Nachträgen zu seinem Aufsatz wies Hofmann darauf hin, dass seine Annahme mit den Hypothesen Häfners und mit dem verzögerten Beginn von Henricis Jahrgang verträglich sei, vgl. ebd., S. 84f. und 86f.

Im Anschluss an Hatner wies Hofmann darauf hin, dass Bach seine beiden ersten Jahrgänge am 1. Sonntag nach Trinitatis begann, während Henricis Jahrgang mit dem Beginn zu Johannis eine »mehrwöchige Verspätung« aufweise.[17] Sie entspricht einerseits der Beobachtung, dass Bach im dritten Amtsjahr erst seit dem 6. Sonntag nach Trinitatis wieder eigene Werke komponierte. Da er andererseits 1734/35 einen Jahrgang von Gottfried Heinrich Stölzel aufführte, könnte die Abfolge der Texthefte, die Marc-Roderich Pfau zu ermitteln suchte, auf den Beginn am 1. Sonntag nach Trinitatis deuten (während der Zyklus ursprünglich am 1. Advent begann).[18] Obwohl das Material »eine zu schmale Basis für strikte Beweise« sei, biete es – so Hofmann – »allerhand Anhaltspunkte« für die These eines weithin mit Parodien bestrittenen Jahrgangs.[19] Wenn Hofmann folgerte, von den Chören und Arien, die in den neun erhaltenen Werken des Jahrgangs vorliegen, basierten »sechs Stücke« und damit »dreißig Prozent« auf Parodien, so zählte er dabei die belegten und die vermuteten Fälle zusammen. Doch fragt sich erneut, ob diese Argumente für weitere Schlüsse genügen.

Drei der neun erhaltenen Werke aus dem »Picander-Jahrgang« beginnen mit Sinfonien (BWV 188:1, 156:1 und 174:1), die sich als Bearbeitungen früherer Konzertsätze erweisen. Da diese Rückgriffe aber nur ein Verfahren fortführen, das bereits im vorangegangenen Jahrgang angewandt worden war, eignen sie sich kaum als Stütze für Hofmanns Vermutung. Unter den Parodien, deren Vorlagen erhalten sind, wäre zunächst der Eingangschor aus BWV 149 »Man singet mit Freuden« zu nennen, der auf den Schlusschor der frühen »Jagdkantate« zurückging (BWV 208:15). Der Schlusschoral aus BWV 171 erweist sich zwar als Übernahme eines früheren Satzes (BWV 41:6, Neujahr 1725), da dieser Choralvers aber zu Neujahr nahezu obligatorisch war, lag der Rückgriff nahe genug. Auch die Arie Satz 4 aus BWV 171 entstand als Umarbeitung einer weltlichen Vorlage (BWV 206:9). Wieweit die Kantate »Ich bin ein Pilgrim auf der Welt« (BWV Anh. I 190) eine Parodie darstellte, ist kaum zu überprüfen, weil die Spuren des Werkes im Quellenmaterial zu BWV 120a zu geringfügig sind.[20] In der Trauungskantate BWV 197 »Gott ist unsre Zuversicht« (1728?) griff Bach auf Sätze aus BWV 197a zurück. Ähnlich wurde der Eingangschor aus BWV 171 zum Modell des »Patrem omnipotentem« der h-Moll-Messe. Falls er – wie Neumann vermutete – auf einen verschollenen Instrumentalsatz zurückging, müsste diese Vorlage eine ähnlich eingreifende Neuformung wie der Eingangschor aus BWV 110 erfahren haben.[21]

Die Fälle der belegbaren Parodien sind damit bereits benannt. Weil sie – wie Hofmann einräumte – eine »zu schmale Basis« bilden, suchte er weitere »Anhaltspunkte« zu finden. Zum einen berief er sich auf Vermutungen der früheren Forschung, ohne ihnen näher nachzugehen.[22] Zum anderen verwies er auf zwei weitere

---

17 Ebd., S. 86 f.; vgl. dazu auch Schabalina, in: BJ 2009, S. 24 f.
18 Marc-Roderich Pfau, in: BJ 2008, S. 24 ff.
19 Vgl. Hofmann, a. a. O., S. 78.
20 Vgl. Alfred Dürr, »Ich bin ein Pilgrim auf der Welt«. Eine verschollene Kantate J. S. Bachs, in: Mf 11, 1958, S. 422–427.
21 W. Neumann, J. S. Bachs Chorfuge, S. 72.
22 Vgl. Hofmann, a. a. O., S. 78 f. und Anm. 30.

Sätze, die er aus unterschiedlichen Gründen für parodieverdächtig hielt. Da die autographe Partitur der Arie »O du angenehmer Schatz« (BWV 197a:4) »kalligraphische Züge« zeige, dränge sich die Vermutung auf, Bach habe zumindest in diesem Satz auf eine frühere Komposition zurückgegriffen.[23] Auch die Faktur und Deklamation des Duetts BWV 149:6 (»Seid wachsam, ihr heiligen Wächter«) könne derart befremden, dass ein ähnlicher Schluss nahelege.[24] Beide Hinweise sind zwar nicht ganz von der Hand zu weisen, doch sind in beiden Fällen keine Vorlagen erhalten, die es erlauben würden, das Ausmaß der Umarbeitungen zu untersuchen.

Freilich bedeutet das nicht, man habe es deshalb mit zweitrangigen Werken zu tun. Niemand wird behaupten, die parodierten Sätze des Weihnachtsoratoriums oder der h-Moll-Messe seien Fassungen minderen Ranges. Sind die Parodien nicht mehr dem Verdacht der Notlösung ausgesetzt, so wird man sich vor weiteren Folgerungen hüten müssen. Dass die erhaltenen Fassungen als Corpus eigenen Rechts aufzufassen sind, gilt auch für den Eingangschor aus BWV 149 (»Man singet mit Freuden«). Da der Satz aus BWV 197a verschollen ist, bleibt der Eingangschor aus BWV 171 der einzige neu komponierte Eingangschor, der sich aus dem »Picander-Jahrgang« erhalten hat. Obwohl der »Picander-Jahrgang« nur fünf Prozent der erhaltenen Kantaten umfasst, hat er die Forschung in einem Ausmaß beschäftigt, das erst dann verständlich wird, wenn man an die Quellenlage erinnert. Zuvor folge eine Übersicht über die erhaltenen Werke.[25]

BWV 149	Michaelis (1729 oder später)	Man singet mit Freuden vom Sieg der Gerechten
BWV 188	21. p. Trin. (1728 oder später)	Ich habe meine Zuversicht
BWV 197a	1. Weihnachtstag (1728 oder später)	Ehre sei Gott in der Höhe (fragmentarisch überliefert, erhalten Sätze 5–7 und Schluss von Satz 4)
BWV 171	Neujahr (1729 oder später)	Gott, wie dein Name, so ist auch dein Ruhm
BWV 156	3. p. Epiph. (1729 oder später)	Ich steh mit einem Fuß im Grabe
BWV 159	Estomihi (1729 oder später)	Sehet, wir gehn hinauf gen Jerusalem
Anh. I 190	*2. Ostertag (1729 oder später)*	*Ich bin ein Pilgrim auf der Welt (Fragment)*[26]
BWV 145	3. Ostertag (1729 oder später)	Ich lebe, mein Herze, zu deinem Ergötzen
BWV 174	2. Pfingsttag 1729 (orig. Datum)	Ich liebe den Höchsten von ganzem Gemüte

Spittas Darstellung wurde weithin übernommen, bis Scheide 1961 die Angabe des Nekrologs bezweifelte, Bach habe »fünf Jahrgänge von Kirchenstücken, auf alle Sonn- und Festtage« hinterlassen.[27] Einschränkend hieß es darin, die »ungedruckten Werke

---

23 Hofmann, ebd., S. 79.
24 Ebd., S. 79 ff.
25 Spitta nannte außerdem die Kantate BWV 84 »Ich bin vergnügt«, die Bach in einer »Umdichtung« Picanders vertont habe (Spitta II, S. 274). Da das Werk schon 1727 entstand, gehört es nicht zu dem 1728 erschienenen Jahrgang. Zudem entspricht nur der Text des Eingangssatzes der dort veröffentlichten Fassung, während der Wortlaut der anderen Sätze mehr Differenzen als Übereinstimmungen aufweist.
26 Vgl. Alfred Dürr, »Ich bin ein Pilgrim auf der Welt«. Eine verschollene Kantate J. S. Bachs, in: Mf 11, 1958, S. 422–427 (mit Faksimile nach S. 400).
27 William H. Scheide, Ist Mizlers Bericht über Bachs Kantaten korrekt?, in: Mf 14, 1961, S. 60–63. Zum Nekrolog vgl. Dok. III, Nr. 666, S. 86.

des seligen Bach« seien »ohngefehr die folgenden«. Da Carl Philipp Emanuel Bach hinzufügte, er habe den Nekrolog mit Agricola »zusammengestoppelt«,[28] sei es fraglich, ob die Angabe »fünf Jahrgänge« korrekt sei. Die Frage betreffe auch den »Picander-Jahrgang«, der »größtenteils verschollen« zu sein scheine. Dagegen meinte Dürr, die Angabe des Nekrologs seien »in hohem Maße glaubwürdig«, weil Carl Philipp Emanuel gewusst habe, »wieviele Jahrgänge der Vater hinterlassen« habe.[29] In seiner »Erwiderung« wies Scheide darauf hin, dass Henricis Textdruck auch Vorlagen für die Sonntage der Advents- und Fastenzeit umfasse, die in Leipzig als tempus clausum galten. Zudem enthalte die Sammlung nur zehn eröffnende Bibeltexte, »die sich für Chorsätze eignen«, sodass kaum vorstellbar sei, dass Bach alle Texte vertont habe.[30] Dagegen hielt Dürr weiter daran fest, »daß Bach den Jahrgang wirklich vertont« habe.[31]

Die Diskussion erreichte 1975 ein neues Stadium, als Klaus Häfner auf die Quellenlage hinwies.[32] Da die Erstausgabe nur in einem seit 1945 verschollenen Exemplar belegt war, griff Häfner auf die zweite Ausgabe von 1732 zurück, in der jedoch das Vorwort fehlt. Bei der Erstausgabe habe es sich nicht »um den Einzeldruck eines Kantatenjahrgangs« gehandelt, sondern »um das Textbuch der Kirchenmusik in den Leipziger Hauptkirchen vom Johannisfest 1728 bis zum 4. Sonntag nach Trinitatis 1729«.[33] Die in Leipzig nicht verwendbaren Texte seien in der Neuausgabe nachgetragen worden, um den Band als Erbauungsbuch verwendbar zu machen. Da die Folge der Feste aber dem Kirchenjahr entspreche, sei anzunehmen, dass Bach »den gesamten Jahrgang« vertont habe.[34]

Scheide zufolge wäre das Vorwort Henricis kein Beweis dafür, dass Bach alle Texte vertont habe. Vielmehr habe der Dichter nur gehofft, dass der »Mangel poetischer Anmut« durch die »Lieblichkeit« der Bach'schen Musik »vielleicht« ausgeglichen werde.[35] Dagegen verstand Häfner das Vorwort nicht als »Ausdruck der Hoffnung«, sondern als »Ankündigung« der bevorstehenden Aufführungen.[36] Doch hatte Scheide hinzugefügt, die Anordnung der Erstausgabe lasse sich vielleicht aus den Seitenangaben erschließen, die Wustmann seiner Edition der Kantatentexte beigegeben habe.[37] Häfner zog deshalb die Angaben Wustmanns heran, aus denen hervorgehe, dass der Erstdruck »vier Lieferungen« umfasst habe, die als Texthefte im Gottesdienst verwendet worden seien.[38]

---

28 Dok. III, Nr. 803, S. 288 (an Forkel, 13. 1. 1775).
29 A. Dürr, Wieviele Kantatenjahrgänge hat Bach komponiert? Eine Entgegnung, in: Mf 14, 1961, S. 192–195, hier S. 192 f.
30 William H. Scheide, Nochmals Mizlers Kantatenbericht. Eine Erwiderung, ebd., S. 423–427, besonders S. 425 f.
31 Dürr, Die Kantaten, S. 57 ff.
32 Klaus Häfner, Der Picander-Jahrgang, in: BJ 1975, S. 70–113.
33 Ebd., S. 78 (dort das letzte Zitat gesperrt).
34 Ebd., S. 88 und 94.
35 William H. Scheide, Bach und der Picander-Jahrgang, in: BJ 1980, S. 47–51, besonders S. 48 f.
36 Klaus Häfner, Picander, der Textdichter von Bachs viertem Kantatenjahrgang. Ein neuer Hinweis, in: Mf 35, 1982, S. 156–162, hier S. 158.
37 Rudolf Wustmann (Hrsg.), Joh. Seb. Bachs Kantatentexte, Leipzig 1913, S. 273–298, passim.
38 Ebd., S. 159 ff., vgl. dazu Wustmann, a. a. O., S. 297, Anm. 188.

Nachdem Scheide 1983 seine Auffassung wiederholt hatte,[39] griff Häfner 1987 auf weitere Texte Henricis zurück, die auf verlorene Werke Bachs hinweisen könnten.[40] Weil er sich zu gewagten Hypothesen verleiten ließ, wurde sein Buch höchst kritisch aufgenommen.[41] Statt seine Studien zu erörtern, ist hier nur auf ihre methodischen Defizite hinzuweisen. Weil Häfner für alle Texte Henricis Bach'sche Vertonungen ausfindig machen wollte, nahm er kaum Rücksicht auf philologische Kriterien. So verzichtete er darauf, Bachs Reinschriften, die in der Tat auf Parodien hinweisen können, von den Kompositionsautographen zu unterscheiden. Zudem zog er Werke aus der gesamten Schaffenszeit heran, obwohl das Parodieverfahren erst nach 1730 seine dominierende Geltung erhielt. Ferner unterließ er es, zwischen bloßem Textaustausch und eingreifenden Bearbeitungen zu unterscheiden, die seit dem Ende des zweiten Jahrgangs belegbar sind. Stattdessen begnügte er sich damit, Henricis Texte den vermeintlichen Parodien zu unterlegen, ohne zu fragen, ob Bach die Vorlagen nicht umgearbeitet haben könnte. Selbst wo er auf Sätze zurückgriff, die Bach tatsächlich parodiert hat, hielt Häfner es für überflüssig, die erhaltenen Fassungen heranzuziehen.[42] So entging ihm auch, dass Bach sich mit dem schlichten Austausch der Texte nur dann begnügte, wenn die Texte metrisch übereinstimmten oder im Blick auf ihre Parodierung verfasst worden waren. Allerdings konnte Häfner auf keine Vorarbeiten zurückgreifen, weil noch immer eine gründliche Untersuchung des Bach'schen Parodieverfahrens fehlt.

Klaus Hofmann suchte die Debatte mit einem Vorschlag zu erneuern, den er als »Hypothese« und nicht als »spekulative Lösung« verstanden wissen wollte.[43] Der »Picander-Jahrgang« sei als »Parodien-Jahrgang« geplant worden, ohne neue Werke generell auszuschließen.[44] Ausgehend von drei Beispielen, die nachweislich auf frühere Vorlagen zurückgehen, nannte Hofmann drei weitere Sätze, die »in der Forschungsliteratur unter begründetem Parodieverdacht« stehen.[45]

BWV 149:1	Chorsatz »Man singet mit Freuden« (Michaelis 1728/29?)	nach BWV 208:15 »Ihr lieblichsten Blicke« (um 1713)
BWV 171:1	Chorsatz »Gott, wie dein Name« (Neujahr 1729?)	vermutlich nach instrumentaler Vorlage (vgl. BWV 232^{II}:2 »Patrem omnipotentem«)
BWV 71:4	Arie »Jesus soll mein erstes Wort« (Neujahr 1729?)	nach BWV 205:9 »Angenehmer Zephyrus« (1725)

39 William H. Scheide, Eindeutigkeit und Mehrdeutigkeit in Picanders Kantatenjahrgangs-Vorbemerkung und im Werkverzeichnis des Nekrologs auf Johann Sebastian Bach, in: BJ 1983, S. 109–113.
40 Klaus Häfner, Aspekte des Parodieverfahrens bei Johann Sebastian Bach. Beiträge zur Wiederentdeckung verschollener Vokalwerke, Laaber 1987; ebd., S. 27–31, resümierte Häfner seine früheren Studien, die er durch ein Verzeichnis der bei Henrici vorgesehenen Choraltexte und der Kantionalsätze Bachs ergänzte (S. 520–529).
41 Vgl. die Rezensionen von Hans-Joachim Schulze, in: BJ 1990, S. 92–94, und Alfred Dürr, in: Mf 44, 1991, S. 80–83.
42 Vgl. beispielsweise ebd., S. 80–106 (zu drei Sätzen aus BWV 30a bzw. 30), S. 138–144 (zu BWV 71:1 bzw. BWV 232^{II}:1) sowie S. 208–212 (zu BWV 208:15 bzw. BWV 149:1).
43 Hofmann, a. a. O., S. 74 ff.
44 Ebd., S. 78 und S. 79 (hier Anm. 30). Zu Recht verzichtete Hofmann darauf, die Sinfonien aus BWV 156, 174 und 188 einzubeziehen. Doch wäre auch der Eingangschor aus BWV 71 nicht als Parodie zu bezeichnen; da er vermutlich auf eine instrumentale Vorlage zurückgeht.
45 Hofmann 2002, S. 75 und 78.

Anh. I 190	»Ich bin ein Pilgrim auf der Welt« (Fragment, um 1729?)	vermutlich nach verschollener Vorlage
BWV 145:1	Duett »Ich lebe, mein Herze« (um 1729?)	vermutlich nach verschollener Vorlage
BWV 145:3	Arie »Merke, mein Herze« (um 1729?)	vermutlich nach verschollener Vorlage

Kämen demnach »sechs Stücke« als Parodien in Betracht, so läge ihr Anteil bei etwa »dreißig Prozent« und sei weit höher »als der statistische Durchschnitt«.[46] Hofmann sah sich daher zur Nennung weiterer Sätze ermutigt, die Parodien darstellen könnten. Neben dem Fragment BWV Anh. I 190 nannte er die Arie »O du angenehmer Schatz« (BWV 197a:4), deren Schlussteil im Autograph als Reinschrift erscheine, sowie das Duett »Seid wachsam, ihr heiligen Wächter« (BWV 149:6), das vermutlich »keine Originalkomposition« sei.[47]

Hofmanns These beruht jedoch auf einer wenig wahrscheinlichen Prämisse. Um geeignete Texte liefern zu können, hätte Henrici vor der Publikation seines Jahrgangs wissen müssen, welche Vorlagen Bach zu verwenden gedachte. Denn je größer die metrischen und sprachlichen Differenzen waren, desto mehr wäre Bach zu Eingriffen in die Vorlagen genötigt gewesen. Bevor darauf zurückzukommen ist, sind zwei weitere Beiträge zu nennen.

Die Quellenlage hat sich entscheidend verbessert, seit Tatjana Schabalina in der Russischen Nationalbibliothek zu St. Petersburg ein zweites Exemplar der Erstausgabe des Jahrgangs fand.[48] Zwar fehlen die ersten zwölf Seiten, sodass man für den Titel und das Vorwort auf Spittas Zitate angewiesen ist. Da die Seitenzahlen aber den Angaben Wustmanns entsprächen, müsse das Petersburger Exemplar mit dem Erstdruck identisch sein.[49] Überdies zeige die Paginierung, dass der Band mit dem Johannisfest begann und bis zum 4. Sonntag nach Trinitatis reichte, während er – wie Häfner vermutet hatte – aus vier Lieferungen bestand, deren Ende durch Vignetten markiert wurde.[50] Obwohl der Druck auch Texte für die Wochen des tempus clausum und für die 1728/29 entfallenden Sonntage enthalte, entspreche die Abfolge dem Kirchenjahr 1728/29. Henrici habe daher beabsichtigt, Bach »mit den nötigen Texten […] zu versorgen«, doch habe er zugleich weitere Interessenten im Blick gehabt.[51] Da Bach 1729 zum 2. Pfingsttag und zum Trinitatisfest zwei neue Kantaten geschrieben habe, sei anzunehmen, dass er auch »für die vorangegangenen und folgenden Sonn- und Festtage neue Werke« komponiert habe, deren Texte er dem Jahrgang Henricis entnommen habe.[52] Der Einwand Scheides, der Band enthalte nur wenige geeignete Texte für Chorsätze, sei unzutreffend, da die

---

46 Ebd., S. 79.
47 Ebd., S. 79–81.
48 Tatjana Schabalina, »Texte zur Music« in Sankt Petersburg – Weitere Funde, in: BJ 2009, S. 11–48, besonders S. 20–30.
49 Ebd., S. 20 f.
50 Ebd., S. 21 f. und 25 f.
51 Ebd., S. 27.
52 Ebd., S. 28 f.

Chorsätze in den Leipziger Textheften »häufig als ›Aria‹ bezeichnet« seien.[53] Dem ist freilich entgegenzuhalten, dass den Eingangschören in der Regel Bibel- oder Choraltexte zugrunde liegen. Ausnahmen begegnen nur in den Weimarer Werken, die durchweg auf gedichteten Texten beruhen,[54] sowie in den Leipziger Parodien, die auf weltliche Vorlagen zurückgehen. Ein Sonderfall ist der 1726 entstandene Eingangschor aus BWV 72 »Alles nur nach Gottes Willen«, dessen Text aus Francks Jahrgang 1715/16 stammt.

Der Forschungsstand änderte sich erneut, als Peter Wollny 2010 über den Fund eines frühen Vokalwerks von Carl Philipp Emanuel Bach berichtete.[55] Die Partitur der Kantate »Ich bin vergnügt in meinem Stande« (zu Septuagesimae) zeige die Handschrift des jungen Carl Philipp Emanuel, der aufgrund der Korrekturen als Autor des Werks zu gelten habe. Da der Text aus dem 1728 erschienenen Jahrgang Henricis stamme, liege der Zusammenhang mit dem »Picander-Jahrgang« des Vaters nahe.[56] Henricis Druck enthalte keine Hinweise auf die Aufführungsorte und umfasse zudem Texte für Tage, an denen in Leipzig keine Figuralmusik erklang. Weil diese Angaben ein Kennzeichen der Leipziger Texthefte seien, entfalle die Annahme, der Druck habe als Ersatz der üblichen Texthefte gedient, weshalb Bach genötigt gewesen sei, die Texte binnen eines Jahres zu vertonen.[57] Doch sei Carl Philipp Emanuel Bachs Handschrift auch in dem Fragment »Ich bin ein Pilgrim auf der Welt« erkennbar, das deshalb ein Werk des Sohnes gewesen sein könne.[58] Ausgehend von diesen Belegen, verwies Wollny auf die Kantate BWV 145 »Ich lebe, mein Herze, zu deinem Ergötzen«, die in einer Abschrift aus dem 19. Jahrhundert überliefert ist. Zwar war bekannt, dass der Chorsatz »So du mit deinem Munde« (BWV 145:b) einem Werk von Telemann entstammt (TWV I:1350), während der Choralsatz »Auf, mein Herz, des Herren Tag« (BWV 145:a) auf Carl Philipp Emanuel Bach zurückgeht.[59] Die übrigen Sätze galten jedoch als authentisch, bis Wollny zeigen konnte, dass sie auffällige Parallelen zu den frühen Vokalwerken Carl Philipp Emanuel Bachs aufweisen.[60] Zusammenfassend bleibt festzuhalten:

1. Falls BWV 145 und BWV Anh. I 190 entfielen, würde sich der Bestand auf sechs vollständig überlieferte Werke und die drei erhaltenen Sätze aus BWV 197a reduzieren.

---

53   Ebd., S. 29 f. Die von Schabalina genannten Beispiele gehören – soweit sie nicht Schlusschöre betreffen – zu den nachstehend genannten Ausnahmefällen. Einen Sonderfall scheint die Choralkantate BWV 129 »Gelobet sei der Herr« (1729) darzustellen, deren Eingangssatz sowohl im Textbuch als auch in den Stimmen als »Aria« bezeichnet ist. Zwar ist Bachs eigene Bezeichnung unbekannt, da die autographe Partitur verschollen ist. Doch handelt es sich hier um eine Choraltext-Kantate, deren strophischer Text einer Strophenarie gleicht.
54   Vgl. dazu die Eingangschöre aus BWV 182, 12, 172, 21 und 31 sowie BWV 70a, 186a und 147a.
55   Vgl. Peter Wollny, Zwei Bach-Funde in Mügeln. Picander und die Leipziger Kirchenmusik in den 1730er Jahren, in: BJ 2010, S. 111–151.
56   Ebd., S. 113 und 119–126.
57   Ebd., S. 133.
58   Ebd., S. 134–137.
59   Vgl. dazu Alfred Dürr, Zur Echtheit einiger Bach zugeschriebener Kantaten, in: BJ 1951/52, S. 30–36, hier S. 37 f.; sowie Ulrich Leisinger und Peter Wollny, »Altes Zeug von mir«, Carl Philipp Emanuel Bachs kompositorisches Schaffen von 1740, in: BJ 1993, S. 127–202, hier S. 141, Anm. 58.
60   Wollny, wie Anm. 55, S. 138–143.

2. Während vier Werke teilweise in autographen Partituren vorliegen (BWV 197a, 171, 188 und 174), sind drei weitere nur in Abschriften von Christian Friedrich Penzel (BWV 149 und 159) und einem Leipziger Kopisten des späteren 18. Jahrhunderts überliefert (BWV 156).[61]

3. In der Altstimme zu BWV 174 wird das Datum »6. Junij 1729« genannt, und für dasselbe Jahr ist das Papier belegt, das im Autograph von BWV 188 verwendet wird.[62] Wie Kobayashi zeigte, ist das in BWV 171 und 197a benutzte Papier bis 1736 nachweisbar, sodass beide Werke zwischen 1729 und 1736 entstanden sein dürften.[63] Dagegen sind die Kantaten BWV 149, 159 und 156 nicht näher zu datieren, da sie nur in späteren Abschriften vorliegen.

4. Können BWV 145 und Anh. I 190 nicht als gesicherte Werke gelten, so entfallen drei Sätze, die Hofmann zufolge auf früheren Vorlagen beruhen könnten. Wie sich zeigen wird, bilden die Eingangschöre aus BWV 149 und 171 keine Parodien, sondern neue Fassungen. Das gilt auch für die Arie BWV 197a:4, soweit der erhaltene Schluss ein Urteil erlaubt.[64] Demnach ist die Arie BWV 171:4 der einzige Satz, der als Parodie gelten kann.

5. Ein weiteres Indiz ist die Provenienz der Quellen.[65] Die Autographe von BWV 188, 197 und 172, die sich in der Public Library und der Pierpont Morgan Library New York befinden, gehörten einst zu Berliner Sammlungen des 19. Jahrhunderts.[66] Ähnliches gilt für die Kantaten BWV 145, 174 bzw. 120a und Anh. I 190, die zum Bestand der Berliner Staatsbibliothek zählen.[67] Die dort befindlichen Kopien Penzels (BWV 149 und 159) stammten aus der Wiener Sammlung von Franz Hauser und gingen vermutlich auf Originalquellen zurück, die Johann Georg Nacke durch Wilhelm Friedemann Bach zugänglich wurden.[68] Ein Ausnahmefall ist die Abschrift der Kantate BWV 156, die zum Bestand der Leipziger Thomasschule gehört.[69] Da die übrigen Quellen aus Berliner Sammlungen stammen, könnten sie zum Erbteil Wilhelm Friedemann Bachs gehört haben. Sollte er den kompletten Jahrgang besessen

---

61 Zwei Texte aus dem »Picander-Jahrgang« finden sich in einem Kantatenzyklus, den Christoph Birkmann 1728 in Nürnberg herausgab. Da sich Birkmann auf Texte aus dem dritten Jahrgang stützte, nahm Christine Blanken an, Henricis Vorlagen seien schon vor ihrer Publikation verfügbar gewesen, vgl. Christine Blanken, Christoph Birkmanns Kantatenzyklus »GOtt-geheiligte Sabbaths-Zehnden« von 1728 und die Leipziger Kirchenmusik unter J. S. Bach in den Jahren 1724–1727, in: BJ 2015, S. 13–74, hier S. 42 f.
62 Vgl. NBA I/14, KB, S. 92, sowie BC I, S. 350.
63 Vgl. Yoshitake Kobayashi, Zur Chronologie der Spätwerke Johann Sebastian Bachs, in: BJ 1988, S. 7–72, hier S. 39. Wenn Dürr in seinen Arbeiten die Werke aus dem Picander-Jahrgang um 1728/29 datierte, so ging er offenbar von der Vorstellung aus, die Werke seien im Kirchenjahr 1728/29 entstanden, vgl. Dürr, Die Kantaten, Bd. 1, S. 59 f., ders., Zur Chronologie, ²1988, S. 98 f, sowie BWV²ᵃ, passim.
64 Hofmann, a. a. O., S. 74 ff.
65 Hier wie bei den vorstehenden Angaben habe ich Peter Wollny für seine freundlichen Hinweise zu danken.
66 Vgl. dazu BC A 154, A 11 und A 24.
67 Ebd., A 60, A 87 und B 15.
68 Vgl. Yoshitake Kobayashi, Franz Hauser und seine Bach-Handschriftensammlung, Diss. Göttingen 1973, S. 106–113 sowie S. 123 und 125, ferner Hans-Joachim Schulze, Studien zur Bach-Überlieferung im 18. Jahrhundert, Leipzig 1984, S. 21 f.
69 BC A 38.

haben, so müssten rund 40 Werke verloren sein. Das aber ist wenig wahrscheinlich, weil sich die Sammler schon vor 1800 für Bachs Autographe interessierten.

6. Fünf der sieben erhaltenen Werke entfallen auf besondere Tage des Kirchenjahrs. Während die Kantaten BWV 149, 197a, 171 und 174 für den Michaelis- und den Neujahrstag und für den 1. Weihnachts- und 2. Pfingsttag bestimmt sind, gehört BWV 156 zu Estomihi, dem letzten Sonntag vor der Passionszeit. Da für diesen Tag 1723 die »Probestücke« BWV 23 und 22 und 1725 ein Hauptwerk wie BWV 127 entstanden waren, könnte BWV 156 als Ergänzung des Bestands gedacht gewesen sein. Das gilt ebenso für die Werke zu Michaelis, zum 3. Oster- und zum 2. Pfingsttag, für die nur zwei frühere Werke belegt sind, während für den 1. Weihnachts- und den Neujahrstag wie für den 3. Sonntag nach Epiphanias und den 21. Sonntag nach Trinitatis schon drei frühere Werke vorlagen.

Picander-Texte (Daten der Werke)	De tempore	Jahrgang I 1723/24	Jahrgang II 1724/25	Jahrgang III 1725–1727
BWV 149 (fraglich)	Michaelis	*BWV 50 (?)*	BWV 130	BWV 19
BWV 188 (1729)	21. p. Trin.	BWV 109	BWV 38	BWV 98
BWV 197a (1729/37)	1. Weihnachtstag	BWV 63	BWV 91	BWV 110
BWV 171 (1729/37)	Neujahrstag	BWV 190	BWV 41	BWV 16
BWV 156 (fraglich)	3. p. Epiph.	BWV 73	BWV 111	BWV 72
BWV 159 (fraglich)	Estomihi	BWV 22–23	BWV 127	–
Anh. I 190 (C. Ph. E. Bach?)	2. Ostertag	BWV 66	BWV 6	–
BWV 145 (C. Ph. E. Bach?)	3. Ostertag	BWV 134	–	–
BWV 174 (1729)	2. Pfingsttag	BWV 173	BWV 68	–

Kursiv = Zuschreibung fraglich

Bach scheint es also darum zu gegangen sein, seine Werke für die Festtage zu ergänzen, während er daneben einzelne Texte für weitere Sonntage vertonte. Dabei dürfte sich der langsamere Arbeitstakt fortgesetzt haben, der bereits im dritten Jahrgang zu beobachten war. Da die Originalstimmen verloren sind, ist vermutlich mit Verlusten zu rechnen. Solange nicht weitere Dokumente verfügbar sind, dürfte es aber angemessener sein, von einer Werkgruppe als von den Resten eines verschollenen Jahrgangs zu reden.

Die Texte der »Picander-Gruppe« zeigen eine Normierung, die Bach im ersten und dritten Jahrgang und ebenso in den Werken des Sommers 1725 zu umgehen suchte. Bibeltexte sind Werken zu den Hauptfesten vorbehalten, während die Binnensätze nur ausnahmsweise Spruch- oder Choraltexte aufweisen. Choräle begegnen in der Regel nur als Schlusssätze, die Bach als Kantionalsätze vertonte und in zwei Festkantaten durch obligate Instrumente erweiterte. Das Fragment BWV Anh. I 190 muss außer Betracht bleiben, weil es zu kurz ist, um weitere Folgerungen zu erlauben. Die Übersicht beschränkt sich auf die Satzfolge der übrigen Werke (in Klammern werden die von Bach hinzugefügten Sinfonien genannt).

149	Michaelis	Man singet mit Freuden vom Sieg der Gerechten	Spr. – A – R – A – R – A – Ch
188	1. p. Trin.	Ich habe meine Zuversicht	(Sinf.) – A – R – A – R – Ch
197a	1. Weihn.	Ehre sei Gott in der Höhe	Spr. – A – R – A – R – A – Ch
171	Neujahr	Gott, wie dein Name	Spr. – A – R – A – R – Ch
156	3. p. Epiph.	Ich steh mit einem Fuß im Grabe	(Sinf.) – A – R – A – R – Ch
159	Estomihi	Sehet, wir gehn hinauf gen Jerusalem	Spr. und Dichtung – A – R – A – Ch
145	*3. Ostertag*	*Ich lebe, mein Herze, zu deinem Ergötzen*	*A – R – A – R – Ch*
174	2. Pfingsttag	Ich liebe den Höchsten von ganzem Gemüte	(Sinf.) – A – R – A – Ch

(Sinf.) = Sinfonia (ohne Bezeichnung), Spr. = Spruchtext, A = Aria, R = Rezitativ, Ch = Choral

2. Eingangschöre

Da der Eingangssatz aus BWV 197a zu den verschollenen Teilen des Werkes zählt, sind hier nur die beiden Chorsätze aus BWV 149 und 171 zu nennen. Liegt dem Satz aus BWV 149 der Schlusschor der »Jagdkantate« (um 1712/13) zugrunde, so geht der Eingangschor aus BWV 171 möglicherweise auf eine instrumentale Vorlage zurück.

| 149:1 | Michaelis | Man singet mit Freuden vom Sieg der Gerechten, Ps. 118:15–16 (nach BWV 208:15, S. Franck) | S., A., T., B., Tr. I–III, Timp., Ob. I–III, Fag., Str., Bc. – D-Dur, ³⁄₈ (in BWV 208:15 mit Hr. I–II in F-Dur statt Tr. I–III und Timp.) |
| 171:1 | 1. Weihnachtstag | Gott, wie dein Name, so ist auch dein Ruhm, Ps. 48:11 (nach instrumentaler Vorlage?) | S., A., T., B., Tr. I–III, Timp., Ob. I–II, Str., Bc. – D-Dur, 2[= ¢] (Besetzung der Vorlage unbekannt) |

Während der Schlusschor der »Jagdkantate« zwei Teile mit vierhebigen Daktylen umfasst, handelt es sich in BWV 149:1 um einen Prosatext, der weit kürzer als in der Vorlage ist.

BWV 208:15 (S. Franck)
Ihr lieblichste Blicke! Ihr freudige Stunden,
Euch bleibe das Glücke auf ewig verbunden.

Euch kröne der Himmel mit süßester Lust.
Fürst Christian lebe! Ihm bleibe bewußt,
Was Herzen vergnüget,
Was Trauren besieget!

BWV 149:1 (Ps. 118:15–16)
(15a) Man singet mit Freuden
(15b) in den Hütten der Gerechten.

(16a) Die Rechte des Herrn behält den Sieg,
(16b) die Rechte des Herrn ist erhöht.

Dass die ersten Worte des Psalmtextes dem Metrum der Vorlage entsprechen, mag Bach zum Rückgriff auf den Satz aus BWV 208 veranlasst haben.[70] Dabei war aller-

---

[70] Dagegen meinte Dürr, Bach habe den Chor »sehr geschickt dem neuen Text angepaßt«, weil »die freudige Grundhaltung beider Texte, die teilweise sogar gleiche Wortstämme enthalten«, das Vorhaben »begünstigt« habe, vgl. Dürr, Die Kantaten, Bd. 2, S. 57.

dings in Kauf zu nehmen, dass die letzten Worte des ersten Psalmverses (»der Gerechten«) gleichsam überzählig sind, während der zweite Vers kürzer als der B-Teil der Dichtung ist. Wird der erste Teil zweimal erweitert, so wird der Vokalpart im zweiten Teil mehrfach umgeformt. Der A-Teil wird beidemal von dem 20 Takte umfassenden Ritornell gerahmt, das aus fünf viertaktigen Gruppen besteht. Beginnend mit einer viertaktigen Fanfare der Hörner, die mit einer synkopischen Wendung der Oboen verbunden ist (T. 1–4), wird die Wiederholung der Gruppe auf Streicher und Fagott verteilt (T. 5–8). Der viertaktigen Quintschrittsequenz der Fortspinnung (T. 9–12) folgt ein Orgelpunkt auf der Tonika, der in die viertaktige Kadenzgruppe übergeht (T. 13–16, 17–20). Ohne die periodische Anlage zu ändern, wird der A-Teil der Vorlage in der Neufassung durch einen achttaktigen Vorspann und einen zweitaktigen Einschub erweitert, sodass die geistliche Fassung trotz des kürzeren Textes zehn Takte länger ist. Das folgende Schema versucht die Entsprechungen und Varianten des A-Teils anzudeuten.

BWV 208:15, A-Teil, T. 1–78

1–20	21–24	25–28	33–38	39–42	43–46	47–50	51–54	55–58	59–78
Rit.	Chor	Instr.	Chor	(+ S.)	(+ Instr.)	+ Instr.	Einbau	+ Instr.	Rit.
–	Zeile 1	–	Z. 2	–	Z. 1	Z. 1	Z. 2	Z. 3	–

BWV 149:1, A-Teil, T. 1–88

1–20	21–28	29–32	33–36	37–40	41–48	49–52	53–58	59–62, 63–68	69–88
Rit.	+ Instr.	+ Instr.	Instr.	+ Instr.	+ Instr.	Instr.	+ Instr.	Choreinbau	Rit.
–	V. 15a	V. 15a	–	V. 15a	V. 15a–b	–	V. 15a	V. 15a–b	–

Während der Instrumentalpart weitgehend übernommen wird, wird die vokale Motivik, die schon in der Erstfassung nicht auf das Ritornell zurückging,[71] neu gefasst. In den eingefügten Takten werden die Vokalstimmen von den Streichern dupliert und in den Oboen variiert (T. 21–28 bzw. 41–52). Wo in den chorischen Phasen die instrumentale Motivik hervortritt, greifen beide Fassungen auf das Einbauverfahren zurück. Doch sind den Vokalstimmen nur die ersten sechs Töne gemeinsam, die den Grundton in Sechzehnteln umkreisen. Entfallen sie im Sopran der Erstfassung auf die Worte »Ihr lieblichste Blicke« (T. 21), so werden sie in der Neufassung in den Bass verlegt und zu einer Sequenzkette erweitert, die anschließend von den Oberstimmen imitiert wird (T. 21–28: »Man singet mit Freuden«). Aus dem unscheinbaren Beginn der Vorlage entsteht in der Neufassung eine Imitationsfolge, die mit den ersten Textworten verbunden wird. Sobald die Motivik im Satzverlauf entfaltet wird, wird sie vom Orchester nur noch dupliert. Das gilt ähnlich

---

[71] Dass der Vokalpart des Schlusschors nicht auf das Ritornell zurückgeht, dürfte derart nur für diesen Satz und für den Schlusschor der Köthener Kantate BWV 134a (1718) gelten. Dagegen entspricht der Vokalpart in den Schlusschören der Köthener Werke BWV 66a, 184a und 173a wie auch der späteren weltlichen Kantaten der Motivik des Instrumentalparts.

für die Takte 37–49, in denen der Einschub kaum auffällt, weil er in eine motivische Sequenz integriert wird (T. 41–42).

BWV 208:15, B-Teil, T. 79–134

Z. 3	–	Z. 3	Z. 4–8	–	Z. 7–8	Z. 8
79–82	83–86	87–94	95–102	103–106	107–112	113–134
Chor	Instr.	+ Instr.	Chor	Instr.	Chor	Choreinbau

BWV 149:1, B-Teil, T. 89–144

89–92	93–96	97–104	105–112	113–116	117–122	123–144
Chor	Instr.	+ Instr.	Chor	Choreinbau	+ Instr.	Choreinbau
V. 16a	–	V. 16a	V. 16b+a	V. 16a	Vers 16b	Vers 16b+a

Lösen sich Chor und Orchester in der Erstfassung wechselweise ab, so greift der Instrumentalpart am Ende der Teile auf die ersten Takte des Ritornells zurück (T. 48–51). Da das Orchester nur das Signalmotiv der Hörner zitiert, kann in den Vokalpart ein Rückgriff auf den Satzbeginn eingefügt werden. Dass die Einbauphase des B-Teils weit länger als in der Vorlage ist (T. 113–127), liegt daran, dass die viertaktige Gruppe in Quintabständen wiederholt wird (in C- und G-Dur bzw. a- und d-Moll). Sie wird dabei mit einer Sequenzkette verbunden, deren steigende Terzreihe dem instrumentalen Sequenzmodell entspricht. Da die chorischen Viertakter einen Takt früher als die der Instrumente ansetzen, greifen die Gruppen eng ineinander. Ergänzend ist darauf hinzuweisen, dass das Zwischenspiel Takt 39–42 mit einem Halteton des Soprans gepaart wird, während die chorischen Takte 42 und 46 durch Einwürfe der Oboen und Streicher ergänzt werden, die auf die synkopische Motivik des Ritornells zurückgehen und ähnlich auch im B-Teil begegnen (T. 98 und 102).

Der Einbauphase des A-Teils (T. 51–54) geht in der Neufassung ein Zwischenspiel mit Choreinbau voraus, das aus den Einwürfen der Instrumente abgeleitet ist (vgl. T. 61–64 und T. 42 bzw. 46 der Erstfassung). Das zweite Zwischenspiel der Erstfassung wird in der Neufassung mit Choreinbau kombiniert (vgl. T. 113–116 und T. 103–106). Zudem werden die chorischen Takte, die der erweiterten Einbauphase des B-Teils vorangehen, in der Neufassung durch synkopische Wendungen geprägt, die auf die Motivik des Ritornells zurückweisen (vgl. T. 117–119 und T. 107–109). All das hat zur Folge, dass der Vokal- und der Instrumentalpart der Neufassung enger als zuvor verkettet werden.

Aus dem vergleichsweise schlichten Schlusssatz der »Jagdkantate« entstand also ein quasi motettischer Eingangschor, der durch den Einsatz der Trompeten zu einer geistlichen Festmusik wurde. Offenbar ging es Bach darum, das geringere Profil des Vokalparts in der geistlichen Fassung durch das Netzwerk der motivischen Beziehungen zu kompensieren.

Da der Eingangschor der Weihnachtskantate »Ehre sei Gott in der Höhe« (BWV 197a) nicht erhalten ist, lässt sich nicht beurteilen, ob er auf einer früheren Vorlage beruhte. Dagegen vermutete Neumann 1953, der Eingangschor der Neujahrskantate »Gott, wie dein Name« (BWV 171) gehe »auf eine wahrscheinlich später unterdrückte Einleitungssinfonie« zurück, »in die zum Zwecke räumlicher Weitung der zwei knappen (regelmäßigen) Durchführungen der Chor in bekannter Weise eingebaut« worden sei.[72] In seiner Edition verwies er 1964 auf die autographe Partitur, die »mit ihrer engräumigen, planvollen Taktverteilung« nicht »den Eindruck einer Erstkomposition« erwecke.[73] Bevor darauf zurückgekommen wird, ist auf die Anlage des Satzes einzugehen. Notiert im Alla-breve-Takt, scheint er mit duplierenden Streichern und Oboen[74] die Reihe der Eingangschöre fortzuführen, die an die Tradition des Stile antico anschließen.[75] Wie dort gewinnen in BWV 171:1 melismatische Achtelketten im Satzverlauf wachsende Bedeutung. Zudem wird die erste Trompete an der Durchführung des Fugenthemas beteiligt, um dann zusammen mit den übrigen Trompeten samt Pauken das Ende des Satzes zu beherrschen. Als Parallelfall wäre der Eingangschor der Ratswahlkantate BWV 29 zu nennen, der erst 1731 entstanden ist.[76] Freilich ließe sich die Zahl solcher Sätze erweitern, wenn man von Neumanns Gedanken an eine »unterdrückte Eingangssinfonie« ausginge.[77] Zunächst aber bleibt zu fragen, wie überzeugend die Hypothese Neumanns ist.

Die erste Durchführung (T. 1–24) kann insofern als »regelmäßig« gelten, als Tenor und Alt sowie Sopran und Bass im Wechsel zwischen Dux und Comes einsetzen. Ohne zu modulieren, beginnen und enden die Einsätze auf der I. bzw. V. Stufe, sodass sie aneinander anschließen, ohne eines modulierenden Zwischenglieds zu bedürfen (Notenbeispiel 1). Der Comes setzt vier Takte nach dem Dux ein, während zwischen den Einsatzpaaren sechs Takte liegen. Beide Themenformen unterscheiden sich insofern voneinander, als dem zweiten Ton des Dux ein Quartsprung folgt, der im Comes durch einen Quintsprung ersetzt wird. Zudem wird das Thema in der ersten Durchführung mit einem Kontrapunkt verbunden, der nach zwei Zwischentakten im Alt einsetzt (T. 10–12). Das Kadenzglied des Basses wird mit dem Einsatz der ersten Trompete kombiniert (T. 23–29^1), der als Comes auf der V. Stufe beginnt, um auf der IV. Stufe zu enden. Der Umbruch ergibt sich dadurch, dass dem Terzfall des Comes (a^2-fis^2) der Quartsprung des Dux folgt (fis^2-h^2 statt fis^2-a^2), sodass die Fortsetzung einen Ton tiefer ansetzt. (Die Angaben des Schemas beziehen sich auf die Einsatz- und Kadenzstufen.[78])

---

72 Werner Neumann, J. S. Bachs Chorfuge, S. 72.
73 NBA I /4, hrsg. von Werner Neumann, KB, S. 105.
74 Dass die Oboen bzw. Violinen mitunter die entsprechenden Vokalstimmen umspielen (T. 21, 50 und 53), ändert nichts an ihrer primär duplierenden Funktion, die erst in der Coda modifiziert wird (T. 65–67).
75 Neben zwei frühen Choralbearbeitungen – BWV 4:2 (1707/08?) und BWV 182:7 (1714) – sind jeweils drei Sätze aus dem ersten und zweiten Jahrgang (BWV 179, 64, 144 bzw. BWV 2, 38, 121) sowie ein Choralchorsatz aus dem dritten Jahrgang zu nennen (BWV 28:2). In der Trauerode hingegen handelte es sich um einen Satz zu gedichtetem Text (BWV 198:7).
76 Die autographen Partituren der Sätze BWV 144:1, 2:1 und 121:1 enthalten lediglich den Vokalpart und den Basso continuo, sodass der Anteil der duplierenden Instrumente nur den Originalstimmen zu entnehmen ist (vgl. NBA I/7, KB, S. 8, NBA I/16, KB, S. 72 und NBA I/3, KB, S. 47). Ein Sonderfall ist das Autograph des ersten Satzes aus BWV 179, in dem die duplierenden Instrumente anfangs ausgeschrieben und später durch einen Vermerk ersetzt werden (vgl. NBA I/20, KB, S. 58 f.). In den Partituren der Sätze BWV 171:1 und 29:2 sind hingegen eigene Systeme für die Instrumente vorgesehen (vgl. NBA I/44, KB, S. 90 und NBA I/32.2, KB, S. 16).
77 Dazu gehören die im Alla-breve-Takt notierten Eingangschöre, die über Ritornelle und obligate Instrumente verfügen (BWV 67:1 im ersten sowie BWV 79:1, 148:1, 43:1 und 45:1 im dritten Jahrgang).
78 So beginnt der Tenoreinsatz der zweiten Durchführung auf der II. Stufe von D-Dur (e^1), die zugleich als Quinte eines A-Dur-Klangs fungiert.

Notenbeispiel 1

1. Durchführung	Tenor	I – I	2. Durchführung	Sopran	II – I
	Alt	V – V		Alt	V – V
	Sopran	I – I		Tenor	II – V
	Bass	V – V		Bass	V – IV
	+ Tromba I	V – IV		+ Sopran	I – I

Mit dem Trompeteneinsatz erweitert sich nicht nur die Zahl der beteiligten Stimmen, Vielmehr beginnen zugleich die intervallischen Varianten, die das Thema in der zweiten Durchführung erfährt (T. 33²–58). Obwohl sich die Einsätze in drei- bzw. viertaktigem Abstand folgen, beginnt der dritte Einsatz im Tenor (wie der erste im Sopran) auf der II. Stufe, um jedoch auf der V. Stufe zu enden. Dagegen verharrt der Alteinsatz auf der V. Stufe, während der Basseinsatz bei gleichem Beginn zur IV. Stufe führt. Obwohl ihre intervallische Gestalt dem Einsatz der Trompete entspricht, enden nur die Einsätze des Soprans und des Tenors wie dort eine Sekunde tiefer. Dagegen beginnen Alt und Bass auf derselben Stufe, um aber auf verschiedenen Stufen zu enden, sodass erst der überzählige Sopraneinsatz (T. 58) – der zugleich die Coda eröffnet – entsprechend dem Dux der ersten Durchführung auf der I. Stufe beginnt und endet. Somit lässt sich die zweite Durchführung kaum als »regelmäßig« bezeichnen, zumal in ihr der Kontrapunkt entfällt, der die erste Durchführung ergänzte. Die Phase zwischen den Durchführungen wird durch die Achtelfiguren der Trompete überbrückt, die als Fortspinnung des Themeneinsatzes fungieren (T. 29–42). Sie entsprechen den vokalen Melismen, die bereits die erste Durchführung begleiteten. Das ist insofern nicht unwichtig, als der letzte Sopraneinsatz (T. 58 ff.) mit einem Trompeteneinsatz zusammenfällt, der aus analogen Figuren besteht, ohne eines vorangehenden Themeneinsatzes zu bedürfen.[79] Im Rückblick zeigt sich, dass der Satz auf eine klangliche Steigerung zielt, die im Trompeteneinsatz

---

[79] Wie wichtig Bach die Funktion der Trompete war, zeigen zwei kleine Korrekturen im Autograph. Während im Thema der Trompete eine Achtelnote (T. 24²) im Blick auf das Melisma des Soprans verändert wurde, entfiel im Blick auf die Stimmführung der zweiten Trompete in T. 60 eine Achtelnote des Soprans.

der Coda kulminiert. Beginnend mit dem überzähligen Einsatz der Trompeten, überbrückt die Fortspinnung den Abstand bis zur zweiten Durchführung, während sie später in den Trompeten ansetzt, um mit dem letzten Einsatz des Soprans die Coda zu eröffnen.

Im Blick auf die Coda lässt sich kaum von einem »stark kontrastierenden Schlußstück« reden, das auf eine »später unterdrückte Einleitungssinfonie« schließen lasse.[80] Hätte der Satz mit einer »Sinfonie« begonnen, so müsste ihre Motivik im »Schlußstück« ihre Spuren hinterlassen haben. Die Achtelfiguren der Trompeten entsprechen jedoch den Melismen des Vokalparts, während die Trompetenfanfaren nicht als Relikte einer Sinfonia gelten können. Trotzdem hätte es dann nahegelegen, die Thematik dieser »Sinfonie« in dem sechstaktigen Vorbau zu verwenden, der der Neufassung des Satzes im »Patrem« der h-Moll-Messe vorangeht (BWV 232^{II}:2, T. 1–6). Stattdessen wird dort ein vorgezogener Comes des Basses mit füllenden Akkorden der Instrumente verbunden, die fortan den Satzverlauf begleiten.

Neumann verzichtete darauf, den 1731 entstandenen Chorsatz »Wir danken dir, Gott« (BWV 29:1) heranzuziehen, der wie der Satz aus BWV 171 mit duplierenden Instrumenten beginnt. Obwohl er weniger eine Fuge als eine dicht gestaffelte Kette thematischer Einsätze darstellt, endet er mit einer Coda, die durch den Einsatz des Trompetenchors gekrönt wird. Anders als in BWV 171 werden die Trompeten mit weiteren Themeneinsätzen beteiligt,[81] ohne die Achtelfiguren aufzugreifen, die die Kontrapunktierung des Themas prägen. Im Kritischen Bericht der Edition sah Neumann sich zur »Annahme gedrängt, daß Bach hier einen früher geschaffenen Instrumentalsatz als Vorlage benutzt« habe.[82] Zur Begründung verwies er auf die Textierung des Themas, die »nach sprachlicher Gliederung und deklamatorischer Gestalt befremdlich« wirke.[83] Der Einwand lässt sich entkräften, wenn man an die Textierung der Doppelfuge aus der Motette »Der Geist hilft unser Schwachheit auf« (BWV 226) erinnert, deren Thema die Worte »der *aber* die Herzen« durch Hochton auf betonter Zählzeit hervorhebt. Nicht anders verhält es sich in dem Satz aus BWV 171, in dessen Thema das Wort »so« durch Hochton und nachfolgende Pause hervorgehoben wird, um den Vergleich zwischen dem Namen und dem Ruhm Gottes zu betonen.

Gewichtiger sind die Argumente Neumanns, die sich auf das Autograph stützen. Dass es mit seiner »engräumigen, planvollen Taktverteilung« und den »akkurat mit Lineal gezogenen Taktstrichen […] nicht den Eindruck einer Erstkomposition« erwecke, scheint zunächst überzeugend zu sein.[84] Doch ließe sich der Befund auch anders deuten. Als Bach die Partitur vorbereitete, konnte er bereits den erforderlichen Raum und die Zahl der Systeme absehen. Da nur gelegentlich Achtelwerte

---

80 Neumann, a. a. O., S. 72.
81 Vgl. Tromba I–II T. 62 ff. und T. 82 ff. In den übrigen Einsätzen fungieren die Trompeten als duplierende Stimmen, die zur klanglichen Intensivierung des Satzprozesses beitragen. Neumann, ebd., S. 96, begnügte sich mit Bemerkungen zur differierenden Textierung in der Neufassung des »Gratias« und »Dona nobis« aus der h-Moll-Messe (BWV 232^{I}:7 und 232^{IV}:5).
82 NBA I/4, KB, S. 106.
83 Ebd., S. 105.
84 Ebd., S. 105 (ebd. auch die folgenden Zitate).

verwendet werden, ließ sich das Papier mit engen Taktabständen möglichst sparsam ausnutzen. Dass der Satz einen Takt länger als geplant ausfiel, ist der letzten Akkolade zu entnehmen, deren abschließender Doppelstrich zunächst quer durch alle Systeme gezogen wurde. Daneben blieb noch Raum für einen weiteren Takt (T. 78), der durch Doppelstriche in den einzelnen Systemen abgeschlossen wurde. Neumann meinte, »die Anzahl der Korrekturen« halte sich »in mäßigen Grenzen«, während die Schrift »nicht dem bekannten flüchtigen Konzeptduktus« entspreche. Zugleich verwies er auf mehrere »Notationsversehen«, die auf die »instrumentale Provenienz des Satzes« schließen lassen. Ob diese Folgerung zwingend ist, lässt sich nur anhand des Autographs überprüfen.[85] Dass die Vokalstimmen mehr als der Instrumentalpart korrigiert werden mussten, ließe sich damit erklären, dass Bach zuerst den Vokalpart ausarbeitete, der danach als Vorlage des Instrumentalparts diente.[86] Doch enthalten auch die Instrumentalstimmen Versehen, die nachträglich korrigiert werden mussten.

> Dass die Töne der ersten Oboe in Takt 21 und 50 von denen der Vokalstimmen abweichen, ohne Korrekturen zu zeigen, muss nicht für den Vorrang des Instrumentalparts sprechen, sondern könnte daran liegen, dass die Instrumentalstimmen aus dem Vokalpart abgeleitet und zugleich variiert wurden. In Takt 49–50 wurde die Stimme der zweiten Oboe korrigiert, ohne die ursprüngliche Lesart erkennen zu lassen.[87] Ähnlich verhält es sich in Takt 54, wo alle Stimmen nicht mehr genau lesbar sind.[88] Auffälliger ist es, dass zwei Töne im Themeneinsatz der ersten Trompete geändert werden mussten (T. 25), während die Korrektur der ersten Violine in Takt 63 aufgrund der Papierschäden nicht erkennbar ist.[89]

Dagegen dürfte es zutreffen, dass Bach den Tenor in Takt 29–32 und den Sopran in Takt 30–31 zunächst eine Terz tiefer notiert hatte, weil er die Takte aus den Stimmen der Viola bzw. der ersten Violine abschrieb.[90] Ob das auch – wie Neumann meinte – für die Tenorstimme in Takt 50–51 zutrifft, lässt sich kaum sagen, weil die vorherige Lesart nicht mehr klar zu erkennen ist.[91] Akzeptiert man die These, der Vokalpart sei in einen vorliegenden Instrumentalsatz eingefügt worden, so muss man zugleich einräumen, dass auch der Instrumentalpart überarbeitet wurde. Doch wäre dann zu fragen, wie man sich diesen Instrumentalsatz vorzustellen hat. In Bachs Orchesterwerk fehlen vergleichbare Sätze,[92] während seine Kammermusik nur drei zwei- bzw.

---

[85] Marshall, a.a.O., Bd. I, S. 154, begnügte sich mit einem Hinweis auf Neumanns Beobachtungen. Dem Leipziger Bach-Archiv verdanke ich eine Kopie des Autographs, das sich als Leihgabe der Lehman Foundation in der Pierpont Morgan Library New York befindet (in BWV[2a] wurde versehentlich die Public Library genannt).
[86] Dazu könnte passen, dass die Pausen des Fugenthemas im Instrumentalpart nachträglich durch Überbindungen ersetzt wurden, vgl. Neumann, KB, S. 91. Dass beide Durchführungen des Fugenthemas fast fehlerfrei notiert wurden, dürfte daran liegen, dass der Niederschrift mehrere Skizzen vorangingen.
[87] So auch Neumann, in: KB, S. 92.
[88] Nicht erwähnt ebd., S. 92.
[89] Vgl. ebd., S. 92.
[90] Vgl. ebd., S. 105.
[91] So zumindest in der zugrunde liegenden Kopie, vgl. dagegen KB, S. 105.
[92] Das fugierte Finale des 4. Brandenburgischen Konzerts (BWV 1049:3) enthält konzertante Episoden für Solovioline und Blockflöten (»Flauti d'echo«).

dreistimmige Alla-breve-Fugen enthält.[93] Selbst wenn die erhaltene Fassung auf eine verlorene Vorlage zurückginge, müsste sie so beträchtlich erweitert worden sein, dass der Satz nicht als Parodie, sondern als neue Fassung zu gelten hätte.

3. Sinfonien

Die drei erhaltenen Sinfonien finden sich in Kantaten, die mit solistischen Sätzen beginnen. Sie gehen auf ältere Sätze zurück und bilden – wie die übrigen Sinfonien seit 1725 – weniger neue Fassungen als Arrangements. Da sich durch die geänderten Besetzungen weitere Fragen ergeben, ist auf diese Sätze näher einzugehen.

BWV 188:1	21. p. Trin.	(Ob. I–II, Taille, Str., Org. obl., Bc.) – d-Moll, ¾ (erhalten nur T. 249–275)	Vorlage verschollen (vgl. BWV 1052:3 für Cemb. conc., V. I–II, Va., Bc.) – d-Moll, 286 Takte ¾
BWV 156:1	3. p. Epiph.	Ob., Str., Bc. – F-Dur, 20 Takte c	Vorlage verschollen (vgl. BWV 1056:2 für Cemb., V. I–II, Va., Bc. – As-Dur, 21 Takte c
BWV 174:1	2. Pfingsttag	Corno da caccia I–II, Str. in rip. + Ob. I–II, Taille, V. conc. I–III, Va. conc. I–III, Vc. conc. I–III, Bc. – G-Dur, 136 Takte c	BWV 1048 (3. Brandenburgisches Konzert), Satz 1 für V. I–III, Va. I–III, Vc. I–III, Vne. und Cemb. – G-Dur, ¢

Das Autograph der Kantate BWV 188, das im 19. Jahrhundert in 13 Fragmente zerlegt wurde, enthält nur ein Bruchstück der Sinfonia, die schon früher von den anderen Sätzen getrennt wurde, aber als Finalsatz des Cembalokonzerts d-Moll BWV 1052 überliefert ist.[94] Beginnend mit Takt 249, enthält das Fragment den Schluss der Solokadenz und bricht im zweiten Takt des abschließenden Ritornells (~ T. 275) ab. Da der erhaltene Abschnitt sieben Takte länger als im Cembalokonzert ist, dürfte die Sinfonia mindestens 293 (statt 286) Takte umfasst haben.[95] Während das Autograph des Cembalokonzerts um 1738 geschrieben wurde, geht diese Fassung wie die der Sinfonia offenbar auf ein verschollenes Violinkonzert zurück, das wohl schon in Weimar entstanden und in Köthen überarbeitet worden war.[96] Wilfried Fischers Rekonstruktion ging von der Prämisse aus, dass der Solopart in der Cembalofassung

---

93 Vgl. BWV 1027:4 (~ 1039:4), BWV 1030:3 und BWV 1031:4 (~ 1038:4).
94 Vgl. dazu NBA I/25, hrsg. von Ulrich Bartels, S. 267–270, sowie KB, S. 207, 215 und 228, ferner Ulrich Siegele, Kompositionsweise und Bearbeitungstechnik in der Instrumentalmusik Johann Sebastian Bachs, Neuhausen-Stuttgart 1975, S. 101–103 und 113–116.
95 Vgl. Werner Breig, Zur Gestalt der Eingangs-Sinfonia von Bachs Kantate »Ich habe meine Zuversicht« (BWV 188), in: Cöthener Bach-Hefte 11 (2003), S. 41–60, hier S. 43 ff.
96 Vgl. ebd., S. 43 und 49, ferner ders., Bachs Violinkonzert d-Moll. Studien zu seiner Gestalt und seiner Entstehungsgeschichte, in: BJ 1976, S. 7–34, zur Violinstimme hier besonders S. 8–19. Zur Datierung vgl. neuerdings Siegbert Rampe, Bachs Orchestermusik, Laaber 2013, S. 268, wonach die »Ritornellform« des Satzes auf seine Entstehung »bis 1715« schließen lasse. Dagegen könnte der dreistimmige Tuttisatz der Ritornelle auf Bachs Köthener Jahre verweisen, für die Rifkin mehrere Parallelen nachweisen konnte, vgl. Joshua Rifkin, Verlorene Quellen, verlorene Werke – Miszellen zu Bachs Instrumentalkomposition, in: Bachs Orchesterwerke, Bericht über das 1. Dortmunder Bach-Symposion 1996, hrsg. von Martin Geck, Witten 1997, S. 59–66 und S. 73, Anm. 44.

übernommen und nur in Details verändert worden sei.[97] Da sich aber die Kadenz der Sinfonia von der Fassung für Cembalo unterscheidet, ist fraglich, ob nicht weitere Differenzen denkbar sind.[98] Gleichwohl darf man vermuten, dass in der Sinfonia weniger eine neue Fassung als eine Transkription vorliegt, deren Solopart revidiert und mit der neuen Kadenz versehen wurde. Im Blick auf die Orgelstimmung ist er in der Sinfonia in c-Moll und zugleich eine Oktave tiefer notiert, da die Violinstimme offenbar den Umfang der Orgel überschritt, während zugleich eine Registrierung auf 4′-Basis vorausgesetzt wird.[99] Überdies wurde der Streicherpart durch Oboen colla parte verstärkt.

Die Sinfonia für Oboe und Streicher aus BWV 156, die in F-Dur steht, geht vermutlich auf den Mittelsatz eines verschollenen Oboenkonzerts zurück.[100] Eine in As-Dur stehende Fassung ist als Mittelsatz des Cembalokonzerts c-Moll überliefert (BWV 1056:2), dessen autographe Partitur um 1738 anzusetzen ist.[101] Wie Siegel zeigte, dürften die Außensätze des Cembalokonzerts einem verschollenen Violinkonzert in g-Moll entstammen, das Wilfried Fischer zu rekonstruieren versuchte.[102] Während Fischer vermutete, die Sinfonia aus BWV 156 habe als Vorlage der As-Dur-Fassung für Cembalo gedient,[103] konnte Rifkin zeigen, dass die Version des Cembalokonzerts auf das verschollene Oboenkonzert zurückgehen dürfte. Da die Kantate nur in späteren Abschriften vorliegt, stützte sich Rifkin auf das Autograph des Cembalokonzerts, dessen Korrekturen auf die Terztransposition von F- nach As-Dur zurückgehen und in den letzten Takten beweisen, dass das Oboenkonzert und nicht die Sinfonia als Vorlage zu gelten hat.[104] Da der Solopart des Konzertsatzes reichere Verzierungen aufweist, dürfte die schlichtere Solostimme der Sinfonia dem verschollenen Original näherstehen. Zudem fehlen im Streicherpart die Angaben »pizz.« bzw. »arco«, die sich erst in der Cembalofassung finden. Während die Sinfonia in Takt 20 mit einem Halbschluss in C-Dur endet, geht dem Schluss des Konzertsatzes in Takt 20 eine Modulation zur Tonikaparallele f-Moll voraus, sodass der Satz einen Takt später in C-Dur endet und damit zum Finale vermittelt.

---

97 Vgl. NBA VII/7 (Supplement), Verschollene Solokonzerte in Rekonstruktionen, hrsg. von Wilfried Fischer, 1970, Vorwort, S. V, sowie KB, S. 43 f. Das gilt analog auch für die Sinfonia, vgl. Joh. Seb. Bach, Kantate Nr. 188 »Ich habe meine Zuversicht«, rekonstruiert und hrsg. von Werner Breig, Wiesbaden 2007, Vorwort und Kritischer Bericht (ohne Paginierung).
98 Wie Werner Breig zeigte, beruht die Wiedergabe des letzten Takts (T. 282) in NBA I/25, S. 270, auf einem Irrtum des Herausgebers (vgl. Breigs Rezension in Mf 56, 2003, S. 108).
99 Vgl. Werner Breig, Cöthener Bach-Hefte 11, S. 43 f.
100 NBA I/6, hrsg. von Ulrich Leisinger und Peter Wollny, KB, S. 95. Vgl. dazu Joshua Rifkin, Ein langsamer Konzertsatz Johann Sebastian Bachs, in: BJ 1978, S. 140–147, sowie Werner Breig, Zur Werkgeschichte von Bachs Cembalokonzert BWV 1056, in: Bachs Orchesterwerke, a. a. O., S. 265–282, hier besonders S. 272 ff.; Bruce Haynes, Johann Sebastian Bachs Oboenkonzerte, in: BJ 1992, S. 23–43, besonders S. 37 f.
101 Vgl. dazu die Edition von Werner Breig, NBA VII/4, KB, S. 159 f.
102 Vgl. dazu Ulrich Siegele, a. a. O., S. 129 f., sowie die Edition von Wilfried Fischer, NBA VII/7 Supplement, KB, S. 85. Vgl. auch Pieter Dirksen, Bach's Violin Concerto in G Minor, in: J. S. Bach's Concerted Ensemble Music, hrsg. von Gregory G. Butler (Bach Perspectives 7), Urbana / Chicago 2008, S. 21–54.
103 Vgl. Wilfried Fischer, NBA VII/7, KB, S. 84–86, ferner Siegbert Rampe, a. a. O., S. 271–277 und 381–383.
104 Rifkin, a. a. O., S. 142 ff. Ebd., S. 145 ff., wies Rifkin darauf hin, dass die Rahmensätze des Oboenkonzerts in den Sinfonien der Kantate »Geist und Seele wird verwirret« (BWV 35:1 und 5) verwendet wurden.

In der Sinfonia der Kantate »Ich liebe den Höchsten von ganzem Gemüte« (BWV 174:1) wurden die Stimmen des 3. Brandenburgischen Konzerts soweit übernommen, dass sie in der teilautographen Partitur einem Kopisten überlassen werden konnten. Dagegen übernahm es Bach, den Part der Hörner und die Zusatzstimmen für Streicher und Oboen zu schreiben.[105] Dass die Solostimmen mehrfach von der Fassung des Konzertsatzes abweichen, dürfte daran liegen, dass das verschollene Autograph als Vorlage diente.[106] Während die Hörner als Obligatstimmen fungieren, duplieren die Ripienstimmen nicht durchweg die konzertierenden Stimmen, sondern geben dem Satz oft eigene Impulse. Falls die Ripienstimmen doppelt besetzt waren, wären an der Aufführung wenigstens 20 Spieler beteiligt gewesen. Offenbar konnte Bach mit der Mitwirkung des Collegium musicum rechnen, dessen Leitung er im Frühjahr 1729 übernommen hatte.[107] Dass »das ursprüngliche Konzept [...] durch ein wesentlich differenzierteres ersetzt« wurde,[108] mag dazu beigetragen haben, dass die Sinfonia in den Analysen des Konzertsatzes wenig Beachtung fand. Während Gerber den Satz als »Rahmenform« interpretierte, die durch einen »Rondokomplex« erweitert und durch das Ritornell beschlossen werde,[109] beschrieb ihn Rampe als »Ritornellform mit zehn Ritornellen (plus zwei unthematischen Anhängen in der Art Albinonis) und zwei Episoden«.[110] Allerdings galten ihm zwei- oder viertaktige Gruppen ebenso als Ritornelle wie die achttaktigen Phasen, die Gerber als Ritornelle bezeichnet hatte.[111] Ohne die Ritornelle von den Ritornellzitaten zu unterscheiden, bezeichnete Rampe die Gruppen durchweg als Ritornelle. Dabei berief er sich auf Scheibe als »einzigen Autor, der sich zu Bachs Lebzeiten« zur »Ritornellform« geäußert habe.[112] Scheibe zufolge beginne das Konzert »mit dem Hauptsatze«, der »gleichsam das Ritornell« sei, während der Solist »mit dem wiederholten Hauptsatze« oder »einem gantz neuen Satze anfangen« könne.[113] Als »Ritornelli« bezeichnete Johann Gottfried Walther die »Instrumental-*moduli*«, die in einer »Sing-Arie so wohl den Anfang als Ende ausmachen [...] und entweder völlig ausgeschrieben, oder vom Anfange wiederholt werden müssen.«[114] Für beide Autoren war demnach

---

[105] Vgl. NBA I/14, hrsg. von Alfred Dürr und Arthur Mendel, S. IX–X, sowie KB, S. 99 f.

[106] Das erhaltene Partiturautograph war 1721 dem Markgrafen Christian Ludwig von Brandenburg dediziert worden. Zu den Abweichungen vgl. die Nachweise bei Siegele, a. a. O., S. 151 ff.

[107] Vgl. den Brief an Christian Gottlieb Wecker vom 20. März 1729 (Dok. I, Nr. 20, S. 57) sowie Werner Neumann, Das »Bachische Collegium musicum« (1729), in: BJ 1960, S. 5–27, und Tatjana Schabalina, Die »Leges« des »Neuaufgerichteten Collegium musicum« (1729). Ein unbekanntes Dokument zur Leipziger Musikgeschichte, in: BJ 2012, S. 107–119.

[108] Dürr, Die Kantaten, Bd. 1, S. 311.

[109] Rudolf Gerber, Bachs Brandenburgische Konzerte. Eine Einführung in ihre formale und geistige Wesensart, Kassel u. a., ²1965, S. 25 f.

[110] Siegbert Rampe, Bachs Orchestermusik, a. a. O., S. 194.

[111] So wurden – um nur ein Beispiel zu nennen – die Takte 12–23 in drei Ritornelle und zwei Episoden geteilt (vgl. das Schema ebd., S. 194): R 2 (4 Takte) – E 2 (3 Takte) – R 3 (2 Takte) – E 3 (1,5 Takte) – R 4 (2 Takte).

[112] Siegbert Rampe, Grundsätzliches zur Ritornellform bei Johann Sebastian Bach, in: BJ 2014, S. 61–71, hier S. 63. Statt Scheibes Bemerkungen zum Ritornell zu zitierten, wies Rampe darauf hin, dass in Scheibes Sicht »Konzert- und Arienform grundsätzlich miteinander vergleichbar waren«.

[113] Johann Adolph Scheibe, Critischer Musicus, Leipzig ²1745, S. 631 f.

[114] Johann Gottfried Walther, Musicalisches Lexicon, Leipzig 1732, S. 529 (Art. Ritornello). Vgl. auch Johann Joachim Quantz, Versuch einer Anleitung, die Flöte traversiere zu spielen, Berlin 1752, S. 294.

die Wiederholung des Ritornells ein maßgebliches Kriterium. Folgt man der Definition von Jean-Claude Zehnder[115], so besteht das Ritornell aus BWV 1048:1 aus einem prägnanten Kopfmotiv (T. 1–2^a), einer figurativen Fortspinnung (T. 2^b–6) und einer Kadenzgruppe (T. 7–8). Insgesamt umfasst der Satz vier achttaktige Ritornelle (wobei das letzte erweitert wird). In ihrer tonalen und strukturellen Kohärenz unterscheiden sie sich von den Zwischenphasen, die durch die Verarbeitung der Ritornellmotivik, die Einführung weiterer Motive und modulierende Progressionen gekennzeichnet und zumeist »Episoden« genannt werden.[116] Erinnert man sich daran, dass Carl Philipp Emanuel Bach die Werke seines Vaters als »arbeitsame« Musik charakterisierte,[117] so ließen sich die »Episoden« eher als »Arbeitsphasen« bezeichnen.

Ritornell I	»Episode« 1	Ritornell II	»Episode« 2	Ritornell III	»Episode« 3	Ritornell IV
1–8	9–38	39–46	47–79	70–77	78–107–125	126–132–136
G-Dur	G – modul. – D	G-Dur	G – modul. – h	h-Moll	G – modul. – g^b	G-Dur

Ohne auf den Konzertsatz einzugehen, muss es hier genügen, auf das Verhältnis der Teile hinzuweisen, die in der Sinfonia eine andere Gewichtung erhalten. Zum einen schließt die Kohärenz des Ritornells nicht aus, dass sich die Wiederholungen mit Varianten verbinden. Während die Streicherstimmen im zweiten Ritornell solistisch aufgefächert werden (T. 39–42), wird die Fortspinnung im dritten Ritornell durch die variierte Kadenzgruppe ersetzt (T. 73–77), wogegen das letzte Ritornell durch einen viertaktigen Einschub erweitert wird (T. 132^b–135^a). Zum anderen begnügen sich die »Episoden« nicht mit der Verarbeitung des Ritornells und weiterer Motive. Vielmehr enthalten sie kurze Ritornellzitate, die sich zugleich mit weiteren Varianten paaren. Zitiert die erste »Episode« die erweiterte Kadenzgruppe des Ritornells (T. 22–23), so greift die zweite auf die nach e-Moll transponierte Kopfgruppe zurück (T. 54–58), bis die letzte das Kopfmotiv mit einem neuen Fugatothema kombiniert und zugleich als »Scheinreprise« fungiert (T. 78–87^a). In dem Maß, wie die »Episoden« von der Motivik des Ritornells zehren, wirken sie auf die Wiederholungen des Ritornells zurück. Beide Prozesse greifen ineinander, sodass der Satz einem Quidproquo gleicht, dessen Elemente sich gegenseitig vertreten.

Die mehrdeutige Anlage des Konzertsatzes wird in der Sinfonia durch die klare Unterscheidung zwischen Ritornellen und »Episoden« ersetzt. Während die Hörner die Kadenzen der Ritornelle akzentuieren (T. 6–8, 44–56, 72–74 und 130–131 + 136), beschränken sie sich in den »Episoden« auf füllende Töne und rhythmische Impulse, um erst in den Kadenzen wieder hervorzutreten (T. 22 f. und 106).[118] Der Satz erweist sich somit als Ritornellform mit vier Ritornellen und drei Verarbeitungsphasen.

---

115 Jean-Claude Zehnder, Ritornell – Ritornellform – Ritornellkonstruktion. Aphorismen zu einer adäquaten Beschreibung Bachscher Werke, in: BJ 2012, S. 95–106, hier S. 95.
116 Ebd., S. 96.
117 Vgl. Nekrolog, Dok. III, S. 87.
118 Dass die Hörner in der e-Moll-Kadenz (T. 57 f.) pausieren, mag daran liegen, dass Bach die heiklen Töne *cis*^{2} und *dis*^{2} zu umgehen suchte, vgl. Ulrich Prinz, Bachs Instrumentarium, S. 144 f.

4. Arien und Duette

Die Werke der Picander-Gruppe umfassen (unter Einschluss der fragmentarischen Arie BWV 197a:4 und der Sätze aus BWV 145) insgesamt 17 Arien und Duette. Angesichts der begrenzten Satzzahl ist die Vielfalt der Besetzungen desto auffälliger. Findet sich nur noch eine Continuo-Arie, so stehen drei Sätzen mit Soloinstrumenten jeweils zwei Arien mit Streichern gegenüber. Neben zwei Arien mit Oboe und Streichern begegnen jedoch vier instrumentale Duosätze und vier Duette, die über obligate Instrumentalstimmen verfügen.

Die Dominanz der Da-capo-Formen ergibt sich durch Henricis Texte, die in der Regel die Angabe »Da capo« aufweisen. Desto auffälliger ist es, dass Bach variierte Da-capo-Formen bevorzugte und nur drei konventionelle Da-capo-Arien schrieb.[119] Vielfach enthalten die Rahmenteile zwei oder drei längere Zeilen, denen in den Mittelteilen drei bis fünf kürzere Zeilen gegenüberstehen. Henrici wusste die Syntax der Sätze so geschickt mit dem Metrum der Zeilen zu verbinden, dass ihm mitunter Verse gelangen, die der gesprochenen Sprache überraschend nahekommen. Besonders überzeugende Beispiele sind die Texte der Arien BWV 171:4, 156:3, 159:4, 149:4 und 174:4.[120] Der Variantenreichtum der Vertonungen dürfte beweisen, dass Bach die Qualitäten des Dichters zu schätzen wusste.

a. Zum Continuo-Satz

Dass Bach in der Bassarie »Kraft und Stärke sei gesungen« (BWV 149:2) nochmals einen Continuo-Satz schrieb, dürfte an Henricis Text liegen, der von der Macht Gottes redet und damit an entsprechende Sätze aus den Choralkantaten erinnert.[121] Ähnlich wie dort fungiert das Vorspiel als Ritornell, ohne jedoch zum Ostinato zu tendieren.

BWV 149:2	Michaelis	Kraft und Stärke sei gesungen	A – B	B., Bc.	h-Moll, e

Das Kopfmotiv unterscheidet sich klarer als sonst von der figurativen Fortspinnung, sodass sich das Ritornell dem Muster der Sätze mit obligatem Instrumentalpart nähert. Sichtbar wird das an der unterschiedlichen Funktion der Taktgruppen. Während der A-Teil von der Motivik des Vordersatzes zehrt und nur in den letzten Takten auf die Fortspinnung zurückgreift (vgl. T. 21–23 mit T. 3–5), verarbeitet der B-Teil vor allem die Figuren der Fortspinnung. Zwar greift der Vokalpart auf das Kopfmotiv zurück, dessen Takte aber nicht mehr durch Pausen getrennt, sondern enger verbunden und intervallisch variiert werden. Führt die erste Phase des A-Teils

---

119 Neben einer zweiteiligen Arie (BWV 149:2) und einem Text, dessen erste Zeile als Kehrreim dient (BWV 156:2), stehen zwei Sätze mit vokalen Choralstrophen (BWV 149:6 und 159:2).
120 Vgl. dazu Ferdinand Zander, Die Dichter der Kantatentexte Johann Sebastian Bachs, in: BJ 1968, S. 9–64, hier S. 45 f. und 49–55. Da es Zander um die Zuschreibung der Texte ging, deren Autoren unbekannt sind, konnte er auf eine Charakterisierung der Dichtungen Henricis verzichten.
121 Vgl. die Continuo-Arien BWV 10:4 »Gewaltige stößt Gott vom Stuhl«, BWV 62:4 »Streite, siege, starker Held«, BWV 107:5 »Wenn auch gleich aus der Hölle« oder BWV 126:4 »Stürze zu Boden, schwülstige Stolze«.

zur Durparallele, so moduliert die durch Koloraturen erweiterte zweite Phase zur Dominante und endet in einem Zwischenspiel, das der Fortspinnungsgruppe des Ritornells entspricht (T. 24³–28³ ~ 3³–8³ mit variierter Kadenz). Im B-Teil dagegen variiert der Continuo die figurative Fortspinnung, sodass sich der Vokalpart auf syllabische Deklamation des Textes beschränken muss. Damit wird der Satz an die Arien mit obligaten Instrumenten angeglichen, sodass die doppelte Rolle des Continuo, der zugleich als Generalbass und als Obligatstimme fungiert, das letzte trennende Merkmal bleibt. Das wird noch deutlicher, wenn man auf die Bassarie BWV 62:4 (»Streite, siege, starker Held«) zurückblickt, deren Continuostimme aus der Wiederholung oder Sequenzierung eines eintaktigen Modells bestand, ohne die Kopfgruppe von der Fortspinnung zu unterscheiden. Schlägt man den Bogen bis zum ersten Continuo-Satz zurück (BWV 132:3 »Wer bist du«), so wird die zunehmende Differenzierung des Bassgerüsts einsichtig. Während dort die Unterscheidung der Taktgruppen durch die Cellostimme bewirkt wurde, die den Continuo umspielte, bildet die Differenzierung der Taktgruppen in BWV 249:2 ein konstitutives Merkmal des Bassmodells.

b. Arien mit einem Soloinstrument

Trotz unterschiedlicher Besetzung stellen die Arien mit einem Soloinstrument gleichermaßen Da-capo-Formen dar und bestätigen damit, dass das Verhältnis zwischen konstanten Formtypen und variablen Besetzungen zu den Kennzeichen der Picander-Gruppe zählt.

188:4	21. p. Trin.	Unerforschlich ist die Weise	Dc	A., Org. obl., Vc. – e-Moll, ₵	
197a:6	1. Weihn.	Ich lasse dich nicht, ich schließe dich ein	var. Dc	B., Ob. d'am. solo, Bc. – D-Dur, 6/8	
171:4	Neujahr	Jesus soll mein erstes Wort (nach BWV 205:9 »Angenehmer Zephyrus«)	var. Dc	S., V. solo, Bc. – D-Dur, 12/8 (BWV 205:9 in E-Dur)	

Der Instrumentalpart der Altarie BWV 188:4 zeigt zwar in der autographen Partitur die Angabe »l'Organo solo«, doch wies Breig darauf hin, dass die Stimme »nicht orgel-idiomatisch, sondern ebensogut für die Violine geeignet« ist.[122] Das auf der Dominante endende Ritornell, das am Schluss entsprechend geändert wird, beginnt mit einem Kopfmotiv, das vom Vokalpart übernommen wird. Die ausgedehnte Fortspinnung (T. 3–8) bildet dagegen ein derart intrikates Geflecht, dass die Altstimme nur die abschließende Triolenkette aufgreifen kann (vgl. T. 7 f. mit T. 25 und 69), die im Mittelteil zu längeren Koloraturen erweitert wird (T. 37–39 und 43–46). Da die erste Zeile für sich allein unverständlich bliebe, wird die Devise durch eine viertaktige Gruppe ersetzt, die beide Zeilen des A-Teils zusammenfasst (T. 9–12). Lenkt die nächste Gruppe zur Durparallele (T. 13³–17¹), so wird über eine dreistufige Sequen-

---

[122] Vgl. das Vorwort der in Anm. 97 zitierten Edition. Wie Breig zeigte, ist die Besetzung des Soloparts ungewiss, weil die Originalstimmen verloren sind, deren Angaben nicht immer den Hinweisen der Partituren entsprechen.

zierung des Kopfmotivs die V. Stufe erreicht (T. 17³–21¹), die in der letzten Phase des A-Teils befestigt wird (T. 22–27). Derselben Gruppierung folgt die variierte Reprise, in der das modulierende Gelenk verändert wird (T. 62³–64³). Dagegen umfasst der Mittelteil drei Zeilen, die zweimal durchlaufen werden (T. 32³ und 41–47). Werden in der ersten Phase die Worte »unser Kreuz und Pein« hervorgehoben (T. 33 f.), so wird die letzte Zeile der zweiten Phase durch eine Wiederholung erweitert (T. 43–47: »und zu seines Namens Preise«). Getragen vom gleichmäßig schreitenden Continuo, bilden die Oberstimmen ein engmaschiges Gewebe, dessen Stimmen von dem Material partizipieren, mit dem sie sich wechselseitig kontrapunktieren.

Dagegen scheint die Bassarie »Ich lasse dich nicht, ich schließe dich ein« (BWV 197a:6) auf den ersten Blick zum Typus der Sätze mit instrumentaler Figuration zurückzukehren. Das Ritornell (T. 1–8) verbindet ein zweitaktiges Kopfmotiv, dessen Rhythmik an das Siciliano erinnert,[123] mit einer eintaktigen Sechzehntelkette, die im Nachsatz auf drei Takte erweitert wird. Die Grenze zwischen Vordersatz und Fortspinnung wird durch einen Halbschluss angedeutet, der jedoch mit einem Rekurs auf die Rhythmik des Kopfmotivs verbunden ist (T. 4). Trotz der instrumentalen Prägung des Ritornells übernimmt der Vokalpart den Vordersatz, dem der dreizeilige Text des A-Teils unterlegt wird (T. 9–12 ~ 1–4). Zwar wechseln anschließend zwei vokale Varianten des Kopfmotivs mit zwei eintaktigen Einwürfen der Oboe, doch werden die Stimmen danach bis zum Ende des A-Teils gekoppelt. Obwohl die Figuren der Fortspinnung kaum je wiederholt werden, bleiben ihre rhythmischen Impulse latent wirksam. An die Stelle des Vokaleinbaus tritt mithin ein Geflecht motivischer Varianten, die auf das Material des Ritornells zurückweisen. Im Mittelteil erweitert sich das Verfahren zu einer pausenlosen Figurenkette der Oboe (T. 37–48), die mit einer mehrtaktigen Koloratur des Basses verbunden wird (T. 43–45: »ja! selber die Hölle nicht rauben«). Die Kette der Varianten setzt sich in der variierten Reprise fort, in der nicht nur die modulierenden Takte (vgl. T. 58 ff. und T. 16 ff.), sondern auch die anschließenden Gruppen verändert werden (vgl. T. 61–70 mit T. 17–26).

Demnach entspricht der Satz einem Verfahren, das zuerst in den »Flötenarien« des zweiten Jahrgangs und später in BWV 6:2 (2. April 1725) begegnete und seit BWV 57:7 (25. Dezember 1725) in den Arien des dritten Jahrgangs fortgebildet wurde.[124] So locker das Netz der Varianten wirkt, so fest ist das Gewebe der Stimmen, sodass die Arie um 1736/37 in die Trauungskantate »Gott ist unsre Zuversicht« übernommen werden konnte (BWV 197:8). Allerdings hatte der Dichter – in dem man wohl Henrici vermuten darf – einen metrisch passenden Text geliefert, sodass der Satz nur nach G-Dur transponiert zu werden brauchte. Einer Änderung bedurfte lediglich das Herzstück des Mittelteils (T. 43–48), dessen Koloraturen dem neuen Text wenig angemessen waren. Um die Sequenzgruppe der Vorlage zu wahren, wurden die Koloraturen des Vokalparts in zwei zusätzliche Oboenstimmen verlegt, die ansonsten nur füllende Töne zu spielen haben.

---

123 Vgl. Finke-Hecklinger, a. a. O., S. 84.
124 Vgl. den Exkurs über die »Flötenarien« (Teil V A, Kap. 6e) sowie die Bemerkungen zu den Arien vom Sommer 1725 bzw. des dritten Jahrgangs (Teil V B, Kap. 6d und Teil VI, Kap. 7a–d).

Handelte es sich hier um eine Parodie, so griff Bach in der Arie »Jesus soll mein erstes Wort« (BWV 171:4) auf einen Satz aus der Kantate »Der zufriedengestellte Aeolus« zurück, die im Sommer 1725 entstanden war (BWV 205:9).[125] Obwohl beide Texte von Henrici stammen, unterscheiden sie sich grundlegend. Damit entfällt die Annahme, Bach habe mit Henrici einen »Parodien-Jahrgang« geplant. Träfe das zu, dann hätte Bach entweder keine derart abweichende Vorlage gewählt oder Henrici einen geeigneteren Text geliefert. In BWV 205 werden die ersten vier Zeilen mit kleinen Varianten wiederholt, sodass sich gleichsam zwei Strophen ergeben, die durch eine Zwischenzeile getrennt werden (»Großer König Aeolus«). Zwar enthält auch der Text aus BWV 171 zwei Teile, doch zeigt er eine Da-capo-Angabe, sodass der Satz auf drei Teile erweitert werden musste (A – B – A').

Angenehmer Zephyrus,	Jesus soll mein erstes Wort
Dein von Bisam reicher Kuß	In dem neuen Jahre heißen.
Und dein lauschend Kühlen	Fort und fort
Soll auf meinen Höhen spielen.	Lacht sein Nam in meinem Munde,
Großer König Aeolus,	Und in meiner letzten Stunde
Sage doch dem Zephyrus,	Ist Jesus auch mein letztes Wort.
Daß sein Bisam reicher Kuß,	Da capo
Und sein lauschend Kühlen	
Soll auf meinen Höhen spielen.	

In BWV 205:9 lag eine zweiteilige Form vor, deren zweiter Teil mit der Zeile »Großer König Aeolus« begann und anschließend wiederholt wurde (A – B – B'). In der Neufassung fügte Bach ein Zwischenspiel ein, das die variierte Reprise einleitet, während der Schlußteil der Vorlage entspricht. Zugleich wurde der Satz einen Ganzton abwärts transponiert, weil der Violinpart leichter in D-Dur als in E-Dur zu spielen ist.[126] Wird demnach der erste Teil der Vorlage übernommen, so konzentrieren sich die Abweichungen – hier fett markiert – auf die anschließenden Phasen.

205:9	A								
Rit.	Z. 1	Zwsp.	Z. 1–4	Zwsp.	Z. 5–9, Z. 5–8		–	Z. 9	Ritornell
1–7¹	7²–9¹	9²–11¹	11²–18¹	18²–22¹	22²–	35	→	35–44¹	44²–50²
					B¹	B²			

171:4	A					B		A'	
1–7¹	7²–9¹	9²–11¹	11²–18¹	18²–22¹	22² **(+ 24)** –	36	**37–40¹**	40²–	**46–54¹**	54²–60²
Rit.	Z. 1–2	Zwsp.	Z. 1–2	Zwsp.	Z. 3–6		Zwsp.	Z. 1–2	Rit.

Besonders sorgsam sind die Brückentakte ausgearbeitet (T. 36 bzw. 46). Gegenüber Takt 35 der Vorlage wird in Takt 36 eine punktierte Halbe des Soprans verkürzt,

---

125 Das Werk entstand zum Namenstag August Friedrich Müllers am 3. August 1725. Henricis Text erschien 1727 im ersten Teil der Sammlung »Ernst-Schertzhaffte und satyrische Gedichte«.
126 Erst durch die Transposition ergab sich in der zweiten Hälfte des Ritornells (T. 5–6) der wiederholte Wechsel zwischen der leeren A-Saite und den gegriffenen Tönen auf der E-Saite.

während die Skalenfiguren der Neufassung ein Zwischenspiel einleiten (T. 37–40^1 = 1–4^1). Der folgende Takt der Vorlage (T. 36) wird mit dem modulierenden Scharnier verbunden, das durch die variierte Reprise erforderlich wird, wogegen die weiteren Takte dem ersten Teil entsprechen (T. 40^2–46^1 = 7^1–13^1). Dass zuvor ein Takt eingefügt wurde (T. 24), dürfte durch die letzten Zeilen des Mittelteils veranlasst worden sein (»und in meiner letzten Stunde / ist Jesus auch mein letztes Wort«). Um dem Gewicht der Worte Rechnung zu tragen, wurde die erste Hälfte des vorangehenden Taktes geändert und dem neuen Text angepasst. Demnach wurde – ähnlich wie in BWV 68:4 (zum 2. Pfingsttag 1725) – eine zweiteilige Vorlage zu einer variierten Dacapo-Arie erweitert, sodass weniger von einer Parodie als von einer neuen Fassung zu sprechen ist.

c. Instrumentale Duosätze

Dass in einem Viertel der Sätze zwei obligate Instrumentalstimmen gefordert werden, dürfte eher an einem Zufall als an einer Planung liegen. Dagegen ist die Dominanz der Da-capo-Form ein generelles Kennzeichen der Texte Henricis.

197a:4	1. Weihn.	O du angenehmer Schatz (vgl. 197:6 O du angenehmes Paar, 1736/37)	var. Dc	(A., Trav. I–II., Vc./Fag.?) in 197:6: B., Ob., Fag. obl., V. I–II con sordino, Bc. – G-Dur, ℂ
171:2	Neujahr	Herr, so weit die Wolken gehen	var. Dc	T., V. I–II, Bc. – A-Dur, ℂ
156:4	3. p. Epiph.	Herr, was du willt	var. Dc	A., Ob. I, V. I–II, Bc. – B-Dur, ℂ
174:2	2. Pfingsttag	Ich liebe den Höchsten von ganzem Gemüte	Dc	A., Ob. I–II, Bc. – D-Dur, 6/8

Das fragmentarische Autograph der Kantate 197a enthält nur die letzten 19 Takte der Bassarie »O du angenehmer Schatz«, doch lässt sich der Satz aus einer späteren Fassung erschließen (BWV 197:6 »O du angenehmes Paar«, um 1736/37). Dem Vokalpart des Bruchstücks (T. 1–11^1) sind die beiden ersten Textzeilen unterlegt, sodass es sich um den Schlussteil und das Nachspiel einer Da-capo-Arie handeln muss (T. 53–71 in BWV 197:6). Da der dritte Takt zur IV. Stufe lenkt, dürfte er das modulierende Gelenk darstellen, während der A-Teil vermutlich zur Dominante modulierte (vgl. BWV 197:6, T. 15 f.). Dass das Fragment »kalligraphische Züge« zeigt, muss nicht bedeuten, dass der Satz auf eine ältere Vorlage zurückgeht.[127] Auf »die Arbeit nach einer Vorlage« deutet der Sachverhalt nur insofern hin, als die analogen Takte des A-Teils bereits vorlagen. Die übrigen Änderungen beschränken sich auf die Besetzung, die in der Weihnachtskantate wohl zwei Traversflöten und eine Cello- bzw. Fagottstimme umfasste, wogegen in der Trauungsmusik zwei Violinen, Oboe und Fagott gefordert werden. Die Flötenstimmen wurden oktaviert und in die Violinen verlegt, während die Bassstimme vom obligaten Fagott übernommen wurde, sodass

---

127 Hofmann, a. a. O., S. 79 (dort auch das folgende Zitat). Vgl. dagegen die Abbildung in NBA I/2, S. VII f., und die Quellenbeschreibung, die auf »unleserliche« oder »schwer lesbare« Stellen hinweist (NBA I/2, KB, S. 48 f.).

sich die Ergänzungen auf eine Continuostimme und eine füllende Oboenstimme beschränkten.[128]

Die Struktur der Tenorarie BWV 171:2 (»Herr, so weit die Wolken gehen«)[129] wird leichter verständlich, wenn man sich an frühere Sätze mit analoger Besetzung erinnert.[130] Während die Violinen in BWV 42:6 (8. April 1725) wechselnd als motivische oder figurative Stimmen fungierten, bildeten sie im Ritornell aus BWV 72:3 (27. Januar 1726) einen fugierten Satz, dessen Motivik in den Vokalpart einbezogen wurde. Zwar begann das Ritornell aus BWV 17:3 (22. September 1726) als Fugato, doch erwies sich das Thema als Bestandteil eines Mosaiks, dessen Motive den Vokalpart begleiteten.[131] Obwohl das Ritornell in BWV 171:2 ähnlich angelegt ist, werden die Stimmen hier in einem »dichten Imitationsgeflecht« verkettet:[132]

Notenbeispiel 2

128 Im Mittelteil der späteren Fassung fungiert die Oboe als führende Stimme, während die Violinen hier nur Füllstimmen bilden (vgl. BWV 197:6, T. 29–50). Ob das auch für die frühere Fassung galt, muss offenbleiben.
129 Anders als in der zweiten Arie dürfte in der Tenorarie eine Originalkomposition vorliegen, vgl. NBA I/4, KB, S. 93–96 und S. 107 f.
130 Die Arie »Gott ist mein Freund« (BWV 139:2, 1724) muss hier außer Betracht bleiben, weil die zweite Instrumentalstimme verloren ist.
131 In der Arie BWV 52:3 (17. November 1726) werden die Violinen zumeist parallel geführt.
132 Vgl. Dürr, Die Kantaten, Bd. 1, S. 156. Da die Instrumente im Autograph nicht genannt und die Originalstimmen verloren sind, lässt sich die Besetzung nur aus den Obligatstimmen erschließen.

4. Arien und Duette

Wie in BWV 17:3 sind vor allem drei Motive hervorzuheben, die ineinander verschränkt werden. Das Kopfmotiv (a) wird auf der Oberquinte beantwortet, sodass in Takt 3 die Dominante erreicht ist, auf der die synkopisch geprägte Fortspinnung (b) ansetzt.

Im Nachsatz ab Takt 8 wird die Rückwendung zur Tonika eingeleitet, gleichzeitig tritt aber ein drittes Motiv (c) ein, dessen Dreiklangsbrechung die Stimmen nur einmal durchläuft (T. 8–9). Indem der Nachsatz die Motivik der Fortspinnung aufgreift, werden die drei Motive zu einem dichten Beziehungsnetz verflochten. Da die Struktur hier nicht im Detail verfolgt werden kann, müssen einige Hinweise auf die formale Anlage genügen.

	A			B			B′			A′	
Ritornell	Z. 1–2	Zwsp.	Z. 3–5	Z. 3–5	Zwsp.	Z. 3–5	Z. 3–5	Zwsp.	Z. 1–2	Ritornell
1–15^1	15–26^1	26–34^1 (~ 10–14)	34^2–39	40–44^1	44–46^1	46^2–51 (~ 34^3–39)	52–56^1 (~ 40–44^1)	56–60^1	60–71^1 (~ 15–26^1)	71–85 (= 1–15^1)
I–V–I	I–V	V	V–I	IV–II	II	V–II	II–VI	VI–I	I	I–V–I

Während die Rahmenteile (T. 15 f. bzw. 60 f.) mit dem Kopfmotiv (a) und der Motivik der Fortspinnung (b) bestritten werden (T. 18–25 bzw. 63–69), wird das dritte Motiv (c) mit dem Beginn der Phasen des Mittelteils verbunden (T. 34 f. und 40 bzw. T. 46 f. und 51). Dagegen setzt der Tenor mit einer vereinfachten Version des Kopfmotivs (a) ein, die zu Beginn der Reprise wiederkehrt (vgl. T. 15 f. und 60 f.). Die Regulierung der motivischen Beziehungen wird überdies auf das Verhältnis der Formteile übertragen. Während die variierte Reprise (A′) dem ersten Teil (A) entspricht, bildet die zweite Phase des Mittelteils (B′) eine transponierte Fassung der ersten Phase (B). Entsprechen die Takte 34^2–35^2 in Terztransposition den Takten 46^2–47^2, so kehren die Takte 35^3–44^1 mit Quinttransposition in den Takten 47^3–56^1 wieder. Modulieren die vokalen Phasen von E-Dur nach h-Moll bzw. fis-Moll, so führen die Zwischenspiele (T. 44–46^1 bzw. 56–60^1) von h-Moll nach E-Dur bzw. von fis-Moll nach A-Dur.

Dass die Anlage des Satzes ein Sonderfall ist, zeigt die Altarie »Herr, was du willst, soll mir geschehen« (BWV 156:4). Besetzt mit Oboe und Violine, ergibt sich ein ähnlich homogenes Duo wie in den Sätzen mit zwei Violinen. Zwar wird das Kopfmotiv in Einklangsimitation eingeführt, doch wird es durch eine Figurenfolge ergänzt (T. 2), die in der Gegenstimme variiert wird (T. 3–4). Von ihr geht auch die Fortspinnung aus, die auf der Dominante ansetzt und beide Stimmen in Sextparallelen koppelt (T. 5–8). Sobald der Alt den Themenkopf übernimmt, wird er imitiert (T. 9–11) und anschließend auf das Initium verkürzt, das mit den Figurenketten der Fortspinnung verbunden wird (T. 13–18). Das Zwischenspiel bildet eine transponierte Variante des Ritornells, dessen Binnenkadenz geändert wird (vgl. T. 26 f. mit T. 4 f.), sodass es dem abschließenden Ritornell entspricht (T. 72–79 und T. 23–30). In beiden Phasen des Mitteilteils zitieren die Instrumente zunächst das Kopfmotiv, bevor sie anschließend wieder auf die Figuren der Fortspinnung zurückgreifen. Demnach verwandelt sich der anfangs imitierende Satz in ein vergleichsweise lockeres Gefüge, das vor allem durch die Varianten der Fortspinnung geprägt wird.

Dagegen ist die Altarie »Ich liebe den Höchsten von ganzem Gemüte« (BWV 174:2) wieder strenger reguliert.[133] Das Thema, das im Vordersatz von der zweiten Oboe eingeführt wird, endet mit Halbschluss auf der Dominante (T. 1–4). Da es in der ersten Oboe auf die V. Stufe transponiert wird, endet der Vordersatz auf der doppelten Oberquinte (T. 5–8), sodass eine quasi »reale« Beantwortung vorliegt. Die Fortspinnung besteht aus komplementären Figuren, die an die Kontrapunktierung des Vordersatzes anschließen (T. 9–16). Der Alt übernimmt den ersten Viertakter, der von den Oboen auf der Tonika ergänzt wird, sodass sich diesmal eine »tonale« Beantwortung ergibt (T. 17–24). Die nochmalige Wiederholung des Vordersatzes wird mit den Figuren der Fortspinnung kombiniert (Alt T. 25–28, Oboe I T. 29–32), während die folgende Viertaktgruppe zur Parallele führt (T. 33–36). Die erste Phase des A-Teils besteht also aus Varianten des Vordersatzes, die mit der Motivik des Nachsatzes gekoppelt werden. Erst der sechstaktige Epilog wird mit einer neuen Wendung des Vokalparts bestritten, die von den Oboen imitiert wird (T. 37–42). Da die zweite Phase ähnlich angelegt ist, gleicht der A-Teil einem variablen Modulsystem, in das die Zwischenspiele einbezogen werden.[134] Neben dem umfangreichen A-Teil (T. 1–84) wirkt der Mittelteil überraschend knapp. Obwohl er drei Zeilen aufnimmt, umfasst er nur 20 Takte und damit kaum ein Fünftel des Umfangs (T. 85–104). Der Instrumentalpart geht auf die Figuren der Fortspinnung zurück, während das Thema des Vordersatzes nur einmal anklingt (Oboe I T. 96 f.) und der Vokalpart durchweg neu gefasst wird.

Die Rahmenteile der Arie aus BWV 197a waren – soweit sich der späteren Fassung entnehmen lässt – durch die Einbautechnik geprägt.[135] Dagegen wurde in den folgenden Duosätzen die Variantentechnik der solistischen Arien auf die Bedingungen des dreistimmigen Satzes übertragen. Griff die motivische Regulierung der ersten Teile in BWV 171:2 auf das Verhältnis der Formteile über, so war das Verfahren in BWV 156:4 nicht ganz so streng geregelt. Desto klarer tritt die Verschränkung beider Techniken in BWV 174:2 hervor. Der Vokaleinbau begrenzt sich auf kurze Taktgruppen, die zugleich mit motivischen Varianten verbunden werden. Wo dagegen die Variantentechnik zu dominieren scheint, wird sie mit Rekursen auf frühere Taktgruppen gekoppelt. Die Duosätze sind also besonders informativ, weil sie Bachs Arbeit an Verfahren belegen, die er bereits in seiner Weimarer Zeit entwickelt hatte.

d. Sätze mit Streichern

Die Werke des »Picander-Jahrgangs« enthalten nur eine Arie mit Streicherchor (BWV 249:4). Da die Arie BWV 174:4 mit mehrfacher Besetzung der Streicherstimme rechnet, mag der Satz an dieser Stelle erwähnt werden.

---

[133] Die Frage, ob der Satz auf eine frühere Vorlage zurückgehe, konnte Neumann aufgrund der Korrekturen in der autographen Partitur verneinen (vgl. NBA I/14, KB, S. 117. Das Autograph enthält zwei Skizzen, die Bach während der Ausarbeitung des Satzes notierte, vgl. Marshall, a. a. O., Bd. II, Nr. 111–112.
[134] Während das Zwischenspiel auf den Nachsatz zurückgeht (T. 43–50 = 9–16), entspricht das Nachspiel dem Ritornell, dessen Nachsatz entsprechend geändert wird.
[135] In BWV 197:6 entsprechen die ersten Takte des Vokalparts der Kopfgruppe des Ritornells (T. 9–10 ~ 1–2). Sie werden hier in Takt 13–14 wiederholt und nach dem modulierenden Scharnier (T. 15) durch die folgenden Takte des Ritornells ergänzt (T. 16–17 ~ 3–4 mit Vokaleinbau).

| 149:4 | Michaelis | Gottes Engel weichen nie | var. Dc | S., Str., Bc. – A-Dur, ⅜ |
| 174:4 | 2. Pfingsttag | Greifet zu, faßt das Heil | var. Dc | B., Str. in unis., Bc. – G-Dur, ¢ |

Die Sopranarie »Gottes Engel weichen nie« (BWV 149:4) zählt zu jenen tänzerischen Sätzen, deren komplexe Struktur durch liedhafte Melodik verdeckt wird.[136] Das Ritornell verbindet einen periodischen Vordersatz (T. 1–4, 5–8) mit einem fortspinnenden Nachsatz, dessen »geschuppte« Sechzehntel mit der Rhythmik des Vordersatzes gepaart werden (T. 13–24). Dazwischen wird eine viertaktige Sequenz eingefügt, die das eintaktige Kopfmotiv durch eine punktierte Viertel erweitert, während der Continuo die »geschuppten« Figuren des Nachsatzes vorwegnimmt (T. 9–12). In der doppelten Kombination kündigt sich das Verfahren an, das die beiden Rahmenteile der Da-capo-Form bestimmt. Wird der Vokalpart von der liedhaften Melodik des Vordersatzes geprägt, so wird er von den Streichern mit den Figuren des Nachsatzes begleitet. Nur vorübergehend werden die Streicher und der Sopran in homorhythmischem Satz verbunden (T. 28–32 im A-Teil bzw. T. 149–152 in der Reprise). Die Variantentechnik, die zuvor für geringstimmig besetzte Arien charakteristisch war, zieht also in den tänzerischen Satz ein, der früher durch blockhaften Vokaleinbau gekennzeichnet war.

A-Teil (Zeilen 1–2)

1–24	25–28, 29–32, 33–36 (~ 1–4, 5–8, 9–12)	37–42, 43–47, 48–60
Ritornell	(T. 25–28, 9–12 mit figur. Instr. und neuem Bc.)	(motivischer Vokalpart mit figur. Instr.)
A – E – A	E – A	h – D, H – E → E

Dass das auch für die variierte Reprise gilt, braucht kaum gesagt zu werden. Doch ist es bezeichnend, dass der Einschub des Ritornells (T. 9–12) in der Reprise mit einem Einsatz des Soprans gekoppelt wird (T. 141–144), während der reguläre Beginn der Reprise durch Figuren der Violinen verdeckt wird (T. 145–148). Das Zwischenspiel (T. 61–76) erweist sich als gekürzte Variante des Ritornells, dessen Sequenzgruppe durch einen dreitaktigen Einschub ersetzt wird (vgl. T. 69–71 mit T. 9–12). Im Mittelteil, der in cis-Moll endet, wird das Verfahren durch Synkopen und Melismen modifiziert, um Verbformen wie »gehe«, »stehe« oder »tragen« auszuzeichnen (T. 85 f., 90 f., 114 f. u. a.). Das aber hat zur Folge, dass auch der Vokalpart mitunter auf die Figuren der Fortspinnung zurückgreift (vgl. T. 96 ff.), sodass dann die tänzerische Rhythmik nur noch im Continuo anklingt.

Trotz ihrer begrenzten Besetzung zeigt die Bassarie »Greifet zu, faßt das Heil« (BWV 174:4) eine ähnliche Kreuzung der Varianten- und der Einbautechnik. Der autographen Partitur zufolge ist die Obligatstimme von den »Violini e Viole tutti, all'unisono« zu spielen.[137] Gleichwohl verbindet das Ritornell den thematischen Vordersatz mit einer figurativen Fortspinnung, die freilich schlichter als sonst ausfällt.

---

[136] Vgl. Finke-Hecklinger, a. a. O., S. 105.
[137] Die Angabe findet sich in der autographen Partitur, vgl. NBA I/14, KB, S. 69. Da der Part nur in die konzertierenden Stimmen eingetragen wurde, ist mit insgesamt sechs Spielern zu rechnen.

Der Vordersatz (T. 1–4) wird vom Bass als Devise wiederholt und von den Streichern imitiert (T. 12–16 ~ 1–4), während der Vokalpart anschließend mit der Fortspinnung des Ritornells gekoppelt wird (T. 17–23ᵃ ~ 5–12). Sobald die V. Stufe erreicht ist, wird die Bassstimme in den instrumentalen Vordersatz eingebaut (T. 26–29) und danach wieder mit der Fortspinnung gepaart. Obwohl sich der Prozess in der Reprise wiederholt, beschränken sich die Varianten nicht auf das modulierende Gelenk (T. 107f.). Vielmehr lenkt der Instrumentalpart zwei Takte früher zur Subdominante (vgl. T. 105f. mit T. 21f.), sodass die nächste Gruppe auf der Tonika ansetzen kann. Zudem wird der Eintritt der Reprise – wie in BWV 149:4 – durch einen vorgezogenen Einsatz des Vokalparts verschleiert (T. 92f.), während die reguläre Reprise mit einem viertaktigen Kanon zwischen den Hauptstimmen beginnt (vgl. T. 94–98 mit T. 13–16).

Trotz unterschiedlicher Besetzung tendieren beide Arien dazu, das Einbauverfahren durch motivische Varianten zu differenzieren, die entsprechende Änderungen im Continuopart bedingen.

e. Arien mit Streichern und Oboe

Eine ähnliche Differenzierung zeigen die beiden Sätze, in denen der Streichersatz durch eine Oboe ergänzt wird. Folgt die Oboenstimme in BWV 188:2 weithin dem Streicherpart, so tritt sie in BWV 159:4 als Solopart hervor, während die Streicher dann als Begleitung fungieren.

188:2	21. p. Trin.	Ich habe meine Zuversicht	Dc	T., Ob., Str., Bc. – F-Dur, ¾
159:4	Estomihi	Es ist vollbracht, das Leid ist alle	Refrainform	B., Ob. conc., Str., Bc. – Es-Dur, ₵

Kein anderer Satz der Picander-Gruppe zeigt derart tänzerische Züge wie die Tenorarie »Ich habe meine Zuversicht« (BWV 188:2).[138] Ihre Rhythmik erinnert an die Polonaise aus der Französischen Suite Nr. 6 (BWV 817:5), in der die Zählzeiten des ¾-Takts ähnlich wechselnd akzentuiert werden (Notenbeispiel 3a). Die viertaktige Periodik des Suitensatzes wird in der Arie durch eine siebentaktige Gruppierung ersetzt, deren Glieder aus 2 + 2 + 3 Takten bestehen (Notenbeispiel 3b).[139] Das Ritornell umfasst zwei analoge Teile, deren erster mit einem Halbschluss auf der Dominante endet, während der zweite über eine Quintkette zur Tonika zurückführt (T. 1–7, 8–14). Das Muster des zweiteiligen Tanzes wird nur in der ersten Phase des A-Teils übernommen (T. 15–21 ~ 1–8), wogegen die Gliederung der zweiten Phase (T. 22–28) durch den vorgezogenen Beginn des Vokalparts und einen synkopischen Einsatz der Oboe modifiziert wird (T. 21³–22). Dagegen kehrt die nächste Gruppe zum Grundmodell zurück (T. 29–35), das auf die V. Stufe versetzt und im Zwischenspiel wiederholt wird (T. 36–42).

---

138 Vgl. dazu Finke-Hecklinger, a. a. O., S. 55ff. (wo die Arie nicht genannt wird).
139 Vgl. Dürr, Die Kantaten, Bd. 1, S. 501. Obwohl die Polonaisen des 1. Brandenburgischen Konzerts (BWV 1046:6) und der h-Moll-Ouvertüre (BWV 1067:6) eine gleichmäßigere Rhythmik aufweisen, teilen sie mit dem Satz aus der Französischen Suite die gleichmäßige Gliederung in viertaktige Perioden.

Notenbeispiel 3a

Notenbeispiel 3b

	A¹			A²		
1–7, 8–14	15–21, 22–28 ~ 1–7 (8–14)	29–35	36–42 ~ 29–35	43–49 + 50–53	54–60/61, 62–68	69–82 = 1–14
Ritornell	Zeilen 1–4	Zeilen 1–4	Zwsp.	Zeilen 1–4	Zeilen 1–4	Ritornell
I – V, V – I	I – V, V – I	V – V	V – V	V – Sequenz → I	I – IV – V – I	I – V, V – I

Nicht ganz so gleichmäßig ist die zweite Phase (A²) gegliedert. Zwar ist das Grundmuster erkennbar, doch wird die erste Gruppe durch einen modulierenden Einschub erweitert, der zur Tonika zurücklenkt (T. 43–49 + 50–53), während die folgenden Takte zwei vorgezogene Einsätze des Tenors und der Oboe enthalten (T. 54–50/61 bzw. 62–68). Dupliert die Oboe im Tuttisatz die erste Violine, so tritt sie in den Binnengliedern als Solostimme hervor. Zum schwebenden Gleichmaß des Tanzsatzes kontrastiert desto mehr der B-Teil. Der Tenor und die Oboe werden in den akkordischen Streichersatz integriert, dessen Dreiklangsbrechungen in Sechzehnteln aufgefächert werden. Dennoch wirkt in der harmonischen und motivischen Anlage auch hier noch die siebentaktige Periodik des A-Teils nach. Zwei zweitaktigen Gliedern (T. 83–84 bzw. 85–86: d-A, d-D⁷) folgt eine nach B-Dur lenkende Dreitaktgruppe, die im Vokalpart die Rhythmik des Tanzes aufgreift (T. 87–89). Dasselbe Muster zeigt die nächste Gruppe, deren letztes Glied durch einen Anhang erweitert wird (T. 90–91, 92–93, 94–96 und 97–101).

Gegenüber der Konsequenz, mit der die siebentaktige Gliederung bewahrt wird, mutet die Deklamation des Textes nicht immer ganz überzeugend an. Aus vierhebigen Versen bestehend, werden nur die ersten Zeilen des B-Teils korrekt betont, während die letzte Zeile ähnlich eigenwillig deklamiert wird wie das erste

Verspaar des A-Teils (vgl. T. 15 ff. und T. 88 ff.). Man mag das mit den Schwierigkeiten erklären, die sich bei der Textierung des Tanzmodells ergaben. Dann aber wäre zu fragen, warum Bach den Text als Polonaise vertonte. Gegen den Verdacht, der Satz gehe auf eine ältere Vorlage zurück, spricht der Befund des Autographs, das zahlreiche Korrekturen aufweist.[140] Das schließt zwar nicht die Möglichkeit aus, dass ein früherer Instrumentalsatz verwendet wurde. Da aber keine Vorlage nachweisbar ist, bleibt nur ein Sachverhalt zu registrieren, der zu den offenen Fragen der Picander-Gruppe zählt.

Dagegen war die Disposition der Arie »Es ist vollbracht, das Leid ist alle« (BWV 159:4) durch Henricis Text vorgezeichnet. Der wechselnden Länge und Reimfolge der Verse steht die Wiederholung der ersten Zeile gegenüber, die nicht nur am Ende, sondern auch in der Mitte wiederkehrt (Zeilen 1, 5 und 9). Sie wirkt damit wie ein Refrain, der zwei Strophen (Zeilen 2–4 bzw. 6–8) trennt und zugleich verbindet:

(1) Es ist vollbracht,
(2) Das Leid ist alle,
(3) Wir sind von unserm Sünden-Falle
(4) In Gott gerecht gemacht.
(5) Es ist vollbracht,
(6) Nun will ich eilen
(7) Und meinem Jesu Dank erteilen,
(8) Welt, gute Nacht,
(9) Es ist vollbracht.

Der Text beweist Henricis Fähigkeit, eine natürlich wirkende Diktion mit einer kunstvollen Formung zu kombinieren, die der Komponist entsprechend umzusetzen hatte. Während der erste Teil die Zeilen 1–4 zusammenfasst, die durch das transponierte Ritornell beschlossen werden, beschränkt sich der zweite Teil zunächst auf die Zeilen 5–8, die erst im zweiten Durchgang durch den Refrain (Zeile 9) ergänzt werden.

A			B^1	B^2	(A′)	
Ritornell	Zeilen 1–4	Ritornell	Zeilen 5–8	Zeilen 5–9	Zeile 9 = 1	Ritornell
1–9	9–23	23–31	32–42 (∼ 1–9)	42–55	56–58	58–66 (= 1–9)
I – V – I	I – V	V – II – V	V – II	VI – IV	IV – I	I – V – I

Das Ritornell umfasst zwei viertaktige Gruppen, die in Takt 4 mit Halbschluss auf der Dominante enden und ab Takt 5 zur Tonika zurücklenken. Beide Gruppen bestehen aus zwei doppeltaktigen Gliedern, die in der Solooboe ein zweimal ansetzendes »Seufzermotiv« einführen, um sich danach zu einer synkopisch steigenden Linie zu erweitern (Notenbeispiel 4). Dem Halbschluss der ersten Gruppe, der durch die Mollvariante der Tonika gefärbt wird (T. 4^3–5^1), steht der klare Ganzschluss in der zweiten Gruppe gegenüber. Obwohl die erste vokale Phase dem Beginn des

---

[140] Vgl. NBA I/25, hrsg. von Ulrich Bartels, KB, S. 208 ff.

Notenbeispiel 4

Ritornells entspricht, bildet der Vokalpart eine Variante der Oboenstimme, die deshalb neu gefasst werden muss (Zeilen 1–2: T. 9–13[1]). Die Fortführung bleibt dem Bass überlassen, der nur von den Streichern begleitet wird, während sich die Oboe auf verkürzte Einwürfe des Kopfmotivs beschränkt und nur einmal die synkopische Linie des Ritornells einfügt (Zeilen 2–4: T. 14[2]–23[3]). Ergänzt durch die transponierte Wiederholung des Ritornells, steht der A-Teil dem kontrastierenden B-Teil gegenüber, in dem zur Zeile »Nun will ich eilen« ein neues Imitationsmotiv eintritt. Zwar werden seine auftaktigen Achtelnoten beibehalten, doch bleiben die anschließenden Figuren ebenso variabel wie der intervallische Abstand der Einsätze. Dennoch entsteht der Eindruck eines Imitationsfelds, an dem neben dem Bass die erste Violine und die Oboe beteiligt sind. Zweimal ansetzend, hebt sich sein Beginn (T. 34) desto deutlicher ab, weil ihm der Refrain »Es ist vollbracht« vorangeht, der mit dem »Seufzermotiv« des A-Teils gekoppelt wird (T. 32–33). Wo das Motiv zu den Worten »Welt, gute Nacht« wiederkehrt (T. 30–41), da trennt es die Imitationsgruppen des B-Teils in dem Maß, in dem es sie zugleich mit dem Beginn des A-Teils verbindet. Obwohl das zweite Imitationsfeld entsprechend endet, werden die Worte »Welt, gute Nacht« hier in gedehnter Fassung wiederholt (T. 51–55). Indem sie diesmal im Refrain »Es ist vollbracht« auslaufen (T. 56–58[1]), bewirkt der motivische Zusammenhang ein verkürztes Quasi-Da-capo, das schon in Takt 49 ansetzt und durch die Wiederkehr des Ritornells vervollständigt wird.

Es bedürfte einer eingehenden Analyse, um die harmonischen und klanglichen Details zu erfassen, denen der Satz seine Expressivität verdankt. Zugleich zeigt er, dass Bach weder einer Da-capo-Angabe noch einer Tempovorschrift bedurfte, um dennoch durch wechselndes Bewegungsmaß einen mehrstufigen Satzverlauf zu formen, dessen Glieder durch das motivische Beziehungsnetz verkettet werden.

f. Duette mit und ohne Choral

Zu den Kennzeichen des »Picander-Jahrgangs« gehören zwei Sätze, deren gedichtete Zeilen mit Choralstrophen verknüpft werden. Demgemäß schrieb Bach zwei Duette, während er einem dritten Duett ausschließlich freie Dichtung zugrunde legte.

149:6	Michaelis	Seid wachsam, ihr heiligen Wächter	var. Dc	A., T., Fag., Bc. – G-Dur, c
156:2	3. p. Epiph.	Ich steh mit einem Fuß im Grabe – Mach's mit mir, Gott, nach deiner Güt	A – A' – B	S., T., Str. in unisono, Bc. – F-Dur, ¾
159:2	Estomihi	Ich folge dir nach – Ich will hier bei dir stehen	A – A' – B	S., A., Bc. – Es-Dur, ⅜

Die Besetzung des Duetts »Seid wachsam, ihr heiligen Wächter« (BWV 149:6) erinnert an den 1725 entstandenen Satz »Verzage nicht, du Häuflein klein« (BWV 42:4), dessen Ostinatomodell von einem Fagott umspielt wurde. Dagegen liegt in BWV 149:6 eine variierte Da-capo-Form vor, die sich von anderen Duetten nur dadurch unterscheidet, dass der obligate Instrumentalpart hier dem Fagott zufällt. Das Ritornell (T. 1–16) verbindet zwei thematische Zweitakter mit einer figurativen Fortspinnung, die aus den Akkordbrechungen des Kopfmotivs hervorgeht (T. 5–16). Eingeführt im Tenor (T. 17–20), wird das Thema im Alt imitiert und vom Tenor mit den Figuren der Fortspinnung kontrapunktiert (T. 21–24). Werden anschließend beide Stimmen parallel geführt, so werden sie durch figurative Varianten des Instrumentalparts ergänzt (T. 27–28). Im dritten Ansatz wird der Text mit einer motivischen Variante verbunden, die wiederum mit den Figuren der Fortspinnung kombiniert wird (T. 29–36^a). Kehrt der A-Teil unter Stimmtausch in der Reprise wieder, so wird das Thema auf der Grundstufe statt auf der Quinte imitiert, sodass sich ein Einklangskanon ergibt (vgl. T. 85–104 gegenüber T. 17–36). Zum Text des Mittelteils (»ich sehne mich und ruhe nicht«) tritt im Vokalpart ein neues Motiv ein, das in einer dreistufigen Kanonkette verarbeitet und mit der instrumentalen Figuration gepaart wird. Umrahmt von zwei Quintkanons (T. 52–60 und T. 67–73), basiert das Binnenglied auf einem Unterterzkanon mit Stimmtausch (Tenor T. 60–65 und Alt T. 63–66 bzw. Alt T. 60–64 und Tenor T. 63–66). Während die Rahmenteile mit dem Ritornell schließen, folgt dem B-Teil ein Zwischenspiel, das zwischen dem in h-Moll endenden Mittelteil und der in D-Dur beginnenden Reprise vermittelt (T. 76–84).

Die These Hofmanns, der Satz gehe auf eine verschollene Vorlage zurück, gründete auf der Motivik der zweiten Zeile und auf der Kanontechnik des Mittelteils.[141] Zwar trifft es zu, dass in der zweiten Zeile das Wort »ist« entgegen dem Metrum durch einen synkopisch gedehnten Hochton hervorgehoben wird (»die Nacht *ist* schier dahin«), der sich freilich auch als Hinweis auf das bereits erreichte Ende der Nacht auffassen ließe. Der These, »der Text« biete »keinerlei Veranlassung zur Anwendung der Kanontechnik«, wäre entgegenzuhalten, dass der Rückgriff auf kanonische Verfahren nicht immer vom Text abhängen muss.[142] Überdies fügen

---

[141] Klaus Hofmann, Anmerkungen zum Problem »Picander-Jahrgang«, S. 80 f.
[142] Das gilt auch für Hofmanns Verweis (ebd., S. 81) auf die Pause, die das Wort »Angesicht« von der anschließenden chromatischen Linie trennt (T. 58 f.: »meines lieben Vaters«). Indes dürfte die Vertonung darauf hindeuten, dass sich der Gläubige dem Vater nur zögernd und bittend zu nähern vermag.

sich die Kanons »der gelösten Bewegtheit des Satzes« derart zwanglos ein, dass sie »nirgends den Eindruck kunstvollen Kontrapunktsatzes« erwecken.[143]

Es dürfte kein Zufall sein, dass die übrigen Duette zugleich Choralbearbeitungen darstellen.[144] Da Henrici Bachs Vorliebe für solche Kombinationen kannte, bot er ihm zwei Sätze, in denen er die eigenen Verse mit Choralstrophen verknüpfte. Dass sich beide Texte im schmalen Bestand der erhaltenen Werke finden, könnte ein Hinweis darauf sein, dass Bach eine planvolle Auswahl traf.[145] Das Duett »Ich steh mit einem Fuß im Grabe« (BWV 156:2) ist besonders anspruchsvoll, weil Bach die Paarung von Dichtung und Choral mit einer Obligatstimme für Violinen und Violen in unisono verband. Mit zweitaktigem Halteton (»Ich steh mit einem Fuß«) und

Notenbeispiel 5

---

143 Dürr, Die Kantaten, Bd. 2, S. 574.
144 Vgl. Neumann, Sämtliche … Texte, S. 337 und 339.
145 Während die anderen Texte keine vergleichbaren Arien bieten, begegnen in den Texten zum 6. Sonntag nach Epiphanias und zum 3. bzw. 5. Sonntag nach Trinitatis drei Eingangssätze, deren rezitativische Texte durch Choralverse (»Valet will ich dir geben«, »Bin ich gleich von dir gewichen« und »In allen meinen Taten«) unterbrochen werden (Henrici, Ernst-Schertzhaffte und Satyrische Gedichte, 3. Theil, S. 106 f., 147 f. und 152 f.). Dass Bach diese Texte unbeachtet ließ, könnte daran, liegen, dass er die Problematik solcher Mischungen seit den Rezitativen der Choralkantaten kannte (s. o., Teil V, Kap. 6).

fallenden Sequenzfiguren (»bald fällt der kranke Leib ins Grab«) fasst das Ritornell das Material zusammen, das im Vokalpart mit den Worten Henricis verbunden wird (Notenbeispiel 5). Dagegen bleiben die synkopisch gedehnten Achtel, die anfangs im Continuo eingeführt werden, dem Instrumentalpart vorbehalten. Zu diesem mehrschichtigen Satzverband tritt im Sopran die Choralstrophe »Mach's mit mir, Gott«. Ein Hinweis auf die Stollenzeilen muss genügen, um die Vielfalt der Kombinationen anzudeuten. Der Beginn der ersten Zeile wird mit dem synkopischen Motiv der Instrumente und der Sequenzfigur im Tenor gekoppelt (T. 17), während die Gegenstimmen zu den folgenden Tönen die Sequenzfiguren verarbeiten (T. 18–19). Dagegen wird die zweite Zeile zunächst mit dem in den Streicherpart verlegten Halteton verbunden, bevor anschließend die Sequenzfiguren erweitert werden (T. 25–30). Wie sorgfältig der Satz ausgearbeitet ist, wird nicht zuletzt daran deutlich, dass die Stollenzeilen ausnahmsweise nicht identisch vertont werden. Während der erste Stollen in C-Dur endet, schließt der zweite in a-Moll, sodass die Gegenstimmen entsprechend geändert werden müssen (vgl. T. 27–30 mit T. 55–58).

In der Aria »Ich folge dir nach« (BWV 159:2) gelang es Henrici, die eigenen Zeilen mit der Strophe »Ich will hier bei dir stehen« so zu verbinden, dass beide Texte eng ineinandergreifen. Als Beispiel genüge ein Blick auf die ersten Zeilen.

> Ich folge dir nach,
> *Ich will hier bei dir stehen,*
> *Verachte mich doch nicht.*
> Durch Speichel und Schmach,
> *Von dir will ich nicht gehen,*
> Am Kreuz will ich dich noch umfangen,
> *Bis dir dein Herze bricht. …*

Während die gedehnte Choralweise im Sopran liegt, teilen Tenor und Continuo ein gemeinsames Material. Statt ein prägnantes Kopfmotiv zu exponieren, beginnt das Ritornell mit einer steigenden Achtelkette, die von einer Quintfallsequenz abgelöst und durch das verlängerte Kadenzglied ergänzt wird (T. 1–7). Zwar wird die skalare Bewegung zunächst vom Tenor übernommen, doch wird sie danach durch Dehnungen und Melismen erweitert, während im Continuo die gleichmäßige Bewegung des Ritornells fortläuft. Die Neutralität des Materials erlaubte es Bach, einerseits unauffällig auf die Textworte zu verweisen und andererseits die Stimmen noch enger als sonst zu verflechten. Wird anfangs das Kopfmotiv kanonisch imitiert (T. 8–11: »Ich folge dir nach«), so wird die Quintkette zu einer Folge verminderter Quinten erweitert (T. 19^b–25^a: »durch Speichel und Schmach«). Dem variablen Beziehungsgeflecht entspricht es, dass die Stollenzeilen des Chorals noch unterschiedlicher als in BWV 156:2 gefasst werden. Da das Wort »Kreuz« durch die gedehnte Mollterz der Tonika akzentuiert wird (T. 36 f.), muss die dritte Choralzeile in einen veränderten Kontext integriert werden (vgl. T. 37^b–41^a mit T. 12^b–16^a). Dasselbe gilt für die vierte gegenüber der zweiten Zeile, deren Kadenz durch einen Trugschluss modifiziert wird (vgl. T. 23 f. und T. 47 f.).

Beide Sätze erweitern den Bestand der Choralkombinationen, die zu den Kennzeichen des Bach'schen Vokalwerks zählen. Sollten sie binnen eines Jahres entstanden sein, so lägen zwischen ihnen nur wenige Wochen. Desto auffälliger ist, dass sie sich zugleich unterscheiden. Der homogenen Stimmführung, die das Duett BWV 159:2 auszeichnet, steht in BWV 156:2 eine Kette von Motiven gegenüber, die mit dem Choral gepaart werden. Bezeichnend ist, dass Bach darauf bedacht war, das gleiche Problem auf verschiedene Weise zu lösen.

5. Kantionalsatz und Accompagnato

Die Schlusschoräle entsprechen in der Regel dem modifizierten Kantionalsatz, der schon im ersten Leipziger Jahrgang zur Norm geworden war. Ausnahmen bilden die Sätze der Kantaten BWV 171 und 149, in deren Eingangschören drei Trompeten mitwirken. Als Schlusschoral der Neujahrskantate BWV 171 hatte Henrici die letzte Strophe des Liedes »Jesu, nun sei gepreiset« vorgesehen, die Bach schon in der Choralkantate BWV 41 vertont hatte. Von C-Dur nach D-Dur transponiert, wurde dieser Satz in BWV 171 übernommen. Dass dabei der motivische Rückgriff auf den Eingangschor entfällt, tut der Wirkung der Trompetenfanfaren keinen Abbruch. Im Schlusssatz der Kantate BWV 149 setzen die Trompeten erst nach der letzten Choralzeile ein. Obwohl sie nur ein kurzes Fanfarenmotiv spielen, ist ihr Eintritt eine effektvolle Überraschung, weil der Satz bis dahin einen Kantionalsatz mit duplierenden Instrumenten bildet.

Sieben Secco-Rezitativen stehen vier Texte gegenüber, die Bach als Accompagnati vertonte. Während der vorletzte Satz aus BWV 188 ein kurzes Rezitativ mit begleitenden Streichern darstellt, handelt es sich in den übrigen Fällen um quasi ariose Sätze, in die Henrici Zitate aus den Evangelien eingefügt hatte.[146] Auf die Christusworte in den Rezitativen aus BWV 171 und 159 musste Bach aufmerksam werden, weil sie in Henricis Druck durch Einzug abgesetzt werden.[147]

188:5	Die Macht der Welt verlieret sich (gedichteter Text)	S., Str., Bc. – 7 Takte
171:5	Und da du Herr gesagt: *Bittet nur in meinem Namen* (Joh. 14:13)	B., Ob. I–II, Bc. – 29 Takte
159:1	*Sehet, wir gehn hinaus gen Jerusalem* (Lk. 18:31)	A., B., Str., Bc. – 34 Takte
174:3	O Liebe, welcher keine gleicht – T. 9–10: *Also hat Gott die Welt geliebet* (Joh. 3:16)	T., V. I–III in unisono, Va. I–III in unisono, Bc. – 15 Takte

Dass besonders gewichtige Worte als Accompagnato gefasst werden, darf eher als Regel denn als Ausnahme gelten. Das Rezitativ BWV 188:5 spricht anfangs von der vergänglichen »Macht der Welt«, während die vorletzte Zeile lautet: »Gott aber bleibet ewiglich.« Werden die ersten Worte durch tremoloartige Akkordrepetitionen markiert, so wird die abschließende Zusage »Wohl denen, die auf ihn trauen« durch repetierte Achtel hervorgehoben. In BWV 171:5 hingegen werden die ersten Worte

---

146 Ein vergleichbarer Fall findet sich nur im Libretto für den 7. Sonntag nach Trinitatis, doch handelt es sich hier um keinen Evangelientext, sondern um ein Zitat aus dem Alten Testament (Jer. 31:20).
147 Vgl. Neumann, Sämtliche von Johann Sebastian Bach vertonte Texte, S. 336 und 339.

als Secco gefasst (»und da du, Herr«), das zu den folgenden Christusworten in ein motivisch geprägtes Accompagnato übergeht (»Bittet nur in meinem Namen«). Dass die fünftönige Figur des Continuo in zehn Takten achtmal wiederholt werden kann, ohne redundant zu wirken, liegt am Verhältnis zwischen dem Stufenwechsel und der Stimmführung (T. 2–11). Die Bitten des weiteren Textes werden als Accompagnato vertont, das von zwei obligaten Oboen begleitet wird. In BWV 174 standen drei Violinen und drei Bratschen zur Verfügung, doch fasste Bach die Spieler im Accompagnato (Satz 3) zu zwei Gruppen »in unisono« zusammen, sodass sich ein zweistimmiger Instrumentalpart ergab. Obwohl die Worte »Also hat Gott die Welt geliebt« nur als kurzer Einschub erscheinen, werden sie durch eine fis-Moll-Kadenz abgehoben (T. 9 f.), die der einzige Vollschluss vor Ende des Satzes bleibt.

Am komplexesten ist der Eingangssatz aus BWV 159, den Henrici als Dialog zwischen Jesus und der Anima humana angelegt hatte. In der Gliederung der Christusworte, die der dritten Leidensankündigung des Lukas-Evangeliums entnommen sind, folgte Bach zunächst der Disposition Henricis, der zwischen die Worte Christi zwei bzw. drei betrachtende Zeilen eingeschaltet hatte. Das aber hatte zur Folge, dass die Worte Christi durch zwei rezitativische Abschnitte unterbrochen werden. Bach löste den Widerspruch dadurch, dass er das Eingangswort »Sehet« wiederholte und im zweiten Ansatz zu einem zweitaktigen Melisma erweiterte, das mit aufwärts gerichteten Achtelfolgen des Continuo verbunden wird. Dieselbe Figur kehrt zwei Takte später zur Fortsetzung »gen Jerusalem« wieder, während diese Worte nochmals mit einer Es-Dur-Kadenz wiederholt werden (T. 14 f.). Im Unterschied zu Henrici wiederholte Bach aber anschließend den gesamten Bibeltext, den er zugleich mit den auf- und abschreitenden Achteln verband, die zu Beginn des Satzes eingeführt worden waren (T. 15^4–23^1). Während die ariosen Takte vom Continuo begleitet werden, erscheinen die Worte der Anima als Accompagnato für Alt und Streicher, das »Bachs höchste Meisterschaft im Erfinden ausdrucksvoller Textdeklamation« beweist.[148] Desto auffälliger ist es, dass die erwähnte Es-Dur-Kadenz, die die Worte Christi abschließt und zugleich ihre nochmalige Wiederholung eröffnet, durch die begleitenden Streicher an das Accompagnato der Anima angeglichen wird (T. 14 f.).

6. Zu BWV 145 »Ich lebe, mein Herze«

Wie früher erwähnt wurde, ist die Kantate »Ich lebe, mein Herze, zu deinem Ergötzen« (BWV 145) lediglich in einer Abschrift aus dem 19. Jahrhundert erhalten,[149] die 1816 von Zelter erworben wurde und 1854 in die Berliner Bibliothek gelangte.[150] Als

---

[148] Vgl. Dürr, Die Kantaten, Bd. 1, S. 238. Die Begriffe »Arioso« und »Recitativo« finden sich nur in der Abschrift von Christian Friedrich Penzel, der aber als verlässlicher Kopist bekannt ist, vgl. NBA I/8.1–2, KB, S. 76.
[149] Vgl. NBA I/10, hrsg. von Alfred Dürr (1956), KB, S. 128 ff.; zwei spätere Abschriften haben sich als Kopien der genannten Quelle erwiesen. – Im Musikalienverzeichnis von J. Chr. Westphal (Hamburg 1782) wird eine »Oster-Cantate: So du mit deinem Munde bekennest Jesum« von »Bach Joh. Sebast.« erwähnt (vgl. Dok. III, S. 267), doch muss das nicht heißen, dass hier dieselbe Satzfolge wie in BWV 145 vorlag.
[150] Während die alte Gesamtausgabe die Satzfolge der Quelle übernahm (vgl. BG XXX, hrsg. von Paul Graf Waldersee, Leipzig 1884, S. 95–122), wurden in NBA I/10 die fünf letzten Sätze im Hauptteil und die beiden ersten im Anhang wiedergegeben.

Spitta erkannte, dass der Text der fünf letzten Sätze dem »Picander-Jahrgang« entstammt, verwies er zugleich darauf, dass die vorangehenden Sätze spätere Zutaten bilden dürften.[151]

Satzfolge bei Henrici 1728
(1. Duett) Ich lebe, mein Herze /
Du lebest, mein Jesu
(2. Rez.) Nun fordre, Moses, wie du willt
(3. Aria) Merke, mein Herze, beständig nur dies
(4. Rez.) Mein Jesus lebt
(5. Choral) Drum wir auch billig fröhlich sein

Satzfolge der erhaltenen Quelle
(1. Choral) Auf, mein Herz, des Herren Tag
(2. Chorsatz) So du mit deinem Munde
(3. Duett) Ich lebe, mein Herze
(4. Rez.) Nun fordre, Moses, wie du willt
(5. Aria) Merke, mein Herze, beständig nur dies
(6. Rez.) Mein Jesus lebt
(7. Choral) Drum wir auch billig fröhlich sein

Spitta hielt den Eingangschoral für echt, hatte aber Bedenken »gegenüber dem Chor«, dessen Stimmführung »nicht Bachisch, eher Telemannisch« sei, während die Solosätze »zu den frischesten und heitersten Werken des Meisters« zu zählen seien.[152] Schering suchte die Satzfolge mit einer Aufführung in der Universitätskirche zu erklären,[153] während Neumann meinte, der Chorsatz sei als »eine der Schülerarbeiten aus dem Bachschen Kreis anzusehen«.[154] Spittas Vorbehalte hielten Smend nicht davon ab, auch die ersten Sätze Bach zuzuweisen und die fünf folgenden auf eine verschollene Köthener Kantate zurückzuführen.[155] Obwohl Dürr nachwies, dass der Chorsatz einer Kantate Telemanns entstammt,[156] sah er wie Smend[157] in den übrigen Sätzen Parodien nach einer Köthener Vorlage. Zwar erwähnte er die »Absonderlichkeiten« der Arie »Merke, mein Herze«, doch wollte er in der »klangvolle[n] Parallelführung« und »übergreifenden Periodik« des Duetts »alle Merkmale weltlicher Kantatenduette wiederfinden«.[158]

Falls Smends These zuträfe, könnte BWV 145 frühestens zum 3. Ostertag 1729 entstanden sein, da Henricis Jahrgang erst seit 1728 erschien. Das würde bedeuten, dass zwischen der Parodie und der Köthener Vorlage rund zehn Jahre lägen. Es ist aber wenig wahrscheinlich, dass Henricis Text der Köthener Dichtung derart genau entsprach, dass Bach auf ein früheres Werk zurückgreifen konnte. Andernfalls müssten die Sätze aus BWV 145 eine ebenso gründliche Umformung wie die anderen Parodien seit 1725 erfahren haben. Nur im Frühsommer 1724 hatte Bach einen Dichter zur Hand, der dazu fähig war, zu Ostern und Pfingsten vier Köthener Texte so geschickt umzuformen, dass Bach sogar die Rezitative übernehmen konnte. Eine Parodie war

---

151 Spitta II, S. 273 f.
152 Ebd., S. 274, Anm. 11. Die beiden Choralsätze wurden 1787 in die von Carl Philipp Emanuel Bach herausgegebene Sammlung der »vierstimmige[n] Choralgesänge« aufgenommen (Nr. 378 und Nr. 17).
153 Schering, Bachs Musik für den Leipziger Universitätsgottesdienst 1723–25, in: BJ 1938, S. 62–86, hier S. 79.
154 Werner Neumann, J. S. Bachs Chorfuge, S. 38, Anm. 55; zwar folge die Exposition der Fuge »dem Permutationsprinzip«, doch seien »zwischen die übrigen Blöcke starr sequenzierende Zwischensätze« eingefügt.
155 Smend, Bach in Köthen, 1950, S. 46 f.
156 Alfred Dürr, Zur Echtheit einiger Bach zugeschriebener Kantaten, in: BJ 1951/52, S. 30–46, hier S. 37 f.; Werner Menke, Thematisches Verzeichnis der Vokalwerke von Georg Philipp Telemann, Bd. 1, Frankfurt a. M. 1982, S. 123 (TWV I: 1350).
157 Vgl. NBA I/10, KB, S. 145 f.
158 Vgl. dazu Dürr, Die Kantaten, Bd. 2, S. 248.

vermutlich auch das Osteroratorium BWV 249 (1725), dessen Vorlage erst wenige Wochen zuvor entstanden war. Noch in späteren Jahren pflegte Bach solche deckungsgleichen Parodien nur dann zu planen, wenn bei der Vertonung der weltlichen Vorlagen ihre geistliche Verwendung bereits absehbar war. Je weiter aber die textlichen Differenzen reichten, desto mehr war er gezwungen, die Sätze derart gründlich umzuarbeiten, dass die Neufassungen mitunter fast neuen Kompositionen glichen.[159]

Angesichts der desolaten Quellenlage sollten diese Prämissen genügen, um gegen die Zuschreibung des Werks begründete Zweifel zu hegen. Desto erstaunlicher ist es, dass die Forschung so lange von der Echtheit der Kantate überzeugt war. Sollte es sich um die Neufassung einer Köthener Vorlage handeln, würde sich zugleich die Frage stellen, ob Bach noch 1729 ein derart schlichtes Werk komponiert haben könnte. Da sich der Eingangschoral als Werk des jungen Carl Philipp Emanuel Bach erwiesen hat und die Rezitative zu kurz sind, um weitere Folgerungen zu erlauben, lassen sich hier nur die beiden übrigen Sätze heranziehen.[160]

145:1 Aria – Duetto	Ich lebe, mein Herze, zu deinem Ergötzen – Du lebest, mein Jesu, zu meinem Ergötzen	var. Dc	S., T., V. I solo, Bc. – D-Dur, ²⁄₄
145:3 Aria	Merke, mein Herze, beständig nur dieses	var. Dc	B., Tr., Trav., Ob. d'am. I–II, V. I–II, Bc. – D-Dur, ³⁄₈

Wollny hat darauf hingewiesen, dass das Werk trotz »eines unbestreitbar ›Bachischen‹ Tonfalls« manche Züge enthält, die an die Musik jüngerer Autoren erinnern.[161] Einerseits entsprechen beide Sätze der modifizierten Da-capo-Form, die als spezifisches Kennzeichen der Bach'schen Vokalmusik gelten darf.[162] Andererseits wäre es ein Sonderfall, dass beide Sätze in derselben Tonart stehen, während Bach in den Arien seiner Kantaten wechselnde Tonarten bevorzugte. Überdies steht das Duett im ²⁄₄-Takt, der in Bachs Vokalwerk – wie Finke-Hecklinger zeigte – erst seit 1726 nachweisbar ist.[163] Ginge der Satz auf eine Köthener Vorlage zurück, so wäre sein Taktmaß ein Ausnahmefall. Wäre er aber erst 1729 oder noch später entstanden, so nähme sich seine Struktur desto befremdlicher aus.

Das Ritornell fällt zunächst durch sein geringes motivisches Profil auf. Beginnend mit einer Dreiklangsbrechung, wird das Kopfmotiv durch eine Kette skalarer Figuren abgelöst, die mit einem Halbschluss in Takt 4 abbrechen. Die Fortspinnung setzt nochmals auf der Grundstufe an (T. 5), wechselt dann aber zur Doppeldominante, die fünf Takte lang umspielt wird (T. 6–10). Überdies besteht sie aus merkwürdig wechselvollen Figuren, die weder auf den Vordersatz zurückgehen noch in der Kadenzgruppe wiederkehren (T. 11–16). Nur die beiden letzten Takte erinnern an Bachs Verfahren, die Kadenzen durch die Mollvariante der Tonika zu verzögern (T. 14 f.). Während das erste Zwischenspiel die Fortspinnungsgruppe des Ritornells wiederholt (T. 36–48 = 5–16), bildet das zweite eine Kontraktion der ersten und

---

159 Die bekanntesten Beispiele finden sich in den Messen BWV 233–236 und in der h-Moll-Messe BWV 232.
160 Vgl. Ulrich Leisinger und Peter Wollny, »Altes Zeug von mir«, BJ 1993, S. 17–204, hier S. 141, Anm. 58.
161 Peter Wollny, Zwei Bach-Funde in Mügeln, BJ 2010, S. 139.
162 Vgl. Miriam K. Whaples, Bach's Recapitulation Forms, in: The Journal of Musicology 14, 1996, S. 475–513.
163 Finke-Hecklinger, a. a. O., S. 142, Anm. 4.

letzten Takte des Vorspiels (T. 60–68). Dennoch bleibt es beidemal und ebenso im Nachspiel (T. 107–119) bei der regellosen Figurenreihung des Ritornells.

Desto auffälliger ist die periodische Gliederung des Vokalparts, die bereits in der eröffnenden Imitationsgruppe zu beobachten ist (T. 17–24). Statt das Material des Vorspiels aufzugreifen, führt der Tenor ein zweitaktiges Imitationsmotiv ein, das nur flüchtig an die ersten Töne des Ritornells gemahnt. Da es im Sopran auf die V. Stufe versetzt wird, bedarf es keiner gesonderten Modulation. Der Sopran übernimmt zwar das zweitaktige Gegenmotiv des Tenors, doch werden die Stimmen danach in Parallelführung gekoppelt. Die gleiche Gliederung zeigt die Reprise, in der nur das modulierende Scharnier verändert wird (vgl. T. 95 versus T. 28). Dagegen wird der Mittelteil durch Terz- und Sextparallelen geprägt, in die drei imitierende Einsätze eingeschaltet werden (T. 53 f., 68 f. und 72 f.). Allerdings bilden die Imitationen hier eher Sequenzen, deren Glieder auf die Stimmen verteilt werden.

Obwohl das »Verfahren des Vokaleinbaus […] auffällig vermieden« wird,[164] dürfte der Autor Bachs Einbautechnik gekannt haben. Denn nach der Imitationsphase wird der Vokalpart mit instrumentalen Figuren verbunden, die auf Takt 5 des Ritornells zurückgehen und durch eine neue Skalenfloskel ergänzt werden (T. 24–28). In der Reprise wird diese Passage nicht nur wiederholt, sondern sogar verlängert (T. 91–98). Bei dem Versuch allerdings, die vokalen Sequenzen am Ende der Rahmenteile durch Spielfiguren zu ergänzen, unterliefen dem Autor verdeckte Oktavparallelen (T. 34 f. bzw. 104 f.). Im B-Teil hingegen beschränkt sich die Violine auf zwei kurze Einwürfe, die auf das Kopfmotiv (T. 52 f.) und die erwähnte Figurationsformel zurückdeuten (T. 57 f.). Zwar könnte man meinen, der Autor habe sich hier an Bachs Variantentechnik orientiert, die für die Arien der »Picander-Gruppe« prägende Bedeutung hat.[165] Zugleich waren ihm aber Bachs Quintfallsequenzen so wenig geläufig wie die mit ihnen verketteten Vorhaltdissonanzen. Dennoch dürfte ihm Bachs Musik ähnlich vertraut gewesen sein wie die Werke einer jüngeren Generation.

Eindeutiger ist der Sachverhalt in der Bassarie »Merke, mein Herze« (BWV 145:3). Schon ein flüchtiger Blick in die Partitur zeigt, dass sich die Thematik auf Dreiklangs- und Skalenfiguren beschränkt, die zudem im Unisono hervorgehoben werden. Selbst wenn man unterstellt, der Autor sei auf »absichtsvolle Vereinfachung« bedacht gewesen, bliebe der Satz in Bachs Œuvre ein Unikum.[166] Dass eine so stattliche Besetzung – neben Trompete und Flöte je zwei Oboen und Violinen – primär dazu dient, imposante Klangeffekte zu erzeugen, findet in Bachs Werken keine Parallele.[167] Zwar wird die viertaktige Gliederung gelegentlich durch Taktverschränkungen gelockert (wie in der Modulationsphase T. 46–47–50), auch werden die Taktgruppen mitunter

---

164 So Wollny, a. a. O., S. 139.
165 Vgl. in Kap. 4 (Abschnitte a und b) die Bemerkungen zu Arien mit Solopart (BWV 188:4 und 171:4) bzw. mit Streicherchor (BWV 149:4 und 174:4).
166 Vgl. Wollny, a. a. O., S. 141.
167 Während das Unisono in den Chorsätzen einzelnen Takten vorbehalten bleibt (wie in BWV 190:1, 1723, 214:1, 1733 oder 215:1, 1734), enthalten die Arien zwar mehrfach besetzte Stimmen, die im Unisono zu spielen sind (BWV 174:4). Dabei handelt es sich aber stets um obligate Stimmen statt um Dreiklangs- und Skalenfiguren.

durch Terzparallelen oder unisone Dreiklangsfiguren aufgefüllt (wie im Nachsatz T. 12–19 bzw. T. 20–25), deren Varianten mit dem Vokalpart verbunden werden können (T. 29–32). Zudem beschränkt sich der Continuo auf stützende Achtel, die mitunter durch rollende Skalenfiguren unterbrochen werden. Allerdings ändert sich das Bild im Mittelteil, der dem Bass und dem Continuo überlassen ist, während das Orchester gelegentlich mit Skalen- und Dreiklangsformeln hervortritt, um Pausen oder Haltetöne auszufüllen.

Dass die Arie nicht von Bach stammen kann, bedarf keines Beweises. Dagegen verrät das Duett einen Autor, der Bach so nahestand, dass wohl nur ein persönlicher Schüler in Betracht kommt. Wollnys Vermutung, es könne sich um ein Werk des jungen Carl Philipp Emanuel Bach handeln, ist durchaus plausibel.[168] Wollny bezog sich auf die Kantate »Ich bin vergnügt in meinem Stande«, die er als Kompositionsautograph des jungen Carl Philipp Emanuel identifizierte.[169] Je genauer man dieses Werk studiert, dem ein Text aus dem »Picander-Jahrgang« zugrunde liegt, desto glaubhafter wird Wollnys These, in BWV 145 liege ein Frühwerk Carl Philipp Emanuel Bachs vor. Das heißt freilich nicht, es handele sich um ein belangloses Stück. Vielmehr verdient die Kantate als Beitrag aus Bachs Schülerkreis Interesse, zumal sie ein vorzügliches Beispiel für den historischen Wandel ist, der in Bachs eigenen Werken nicht ebenso deutliche Spuren hinterließ.

7. Resümee

Offenbar ging es Bach darum, den Vorrat seiner Werke für die Festtage zu ergänzen. Obwohl Henricis Dichtungen nur achtmal mit Bibeltexten beginnen, liegen vier von diesen Vorlagen in Vertonungen Bachs vor (BWV 149, 197, 174 und 171). Ein Sonderfall ist der Text für Estomihi (BWV 159), der zwei Sätze mit Christusworten und eine Arie mit zusätzlichem Choraltext enthält. Geht man von diesen Fällen aus, so zeigt sich, dass Bach nicht nur die beiden Arien mit Choralversen (BWV 156:2 und 159:2), sondern auch die drei Rezitative vertonte, die Henrici mit Zitaten aus Christusworten verbunden hatte (BWV 171:5, 159:1 und 174:4). Da derartige Textkombinationen ausschließlich in den Vorlagen begegnen, die Bach vertont hat, kann der Zusammenfall der Kriterien kaum ein Zufall sein. Dagegen beginnen rund 45 Texte mit Rezitativen oder Arien, während nur drei entsprechende Werke erhalten sind, denen Bach instrumentale Eingangssätze voranstellte (BWV 156:1, 174:1 und 188:1). Insgesamt dürften die Indizien darauf hindeuten, dass Bach nicht den gesamten Jahrgang Henricis, sondern nur einzelne ausgewählte Texte vertonte. Zwar muss man damit rechnen, dass weitere Kompositionen verloren gingen, doch ist es wenig wahrscheinlich, dass ein kompletter Jahrgang verschwunden sein könnte, ohne zuvor die Aufmerksamkeit der Sammler und Musiker zu wecken.

---

168 Wollny, a. a. O., S. 143.
169 Vgl. ebd., S. 113 und 119–131. Die Kantate liegt inzwischen in der neuen Gesamtausgabe vor, vgl. Carl Philipp Emanuel Bach, Works for Special Occasions II, hrsg. von Paul Corneilson und Peter Wollny, in: Carl Philipp Emanuel Bach, The Complete Works, Series V: Choral Music, Bd. 5, Los Altos, 2011, S. 1–16.

Wie sich zeigte, dürfte die Picander-Gruppe nicht als »Parodien-Jahrgang« geplant gewesen sein. Henrici hätte geeignete Texte nur dann liefern können, wenn er vor dem Druck des Jahrgangs die Texte der Vorlagen gekannt hätte, die Bach zu verwenden gedachte. Andernfalls wäre der Komponist zu ähnlich weitreichenden Änderungen gezwungen gewesen wie im Eingangschor aus BWV 149 und in der Sopranarie aus BWV 171. Gerade diese Beispiele stellen aber weniger Parodien als neue Fassungen dar, deren Ausarbeitung Bach kaum weniger Mühe als die Entstehung neuer Werke gekostet haben dürfte. Da das auch für die Sinfonien gilt, die auf frühere Konzertsätze zurückgehen, müssen derartige Neufassungen von den Parodien im engeren Sinne unterschieden werden.

Beschränkt man sich auf die beglaubigten Fälle, so zeigt sich, dass der Anteil der Parodien und Neufassungen keineswegs höher war als in früheren Jahren. Beginnend mit den Werken, die 1725 im Anschluss an die Choralkantaten entstanden, setzten sich die Rückgriffe auf ältere Sätze im dritten Jahrgang fort. Die Verfahren, die Bach in den Chorsätzen aus BWV 110 und 146 erprobt hatte, fanden ein Gegenstück im Eingangschor aus BWV 149. Die Erweiterung eines zweiteiligen Satzes zur Da-capo-Form, die in der Sopranarie aus BWV 171:4 zu beobachten war, entsprach dem Modell der Altarie BWV 68:4. Und die Sinfonien aus BWV 156, 174 und 188 griffen wie die Einleitungen aus BWV 42, 35, 146 und 169 auf frühere Konzertsätze zurück, deren Solo- bzw. Orchesterpart nach Maßgabe der verfügbaren Besetzung modifiziert werden musste.

Wie die Auswahl der Texte trugen die Sinfonien dazu bei, dass aus den gleichförmigen Vorlagen Henricis eine Gruppe höchst unterschiedlicher Werke entstand. Dass sie nur drei Eingangschöre umfasst, lag an den Dichtungen Henricis. Einen Ausgleich bieten die instrumentalen Eingangssätze, die ein Höchstmaß der Differenzierung beweisen. Dass sich die Entstehung der Werke über einen längeren Zeitraum hinzog, kam den satztechnischen Verfahren zugute. Im Rückblick auf den dritten Jahrgang war zu konstatieren, dass die einst stabilen Grenzen zwischen Besetzungen und Satzarten durchlässiger wurden. In den Werken der Picander-Gruppe wird das Einbauverfahren von einer Variantentechnik abgelöst, die alle Schichten des Tonsatzes erfasst. Am deutlichsten wird das in den Orchesterarien BWV 149:4 und 174:4, die trotz unterschiedlicher Besetzung zur Variantenbildung tendieren. Das gilt auch für die Arien mit Oboe und Streichern (BWV 188:2 und 159:4), die das Material der Ritornelle zu variieren suchen. Die Verfahren also, die zuvor den Arien mit solistischem Instrumentalpart vorbehalten waren, dringen auch in die vollstimmig besetzten Sätze ein.

8. Spätere Werke

Nach dem »Picander-Jahrgang« entstanden – soweit wir wissen[170] – nur noch einzelne Kantaten, die Bach für hohe Festtage oder zu besonderen Anlässen schrieb. Während die Ratswahlkantate BWV 29 in das Jahr 1731 fällt, gehen die Kantaten BWV 36 und 30 auf frühere Gelegenheitswerke zurück. BWV 30a »Angenehmes Wiederau« wurde am 28. September 1737 als Huldigungsmusik für Graf Johann Christian von Hennicke auf Wiederau aufgeführt und im folgenden Jahr zur Pfingstkantate BWV 30 »Freue dich, erlöste Schar« umgearbeitet. Komplizierter ist die Entstehungsgeschichte der Adventskantate BWV 36 »Schwingt freudig euch empor.« Während die weltliche Urform im April oder Mai 1725 zum Geburtstag eines Lehrers entstand, wurde eine verschollene Fassung am Geburtstag der Fürstin Charlotte Friederike Wilhelmine zu Köthen (30. November) 1725 oder 1726 aufgeführt.[171] Eine erste geistliche Fassung, die nur fünf Sätze umfasste, folgte zwischen 1726 und 1730, während die letzte Fassung, in die vier Choräle eingefügt wurden, am 1. Advent 1731 erklang. Ferner ist die Kantate BWV 158 »Der Friede sei mit dir« zu nennen, deren Datierung aufgrund der Quellenlage ungewiss ist.[172] Schließlich sei an dieser Stelle der Satz »O Jesu Christ, meins Lebens Licht« erwähnt, der in doppelter Hinsicht zwischen den Gattungen steht. Erhalten in zwei Autographen, die um 1736/37 bzw. 1746/47 geschrieben wurden, ist das Werk in beiden Fassungen als »Motetto« bezeichnet.[173] Dennoch handelt es sich um einen Choralchorsatz, der »der Kategorie der motettischen Kantatensätze […] nahesteht.«[174]

BWV 29	Wir danken dir, Gott	Ratswahl 1731 (autographe Datierung)	Sinfonia – Chor – A – R – A – R – Arioso – Choral
BWV 36	Schwingt freudig euch empor	1. Advent 1731 (Parodie nach BWV 36c, 1725)	Chor – Choral – A – Choral – A – Choral – A – Choral
BWV 30	Freue dich, erlöste Schar	Johannistag (um 1738, Parodie nach BWV 30, 1737)	Chor – R – A – R – Choral – R – A – R – A – Chor
BWV 158	Der Friede sei mit dir	3. Ostertag (Entstehungszeit unbekannt)	R – A (mit Choral) – R – Choral
BWV 118	O Jesu Christ, meins Lebens Licht	ohne Bestimmung (1. Fassung um 1736/37, 2. Fassung um 1746/47)	motettischer Satz mit obligaten Instrumenten
BWV 195	Dem Gerechten muß das Licht	Trauungskantate (1736)	Chor – R – A – Accompagnato – Chor – Choral
BWV 197	Gott ist unsre Zuversicht	Trauungskantate (um 1736–37)	Chor – R – A – Accompagnato – Choral – A – R – A – Choral

---

170 Ob nach 1729 noch weitere Kirchenkantaten entstanden (die als verschollen gelten müssten), ist ungewiss.
171 Eine weltliche Fassung mit neuen Rezitativen (BWV 36b »Die Freude reget sich«) entstand um 1735 für ein Mitglied der Leipziger Gelehrtenfamilie Rivinus.
172 Das Werk ist nur in einer Abschrift aus dem frühen 19. Jahrhundert erhalten (vgl. BC A 60, Bd. I, S. 256).
173 Vgl. NBA III/1, KB.
174 Klaus Hofmann, Johann Sebastian Bach. Die Motetten, Kassel u. a. 2003, S. 14.

a. Chorsätze

Während der Eingangschor aus BWV 29 dem strengen Satz verpflichtet ist, entsprechen die Chorsätze der Kantaten BWV 36 und 30 der konzertanten Anlage der weltlichen Vorlagen.

29:2	Wir danken dir Gott, wir danken dir	Psalm 75:2	S., A., T., B., Tr. I–III, Timp., Bc. (+ Ob. I–II und Str. colla parte) – D-Dur, 2/2
36:1	Schwingt freudig euch empor	Autor unbekannt	S., A., T., B., Ob. d'am. I–II, Str., Bc. – G-Dur, ¾
30:1	Freue dich, erlöste Schar	Parodie des Textes aus BWV 30a	S., A., T., B., Trav. I–II, Ob. I–II, Str., Bc. – D-Dur, ⅔
195:1	Dem Gerechten muß das Licht	Psalm 97:11–12	S., A., T., B. + S., A., T., B. in ripieno, Trb. I–III, Timp., Trav. I–II, Ob. I–II, Str., Bc. – D-Dur, ₵ – ⁶/₈
195:5	Wir kommen, deine Heiligkeit	Autor unbekannt	S., A., T., B. + S., A., T., B. in ripieno, Trb. I–III, Timp., Trav. I–II, Ob. I–II, Str., Bc. – D-Dur, ₵
197:1	Gott ist unsre Zuversicht	Autor unbekannt	S., A., T., B., Trb. I–III, Timp., Ob. I–II, Str., Bc. – D-Dur, ₵
118	O Jesu Christ, meins Lebens Licht	Choraltext von Martin Behm	S., A., T., B., 1. Fassung: Lituo I–II, Cornetto, Trombone I–II, Bc.; 2. Fassung: Lituo I–II, Str., Bc.

Die Ratswahlkantate BWV 29 wird durch eine Sinfonia eröffnet, die auf das Preludio der Partita E-Dur für Violine allein (BWV 1006:1) zurückgeht. Ohne den Notentext zu ändern, wurde der Solopart für Organo obligato adaptiert und durch Trompeten, Pauken und Streicher mit Oboen ergänzt, sodass sich aus dem einstimmigen Modell ein konzertantes Orchesterwerk ergab. Der Eingangschor entspricht dem Typus des Alla breve im 2/2-Takt, den Bach in Chorsätzen mit biblischen Texten schon seit 1723 verwendet hatte.[175] Dem in Halben verlaufenden Thema (»Wir danken dir, Gott«) folgt eine Fortspinnung in Achtelbewegung (»und verkündigen deine Wunder«), die zugleich als Kontrapunkt dient.[176] Während beide Themen in der ersten Durchführung getrennt eingeführt werden (T. 1–11 bzw. 9–18), wird das Hauptthema in der zweiten Durchführung erstmals mit dem Gegenthema verbunden (T. 17–27 bzw. 26–29), bis beide Themen in der dritten Durchführung zunehmend enger miteinander verschränkt werden (ab T. 29). Zwar handelt es sich im Kern um ein Alla breve a cappella, in dem aber als krönender Abschluss drei Trompeten und Pauken eintreten. Die erste Trompete verdoppelt zunächst zwei Einsätze des Soprans (T. 30–36 und 53–58), fünf Takte später folgen zwei obligate Einsätze der ersten und zweiten

---

[175] Vgl. die Eingangschöre aus BWV 64 (1723), BWV 67 (1724), BWV 79 und 111 (1725), BWV 45 und 47 (1726) sowie aus BWV 171 (1729 oder später).
[176] Statt den Satz zu analysieren, wusste Neumann nur die Textunterlegung zu bemängeln, vgl. Werner Neumann, J. S. Bachs Chorfuge, S. 96 f.

Trompete (T. 63–69), während anschließend die dritte Trompete mit den Pauken hinzutritt (T. 70–76). Duplieren die erste und zweite Trompete in den Schlusstakten den Alt und Tenor, so bildet die dritte Trompete eine obligate Stimme (T. 82–91). Da insgesamt Halbe und Ganze dominieren, nähert sich der Satz weit mehr als frühere Pendants dem Stile antico.[177]

Der Eingangschor der Adventskantate »Schwingt freudig euch empor« (BWV 36:1) wird durch ein Vorspiel eröffnet, dessen Kopfmotiv in den Oboen eingeführt wird. Es erweist sich als thematische Variante des später eintretenden Chorsatzes (vgl. T. 1 und 13), wogegen die triolischen Sechzehntel der Violinen dem Instrumentalpart vorbehalten bleiben. Das chorische Thema, das eine Kontraktion der ersten Takte des Vorspiels bildet, wird anfangs imitiert und durch einen akkordischen Anhang ergänzt (T. 13–18), dessen Wiederholung auf der Dominante endet (T. 19–20). Während diesen Takten die erste Hälfte der Eingangszeile unterlegt wird, wird die nächste Imitationskette, die auf einer weiteren Themenvariante beruht, mit der zweiten Hälfte und der nächsten Zeile verbunden (T. 21–33), an die sich das erste Zwischenspiel anschließt (T. 33–42). Desto klarer hebt sich der zweite Teil ab, dessen Rufmotive akkordisch vertont werden, bis sie auf der Mollparallele enden (T. 42–59). Bezeichnend für die späte Entstehungszeit des Werks ist die formale Erweiterung, die sich durch die variierte Wiederholung beider Teile ergibt (A^3 bzw. B^3).

1–13	13–20	21–33	33–42	42–51	52–59	59–63	63–75	75–80	80–98	99–103
Vorspiel	A^1	A^2	Zwsp.	B^1	B^2	Zwsp.	A^3	Zwsp.	B^3	Nach-spiel
–	Zeile 1	Z. 1–2	–	Z. 3–4	Z. 3–4	–	Z. 1–2	–	Z. 3–4	–
D	D – A	A – A	A	A – h	h – h	h	h – fis	fis	fis – D	D

Obwohl der Eingangschor der Kantate BWV 30 (»Freue dich, erlöste Schar«) der Vorlage aus BWV 30 entspricht, bedeutet der Zutritt von drei Trompeten (samt Pauken) keine nur klangliche Erweiterung. Da der Bläserchor erst am Ende der vier- und achttaktigen Gruppen einsetzt, tritt die periodische Taktgruppierung klarer als in der weltlichen Fassung hervor. Dass der Satz mit der ersten Zeile des Chors beginnt, die anschließend vom Orchester wiederholt wird (T. 1–8 ~ 9–16), geht auf die weltliche Vorlage zurück, deren erste Zeile sich an den Widmungsträger richtete (»Angenehmes Wiederau, freue dich in deinen Auen!«).

1–8	9–16 (~ 1–8)	17–24	25–32 (~ 17–24)	33–64	65–72 (= 1–8)	73–80 (= 9–16)	81–88 (= 17–24)	89–96 (= 25–32)	97–104	105–128	1–32 da capo
A^1	Zwsp.	A^2	Zwsp.	B^1	A^3	Zwsp.	A^4	Zwsp.	B^2	C	
Zeile 1	–	Z. 1–2	–	Z. 3–5	Z. 1–2	–	Z. 1–2	–	Z. 3–4	Z. 5	
T – D	D	D – T	T	T – Tp	T – D	T	D – T	T	Tp – Sp	Sp – S	

---

[177] Der Satz wurde später zum »Gratias« bzw. »Dona nobis« der h-Moll-Messe umgearbeitet, vgl. Christoph Wolff, Der stile antico in der Musik Johann Sebastian Bachs. Studien zu Bachs Spätwerk, Wiesbaden 1968 (Beihefte zum Archiv für Musikwissenschaft, Bd. VI), S. 51 f.

Führt der A-Teil (T. 1–32) von der Tonika zur Dominante und wieder zurück zur Grundtonart, so moduliert der B-Teil (T. 33–64) zur Mollparallele, während der C-Teil (T. 105–128) in fallenden Quint- (Fis-H-e) und steigenden Sekundschritten (G-C-A-D) zur Subdominante G-Dur lenkt. Durch die Wiederholung des ersten Abschnitts erweitert sich der erste Teil auf 96 Takte (T. 65–96 = 1–32), wogegen der anschließende Abschnitt (T. 97–104) ebenso neu vertont wird wie der Schlussteil (T. 105–128).

Der Eingangschor der Kantate »Dem Gerechten muß das Licht« (BWV 195:1), dem ein Psalmtext zugrunde liegt (Ps. 97:11–12), gliedert sich in ein Ritornell (T. 1–13) und einen doppelchörigen Tuttiblock (T. 14–52), an den sich eine vierstimmige Fuge (»Ihr Gerechten, freuet euch«) mit zwei Durchführungen und einer Coda anschließt (T. 52–104 + 105–120). Obwohl die Flöten in der Regel die Oboen duplieren, werden beide Gruppen in den geringstimmigen Taktgruppen getrennt eingesetzt (vgl. T. 15 f. und 19 f.). Ähnlich differenziert wird der Vokalpart abgestuft. Zwar verstärken die Ripienstimmen in den Tuttiphasen zumeist die Hauptstimmen, doch tritt der »Soprano in ripieno« einmal auch als selbstständige Stimme hervor (T. 34). Der doppelchörigen Eröffnung folgen zwei Takte des Soprans, zu dem in der analogen Folgegruppe der Alt und später auch der Tenor und der Bass hinzutreten. Die Tuttiphasen fallen in der Regel mit den Ritornellzitaten zusammen, sodass sich im Wechsel der solistischen und vollstimmigen Taktgruppen eine klangliche Abstufung ergibt, die durch den wechselnden Einsatz der Instrumente eine zusätzliche Differenzierung erfährt. Die erste Durchführung der anschließenden Fuge im 6/8-Takt wird durch einen Einsatz der ersten Trompete ergänzt, während die übrigen Instrumente – sofern sie nicht den Chor duplieren – als Füllstimmen fungieren (T. 71). Entsprechend ist auch die zweite Durchführung angelegt, in der Streicher und Holzbläser den Vokalpart verstärken, wogegen die Tromba I wieder obligat bleibt (T. 72–86). Die anschließende Imitationsgruppe (T. 87–104) mündet in der Coda, die durch den Einsatz des Trompetenchors gekrönt wird. Analog, wiewohl etwas schlichter, ist auch der Schlusschor angelegt (»Wir kommen, deine Heiligkeit, unendlich großer Gott, zu preisen«). Während die vollstimmigen Phasen durch Binnenimitationen aufgelockert werden, die sich am Ende zu einem Fugato erweitern (T. 57 ff.), wechseln die Instrumente zwischen obligater und duplierender Funktion. Der Mittelteil hingegen, der fast durchweg akkordisch angelegt ist, wird durch ein kurzes Zwischenspiel gegliedert, in dem die Instrumente obligat hervortreten, während sie die letzten Takte als Begleitung ergänzen.

Nicht ganz so kompliziert, wenngleich nicht weniger eindrucksvoll, ist der Eingangschor der Kantate »Gott ist unsre Zuversicht« angelegt (BWV 197:1). Obwohl sich das Thema der vokalen Fuge im Ritornell (T. 1–25) in den Tonrepetitionen der ersten Trompete andeutet, wirkt der fugierte Einsatz des Chores zunächst als unvermittelter Kontrast. Einer ersten Durchführung, die durch den akkordischen Streichersatz ergänzt wird, schließt sich eine zweite an, an der die Instrumente zunächst duplierend beteiligt werden, bis sie die primär akkordische Schlussphase des Vokalparts mit der Thematik des Ritornells kombinieren (T. 58–70 ~ 1–12). Das vokale Fugenthema überrascht zunächst durch vierfache Repetition des Grundtons, von der sich die synkopische Fortspinnung desto klarer abhebt. Auslaufend in weitraumigen Melismen, steigert sich der Satz im weiteren Verlauf zu gedehnten Akkorden des Vokalparts, die von den Figurationen der Streicher und Oboen begleitet und vom Eintritt der Trompeten gekrönt werden (T. 58–102). Der weit kürzere Mittelteil hingegen (T. 103–149) steht in h-Moll, sodass die Trompeten hier fast durchweg (ausgenommen das Zwischenspiel Takt 122–125) pausieren müssen. Gleichwohl ist es der Instrumentalpart, der den Zusammenhang mit dem Ritornell und zugleich mit dem ersten Satzteil bewirkt, dessen Motivik nicht nur in kurzen Einwürfen, sondern auch in der Begleitung des Vokalparts wiederkehrt (vgl. T. 105 und 109 sowie T. 132–138 und T. 144–145). So effektvoll der Satz wirkt, so kunstreich ist er zugleich geformt.

Der Choralchorsatz »O Jesu Christ, meins Lebens Licht« schließlich, der in den beiden erhaltenen Autographen als »Motetto« bezeichnet ist, steht den Choralchorsätzen des zweiten Jahrgangs näher als den anderen Motetten Bachs.[178] Der vierstimmige Vokalsatz wird durch einen Instrumentalpart ergänzt, der in der ersten Fassung (um 1736/37) zwei Litui und drei Posaunen umfasst, die in der späteren Fassung (1746/47) durch Streicher ersetzt wurden.[179] Die gedehnten Choralzeilen, die im Sopran liegen, werden mit Imitationen ihrer Initien kombiniert, die wechselnd vor oder nach dem Eintritt des Cantus firmus ansetzen. Während die Instrumente innerhalb der Zeilen den Vokalpart duplieren, treten sie im Ritornell und in den Zwischenspielen als obligate Stimmen hervor, die das motivische Material des Vokalparts variieren. In seiner ebenso artifiziellen wie scheinbar selbstverständlichen Anlage ist der Satz ein Musterbeispiel für die gesteigerte Kunstfertigkeit, die Bachs späte Vokalwerke auszeichnet.

b. Arien

Dass die späten Kantaten keine Continuo-Sätze enthalten, dürfte kein Zufall sein. Denn solche Sätze traten bereits im dritten Jahrgang und ebenso auch im »Picander-Jahrgang« zurück. Desto auffälliger ist es, dass sich die Arien zu gleichen Teilen auf Sätze mit Soloinstrumenten und mit Streicherchor verteilen. Beide Sachverhalte entsprechen der Beobachtung, dass Bach in seinen späteren Kantaten größere Besetzungen als in früheren Jahren bevorzugte.

---

178 Vgl. Klaus Hofmann, Johann Sebastian Bach. Die Motetten, S. 14, sowie Verf., Bachs Vokalmusik als Problem der Analyse, in: Bachforschung und Bachinterpretation heute. Wissenschaftler und Praktiker im Dialog, Bericht über das Bachfest-Symposium 1978 der Philipps-Universität Marburg, hrsg. von Reinhold Brinkmann, Leipzig 1981, S. 97–126, hier S. 113–120.
179 Vgl. NBA III/1, KB, S. 181–199, besonders S. 196 f., sowie Curt Sachs, Die Litui in Bachs Motette »O Jesu Christ«, in: BJ 1921, S. 96 f.

Arien mit Soloinstrumenten

29:3	Halleluja, Stärk und Macht	T., V. solo, Bc. – A-Dur, ¢
36:3	Die Liebe zieht mit sanften Schritten	T., Ob. d'am. solo, Bc. – h-Moll, ³⁄₈
36:7	Auch mit gedämpften, schwachen Stimmen	S., V. I solo, Bc. – G-Dur, ¹²⁄₈
30:10	Eilt, ihr Stunden, kommt herbei	S., V. I (unisoni), Bc. – e-Moll, ⁹⁄₈
158:2	Welt, ade, ich bin dein müde (+ Choral)	B., V. solo, Bc. (+ Choral: S. + Ob.) – G-Dur, ¢

Das Ritornell der Tenorarie »Halleluja, Stärk und Macht« (BWV 29:3) scheint mit dem Beginn des Vokalparts nur die auftaktige Wendung des ersten Takts und die anschließende Kadenzgruppe zu teilen (vgl. T. 1–4 und 21–24). So deutlich der Zusammenhang ist, so unübersehbar sind die Varianten, die bereits den Anfang des Satzes charakterisieren. Zwar fehlt es nicht an gelegentlichen Rückgriffen wie beispielsweise in der Einbauphase Takt 29–36, deren Violinstimme der Fortspinnung des Ritornells entspricht (vgl. T. 9–15) und später in Oktavtransposition wiederkehrt (T. 38–42 ~ 13–16). Insgesamt jedoch besteht der Vokalpart aus Varianten des Materials, das im Ritornell eingeführt wurde (vgl. T. 62–65^1 und 1–4^1). Während das Vorspiel zur Dominante lenkt, erweist sich das Nachspiel des A-Teils als weitere Variante (vgl. T. 81–92 mit T. 9–20). Das gilt entsprechend für den B-Teil, der in fis-Moll steht und demgemäß den Figurenvorrat des Ritornells noch freier variiert.

Dagegen beginnt die Tenorarie »Die Liebe zieht mit sanften Schritten« (BWV 36:3) mit einem Ritornell, das sich in einen Vorder- und Nachsatz (T. 1–4 und 5–8) und eine ebenso lange Fortspinnung gliedert (T. 9–16). Der scheinbar regulären Gliederung des Ritornells gemäß wiederholt der Vokalpart – quasi als Devise – zunächst den Vordersatz des Ritornells (T. 17–20 ~ 1–4), während der Nachsatz in das Zwischenspiel verlegt und zugleich variiert wird (vgl. T. 21–24 mit T. 5–8). Das gilt auch für den nächsten Einsatz des Vokalparts, in dem der Nachsatz wiederum variiert wird (T. 25–40). Erst in der zweiten Hälfte des A-Teils begegnen zwei kürzere Rückgriffe mit Vokaleinbau (T. 44–50 ~ 10–16 und T. 61–64 ~ 9–12) während in den übrigen Phasen die Variantentechnik dominiert.

Dass die Sopranarie BWV 36:7 (»Auch mit gedämpften, schwachen Stimmen«) auf einen früheren Satz zurückgeht,[180] lässt sich an der Dominanz des Einbauverfahrens erkennen. Die ersten Takte des Vokalparts (T. 9–11 variieren die entsprechenden Takte des Ritornells (vgl. T. 1–3), dessen Fortspinnung im anschließenden Zwischenspiel wiederholt wird (T. 11–12 = 3–4). Die weiteren Phasen des A-Teils gehen fast durchweg auf das Ritornell zurück, in das der Vokalpart eingebaut wird (T. 15$^{2-4}$ und T. 16$^{2-4}$ ~ 5$^{2-4}$, T. 22–23 ~ 3–4 und T. 24–25 ~ 6–7). Auch die Echoeffekte des Mittelteils (»denn schallet nur der Geist dabei«, T. 35 und 37–39 sowie T. 44 und 45 f.) ließen sich fast unverändert übernehmen, weil der unbekannte Textautor eine entsprechende Vorlage geliefert hatte (vgl. BWV 36c:7 »Es schallet kräftig in der Brust«).

Auch die Sopranarie »Eilt, ihr Stunden, kommt herbei« (BWV 30:10) geht auf einen früheren Satz zurück, dessen Text der Vorlage der geistlichen Parodie ent-

---

180 Vgl. BWV 36c:7 (mit gleichem Textbeginn, aber in A-Dur).

spricht (BWV 30a »Eilt, ihr Stunden, wie ihr wollt«). Dass der Instrumentalpart von den ersten Violinen »unisoni« zu spielen ist, deutet auf die mehrfache Besetzung der Stimme hin. Das Ritornell beginnt mit einer steigenden Dreiklangsbrechung, die in eineinhalb Takten den Rahmen einer Duodezime durchmisst. Sobald die Achtelketten durch längere Notenwerte unterbrochen werden, wechseln sie in den Continuopart, sodass sich ein komplementärer Bewegungsverlauf ergibt. Das Ritornell ist derart instrumental konzipiert, dass der Vokalpart nur das Incipit übernehmen kann (T. 15 ~ 1) und im Übrigen in variierte Ritornellzitate eingebaut wird (vgl. T. 13–15^1 mit T. 1–3^1, T. 28–34^4 mit T. 4^2–10^4 und T. 40–41 mit T. 8–10). Desto überraschender ist es, wenn der Satz am Ende des A-Teils auf einem verminderten Akkord innehält (T. 43: »bringt mich bald in jene *Auen*«).

Ein Sonderfall ist die Bassarie »Welt, ade, ich bin dein müde« (BWV 158:2), die mit der vom Sopran gesungenen Strophe »Welt, ade, ich bin dein müde« kombiniert wird. Das Kopfmotiv des Ritornells ist derart kantabel geprägt, dass es vom Vokalpart übernommen werden kann, während die Figuren der Fortspinnung für die Begleitung der Bassstimme verwendet werden. So dicht bereits die Koppelung der beiden Hauptstimmen wirkt, so bemerkenswert ist ihre Kombination mit der Choralweise. Schon zur ersten Choralzeile tritt das transponierte Kopfmotiv des Ritornells hinzu (T. 22), ebenso wird die zweite Zeile mit einer Variante der Fortspinnung verbunden, und in ähnlicher Weise wird das Kombinationsverfahren in den folgenden Zeilen variiert.

Streichersätze

36:5	Willkommen, werter Schatz	B., Str., Bc. – D-Dur, ¢ (var. Da-capo-Form)
30:3	Gelobet sei Gott, gelobet sein Name	B., Str., Bc. – G-Dur, ⅜ (var. Da-capo-Form)

Dass die Bassarie »Willkommen, werter Schatz« (BWV 36:5) auf einen früheren Satz zurückgeht,[181] ist an der dominierenden Funktion des Einbauverfahrens erkennbar. Lediglich das Incipit des Ritornells entspricht der vokalen Deklamation, wogegen die Figuren der Fortspinnung dem Instrumentalpart vorbehalten bleiben. Während das Kopfmotiv des Vokalparts von den Streichern imitiert wird (T. 9 f. und T. 15 f.), wird die Fortspinnung mit den anschließenden Textworten gekoppelt (vgl. T. 12 f. und T. 17–20). Selbst der zur Mollparallele modulierende Mittelteil wird mit transponierten Zitaten des instrumentalen Kopfmotivs bestritten, während die Schlussphase der variierten Reprise fast durchweg mit Ritornellzitaten kombiniert wird (vgl. T. 50 f. mit T. 1 und T. 52–56 mit T. 3–8).

Dagegen ist die Bassarie »Gelobet sei Gott, gelobet sein Name« (BWV 30:3) ein Musterfall der Variantentechnik, die ein Kennzeichen der späteren Kantaten ist. Exemplarisch sind bereits die ersten Takte des Vokalparts, in denen der Bass auf den Beginn des Ritornells zurückgreift und zugleich von den Streichern im Abstand einer Viertel mit einer Variante des Incipits begleitet wird (T. 17 f.). Auch die Triolen der folgenden Takte bilden Varianten der triolischen Figuren des Ritornells, sodass nur die Saitenwechsel der anschließenden Takte neu formuliert sind. Charakteristisch für

---

[181] Vgl. BWV 36c:5 »Der Tag, der dich vordem gebar«, 1725.

die späte Entstehungszeit des Satzes ist ebenso der Mittelteil, dessen Phasen nach e-Moll bzw. h-Moll modulieren, aber durchweg mit Varianten der Ritornellmotivik verbunden werden. Obwohl die variierte Reprise (T. 121–174) dem Muster des ersten Teils entspricht, werden seine Taktgruppen mehrfach variiert (vgl. T. 126–128 mit T. 17–20 sowie T. 184–196 mit T. 4–16).

Sätze mit Soloinstrumenten und Streichern

29:5	Gedenk an uns mit deiner Liebe	S., Ob. I, Str., Bc. – h-Moll, 6/8 (Da-capo-Arie)
30:5	Kommt, ihr angefochtnen Sünder	A., Trav., Str., Bc. – A-Dur, ¢ (erweiterter Suitensatz)
30:8	Ich will nun hassen und alles lassen	B., Ob. d'am. conc., V. conc., Str., Bc. – h-Moll, 2/4 (verkürzte Da-capo-Form)
195:3	Rühmet Gottes Lieb und Treu	B., Ob. I–II, Trav. + V. I–II, Va., Bc. – G-Dur, 2/4
197:3	Schläfert allen Sorgenkummer	A., Ob. d'am., Str., Bc. – A-Dur, 3/4 (variierte Da-capo-Form)
197:6	O du angenehmes Paar	B., Ob., Fag. obligato, V. I–II, Bc. – G-Dur, c
197:8	Vergnügen und Lust	S., V. solo, Ob. d'am. I–II, Bc. – G-Dur, c (variierte Da-capo-Form)

Die Sopranarie »Gedenk an uns mit deiner Liebe« (BWV 29:5), deren Rhythmik dem Siciliano entspricht,[182] zeichnet sich durch die klangliche Abstufung der instrumentalen und vokalen Phasen aus. Während die Oboe in den Ritornellen und Zwischenspielen die erste Violine dupliert, entspricht sie in den vokalen Phasen dem Sopran. Zugleich fungiert der Continuo in den instrumentalen Abschnitten als Bassstimme, wogegen er in den vokalen Phasen die Viola verdoppelt. Da das Ritornell zur Tonikaparallele moduliert, wird das Nachspiel des A-Teils neu formuliert (T. 33–36). Beide Teile umfassen je zwei Phasen, die im A-Teil zur Parallele und zur Tonika lenken, während sie im Mittelteil zur Dominantparallele bzw. Subdominante modulieren. Erst in der zweiten Phase des B-Teils (T. 57–66) tritt die Oboe als Solostimme hervor, die in den letzten Takten durch die Streicher gestützt wird (T. 63–66). Gerade diese klangliche Differenzierung ist ein Kennzeichen der späteren Kantaten.

Dass die Sopranarie »Kommt, ihr angefochtnen Sünder« (BWV 30:5) auf eine weltliche Vorlage zurückgeht,[183] lässt sich an ihrem ungewöhnlich tänzerischen Charakter erkennen. Die »typisch gavottenartige Bewegung«[184] der Bassstimme wird in den Oberstimmen mit einer synkopischen Rhythmik gepaart, die den Charakter des gesamten Satzes prägt. Das Vorspiel (das am Ende des Satzes wiederkehrt) besteht aus zwei wiederholten Teilen, die jeweils acht Takte umfassen (T. 1–16). Die periodische Gliederung setzt sich nicht nur in den folgenden Taktgruppen fort, sondern prägt auch den weiteren Satzverlauf. Selbst wo die tänzerische Rhythmik durch triolische Achtel verdeckt wird, bleibt sie in den Gegenstimmen ständig präsent.

---

182 Vgl. Finke-Hecklinger, a. a. O., S. 84.
183 Vgl. BWV 30a:5 »Was die Seele kann ergetzen«.
184 Finke-Hecklinger, a. a. O., S. 33. Vgl. auch Dürr, Die Kantaten, Bd. 2, S. 567.

Während dem A-Teil, der zur Dominante lenkt, die drei ersten Textzeilen unterlegt sind (T. 17–40), werden die drei übrigen Zeilen dem B-Teil zugeordnet (T. 48–94).

Schließlich ist noch die Bassarie »Ich will nun hassen« (BWV 30:8) zu nennen, die über ein ungewöhnlich umfangreiches Ritornell verfügt. Der zweitaktigen Eröffnung, die im »piano« – quasi als Echo – wiederholt wird, folgt ein viertaktiger Nachsatz, der zur Tonikaparallele moduliert (T. 5–8), während die Fortspinnung (T. 8–16) durch einen Anhang ergänzt wird, der von der Subdominante zur Tonika zurückführt (T. 16–22).

1–2 + 3–4	5–8	8–12 + 13–16	16–20 + 21–22
Vordersatz	Nachsatz	Fortspinnung I	Fortspinnung II + Kadenz
T – T	T – Tp	Tp – S	S – D – T

Dem Vordersatz, der durch die »lombardische« Rhythmik des Kopfmotivs gekennzeichnet ist, stehen die weiträumigen Dreiklangsbrechungen der Fortspinnung gegenüber, in die sich die komplementäre Rhythmik der Solooboe einfügt. Die erste Phase des A-Teils, der die drei ersten Textzeilen aufnimmt, greift zunächst auf das Ritornell zurück, das zugleich durch Vokaleinbau erweitert wird (T. 22–30 ~ 1–8). Während die folgenden Takte dem Vordersatz entsprechen (T. 31–34 ~ 1–4 mit Vokaleinbau), bildet die anschließende Taktgruppe einen Einschub, der zur Dominante moduliert (T. 35–38).

23–26,	27–30	31–34,	35–38	39–42,	43–50	51–54,	55–58	59–60,	61–64	65–74
~ 1–4,	~ 5–8	~ 1–4,	~ 8–12	~ 1–4,	~ 47–50	~ 1–4,	~ 47–50	~ 1–2,	~ 24–27	
h,	D	D,	D – fis	fis – h – e		e – A,	e – A – D	h – h		h – h

Dem Muster der variierten Da-capo-Form, dem die Mehrzahl der späteren Arien folgt, entspricht auch die Bassarie »Rühmet Gottes Lieb und Treu« (BWV 195:3). An das zur Dominante modulierende Ritornell (T. 1–13) schließt sich der A-Teil an, der wiederum auf der V. Stufe endet (T. 14–46[1] + Ritornell T. 46–58), während der Mittelteil zur Parallele führt (T. 59–74 + 75–102), bis der Schlussteil (A′) über die Dominante zur Tonika zurückkehrt (T. 103–140[1] + Ritornell T. 140–155).

Vergleichsweise einfach wirken auch die meisten Arien aus der Kantate BWV 197a, die zum 1. Weihnachtstag 1728 oder in den folgenden Jahren entstand. Der Instrumentalpart der Sopranarie »Vergnügen und Lust« (BWV 197:8), die auf Satz 6 aus BWV 197a zurückgeht (»Ich lasse dich nicht«),[185] verbindet eine Sologoviline mit zwei Oboi d'amore, die als akkordische Füllstimmen fungieren. Da das Ritornell (T. 1–8) nur durch Zwischenstufen erweitert wird, um dann aber in der Tonika zu enden, ist die harmonische Disposition etwas einfacher als in den übrigen Sätzen des Werks. Der zur Dominante führende A-Teil (T. 9–26 mit dem modulierenden Gelenk in T. 17) wird durch ein Zwischenspiel ergänzt (T. 27–34), während der Schlussteil

---

[185] Allerdings sind nur der Schluss des Satzes 4 sowie die Sätze 5–7 dieser Kantate erhalten, vgl. BC III, S. 868–870 (B 14a–c).

in der Tonika verharrt (T. 53–70 + Ritornell T. 71–78). Der relativ knappe Mittelteil (T. 35–48) führt von der Dominante zu ihrer Parallele, während die Rückmodulation dem kleinen Zwischenspiel überlassen ist (T. 49–52). Seine Anmut verdankt der Satz nicht nur dem 6/8-Taktmaß, sondern vor allem der punktierten Rhythmik, die selbst dort noch spürbar bleibt, wo sie von den weiträumigen Figuren der Solovioline überlagert wird (vgl. T. 3–8, 14–24 und 29–34 sowie 37–51).

Ungleich komplexer sind die beiden anderen Sätze der Kantate. Der Bassarie »O du angenehmes Paar« (BWV 197:6) liegt ein Text zugrunde, dessen fünf Zeilen syntaktisch miteinander verbunden sind, weshalb sich Bach dafür entschied, den drei Teilen des Satzes denselben Wortlaut zu unterlegen (A^1: Ritornell T. 1–9 + T. 9–23, A^2: T. 24–41 + Zwischenspiel T. 41–51, A^3: T. 52–63 + Ritornell T. 64–71). Das System der variierten Rekurse, das allen Phasen gemeinsam ist, lässt sich bereits an den ersten Takten des A-Teils demonstrieren. Die Takte 9–10, die den beiden ersten Takten des Ritornells entsprechen, werden in Takt 12–13 mit einer transponierten Variante der Takte 3–4 verbunden, weil das modulierende Gelenk aus Takt 4 in die anschließende Taktgruppe verlagert wird. Entsprechend variierte Rückgriffe prägen auch den weiteren Verlauf, der abermals deutlich macht, dass die blockhafte Einbautechnik früherer Jahre in den späteren Werken durch ein System variabler Rekurse verdrängt wird.

Als bezeichnendes Beispiel dieser Variantentechnik sei abschließend die Altarie »Schläfert allen Sorgenkummer« (BWV 197:3) hervorgehoben, die wiederum dem variierten Da-capo-Schema verpflichtet ist.

> Schläfert allen Sorgenkummer
> In den Schlummer
> Kindlichen Vertrauens ein.
>   Gottes Augen, welche wachen
>   Und die unser Leitstern sein,
>   Werden alles selber machen.

Bereits im Ritornell werden die Taktgruppen erweitert und ineinander verschränkt. Wie der Vordersatz auf sechs Takte erweitert wird, so verlängert sich der Nachsatz auf zehn Takte, während die Fortspinnung durch eine chromatische Linie der Kadenzgruppe ergänzt wird.

Ritornell

1–4 + 5–6	7–17[1]	17–20[1]	20–24
Vordersatz	Nachsatz	Fortspinnung	chromatische Kadenz
T	T–D	D	D

Der A-Teil entspricht zwar weitgehend dem Ritornell, doch wird er durch ein Zwischenspiel unterbrochen, das eine transponierte Variante der ersten Taktgruppe bildet. Zusätzlich werden die Takte 55–64[1] eingefügt, in denen der Vokalpart – begleitet von gedehnten Akkorden der Streicher – mit ausdrucksvollen Melismen auf das Wort »Sorgenkummer« verweist. Wie sorgsam der Satz ausgearbeitet ist, zeigen so unscheinbare Details wie der Einklangkanon zwischen Alt und Oboe in Takt 43–44 oder die stufenweise Sequenz derselben Stimmen in Takt 45–47. Dass

auch die chromatische Kadenz auf die Worte hindeutet, zeigt ihre textierte Variante
(T. 47–50), der anschließend ein entsprechendes Zitat der Oboe folgt (T. 51–55).

Ritornell	A-Teil (Zeilen 1–3)					
1–24	25–36	37–40	41–50	55–64¹	55–64¹	64–73¹
	~ 1–17	~ 1–4 (instrum.)	~ 13–20 (+2)	~ 20–24¹		~ 1–10¹
T–D	T–D	D	D	D	D	D

Der Schlusteil erweist sich als variierte Reprise des ersten Teils, in die ein zweitaktiges Sequenzglied (T. 118–119) eingeschoben wird, um damit den Anschluss der weiteren Takte zu erlauben, die auf die Tonika transponiert werden (T. 120–144).

A' (Zeilen 1–3)

94–103	103–117	118–119	120–144
= 1–10	= 24–36	(neues Sequenzglied)	~ 37–64
T–D	T–D	T–D	T–T

Dagegen wechselt der Mittelteil, der insgesamt 21 Takte umfasst, zum ¾-Takt (T. 73–93). Besonders intrikat sind die ersten sechs Takte ausgearbeitet, in denen zwölf Themeneinsätze in halbtaktigem Abstand aufeinanderfolgen (T. 73–78), wogegen die abschließenden Takte durch das dialogische Verhältnis zwischen der Altstimme und der Oboe gekennzeichnet sind.

*

Zusammenfassend ist zu konstatieren, dass nach wie vor offen bleiben muss, ob Bach den gesamten Jahrgang Henricis vertonte. Obwohl diese Möglichkeit nicht auszuschließen ist, dürfte es wahrscheinlicher sein, dass er einzelne Texte auswählte, die ihm besonders geeignet zu sein schienen. Zwar ist der erhaltene Bestand zu schmal, um generelle Folgerungen zu erlauben, doch lässt er immerhin erkennen, dass sich in dieser letzten Gruppe der Kantaten deutliche Änderungen abzeichnen. Am auffälligsten ist die reduzierte Bedeutung des Einbauverfahrens, an dessen Stelle eine zunehmend komplexere Variantentechnik trat. Dennoch wäre es übereilt, darin ein charakteristisches Kennzeichen eines Spätwerks zu sehen. Während der Hauptteil des Kantatenwerks schon um 1727 seinen Abschluss erreichte, entstanden in den folgenden Jahren noch so bedeutende Werke wie das Weihnachtsoratorium und die h-Moll-Messe. Allerdings dürften die Arien dieser späten Hauptwerke – soweit sich aus den nachweisbaren Fällen schließen lässt – weithin Parodien früherer Sätze darstellen. Dagegen betrifft das Parodieverfahren weit weniger die Kantaten, die ihrerseits als Vorlagen der späteren Parodien dienten.

Teil VIII

**Summe der Erfahrung:
Die Matthäus-Passion (1727/29)**

Dass die Matthäus-Passion als Summe der Erfahrungen gelten kann, die Bach in seinen Kantaten gewonnen hatte, wird erst dann verständlich, wenn man sich ihr im Kontext der früheren Werke zuwendet. Um die Datierung des Werkes zu klären, wurde zwar vielfach die Quellenlage erörtert, während die Struktur der Musik weit weniger zur Sprache kam.[1] Der Umfang und Anspruch des Werks nötigt jeden analytischen Versuch zur Begrenzung auf ausgewählte Beispiele. Die folgende Darstellung richtet sich daher weniger auf die Fragen der theologischen Deutung oder der rhetorischen Textauslegung als auf die strukturellen Grundlagen der Musik. Die These, das Werk bilde eine Summe der Erfahrungen, mag zunächst als Übertreibung wirken. Entstand die Passion spätestens 1729, so fiel sie in eine Zeit, in der Bach kaum 45 Jahre alt war. Warum sollte er bereits in diesem Alter seine kompositorischen Erfahrungen zusammengefasst haben?

1. Quellenlage und Datierung

Noch immer ist ungewiss, ob die Matthäus-Passion BWV 244 erstmals 1727 oder 1729 aufgeführt wurde. Zwar ist man sich darin einig, dass nur diese beiden Jahre in Betracht kommen, weil in ihnen die Passionsaufführung in der Thomaskirche stattfand, die – anders als St. Nikolai – die Voraussetzungen für die Darbietung eines doppelchörigen Werks bot. Für das Verständnis der weiteren Hinweise mag eine Übersicht über die Quellenlage hilfreich sein.[2]

1. Primäre Quellen:
    a) autographe Partitur (P 26), 1736 (vollständige Reinschrift)
    b) 40 originale Stimmen (St 110), zumeist 1736; Hauptschreiber: Samuel Gottlieb Heder, Friedrich Christian Samuel Mohrheim, Johann Sebastian und Anna Magdalena Bach, Anon. Vm (vielleicht Gottfried Heinrich Bach)

---

[1] Hervorzuheben ist die Einführung von Emil Platen, Die Matthäus-Passion von Johann Sebastian Bach. Entstehung, Werkbeschreibung, Rezeption, Kassel u. a. 1991, ²1997, ⁶2009. Vgl. zusammenfassend Christoph Wolff, Musikalische Formen und dramatische Gestaltung in Bachs Matthäus-Passion, in: Johann Sebastian Bach, Matthäus-Passion BWV 244, Vorträge der Sommerakademie J. S. Bach 1985 (Veröffentlichungen der Internationalen Bachakademie Stuttgart, hrsg. von Ulrich Prinz, Bd. 5), Stuttgart u. a. 1990, S. 94–109.
[2] Faksimile in NBA II/5a, ebd. 1972, Vorwort S. X–XV, ferner NBA II/5, KB, S. 62, sowie Alfred Dürr, Zur Chronologie der Handschrift Johann Christoph Altnickols und Johann Friedrich Agricolas, in: BJ 1970, S. 44–65.

2. Sekundäre Quellen:
   a) Partiturkopie (Am. B 6 und 7), geschrieben von Johann Christoph Farlau, Leipzig vor 1767 (mit angeheftetem Textheft von Johann Friedrich Agricola)[3]
   b) unvollständige Partiturkopie (P 26), geschrieben von Johann Friedrich Agricola, Berlin vor 1774 (Sätze 1–58, vollständig nur sechs Sätze, weitere lediglich teilweise notiert)[4]

Mit der autographen Partitur und dem Hauptteil der zugehörigen Stimmen wirkt die Überlieferung zunächst denkbar günstig, zumal auch der 1729 erschienene Textdruck von Christian Friedrich Henrici (Picander) erhalten ist. Die authentischen Quellen sind erst um 1736 anzusetzen, sodass sie eine spätere Wiederaufführung und nicht das Entstehungsjahr des Werks belegen.[5] Da das Material der früheren Aufführungen verschollen ist, sieht man sich auf weitere Indizien angewiesen. Das lange geltende Datum 1729 beruhte auf Carl Friedrich Zelters Hinweis im Textbuch der Wiederaufführung, die Mendelssohn 1829 in Berlin leitete. Zelter kannte noch einen 1729 datierten Textdruck, fügte aber hinzu, der »alte Kirchentext« sage nicht, ob »diese Aufführung die allererste war«.[6] Als Indiz der früheren Datierung gilt eine Violastimme, die für eine Wiederaufführung des Sanctus D-Dur BWV 232^{III} am Ostersonntag 1727 geschrieben wurde. Auf ihrer Rückseite finden sich zwei halbe Takte einer Violinstimme zur Arie »Mache dich, mein Herze, rein« (Satz 65, T. 23^b–24^a), die nachträglich gestrichen wurden. Das mag kein besonders starker Beweis sein, galt aber bisher als Beleg für die Annahme, dass die Arie schon 1727 vorlag.[7]

Den 1736 entstandenen Primärquellen stehen zwei Partiturkopien gegenüber, die erst nach Bachs Tod geschrieben wurden. Die von Johann Christoph Farlau angefertigte Kopie entstand wohl erst nach 1750 und bietet das Werk ebenso wie die unvollständige Abschrift Agricolas in einer Fassung, die sich in zahlreichen Einzelheiten von der authentischen Gestalt unterscheidet und deshalb bislang als frühere Version galt (BWV 244b).[8] Die wichtigsten Varianten seien in Kürze genannt:

---

[3] Vgl. ebd., S. XXIII–XVIII, ferner NBA II/5, KB, S. 62–68. Zum Kopisten der früher Johann Christoph Altnickol zugeschriebenen Quelle vgl. Peter Wollny, Tennstädt, Leipzig, Naumburg, Halle – Neuerkenntnisse zur Bach-Überlieferung in Mitteldeutschland, in: BJ 2002, S. 29–60, hier S. 41–47.

[4] Einen Versuch, aus der unvollständigen Kopie Agricolas Rückschlüsse auf Bachs frühere Planung zu ziehen, unternahm Eric Chafe, J. S. Bach's St. Matthew Passion. Aspects of Planning, Structure, and Chronology, in: JAMS 35, 1982, S. 49–114, hier S. 78–109.

[5] Zur Datierung der Partitur vgl. Yoshitake Kobayashi, Zur Chronologie der Spätwerke Johann Sebastian Bachs – Kompositions- und Aufführungstätigkeit von 1737–1770, in: BJ 1988, S. 7–72, hier S. 38. Damit werden auch frühere Vermutungen hinfällig, vgl. etwa Friedrich Smend, Bachs Matthäus-Passion. Untersuchungen zur Geschichte des Werkes bis 1750, in: BJ 1928, S. 1–35, Wiederabdruck in ders., Bach-Studien. Gesammelte Reden und Aufsätze, hrsg. von Christoph Wolff, Kassel u. a. 1969, S. 24–83, hier vor allem S. 42–46.

[6] Vgl. Bach Compendium. Analytisch-bibliographisches Repertorium der Werke Johann Sebastian Bachs (BC), Vokalwerke, Teil III, hrsg. von Hans-Joachim Schulze und Christoph Wolff, Leipzig 1988, D 3 a-b, S. 1023–1033, hier S. 1026. Vgl. dagegen die abwägende Darstellung von Alfred Dürr, NBA II/5, KB, S. 111 f., in der es abschließend heißt: »Vorläufig reichen die Argumente nicht aus, um diese Fragen zu klären« (ebd., S. 112). Für das frühere Datum plädierte Joshua Rifkin, The Chronology of Bach's Saint Matthew Passion, in: MQ 61, 1975, S. 360–387.

[7] Vgl. NBA II/5, KB, S. 111 f., ferner Rifkin, a. a. O., S. 360 ff. (mit Faksimile S. 362).

[8] Vgl. die kommentierte Faksimileausgabe, hrsg. von Alfred Dürr, in NBA II/5a. Wollny, a. a. O., S. 46, vermutete einen Zusammenhang zwischen Farlaus Abschrift und den Passionsaufführungen von Johann

1. Satz 17 Choral »Ich will hier bei dir stehen« (die nach Es-Dur transponierte Fassung von Satz 15 fehlt noch)
2. Satz 29a Kantionalsatz »Meinen Jesum laß ich nicht« (statt des Choralchorsatzes »O Mensch, bewein dein Sünde groß«)
3. Satz 57 Aria »Komm süßes Kreuz« für Bass, Laute und Bc. (statt für Bass, Gambe und Bc.)
4. Satz 19 Rezitativ »O Schmerz! Hier zittert das gequälte Herz« mit Blockflöten (statt Traversflöten)
5. Der Generalbass der Evangelistenpartie ist – wie in der autographen Partitur – in Haltetönen notiert (im Gegensatz zu den kürzeren Werten der Originalstimmen)

Die Abweichungen müssen freilich nicht besagen, dass Farlaus Abschrift mit der Fassung der ersten Aufführung identisch war. Erscheint die Identität der Frühfassung mit der Erstaufführung im Bach-Compendium als Faktum, so heißt es in BWV[2a] vorsichtig: »vor 1736; ob die Fassung mit der Urfassung von 1727 (?) identisch ist, bleibt ungeklärt«. Zur Datierung der Uraufführung liest man dort: »vermutlich zum 11.4.1727 (spätestens zum 14.4.1729)«.[9] In der Tat scheint nur festzustehen, dass beide Kopien eine andere und vielleicht frühere Fassung bieten. Doch bleibt nicht nur offen, ob die Frühfassung mit einer »Urfassung« zu identifizieren ist. Unübersehbar sind auch die Vorbehalte, die den vormals als Fakten geltenden Daten begegnen.

Die Datierung hätte Folgen für das Verhältnis zwischen der Matthäus-Passion und der Trauermusik BWV 244a, die Bach 1729 zur Beisetzung des Fürsten Leopold von Anhalt-Köthen schrieb, dessen Kapellmeister er 1717 bis 1723 gewesen war. Obwohl die Musik verloren ist, geht aus dem erhaltenen Textbuch hervor, dass das Werk mit der Passion die Musik von neun Arien und des Schlusschors teilte, wie die folgende Übersicht zeigen mag:[10]

Trauermusik BWV 244a	**Matthäus-Passion BWV 244**
3. Weh und Ach kränkt die Seele tausendfach	6. Buß und Reu knirscht das Sündenherz entzwei
5. Zage nur, du treues Land	8. Blute nur, du liebes Herz
10. Erhalte mich, Gott	39. Erbarme dich, mein Gott
12. Mit Freuden sei die Welt verlassen	49. Aus Liebe will mein Heiland sterben
15. Laß, Leopold, dich nicht begraben	57. Komm, süßes Kreuz, so will ich sagen
17. Wird auch gleich nach tausend Zähren	23. Gerne will ich mich bequemen
19. Geh, Leopold, zu deiner Ruh	20. Ich will bei meinem Jesu wachen
20. Bleibet nun in eurer Ruh	65. Mache dich, meine Herze, rein
22. Hemme dein gequältes Kränken	13. Ich will dir mein Herze schenken
24. Die Augen sehn nach deiner Ruh	68. Wir setzen uns mit Tränen nieder

Christoph Doles. Träfe das zu, müsste die Quelle nicht unbedingt eine Frühfassung wiedergeben, sondern könnte auch eine spätere Bearbeitung darstellen.

9   BC III, S. 1024 f.; BWV[2a], S. 262 und 251. Vgl. auch Dürr, NBA II/5, KB, S. 108 ff. und 112.
10 Vgl. Friedrich Smend, Bach in Köthen, Berlin 1951, S. 76–91 und 204–219, sowie Platen, a. a. O., S. 27–31. Zwei weitere Chorsätze der Trauermusik (Satz 1 »Klagt, Kinder, klagt es alle Welt« und Satz 7 »Komm nieder, teurer Fürstengeist«) gründeten auf der am 17. Oktober 1727 aufgeführten Trauerode auf den Tod der Königin Christiane Eberhardine BWV 198 (Satz 1 »Laß, Fürstin, laß noch einen Strahl« und Satz 7 »An dir, du Fürbild großer Frauen«).

Falls die erste Aufführung der Passion 1727 stattfand, hätten die Sätze der Trauermusik als Parodien zu gelten. Wäre die Passion aber erst 1729 komponiert worden, so müssten beide Fassungen nebeneinander entstanden sein. Lange war der Text der Trauermusik nur aus Henricis Publikation vom Jahre 1732 bekannt, bis Smend der Fund einer handschriftlichen Kopie des Originaldrucks gelang.[11] Man muss nicht die Schlüsse teilen, die Smend aus den sprachlichen Differenzen für die Herstellung des Aufführungsmaterials zog.[12] Da der Fürst am 29. November 1728 gestorben war und die Trauerfeier erst am 24. März 1729 stattfand, blieben Bach fast vier Monate Zeit. Die Kontroverse, zu der sich Smend durch Vetters Thesen über das Verhältnis zwischen geistlichen und weltlichen Werkfassungen herausgefordert sah, erscheint heute als müßig.[13] Denn die Trauermusik war keine Profanierung der Passion, weil die Trauerfeier in der Köthener Stadtkirche stattfand und einem Fürsten galt, der nach reformatorischem Verständnis als Schirmherr des Glaubens galt.

Die Folgerungen, die Detlef Gojowy aus dem Vergleich der Texte zog, sind aus heutiger Sicht nicht durchweg stichhaltig.[14] Denn in anderen Fällen, in denen sowohl die Parodien als auch die Vorlagen erhalten sind, warnt die Fülle der Abweichungen vor der Annahme, aus der einen Fassung lasse sich der Notentext der anderen rekonstruieren. Das sollte die Interpreten dazu veranlassen, Vorsicht dort walten zu lassen, wo es um die Beziehungen von Wort und Musik zu tun ist. Überdies hat sich gezeigt, dass Parodien nicht als Werke zweiten Ranges zu sehen sind, sondern Fassungen gleichen Rechts darstellen. Andernfalls wäre man gezwungen, Werke wie das Weihnachtsoratorium, die Lutherischen Messen oder Teile der h-Moll-Messe als zweitrangig anzusehen. Die Parodien nötigen daher zu der Einsicht, dass ihre Voraussetzungen weniger im Wortlaut der Texte als in ihren Affekten liegen. Entscheidend für Bachs Verfahren ist die »relative Autonomie« seiner Musik, die Ludwig Finscher als »Überschuß« der Struktur bezeichnete.[15] Die Struktur der Kompositionen erlaubte es, sie mit mehr oder minder großen Varianten an unterschiedliche Textvorlagen anzupassen.[16] Davon unabhängig blieb die musikalische Substanz, die den Vorrang vor dem Wortlaut der Texte hatte. Die Parodien können demnach als Belege dafür gelten, dass Bachs Vokalwerke nicht primär dem Textausdruck verpflichtet sind.

Von einem Vergleich beider Texte ging auch Hans Grüß aus, als er unter Hinweis auf analoge »Textformen von Trauermusik und Passion« die Frage stellte: »Kann es

---

11   A. a. O., S. 78 ff.; zum Wortlaut des Originaldrucks vgl. Smend, a. a. O., S. 205–219.
12   Vgl. Smend (wie Anm. 5), S. 167 ff., Anm. 89 und 92.
13   Walther Vetter, Der Kapellmeister Bach. Versuch einer Deutung Bachs auf Grund seines Wirkens als Kapellmeister in Köthen, Potsdam 1950, S. 261–265.
14   Detlef Gojowy, Zur Frage der Köthener Trauermusik und der Matthäuspassion, in: BJ 1965, S. 86–134. Hier S. 109–121 und 126–129; vgl. Paul Brainard, Bach's Parody Procedure and the St. Matthew Passion, in: JAMS 22, 1969, S. 241–260, sowie Harald Streck, Die Verskunst in den poetischen Texten zu den Kantaten J. S. Bachs (Hamburger Beiträge zur Musikwissenschaft 5), Hamburg 1971, S. 231–253.
15   Ludwig Finscher, Zum Parodieproblem bei Bach, in: Bach-Interpretationen, hrsg. von Martin Geck, Göttingen 1969, S. 94–105, hier S. 105. Eine Übersicht bei Werner Neumann, Über Ausmaß und Wesen des Bachschen Parodieverfahrens, in: BJ 1965, S. 63–85.
16   Dazu und zu den Lutherischen Messen vgl. Verf., Bachs Weg in der Arbeit am Werk. Eine Skizze, Göttingen 2000 (Veröffentlichung der Joachim-Jungius-Gesellschaft der Wissenschaften 89), S. 53–77.

sein, daß die Komposition synchron mit beiden Textfassungen geschah?«[17] Eine Lösung sah er in der Annahme, Bach habe den Auftrag für die Trauermusik während der Arbeit an der Passion erhalten und daher Henrici gebeten, für die Trauermusik Texte zu liefern, die zu den schon vorliegenden oder noch geplanten Sätzen passen könnten.[18] Das aber würde bedeuten, dass die Passion nicht 1727, sondern erst 1729 entstand. Dagegen sprächen lediglich die Takte aus der Arie »Mache dich, mein Herze, rein«, die sich in einem Stimmenmaterial für Ostern 1727 finden. Die »rätselhafte Eintragung« suchte Grüß damit zu erklären, dass der Schreiber die Rückseite eines schon beschriebenen Blattes benutzte und den Notentext strich, als er sein Versehen bemerkte.[19] Wie auch immer: Der kurze Eintrag ist kein sonderlich überzeugender Beweis für die These, das Werk sei bereits 1727 entstanden. Selbst wenn man gegen »neue Hypothesen« Bedenken hat, muss man einräumen, dass das Datum 1727 nicht minder hypothetisch als die Annahme des Jahres 1729 ist.

Unabhängig von der Datierung kommt der Matthäus-Passion eine singuläre Position im Œuvre Bachs zu. Als Bach das Thomaskantorat übernahm, konnte er nur auf einen schmalen Vorrat eigener Kantaten zurückgreifen. Vor den Konflikten, die mit dem Wechsel nach Köthen endeten, waren bis 1716 in vierwöchigem Abstand rund 25 Kantaten entstanden, die in revidierter und teilweise erweiterter Fassung in den ersten Leipziger Jahrgang eingingen. Als Thomaskantor hingegen stand Bach vor der Aufgabe, an allen Sonn- und Festtagen die Hauptmusik für die beiden Stadtkirchen zu bestreiten. Damit war – wiewohl ohne förmliche Vorschrift – die Erwartung verbunden, dass der Kantor vor allem eigene Werke zu bieten habe. Dabei ließen sich nur begrenzt die weltlichen Werke für den Köthener Hof verwerten, die eine Umtextierung erforderten und damit den Anstoß zur späteren Parodiepraxis gaben. Selbst wenn die Matthäus-Passion schon 1727 entstanden wäre, ginge ihr mit den Weimarer Kantaten und den drei ersten Leipziger Jahrgängen der Hauptbestand der erhaltenen Kantaten voraus. Mit dem Magnificat BWV 243a und dem Sanctus BWV 232[III] kamen lateinisch textierte Werke dazu (während Kyrie und Gloria BWV 232[I] erst 1733 dem Gesuch beilagen, in dem Bach den König um die Verleihung eines »Praedicats« bat).[20] Fiele die Passion erst in das Jahr 1729, so kämen zum früheren Bestand nur noch wenige Einzelwerke hinzu. In die Folgezeit gehören – neben den späten Choralkantaten – nur noch Werke wie das Weihnachtsoratorium, die Lutherischen Messen und die Missa h-Moll, Komposi-

---

17 Hans Grüß, Eine neue Hypothese zur Entstehung der Matthäus-Passion, in: Bach in Leipzig – Bach und Leipzig, Konferenzbericht Leipzig 2000, hrsg. von Ulrich Leisinger (Leipziger Beiträge zur Bach-Forschung 59), Hildesheim u. a. 2002, S. 59–68.

18 Ebd., S. 65 f., wo auch die Frage erörtert wird, ob der Auftrag für die Trauermusik schon früher eingetroffen sein könnte, sodass Bach mehr Zeit für die Vorbereitung beider Werke geblieben wäre.

19 Da die Eintragung mitten im Satzverlauf beginnt und von den erhaltenen Violinstimmen abweicht, nahm Grüß an, das Blatt sei für das Aufführungsmaterial zur Trauermusik verwendet worden, vgl. ebd., S. 67. Dagegen hielt es Annette Oppermann für möglich, dass es sich »um die Parodie einer früheren Komposition« gehandelt haben könnte, sodass »durch dieses Notat nicht die *Matthäus-Passion*, sondern jenes frühere Werk bereits für 1727 verbürgt sein« könnte, vgl. Anette Oppermann, Zur Quellenlage, in: Das Bach-Handbuch, hrsg. von Reinmar Emans und Sven Hiemke, Bd. 3, Bachs Passionen, Oratorien und Motetten, Laaber 2009, S. 82–104, hier S. 96.

20 Dok. III, S. 74 f.

tionen also, die zu wesentlichen Teilen auf Parodien beruhen. Bis 1727 lagen mehr als 90 Prozent der erhaltenen Kantaten vor, und hält man sich an den erhaltenen Bestand, ohne sich müßigen Spekulationen zu überlassen, so bleibt zu folgern, dass die Matthäus-Passion jedenfalls nach dem Hauptbestand der Kantaten entstand. Sie bildet damit eine Summe der Erfahrungen, die Bach in seinem geistlichen Vokalwerk gemacht hatte.

2. Evangelienbericht und Turbae

Der exponierten Position, die der Matthäus-Passion im Vokalwerk Bachs zukommt, entspricht eine systematische Anlage, die sie vor anderen Werken auszeichnet. Zwar ist nicht ganz auszuschließen, dass bereits in Weimar eine Passionsvertonung entstand, von der aber nur geringe Spuren zeugen.[21] Wie Bach den Passionsbericht rezitativisch zu gestalten wusste, zeigte bereits die Johannes-Passion, deren gedichtete Texte verschiedenen Quellen entstammten, ohne ein geschlossenes Libretto darzustellen. In der Matthäus-Passion erweiterten sich die Aufgaben in zweifacher Hinsicht. Zum einen hatte der biblische Bericht weit größere Ausdehnung als in dem früheren Werk, zum anderen lag mit der Dichtung Henricis ein Libretto zugrunde, an dessen Planung Bach wohl ebenso beteiligt war wie an der Auswahl der Choralstrophen.

Es würde ausgedehnte Vergleiche voraussetzen, wenn man zeigen wollte, wie sehr Bach das Secco-Rezitativ bereits im Part des Evangelisten erweiterte. Dazu würde eine vergleichende Studie der wechselnden Formung der Turbae und ihrer Integration in den Kontext gehören. Die Differenzierung des Rezitativs lässt sich vor allem an der Vertonung der Worte Christi ablesen. Sie werden zwar prinzipiell in rezitativischer Weise deklamiert, doch werden sie durchgehend von Streichern begleitet. Solange sich der Instrumentalpart auf die akkordische Ausfüllung des bezifferten Basses beschränkt, braucht sich die rezitativische Diktion des Vokalparts nicht grundsätzlich zu ändern. Das gilt selbst dann, wenn das Rezitativ mehrfach – vorzugsweise gegen Ende der Sätze – durch melismatische Phasen erweitert wird, die Bach mitunter als »arioso« bezeichnete. Solche Abschnitte fanden sich zwar schon in den frühen Kantaten, gewannen aber in den Weimarer und den Leipziger Kantaten eine neue Qualität. In der Matthäus-Passion jedoch kommt ihnen zusätzliche Bedeutung zu, weil sie hier eine weitere Stufe der Differenzierung des Rezitativs belegen. Von all diesen Varianten des Secco-Rezitativs heben sich die Sätze ab, in denen dem Instrumentalpart eine eigenständige und zunehmend motivisch geprägte Funktion zuwächst. Die Verlegenheit, dass sich die Abstufungen nicht immer eindeutig trennen lassen, gründet in den gleitenden Übergängen, die für die Kunst Bachs charakteristisch sind.

Als erstes Beispiel, das in 15 Takten eine Vielzahl der Möglichkeiten zusammenfasst, sei Satz 14 herausgegriffen, der nach dem eröffnenden Akkord als Secco

---

21   Vgl. dazu Teil IV, Kap. 7.

beginnt (»Und da sie den Lobgesang gesprochen hatten«). Sobald der Evangelist – noch ohne Bassstütze – die Terz der Tonika h-Moll erreicht, setzt am Ende des zweiten Taktes der Generalbass ein. Statt wie sonst als bloßes Fundament zu dienen, tritt er mit einer steigenden Skala in Sechzehnteln ein. Sie wird im Vokalpart fortgeführt, der danach vom Spitzenton (a^2) phasenweise absinkt. Wo sich seine Kadenz nach E-Dur hin öffnet, beginnt der Streicherpart, in den die Vox Christi eingebettet ist. Statt gleich zum A-Dur-Klang zu führen, lenkt der Satz über fis-Moll nach A-Dur (»In dieser Nacht werdet ihr euch alle ärgern an mir«). Beschleunigt sich mit der Angabe »Vivace« die vokale Deklamation, so wechseln die Streicher zu Sechzehnteln, die vom Generalbass imitiert werden (»Ich werde den Hirten schlagen«). Sie halten im gedehnten A-Dur-Akkord inne, wenn die Verheißung Christi durch abgesetzte Akkorde bekräftigt wird, um den Satz in E-Dur zu beschließen: »Wenn ich aber auferstehe«.

Wie sehr die Gestaltung von den Textworten geleitet ist, muss kaum gesagt werden. Dass der Satz gleichzeitig einen schlüssigen Verlauf bildet, liegt am planvollen Wechsel des Bewegungsmaßes, das mit dem harmonischen Prozess verkettet ist, ohne in der Anfangstonart zu enden. Bach unterschied zwischen dem Secco, das dem Text folgt, ohne eine geschlossene Form zu bilden, und seinen Modifikationen, die sich schrittweise der Aria nähern. Dass der Satz die Mitte dazwischen wahrt, begründet seinen individuellen Charakter ebenso wie die Intensität, mit der er dem Ablauf der Textworte nachgeht. Eine weitere Variante vertritt Satz 18, der in Quintschritten abwärts von F- und B-Dur nach Es-Dur sinkt und in As-Dur endet. Die ersten Takte bleiben wieder dem Evangelisten überlassen (»Da kam Jesus mit ihnen«), bis der Einsatz der Streicher die Worte Christi einführt (»Setzet euch hier«). Den weitgespannten Melismen, mit denen der Evangelist das Zagen Jesu umschreibt, stehen die repetierten Achtel gegenüber, mit denen die Streicher die Worte Jesu begleiten (»Meine Seele ist betrübt«).

Die äußerste Stufe des Verfahrens ist den Einsetzungsworten in Satz 11 vorbehalten, zu denen der Streichersatz durch gebundene Achtelwerte geprägt ist. Sie erweisen sich als wechselnde Varianten einer Motivik, die den Vokalpart und ebenso den Generalbass prägt. Ihre Eindringlichkeit verdanken sie dem Kontrast zum ruhigen Accompagnato, das den Satz nach der Eröffnung durch den Evangelisten bestimmt (T. 2–12). Zu den Worten, mit denen Jesus die Frage des Judas beantwortet (»Bin ich's, Rabbi?« – »Du sagests«), wird eine sinkende Kette von dreimal zwei Achteln im Legato eingeführt (T. 15). Zur Einsetzung des Brotes (T. 19–21) erscheinen bei Wechsel zum ¾-Takt vorerst nur gebundene Viertel in Violine II und Viola. Zur Fortführung jedoch setzt – zuerst im Vokalpart und danach in den Streichern – die kettenweise Bewegung in Achteln ein, die fortan – ab- oder aufwärts führend – den Verlauf bestimmt und zuletzt auch in den Generalbass einwandert (T. 24–39). Innerhalb eines Satzes, der als normales Rezitativ beginnt, wird die Skala vom Secco über das akkordisch begleitete Accompagnato bis zu der motivisch geprägten Satzweise durchmessen, die – wie noch zu zeigen ist – ein besonderes Kennzeichen der Matthäus-Passion darstellt.

Anhand der chronologischen Folge der vergleichbaren Rezitative konnte Reinmar Emans in mehreren Studien zeigen, wie systematisch Bach bereits in Weimar mit einer Differenzierung des Rezitativs begann, die er dann in Leipzig fortsetzte.[22] Diese Arbeit setzte bei einzelnen Wendungen des Vokalparts an und führte über die Rhythmisierung der instrumentalen Stimmen bis hin zu ihrer motivischen Verdichtung. Schon am Ende des ersten Leipziger Jahrgangs verfügte Bach über eine Vielfalt von Möglichkeiten, aus denen er die angemessenen Modelle wählen konnte. Besonders deutlich wird das – wie Martin Geck zeigte – bei den Worten Christi, die in den Kantaten vor der Matthäus-Passion begegnen.[23] Die Verfahren, die in der Passion verwendet wurden, waren also kaum grundsätzlich neu. Was sie aber im Kontext dieses Werkes auszeichnet, ist die Summierung der Möglichkeiten im Kontext eines zyklischen Werkes.

Eine eigene Schicht des Evangelientextes bilden die Turbae, die allerdings keiner so systematischen Ordnung wie in der Johannes-Passion gehorchen. Dass sie nicht so exponiert wie dort hervortreten, liegt weniger an ihrer Zahl als an ihrem geringeren Umfang. Gegenüber 14 Sätzen des früheren Werks vermehrt sich ihre Anzahl aufgrund der Länge des Passionsberichts einerseits auf insgesamt 19 Sätze. Andererseits erreichen sechs Sätze nur einen Umfang zwischen 11 und 13 Takten, während die übrigen kaum mehr als acht Takte beanspruchen. Die folgende Übersicht mag das durch kurze Hinweise auf die Dauer und Anlage der Sätze andeuten. Da die Turbae (ausgenommen Satz 9^b) das gerade Taktmaß der Rezitative übernehmen, kann hier auf die Nennung der Taktarten verzichtet werden.

Auf den ersten Blick fällt auf, dass der erste Teil lediglich vier Turbae enthält, die primär – ausgenommen Satz 4^b – dem ersten Chor zugewiesen sind.[24] Im zweiten Teil, der ebenso viele Turbae wie die Johannes-Passion aufweist, gilt dieser Verzicht auf die Doppelchörigkeit nur für drei Sätze (38^b, 61^b und 61^d). Die Beschränkung auf den vierstimmigen Chorsatz betrifft vor allem die Turbae, deren Texte sich nicht unmittelbar auf die Leiden Christi beziehen. Das gilt für den vom Unwillen der Jünger redenden Text in Satz 4^d und für ihre Fragen in Satz 9^e, ebenso aber auch für die an Petrus gerichteten Worte in Satz 38^b und die Rufe in den Sätzen 61^b und 61^d, die besonders kurz ausfallen. Beide Turbae vertreten die Norm des akkordischen Satzes, in dem der Text syllabisch in Achteln deklamiert und mit Sechzehntelfiguren der Violinen bzw. Flöten verbunden wird. Derselbe Typus bildet den Ausgangspunkt für Satz 4^d »Wozu dienet dieser Unrat«, der von a-Moll nach g-Moll moduliert und sich zuletzt nach d-Moll wendet. Doch wird der akkordische Satz hier nicht nur durch komplementäre Einwürfe und Instrumentalfiguren modifiziert, sondern von einem

---

[22] Reinmar Emans, Das Arioso bei Bach und seine italienische Tradition, in: Die Quellen Johann Sebastian Bachs. Bachs Musik im Gottesdienst, Bericht über das Symposion 1995 in der Internationalen Bachakademie Stuttgart, hrsg. von Renate Steiger, Heidelberg 1998, S. 261–180; ders., Überlegungen zum Bachschen Rezitativ, in: Bach und die Stile (Dortmunder Bach-Forschungen 2), Witten 1999, S. 37–49; ders., Gedanken zu Bachs Accompagnato-Rezitativ, in: »Die Zeit, die Tag und Jahre macht«. Zur Chronologie des Schaffens von Johann Sebastian Bach, Bericht über das Internationale Colloquium aus Anlaß des 80. Geburtstages von Alfred Dürr, hrsg. von Martin Staehelin, Göttingen 2001, S. 103–130.

[23] Martin Geck, Die vox-Christi-Sätze in Bachs Kantaten, in: ders. (Hrsg.), Bach und die Stile, S. 79–101; vgl. auch die chronologische Übersicht ebd., S. 92 f.

[24] Platen, a. a. O., S. 78–83, unterschied »chorische Einwürfe« und »episodische Chorsätze« von »geschlossenen« Formen, während die folgende Gruppierung primär von satztechnischen Kriterien ausgeht.

Chor	Textincipit	Taktzahl	Satzanlage
Erster Teil			
I–II	4ᵇ Ja nicht auf das Fest	6	doppelchörig, akkordisch, instrumentale Oberstimme
I	4ᵈ Wozu dienet dieser Unrat	11	T. 1 ff. akkordisch, T. 4 ff. Fugato
⌈ I	9ᵇ Wo willst du, daß wir dir bereiten	11	vierstimmig akkordisch, teils obligate Instrumente
⌊ I	9ᵉ Herr, bin ich's?	5	vierstimmige Imitation, in Instrumenten kontrahiert
Zweiter Teil			
⌈ I–II	36ᵇ Er ist des Todes schuldig	5	achtstimmig imitierend, Instrumente colla parte
⌊ I–II	36ᵈ Weissage uns, Christe	8	doppelchörig, imitatorisch gelockert, instrumentale Oberstimme
II	38ᵇ Wahrlich, du bist auch einer von denen	4	vierstimmig, primär akkordisch, instrumentale Oberstimme
I–II	41ᵇ Was gehet uns das an	5	doppelchörig, akkordisch, instrumentale Oberstimme
⌈ I–II	45ᵃ Barrabam!	½	verminderter Septakkord
⌈ I+II	45ᵇ Laß ihn kreuzigen (a-Moll)	8	vierstimmig, fugiert, mit obligater instrumentaler Oberstimme
⌊ I+II	50ᵇ Laß ihn kreuzigen (h-Moll)	8	transponierte Wiederholung
⌊ I+II	50ᵈ Sein Blut komme über uns	18	vierstimmig, imitierend, obligate instrumentale Oberstimme
I–II	53ᵇ Gegrüßet seist du, Jüdenkönig	5	doppelchörig, akkordisch, obligate instrumentale Oberstimme
⌈ I–II	58ᵇ Der du den Tempel Gottes zerbrichst	13	doppelchörig, akkordischer Beginn, dann Chöre imitatorisch gepaart, obligate instrumentale Oberstimme
⌊ I–II	58ᵈ Andern hat er geholfen	20	analog 58ᵇ, ohne instrumentale Oberstimme
⌈ I	61ᵇ Der rufet den Elia	1	vierstimmig, akkordisch, mit obligater instrumentaler Oberstimme
⌊ II	61ᵈ Halt, laß sehen, ob Elia komme	3	analog 61ᵇ
I+II	63ᵇ Wahrlich, dieser ist Gottes Sohn gewesen	2 ½	vierstimmiger Vokalsatz, Instrumente colla parte
I–II	66ᵇ Herr, wir haben gedacht	23	T. 1 achtstimmig, vierstimmig fortgesetzt

kurzen Fugato abgelöst, dessen Einsätze in Quinten abfallen, bis sich ein letzter Einsatz der Flöten nach f-Moll richtet und damit die anschließende Modulation auslöst.

Einen Sonderfall bildet die an Christus gerichtete Frage in Satz 9ᵇ »Wo willst du, daß wir dir bereiten«, die auf ganz besondere Weise ausgezeichnet wird. Der Satz steht nicht nur als einziger im ¾-Takt, sondern entfaltet nach zwei akkordisch abgesetzten Fragen (»Wo, wo«) eine melodische Entwicklung, die sich in eine erweiterte

Kadenz einfügt und zugleich eine steigende und fallende Kurve der Oberstimme umgreift. Eine ähnliche Struktur kennzeichnet den singulären Satz 63^b »Wahrlich, dieser ist Gottes Sohn gewesen«, in dem beide Chöre mit dem kompletten Orchester gekoppelt werden. Kaum drei Takte lang, stellt er einen vierstimmigen Vokalsatz dar, in dem die Instrumente durchweg colla parte geführt werden. Die steigende Linie des Soprans durchmisst den Raum einer Oktave, um danach wieder zum Ausgangston zurückzuführen. Sie wird von einem Gerüstsatz getragen, der im Grunde nur die Kadenzstufen umschreibt. Indem der Bass eine Viertelnote später als die Oberstimmen einsetzt, gewinnt der Satz durch die Vorhaltbildungen zwischen den Stimmgruppen eine dissonante Spannung, deren Auflösung mit dem melodischen Höhepunkt der Oberstimme zusammenfällt. Die Steigerung des Verlaufs erweist sich demnach als Resultat einer kontrapunktischen Stimmführung, die in eine erweiterte Kadenz integriert ist.

Ein analoger Prozess vollzieht sich in dem nur fünf Takte umfassenden Satz 9^e »Herr, bin ich's«, dessen Modell am Instrumentalpart abzulesen ist. Wiewohl er als Kontraktion des Vokalparts erscheint, der die Aufmerksamkeit auf sich zieht, bildet er eine kontrapunktische Konstruktion, die auf einer fallenden Sekundkette des Basses beruht. In Vierteln vom Grundton ansetzend, wird sie durch einen Quartfall unterbrochen (F-des^1-c^1-g), um danach regelmäßig zu verlaufen, bis die Dominante erreicht ist (g-f-es-des-c). Den Tönen der Basskette gehen Quartsprünge voraus, die mit Vorhalten der Streicher gekoppelt sind. In diese Konstruktion wird der Vokalpart eingebaut, in dem die Anrede (»Herr«) auf die betonten Viertel entfällt, während die Frage (»bin ich's?«) mit den Auftakten verbunden wird, bis der letzte Einsatz im Sopran dieses rhythmische Muster durchbricht.

Die Fülle der Satzarten, die in den vierstimmigen Turbae begegnen, erweitert sich nochmals in den doppelchörigen Sätzen. Den vergleichsweise einfachsten Fall vertreten vier Sätze, die vom traditionellen Chorwechsel in akkordischen Blöcken ausgehen und durch Figuren der obligaten Instrumente bereichert werden (Sätze 4^b, 36^d, 41^b und 53^b). Aufgrund der synchronen Deklamation ergibt sich einerseits eine eigenartig geschärfte Textdeklamation, während die Chorblöcke andererseits in den Sätzen 4^b »Ja nicht auf das Fest« und 36^d »Weissage uns, Christe« von rollenden Melismen durchzogen werden, vor deren Folie sich die zunehmende Verkürzung der Einwürfe abhebt. Eine weitere Variante bildet die harmonische Verkettung der Chorblöcke in den Sätzen 41^b »Was gehet uns das an« und 53^b »Gegrüßet seist du«. Den Gegenpol vertritt Satz 36^b »Er ist des Todes schuldig«, dessen achtstimmiger Vokalpart dem Gewicht des Textes durch dichte imitatorische Verkettung der Stimmen Rechnung trägt.

Mit blockhaftem Chorwechsel zu partiell obligater Oberstimme beginnen auch die Sätze 58^b »Der du den Tempel Gottes«, 58^d »Andern hat er geholfen« und 66^b »Herr, wir haben gedacht«, deren Umfang sich aus der größeren Anzahl ihrer Textglieder ergibt. Demgemäß wird der akkordische Wechsel der Chöre von vierstimmigen Imitationsphasen abgelöst, in denen beide Chöre zusammengeführt und durch die Instrumente dupliziert werden. Das Wort »(herab-)steigen«, das den Sätzen 58^b und 58^d gemeinsam ist, legte es nahe, den Textgliedern eine skalar fallende Motivik zuzuordnen (58^b: »so steig herab«, T. 35–40, 58^d: »so steige er vom Kreuz«, T. 49–54).

Die damit verbundene Quintschrittsequenz wird jedoch in Satz 58^d (T. 6 f. bzw. 8 f.) weiträumig ausgeschritten, wogegen sie in 58^b von einer steigenden Progression mit »neapolitanischer« Wendung vor der Teilkadenz abgefangen wird (T. 11 f.: H-e, C-Fis).

Den größten Umfang erreicht die letzte Turba (Satz 66b), der nach einem kurzen Rezitativ das abschließende Satzpaar folgt. Vier imitatorische Abschnitte, deren Texte in Achteln syllabisch deklamiert werden, wechseln wie in den Sätzen 58^b und 58^d mit kurzen kadenzierenden Gliedern in akkordischem Satz. Wurde dort die motivische Analogie durch ein verbindendes Textwort ausgelöst, so basieren hier die erste und die letzte Imitationsphase auf steigenden Achtelfolgen (T. 20–24: »Ich will nach dreien Tagen wieder auferstehen«, und T. 33–34: »Er ist auferstanden von den Toten«). Während dem ersten Abschnitt ein fallendes Dreiklangsmotiv folgt (T. 24–25: »Darum befiehl, daß man das Grab verwahre«), geht dem letzten eine skalar fallende Motivik voraus (T. 27–29: »auf daß nicht seine Jünger kommen«). In Es-Dur beginnend, verharrt der relativ lange Satz in den nächstverwandten Stufen As- und B-Dur, bis er kurz vor Ende in Quintschritten über g-Moll nach d-Moll führt. Dem stabilen Beginn in Es-Dur tritt am Ende ein D-Dur-Klang entgegen, während das folgende Rezitativ nach Es-Dur zurücklenkt.

In den bisher genannten Turbae war kaum von Fugati, sondern eher von – zumeist kurzen – Imitationsabschnitten zu reden. Dagegen werden die dicht aufeinanderfolgenden Sätze 45^b, 50^b und 50^d, die in der Mitte des zweiten Teils beide Chöre in vierstimmigem Satz mit teils obligater Flötenstimme vereinen, durch ihre primär kontrapunktische Faktur ausgezeichnet. Während die Themeneinsätze in Satz 50^d (»Sein Blut komme über uns«) durch die Gegenstimmen verdeckt werden, tritt das Fugatothema in Satz 45^b (»Laß ihn kreuzigen«) durch die steigende Staffelung der Stimmen hervor. Beginnend in a-Moll, endet der Satz mit Halbschluss in e-Moll, während die einen Ganzton aufwärts transponierte Wiederholung von h- nach fis-Moll führt und mit einem Cis-Dur-Klang endet. Wichtiger als die chiastische Anordnung, die man als Hinweis auf Christus auffassen mag, sind die harmonischen Implikationen.[25] Im Kern besteht das Thema aus der Paarung eines verminderten Quartsprungs, der zur Terz des Ausgangstons führt, und eines verminderten Quintsprungs, der mit fallendem Sekundschritt fortgeführt wird.[26] Konstant ist der Abstand einer fallenden Sexte zwischen den synkopisch betonten Sprüngen, variabel wie der Ausgangston bleibt dagegen die Wahl des zweiten Tons, mit dem der Themenkern ansetzt (Notenbeispiel 1). Infolge der eingeschalteten Leittöne gewinnt das Thema eine quasi »dominantische« Richtung, die sich bei einer tonale Beantwortung fortsetzen würde und damit der harmonischen Anlage entspräche. Lenkt der Einsatz des Basses von a- nach e-Moll, so setzt der des Tenors als »Comes« an,

---

[25] Platen, a. a. O., S. 184 f., deutete in einem Formschema die harmonische Disposition an, ohne sie auf den Wechsel der Themengestalt zu beziehen.

[26] Ohne auf intervallische Differenzen einzugehen, bezeichnete Neumann den Satz als »Permutationsfughette, deren modulatorische Entwicklung durch Doppelsetzung eines Comes-Blocks zur S [sc. Subdominante] abfällt, durch einen freier gebildeten Schlußblock aber steil nach oben gerissen wird« (vgl. Werner Neumann, J. S. Bachs Chorfuge, S. 31 f.). Doch fragt sich, ob der achttaktige Satz mit dem Permutationsprinzip verbunden werden kann. Da der Themenblock nur einmal die Stimmen durchläuft, erscheinen die weiteren Kontrapunkte nur ein- bis dreimal, ohne dem Permutationsverfahren zu gehorchen.

Notenbeispiel 1

doch springt er statt des im Bass folgenden Halbtons eine Terz abwärts, sodass er sich eine Quinte abwärts nach d-Moll richtet. Die dominantische Richtung des Dux wäre so wenig ungewöhnlich wie ihre Rücknahme durch intervallische Stauchung des Comes. Doch gilt das nicht für die weiteren Themeneinsätze. Zwar könnte der Dux an den Comes anschließen, womit seine dominantische Richtung auf den vierten Einsatz übergreifen würde, um den Satz eine Quinte höher enden zu lassen. Stattdessen setzt der Alt als Dux auf *a* an, übernimmt dann aber den Terzfall des Comes, sodass er abwärts nach g- und aufwärts nach d-Moll lenkt. Die tonale Ambiguität steigert sich durch einen Annex, der vom Schlusston aus eine kleine Terz aufwärts führt und g- und c-Moll streift, bevor die Alteration wieder zurückgenommen wird. Davon weicht erst der vierte Einsatz im Sopran ab, der im Anschluss an den Alt von *d* aus ansetzt, nach dem Muster des Dux aber mit Sekundfall aufwärts nach a-Moll führt. Mit seinem Schluss jedoch beginnt zugleich ein überzähliger Einsatz des Soprans, der in das fortlaufende Melisma eingebettet ist. Indem er sich erneut eine Quinte aufwärts richtet, endet der Satz in H-Dur. So regulär die Einsatzfolge ist, so ambivalent sind ihre tonalen Implikationen.

Die Einsatzfolge in Satz 50[d] »Sein Blut komme über uns« nimmt sich regelmäßiger aus, weil der harmonische Verlauf um h-Moll und die nächstverwandten Stufen kreist und am Ende die Durparallele erreicht. Wiederum staffeln sich vier Einsätze in steigender Richtung vom Bass über den Tenor bis zum Sopran, nach dem der Alt folgt, während die zweite Durchführung nur noch zwei Einsätze der Außenstimmen umfasst. Der Norm folgen auch Dux und Comes mit dominantischer Richtung und intervallisch gestauchter Rücknahme. Davon weicht nur der vierte Einsatz ab, der im Alt als Comes beginnt (T. 26), aber nach e-Moll lenkt, um damit die Quintschrittssequenz der folgenden Takte einzuleiten. Ungewöhnlich ist hingegen, dass der Satz von Anfang an vierstimmig angelegt ist. Dabei werden die Einsätze von den Gegenstimmen so überdeckt, dass sie nur dort hervortreten, wo sie dem Sopran zufallen. Der Anfang lässt daher eher an einen akkordischen Satz als an ein Fugato denken, das den Verlauf gleichwohl untergründig reguliert. Nur zu Beginn und am Ende werden die Worte synchron deklamiert, in der Regel aber werden sie unter ständiger Wiederholung den syllabisch deklamierenden Stimmen derart asynchron zugeteilt, dass der Eindruck entsteht, als rede eine erregte Menge ebenso heftig wie zügellos durcheinander.

Dem harmonisch labilen Fugato in Satz 45[b] (bzw. 50[b]) steht in Satz 50[d] ein vom Tutti verdecktes Fugato gegenüber. Ungeachtet ihrer Besonderheiten bleiben diese Sätze die einzigen Turbae, die als Fugati zu bezeichnen wären.[27] Das bedeutet freilich

---

27 Vgl. Neumann, a. a. O., S. 31 f. und 90.

nicht, dass der kontrapunktische Satz in der Matthäus-Passion eine untergeordnete Funktion hätte. Ein Blick auf die Arien und anderen Chöre genügt, um sich vom Gegenteil zu überzeugen. Doch verweist der Befund darauf, dass es Bach nach den vorangehenden Kantaten – und im Unterschied zur Johannes-Passion – weniger um strenge Fugen oder Kanons als um singuläre Lösungen durch kombinatorische Verfahren zu tun war, wie er sie zuvor in den Chorsätzen des dritten (bzw. vierten) Jahrgangs erprobt hatte. An die Stelle der Kanons, die den Eingangschor der Johannes-Passion durchziehen, tritt im Gegenstück aus der Matthäus-Passion die Kombination von Doppelchor und Choraleinbau.

Dass in primär kontrapunktisch angelegten Turbae beide Chöre zu vierstimmigen Satz zusammengeführt werden, dürfte ein Indiz dafür sein, dass es Bach hier auf den vollen Tuttiklang ankam. Zugleich rücken solche Sätze in die Nähe vierstimmiger Sätze, die nur einem Chor zugewiesen sind, sofern in beiden Gruppen der Anteil obligater Instrumentalstimmen begrenzt bleibt. Dass er bei primär akkordischem Satz zunimmt, gilt ebenso bei ein- wie bei doppelchörigem Vokalpart. Die satztechnischen Bedingungen kreuzen sich demnach mit den Kriterien der Besetzung.

Einer Sonderstudie wert wären die pointierten Schlüsse, mit denen nicht wenige Turbae unabhängig von Besetzung und Satzart aufwarten. Die tonale Bewegung aufwärts in 45^b (50^b) wurde ebenso erwähnt wie die Wendung zur Durparallele am Ende von 50^d. Zu nennen wäre aber nicht nur die Paarung der Chöre mit Melismen am Ausklang von 4^b (»auf daß nicht ein Aufruhr werde im Volk«) oder die erregte instrumentale Figuration am Ende von 4^d (»und den Armen gegeben werden«). Ähnlich überraschend wie der Halbschluss zur Frage des Satzes 9^b (»Wo willst du, daß wir dir bereiten«) ist die metrische Verlagerung im Schluss von 9^e (»Herr, bin ich's?«). Dem zügigen Abschluss von Satz 36^b (»Er ist des Todes schuldig«) begegnet die rhythmische Verschärfung in 36^d (»wer ist's, der dich schlug«). Und so unerwartet wie der offene Halbschluss in 58^b (»so steig herab vom Kreuz«) ist das chorische Unisono am Ende von Satz 58^d (»ich bin Gottes Sohn«).

Nicht zufällig sind damit die paarig angelegten Sätze genannt, die in der vorstehenden Übersicht bereits durch Klammern markiert wurden. Die Feststellung solcher Satzpaare, auf die bereits Friedrich Smend aufmerksam machte, gründet vor allem in der dichten Abfolge ihrer Texte innerhalb des Evangelienberichts, die Bach kaum außer Acht lassen konnte. Sie hat jedoch nichts mit Smends Versuch zu tun, in der Matthäus-Passion eine symmetrische Ordnung nachzuweisen, deren »Herzstück« die Arie 49 (»Aus Liebe will mein Heiland sterben«) bilde.[28] Smends Anordnung, die auch von Emil Platen wiedergegeben wurde, braucht hier nicht wiederholt zu werden, weil sie nicht nur – wie Platen feststellte – an der Auslassung von Arien und Chorälen krankt, die nicht in das Schema passten.[29] Vielmehr postulierte Smend paarige Beziehungen für weit voneinander entfernte Turbae, die sich nach Umfang und Satzart so grundlegend unterscheiden wie der fünftaktige Satz 36^b (»Er ist des Todes schuldig«) und der viermal so lange Satz 58^d (»Andern hat er geholfen«). Dass sich ein so umfangreiches Werk in Bereiche gliedern lässt, deren Tonarten auf-

---

[28] Friedrich Smend, Bachs Matthäus-Passion, BJ 1928, S. 34 f., und Bach-Studien, S. 44 f.
[29] Vgl. Platen, a. a. O., S. 110 ff.

einander bezogen sind, versteht sich von selbst.[30] Der Versuch jedoch, um jeden Preis eine symmetrische Ordnung herzustellen, sagt mehr über den Ordnungssinn eines Forschers als über die Musik Bachs aus.

Im Unterschied zur Johannes-Passion liegt den Turbae der Matthäus-Passion keine systematische Ordnung zugrunde. War das System der variierten Entsprechungen dort von der Länge und Syntax der Texte bestimmt, so ist für die Turbae des späteren Werks vor allem ihre Position im Evangelienbericht maßgeblich. Denn so verschieden sie nach Besetzung, Satzart und Umfang ausfallen können, so sinnfällig entsprechen sie ihrem Ort in der Passionsgeschichte. Man übertriebe nur wenig mit der Behauptung, ihr Umfang und ihre Satztechnik sei von der jeweiligen Situation abhängig. Gegenüber dem doppelchörigen Satz 4^b fällt wenig später Satz 4^d zwar dem ersten Chor alleine zu, beide teilen aber neben dem knappen Format die erregte Diktion in syllabischen Achteln mit kurzen Melismen. Umgekehrt folgt dem etwas längeren Satz 9^b der Satz 9^e, der seinerseits ebenso knapp ist wie zuvor Satz 4^b. Das gilt ähnlich für die Sätze 36^b und 36^d, und so wenig wie die Identität der Sätze 45^b und 50^b muss das paarige Verhältnis zwischen 58^b und 58^d sowie 61^b und 61^d hervorgehoben werden. Dennoch folgen solche Paarungen keiner systematischen Planung, und sie schließen keineswegs aus, dass andere Sätze ohne derartige Entsprechungen bleiben. Beispielsweise ist der akkordische Aufschrei »Barrabam« ebenso singulär wie der klangdichte Satz 63^b »Wahrlich, dieser ist Gottes Sohn gewesen«. Auf die Situationen konnte Bach mehr als zuvor eingehen, weil er einer Gliederung des Textes vertrauen durfte, die hier – im Unterschied zur Johannes-Passion – vom Librettisten vorgegeben war.

3. Zur Disposition der gedichteten Texte

Innerhalb des biblischen Gerüsts, das neben den Rezitativen des Evangelisten und der Soliloquenten auch die chorischen Turbae umfasst, bilden die von Henrici gedichteten Texte eine zusätzliche Schicht der Disposition. Anders als in der Johannes-Passion folgen sie einer umfassenden Planung, die zwar vom biblischen Bericht ausgeht, ihn jedoch in eigentümlicher Weise akzentuiert. Dass die Arien das Zentrum der Dichtung waren, entsprach der Tradition der oratorischen Passion. Durchaus ungewöhnlich ist es aber, dass sie in Henricis Libretto durch ein System von weiteren Sätzen ergänzt werden. Eine auffällige Besonderheit ist die enge Verbindung, die zwischen der Mehrzahl der Arien und den vorangehenden Solosätzen besteht. Was in früheren Kantaten und noch in der Johannes-Passion als seltene und besonders motivierte Ausnahme erschien, wird in der Matthäus-Passion zu einer umfassenden Systematik erweitert, die primär vom Dichter vorgegeben ist. Freilich ist kaum vorstellbar, dass Henrici seine Disposition ganz unabhängig vom Komponisten entwerfen konnte. Denn zehn von insgesamt 15 Arien gehen gedichtete Rezitative voran, die zwischen den satztechnischen Kategorien von Arie und Rezitativ

---

[30] Vgl. dazu die Übersicht bei Platen, ebd., S. 256 f.

vermitteln.³¹ Während kein Exemplar des Textdrucks für die Leipziger Hörer erhalten ist, liegt Henricis Dichtung in zwei Auflagen vor, die den Text der gedichteten Sätze bieten, ohne den biblischen Bericht und die eingefügten Choraltexte zu enthalten. Den Abschnitten der Dichtung sind Überschriften vorangestellt, die den Leser auf den Kontext des biblischen Berichts hinweisen. Bei aufmerksamer Lektüre ließ sich also wahrnehmen, dass nur den auf die Person Christi bezogenen Arien gedichtete Rezitative vorgeschaltet waren.³² Davon ausgenommen sind zunächst die drei Arien, denen kein solcher Satz vorangeht: Satz 8 »Blute nur, du liebes Herz«, Satz 39 »Erbarme dich, mein Gott« und Satz 42 »Gebt mir meinen Jesum wieder«. Sonderfälle sind ferner zwei Arien, die im Kontext eine andere Position einnehmen: Satz 27 »So ist mein Jesus nun gefangen« und Satz 30 »Ach, nun ist mein Jesus hin!« Während Satz 27ᵃ auf den Anteil des Chores angelegt ist und zudem auf den Chorsatz 27ᵇ (»Sind Blitze, sind Donner«) hinzielt, steht Satz 30 am Beginn des zweiten Teils und wird ebenfalls durch Einwürfe des Chors erweitert. Demgemäß heißt es im Libretto vor Satz 27ᵃ: »Als JEsus gefangen worden.«, und vor Satz 30: »Die Gläubigen und Zion.« Die Sonderstellung, die Satz 8 im ersten Teil einnimmt, könnte man damit erklären, dass sich kurz zuvor – getrennt durch ein Rezitativ des Evangelisten – eine weitere Arie mit zusätzlichem Accompagnato findet (Sätze 5–6 »Du lieber Heiland du« – »Buß und Reu«).

Ähnlich dicht rücken im zweiten Teil die Sätze 39 und 42 zusammen, die beide mit einer Solovioline rechnen, während dazwischen neben einem Choral nur Rezitative und eine kurze Turba stehen. Dass diesen drei Arien keine Rezitative vorangehen, dürfte daran liegen, dass sie sich auf den Verrat des Judas (Satz 8), die Leugnung des Petrus (Satz 39) und den Selbstmord des Judas (Satz 42) beziehen. So liest man bei Henrici vor Satz 8: »Als Judas die 30. Silberlinge genommen:«, vor Satz 39: »Als Petrus weinete.«, und vor Satz 42: »Nach den Worten: Es taugt nicht, daß wir sie in den Gottes-Kasten legen; denn es ist Blut-Geld.« Die übrigen zehn Arien schließen dagegen an Berichte an, die sich auf Christus selbst beziehen: von der Salbung und dem Abendmahl sowie – zweifach bedacht – von Gethsemane über die Verhöre vor dem Hohepriester und Pilatus und die Geißelung, die Kreuzigung und die Kreuzabnahme bis hin zur Grablegung. Die Bedeutung dieser Stationen dürfte der Anlass dafür gewesen sein, mit den vorgeschalteten Sätzen an die betrachtenden Arien heranzuführen. Die folgende Übersicht verbindet Henricis Überschriften mit Hinweisen auf die von Bach verwendeten Besetzungen und Tonarten.³³

---

31 Dabei kann das dem Schlusschor vorangehende Rezitativ außer Betracht bleiben (Satz 67), das mit dem Wechsel von Solo und Chor rechnet. Demgemäß wurde es von Bach als Accompagnato mit akkordischem Streichersatz vertont, in dem der Instrumentalpart erst in den chorischen Anteilen motivische Qualität gewinnt.

32 Vgl. dazu oben, Anm. 14. Ein Faksimile nach der Zweitauflage 1734 mit eingefügten Choral- und Bibeltexten aus zeitgenössischen Drucken findet sich in: Johann Sebastian Bach, Matthäus-Passion BWV 244. Vorträge der Sommerakademie J. S. Bach 1985, Kassel u. a. 1990 (Schriftenreihe der Internationalen Bachakademie Stuttgart 2), S. 133–154. Zu den Quellen der Dichtung vgl. Elke Axmacher, »Aus Liebe will mein Heyland sterben«. Untersuchungen zum Wandel des Passionsverständnisses im frühen 18. Jahrhundert (Beiträge zur theologischen Bachforschung 2), Neuhausen-Stuttgart 1984, S. 170–203.

33 Zu den Satzpaaren vgl. die Bemerkung bei Platen, a. a. O., S. 84.

Parte prima

»Als das Weib JEsum gesalbet hatte:«

5–6 »Du lieber Heiland du« – »Buß und Reu«: A., Trav. I–II, Bc. – h-Moll – fis-Moll/fis-Moll

»Als JEsus das Abendmahl gehalten:«

12–13 »Wiewohl mein Herz in Tränen schwimmt« – »Ich will dir mein Herze schenken«: S., Ob. d'am. I–II, Bc. – e-Moll – a-Moll/G-Dur

»Als Jesus am Oehlberge zagte:«

19–20 »O Schmerz« – »Ich will bei meinem Jesu wachen«: T. + Chor, Str., Trav. I–II, Ob. da caccia I–II, Bc. bzw. T. + Chor, Ob. solo, Trav. I–II, Bc. – f-Moll – g-Moll/c-Moll

»Nach den Worten: Mein Vater, ists möglich, so gehe dieser Kelch von mir, etc.«

22–23 »Der Heiland fällt vor seinem Vater nieder« – »Gerne will ich mich bequemen«: B., Str., Bc. bzw. B., V. I–II, Bc. – d-Moll – B-Dur/g-Moll

Parte seconda

»Nach den Worten: Aber Jesus schwieg still.«

34–35 »Mein Jesus schweigt« – »Geduld, wenn mich falsche Zungen stechen«: T., Ob. I–II, Va. da gamba, Bc. bzw. T., Va. da gamba, Bc. – d-Moll – a-Moll/a-Moll

»Nach den Worten Pilati: Was hat er den Uebels gethan?«

48–49 »Er hat uns allen wohlgetan« – »Aus Liebe will mein Heiland sterben«: S., Ob da caccia I–II, Bc. bzw. S., Trav. I solo, Ob. da caccia I–II (senza basso) – e-Moll – C-Dur/a-Moll

»Als JEsus gegeisselt wurde.«

51–52 »Erbarm es Gott« – »Können Tränen meiner Wangen«: A., Str. bzw. A., V. I–II, Bc. – F-Dur – g-Moll/g-Moll

»Als Simon von Kyrene das Creutz zu tragen gezwungen wurde«

56–57 »Ja freilich will in uns das Fleisch und Blut« – »Komm, süßes Kreuz«: B., Va. da gamba, Trav. I–II, Bc. bzw. B., Va. da gamba, Bc. – F-Dur – d-Moll/d-Moll

»Als Jesus gecreutziget worden.«

59–60 »Ach Golgatha« – »Sehet, Jesus hat die Hand«: A. (+ Chor), Ob. da caccia I–II, Bc. – As-Dur/Es-Dur

»Als Jesus vom Creutze genommen worden.«

64–65 »Am Abend, da es kühle war« – »Mache dich, mein Herze, rein«: B., Str., Bc. bzw. B., Str. + Ob. da caccia I–II, Bc. – g-Moll/B-Dur

Mit diesen zehn Satzpaaren, die in der Geschichte der Passion keine Vorbilder kennen, ergeben sich gleichsam Szenen, die sich mit traditionellen Passionsstationen vergleichen lassen. Sie bilden nicht nur Einschübe, sondern nehmen sich in ihrer Konzentration wie die Stationen eines Kreuzwegs aus, die der meditativen Versenkung in die Leiden Christi gewidmet sind. Von der Tradition der Kreuzwege, die bildlich die Leidensgeschichte vergegenwärtigen, dürfte ein gebildeter Poet wie Henrici gewusst haben. Er überließ es den Chorälen, die lutherische Kreuzestheologie zur Geltung zu bringen, in der die menschliche Sünde als Ursache der Leiden Christi erscheint. Dagegen richtete sich seine Dichtung auf Klage und Reue, Reflexion und Identifikation und damit auf den Nachvollzug der Passion.[34] Damit werden Momente hervorgehoben, die in der Tradition des Kreuzwegs vorgegeben waren. Gemalte oder geschnitzte Kreuzwegstationen könnte Bach gesehen haben, als er Fürst Leopold 1718 und 1720 ins katholische Karlsbad begleitete. Freilich konnte ihre Zahl auf bis zu 30 steigen, bevor sie 1731 durch eine päpstliche Verfügung auf 14 begrenzt wurde. Zwar ließen sich in protestantischer Sicht keine Legenden wie die vom Schweißtuch Veronikas oder vom dreifachen Niederfall Christi übernehmen. Dennoch lässt sich die Position der von Henrici hervorgehobenen Szenen klarer erfassen, wenn man sie als Stationen eines Kreuzwegs begreift.

Die Disposition war zunächst die Leistung des Textdichters, der aber nicht ohne die Abstimmung mit dem Komponisten planen konnte. Zwar gliederte auch Emil Platens Einführung den »episch-dramatische[n] Verlauf« in weitherzig gefasste »Szenen«,[35] doch geht die Gruppierung der folgenden Untersuchungen von satztechnischen Voraussetzungen aus. Denn mit den Satzpaaren stellte sich für Bach zugleich eine neue kompositorische Aufgabe. Er löste sie, indem er die vorangehenden Texte als Rezitative vertonte, die aber durch den obligaten Instrumentalpart ein motivisches Gepräge gewannen. Für diese Sätze hat sich der Begriff des »motivischen Accompagnato« eingebürgert, der zwar umständlich anmutet, aber den Vorzug hat, die Verbindung eines instrumental begleiteten Recitativo accompagnato mit einer Motivik anzudeuten, die in den Sätzen der Matthäus-Passion individuell instrumentiert und ausgearbeitet wird. Derartige Sätze haben manche Prämissen in den Kantatensätzen, in denen der Generalbasspart – wie Reinmar Emans zeigte – durch einen obligaten Instrumentalpart ergänzt wird.[36] Je weiter er motivisch ausgearbeitet wird, desto mehr kann er sich jenem Typus nähern, der in der Matthäus-Passion seine letzte und reichste Ausformung erhielt. Nur hier werden nämlich nicht nur einzelne Abschnitte, sondern ganze Sätze derart geschlossen geformt. Darüber hinaus sind die Satzpaare, die sich in Verbindung mit den nachfolgenden Arien ergeben, von vornherein als einheitliche Situationen gefasst. Denn diesen Satzpaaren ist nicht nur die vokale, sondern auch die instrumentale Besetzung gemeinsam (wenige Modifikationen deutet die Übersicht in Klammern an). Auf die Arien beziehen sich die Accompagnati ferner durch parallele Tonarten oder steigende Quintrelationen. Eine Ausnahme ist der modulierende Satz 51, der in g-Moll und damit in der Tonart der folgenden Arie endet.

---

34   Vgl. Axmacher, a. a. O., S. 166 ff.
35   Da Platen den Verlauf gemäß den Angaben Henricis in Szenen gliederte (vgl. Platen, a. a. O., S. 73 ff. und S. 118 ff.), kann hier auf eine nochmalige Übersicht verzichtet werden.
36   Reinmar Emans, Das Arioso bei Bach und seine italienische Tradition, in: Die Quellen Johann Sebastian Bachs. Musik im Gottesdienst, Bericht über das Symposion 1995 in der Internationalen Bachakademie Stuttgart, hrsg. von Renate Steiger, Heidelberg 1998, S. 261–280; ders., Überlegungen zum Bachschen Rezitativ, in: Bach und die Stile, Bericht über das zweite Dortmunder Bach-Symposion 1998 (Dortmunder Bach-Forschungen 2), hrsg. von Martin Geck, Dortmund 1999, S. 37–49; ders., Gedanken zu Bachs Accompagnato-Rezitativ, in: »Die Zeit, die Tag und Jahre macht«. Zur Chronologie des Schaffens von Johann Sebastian Bach, Göttingen 2001, S. 103–120.

In Henricis Textdruck werden nicht die Choräle genannt, die Bach als Kantionalsätze vertonte. Dagegen enthält das Libretto zwei Sätze, in die der Dichter Verse aus älteren Kirchenliedern eingeflochten hatte. In den Text des Eingangschors, der mit der Überschrift »Die Tochter Zion und die Gläubigen.« versehen ist, werden nach den drei ersten gedichteten Versen zwei Zeilen des Chorals »O Lamm Gottes, unschuldig« eingerückt. Während jeweils zwei weitere Zeilen dem vierten und fünften Vers der Dichtung folgen, erscheint nach ihrem Abschluss die Schlusszeile des Chorals. Da sich für Bach damit die Aufgabe ergab, die doppelchörige Vertonung der gedichteten Verse mit einer Choralweise zu verbinden, kann man sich kaum vorstellen, Henrici habe seinen Text ohne Bachs Mitwirkung geschrieben. Das gilt ähnlich für den Text zu Satz 19 »O Schmerz! Hier zittert das gequälte Herz«, in den der Dichter die vier Zeilen der Choralstrophe »Was ist die Ursach aller solcher Plagen?« einfügte. Den drei eröffnenden Versen der Dichtung folgt die erste Choralzeile, die zweite schließt nach zwei weiteren Versen an, während die beiden letzten Choralzeilen zusammenhängend den übrigen Zeilen der Dichtung vorgeschaltet werden. Ähnlich dürften dann aber auch dialogische Texte, die ebenfalls mit chorischen Anteilen rechnen, nicht ohne Absprache mit dem Komponisten entstanden sein.

Dass die Texte der Kantionalsätze in Henricis Druck fehlen, müsste nicht bedeuten, dass der Dichter sie nicht vorgesehen habe. Zwei Indizien deuten aber darauf hin, dass Bach bei der Auswahl der Choräle nach eigenem Ermessen verfuhr. Zum einen enthielt die Frühfassung der Matthäus-Passion noch nicht die Strophe »Ich will hier bei dir stehen« (Satz 17), die im späten Autograph erst nachträglich eingefügt wurde. Da sie eine von E- nach Es-Dur transponierte Wiederholung der Strophe »Erkenne mich, mein Hüter« (Satz 14) darstellt, genügte neben dem Textincipit die Angabe »Wird aus dem Dis musiciret«.[37] Zum anderen ersetzte Bach den Choralsatz »Meinen Jesum laß ich nicht« (Satz 29a), der in der sogenannten Frühfassung den ersten Teil des Werkes abschloss, durch die Bearbeitung des Chorals »O Mensch, bewein dein Sünde groß«, die – in Es-Dur stehend – 1725 als Eingangschor der zweiten Fassung der Johannes-Passion entstanden war und in der Matthäus-Passion – mit manchen Varianten – nach E-Dur transponiert wurde. Konnte Bach diese nachträglichen Änderungen vornehmen, so ist seine Mitwirkung bei der Auswahl weiterer Choralstrophen nicht auszuschließen. Dafür könnte auch sprechen, dass die Choräle im ersten Teil teilweise der vom Dichter vorgegebenen Gliederung entsprechen, während sie im zweiten Teil unmittelbar an die Verse des Evangeliums anschließen. Obwohl der erste Teil sechs und der zweite sieben Choräle enthält, ist ihr Anteil – gemessen an der Länge beider Teile – keineswegs so ausgewogen, wie ihre Anzahl glauben macht. Einerseits folgen sich die Choralsätze in wechselnden Abständen, andererseits treten sie nach der Mitte des ersten Teils zunehmend zurück und bleiben zuletzt sogar ganz aus. Ihre Position mag eine kurze Übersicht andeuten, die auch Satz 29 (bzw. 29a) am Ende des ersten Teils einbezieht.

---

[37] Darauf verwies unter Beigabe eines Faksimiles erstmals Smend, Bachs Matthäus-Passion, BJ 1928, S. 68 f.; ders., Bach-Studien, S. 66 f. Dazu und zur ursprünglichen Textmarke (»Es dient zu meinen Freuden«) vgl. Alfred Dürr, NBA II/5, KB, S. 29.

Vor der Predigt

3 »Herzliebster Jesu, was hast du verbrochen« – nach Mt. 26:2 (vor dem auf die Salbung bezogenen Satzpaar 5–6)

10 »Ich bin's, ich sollte büßen« – nach Mt. 26:22 mit Satz 9 »Herr, bin ich's« (vor dem auf das Abendmahl bezogenen Satzpaar 12–13)

14 »Erkenne mich, mein Hüter« – nach Mt. 26:32 »wenn ich aber auferstehe, will ich vor euch hingehen …« (und dem Satzpaar 12–13)

17 »Ich will hier bei dir stehen« – nach Mt. 26:35 mit Jesu Ankündigung der Leugnung Petri (vor dem auf den Weg zum Ölberg bezogenen Satzpaar 19–20)

25 »Was mein Gott will, das g'scheh allzeit« – nach Mt. 26:42 »ich trinke ihn denn, so geschehe dein Wille« (nach dem auf Gethsemane bezogenen Satzpaar 22–23)

29a »Meinen Jesum laß ich nicht« – nach Mt. 26:56 »da verließen ihn alle Jünger und flohen«

29 »O Mensch, bewein dein Sünde groß« (wie 29a als Schlusssatz des ersten Teils)

Nach der Predigt

32 »Mir hat die Welt trüglich gericht'« – nach Mt. 26:60a »und suchten falsche Zeugnis wider Jesum« (nach der Arie Satz 30 zu Beginn des zweiten Teils)

37 »Wer hat dich so geschlagen« – nach Mt. 26:68 mit der Turba 36d »Weissage uns, Christe, wer ist's, der dich schlug«

40 »Bin ich gleich von dir gewichen« – nach Mt. 26:75 »und weinete bitterlich« (und der auf Petri Reue bezogenen Arie Satz 39 »Erbarme dich«)

44 »Befiehl du deine Wege« – nach Mt. 27:14 »daß sich auch der Landpfleger sehr verwunderte«

46 »Wie wunderbarlich ist doch diese Strafe« – nach Mt. 27:22b mit Satz 45b »Laß ihn kreuzigen«

54 (1.) »O Haupt voll Blut und Wunden« – (2.) »Du edles Angesichte« – nach Mt. 27:30 »und schlugen damit sein Haupt«

62 »Wenn ich einmal soll scheiden« – nach Mt. 28:50 »Aber Jesus schrie abermals laut, und verschied«

In der Disposition der Matthäus-Passion treten die Choräle nicht ganz so dominierend wie in der Johannes-Passion hervor.[38] Fanden sich dort acht Arien und zwei Ariosi, so enthält das spätere Werk mit 15 Arien und zehn Ariosi mehr als doppelt so viele betrachtende Sätze. Dagegen stehen elf Chorälen des früheren Werks in der Matthäus-Passion 13 Kantionalsätze gegenüber. Selbst wenn man den Choralchorsatz am Ende des ersten Teils einrechnet, ist die Gesamtzahl der Choräle kaum

---

[38] Unter Hinweis auf die Verwendung mehrerer Strophen aus Paul Gerhards »O Haupt voll Blut und Wunden« und Johann Heermanns »O große Lieb« (recte: »Herzliebster Jesu, was hast du verbrochen«), erörterte Chafe, JAMS 35, 1982, S. 110 f., die Frage, ob schon 1725 eine Aufführung der Matthäus-Passion in früherer Fassung innerhalb des Jahrgangs der Choralkantaten geplant gewesen sein könnte.

größer als in der Johannes-Passion. Obwohl der Passionsbericht primär durch die Texte Henricis gegliedert wird, bilden die Choräle eine eigene Schicht, die sich nicht der Dichtung unterordnet. Überdies stehen sie der Phase des Kantionalsatzes nahe, die durch die letzte Fassung der Johannes-Passion belegt ist. Wieweit die Sätze der Matthäus-Passion dieses späte Stadium repräsentieren, dürfte sich bei einer näheren Untersuchung zeigen, die an die Untersuchungen von Breig anschließen müsste.[39] Desto gewichtiger ist der Anteil der gedichteten Rezitative und Arien. Bevor auf diese Sätze einzugehen ist, mag der folgende Exkurs manchen Missverständnissen vorbeugen.

4. Exkurs zur Affektenlehre

Die Vorstellung, die Matthäus-Passion sei primär als Ausdruck frommer Affekte zu begreifen, scheint derart eingewurzelt zu sein, dass leicht übersehen wird, welche Fragen sich damit ergeben. Falls die Annahme zutrifft, die Musik vermittle die Affekte ihrer Textvorlagen, dann könnte sie das nur durch die Struktur der Kompositionen bewirken. Daher muss man sich zunächst darüber verständigen, was die zeitgenössische Theorie unter den Affekten verstand, bevor sich erörtern lässt, wie sich Bachs Musik zu diesen Kategorien verhält.

So unzweifelhaft der Affektenlehre im 18. Jahrhundert maßgebliche Bedeutung zukam, so unnötig ist es, an dieser Stelle ihre Ursprünge zu rekapitulieren.[40] Doch muss daran erinnert werden, dass der Affektbegriff in der Kompositionslehre des 17. Jahrhunderts, die sich primär als Lehre vom Kontrapunkt verstand, eine nachgeordnete Geltung hatte. Für die Kontrapunktlehre genügte zunächst die Unterscheidung der Stile als Grundarten von Schreibweisen, denen später die Lehre von den Affekten und Temperamenten zugeordnet wurde. Im Kontext der Kontrapunktlehre entstanden jedoch die Definitionen der rhetorischen Figuren, die primär als Ausnahmen von den Regeln des kontrapunktischen Satzes verstanden und nur eingeschränkt auf Texte und Wörter bezogen wurden.[41] Den Grundlagen des Kontrapunkts gemäß richtete sich die Lehre vorrangig auf Tonarten und intervallische Relationen, die in der Unterscheidung zwischen Dissonanz und Konsonanz gründeten. Daher genügte es, auf solche grundlegenden Differenzen hinzuweisen, um mit ihnen generelle Affekte wie Trauer oder Freude zu verbinden. Dagegen

---

39 Werner Breig, Grundzüge einer Geschichte von Bachs vierstimmigem Choralsatz, in: AfMw 45, 1988, S. 165–185 und 300–319, hier besonders S. 314 f.

40 Vgl. die Literaturhinweise bei Werner Braun, Art. Affekt, in: MGG², Sachteil, Bd. 1, Kassel u. a. 1994, Sp. 31–41, hier Sp. 38 f.; Margarethe Kramer, Beiträge zu einer Geschichte des Affektbegriffs in der Musik von 1550–1700, phil. Diss. Halle-Wittenberg 1924, masch., hier S. 14–21 und 22–34 zu den Mitteln der Rhythmik und der Intervalle. Weitere Belege bei Walter Serauky, Die musikalische Nachahmungsästhetik im Zeitraum von 1700 bis 1850, Münster 1929, S. 57–68.

41 Vgl. Carl Dahlhaus, Die Figurae superficiales in den Traktaten Christoph Bernhards, in: Bericht über den internationalen musikwissenschaftlichen Kongreß Bamberg 1953, hrsg. von Wilfried Brennecke, Willi Kahl und Rudolf Steglich, Kassel und Basel 1954, S. 135–138; Arno Forchert, Bach und die Tradition der Rhetorik, in: Alte Musik als ästhetische Gegenwart, Kongreßbericht, Stuttgart 1985, hrsg. von Dietrich Berke und Dorothee Hanemann, Kassel u. a. 1987, Bd. 1, S. 169–178.

konnten die rhythmischen Relationen als nachrangig gelten, solange die Kategorien der Mensuralmusik als Prämissen des vokalen Satzes aufgefasst wurden.

Das änderte sich in dem Maß, wie mit der Unterscheidung von Seconda und Prima pratica die satztechnischen Grundlagen wechselten. Dem kontrapunktischen Satz trat im Stile nuovo eine Stimmführung entgegen, die auf der Basis des Basso continuo eine Kette von Klängen ausbildete. Weil dadurch zugleich die Prinzipien des Mensuralsystems tangiert wurden, konnten die rhythmischen Relationen eine veränderte Geltung gewinnen. Auf der Basis der neuen Satztechnik ließ sich eine Affektenlehre formulieren, die sich zunächst auf die von Descartes formulierten Grundaffekte beschränkte,[42] bevor sie nach 1700 systematisch erweitert wurde.[43] Die Forderung, die Musik habe primär Affekte auszudrücken, wäre Dahlhaus zufolge »mißverstanden«, wenn man dabei »von ›Ausdruck‹ spräche und an die Kundgabe von Gefühlsregungen« dächte.[44] Johann Gottfried Walther begnügte sich noch 1732 damit, unter Berufung auf Kirchers *Musurgia* (1650) summarisch acht Grundaffekte zu nennen, ohne auf ihre genauere Unterscheidung einzugehen.[45] Ganz anders dagegen Johann Mattheson, der sieben Jahre später die Lehre von den »Leidenschaften« als ein »Haupt-Stück« des Wissens bezeichnete, das ein Musiker beherrschen müsse.[46] Zwar ging auch er von den grundlegenden Affekten aus, denen er aber nicht nur Liebe und Hoffnung zur Seite stellte. Vielmehr zählte er ein Dutzend weiterer Begriffe auf, für die er überdies weitere Synonyme und Unterteilungen nannte. Der Schein der Differenzierung war also mit Überschneidungen erkauft, die sich in dem Maß vermehrten, in dem die Systematik erweitert wurde. So kann es heißen, daß »traurig seyn und verliebt seyn zwey gantz nahe mit einander verwandte Dinge sind.«[47] Statt detaillierte Anweisungen für die Umsetzung der Affekte mitzuteilen, mussten nach wie vor Verweise auf generelle Sachverhalte wie differierende Rhythmen und Intervalle genügen. Der Komponist sollte demnach den Worten des Textes den zugrunde liegenden Affekt entnehmen, auf den sich seine Arbeit zu richten hatte. Maßgeblich waren dabei weniger die einzelnen Worte als ihr Sinn: »Man suche sich eine oder andre gute, recht poetische Arbeit aus, in welche die natur lebhafft abgemahlet ist, und trachte die darin enthaltene Leidenschafften genau zu unterscheiden.«[48] Die Umsetzung dieser Forderung war vor allem Gegenstand der

---

42 René Descartes, Les Passions de l'âme, Paris 1649, zitierte Ausgabe: Die Leidenschaften der Seele, französisch-deutsch, hrsg. und übersetzt von Klaus Hammacher (Philosophische Bibliothek 345), Hamburg ²1996, S. 108 f., Artikel 69.

43 Johann Mattheson, Der vollkommene Capellmeister, Hamburg 1739, Reprint Kassel und Basel 1954, Documenta musicologica, Reihe I, Bd. 5, S. 15 (hier unter Berufung auf Descartes). Vgl. dazu George Buelow, Johann Mattheson and the Invention of the Affektenlehre, in: New Mattheson Studies, hrsg. von George Buelow und Hans Joachim Marx, Cambridge 1983, S. 393–407.

44 Carl Dahlhaus, Musikästhetik, Köln 1967, S. 31.

45 Johann Gottfried Walther, Musicalisches Lexicon Oder Musicalische Bibliothec, Leipzig 1732, Reprint Kassel und Basel 1953, Documenta musicologica, Reihe I, Bd. 3, Art. Affetto, S. 11. Vgl. Athanasius Kircher, Musurgia Universalis, Rom 1650. Reprint hrsg. von Ulf Scharlau, Tomus I, Liber VII, S. 581–598 (Caput V: De vario stylorum harmonicarum artificio) und S. 598–620 (Caput VI: Qua ratione instituenda melothesia, ut datum quemvis affectum moveat).

46 Mattheson, a. a. O., S. 5–19

47 Ebd., S. 17.

48 Ebd., S. 19.

Melodienlehre, während der mehrstimmige Satz als Verbindung melodischer Linien verstanden wurde, für die nach wie vor die Lehre von der »harmonia« im Kontrapunkt zuständig war.[49] Für den mehrstimmigen Satz galten demnach weniger die Worte und Affekte als vor allem die Regeln der Kontrapunktlehre.[50]

Die Affekte der Musik war zugleich eine Bedingung für die Möglichkeit des Parodieverfahrens. Dabei konnten die Texte in einem Maß wechseln, wie es – um nur ein Beispiel zu nennen – in Satz 20 der Passion (»Ich will bei meinem Jesu wachen«) gegenüber Satz 19 der Trauermusik der Fall ist. Heißt es dort in Satz 1: »Geh, Leopold zu deiner Ruh, / Und schlummre nur ein wenig ein«, so steht dem letzten Wort der ersten Zeile (»Ruh«) in der Passion das Verbum »wachen« gegenüber. Dass der Text der Trauermusik nicht immer der Musik der Passion entsprach, musste bereits Gojowy einräumen.[51] Angesichts der vielfach differierenden Texte muss man also eine weitreichende Umarbeitung des Vokalparts voraussetzen. Sie aber war – wie die nachprüfbaren Belege zeigen – nur solange möglich, wie vom Parodieverfahren nicht der Instrumentalsatz betroffen wurde, der die Grundlage für den Einbau des Vokalsatzes bildet.

Ihr Äquivalent fand die Affektenlehre mithin weniger in der »Wortausdeutung« als in den rhythmisch und strukturell geschlossenen Formverläufen, die für instrumentale Gattungen wie Concerto, Ouvertüre und Sonata nicht minder prägend waren als für die vokalen Genera der Aria und des Chorsatzes. Ihnen entsprach zugleich die Dur-Moll-Tonalität, die schon vor 1700 aus dem System der Modi entstanden war und sich später endgültig durchsetzte, nachdem Heinichen 1711 den Quintenzirkel definiert und Mattheson 1713 die neuen Tonarten benannt hatte.[52] Ihr Korrelat war der akzentuierende Taktbegriff, der gleichzeitig an die Stelle des mensuralen Systems gerückt war. Maßgeblich waren demnach die rhythmischen Charaktere, die den Verlauf des einzelnen Satzes bestimmten, während sich der Komponist in der Ausarbeitung seiner Erfindung zu bewähren hatte. Da die Affektenlehre keine Anweisungen für die Komponisten bot, kann sich die Interpretation der Werke nur begrenzt auf die Verbindlichkeit theoretischer Normen berufen. Niemand trieb die Systematisierung der Affektenlehre so weit wie Friedrich Wilhelm Marpurg in seinen *Kritischen Briefen über die Tonkunst*. Wurden hier nicht weniger als 27 Affekte genannt, die zudem noch mehrfach unterteilt wurden, so mussten im gleichen Maß

---

49 Ebd., S. 245 ff.: »Des Vollkommen Capellmeisters Dritter Theil. Welcher von der Zusammensetzung verschiedener Melodien, oder von der vollstimmigen Setz-Kunst, so man eigentlich Harmonie heißt, Nachricht gibt«.
50 Wie Dahlhaus zeigte, wurde der kontrapunktische Satz zugleich zunehmend durch Implikationen der Harmonik bestimmt, vgl. Carl Dahlhaus, Bach und der Zerfall der musikalischen Figurenlehre, in: Jahrbuch des Staatlichen Instituts für Musikforschung 1985/86, S. 169–175. Demnach ließe sich der Aufstieg der Affektenlehre zugleich als Kehrseite des Zerfalls der Figurenlehre auffassen.
51 Gojowy, a. a. O., S. 94 ff., wo für Satz 20 allerdings haltlose Folgerungen gezogen werden. Vgl. zusammenfassend Hans-Joachim Schulze, Bachs Parodieverfahren, in: Die Welt der Bach-Kantaten, hrsg. von Christoph Wolff, Stuttgart u. a. 1996–1999, S. 167–188.
52 Zu Heinichen vgl. Eric Chafe, Aspects of durus/mollis Shifts and the Two-system Framework of Monteverdi's Music, in: Schütz-Jahrbuch 12, 1990, S. 171–206, hier S. 175 f.; Johann Mattheson, Das Neu eröffnete Orchestre, Hamburg 1713, Pars Prima, S. 60 f.

die Schwierigkeiten ihrer Bestimmung und Abgrenzung wachsen.[53] Je mehr die Systematik erweitert wurde, desto allgemeiner musste sie zugleich werden. Was bei Marpurg als rationalistischer Starrsinn erscheint, kann kaum noch als Beweis für die Lebendigkeit der Lehre ihrer Prämissen gelten. Schon ein Jahrzehnt früher erwähnte Johann Joachim Quantz, dass »in den meisten Stücken immer eine Leidenschaft mit der anderen abwechselt«, weshalb der Spieler »jeden Gedanken zu beurtheilen« hat, um zu wissen, »was für eine Leidenschaft er in sich enthalte«.[54] Offenbar tritt hier schon die Musik einer neuen Phase in den Blick, die ein erfahrener Hofmusiker wie Quantz bereits kennen konnte. Ihr Äquivalent war der kadenzmetrische Satz, der erstmals 1752 von Joseph Riepel beschrieben wurde.[55]

Die Geltung der Affektenlehre beschränkte sich also auf die ersten Jahrzehnte des 18. Jahrhunderts und damit auf die Zeit, in die Bachs Vokalwerke fallen. Demnach lassen sich abschließend ein paar methodische Folgerungen resümieren:

1. Affekte, Passionen und Leidenschaften waren äquivoke Begriffe. Daher konnte Mattheson formulieren: »Wo keine Leidenschafft, kein Affect zu finden, da ist keine Tugend. Sind unsere Passiones kranck, so muß man sie heilen, nicht ermorden.«[56]
2. Affekte meinten charakteristische Gemütszustände und keine wechselnden Stimmungen, die erst ein Gegenstand der Gefühlsästhetik des ausgehenden 18. Jahrhunderts wurden.[57]
3. Affekte wurden als grundlegende Kategorien wie Freude, Trauer, Liebe oder Schmerz verstanden, deren wachsende Differenzierung zugleich ihre genauere Definition erschwerte.
4. Affekte bezogen sich weniger auf einzelne Worte als auf ihren gemeinsamen Sinn, der sich erst aus dem Zusammenhang der Textvorlagen erschließen ließ.
5. Zwischen der Reihung verschiedener Abschnitte, die den kontrapunktischen und den konzertierenden Satz des 17. Jahrhunderts geprägt hatten, und dem Wechsel konträrer Impulse im kadenzmetrischen Satz nach 1750 fand die Affektenlehre ihr Korrelat in den geschlossenen Formen des sogenannten Hochbarock.

Eine Interpretation, die sich auf die Affektenlehre beriefe, müsste demnach die Mitte zwischen zwei Polen wahren: der Scylla genereller Kategorien, die zu Leerformeln zu werden drohen, und der Charybdis einer Differenzierung, die zur Unschärfe tendiert. Um nicht nur den Typus, sondern den Verlauf einer Komposition zu verstehen, ist man deshalb auf die Analyse ihrer Struktur angewiesen. Den Theoremen der Affekten-

---

53   Friedrich Wilhelm Marpurg, Kritische Briefe über die Tonkunst, Bd. II, Berlin 1767, Reprint Hildesheim 1974, S. 273–276.
54   Johann Joachim Quantz, Versuch einer Anweisung die Flöte traversiere zu spielen, Berlin 1752, Reprint Kassel und Basel 1952, Documenta musicologica, Reihe I, Bd. 2, S. 107.
55   Joseph Riepel, Anfangsgründe der musicalischen Setzkunst. De Rhythmopoeia Oder von der Tactordnung, Frankfurt und Leipzig 1752.
56   Johann Mattheson (Anm. 11), S. 15, § 53; vgl. Descartes, a. a. O., S. 118 f., Artikel 76.
57   Carl Dahlhaus, Musikästhetik, S. 28–38; ders., Die Idee der absoluten Musik, Kassel u. a. 1978, S. 62–80.

lehre entspricht Bachs Musik zunächst nur durch die geschlossenen Formen, die eine gemeinsame Basis der theoretischen Reflexion und der kompositorischen Praxis waren. Ihr Korrelat war die Einheit des Affekts, die nicht in Worte zu fassen ist, weil sich ihre Differenzierung nur in der musikalischen Struktur erschließen lässt. Darin lagen die Grenzen einer Theorie, die sich auf prinzipielle Sachverhalte richtete und desto mehr in Schwierigkeiten geriet, je weiter sie sich um detaillierte Bestimmungen bemühte. In Bachs Musik hingegen sind selbst die Nuancen der Deklamation in ein motivisches Gewebe integriert, das die Dichte der Satzstruktur garantiert und in seiner Arbeit primären Rang hat. Was zunächst als Primat des Textausdrucks erscheint, erweist sich als die hörbare Seite der Binnenstrukturen, die das Resultat der Ausarbeitung ihrer thematischen Substanz sind. Es könnte daher ertragreicher sein, die Struktur dieser Kunst aufzudecken, statt in Worten ihren Affektgehalt zu umschreiben, der sich dem aufmerksamen Hörer ohnehin erschließt.

5. Accompagnato und Arie

Tritt der Chor im Satzpaar 59–60 nur zur Arie hinzu, so werden die Sätze 19–20 als einzige dadurch ausgezeichnet, dass beidemal der solistische Tenor mit chorischen Anteilen alterniert. Dennoch wird das Verhältnis beider Ebenen in beiden Sätzen unterschiedlich und doch gleich variabel gehandhabt.[58] Während die Zeilen des Choralsatzes in Satz 19 durch das Accompagnato getrennt werden, werden beide Schichten in Satz 20 desto enger verschränkt.

Der rezitativische Tenorpart basiert in Satz 19 auf Haltetönen im Generalbass, die nach Art des »tremolo« in repetierte Sechzehntel aufgeteilt werden (Notenbeispiel 2).[59] Während sie im ersten Abschnitt einen Orgelpunkt bilden, der in Takt 4 von der nach b-Moll modulierenden Kadenz abgelöst wird, umschreiben die drei folgenden Abschnitte Modulationen, in deren Beginn und Abschluss noch immer der eröffnende Orgelpunkt nachwirkt. Das vergleichsweise statische Fundament bietet zugleich den Rahmen des vierstimmigen Instrumentalparts, der durch das imitatorische Verhältnis der paarigen Instrumente gekennzeichnet ist. Sein motivischer Kern, der durch einen Quartfall mit steigendem Halbton als »Seufzermotiv« charakterisiert ist, bleibt in der Ausarbeitung trotz mancher Varianten durchweg erkennbar (so in der Erweiterung des zweiten Schritts zur Terz oder Quarte in Takt 4 und 8, in fallenden oder steigenden Dreiklangsformeln ab Takt 7 oder in intervallischer Extension ab Takt 15 und 23). In diesen Instrumentalpart, der die primäre Schicht des Satzes repräsentiert, wird der rezitierende Solopart eingefügt, in dem

---

[58] In Henricis Libretto, a.a.O., S. 39 und 51, ist die Verschränkung der Textschichten unter der Überschrift »Zion und die Gläubigen« vorgegeben, während beide Arien als »Aria a Duetto« bezeichnet sind. Die doppelchörige Anlage ist im Textdruck ebenso wenig vorgesehen wie die Verteilung der Sätze 19–20 und 59–60 auf die Solisten des ersten und das Tutti des zweiten Chors.

[59] Zu den Accompagnati vgl. Rebekka Bertling, Das Arioso und das ariose Accompagnato im Vokalwerk Johann Sebastian Bachs (Europäische Hochschulschriften, Reihe XXXVI, Bd. 86), Frankfurt a.M. 1992, S. 254–290.

Notenbeispiel 2

der Text so sorgsam deklamiert wird, wie es Bachs eigenwilligem Verständnis der zeitgenössischen Rezitativlehre entspricht. So wenig sich der Vokalpart auf den Gerüstsatz bezieht, so wenig reagieren die Instrumente auf den Wechsel der Textglieder. Sie bewahren einen Grundaffekt, der unabhängig von den einzelnen Textworten ausgearbeitet wird.

Das motivische Material dient in der imitatorischen Staffelung des Beginns dazu, über einem Orgelpunkt in Basslage die Dissonanzen zu akzentuieren, die gleichzeitig eine erste Kadenz mit modulierendem Anhang umschreiben (T. 1–4). Auf analoge Weise werden die motivischen Imitationen der weiteren Abschnitte in die harmonische Disposition einbezogen, die im ersten Teilglied zur Subdominante b-Moll lenkt, während sie im zweiten – vereinfacht gesagt – von der Dominante C-Dur zur Variante c-Moll führt, bis die beiden letzten Abschnitte von der Parallele As-Dur und der Tonikavariante F-Dur zur Tonika zurückleiten, der in den Schlusstakten eine Wendung zur Doppeldominante G-Dur angefügt ist. Hier allein werden Vokal- und Instrumentalsatz mit einer motivischen Variante verbunden, die der Satz bislang nicht kannte. Zwei knappe Wendungen der Singstimme, die durch Pausen abgetrennt werden, werden von den Bläsern imitiert, die noch einen dritten Einsatz anfügen (T. 28–29: »wie gerne«). Dass diese einzige Wiederholung so sinnfällig wirkt, setzt die motivische Verdichtung voraus, die der Schlusstakt trotz der Erweiterung des intervallischen Rahmens wiederherstellt.

Kein Abschnitt des Accompagnato beginnt und endet auf gleicher Stufe, doch schließt auch keiner harmonisch an den vorangehenden unmittelbar an. Beide Schichten setzen vielmehr die Einschaltung der Choralzeilen voraus, die aufgrund ihrer harmonischen Disposition in den Satz einbezogen werden. Mit dem Accompagnato scheinen sie zunächst nur die Achtelbewegung zu teilen, die dort vom motivischen Material ausging, während die Grundstimme des Choralsatzes auf das Accompagnato nur in rhythmischer Hinsicht reagiert. Schließt die erste Zeile an die zuvor erreichte Subdominante an, so endet sie auf der Dominante, auf der dann der zweite solistische Abschnitt ansetzt. Von seinem dominantischen Abschluss geht die zweite Choralzeile aus, deren Kadenz der solistische Einsatz in der Durparallele aufgreift. Dank der harmonischen Planung greifen die scheinbar getrennten Ebenen ineinander. Dass die Disposition gleichwohl vom Choralsatz gelenkt wird, ist daran abzulesen, dass seinen vier Zeilen nicht – wie zu erwarten wäre – fünf Glieder im Accompagnato entsprechen. Reduziert sich ihre Zahl vielmehr auf vier, so entspricht sie dem Zusammenschluss der zwei letzten Choralzeilen zu einem Block, auf dessen Ausdehnung das letzte Solo antwortet, das seinerseits nochmals verlängert wird. Standen sich zuvor jeweils vier Takte im Solo- und drei Takte im Choralsatz gegenüber, so erhöht sich ihr Umfang am Ende auf vier bzw. sieben Takte, um damit die abschließende Kulmination vorzubereiten. Bach muss von vornherein den Choral im Blick gehabt haben, auf dessen Initien und Kadenzen der Beginn und das Ende der Solopartien bezogen sind. Noch der motivisch wie harmonisch erweiterte Schluss korrespondiert mit der letzten Choralzeile, deren Abschluss eine ungewöhnliche Erweiterung erfährt, wonach der drittletzte Klang mit erhöhter Terz und erniedrigter Quinte einer Doppeldominante mit tiefalterierter Quinte gleicht.

Ähnlich heben sich in Satz 20 von der bewegten Motivik der Oboe und des Tenors die chorischen Einschübe ab, die mit ihrer engschrittigen, gleichsam wiegenden Melodik die Grundstufen umkreisen und damit auf Worte wie »schlafen ein« verweisen. Indessen liegt gleichzeitig eine motivische Verkettung vor, die schon im dritten Takt des Ritornells angelegt ist (Notenbeispiel 3). Die Oboe allein setzt mit Quartsprung zum prägnanten Kopfmotiv an, das nach zweifacher Umspielung von Grundton und Terz die obere Quinte erreicht, um dann wieder schrittweise abwärts zu sinken, bis einen Takt später der Generalbass mit einer Achtelkette folgt. Sobald beide Stimmen in Takt 3 die Dominante umkreisen, umspielen sie den entsprechenden Klang mit einer wellenförmigen Achtelfigur, die unter Umkehrung vom Generalbass wiederholt wird und damit als Modell für den Choreinbau fungiert. Dazu bildet der Oboenpart eine erste Sequenzfigur aus (T. 4), die ihrerseits zum Modell der nächsten Sequenzgruppe wird (T. 5–6). Erweitert die Fortspinnung in engräumiger Umspielung die Dominante (T. 6–8), so zielt sie damit auf die Kadenzgruppe hin (T. 9–11). Während der Tenoreinsatz, zu dem die Oboe das Modell aus Takt 7–8 variiert, die ersten zwei Takte resümiert, schließt der Chor genau mit der

Notenbeispiel 3

wellenförmigen Achtelfigur an, die im dritten Takt des Ritornells die Außenstimmen ebenso verband wie nun den Sopran und Tenor des Chorsatzes (T. 13). Indem der Chorsatz ein motivisches Glied aus dem Ritornell erweitert, ist er von vornherein in den Satz integriert. Die scheinbaren Divergenzen des Affektausdrucks bilden in Wirklichkeit zwei Seiten eines identischen Motivbestands.

In einer latent dreiteiligen Anlage, für die Henricis Dichtung den äußeren Rahmen vorgab, werden konträre Begriffe wie »wachen«/»schlafen« im ersten Teil und »Trauren«/»Freuden« im Mittelteil durch Haltetöne oder Melismen des Vokalparts ausgezeichnet. Davon unberührt bleibt die Motivik, in der sich das Verhältnis der Stimmen nur insofern ändert, als das Kopfmotiv in den Generalbass einzieht, der zunehmend als obligater Partner fungiert (T. 35–40). Gleichzeitig übernimmt die Oboe die motivische Variante, die zuvor dem Chor zufiel (T. 36 f.), sodass die chorischen Melismen mit der Motivik der instrumentalen Stimmen verbunden werden. Der Ausdruck der Worte und Affekte lässt sich nicht isoliert erfassen, weil er nichts anderes als die Kehrseite der komplexen Satzstruktur darstellt.

Im Mittelteil scheint sich die Satzanlage dadurch zu ändern, dass der Chorsatz scheinbar unvermittelt erweitert wird (T. 47–59). Einerseits reagiert er damit – anders als in Satz 19 – auf die vorangehende Ausweitung des Soloparts. Andererseits wird er jedoch – was der Text nicht vorgibt – von Taktgruppen umrahmt, die denen des ersten Textteils entsprechen. Die neuen Textglieder fügen sich damit in das motivische Geflecht ein, das erst zum Begriffspaar »bitter«/»süße« ausgeweitet wird. Mit beiden Worten verbinden sich nicht nur analoge Sequenzketten, die auf die Sequenzen des Ritornells zurückgehen und durch kontrapunktisch begründete Dissonanzen zwischen Sopran und Unterstimmen geprägt sind. Am Generalbass ist am klarsten zu erkennen, dass wiederum weitere Varianten der chorischen Motivik vorliegen, die auf den dritten Takt des Ritornells zurückgeht. Deshalb verbindet sich der scheinbare Einschub fugenlos mit dem umrahmenden Rekurs auf den Beginn des Chorsatzes. Wie sehr es Bach um diese Verklammerung zu tun war, erweist sich im letzten Abschnitt des Chores. Er verbindet die Rückkehr zum A-Teil mit einem

Rekurs auf die Sequenzketten des B-Teils (T. 69–81), die nun auf das Textwort »schlafen« entfallen. Dass derart verschiedene Worte wie »süße«, »bitter« oder »schlafen« auf gleiche Weise vertont werden, beweist nur erneut, dass der strukturelle Zusammenhang für Bachs Arbeit vorrangig war. So wenig der Textwechsel die Satzstruktur ändert, so genau bleibt die motivische Substanz bewahrt.

Weiter noch reichen die Beziehungen im Satzpaar 59–60, wiewohl die internen Verhältnisse zunächst etwas einfacher zu sein scheinen. Zur Altstimme des Accompagnato »Ach Golgatha, unsel'ges Golgatha« treten zwei Oboi da caccia in einem rhythmischen Muster hinzu, in dem übergebundene Viertel auf Vorhaltdissonanzen hinzielen, die sich in drei gebundenen Sechzehnteln auflösen. Die Arie »Sehet, Jesus hat die Hand« setzt vom zweiten Takt an dieses Verfahren fort, sofern nun steigende Sechzehntelfiguren, die zusätzlich durch Triller akzentuiert werden, in Haltetöne einmünden, die wiederum mit Vorhaltdissonanzen auslaufen. Wo sie nach der Taktgrenze aufgelöst werden, da stellen sich gleichsam stehende, fast glockenartig anmutende Klänge ein (T. 4, 10 usf.), die ihr Modell in den taktweise ruhenden Klängen des vorangehenden Accompagnato finden.

Das Accompagnato »Ach Golgatha« (Satz 59) erscheint als Paradigma eines einheitlichen Affekts, für den die Affektenlehre keinen angemessenen Begriff bereithält. Maßgeblich sind zunächst die Viertelnoten in Basslage, die in jeder Takthälfte neu eintreten und von Pausen abgelöst werden. Wechseln sie zwischen repetierten Tönen und langsamen Fortschreitungen, so werden sie von den »Violoncelli pizzicato« in einer Achtelbewegung überbrückt, die vom Ausgangston zu dessen Terz ausgreift (Notenbeispiel 4). Daraus ergibt sich ein gleichmäßiges Bassgerüst, das den gesamten Verlauf bestimmt. Ebenso gleichmäßig ist das rhythmische Muster der Oboenstimmen, deren übergebundene Viertelnoten jeweils durch drei Sechzehntel ergänzt werden. Es trifft mit dem Terzwechsel im Bassgerüst derart zusammen, dass sich die daraus resultierenden Dissonanzen wechselseitig verschärfen. In diesen Gerüstsatz wird ein Vokalpart integriert, der den Text in rezitativischer Weise deklamiert. Für sich genommen wäre er keine Besonderheit, wenn er sich nicht in das instrumentale Gerüst einfügte, das ihn trägt und zugleich pointiert. Denn die Eigenart des Satzes liegt vor allem in einer Harmonik, die das von Bach Gewohnte überschreitet und dennoch die Konsequenz der kontrapunktischen Struktur bildet. Die Dissonanzen, die mit den Termini einer späteren Harmonielehre kaum zu fassen sind, bilden das Resultat einer Stimmführung, die sich aus der Relation zwischen den paarigen Oboen und dem Bassfundament ergibt. Dadurch erst erklärt sich die Ambivalenz von gespannter Ruhe und verdeckter Unrast, die den Satz prägt und auf die folgende Arie übergreift.

In Satz 60 »Sehet, Jesus hat die Hand« wird das Verfahren insofern variiert, als punktierte Achtel der Oboen von steigenden Sechzehntelfiguren abgelöst werden, die zusätzlich durch Triller markiert werden. Sie greifen zugleich auf den steigenden Dreiklang zurück, den der Generalbass schon eingangs in Achteln präsentiert. Ergeben sich an den Taktgrenzen jeweils scharf dissonierende Vorhalte so stellt sich bei ihrer Auflösung jener glockenartige Klang ein, auf den schon oben hingewiesen wurde. Er wiederum resultiert aus der Paarung eines quasi dominantischen Akkords mit einem Bassgerüst, in dem der Grundton der relativen Tonika auf unbetonter

Notenbeispiel 4

Zählzeit markiert wird. Die pendelnde Achtelfolge in Basslage trägt das Klanggerüst für ganze oder halbe Takte, und das Prinzip wird selbst dann noch gewahrt, wenn die Oboen gleichsam »geschuppte« Achtel einfügen (T. 5–7), deren steigende Variante im Mittelteil mit den Worten »ihr verlaßnen Küchlein ihr« verbunden wird (T. 34). Der weithin syllabisch deklamierende Vokalpart fügt sich in den Rahmen der instrumentalen Motivik ein und kann dabei Worte wie »sterben«, »ruhen« oder »leben« angemessen hervorheben, ohne die dichte Satzstruktur zu beeinträchtigen. Noch die chorischen Einwürfe, die den mehrfachen Wechsel von Frage und Antwort auslösen, werden in den motivischen Verbund integriert. Während die Oboen zu Beginn mit kurzen Pausen dem Chor Raum geben, spinnen sie am Ende ihren Part aus, um den Wechsel zwischen Solo und Chor zu überbrücken (T. 39).

Ergänzend lässt sich nur noch auf zwei weitere Beispiele hinweisen. In Satz 5 »Du lieber Heiland du« begleiten zwei Flöten, die zumeist in Terz- bzw. Sextparallelen geführt sind, die rezitativische Altstimme mit einer engräumigen Motivik, in der

5. Accompagnato und Arie

Notenbeispiel 5a

514 Teil VIII · Summe der Erfahrung: Die Matthäus-Passion (1727/29)

Notenbeispiel 5b

drei fallende Sekunden gebunden und von einem Intervallsprung abgelöst werden (Notenbeispiel 5a). In der Arie Satz 6 »Buß und Reu« wird dieses Muster insofern variiert, als die fallenden Sechzehntel im Legato verbunden und von sprungweise steigenden Achteln abgelöst werden (Notenbeispiel 5b). Dabei kann das Grundmodell durch Reduktion auf gebundene Achtel oder durch Synkopierung von zwei Achtelwerten modifiziert werden. Der Mittelteil jedoch (»daß die Tropfen meiner Zähren«) hebt zwar nachdrücklich das Wort »Tropfen« hervor, doch wird es insofern in den Kontext integriert, als die fallenden Sechzehntel der Flöten eine Variante der fallenden Intervalle des Ritornells darstellen, deren Achtelnoten gleichermaßen voneinander abgesetzt wurden.

Entsprechend wird die Sopranstimme in Satz 48 »Er hat uns allen wohlgetan« von der vielfach übergebundenen Motivik der Oboi da caccia begleitet, die in der Arie Satz 49 »Aus Liebe will mein Heiland sterben« als tiefste Stimmen die Funktion des ausnahmsweise pausierenden Generalbasses übernehmen. So deutlich sich die Teile dieses Satzpaars klanglich und strukturell unterscheiden, so unüberhörbar sind sie durch die Kombination der Sopranstimme mit zwei tiefen Oboen aufeinander bezogen.

Diese Hinweise können nicht den strukturellen Reichtum der Accompagnati erschöpfen, zu dem die stufenreiche Harmonik ebenso gehört wie die prägnante Deklamation. Doch ist die motivische Geschlossenheit der Sätze nicht nur die Voraussetzung ihrer internen Differenzierung, sondern zugleich der Grund dafür, dass der Hörer den Zusammenhang der Satzpaare erfassen kann. Während der Vokalpart der Accompagnati dem Ablauf der Textglieder folgt, werden die Arien durch Formen geprägt, die aufgrund ihrer motivischen Substanz keinem verbindlichen Schema verpflichtet sind.

6. Strukturen der Arien

Sucht man die Aufgaben zu verstehen, die sich mit der Vertonung von Henricis Dichtung ergaben, so ist es nicht überflüssig, an die Prämissen der Johannes-Passion zu erinnern. Lagen dort neben zwei Ariosi nur acht Arien vor, so vermehrte sich die Anzahl solcher Sätze in der Matthäus-Passion auf mehr als den doppelten Umfang. Denn neben 15 Arien waren nicht allein zehn Accompagnato-Rezitative zu vertonen, die den entsprechenden Arien vorangingen. Vielmehr verband sich mit diesen Sätzen – ganz abgesehen von den Rahmensätzen – zugleich die Aufgabe, die letzte Arie des ersten und die erste des zweiten Teils mit einem zusätzlichen Chorpart zu planen. Entsprechend vielfältig mussten die Lösungen ausfallen, die Bach für die Fülle dieser Sätze zu finden hatte.

Im Blick auf die Arien hat Karol Berger eine Typologie umrissen, die von den Kategorien der »normalen« und der »modifizierten« Da-capo-Arie ausging.[60] Dabei klammerte er den Eröffnungs- und den Schlusschor aus, deren Texte dem Da-capo-Schema folgen, während die Vertonungen jeweils individuelle Lösungen darstellen. Ebenso blieben auch die Arien außer Betracht, die aufgrund ihrer chorischen Anteile eine eigene Gruppe bilden (Satz 20 »Ich will bei meinem Jesu wachen« und Satz 60 »Sehet, Jesus hat die Hand«).[61] Bergers Klassifikation griff auf Formtypen zurück, die Bach – wie sich zeigte – schon in der Weimarer Zeit vertraut und demnach kein besonderes Merkmal der Matthäus-Passion waren.[62] Es trifft zwar zu, dass die reguläre Da-capo-Arie nach dem Schema A-B-A – unbeschadet interner Modulationen – in den identischen Rahmenteilen in der Tonika endet, während der Mittelteil auf anderer Stufe kadenziert. Davon unterscheidet sich die modifizierte Da-capo-Arie (A-B-A') weniger im Mittelteil als in den Rahmenteilen. Führt der A-Teil zur Dominante oder zur Parallele, so muss der A'-Teil zur Tonika zurücklenken, sodass die Rahmenteile primär in den Takten differieren, die im ersten Teil modulieren und im Schlussteil zur Tonika führen. Dabei verhalten sich die modulierenden Satzgruppen wie bewegliche Gelenke, deren harmonische Richtung wechseln kann. Um die Grundtypen zu differenzieren, zog Berger weitere Kriterien wie die modulatorischen Verhältnisse und die Anzahl der »Textperioden« innerhalb der Formteile heran.[63] Je genauer eine solche Differenzierung ausfällt, desto mehr werden die Einzelsätze zu Sonderfällen, die letztlich die formale Klassifikation unterlaufen. Wie aus Bergers Übersicht hervorgeht, sind die Grundtypen – unabhängig von den Stationen der Pas-

---

[60] Karol Berger, Die beiden Arten von Da-capo-Arie in der Matthäus-Passion, in: BJ 2006, S. 127–159. Dagegen unterschied Platen, a. a. O., S. 91–108, »normale« Da-capo-Arien (Sätze 6, 8, 13, 23, 52 und 65) von »freien« Formen (Sätze 39, 52 und 57) sowie »Sonderfälle« (Sätze 35 und 49) und »Kombinationsformen« (Sätze 20, 27a, 30 und 60).

[61] Weitere Sonderfälle sind der zweiteilige Satz 27 »So ist mein Jesus nun gefangen« (mit dem Chor »Sind Blitze, sind Donner«) und der dreiteilige Satz 30 »Ach, wo ist mein Jesus hin« (mit chorischem Anteil »Wo ist denn dein Freund hingegangen«).

[62] Vgl. Miriam K. Whaples, Bach's Recapitulation Forms, in: The Journal of Musicology 14, 1996, S. 457–513.

[63] Da der Begriff der Periode ebenso Taktgruppen wie Ostinatoperioden bezeichnen kann, wäre besser von Phasen oder Abschnitten der Texte zu sprechen.

sion – je sechsmal vertreten. Im ersten Teil sind reguläre Da-capo-Arien die Regel, von der nur Satz 20 (»Ich will bei meinem Jesu wachen«) aufgrund seiner chorischen Anteile ausgenommen ist. Dagegen dominieren im zweiten Teil die modifizierten Formen, denen nur zwei reguläre Da-capo-Arien gegenüberstehen (Satz 52 »Können Tränen meiner Wangen« und Satz 65 »Mache dich, mein Herze, rein«).[64] Angesichts der wachsenden Ausdehnung des Werks war es Bach offenbar darum zu tun, die Grundformen der Arien zunehmend zu variieren.

Reguläre Da-capo-Formen	Modifizierte Da-capo-Formen
6. Buß und Reu	20. Ich will bei meinem Jesu wachen
8. Blute nur, du liebes Herz	35. Geduld, wenn mich falsche Zungen stechen
13. Ich will dir mein Herze schenken	39. Erbarme dich, mein Gott
23. Gerne will ich mich bequemen	42. Gebt mir meinen Jesum wieder
52. Können Tränen meiner Wangen	49. Aus Liebe will mein Heiland sterben
65. Mache dich, mein Herze, rein	57. Komm, süßes Kreuz

Zu den ungewöhnlichen Dimensionen der Matthäus-Passion zählt die außerordentlich große Zahl der Arien, die noch die Verhältnisse in der h-Moll-Messe übertrifft. Bei der Fülle von 15 Sätzen lässt sich ein entsprechend weites Spektrum unterschiedlicher Lösungen erwarten. Daher kann es hilfreich sein, sich an das Vorgehen Werner Neumanns zu erinnern, der in Bachs Chorfugen satztechnische Prinzipien verfolgte, ohne sich primär an Texten oder Formen zu orientieren. Im Hinblick auf die Arien lassen sich die herkömmlichen Kriterien erweitern, sobald man neben der unterschiedlichen Besetzung das Verhältnis zwischen Vokal- und Instrumentalpart und den wechselnden Anteil der Stimmen am motivischen Material in den Blick nimmt. Statt einer starren Typologie treten dann gegenläufige Tendenzen hervor, die weitere Kreuzungen oder Kombinationen keineswegs ausschließen müssen. Je begrenzter die Zahl der instrumentalen Stimmen ist, desto mehr tendiert die Satztechnik im zwei- oder dreistimmigen Verband zur kontrapunktischen Variantenbildung, die dann auch den Vokalpart zu prägen vermag. Die Individualisierung der Stimmen kann den Generalbass einbeziehen, der dann als obligate Stimme rechnen muss. Dieses Verfahren begegnet zumal dort, wo sich Vokal- und Instrumentalpart motivisch deutlich unterscheiden, wie in Satz 35 (»Geduld, wenn mich falsche Zungen stechen«) oder Satz 57 (»Komm, süßes Kreuz«). Doch sind auch Teilphasen nicht ausgeschlossen, die sich der Einbautechnik bedienen können. Je größer die instrumentale Besetzung ist, desto mehr tendiert der Verlauf zum Vokaleinbau in geschlossene Blöcke, die vom Ritornell zehren und vielfach periodische Taktgruppen mit führender Oberstimme darstellen. Das gilt auch dann, wenn im geringstimmigen Instrumentalsatz eine solistische Stimmführung zu erwarten wäre, während ein zusätzlicher Chorsatz die Einbautechnik nahelegt. Vom Einbauverfahren bleiben zumeist die vokalen Teilkadenzen ausgenommen, die der Singstimme allein zufallen. Die satztechnischen Prinzipien werden unabhängig von den Typen der regulären oder modifizierten Da-capo-Formen eingesetzt. Ihre gegenläufigen

---

64 Vgl. dazu die Tabelle bei Berger, a. a. O., S. 128.

Tendenzen jedoch, die eine variable Abstufung zulassen, werden weit eher aus den Prämissen der Besetzung verständlich. Tendiert der vollstimmige Satz zur Bildung periodischer Blöcke, durch deren Transposition der Vokaleinbau variiert werden kann, so bildet der geringstimmige Satz ein kontrapunktisches Gefüge, das eine individuelle Stimmführung fordert. Ohne den Reichtum aller Arien ausmessen zu können, lassen sich wenigstens ein paar exemplarische Sätze hervorheben.

Ein eigenwilliges Beispiel für den geringstimmigen Satz ist die modifizierte Da-capo-Form der in a-Moll stehenden Arie 35 »Geduld, wenn mich falsche Zungen stechen«, in der die Tenorstimme mit einer Sologambe samt Generalbass kombiniert wird. Der A-Teil geht von einem viertaktigen Ostinatomodell aus, das dreimal wiederholt wird, bevor ein vierter Ansatz variierend zur Durparallele moduliert. Die erste Ostinatoperiode fungiert zugleich als viertaktiges Ritornell, dessen Kopfmotiv mit Terzsprung und Quintfall zweimal die Grundstufen in gleichmäßigen Achtelfolgen umschreibt (T. 1). Es kontrastiert damit zur dreitaktigen Fortspinnung, deren stufenreiche Sequenzierung in punktierten Sechzehntelnoten verläuft und erst mit der abschließenden Kadenz abbricht. Von diesem instrumentalen Modell hebt sich desto klarer der Vokalpart ab, dessen fallende Linie in der zweiten Periode mit Vierteln und Achteln ansetzt (T. 5–8). Obwohl die Linie in der dritten Ostinatoperiode durch Melismen erweitert wird (T. 9–12), greifen die Koloraturen nur ausnahmsweise auf die Rhythmik des Ostinatomodells zurück (so in T. 15 und 25 f.). Die vokalen Melismen überspielen auch den Beginn der vierten Periode, die zwar noch mit dem Kopfmotiv auf der Grundstufe beginnt, um aber anschließend die punktierten Ketten durch eine dreifache Sequenzierung des Kopfmotivs zu ersetzen (T. 13–16). Erst wo sie auf der Durparallele kadenziert, tritt erneut die punktierte Fortspinnung ein, die auf zwei Takte gestrafft wird und damit auf die fortschreitende Variationstechnik des B-Teils hinführt (T. 17–18). In ihm wird anfangs das Kopfmotiv mit ähnlichen, hier aber in Terzen fallenden Sequenzen wie zuvor verbunden (T. 19–21 ~ 13–16), bevor sich dann Kopf und Fortspinnung in zumeist zweitaktigem Wechsel ablösen (T. 22–28). Die Variabilität der Sequenzen erlaubt eine mehrfach modulierende Harmonik, die über g-Moll zurück nach C-Dur führt, bis sie in der wiederum dreitaktigen Fortspinnung in e-Moll ihr Ziel findet (T. 29–31). Sie setzt sich bis in die letzte Taktgruppe fort, die in d-Moll kadenziert (T. 32–37), sodass erst das Zwischenspiel zur Tonika zurückführt (T. 37–39). Wird danach das äußerst geraffte Da capo auf vier Takte verkürzt (T. 39–42), so bleibt es den instrumentalen Schlusstakten vorbehalten, nochmals an das ostinate Modell zu erinnern, das den Satz eröffnete (T. 43–47). Löst das Ostinatomodell die vokalen Varianten aus, so greift umgekehrt die Variantentechnik in das Ostinatogerüst ein, das seinerseits auf den Vokalpart ausstrahlt (T. 25–27). Die Stimmführung ist zwar nicht vom Text zu trennen, der sich auf die Verleumdung Christi bezieht. Ihre eindringliche Wirkung verdankt die Arie aber der vielfältigen Variantentechnik, die in der beschränkten Besetzung desto mehr zur Geltung kommt.

Entsprechende Verfahren begegnen auch in der Arie »Komm, süßes Kreuz« (Satz 57), die zwar ohne Ostinato auskommt, aber mit Vokalbass und obligater Gambe zwei Stimmen in tiefer Lage verbindet. Von d-Moll aus moduliert das achttaktige Ritornell im ersten Viertakter über eine Quintfallsequenz nach F-Dur, um im zweiten über steigende Quinten zur Tonika zurückzukehren. Wie in Satz 35 wird der Gambenpart durch punktierte Rhythmik geprägt, die zudem durch arpeggierte Akkorde markiert wird, bevor sie am Ende und zu Beginn der Viertaktgruppen von skalarer Bewegung abgelöst wird. Noch weniger Bedeutung als in Satz 35 hat die instrumentale Rhythmik für den Vokalpart, der sie nur gelegentlich aufgreift (T. 11 und 34) und zumeist ein eher kantables Gepräge zeigt. Die erste Taktgruppe (T. 8–13) lenkt wie im Ritornell nach F-Dur, umfasst aber fünf statt vier Takte und übernimmt nur anfangs den Bass des Ritornells. Obwohl die Gambenstimme durchweg mit ihrer eigenen Motivik beteiligt ist, ist eher von thematischen Varianten als von einer Übernahme des Ritornells zu reden. Auch der Mittelteil (T. 24–34), der über F-Dur und g-Moll nach B-Dur führt, wird mit Varianten der instrumentalen Motivik bestritten. Zunehmend breiten sich jedoch die Skalenfiguren aus, die im Ritornell den Nahtstellen zwischen den Viertaktern vorbehalten waren. Dagegen bleibt der Vokalpart flexibel genug, um Worte wie »schwer« und »Leiden« durch chromatische Schritte und Melismen auszuzeichnen. Auch das viertaktige Zwischenspiel, das von B-Dur ausgeht und sich am Ende zur Reprise in g-Moll hin öffnet, bildet eher eine Variante als eine Transposition des Ritornells. Zwar umfasst die modifizierte Reprise (T. 40–50) wie der A-Teil elf Takte, in denen vor allem der Vokalpart umgebildet wird (T. 40–44 und 44–46 ~ T. 9–13 und 13–16). Dennoch durchmisst sie einen modulatorischen Prozess, der von g-Moll über B-Dur zurück nach d-Moll führt, bis das Nachspiel in der Tonika verharrt und die ersten Takte des Ritornells mit einer variierten Kadenz verbindet. Wiewohl der Satzbeginn dem Instrumentalpart sein Material zur Verfügung stellt, erfüllt er nur begrenzt die Funktion eines Ritornells, sodass die Möglichkeiten des Vokaleinbaus beschränkt bleiben.

In der Arie »Aus Liebe will mein Heiland sterben« (Satz 49), die zu den Sätzen senza basso zählt, verbindet sich die Sopranstimme mit einer Traversflöte, während zwei Oboi da caccia die Funktion des Continuo vertreten. Die beiden Textzeilen der Rahmenteile beziehen sich als Reimpaar auf die ersten Zeilen des Mittelteils (Z. 1–2 ~ 3–4), wogegen die fünfte Zeile reimlos bleibt und zugleich auf das Schlüsselwort des folgenden A'-Teils hinführt (»… Seele bliebe« – »Aus Liebe …«). Während die Oboen ununterbrochen den Satz grundieren, pausiert die Flöte nur in den vokalen Kadenzgliedern der Außenteile (T. 25–28 und 58–61). Das eröffnende Ritornell, das erst am Satzende wiederkehrt (T. 1–13 = 62–74), verbindet ein viertaktiges Kopfmotiv, das auf der Tonika a-Moll endet (T. 1–4²), mit einer Fortspinnung, die eine erweiterte Kadenz umgreift (T. 5–11). Über der fallenden Bewegung der Oboen erweitern sich die weiträumigen Bögen der Oberstimme, um auf der Dominante in einer Zäsur zu stocken, die sich durch eine Fermate desto eindringlicher abhebt (T. 9–11). Von den Figuren der Flöte unterscheidet sich der Vokalpart durch die vorwiegend syllabische Deklamation, die nur zu Beginn und Ende der Rahmenteile durch längere Melismen erweitert wird. Dennoch erweisen sich die ersten elf Takte als variierter Einbau in die entsprechenden Takte des Ritornells (T. 14–24 ~ 1–11). Während sich der Gerüstsatz der Oboen kaum verändert, setzt der Sopran mit dem leicht veränderten Kopf der Flötenstimme ein, um sich dann in deren Fortspinnung syllabisch einzufügen. Dass das Ritornell keinen modulierenden Rahmen vorgibt, hat zur Folge, dass die Modulation zur Tonikaparallele dem vokalen Kadenzglied zufällt, in dem die Flöte aussetzt (T. 25–30). Ähnlich verhält es sich in der modifizierten Reprise (T. 45–61), die unter Ausfall des Ritornells sofort mit dem Vokalpart ansetzt, während sich das Kadenzglied zur Tonika wendet (vgl. T. 45–53 und 58–61). Anders als in den Rahmenteilen, die partiell auf der Einbautechnik gründen, beginnt der Mittelteil mit einem Zwischenspiel in C-Dur, das eine gestraffte Variante des Ritornells bildet und mit ihm nur die dominantische Zäsur vor der Kadenz teilt. Entsprechend zehrt auch der Mittelteil, der in Quintfällen von C- nach B-Dur und über g- nach d-Moll führt, nur noch vom Material des Ritornells, das gemäß dem modulatorischen Prozess variiert wird. Demnach bilden Flöte und Sopran über dem Fundament der Oboen einen Duosatz in hoher Lage, dessen flexible Stimmführung den Wechsel zwischen Vokaleinbau in den Außenteilen und Variantentechnik im Mittelteil ermöglicht.

Wie früher erwähnt, ist dem Accompagnato »Erbarm es Gott« (Satz 51) und der Arie »Können Tränen meiner Wangen« (Satz 52) nicht nur die Besetzung, sondern auch die punktierte Rhythmik gemeinsam. Während sie im Accompagnato unablässig präsent ist, prägt sie in der Da-capo-Arie die zweitaktige Kopfgruppe, die ihre Prägnanz nicht zuletzt dem Unisono der Violinen und des Continuo verdankt. Das zweitaktige Kopfmotiv (T. 1–2) hebt sich von der Fortspinnung ab (T. 3–6), in der jedoch der Continuo auf das Kopfmotiv zurückgreift (T. 4 bzw. 6). Von ihm geht auch die nächste Taktgruppe aus (T. 7–13), deren Mittelstück ohne das Kopfmotiv auskommt, das erst in der Kadenzgruppe wiederkehrt (T. 12 f.). Da der Continuo weithin als obligate Stimme fungiert, ließe sich eine primär kontrapunktische Stimmführung erwarten. Stattdessen dient die doppelte Motivik des Themenkopfes dazu, das Verfahren des Vokaleinbaus zu modifizieren. Auf der Fortspinnungsgruppe des Ritornells, die in den ersten Takten des Vokalparts variiert wird, basieren ebenso die anschließenden Takte (T. 15–21 ~ 3–9), denen das zur Durparallele modulierende Gelenk folgt (T. 22–24). Bildet das in den A-Teil eingefügte Ritornell eine Variante der Eröffnungsgruppe (T. 25–33 ~ 1–7), so greift die zweite Vokalphase auf die erste zurück, deren viertaktige Eröffnung harmonisch variiert und anschließend erweitert wird (T. 33–44, 45–51). Die Analogien lassen sich am Generalbass ablesen, während der Vokalpart durch die Fortspinnung geprägt und mit der instrumentalen Kopfgruppe gekoppelt wird. Die Einbautechnik geht also vom Bassgerüst aus, wogegen die Oberstimmen ein Geflecht von Varianten bilden, die auf die doppelte Motivik des Ritornells zurückgehen. Weit freier wird das Material im Mittelteil umgebildet, in dem nur kurze Einbauphasen und Ritornellzitate auf den Satzbeginn verweisen. Dass Kopf und Fortspinnung im Ritornell sukzessiv eingeführt und simultan kombiniert werden können, ist im Thema angelegt, dessen Glieder anfangs fallend und danach kreisend einen Dreiklangsraum umschreiben. In ihrer wechselseitigen Verschränkung gründet die Eigenart des Satzes, dessen flehender Ton auf die vorangehende Geißelung verweist.

Klarer liegen die Verhältnisse in der Arie »Gerne will ich mich bequemen« (Satz 23), in der zwei Violinen in unisono zur Bassstimme hinzutreten. Dennoch basieren nicht nur die Zwischenspiele, sondern auch weite Strecken des A-Teils auf dem Ritornell (so T. 13–24 ~ 1–12, T. 29–32 ~ 1–4 usf.), sodass nur die Kadenzglieder sowie längere Phasen des B-Teils neu formuliert werden müssen. Anders als

In Satz 32 wird die Substanz des Ritornells in den Einbauphasen abwechselnd dem Bass oder den Violinen zugewiesen, um vom jeweils anderen Partner kontrapunktiert zu werden. Die Verwendung der Einbautechnik bei einer kleinen Besetzung markiert eine weitere Stufe auf der Skala der satztechnischen Möglichkeiten.

Obwohl die Arien »Erbarme dich, mein Gott« (Satz 39) und »Mache dich, mein Herze, rein« (Satz 65) grundverschiedene Affekte ausprägen, zehren sie gleichermaßen von der Einbautechnik, die freilich höchst variabel genutzt wird. Das Ritornell der modifizierten Da-capo-Arie »Erbarme dich« umfasst acht Takte, doch ist das Material derart reich, dass es vielfach wiederholt werden kann, ohne redundant zu wirken. Während das Bassfundament in Achteln »pizzicato« das Zeitmaß akzentuiert, werden die weitgespannten Melismen der Solovioline vom Streicherchor begleitet, der zugleich als eigene Schicht des Satzes fungiert.

A-Teil, T. 1–26

1–4, 5–8	9–12 ~ 1–4	13–14	15–18 ~ 1–4	19–21 ~ 5–7	22	23–26 ~ 1–3 + 8
Ritornell Vs., Ns.	+ Einbau	Variantenbildung, modulierende Sequenz	+ Einbau	+ Einbau	Kadenz	Ritornell Vs. + Kadenz
h – Fis – h	h – Fis	H-e, Cis-fis + Kadenz	Fis – Cis	Cis-Fis-h	Cis-fis	fis

Es mag unpassend erscheinen, einen Satz wie diesen in das Prokrustesbett eines Schemas zu zwängen. Indessen liegt ein kunstvoll geformter Text zugrunde, der in den Rahmenteilen und im Mittelstück aus jeweils einem Satz besteht. Einer Kurzzeile (»Erbarme dich« bzw. »Schaue doch«) folgt jeweils eine längere Zeile, die in den Rahmenteilen reimlos bleibt, während das letzte Wort des B-Teils als Reim an die erste Zeile anschließt (»Herz und Auge weint vor dir/Bitterlich, / Erbarme dich«). Die ersten vier Takte des Ritornells können als Vordersatz mit dominantischem Halbschluss gelten. Während der erste Viertakter zum vokalen Incipit umgeformt wird, ist die figurative Fortspinnung des Nachsatzes derart instrumental erfunden, dass sie der Solovioline überlassen bleibt. Ihre Seufzermotive bilden eine Kette, zu der die Bässe zur V. Stufe absinken, um danach eine fallende Kurve auszubilden, in der die Dominante durch die »neapolitanische« Stufe gefärbt wird. Der Nachsatz dagegen, den die Bässe mit Tonrepetitionen stützen, wird durch die Seufzerkette der Solovioline beherrscht. Obwohl das Material nur die Grundstufen umkreist, bildet es die Voraussetzung für den Vokaleinbau. Indem der Alt den ersten Takt des Ritornells übernimmt, demonstriert der Beginn das satztechnische Prinzip (Notenbeispiel 6). Über dem Fundament, das den harmonischen Verlauf markiert, wird die melodische Substanz wechselnd auf Alt und Violine verteilt. Bildet der Vokalpart zum modulierenden Gelenk der Takte 13–14 eine eigene Variante aus, die sequenzierend erweitert wird, so muss sich die Sologeige mit knappen Einwürfen bescheiden, während das Kadenzglied der Violine durch eine steigende Linie der Altstimme ergänzt wird.

Notenbeispiel 6

A'-Teil, T. 34–54

33–37	37–38	39–40	41–42	43–46	47–54
(~ 9–13)	(~ 13)	(~ 15–16)	(~ 11–12)	(~ 19–22 + 8)	(= 1–8)
+ Einbau	+ Einbau	+ Einbau	+ Einbau	+ Einbau	Ritornell
fis	H-e, Fis-h	h – fis – e	Fis	Fis-H-e-h	h

So genau der Schlussteil dem A-Teil entspricht, so reich sind die Varianten, die sich nicht auf das modulierenden Gelenk (in T. 33–34) beschränken. Setzt die Violine in fis-Moll ein, als sei eine transponierte Variante des Ritornells zu erwarten (T. 33), so wird die Fortführung in die Altstimme verlegt, die auf eine zuvor in h-Moll eingeführte Variante der Violinstimme zurückgreift (vgl. T. 33–34 und T. 9–10), sodass die folgenden Takte des A-Teils übernommen werden können (T. 35–37 ~ 11–13). Da danach das modulierende Sequenzglied des A-Teils entfällt (T. 14), kann der weitere Ablauf unter Quintversetzung dem A-Teil entsprechen. Nicht minder eindrucksvoll ist der gedrängte Mittelteil, der den Text in kaum sechs Takten nur einmal, aber desto eindringlicher deklamiert. Eine zweitaktige Gruppe in fis-Moll verbindet zunächst die Haltetöne des Vokalparts mit motivischen Varianten der Violine (T. 27–29). Scheint die Solovioline in Cis-Dur zu enden (T. 30), so wird die Kadenzgruppe um zwei Takte verlängert, um gleichzeitig auf die erste Zeile des Rahmenteils vorzugreifen (T. 31–32). Indem die Worte beider Teile verknüpft werden, kommt der einzige Reim der Vorlage desto deutlicher zur Geltung (»Bitterlich«/»Erbarme dich«). Je genauer man die kunstvolle Konstruktion des Satzes verfolgt, desto mehr wird man seine Expressivität bewundern.

Ein Gegenstück bildet die Arie »Mache dich, mein Herze, rein« (Satz 65), die mit dem vorangehenden Accompagnato den klangdichten Streichersatz teilt. Statt von einer Sologeige wird der Streicherchor von der ersten Violine angeführt. Da das Ritornell vor der Reprise durch ein kurzes Zwischenspiel ersetzt wird (T. 51^2–53^1), kann das modulierende Gelenk entfallen. Wiewohl der A-Teil vom Vokaleinbau zehrt, wechseln die Anteile der Partner so variabel, dass sie sich im folgenden Schema nicht in allen Details erfassen lassen.

A-Teil, T. 1–37: B-Dur

1–4, 5–9	10–11 (~ 7 f.)	12–15 (~ 1–4)	15–17 + 18	19–21 (~ 2–3)	21–26 (~ 4–9)	26–29	29–37 (= 1–9)
Ritornell	Devise (~ 1)	Einbau		Einbau	Einbau	Kadenz	Ritornell
–	Zeile 1	Z. 1–2	Z. 1 (zweimal)	Z. 2	Z. 1–2	Z. 1–2	–

Im Unterschied zum kantablen Themenkopf, der vom Vokalpart übernommen werden kann, sind die »geschuppten« Figuren der Fortspinnung überaus instrumental erfunden. Beide Gruppen sind zugleich so angelegt, dass sie sowohl alternierend als auch simultan eingesetzt werden können. Zu Beginn stimmt der Bass zweimal das Kopfmotiv an (T. 9 ff. und 12 ff.), das mit zwei verschiedenen Varianten der Fortspinnung gepaart wird (~ T. 7 f. bzw. 5 f.). Im nächsten Ansatz erscheint das Kopfmotiv auf der Dominante (T. 12–15), während die Fortspinnung auf der Tonika nachfolgt (T. 15 f.). Zwar mutet der Vokalpart wie eine neue Formulierung an (T. 16 f.), doch bildet die anschließende Sequenz zugleich eine Variante der Fortspinnung, um damit auf die zweitaktige Koppelung mit der instrumentalen Oberstimme hinzuführen (T. 19–21). Mit entsprechenden Kombinationen wird der weitere Verlauf des A-Teils (T. 21–26) bestritten, wogegen das Verfahren im Mittelteil modifiziert werden muss. Werden die drei ersten Zeilen in einem Abschnitt zusammengefasst (T. 37–44: »Denn er soll nunmehr in mir«), so wird der letzten Zeile ein eigener Abschnitt eingeräumt (T. 48–51: »Welt geh aus, laß Jesum ein«). Während die Begleitung auf die erste Gruppe der Fortspinnung zurückgeht, zitiert das kurze Zwischenspiel in g-Moll den Themenkopf (T. 45–48^1). Seine Ausspinnung verleiht dem Schlussglied eine strömende Kantabilität (T. 48–50), die noch in der kurzen Rückleitung nachwirkt (T. 51^3–53^1).

Obwohl Satz 42 »Gebt mir meinen Jesum wieder« eine modifizierte Da-capo-Arie darstellt, erscheinen schon im ersten Teil alle Textzeilen.[65] Die Disposition wird erst dann verständlich, wenn man sich die Anlage des Satzes vergegenwärtigt. In G-Dur stehend, scheint die spielerische Figuration der Sologeige zum Kontext der Leidensgeschichte wenig zu passen. Dagegen entspricht die Deklamation der Bassstimme den drängenden Forderungen, mit denen der Text die verspätete Reue des Judas umschreibt. Das zweitaktige Kopfmotiv des Ritornells wird sequenziert und danach durch die Figuration der Solovioline, die eine Quintschrittsequenz

---

[65] Zum Versuch, die irregulären Züge des Satzes auf eine Parodie zurückzuführen, vgl. Dürr, NBA II/5, KB, S. 112.

umschreibt, auf zwölf Takte erweitert. Werden die Textzeilen zu Beginn des A-Teils zweimal in geraffter Form deklamiert, so übernimmt der Vokalpart für vier Takte das instrumentale Kopfmotiv mitsamt seiner Sequenzierung (T. 13–16 ~ 1–4). Indem die Fortsetzung auf den Text des B-Teils vorgreift, unterstreicht sie durch die Verschränkung der Zeilen den fordernden Gestus der Dichtung, während alle Textgruppen mit den Varianten der instrumentalen Figuren gepaart werden. Mit einem auf sechs Takte gekürzten Ritornellzitat (T. 27–32) beginnt der Mittelteil, der in a-Moll ansetzt und am Ende nach C-Dur moduliert (T. 33–40). Nach G-Dur wechselnd, scheint das Kopfmotiv die gedrängte Reprise zu eröffnen, die sich auf die erste Textzeile beschränkt (T. 43–53). Vor der Folie der spielerischen Violinfiguren gibt jedoch die vokale Deklamation dem Text einen Nachdruck, dem sich das formale Schema zu fügen hat.

Der A-Teil der Sopranarie »Blute nur, du liebes Herz« (Satz 8) basiert auf dem achttaktigen Ritornell, das zu Beginn und am Ende erscheint, während es dazwischen modifiziert und durch Vokaleinbau erweitert wird. Die ersten sechs Takte des Vokalparts gehen auf den Vordersatz des Ritornells zurück, während der Nachsatz auf zwei Takte verkürzt und durch eine viertaktige Variante ergänzt wird (T. 9–14 ~ 1–6), bevor anschließend das Ritornell wiederholt wird. Dass es dreimal nacheinander erklingt, wird durch das Raffinement verdeckt, mit dem der Vokalpart eingefügt wird.[66] Im B-Teil dagegen, auf den die vier übrigen Textzeilen entfallen, beschränken sich die Instrumente auf kurze Einwürfe, in denen sie dreimal das der Devise folgende Kontrastglied des Ritornells zitieren (T. 36 f., 38 f. und 40 f.), um den harmonischen Ablauf mit Kadenzen in cis-Moll und A-Dur zu markieren. In den Zwischentakten wird der von der Flöte duplizierte Vokalpart vom Generalbass begleitet, der seinerseits auf das motivische Material des Ritornells zurückgreift. Damit verbindet der Satz die Einbautechnik des A-Teils mit der Variantentechnik des Mittelteils.

Wie wenig formale Kriterien für die Struktur der Arien besagen, kann ein Vergleich der Sätze 6 und 13 zeigen, die gleichermaßen reguläre Da-capo-Formen darstellen. Obwohl beide Sätze den ⅜-Takt teilen und mit Alt und zwei Flöten bzw. Sopran und zwei Oboi d'amore auch über vergleichbare Besetzungen verfügen, sind sie völlig unterschiedlich angelegt. Da die Flöten in der Altarie »Buß und Reu« (Satz 6) weithin unisono geführt werden, wäre eine motivisch variable Stimmführung durchaus denkbar. Dennoch greift der A-Teil weithin auf die Einbautechnik zurück, die ausnahmsweise auch vier Takte des B-Teils bestimmt. Das zwölftaktige Ritornell, das die einprägsame Kopfgruppe mit einer sequenzierenden Fortspinnung verbindet, wird vom Vokalpart nicht gleich zu Beginn übernommen. Vielmehr umschreibt die Altstimme zunächst eine chromatisch fallende Linie, die vom Continuo mit Varianten der instrumentalen Motivik gestützt wird. Erst nach der verkürzten Wiederholung des Ritornells (T. 21–28 ~ 5–12) nähern sich beide Ebenen, bis sie am Ende im Vokaleinbau zusammengeschlossen werden (T. 33–36 ~ 1–4, T. 49–55 ~ 5–10). Der Mittelteil wird mit Varianten der Ritornellmotivik bestritten,

---

66 Vgl. dazu die eingehende Analyse bei Platen, a. a. O., S. 91–95.

während die ersten vier Takte des Ritornells zu einem Halteton der Altstimme zitiert werden (T. 94–97). Das sechstaktige Ritornell der Sopranarie »Ich will dir mein Herze schenken« (Satz 13) besteht zwar ebenfalls aus einem knappen Kopfmotiv mit sequenzierender Fortspinnung und abschließender Kadenz. Der Themenkopf wird aber in der ersten Oboe sequenziert und einen Takt später von der zweiten Oboe imitiert, sodass beide Stimmen fortan in Terzparallelen verlaufen. Wird dieses Modell auf den Vokalpart projiziert, so wird die eine Oboenstimme terzparallel oder colla parte geführt, während die andere durch motivische Varianten gefüllt wird. Erst die Kadenzgruppe greift auf die Einbautechnik zurück (T. 21–23 ~ 3–5), die auch im B-Teil vermieden wird. Die rhythmische Prägung des Instrumentalparts entspricht zwar der Fortspinnung des Ritornells, dem aber nur eine transponierte Gruppe entnommen wird (T. 37–41 ~ 3–6). Um es zusammenzufassen: Wird Satz 13 mit Varianten der Ritornellmotivik bestritten, so wird Satz 6 trotz vergleichbarer Voraussetzungen vom Vokaleinbau geprägt.

Dass die Sätze 20 und 60 durch chorische Phasen unterbrochen werden, ohne ihre Geschlossenheit einzubüßen, erklärt sich aus der Anlage der Ritornelle. Das Material der in c-Moll stehenden Arie »Ich will bei meinem Jesu wachen« (Satz 20) ist primär der Oboenstimme vorbehalten, doch beruht der Vokalpart nur teilweise auf der Einbautechnik. Das rhythmisch prägnante Kopfmotiv hält auf der Dominante inne (T. 1–3²), bevor sich die ausgedehnte Fortspinnung anschließt (T. 4–11¹). Dazwischen wird in Takt 3 ein halbtaktiges Scharnier eingeschaltet, das in Achtelwerten

Notenbeispiel 7

die Dominante umkreist (Notenbeispiel 7). Vom Continuo in Dezimen begleitet, erscheint es dort einen Takt später in intervallischer Umkehrung (T. 4), wonach die Fortspinnung wieder auf die Rhythmik des Kopfmotivs zurückgreift. Obwohl nur zwei Takte für die vokale Devise bleiben (T. 11–13^2), ist die Struktur hinreichend gefestigt, bevor erstmals der Chor eintritt, dessen Melodik sich als Variante des Scharniers erweist (T. 13^3–15^1). In der zweiten Phase wird das Kopfmotiv in die Tenorstimme verlegt und mit dem Schlussglied der instrumentalen Fortspinnung gekoppelt (T. 15–19 ~ 1–3 und 5–8). In der dritten Solophase übernimmt der Vokalpart die instrumentale Fortspinnung, während die Oboe erst kurz vor der nächsten Chorphase einsetzt (T. 21–25).

A-Teil (Zeilen 1–2)

Ritornell	Solo (Devise)	Chorphase 1	Solophase 2	Chorphase 2	Solophase 3	Chorphase 3
1–10^1	11–13^2	13^3–15^1	15^3–19^2	19^3–21^1	21^1–27^2	27^3–31^1
–	Zeile 1	Zeile 2	Zeile 1	Zeile 2	Zeile 1	Zeile 2
I – V – I	I – V – I	I – I	I – I	I – I	III	III

Wiewohl der Satz im Textdruck als »Aria a Duetto« bezeichnet ist, werden die Zeilen auf »Z.« (= Zion) und »Gl.« (= Gläubige) verteilt. Der dialogischen Anlage gemäß werden die solistischen Phasen von chorischen Einwürfen unterbrochen. Enthält der A-Teil zwei Zeilen, die im Wechsel zwischen Solo und Chor wiederholt werden, so umfasst der Mittelteil drei solistische und zwei chorische Zeilen, die jeweils nur einmal durchlaufen, aber zugleich verlängert werden (T. 31–47 bzw. 47–59). Die in Es-Dur beginnende Solophase moduliert über f-Moll nach c-Moll, während die anschließende Chorphase auf zwölf Takte erweitert und trotz des neuen Textes aus dem Scharnier des Ritornells abgeleitet wird. Wie variabel das Material des Ritornells verwendet wird, wird besonders dort sichtbar, wo der Tenor auf einem Halteton verharrt und der Continuo das nach f-Moll transponierte Ritornell zitiert, während die Oboe auf das Scharniermotiv zurückgreift, das dort dem Continuo vorbehalten war (T. 35^2–38^2). Zwar endet die auf jeweils zwei Phasen verkürzte Reprise mit einem chorischen Block, nach dem aber das Ritornell nochmals wiederholt wird. Indem die solistischen und chorischen Phasen durch gleiche Motivik verkettet werden, deuten sie auf die komplementären Textzeilen hin (»Ich will … *wachen*« – »So *schlafen …*«). Demnach wird rückblickend sichtbar, dass sich die scheinbar kontrastierenden Partner gegenseitig ergänzen.

Die Arie »Sehet, Jesus hat die Hand« (Satz 60) wird weniger durch eine prägnante Motivik als durch die Klangketten gekennzeichnet, von denen bereits die Rede war. Der Text umfasst acht Zeilen, die wieder auf einen Dialog zwischen »Zion« und den »Gläubigen« verteilt werden. Nach den zwei ersten Zeilen, die auf den Gekreuzigten hinweisen, wird der folgende Dialog im Textdruck eingerückt, sodass sich eine zweiteilige Anlage abzeichnet, in der dem Reimpaar des ersten Teils sechs Zeilen im zweiten Teil gegenüberstehen. Während die drei ersten Zeilen des zweiten Teils durch gemeinsamen Reim verbunden werden, folgt dem nächsten Reimpaar die Schlusszeile, die auf die ersten Zeilen des B-Teils zurückweist.

Teile	A		B					
Zeilen	1	2	3	4	5	6	7	8
Silben	7	7	8	8	8	7	7	8
Reime	a	a	b	b	b	c	c	b

Der metrische Rückverweis des zweiten Teils tritt in Bachs Arie weit deutlicher hervor. Verbindet der A-Teil das erste Zeilenpaar mit den ersten Zeilen des Mittelteils, so folgt das anschließende Reimpaar im B-Teil. Obwohl die letzte Zeile auf der IV. Stufe beginnt, deutet sie im Rückgriff auf die Motivik des A-Teils eine gestraffte Reprise an (T. 36–41). Da sich die chorischen Einwürfe auf wenige Worte beschränken (»wohin« T. 17f., »wo« T. 21, 23 und 42), bewirken sie eine Erweiterung, ohne den Zusammenhang des Satzes zu unterbrechen.

Formteile	Ritornell	A	Ritornell	B	A′	Ritornell
Takte	1–8	8–15–24	24–27	28–35	36–43	44–52
Textzeilen	–	1–2, 3–5	–	6–7	8	–
Stufen	I – V	I – IV, I – V	V	V – I^7	IV – V – I	I – I

Die eigenwillige Formanlage bildet den Rahmen einer Satzstruktur, die ihre Voraussetzungen im motivischen Material und seinen harmonischen Implikationen hat. Maßgeblich ist der Wechsel zwischen »geschuppten« Sechzehnteln und statischen Klängen, die durch Vorhalte miteinander verkettet werden. Der Weg von der Tonika zur Dominante, den das Ritornell vorgibt, wiederholt sich im A-Teil, in dem er modulierend erweitert wird. Verharrt er am Ende des ersten Zeilenpaars einen Takt auf der Subdominante As-Dur, so verbinden sich die ersten Einwürfe des Chores mit dem zur Dominante führenden Gelenk. Nach dem verkürzten Ritornellzitat wendet sich der B-Teil zur Subdominante, bis der Rede von den »verlassenen Küchlein« eine Kette steigender Sechzehntel entspricht, die auf der Septime abbricht (T. 35). Demgemäß beginnt die extrem geraffte Reprise auf der IV. Stufe, um unter Rückgriff auf den A-Teil eine Quinte aufwärts zu modulieren. Obwohl die dialogische Anlage mehrfach Varianten bedingt, basieren die Rahmenteile weithin auf der Einbautechnik.

Die Arie »So ist mein Jesus nun gefangen« (Satz 27) ist im Textdruck als »Aria à 1« bzw. »à 2« bezeichnet, wobei die Angabe »Die Gläubigen und Zion« die Beteiligung einer Gruppe andeutet. Der Dialog, der dem Druck zufolge auf zwei Solostimmen verteilt werden sollte, wurde von Bach zum Kontrast zwischen einem vokalen Duett und einem machtvollen Tuttisatz gesteigert. Deutlicher kann kaum werden, dass Bach zwar eines Librettisten bedurfte, dessen Vorgaben er aber höchst eigenmächtig umformte. Das Duett stellt ein »Andante« im geraden Takt dar (T. 1–64), dem ein chorisches »Vivace« im ⅜-Takt folgt (T. 65–137), sodass die gemeinsame Tonart c-Moll die einzige Klammer zwischen beiden Teilen bildet. Die Anlage der zweiteiligen Dichtung ist bereits kompliziert genug.

Die Zeilen 4–5 zeigen zwar dieselbe Silbenzahl, schließen aber gleichzeitig als Reimpaar an die erste Zeile an. Die syntaktisch zugehörige Zeile 3 – die einzige Kurzzeile – wird dagegen durch Reim mit der zweiten Zeile verbunden, die mit dem ersten Einwurf der »Gläubigen« gekoppelt wird (T. 21). Nach dessen zweifacher Wieder-

	A (»Aria«)							B (»à 2«)				
Stimmen	Z.	Gl.	Z.	Z.	Z.	Gl.	Z.	Gl.	Gl.	Gl.	Gl.	Gl.
Zeilen	1	2	3	4	5	6	7	8	9	10	11	12
Reime	a	b	b	a	a	b	c	c	d	d	e	e
Silbenzahl	9	7	3	8	8	7	9	12	12	12	5	11

Z. = Zion, Gl. = die Gläubigen

holung (T. 39 f. bzw. 43 f.) endet das Duett mit der Zeile 7, die durch Reim mit der ersten Zeile des B-Teils verkettet ist. Von der verschachtelten Gliederung des Duetts hebt sich desto klarer das Tutti im B-Teil ab.

	A (Duett c-Takt)						B (Tutti ⅜-Takt)	
Takte	1–8, 9–16	17–27	27–30	30–34	35–43	43–44	45–64	65–137
	Ritornell	(~ 1–10)	(~ 1–2)	(~ 25–29)	(~ 17–25)	(~ 1–2)		
Zeilen	–	1	3–4	3–4	5	–	7	8–12
+ Chor	–	+ 2	–	–	+ 2	2	–	
Stufen	e – e	e – H	H – e	H – a	a – G	G	d – h	h – E

In dem Duett übernehmen Violinen und Violen in unisono die Funktion des Generalbasses, sodass sich wie in Nr. 49 ein Satz senza basso ergibt. Das zweiteilige Ritornell wird durch ein Motiv eröffnet, das den Grundton in synkopierten Vorhalten umkreist und am Ende des zweiten Takts in Achteln ausläuft (Notenbeispiel 8). Oboen und Flöten bilden darüber ein imitierendes Duo, dessen fallende Linien durch dissonierende Vorschläge geprägt werden. Beide Stimmen werden zunehmend parallel geführt, während die Achtelketten der Streicher am Ende durch repetierte Viertel ersetzt werden (T. 15–16). In diesen Satzverband wird das vokale Duett eingefügt, dessen Stimmen das Kopfmotiv der Bläser übernehmen, die zunächst obligat und später colla parte geführt werden. Der erste Abschnitt entspricht dem Beginn des Ritornells (T. 17–27 ~ 1–10), auf das nach einem Einschub erneut zurückgegriffen wird (T. 30–34 ~ 25–29). Zum Zwischenglied des Ritornells, das in der Dominante und danach in der Variante wiederkehrt, singen Sopran und Alt in Terzparallelen die zusammengehörigen Zeilen 3–4 (»Mond und Licht …«). Über repetierten Vierteln des Fundaments werden die Achtelfolgen, die zuvor den Streichern zufielen, von den Bläsern zum Legato umgebildet. Trotz mancher Varianten, die durch die Transposition bedingt sind, beruht die Konstruktion nach wie vor auf weiteren Rückgriffen (T. 35–42 ~ 17–24). Desto deutlicher hebt sich das Schlussglied ab, das in steigenden Quinten von d- über a- nach e-Moll zurückführt und mit Halbschluss endet (T. 45–64). Fast mutet es wie ein neuer Satzteil an, in dem die Vokal- und die Bläserstimmen zu längeren Melismen verkettet und von den Streichern in Viertelwerten begleitet werden. Desto wirksamer ist der Kontrast zum anschließenden Tutti, auf dessen vorangehende Einwürfe ergänzend hinzuweisen ist. Erscheinen die Rufe der »Gläubigen« im Textdruck als Einschübe, so werden sie in der Vertonung simultan mit den vokalen Melismen gekoppelt (T. 21 f. und 39 f.). Sie wiederholen

Notenbeispiel 8

sich ein drittes Mal vor dem Schlussglied (T. 43 f.), in dem sie danach jedoch ausbleiben, sodass der anschließende Tuttisatz desto plötzlicher eintritt.

Dem Reim gemäß, der die Zeilen 7 und 8 verbindet, endet das Duett in derselben Tonart h-Moll, in der das anschließende Tutti beginnt. In der ersten Phase werden beide Chöre in einem vierstimmigen Fugato verbunden, dessen Einsätze in fallenden Quinten angeordnet sind (T. 65–85: »Sind Blitze, sind Donner…«). Anschließend lösen sich beide Chöre in steigenden Quinten ab (T. 86–95), um sich danach im Abstand einer Achtel zu kreuzen, bis die Kette in D-Dur abbricht (T. 103). Nach einem Takt Generalpause schlägt der Satz nach Fis-Dur um und setzt zu einer Kette von Septakkorden in fallenden Quinten an (»Eröffne den feurigen Abgrund, o Hölle«). Zwar lösen sich wiederum viertaktige Glieder ab, doch treten die Chöre im Wechsel von Haltetönen und syllabisch textierten Achtelwerten zusammen. Zuletzt wird der Prozess durch verminderte Septakkorde gesteigert (»zertrümmre, verderbe, verschlinge, zerschelle«), bis in der Schlusskadenz der V. und I. Stufe »neapolitanische« Klänge vorgeschaltet werden, die zugleich die tiefsten Punkte in der Quintprogression bilden. Nicht zu übersehen ist das Gewicht, das dabei dem Instrumentalpart zukommt. Die Sechzehntel, die im Fugenthema auf das Wort »Donner« entfallen, werden in den Bässen zu einer Kette verlängert, die den Satz bis zur Kadenz durchzieht. Ihre skalaren Varianten erscheinen in den Streichern und zuletzt auch in den Bläsern, die sich zuvor auf akkordische Einwürfe beschränken.

Im Unterschied zu den Chorsätzen, die den ersten Teil umrahmen, ist der Eingangssatz des zweiten Teils als Dialog zwischen Solo und Chor angelegt. Der Text der Arie »Ach, nun ist mein Jesus hin« (Satz 30) verteilt sich wiederum auf »Zion« und »die Gläubigen«, deutet aber zugleich eine dreiteilige Anlage an, die mit drei solistischen Zeilen endet, ohne jedoch eine Da-capo-Form darzustellen. Während der Solopart dem Alt des zweiten Chors zugeteilt wird, fallen die Zeilen der »Gläubigen«

dem ersten Chor zu. Der Wechsel beider Ebenen wird dadurch pointiert, dass der Alt von Streichern und duplierenden Bläsern begleitet wird, während die Instrumente an den chorischen Phasen colla parte beteiligt werden. Im Unterschied zu den solistischen Abschnitten, die auf das Material des Ritornells zurückgehen, beginnen die chorischen Phasen mit wechselnden Imitationsmotiven. Die erste Solophase basiert auf der Einbautechnik (T. 13–28 ~ 1–12), die prinzipiell auch die zweite Phase prägt, wiewohl die Quinttransposition hier kleinere Varianten bedingt (T. 46–53). Weiter reichen die Abweichungen in der dritten Solophase (T. 66–89), die in Quintschritten von d-Moll nach e-Moll führt. Da die modulierenden Takte ein geschlossenes Ritornellzitat verwehren, wird das Kopfmotiv zunächst nur im Continuo zitiert (T. 68 f.), bevor die letzten Takte auf die erste Phase zurückgreifen (T. 78–89 ~ 17–28). Indem die letzte Solophase den ersten vokalen Takten entspricht (T. 108–123 ~ 13–26), zeichnet sich eine vierteilige Anlage ab, in der die motivisch verketteten Solophasen die differierenden chorischen Abschnitte umrahmen.

Es dürfte wohl hinreichend deutlich geworden sein, dass sich der Reichtum der Arien nicht in formalen Abweichungen vom Da-capo-Schema erschöpft. Die vielfach modifizierten Formen bilden vielmehr die Prämissen der strukturellen Varianten, die durch die Anlage der Texte vorgezeichnet sind. Dass die Sätze durchweg vom Material der Ritornelle zehren, die ihrerseits im Hinblick auf den Grundaffekt der Texte erfunden sind, muss kaum eigens gesagt werden. Erst aus der Ausarbeitung dieses Materials resultiert der Ausdrucksgehalt, der jeder Arie ihr eigenes Profil verleiht.

7. Chorische Rahmensätze

Der singuläre Rang des Eingangschors gründet in der Kombination von Choral und Dichtung innerhalb einer doppelchörigen Anlage, die durch Henricis Text vorgezeichnet war. Es ist bezeichnend, dass Bach – wie in den meisten Chorsätzen des Werks – keine kontrapunktische Konstruktion wählte und stattdessen auf Kombinationsverfahren zurückgriff, die er – wiewohl unter anderen Voraussetzungen – in den Chorsätzen des dritten Jahrgangs entwickelt hatte. Das heißt nicht, dass die kontrapunktische Basis der Satztechnik zurückträte. Vielmehr bewährt sie sich gerade in den kombinatorischen Phasen, für die sie die entscheidende Voraussetzung bildet.

Die Disposition war durch die Dichtung zwar in den Grundzügen, nicht aber in den Details vorgegeben. Obwohl der Text im Libretto als »Aria« bezeichnet ist, vertonte ihn Bach als Chorsatz. Zwar vermied er im Autograph die Angabe »Chorus«, doch übernahm er die Singularformen der mit »Zion« bezeichneten Verse (»… helft *mir* klagen«).[67] Da die Zeilen der Dichtung und des Chorals im Druck – wohl wegen des kleinen Formats – sukzessiv angeordnet sind, ist nicht zu entscheiden, ob Henrici bereits die simultane Kombination intendierte, die Bach verwirklichte. Wie sich das

---

[67] Vgl. das Faksimile des Textdrucks in NBA II/5, KB, S. 73, sowie bei Neumann, BT, S. 321–324; dagegen ist der Satz in Agricolas Textheft als »Chor« bezeichnet, vgl. NBA II/5a, S. XIV.

Verhältnis beider Ebenen verschob, kann eine erste Übersicht andeuten.[68] Im letzten Vers des Librettos fehlt das Wort »selber« (das deshalb in eckigen Klammern genannt wird). Im Hinblick auf das Verhältnis der beiden Rahmenzeilen dürfte eher ein Druckfehler als ein Zusatz Bachs vorliegen.[69] Belangvoller ist das Verhältnis zwischen den Choralzeilen und den gedichteten Versen.

Textdruck 1729: Die Tochter Zion und die Gläubigen.

Aria		Choral	
(1) Z. Kommt, ihr Töchter, helfft mir klagen,	8a		
(2) Sehet! Gl. Wen? Z. den Bräutigam	7b		
(3) Seht ihn: Gl. Wie? Z. als wie ein Lamm	7b		
		(1) O! Lamm Gottes unschuldig	7a
		(2) Am Stamm des Creutzes geschlachtet.	7b
(4) Z. Sehet: Gl. Was? Z. Seht die Gedult	7c		
		(3) Allzeit erfunden geduldig,	7a
		(4) Wiewohl du warest verachtet,	7b
(5) Seht: Gl. Wohin? Z. auf unsre Schuld	7c		
		(5) Alle [!] Sünd hast du getragen,	7c
		(6) Sonst müsten wir verzagen.	7c
(6) Z. Sehet ihn aus Lieb und Huld	7c		
(7) Holz zum Creutze [selber] tragen.	8a		
		(7) Erbarm dich unser, o Jesu!	8d
		Da Capo.	

Bilden die ersten Zeilenpaare des Chorals die Stollen einer Barform, so gehen dem ersten Stollen drei Verse Henricis voran, während dem zweiten Stollen nur ein Vers vorangestellt ist. Nach dem fünften Vers folgen die ersten Abgesangszeilen des Chorals, dessen Schlusszeile erst nach dem letzten Verspaar erscheint. Die wechselnde Abfolge ergab sich aus Henricis Absicht, die Barform des Chorals mit einer Da-capo-Anlage zu verbinden. Die folgende Übersicht sucht die Folgerungen anzudeuten, die Bach daraus zog.[70]

Während Henricis Versen 1–3 – die eingangs gesondert erscheinen – im Druck die ersten Choralzeilen folgen, kombinierte Bach die erste Zeile mit dem wiederholten Vers 1 und die zweite mit den Versen 2–3. Im zweiten Stollen griff er nicht auf Vers 1 zurück, sondern verband die Zeilen 3–4 mit der Wiederholung von Vers 4.

---

[68] Henricis Abkürzungen (Z. und Gl.) meinen »Zion« und die »Gläubigen«. Interpunktion und Orthographie des Textdrucks wurden übernommen, doch wurden die Choralzeilen eingerückt und ebenso wie die Verse der Dichtung mit eigener Zählung versehen. Die rechte Spalte gibt die Silbenzahlen und die Reimverhältnisse an.

[69] Karol Berger, Bach's Cycle, Mozart's Arrow. An Essay, Berkeley u.a. 2007, S. 47 und S. 362, Anm. 7 (entgegen Axmacher, a.a.O., S. 191, Anm. 44).

[70] Die Textwiedergabe folgt in Orthographie und Interpunktion der NBA; neben der Zählung der gedichteten Verse und der Choralzeilen wird zusätzlich der Wechsel zwischen den Chören I und II angegeben.

A-Teil

(1) I: Kommt, ihr Töchter, helft mir klagen,

(2) I: sehet, II: Wen? I: den Bräutigam,

(3) I: seht ihn, II: Wie? I: als wie ein Lamm!

B-Teil

(1) I: Kommt, ihr Töchter, helft mir klagen,	+ (1) O Lamm Gottes, unschuldig
(2) I: sehet, II: Wen? I: den Bräutigam,	
(3) I: seht ihn, II: Wie? als wie ein Lamm!	+ (2) am Stamm des Kreuzes geschlachtet,
(4) I: Sehet, II: Was? I: seht die Geduld,	
(4) I: sehet die Geduld,	+ (3) allzeit erfunden geduldig,
(4) I: sehet, II: Was? I: seht die Geduld.	+ (4) wiewohl du warest verachtet.
(5) I: Seht, II: Wohin? I: auf unsre Schuld,	
(5) I: seht, II: Wohin? I: auf unsre Schuld,	+ (5) All Sünd hast du getragen,
(5) I: seht, II: Wohin? I: auf unsre Schuld;	+ (6) sonst müßten wir verzagen.

A'-Teil

(6) I: sehet ihn aus Lieb und Huld, II: Sehet, I+II: sehet ihn aus Lieb und Huld	
(7) Holz zum Kreuze selber tragen.	+ (7) Erbarm dich unser, o Jesu, o Jesu!
(1) I+II: Kommt ihr Töchter, helft mir klagen,	
(2) I: sehet, II: Wen? I: den Bräutigam,	
(3) I: seht ihn, II: Wie? I+II: als wie ein Lamm!	

I, II = Chor I bzw. II

Anders gesagt: Der Wechsel zwischen den Fragen der »Gläubigen« und den Antworten »Zions«, der die Verse 2, 3 und 4 ausfüllt, findet sein Pendant im Alternieren der Chöre. Doch wird das Prinzip durchbrochen, wenn Vers 4 (»Sehet – Was? – seht die Geduld«) dreimal dort wiederkehrt, wo zuvor zweimal die Verse 2–3 erklangen. Dieselben Worte werden also erst mit der dritten Choralzeile und dann mit der Wiederholung des Tonsatzes verknüpft, der im Blick auf die erste Choralzeile entworfen worden war. Analog wird Vers 5 – wie im Textdruck – mit den ersten Abgesangszeilen des Chorals verschränkt. Um der Da-capo-Angabe Henricis Genüge zu tun, musste die Wiederholung so verändert werden, dass sich die letzte Choralzeile einfügen ließ.

Was Bach aus der doppelten Vorgabe des Textes formte, ist im Grunde zu komplex, um in einem Schema erfasst zu werden, das beide Schichten des Satzes berücksichtigen will. Wird das hier trotzdem versucht, so müssen der Kürze halber wenige Angaben genügen, die sich zunächst auf die Exposition und den Einbau der ersten Choralzeilen beschränken, während auf die weiteren Zeilen und die variierte Reprise später zurückzukommen ist.[71] Neben den Choralzeilen (1–7) wird der Anteil beider Chöre wie zuvor markiert (I/II = alternierend, I + II = gemeinsam). Das Ritornell,

---

71 Für die Folge der Choralzeilen und der Kombinationen teilte Platen, a. a. O., S. 105 und 120 f., gesonderte Formschemata mit, ohne die Verklammerung der Schichten und die internen Rückgriffe zu berücksichtigen.

von dem der Satz ausgeht, basiert auf dem Wechsel zwischen Orgelpunkten (OP) und Quintschrittsequenzen (QS), die anfangs kaum auffallen und erst später hervortreten (QS), um danach in erweiterte Kadenzen auszulaufen (K). Die Hinweise zur Harmonik begrenzen sich auf die Angabe der maßgeblichen Tonstufen, wogegen die Rückgriffe im Anschluss an die Taktzahlen erwähnt werden (in Klammern, falls sie der Erläuterung bedürfen). Gesondert wird auf die beiden rhythmischen Modelle verwiesen, die den gedichteten Versen zugeordnet sind (*a* bzw. *b*). Das gleichmäßige Pulsieren in Achteln, das sich mit den Versen 1 und 6–7 sowie mit den meisten Choralzeilen verbindet (*a*), wird in den Versen 2–5 von auftaktigen Achteln und volltaktigen Vierteln abgelöst (*b*).

Choralzeilen	–		–		–
gedichtete Zeilen	Ritornell		Vers 1		Verse 2–3
Takte	1–6–9, 9–14	14–17	17–26		26–30
		(~1–6 + 17)	(~1~2¹, 1–2¹, 1–2¹, 4 + 6–9)		
Modelle	*a*	*a, b*	*a*		*b*
Chöre	I+II	I+II, I/II	I	I	I/II
Bassgerüst	OP + QS	OP + QS + K	(OP)	QS + K	QS + K
Tonstufen	e	h – e	e –	H	H – e

Zeile 1		Zeile 2	–	–	Zeile 3	Zeile 4
Vers 1	Vers 1	Verse 2–3	1. Ritornellzitat	Vers 4	Vers 4	Vers 4
30–32	32–34	34–37–38	38–42	42–44	44–46, 46–48	48–51–52
		(~26–29)	(~6–9)	(~26–28)	(~30–32, 32–34)	(~34–37–38)
a	*a*	*b*	*b*	*a*	*a*	*b*
I	I	I/II	I+II	I/II	I	I/II
		QS + K	OP + K		QS + K	QS + K
G	G	G	G – H	G	G	G

Im Verhältnis der Satzteile fällt zunächst auf, dass die Abschnitte, die ausschließlich auf freier Dichtung beruhen, auf Varianten des Ritornells zurückzuführen sind, die transponiert oder mit modulierenden Gelenken versehen sind. Dagegen sind die von den Choralzeilen bestimmten Satzteile durchweg neu komponiert, selbst wenn in ihnen die rhythmischen und harmonischen Verhältnisse früherer Abschnitte nachwirken. Daher ist es angezeigt, beide Schichten zunächst getrennt und anschließend im Zusammenhang zu erörtern.

Keimzelle des Satzes sind die ersten Takte des Ritornells, die über dem Orgelpunkt auf *E* steigende und fallende Quartgänge verschränken: e^1-fis^1-gis^1-a^1 (Flöte und Oboe II) und e^1-dis^1-d^1-c^1-h (Violine I). Beide Stimmzüge basieren auf punktierten Vierteln (T. 1–2¹), deren kontrapunktische Funktion sich nicht auf ein harmonisches Modell reduzieren lässt (Notenbeispiel 9).[72] Sie werden nämlich durch angebundene Achtelwerte verlängert, die im Verhältnis zum Orgelpunkt als Vorhaltdissonanzen

---

[72] Vgl. dagegen die Darstellung bei Berger, a. a. O., S. 52 ff.

Notenbeispiel 9

fungieren. Mit ihrer Auflösung in zwei Achtel setzen sie die fließende Bewegung des Satzes in Gang und bewirken damit den stetigen Wechsel zwischen Dissonanzen und Konsonanzen, der den gesamten Verlauf durchzieht. Die Klangfolgen jedoch, die den Weg von der Tonika zur Subdominante durch Nebenstufen erweitern, erweisen sich als Resultat eines linearen Satzes.[73]

---

[73] Sofern die Harmonik eine Folge des linearen Satzes bildet, ist die Formulierung Platens missverständlich, »nahezu jedes der zwölf Achtel des Taktes« erfahre »eine eigene Harmonisierung« (Platen, a. a. O., S. 125).

Statt auf der Dominante setzen beide Stimmzüge erneut auf der Quinte der Tonika an (T. 2²–3). Indem sie in umgekehrter Einsatzfolge die Querträume a^1-e^1 und h^1-e^2 durchlaufen, verschärfen sich die Dissonanzen zum Orgelpunkt (dis^1 und ais^1 über E). Wo der Satzverband – durch Zusatzstimmen aufgefüllt – sein Ziel erreicht, von dem aus die Quartzüge nochmals ansetzen könnten, wird die Tonika von ihren Nebenstufen flankiert. Ohne die fließende Stimmführung zu beeinträchtigen, werden die dominantischen Klänge, die der Subdominante und der Tonika vorgeschaltet werden, mit Septimen und Nonen geschärft, sodass ihre Auflösung desto zwingender wird (T. 4–5). Die Dissonanzen entladen sich in der steigenden Basslinie (T. 6), die zügig eine Quintschrittsequenz durchmisst (H-e-a-D-G-C). Statt aber vollständig durchschritten zu werden, hält sie im Sextakkord über c inne, der in subdominantischer Funktion die durch die Doppeldominante erweiterte Kadenzgruppe einleitet (T. 7–9: I-IV-VII-III-VI → D^D-D).

Sobald der eröffnende H-Dur-Klang durch seine Variante ersetzt wird, beginnt über einem Orgelpunkt (H) die transponierte Wiederholung der ersten vier Takte, die im letzten Takt abgebrochen wird (T. 13), um nicht erneut eine Quinte höher zu führen. Stattdessen wird der Baßton H einen Takt früher vom Sextakkord über c abgelöst, der diesmal eine diatonische Quintkette einleitet (14–15: c-Fis-H-E). Zu dieser Stufenfolge (VI-II-V-I), die das zuvor fehlende Glied nachholt, bleibt der Grundton des ersten Klangs (a) in den Streichern als rhythmisch markierte Achse liegen, die von den Bläsern mit Nebennoten umspielt wird. In subdominantischer Position leitet er die erweiterte Kadenz ein, die wieder dem ersten Modell entspricht (T. 16–17 ~ 8–9).[74] Dass die achttaktige Gruppe erst im neunten Takt kadenziert, trägt hier wie in den folgenden Phasen zur engen Verzahnung der Abschnitte bei.

Nicht nur rhythmisch und motivisch, sondern vor allem in der satztechnischen Konstruktion umfasst das Ritornell den Fundus des Satzes. Es wäre ein Missverständnis, wenn der Eindruck entstünde, Bachs Kunst werde auf ein simples Gerüst reduziert. Sie wird vielmehr genauer begreiflich, wenn man sie als Entfaltung unscheinbarer Keime versteht. Zudem wird das Satzgerüst durch Zusatzstimmen bereichert, die für den Hörer nicht selten die Kernstimmen überdecken. Besonders markant setzen beispielsweise die ersten Violinen ab Takt 4 zu einer Sequenz in hoher Lage an, während die Basskette in Takt 6 von den sequenzierenden Oberstimmen überlagert wird. Indem vor der letzten Kadenz ein rhythmisch markierter Halteton eingeschaltet wird (T. 14), bewirkt der Wechsel zwischen beiden Orchestern eine klangliche Aufhellung, nach der die Gruppen wieder im Tutti zusammentreten.

Nicht anders verhält es sich bei Eintritt des Vokalchors, der einen neuen Abschnitt zu markieren scheint. Während die Streicher den Sopran und den Alt duplieren, werden die Bläser zu begleitenden Stimmen reduziert. Erstmals fällt auch der Orgelpunkt aus, der die vorangehenden Abschnitte prägte. Gleichzeitig scheint der Sopran ein neues Thema zu intonieren, das wenig später vom Alt auf der Unterquart imitiert wird. Sieht man aber vom Incipit ab, das einen steigenden

---

[74] Im Blick auf Takt 14 ff. und analoge Gruppen wie Takt 69 ff. sprach Platen, ebd., S. 125, von »fast impressionistischen, die Funktionsharmonik aufhebenden Klangwirkungen«.

Dreiklang umfasst, so zeigt sich, dass der Sopran die Linie übernimmt, die anfangs die Unterstimme bildete, während die frühere Oberstimme in den Bass rückt. Anders gesagt: Der Stimmtausch ist die Konsequenz einer Konstruktion, die von vornherein im doppelten Kontrapunkt konzipiert worden war (T. 17–18^1 ~ 1–2^1). Der zweite Ansatz auf der Quinte wandert entsprechend in den Alt, während der Tenor die vormalige Bassstimme übernimmt (T. 18^2–19 ~ 2^2–3), bis ein dritter Ansatz – erneut auf der Quinte – wiederum den Außenstimmen zufällt (T. 19^2–20 ~ 2^2–3). Dass sich die ersten Takte durch diesen zusätzlichen Einsatz verlängern, wird durch die gestraffte Fortsetzung ausgeglichen (T. 21 ~ 4). Nach einem Gelenktakt, der kadenzierend zur Tonika zurückführt (T. 22), kann sich die Quintkette des Ritornells mit der erweiterten Kadenzgruppe anschließen (T. 23–26^1 ~ 6–9^1).

Die Übernahme des Satzgerüsts wird zugleich durch zusätzliche Stimmen erweitert. So wird der dritte Einsatz des zweistimmigen Modells durch eine markante Klausel verdeckt, die in die Sopranstimme eingefügt ist (T. 19). Dem zusätzlichen Gelenktakt entspricht im Sopran eine chromatisch steigende Linie, die in einen Kanon der Oberstimmen einmündet (T. 22). Und über der Quintkette der Bässe tritt die sequenzierende Oberstimme in hoher Lage noch deutlicher als im Ritornell hervor (T. 23 f.). Eine neue Konstruktion begegnet erst in dem Abschnitt, in dem sich im Ritornell der Orgelpunkt auf der Quinte anschloss. Über einer erweiterten Quintschrittsequenz (H^7-e/E, A^7-D, G^7-C) entspricht die Gruppe dem Wechsel zwischen Fragen und Antworten (T. 26–28). Dabei werden die Fragen des zweiten Chors von den Instrumenten mit Nebennoten in Sechzehnteln umspielt, während zu den Rufen des ersten Chors die Flöte eine eigene Stimme beisteuert, die sich an den Taktgrenzen synkopisch staut. Ein erneuter Ansatz mit zweifachem Terzfall im Bass (T. 28–29: C/A-D/H-e) bricht auf der Tonika ab und lenkt zur Durparallele, um damit der ersten Choralzeile Raum zu geben.

Zwar ließe sich der Choralsatz auf die Basstöne zurückführen, die als Grundstimme eines Kantionalsatzes dienen könnten. Bachs Kunst zeigt sich aber darin, wie die Abstände zwischen den Basstönen zu dreitönigen Gruppen so ausgefüllt werden, dass sie der fließenden Bewegung des Satzes entsprechen. Während die latente Harmonik des Choralsatzes die Stufenfolge prägt, wird seine Melodie in den rhythmischen Kontext integriert.[75] Zur ersten Zeile deutet sich ein Kanon zwischen Sopran und Alt an (T. 31 f.), der im Ritornell vorgebildet ist (T. 6 f.) und am Ende der Zeile ausläuft. Er gründet auf der Quintkette des Ritornells, deren Beginn der Klausel des Chorals angepasst wird. Sie wird durch die Melismen der Gegenstimmen überbrückt, die über Fis-Dur nach h-Moll lenken, aber nach wie vor am Text des ersten Verses festhalten (T. 32–34: »Kommt, ihr Töchter …«). Dagegen wird die zweite Choralzeile mit den Fragen und Antworten der Verse 2–3 verklammert, die zuvor der ersten Zeile vorangingen (»Sehet – Wen? – den Bräutigam …«). Dass hier der Doppelchor zur Choralweise tritt, gehört zu den eindrücklichsten Momenten des Satzes. Denn damit werden zwei Satzglieder verbunden, die anfangs denkbar verschieden

---

[75] Für die Satzstruktur ist belanglos, ob der Choral (wie in der autographen Partitur) von der Orgel gespielt oder (gemäß der autographen Stimme) vom »Soprano in Ripieno« gesungen wird; vgl. NBA II/5, KB, S. 49.

wirkten. Die Kombination wurde dadurch möglich, dass Bach mit der Choralzeile eine verkürzte Variante der Quintkette verband, die zuvor als Basis des Chorwechsels diente und hier durch eine Kadenz ergänzt wird (T. 48–51: h-e [a] D-G + Kadenz). Zum dritten Glied der Kette (a im Bass) wird dabei im Alt eine vorgehaltene Septime (g^1) eingefügt, die sich nach *fis*^{1} und damit zur Terz des folgenden Klangs über *d* auflöst (T. 48). Wie die Choralzeile kann sich zugleich der doppelchörige Abschnitt in die Kette einfügen, an die dann die gemeinsame Kadenz anschließt.

Auf einer ähnlichen Konstruktion basiert das viertaktige Ritornellzitat, das als Zwischenspiel vor dem zweiten Stollen des Chorals dient. Von einem vorgeschalteten Takt abgesehen, der in G-Dur ansetzt (T. 38), geht der Einschub auf die verdoppelte Quintkette des Ritornells mit der entsprechenden Kadenz zurück, die wieder in H-Dur endet (T. 39–42 ~ 6–9). An sie schließt der zweite Stollen als getreue Wiederholung des ersten an. Da hier aber Henricis Dichtung nur einen Vers bot, musste der Text der vierten Zeile (»Sehet – Was? – seht die Geduld«) zu den Choralzeilen 3–4 wiederholt werden, sodass sich die Kombination mit dem Doppelchor nicht ganz so schlüssig wie zuvor ausnimmt.

In der Übersicht ließ sich nicht andeuten, dass die Satzglieder überdies klanglich abgestuft werden. Im Ritornell und den entsprechenden Teilen kommt den Holzbläsern die führende Rolle zu, die anschließend von den Vokalstimmen übernommen und durch die Bläser dupliert wird, während die Streicher ergänzende Stimmen bilden. Im Chorwechsel tritt primär der Vokalpart mit begleitenden Streichern hervor, wogegen die Flöten als obligate Oberstimme fungieren. Diese Funktion bleibt ihnen auch dann, wenn der Vokalpart und die Streicher während der Choralzeilen colla parte geführt werden. Ähnlich verhält es sich im weiteren Satzverlauf, in den die restlichen Choralzeilen eingefügt werden.

–	–	**Zeile 5**	–	**Zeile 6**
2. Ritornellzitat	*Vers 5*	*Vers 5*	*3. Ritornellzitat*	*Vers 5*
52–57 (~ 1–6)	57–62	62–64 (~ 57–62)	64–67 (~ 14–17)	67–70
a	b	b	a, b	b
I+II	I/II	I/II	I/II, I+II	I/II
OP	3 steig. Quinten	steig. Quinte	QS + K	
G	A-D, E-a, H-e	e – h	h	e-a (E) D^v

–	–	**Zeile 7**	–
4. Ritornellzitat	*Vers 6*	*Vers 6*	*Vers 1*
69–72 (~ 14–17)	72–76 (~ 17–18)	76–79	79–90 (~ 7–17)
a, b	a	a	a, b
I/II, I+II	I/II, I+II	I+II	I+II, I/II, I+II
QS + K	(OP)		OP + QS + K
a	a – E	a – e	e

Dem Abgesang des Chorals geht ein zweites Ritornellzitat voran, das diesmal aber – anders als in den übrigen Zwischenspielen – auf die Konstruktion über Orgelpunkt zurückgeht. Mit der einzigen Stelle, an der das Ritornell in Dur eintritt, verbindet sich eine veränderte Stufenfolge, die zugleich an die zweite Achttaktgruppe des Satzbeginns erinnert. Setzte der Orgelpunkt dort auf der Dominante H-Dur an, um dann nach e-Moll zu lenken, so wechselte die Stimmführung zwischen Moll- und Durterz. Analog wird in G-Dur nun die Dur- von der Mollterz abgelöst, während das zweistimmige Kernmodell auf die relative Dominante D-Dur versetzt wird (T. 54). Fast scheint es, als liege ein Ausschnitt aus einem Ritornell in c-Moll vor, dessen zweiter Ansatz in g-Moll beginne. Innerhalb des e-Moll-Satzes erscheinen hier mit *b*, *es* und *as* Töne, die einer weit entfernten Tonart zugehören (T. 54–56). In dieser Klangfolge wird die relative Subdominante durch ihre Mollvariante vertreten, um die Schärfung des folgenden Septakkords durch die kleine Septime vorzubereiten, die sich zum Orgelpunkt auf *G* als dissonierende None verhält (T. 55). Anders gesagt: Mitten im Eingangschor, der die Passion in e-Moll eröffnet, deutet eine Variante der Konstruktion harmonisch auf die entsprechenden Konstellationen des in c-Moll stehenden Schlusschors hin, bevor dann das Zwischenspiel gemäß seinem Beginn in G-Dur kadenziert.

Bricht dieser Rekurs nach fünf Takten ab (vgl. T. 57 mit T. 6), so wechselt mit dem Eintritt des Doppelchors zugleich die fließende Rhythmik, die den bisherigen Satzverlauf prägte. Mit auftaktigen Achteln und nachfolgenden Vierteln entspricht sie der Frage, die in Henricis Dichtung Vers 6 einleitet (»Seht – Wohin? – auf unsre Schuld«). Mit den Fragen und Antworten, die den erneuten Chorwechsel veranlassen, verbindet sich ein vierfacher Quintaufstieg in vier zweitaktigen Gruppen (T. 57–63). Wie der bisherige Grundton *G* zunächst zur Septime eines A-Dur-Sekundakkords wird, der nach D-Dur lenkt, so führen die weiteren Phasen analog über a- und e-Moll nach h-Moll. Die Konstruktion ist hier besonders zwingend, weil der Wechsel der modulierenden und kadenzierenden Glieder mit dem Chorwechsel zusammenfällt, der den Wechsel zwischen Fragen und Antworten markiert. In die letzte Phase fügt sich zugleich die fünfte Choralzeile ein, die von e- nach h-Moll führt und damit als einzige der Grundtonart des Satzes entspricht.

In h-Moll schließt demnach das dritte Zwischenspiel an, das seinerseits das letzte Glied des Ritornells und damit die kurzfristige Ablösung beider Orchester mitsamt ihrer gemeinsamen Kadenzierung aufnimmt (T. 64–67 ~ 14–17). Unter Austausch des h-Moll-Klangs mit einem G-Dur-Sextakkord folgt sogleich die sechste Choralzeile, deren Klausel sich als Halbschluss in a-Moll auffassen lässt. Vor der Kadenz wird zum Wort »Schuld« der E-Dur-Klang zum verminderten Septakkord gefärbt und über mehr als einen halben Takt ausgehalten, bevor er sich nach Auslauf der Choralzeile auflöst. Da dem Abschnitt neben dem Text und dem Chorwechsel auch die Rhythmik gemeinsam ist, kann das vierte und letzte Ritornellzitat dem vorigen unter Transposition nach a-Moll entsprechen. Dass dieses Zwischenspiel in seinem instrumentalen Anteil (T. 70–72) auf drei Takte verkürzt zu sein scheint, ist dadurch bedingt, dass sein Beginn im vorangehenden Takt durch die Finalis der Choralzeile verdeckt wird. Sofern es wie zuvor mit der Kadenz des Ritornells in a-Moll endet, könnten sich hier die letzten Verse der Dichtung mit der Schlusszeile des Chorals anschließen, die Henrici an das Ende seines Textes gerückt hatte.

Bach entschied sich für die kompliziertere Lösung, die letzten Zeilen der Dichtung mit einer variierten Reprise zu verschränken, die von der Subdominante a-Moll zur Tonika e-Moll zurückführen musste.[76] Statt den ersten Teil des Satzes zu wiederholen und durch eine e-Moll Kadenz zu ergänzen, setzt die Reprise mit der zweistimmigen Keimzelle des Satzbeginns an. Erschien sie dort zunächst auf der ersten und danach auf der fünften Stufe, um damit den zweiten Orgelpunkt auf der Dominante vorzubereiten, so setzt sie nun einmal in a- und zweimal in e-Moll an (T. 72–76).[77] In Henricis Text holt der letzte Vers den zuvor fehlenden Reim zum ersten Vers nach und ergänzt damit zugleich den entsprechenden Binnenreim der Verse 4–6. Indes ging Bach über den Plan des Dichters hinaus: Indem er die letzten Verse mit dem Tonsatz verband, der zuvor zum ersten Vers gehörte, werden die äußeren Reimverse gleichsam zusammengedacht. Die Pointe liegt darin, dass gleichzeitig die latente Polyphonie des Satzes zum Vorschein kommt. Trat sie vorher nur zu Beginn des Ritornells hervor, so wurde sie bei Eintritt des Chores vom Tuttiklang überdeckt. In der Reprise jedoch setzt das zweistimmige Modell zunächst in den Mittel- und dann erst in den Außenstimmen an. Und mit dem dritten Einsatz der vertauschten Außenstimmen ergibt sich der Eindruck eines Fugato, dessen Thema mit seinem Kontrasubjekt dreimal einsetzt. Allerdings bricht es im dritten Einsatz ab, um der letzten Choralzeile Raum zu geben (T. 76–79). Obwohl sie in G-Dur steht, paart sich mit ihr eine erweiterte Quintkette (a-D-G/A-D/E-a/H-e), die auf die entsprechenden Progressionen des ersten Teils zurückblickt. Mit der Klausel in G-Dur beginnend, kann die Reprise fortan die elf letzten Takte des Ritornells übernehmen, in die sich erstmals der doppelchörige Chorsatz mit verlängerter Finalis einfügt (T. 79–90 ~ 7–17).

Erst die letzten Takte greifen also auf jene Technik des Choreinbaus zurück, die Bach schon in Weimar ausgebildet hatte. Von früheren Werken unterscheidet sich der Satz vor allem dadurch, dass er weit kompliziertere Kombinationen enthält. Zu ihnen gehört nicht zuletzt der Einbau des Chorals, der sich trotz anderer Tonart und wechselnder Klauseln selbst dort bruchlos einfügt, wo die Dichtung den mehrfachen Chorwechsel veranlasst. Erinnert man an das Ausmaß, in dem der Satz vom Ritornell gespeist wird, so wird Bachs Kunst keineswegs zum handwerklichen Arrangement verringert. Im Gegenteil: Sie wird desto erstaunlicher, je mehr man die Umsicht begreift, mit der die Glieder des Ritornells gemäß dem Wechsel der Zeilen und Worte transponiert und variiert und zugleich mit dem Chorwechsel und den Choralzeilen verknüpft werden. Die Souveränität, mit der das Material so vielfältig verarbeitet wird, dass keine bloßen Wiederholungen zu hören sind, ist ebenso erstaunlich wie der nahtlose Anschluss der eng verzahnten Glieder. Der Hörer wird zuerst von der expressiven Harmonik überwältigt, die der Satz in immer neuen Wellen entfaltet. Wie polyphon er in Wahrheit ist, wird erst dann einsichtig, wenn man das kontrapunktische Gerüst erfasst, das durch die Klangketten über den Orgelpunkten verdeckt wird.

---

[76] Im Blick auf die variierte Reprise bezog sich Karol Berger, a. a. O., S. 58 f., weniger auf die kontrapunktische Struktur als auf den harmonischen Verlauf.

[77] Nach dem ersten Einsatz in a-Moll scheint der zweite »dominantisch« in E-Dur zu beginnen, doch lenkt er (mit c^1 im Tenor) sofort nach e-Moll, von wo aus dann der dritte Einsatz folgt.

Die Konstruktion des Satzes legt es nahe, ihn mit dem Eingangschor der Johannes-Passion zu vergleichen. Beiden Sätzen ist ein Grundgerüst gemeinsam, das aus der Paarung verlängerter Orgelpunkte und ausgreifender Quintschrittsequenzen besteht. Die Konsequenzen jedoch, die Bach aus gleichen Voraussetzungen zog, könnten kaum unterschiedlicher sein. In der Johannes-Passion ging es darum, über der Quintkette des Ritornells einen Kanon der Holzbläser zu konstruieren, aus dem sich im Vokal- wie im Instrumentalpart weitere Kanons entwickelten, bis sie zu den Zirkelkanons führten, die beziehungsvoll auf die analogen Textworte verwiesen (»… in allen Landen herrlich« – »verherrlicht worden …«). Dagegen setzt der Eingangschor der Matthäus-Passion nicht ostentativ auf kunstvolle Kontrapunktik. Eher im Gegenteil: Die kontrapunktische Keimzelle der ersten Takte wird im weiteren Verlauf vom Tuttiklang verdeckt und erst im knappen Fugato der Reprise greifbar. Entsprach in der Johannes-Passion die Wiederholung des ersten Teils der Norm der Da-capo-Form, so zeigt der Eingangschor der Matthäus-Passion eine kunstvoll variierte Reprise, in die zusätzlich die letzte Choralzeile integriert wird. Das Beispiel mag genügen, um an die Kombinatorik zu erinnern, die den späteren Satz auszeichnet. Sie zeigt sich nicht nur in der doppelchörigen Anlage, sondern in der differenzierten Ausarbeitung des Materials, das im Ritornell angelegt ist. So falsch es wäre, beide Sätze gegeneinander auszuspielen, so legitim ist es, ihre Unterschiede wahrzunehmen, die kein Gradmesser ihres Ranges, wohl aber ein Indiz für den Weg eines Komponisten sind, den seine Kunst zu immer komplizierteren Lösungen führte.

Dass der Choralchorsatz »O Mensch, bewein dein Sünde groß«, der den ersten Teil der Matthäus-Passion beschließt, nach dem Zyklus der Choralkantaten 1725 entstanden sein muss, wurde bereits früher begründet. Auf diese Argumentation war im Zusammenhang mit der Johannes-Passion zurückzugreifen, für deren zweite Fassung der Satz zunächst bestimmt war.[78] Die Varianten zwischen dieser ersten Fassung in Es-Dur und der in E-Dur stehenden Fassung der Matthäus-Passion, auf die Friedrich Smend aufmerksam machte, geben Anlass dazu, nochmals an die Quellenlage zu erinnern. Da der Textdruck diesen Choral wie auch die anderen Choral- und Evangelientexte nicht enthält, trägt er zur Klärung ebenso wenig bei wie das von Agricola geschriebene Textheft, das die fraglichen Texte ebenfalls nicht kennt. Doch fehlt der Satz auch in der sogenannten Frühfassung, die nur durch die Abschriften von Farlau und Agricola bezeugt ist.[79] An seiner Stelle findet sich hier der Kantionalsatz »Jesum laß ich nicht von mir«, der ebenfalls in E-Dur steht. Dieser Sachverhalt war ein Hauptgrund dafür, in Farlaus Kopie eine Frühfassung zu sehen, die mit der ersten Aufführung 1727 in Verbindung gebracht wurde.[80] Nicht

---

78   Vgl. Teil IV, Kap. 7, und Teil V, Exkurs 1.
79   Zu Farlaus Kopie vgl. das Faksimile in NBA II/5a. Nach dieser Vorlage schrieb Agricola seine Kopie, deren Titelseite die unvollständige Datierung »173« [!] zeigt (vgl. Dok. II, Nr. 440, S. 339) und durch ihre Lückenhaftigkeit manche Fragen aufwirft (vgl. NBA II/5, KB, S. 62–68). Zu beiden Kopien vgl. Alfred Dürr, Zur Chronologie der Handschrift Johann Christoph Altnickols, in: BJ 1970, S. 44–65, hier S. 61 f.
80   Die Rede von einer Früh- und einer Spätfassung berührt nicht weitere Varianten, die Dürr zufolge »teils durch Bachs unermüdliche Weiterarbeit am Werk selbst, teils durch aufführungspraktische Bedingungen einer in die 1740er Jahre zu datierenden Wiederaufführung dieser Werkfassung verursacht sind« (vgl. NBA II/5, S. VII).

ganz leicht verständlich ist ohnehin, warum Farlau eine Frühfassung kopiert haben sollte, die durch die längst vorliegende Endfassung obsolet geworden war. Indes ist gesichert, dass man an Bachs Passionen auch außerhalb Leipzigs interessiert war.[81] Wäre es also denkbar, dass Farlaus Abschrift eine Version bietet, die für die Bedürfnisse auswärtiger Interessenten vereinfacht wurde? Dafür könnte die etwas erleichterte Version sprechen, die der Sopran – im Unterschied zu den Instrumenten – zu Beginn des Schlusschors zu singen hat.[82] Wie auch immer: Die Gleichsetzung der Abschrift Farlaus mit einer hypothetischen Frühfassung sollte nicht das letzte Wort in dieser Frage gewesen sein.

Während die Es-Dur-Fassung von Satz 29 – wiewohl unvollständig – nur aus einigen Stimmen zu erschließen ist, die für die zweite Aufführung der Johannes-Passion 1725 angefertigt wurden, liegt die E-Dur-Fassung in der um 1736 entstandenen Partitur und den zugehörigen Stimmen der Matthäus-Passion vor. Es kann Bach nicht entgangen sein, dass Henricis Textdruck zu Beginn des zweiten Teils eine Aria enthielt, die durch ihren Choranteil ein Gegenstück zum Schlusschor bildete. Dagegen sah das Libretto im ersten Teil kein Pendant zum gewichtigen Eingangschor vor, sondern endete mit Satz 27[b] (»Sind Blitze, sind Donner«). Da die Dichtung des ergänzenden Evangelistenberichts bedurfte, folgte nach Satz 27[b] das Rezitativ Satz 28. Musste demnach der erste Teil mit einem Choral enden, so war ein schlichter Kantionalsatz kein hinreichendes Äquivalent zum doppelchörigen Eingangschor. Was also hätte Bach gehindert, für diese Stelle von vornherein den Choralchorsatz »O Mensch, bewein« vorzusehen? Der Satz wäre verwaist geblieben, falls nicht eine Wiederaufführung der zweiten Fassung der Johannes-Passion geplant war, die aber wohl den Kontext der Choralkantaten vorausgesetzt hätte. Zumindest war der Satz heimatlos, seit Bach ins Auge fasste, in weiteren Aufführungen der Johannes-Passion zur ersten Fassung zurückzukehren. Was lag dann näher als die erneute Verwendung des vorliegenden Satzes in der Matthäus-Passion, in der sie weit eher als ein Kantionalsatz ein Gegengewicht zum Eingangschor bilden konnte?

Hier ist nicht der Ort, um die Varianten zwischen den Fassungen in Es- und in E-Dur zu erörtern. Zu nennen sind nur die Abweichungen, mit denen Smend zu beweisen suchte, Bach habe die Frühfassung des Satzes planvoll an den Kontext der Matthäus-Passion angepasst.[83] Smends Indizien beschränkten sich auf wenige Takte, in denen der Generalbass der Es-Dur-Version fallende Achtelnoten enthielt, die in der E-Dur-Fassung zu quasi »geschuppten« Sechzehnteln geändert wurden. Indes beherrschen solche Wendungen vom ersten Takt an die Oberstimmen und später auch den Continuo der Es-Dur-Fassung.[84] Mehren sie sich im Generalbass der E-Dur-Fassung, so muss man in ihnen nicht »thematische Anklänge« an ähnliche

---

81 Am 20. März 1729 schrieb Bach an Christoph Gottlob Wecker in Schweidnitz: »Mit der verlangten *Passions Musique* wollte gerne dienen, wenn sie nicht selbsten heüer benöthiget wäre«, vgl. Dok. I, Nr. 20. Dem Kommentar zufolge ist dabei kaum an die Endfassung der Matthäus-Passion, sondern eher »an eine verschollene Frühfassung des Werkes« zu denken, vgl. ebd., S. 58. Zu Bachs Brief vgl. auch Rifkin, MQ 61, 1975, S. 373f.
82 Vgl. dazu und zu den entsprechenden Varianten die Faksimile-Ausgabe in NBA II/5a.
83 Friedrich Smend, Bachs Matthäus-Passion, in: BJ 1928, S. 88ff., ders., Bach-Studien, S. 78ff.
84 Vgl. Takt 25 und 30–32 im ersten und analog Takt 41 und 46–48 im zweiten Stollen.

Wendungen im Eingangschor der Matthäus-Passion sehen. Die Varianten lassen sich aus Bachs Gewohnheit erklären, mit einer Neufassung zugleich eine Revision zu verbinden, die einer nachträglichen Verdichtung gleichkam, weil er offenbar nicht imstande war, einen Satz unverändert abzuschreiben.

Für ihren Platz in der Matthäus-Passion war diese Choralbearbeitung nicht nur durch solche thematischen Entsprechungen prädestiniert, sondern auch durch die Stimmführung in Verbindung mit langen Haltetönen im Bass. An solchen Stellen ergeben sich zwischen Flöten und Generalbass dissonierende Septimen und Nonen, wie sie analog über den Orgelpunkten des Eingangschors begegnen.[85] Wenn es etwas wie einen »Bach'schen Passionsklang« gibt, dann gründet er nicht zuletzt in den harmonischen Konstellationen, die ihrerseits das Resultat der Stimmführung bilden. Um es zusammenzufassen: Obwohl der Satz für die zweite Aufführung der Johannes-Passion entstand, fungiert er in der Matthäus-Passion als Widerpart des Eingangschors, sofern sich beide Sätze harmonisch und motivisch entsprechen.

Der Schlusschor (Satz 68) trägt im Textdruck die Bezeichnung »Aria Tutti« mit dem Zusatz »Chor«. Indes geht ein weiterer Satz voran (Satz 67), dem Henrici die Angabe »Zion, und die Gläubigen« zufügte. Obwohl die Formulierung den Hinweisen zu den Eingangssätzen beider Teile entspricht, wählte Bach eine andere Lösung. Hatte er in Satz 1 die Rollen auf beide Chöre verteilt, so verband er in Satz 30 den Soloalt des einen mit dem Tutti des anderen Chors. Dagegen ist Satz 67 als Rezitativ angelegt, in dem die Worte »Zions« auf die Solisten des ersten Chors verteilt und von Streichern begleitet werden, während die kehrreimartigen Einwürfe der »Gläubigen« dem Tutti des zweiten Chors zufallen. Entgegen der Vorlage, die für die drei Sätze die gleiche Besetzung nahelegte, war es Bach weniger um die konsequente Rollenverteilung als um drei individuelle Lösungen zu tun. Dass der »Aria« ein Rezitativ vorangeht, erinnert an die zuvor genannten Satzpaare. Im Unterschied zu ihnen ist Satz 67 ein reguläres Accompagnato, das seine Geschlossenheit weniger dem Instrumentalpart als den chorischen Einwürfen verdankt. Während die rezitativischen Abschnitte, die sich umschichtig auf Bass, Tenor, Alt und Sopran verteilen, von As-Dur nach Es-Dur und weiter über f- nach c-Moll modulieren, wird die jeweilige Zielstufe in einer Chorstimme als Halteton markiert und von den Gegenstimmen mit einer Kadenz befestigt, die zuletzt auch die vorherige Achsenstimme einbezieht. In dieser harmonischen Zentrierung, gepaart mit gleichmäßiger Deklamation in syllabisch textierten Achtelwerten, heben sich die chorischen Einwürfe von den rezitativischen Partien wie variierte Kehrreime ab.[86]

Noch freier als im Eingangssatz verfuhr Bach mit der Da-capo-Form des Schlusschors, dessen A-Teil drei Zeilen enthält, während der B-Teil sechs Zeilen umfasst.[87]

(1)	Wir setzen uns mit Tränen nieder	9a
(2)	Und rufen dir im Grabe zu:	8b
(3)	Ruhe sanfte, sanfte ruh!	7b

---

85 So beispielsweise in Takt 7, 9 und 11 sowie in Takt 14 f. und weiterhin in allen entsprechenden Taktgruppen.
86 Platen, a. a. O., S. 209 f., sprach von einer »freien Refrainform«.
87 Orthographie und Interpunktion entsprechen der NBA, wogegen die Zeilenstellung dem Textdruck folgt, dem in Klammern die Verszählung zugefügt wird.

(4)	Ruht ihr ausgesognen Glieder!	8a
(5)	Euer Grab und Leichenstein	7c
(6)	Soll dem ängstlichen Gewissen	8d
(7)	Ein bequemes Ruhekissen	8d
(8)	Und der Seele Ruhstatt sein.	7c
(9)	Höchst vergnügt schlummern da die Augen ein.	10c

Da capo

Dass der Satz nicht nur in Taktmaß und Tonart, sondern auch rhythmisch und motivisch ein Gegenstück des Schlusschors der Johannes-Passion bildet, wurde schon früher erwähnt. Desto erstaunlicher ist es, dass Bach die verschachtelte Vers- und Reimfolge zu einer symmetrischen Form umbildete, die fast einfacher als die fünfgliedrige Anlage des früheren Satzes wirkt. Den Außenteilen, die sich aus viermal zwölf Takten zusammensetzen, stehen im Mittelteil 32 Takte gegenüber, die eine analoge Regulierung erwarten lassen. Dass es sich nicht ganz so einfach verhält, zeigt sich im Vergleich mit dem Text, der im Mittelteil doppelt so viele Verse wie im A-Teil umfasst. Bachs Gliederung beruht auf einer Maßnahme, die einen Eingriff in die Textvorlage bedeutet. Die Worte »Ruhe sanfte, sanfte ruh«, die den A-Teil abschließen, werden dreimal – quasi als Kehrreim – in den Mittelteil eingeschoben.[88] Ähnlich wie im vorangehenden Accompagnato fungiert der jeweilige Grundton als Halteton in einer Stimme, die von den Gegenstimmen in Achtelbewegung umkreist wird, bis sich die Chöre in den Kadenzen überlappen. Der Eingriff hat Konsequenzen, die in dreifacher Hinsicht über den Satz hinausreichen:

1. Durch die Wiederholung des dritten Verses werden die Rahmenteile mit dem Mittelteil verklammert.
2. Mit dem Prinzip des Kehrreims verweist der Schlusschor auf das vorangehende Accompagnato.
3. Der Kehrreim motiviert die doppelchörige Anlage, durch die der Schlusschor zum Gegenstück des Eingangschores wird.

So zwanglos sich die Kehrreime in den Satzverlauf einfügen, so folgenreich ist die Maßnahme nicht nur für den Zusammenhang dieses Satzes. Analog und dennoch anders als in den solistischen Satzpaaren werden das Accompagnato und die »Aria« durch den Kehrreim verknüpft. Indem der Kehrreim den Chorwechsel im Schlusschor auslöst, gewinnt er eine zyklische Bedeutung, die über dieses Satzpaar hinausreicht.

---

[88] Platen, a.a.O., S. 210, gab den von Bach vertonten Wortlaut wieder, ohne ihn mit dem Textdruck zu vergleichen. Wie Rifkin, MQ 61, 1975, S. 377–381, verwies auch Chafe, JAMS 35, 1982, S. 54 f., auf sprachliche Analogien zum abschließenden »Chor der Gläubigen Seelen« aus Henricis 1725 gedrucktem Text *Erbauliche Gedancken Auf den Grünen Donnerstag und Charfreytag* (vgl. Spitta II, S. 880 f.). Neben Differenzen im Vers- und Reimschema umfasst dieser Text aber elf Verse (gegenüber neun in der Matthäus-Passion), sodass ein Versuch, ihn dem Schlusschor der Matthäus-Passion zu unterlegen, dazu genötigt wäre, Melismen mehrfach syllabisch zu textieren (vgl. Chafe, ebd., S. 56 f.). Zwar lautet Vers 3 wie in Satz 68: »Ruhe sanffte, sanffte ruh!«, zudem scheint er eine Entsprechung in Vers 6 zu finden: »Ruhet sanffte, sanffte ruht«. Indes ist die Pluralform keine Variante, sondern als Reim zu Vers 5 begründet (»Verschlafet die erlittne Wuth«), sodass kein Kehrreim wie in Bachs Lesart von Satz 68 entsteht.

Das Orchester, das in den vokalen Abschnitten den Chor dupliert, tritt nur in den Ritornellen hervor. Die instrumentalen Stimmen sind derart kantabel geformt, dass sie vom Chor übernommen werden können. Mit Ausnahme des Kehrreims werden beide Chöre im A-Teil verbunden, während der B-Teil dem ersten Chor zufällt, den der zweite Chor mit dem Kehrreim ergänzt. Die Disposition ist so deutlich, dass sie in der Übersicht unberücksichtigt bleiben kann.

A

Satzglied:	Ritornell 1		Verse 1–3		Ritornell 2		Verse 1–3	
Takte:	1–8,	8–12	13–20,	20–24	25–32,	32–36	37–44,	44–48
Stufen:	c – Es,	Es	c – Es,	Es	Es – As,	G – c	Es – As,	G – c

B

Verse 4 + 3,	4 + 3	Vers 5	Verse 6–7,	8 + 3	Vers 9
49–52–54,	54–57–59	59–62	63–66,	67–72	73–80
f – b		b – G^7	c – g		c – G

Der Mittelteil beginnt mit dem vierten Vers, dessen Silben in dreieinhalb Takten zusammengefasst werden (T. 49–52). Im letzten Takt setzt der auftaktige Kehrreim an, sodass beide Gruppen ineinandergreifen. Die Kadenz des Kehrreims fällt wiederum mit dem Beginn der nächsten Gruppe zusammen, sodass sich mit dreieinhalb voll- und zwei auftaktigen Gliedern eine fünfeinhalb Takte umfassende Gruppe ergibt, die durch die anschließende Wiederholung auf elf Takte erweitert wird (T. 49–59). Ihr entspricht im zehnsilbigen Schlußvers eine achttaktige Gruppe, die zwar ohne den Kehrreim auskommt, aber die wiederholten Textworte in ähnlicher Weise verknüpft (T. 73–80). Deutlich knapper werden die Verse 5–8 in einer zwölftaktigen Zwischengruppe zusammengefasst (T. 60–72). Wird der Beginn von Vers 5 durch Auftakt mit dem Ende der vorigen Gruppe verbunden, so ergibt sich in den Versen 6–7, die dieses Muster wiederholen und durch eine zweitaktige Sequenz ergänzen, mit zweimal zwei Takten die regelmäßigste Gruppierung des Satzes (T. 63–66). Dem zweitaktigen Halteton, mit dem Vers 8 auf sechs Takte verlängert wird, entspricht der Rekurs auf den Kehrreim (T. 68–69).

Dass sich im A-Teil die achttaktige Gruppe zu den Versen 1–2 mit dem auftaktigen Ansatz des Verses 2 verbindet, wird in der zwölftaktigen Gliederung durch die Verlängerung des Schlusses ausgeglichen. Das Verfahren, mit dem die Taktgruppen verkettet werden, beruht auf der Paarung voll- und auftaktiger Ansätze. Sie bewirken durch den Wechsel der Impulse ein Gefüge, dessen Glieder (ausgenommen T. 63–72) stets ineinandergreifen. Der begrenzte harmonische Radius ist die Kehrseite der liedhaften Melodik, die dem Satz den Charakter einer chorischen Aria gibt. Für die zwölftaktigen Gruppen des A-Teils ist in den ersten Takten ein Modell vorgegeben, das durch die wechselnde Besetzung variiert wird. Es verbindet zwei volltaktige Zweitakter mit einer Viertaktgruppe, deren Ende mit dem auftaktigen Ansatz des Kehrreims verkettet wird. Die erste Zählzeit der Zweitakter wird durch eine ornamentale Geste betont, nach der die folgenden Zählzeiten gleichsam auftaktig auf den nächsten Takt hinführen. Deutlicher wird das in Takt 3, in dem die betonte erste Viertel durch Achtelnoten ergänzt wird, die auftaktig auf den analog betonten Folgetakt hinzielen. Der Prozess basiert auf einem gleichsam »umschriebenen« Orgelpunkt. Vom Grundton, den die Bässe in Takt 1 und 3 in gleichmäßigen Vierteln repetieren, lösen sich in Takt 2 und 4 weitgefächerte Akkordbrechungen ab, die wechselnd die Dominante und die Subdominante umgreifen.

Abwechselnd ruhend und bewegt, lösen sich die Oberstimmen und die Bässe in einer Balance ab, die sich erst in der nächsten Taktgruppe verändert. Endete der erste Zweitakter auf der Dominante und der zweite auf der Subdominante, so setzt die nächste Gruppe auf der Dominante an (T. 5–8). Während ihr erster Takt von den Bässen in steigender Akkordbrechung umspielt wird, springt die Oberstimme zur Septime auf, die synkopisch verlängert wird. Der Vorhalt eröffnet eine Achtelkette, die im letzten Takt auspendelt, sodass der auftaktige Kehrreim in Es-Dur anschließen kann (T. 9–12). Die vorangehende Gruppe fungiert zugleich als modulierendes Gelenk, das über f-Moll nach B- und Es-Dur führt. Der chorischen Wiederholung folgt mit zwölf Takten das nächste Glied, das über die Subdominante zur Tonika c-Moll zurückführt.

Vorgreifend wurde bereits die Gliederung des B-Teils erörtert, auf dessen harmonische Anlage noch hinzuweisen ist. Wie der erste Durchgang des vierten Verses verharrt der angehängte Kehrreim in f-Moll, während der zweite Durchgang nach b-Moll moduliert (T. 49–59). Nach dem nächsten Kehrreim in b-Moll führt der fünfte Vers in vier Takten nach c-Moll zurück, während in das folgende Verspaar, das nach g-Moll lenkt, der Kehrreim auf der Dominante eingeblendet wird (T. 60–72). Obwohl die letzte Gruppe des B-Teils mit der längeren Schlusszeile acht Takte beansprucht, pendelt sie harmonisch um den dominantischen G-Dur-Klang, der auf die Wiederholung des A-Teils hinführt.

Zu Recht betonte Platen, dass »die Schlußbetrachtung […] erst durch Bachs Vertonung […] den Charakter eines Schlußtableaus« erhält.[89] Entscheidend ist jedoch, dass Bach das Prinzip des Kehrreims, das im Accompagnato vom Text vorgegeben war, durch einen Eingriff in den Text auf den Schlusschor übertrug. Dass die Kehrreime beider Sätze analoge Satzmodelle aufweisen, zeigt noch einmal, dass Bach das letzte Satzpaar sowohl auf den Eingangschor als auch auf die solistischen Satzpaare bezog, auf denen die zyklische Disposition beruht.

8. Resümee

Platens Feststellung, die Matthäus-Passion vereine »fast sämtliche Formtypen der Vokalkompositionen Bachs«,[90] scheint die These zu stützen, das Werk bilde eine Summe seiner Erfahrungen. Dass dennoch maßgebliche Satzarten fehlen, die er schon früher ausgebildet hatte, deutet darauf hin, dass die Passion keine Addition früherer »Formtypen« darstellt. So fehlen – um Stichworte zu nennen – so bedeut-

---

89 Platen, a. a. O., S. 210.
90 Ebd., S. 74.

same Formen wie der Concertosatz, die großformatige Chorfuge oder die solistische Choralbearbeitung. Selbst der Choralchorsatz käme nicht vor, wenn nicht die Bearbeitung »O Mensch, bewein« als Satz 29 eingefügt worden wäre. Dass sich das nicht durch die unterschiedlichen Voraussetzungen der Gattungen erklären lässt, wird im Vergleich mit der Johannes-Passion deutlich. Traten dort in den Turbae kontrapunktische Techniken hervor, so begegneten in den Arien Ostinatosätze, während der Eingangschor auf konzertante Verfahren zurückgriff und die zweite Fassung zwei umfangreiche Choralchorsätze enthielt. Anders verhält es sich jedoch in der Matthäus-Passion.

Neben einer regulären Da-capo-Arie bot die Johannes-Passion vielfältige Varianten des Da-capo-Schemas. In der Matthäus-Passion dagegen steht den variierten Da-capo-Sätzen eine größere Zahl regulärer Da-capo-Arien gegenüber. Dennoch unterscheiden sich die formalen Strukturen in beiden Werken nicht grundsätzlich, sondern sind in ihrer Position und Verteilung unterschiedlich gewichtet. Wo die Arien und die Chöre der Johannes-Passion den Vokalpart mit den instrumentalen Ritornellen verbanden, ergaben sich mehr und minder ausgeprägte Varianten des Vokaleinbaus, der Bach seit Langem geläufig war (und hier sogar einen Ostinatosatz wie die Arie »Ach mein Sinn« bestimmte). Weit subtiler kommen solche Verfahren in der Matthäus-Passion zur Geltung. Die formalen Grundtypen konnten offenbar hingenommen werden, weil es Bach vor allem um ihre interne Differenzierung zu tun war. So vielfach hier der Vokaleinbau verwendet wird, so vielfältig wird er zugleich differenziert. Statt blockhafter Wiederholung des Ritornells erfährt das Material eine Verarbeitung, die mitunter an die motivische Arbeit in weit späterer Musik erinnert. Sie kann zur Bildung fast abstrakt zu nennender Varianten führen, für die das Ritornell als bloßer Fundus dient, ohne en bloc zitiert zu werden. Aus der Kreuzung dieser Prinzipien resultiert eine kombinatorische Mannigfaltigkeit, die jede formale Typologie obsolet macht. Weil die Sätze individuelle Lösungen darstellen, entziehen sie sich einer resümierenden Zusammenfassung. Ihr Gegenstück finden sie in der Kombinatorik der großen Chorsätze, die den Zyklus flankieren und am deutlichsten das repräsentieren, was in diesem Werk als neu gelten kann.

Unübersehbar sind zugleich manche Satzmodelle, die Bach zuvor kaum erprobt hatte. Sie gründen zunächst in der doppelchörigen Anlage, die das Werk derart auszeichnet, dass es später als »die doppelchörige Passion« bezeichnet werden konnte. Dazu gehören die doppelchörigen Turbae ebenso wie die Chorsätze, die auf den Dialog der Chöre hin angelegt sind (wie Satz 27[b]). Das war – wie sich zeigte – nicht immer durch die Texte so vorgegeben, wie es für die Sätze mit eingeflochtenen Choralversen gilt. Legte die Dichtung mit dem Dialog zwischen »Zion« und den »Gläubigen« die doppelchörige Struktur des Eingangssatzes nahe, so galt dies nicht ebenso für den Schlusschor, dessen doppelchörige Anlage erst durch Bachs Lesart begründet wurde. Erst recht war es nicht vorgezeichnet, diesen Chorsatz durch das Prinzip des Kehrreims auf das vorangehende Accompagnato zu beziehen. Von der Dichtung unabhängig war auch die Entscheidung, die Worte Christi durch begleitende Streicher auszuzeichnen. Von solchen Sätzen führte der nächste Schritt zum motivischen Accompagnato, das in der Matthäus-Passion seine gültige Gestalt gefunden hat.

Die Matthäus-Passion wurde nicht nur Bachs größtes zyklisches Werk, sondern zugleich das letzte, das noch nicht von der Parodietechnik zehrte, die später das Weihnachtsoratorium, das Himmelfahrtsoratorium und die Messen prägte. Zur »Summe der Erfahrung« wurde das Werk aber weder durch seinen Umfang noch als Zusammenfassung früherer Leistungen. In dem Maß, in dem es einerseits auf der Differenzierung früherer Verfahren und andererseits auf der vielfältigen Kombinatorik gründete, konnte Bach in seiner »großen Passion« derart singuläre Lösungen finden.

Nachwort

Während im Nekrolog »fünf Jahrgänge von Kirchenstücken« genannt werden,[1] sind nur drei Jahrgänge annähernd vollständig erhalten. Wenn man annimmt, Bach habe den sogenannten »Picander-Jahrgang« zumindest in größeren Teilen vertont,[2] ergäbe sich damit ein vierter Jahrgang, wogegen von einem fünften jede Spur fehlen würde. Der erhaltene Bestand fällt jedoch – abgesehen von den frühen und den Weimarer Werken – vor allem in die Jahre zwischen 1723/24 und 1727/29 und damit in eine zu kurze Zeitspanne, als dass sich eine wie immer geartete Entwicklung erwarten ließe. Dagegen sind die Differenzen zwischen den Leipziger Kantaten und den vorangehenden Werken – zumindest teilweise – durch die unterschiedlichen Textvorlagen bedingt.

Gleichwohl bleibt zu konstatieren, dass sich in mehrfacher Hinsicht signifikante Veränderungen verfolgen lassen. Das deutlichste Beispiel sind die fugierten Sätze, die im Frühwerk und in den Leipziger Kantaten dem Permutationsprinzip verpflichtet sind, während sie in den Leipziger Kantaten durch freiere und zugleich kompliziertere Verfahren gekennzeichnet werden. Gänzlich singulär ist der zweite Jahrgang, dessen Choralkantaten weder im Œuvre Bachs noch in den Werken der Zeitgenossen eine Parallele finden. Dagegen trat das Einbauverfahren, dem in den Weimarer Werken und noch im ersten Leipziger Jahrgang eine beherrschende Bedeutung zufiel, nach dem zweiten Jahrgang – also nach den Choralkantaten – zunehmend in den Hintergrund. An seine Stelle rückte nach etwa 1727 eine Variantentechnik, die einerseits sehr viel variabler, andererseits aber auch weit komplizierter gehandhabt wurde. Obwohl von früh an Sätze im Alla-Breve-Takt begegneten, wurde die Konzentration auf den strengen Satz ein entscheidendes Kennzeichen der späten Werke.[3]

In den Arien wuchs zugleich der Anteil, der den obligaten Instrumenten am Satzverlauf zufiel. In dem Maß, in dem die Continuo-Sätze zunehmend zurücktraten, wurden die regulären Da capo-Arien durch variierte Da-capo-Formen verdrängt. Ein ähnlicher Wandel ließ sich in den Choralsätzen beobachten, die in der Weimarer Zeit und noch im ersten Leipziger Jahrgang den erweiterten Kantionalsatz mit instrumentalen Zwischenspielen vertraten, während sich der sogenannte schlichte Kantionalsatz erst seit dem zweiten Jahrgang ausprägte.[4] Aufgrund satztechnischer Kriterien ließen sich ferner die Echtheitsfragen klären, die mit den

---

1 Vgl. Dok. III, Nr. 666, hier S. 86.
2 Vgl. dazu Teil VII der vorliegenden Studie.
3 Vgl. Christoph Wolff, Der stile antico in der Musik Johann Sebastian Bachs. Studien zu Bachs Spätwerk (Beihefte zum Archiv für Musikwissenschaft VI), Wiesbaden 1968.
4 Vgl. Werner Breig, Grundzüge einer Geschichte von Bachs vierstimmigem Kantionalsatz, in: AfMw 45, 1988, S. 165–188 und 300–319.

Kantaten BWV 50 und 143 verbunden sind. Während der Einzelsatz »Nun ist das Heil und die Kraft« (BWV 50) wahrscheinlich als authentisches Werk zu gelten hat, dessen doppelchörige Fassung vielleicht auf die Bearbeitung eines unbekannten Autors zurückgeht, dürfte die Kantate »Lobe den Herrn, meine Seele« (BWV 143) insgesamt unecht sein – ausgenommen jedoch die Tenorarie Satz 4, die vermutlich auf eine Vorlage Bachs zurückgeht.

Abschließend ist zu betonen, dass in den Kantaten und Passionen – anders als in den späteren Werken – dem Parodieverfahren noch keine maßgebliche Bedeutung zukommt. Ausnahmen bilden einerseits die Köthener Kantaten, die am Anfang des ersten Leipziger Jahrgangs zu geistlichen Fassungen umgearbeitet wurden, und andererseits die Kantaten des sogenannten »Picander-Jahrgangs«, die wenigstens teilweise auf Parodien zurückgehen dürften. Von einer wie immer gearteten Entwicklung ließ sich jedoch selbst in den Jahren nach 1729 nur in einem eingeschränkten Sinn reden. Denn mit der Hinwendung zu den lateinischen Textvorlagen verband sich zugleich die zunehmende Bedeutung des Parodieverfahrens, dem in den Kantaten eine untergeordnete Rolle zukam, während es in den späten Messen eine beherrschende Funktion übernahm. Mit der Parodiepraxis fiel zugleich ein grundlegender Wandel der Kompositionsweise zusammen, der an dieser Stelle nicht mehr zur Sprache kommen kann. Während die Kantatenproduktion – von wenigen späteren Ergänzungen abgesehen – nach 1729 auslief, rückte das Parodieverfahren, das besonders den Lutherischen Messen und der h-Moll-Messe zugrunde liegt, in das Zentrum der kompositorischen Arbeit Bachs. Damit verband sich ein genereller Textwechsel, sofern die liturgischen Textvorlagen keine zwei- oder dreiteiligen Formen aufwiesen. Nicht die geringste Schwierigkeit, die in den späten Parodien zu lösen war, lag daher in der Anpassung der Arienformen – die durch die poetischen Texte bedingt waren – an die Prämissen des lateinischen Messtextes. Desto eindrucksvoller ist die außerordentliche Geschlossenheit, die das gesamte Vokalwerk Bachs kennzeichnet.

Literaturverzeichnis

A. Quellen

Babstsches Gesangbuch 1545, hrsg. von Max Seiffert, Leipzig 1905 (DTB VI/1)
Calvisius, Seth: Hymni sacri Latini et Germanici, Erfurt 1594
– Harmonia Cantionum Ecclesiasticarum, Leipzig 1597
Clauder, Joseph: Psalmodiae Novae Tertia Pars, Leipzig 1636
Crüger, Johann: Praxis Pietatis Melica, Berlin 1661, hrsg. von Hans-Otto Korth und Wolfgang Miersemann, Halle 2014 (Edition und Dokumentation der Werkgeschichte I)
Erfurter Enchiridion »zum Ferbefaß«, Erfurt 1524
Frank, Salomon: Evangelisches Andachts-Opffer, Weimar 1715
– Geist- und Weltlicher Poesien Zweyter Theil, Jena 1716
– Evangelische Sonn- und Fest-Tages-Andachten, Weimar und Jena 1717
Heinichen, Johann David: Neu erfundene und Gründliche Anweisung, Wie Ein Music-Liebender … könne Zu vollkommener Erlernung des General-Basses … gelangen, Hamburg 1711
– Der General-Bass in der Composition, Oder: Neue und gründliche Anweisung …, Dresden 1728
Helbig, Johann Friedrich: Auffmunterung zur Andacht, oder Musicalische Texte über die Gewöhnlichen Sonn- und Fest-Tags Evangelien durchs gantze Jahr, Eisenach 1720
Henrici, Christian Friedrich (Picander): Sammlung Erbaulicher Gedancken Bey und über die gewöhnlichen Sonn- und Festtage, Leipzig 1724
– Sammlung Erbaulicher Gedancken über und auf die gewöhnlichen Sonn- und Festtage, Leipzig 1725
– Ernst-Schertzhaffte und Satyrische Gedichte, Bd. 1–5, Leipzig 1727–1751
Kirnberger, Johann Philipp: Die Kunst des reinen Satzes in der Musik, Bd. I, Berlin 1771, Bd. II, ebd. 1776
König, Johann Balthasar: Harmonischer Lieder-Schatz, Frankfurt a. M. 1738
Lehms, Georg Christian: Gottgefälliges Kirchen-Opffer, Darmstadt 1711
Marpurg, Friedrich Wilhelm: Abhandlung von der Fuge nach den Grundsätzen und Beispielen der besten deutschen und ausländischen Meister entworfen, Bd. 1–2, Berlin 1753
– Kritische Briefe über die Tonkunst, Bd. 2, Berlin 1767, Reprint Hildesheim 1974
Mattheson, Johann: Das Neu=Eröffnete Orchestre, Oder Universelle und gründliche Anleitung …, Hamburg 1713
– Critica Musica, d.i. Grundrichtige Untersuch- und Beurtheilung Vieler theils vorgefaßten theils einfältigen Meinungen, Argumenten und Einwürffen, Hamburg 1728
– Der Vollkommene Capellmeister, Das ist Gründliche Anzeige aller derjenigen Sachen, die einer wissen, können und vollkommen inne haben muß, Hamburg 1739, Kassel 1954 (Documenta musicologica I/5)
Neumeister, Erdmann: Geistliches Singen und Spielen, Gotha 1711
– Geistliche Poesien mit untermischten Biblischen Sprüchen und Choralen auf alle Sonn- und Festtage, Frankfurt a. M. 1714

Nichelmann, Christoph: Die Melodie nach ihrem Wesen sowohl, als nach ihren Eigenschaften, Danzig 1755
Quantz, Johann Joachim: Versuch einer Anweisung die Flöte traversiere zu spielen, Berlin 1752, Reprint hrsg. von Hans-Peter Schmitz, Kassel u. a. 1983 (Documenta musicologica I/2)
Riepel, Joseph: Anfangsgründe der musicalischen Setzkunst. De Rhythmopoeia Oder von der Tactordnung, Regensburg und Wien 1752
Scheibe, Johann Adolph: Der Critische Musicus, Leipzig ²1745, Reprint Hildesheim und Wiesbaden 1970
– Compendium Musices, in: Peter Benary, Die deutsche Kompositionslehre des 18. Jahrhunderts, Leipzig 1961, S. 1–86
Vetter, Daniel: Musicalische Kirch- und Hauß-Ergötzlichkeit, Anderer Theil, Leipzig 1713
Vopelius, Gottfried: Neu Leipziger Gesangbuch, Leipzig 1682
Walter, Johann: Geystliches gesang Buchlein, Wittenberg 1524
Walther, Johann Gottfried: Musicalisches Lexicon Oder Musicalische Bibliothec, Leipzig 1732, Kassel 1953 (Documenta musicologica I/3)
– Praecepta der Musikalischen Composition, hrsg. von Peter Benary, Leipzig 1955 (Jenaer Beiträge zur Musikforschung 2)

B. Sekundärliteratur

Bach-Compendium: siehe unter Schulze, Hans-Joachim und Wolff, Christoph
Bach-Dokumente: siehe unter Neumann, Werner und Schulze, Hans-Joachim (Hrsg.)
Bachforschung und Bachinterpretation heute: siehe unter Brinkmann, Reinhold (Hrsg.)
Bach-Interpretationen: siehe unter Geck, Martin (Hrsg.)
Bach, Wege der Forschung: siehe unter Blankenburg, Walter (Hrsg.)
Bach-Werke-Verzeichnis: siehe unter Schmieder, Wolfgang
Ahrens, Christian: Neue Quellen zu Bachs Beziehungen nach Gotha, in: BJ 2007, S. 45–60
– Johann Sebastian Bach, Johann Heinrich Eichentopf und die Hautbois d'amour in Leipzig, in: BJ 2014, S. 45–60
Ameln, Konrad: »Herr Jesu Christ, wahr' Mensch und Gott«, in: Jahrbuch für Liturgik und Hymnologie 7, 1962, S. 108–115
Axmacher, Elke: Die Texte zu Johann Sebastian Bachs Choralkantaten, in: Bachiana et alia musicologica, Festschrift für Alfred Dürr zum 65. Geburtstag, hrsg. von Wolfgang Rehm, Kassel u. a. 1983, S. 3–16
– »Aus Liebe will mein Heiland sterben«. Untersuchungen zum Wandel des Passionsverständnisses im frühen 18. Jahrhundert (Beiträge zur theologischen Bachforschung, hrsg. von Walter Blankenburg und Renate Steiger, Bd. 2), Neuhausen-Stuttgart 1984, S. 170–203
Baselt, Bernd: Der Rudolstädter Kapellmeister Philipp Heinrich Erlebach (1657–1714), Diss. Halle 1963, masch.
Beißwenger, Kirsten: Johann Sebastian Bachs Notenbibliothek (Catalogus musicus XIII), Kassel u. a. 1991
– (mit Uwe Wolf) Tromba, Tromba da tirarsi oder Corno? Zur Clarinostimme der Kantate »Ein ungefärbt Gemüte« BWV 24, in: BJ 1993, S. 91–101
– Die zweiteiligen Kantaten Johann Sebastian Bachs. Aspekte zur Besetzung als konzeptionellem Mittel, in: Bachs Leipziger Kantatenjahrgang (Dortmunder Bach-Forschungen 3), hrsg. von Martin Geck, Dortmund 2002, S. 41–66
– Der Chorsatz als Zentrum. Form und Besetzung in ausgewählten Kantaten, in: Vom Klang der Zeit. Besetzung, Bearbeitung und Aufführungspraxis bei Johann Sebastian Bach,

Klaus Hofmann zum 65. Geburtstag, hrsg. von Ulrich Bartels und Uwe Wolf, Wiesbaden und Leipzig 2004, S. 27–43

Benary, Peter: Die deutsche Kompositionslehre des 18. Jahrhunderts (Jenaer Beiträge zur Musikforschung 3), Leipzig 1961

Berger, Karol: Die beiden Arten von Da-Capo-Arien in der Matthäus-Passion, in: BJ 2006, S. 127–159

– Bach's Cycle, Mozart's Arrow. An Essay on the Origins of Musical Modernity, Berkeley u. a. 2007

Bernhard, Christoph: Tractatus compositionis augmentatus, in: Joseph Müller-Blattau (Hrsg.), Die Kompositionslehre Heinrich Schützens in der Fassung seines Schülers Christoph Bernhard, Kassel ²1963

Bertling, Rebekka: Das Arioso und das ariose Accompagnato im Vokalwerk Johann Sebastian Bachs (Europäische Hochschulschriften XXXVI/86), Frankfurt a. M. 1992

Blanken, Christine: Der sogenannte »dritte Jahrgang«, in: Das Bach-Handbuch, Bd. 1, Bachs Kantaten, hrsg. von Reinmar Emans und Sven Hiemke, Teilband 2, Laaber 2012, S. 6–13 und 15–88

– Johann Christoph Birkmanns Kantatenzyklus »GOtt-geheiligte Sabbats Zehnden« und die Leipziger Kirchenmusik in den Jahren 1724–1725, in: BJ 2015, S. 13–74

Blankenburg, Walter: Geschichte der Melodien des Evangelischen Kirchengesangbuchs. Ein Abriß, Handbuch zum Evangelischen Kirchengesangbuch, Bd. II, Zweiter Teil, Göttingen 1957, S. 45–117

– (Hrsg.): Johann Sebastian Bach (Wege der Forschung CLXX), Darmstadt 1970

– Eine neue Textquelle zu sieben Kantaten Johann Sebastian Bachs und achtzehn Kantaten Johann Ludwig Bachs, in: BJ 1977, S. 7–25

– Johann Sebastian Bach und das evangelische Kirchenlied zu seiner Zeit, in: Bachiana et alia musicologica, Festschrift für Alfred Dürr zum 65. Geburtstag, hrsg. von Wolfgang Rehm, Kassel u. a. 1983, S. 31–38

Blume, Friedrich: Umrisse eines neuen Bach-Bildes, in: Musica 16, 1962, S. 169–176; auch in: Syntagma musicologicum (I). Gesammelte Reden und Schriften, hrsg. von Martin Ruhnke, Kassel u. a. 1963, S. 466–479

Bockholdt, Rudolf: Zum vierstimmigen Choralsatz Johann Sebastian Bachs, in: ders., Bau und Gedanke. Texte zu Musik, hrsg. von Petra Weber-Bockholdt, Tutzing 2005, S. 56–64

Brahms, Johannes: Briefwechsel mit Philipp Spitta und mit Otto Dessoff (Brahms, Briefwechsel, Bd. XVI), hrsg. von Carl Krebs, Berlin 1920

Brainard, Paul: Bach's Parody Procedure and the St. Matthew Passion, in: JAMS 22, 1969, S. 241–260

– The Aria and Its Ritornello. The Question of »Dominance« in Bach, in: Bachiana et alia musicologica, Festschrift für Alfred Dürr zum 65. Geburtstag, hrsg. von Wolfgang Rehm, Kassel u. a. 1983, S. 39–51

Braun, Werner: Deutsche Musiktheorie des 15. bis 17. Jahrhunderts, Zweiter Teil: Von Calvisius bis Mattheson (Geschichte der Musiktheorie 8/II), Darmstadt 1994

Breig, Werner: Bachs Violinkonzert d-Moll. Studien zur seiner Gestalt und Entstehungsgeschichte, in: BJ 1976, S. 7–34

– Bachs Cembalokonzert-Fragment in d-Moll (BWV 1059), in: BJ 1979, S. 29–36

– Periodenbau in Bachs Konzerten, in: Beiträge zum Konzertschaffen Johann Sebastian Bachs (Bach-Studien 6), Leipzig 1981, S. 27–42

– Probleme der Analyse in Bachs Instrumentalkonzerten, in: Bachforschung und Bachinterpretation heute, Kassel u. a. 1981, S. 127–136

– Zur Chronologie von Johann Sebastian Bachs Konzertschaffen. Versuch eines neuen Zugangs, in: AfMw 40, 1983, S. 77–101

- Bemerkungen zur zyklischen Symmetrie in Bachs Leipziger Kirchenmusik, in: Musik und Kirche 53, 1983, S. 173–179
- Zu den Turba-Chören von Bachs Johannes-Passion, in: Geistliche Musik. Studien zu ihrer Geschichte und Funktion im 18. und 19. Jahrhundert (Hamburger Jahrbuch für Musikwissenschaft 8), Laaber 1985, S. 65–96
- Das Finalproblem in Bachs frühen Leipziger Kirchenkantaten, in: Festschrift Arno Forchert, hrsg. von Gerhard Allroggen und Detlef Altenburg, Kassel u. a. 1986, S. 96–107
- Zum Kompositionsprozeß in Bachs Cembalokonzerten, in: Johann Sebastian Bachs Spätwerk. Bericht über das wissenschaftliche Symposion anläßlich des 61. Bachfestes Duisburg 1986, hrsg. von Christoph Wolff, Kassel 1988, S. 32–47
- Grundzüge einer Geschichte von Bachs vierstimmigem Choralsatz, in: AfMw 45, 1988, S. 165–185 und 300–319
- Zur Werkgeschichte von Bachs Cembalokonzert BWV 1056, in: Bachs Orchesterwerke, Bericht über das 1. Dortmunder Bach-Symposion 1996 (Dortmunder Bach-Forschungen 1), hrsg. von Martin Geck, Witten 1997, S. 265–282
- Zur Gestalt der Eingangs-Sinfonia von Bachs Kantate »Ich habe meine Zuversicht« (BWV 188), in: Cöthener Bach-Hefte 11, 2003, S. 41–60
- Art. Johann Gottfried Walther, in: MGG², Personenteil, Bd. 17, Kassel u. a. 2007, Sp. 450–453
- »Ueberhaupt ist mit dem Choral nicht zu spaßen«. Bemerkungen zum Cantus-firmus-Kanon in Bachs choralgebundenem Orgelwerk, in: BJ 2010, S. 11–27

Brinkmann, Reinhold (Hrsg.): Bachforschung und Bachinterpretation heute. Wissenschaftler und Praktiker im Dialog, Bericht über das Bachfest-Symposium Marburg 1978, Kassel u. a. 1981

Brischwein, Olaf: Die Johannes-Passion von Johann Sebastian Bach. Eine Untersuchung der Dichtung, Diss. Bamberg 2001

Brodde, Otto: Evangelische Choralkunde, in: Leiturgia. Handbuch des evangelischen Gottesdienstes, hrsg. von Karl Ferdinand Müller und Walter Blankenburg, Bd. 4: Die Musik des evangelischen Gottesdienste, Kassel 1961, S. 343–555

Buelow, George: Johann Mattheson and the Invention of the Affektenlehre, in: New Mattheson Studies, hrsg. von George Buelow und Hans Joachim Marx, Cambridge 1983, S. 393–407

Bunners, Christian: Kirchenmusik und Seelenmusik. Studien zu Frömmigkeit und Musik im Luthertum des 17. Jahrhunderts, Berlin und Göttingen 1966

Cammarota, Robert M.: The Sources of the Christmas Interpolations in J. S. Bach's Magnificat in E-flat Major (BWV 243a), in: Current Musicology 36, 1983, S. 79–99

Chafe, Eric: Key Structure and Tonal Allegory in the Passions of J. S. Bach. An Introduction, in: Current Musicology 31, 1981, S. 39–54
- J. S. Bach's St Matthew Passion. Aspects of Planning, Structure, and Chronology, in: JAMS 35, 1982, S. 49–114
- The St John Passion. Theology and Musical Structure, in: Bach Studies, hrsg. von Don O. Franklin, Cambridge 1989, S. 75–112
- Aspects of durus/mollis Shift and the Two-system Framework in Monteverdi's Music, in: Schütz-Jahrbuch 12, 1990, S. 171–206
- Tonal Allegory in the Vocal Music of J. S. Bach, Berkeley u. a. 1991
- Monteverdi's Tonal Language, New York 1992
- Analyzing Bach Cantatas, Oxford 2000
- J. S. Bach's Johannine Theology. The St. John Passion and the Cantatas for Spring 1725, Oxford 2014

Crist, Stephen A.: Aria Forms in the Vocal Works of J. S. Bach, 1714–1724, Diss. Brandeis University 1988

- Aria Forms in the Cantatas from Bach's First Leipzig Jahrgang, in: Bach Studies, hrsg. von Don O. Franklin, Cambridge 1989, S. 36–53

Dadelsen, Georg von: Beiträge zur Chronologie der Werke Johann Sebastian Bachs (Tübinger Bach-Studien 4/5), Trossingen 1958
- Methodische Bemerkungen zur Echtheitskritik, in: Musicae Scientiae Collectanea, Festschrift Gustav Fellerer zum 70. Geburtstag, hrsg. von Heinrich Hüschen, Köln 1973, S. 78–82; Wiederabdruck in: Georg von Dadelsen, Über Bach und anderes. Aufsätze und Vorträge 1957–1982, hrsg. von Arnold Feil und Thomas Kohlhase, Laaber 1983, S. 120–124
- Anmerkungen zu Bachs Parodieverfahren, in: Bachiana et alia musicologica, Festschrift für Alfred Dürr zum 65. Geburtstag, hrsg. von Wolfgang Rehm, Kassel u. a. 1983, S. 52–57

Dahlhaus, Carl: Die Figurae superficiales in den Traktaten Christoph Bernhards, in: Bericht über den internationalen musikwissenschaftlichen Kongreß Bamberg 1953, hrsg. von Wilfried Brennecke, Willi Kahl und Rudolf Steglich, Kassel und Basel 1954, S. 135–138
- Die Termini Dur und Moll, in: AfMw 12, 1955, S. 280–296
- Versuch über Bachs Harmonik, in: BJ 1956, S. 73–92
- Zur Geschichte der Permutationsfuge, in: BJ 1959, S. 95–110
- Musikästhetik, Köln 1967
- Zur chromatischen Technik Carlo Gesualdos, in: Studien zur italienisch-deutschen Musikgeschichte, Bd. 4, hrsg. von Friedrich Lippmann, Köln und Graz 1967, S. 77–96
- Untersuchungen über die Entstehung der harmonischen Tonalität, Kassel u. a. 1967
- Die Idee der absoluten Musik, Kassel u. a. 1978
- Zur Entstehung der romantischen Bach-Deutung, in: BJ 1978, S. 192–210
- Die Musiktheorie im 18. und 19. Jahrhundert, Erster Teil: Grundzüge einer Systematik (Geschichte der Musiktheorie 10), Darmstadt 1984
- Die Musiktheorie im 18. und 19. Jahrhundert, Zweiter Teil: Deutschland (Geschichte der Musiktheorie 11), Darmstadt 1989

Darmstadt, Hans: Johann Sebastian Bach, Johannes-Passion BWV 245. Analysen und Anmerkungen zur Kompositionstechnik mit aufführungspraktischen und theologischen Notizen (Dortmunder Bach-Forschungen 10), Dortmund 2010

Defant, Christine: Kammermusik und Stylus phantasticus. Studien zu Dietrich Buxtehudes Triosonaten (Europäische Hochschulschriften XXXVI/14), Frankfurt a. M. u. a. 1985

Descartes, René: Les Passions de l'âme, Paris 1649; zitierte Ausgabe: Die Leidenschaften der Seele, französisch-deutsch, hrsg. und übersetzt von Klaus Hammacher (Philosophische Bibliothek 345), Hamburg ²1996

Dirksen, Pieter: Die Kantate »Erfreute Zeit im neuen Bunde« BWV 83 und die Rolle der Violine in Bachs erstem Leipziger Jahrgang, in: Bachs 1. Leipziger Kantatenjahrgang, Bericht über das 3. Dortmunder Bach-Symposion 2000 (Dortmunder Bach-Forschungen 3), hrsg. von Martin Geck, Dortmund 2002, S. 135–156
- J. S. Bach's Violin Concerto in G Minor, in: J. S. Bach's Concerted Ensemble Music, hrsg. von Gregory Butler, Urbana und Chicago 2008, S. 21–54

Dreyfus, Laurence: Bach's Continuo Group. Players und Practices in His Vocal Works (Studies in the History of Music 3), Cambridge u. a. 1987

Drüner, Ulrich: Violoncello piccolo und Viola pomposa bei Johann Sebastian Bach. Zu Fragen von Identität und Spielweise dieser Instrumente, in: BJ 1987, S. 85–112

Dubowy, Norbert: Arie und Konzert. Zur Entwicklung der Ritornellanlage im 17. und 18. Jahrhundert (Münchner Universitätsschriften, Philosophische Fakultät, Studien zur Musik, Bd. 9), München 1991

Dürr, Alfred: Zu den verschollenen Passionen Bachs, in: BJ 1949/50, S. 92–99
- Studien über die frühen Kantaten J. S. Bachs, Leipzig 1951, Wiesbaden ²1977

- Zur Echtheit einiger Bach zugeschriebener Kantaten, in: BJ 1951/52, S. 30–46
- Bach's Magnificat, in: The Music Review 15, 1954, S. 182–190
- Zur Chronologie der Leipziger Vokalwerke J. S. Bachs. Zweite Auflage: Mit Anmerkungen und Nachträgen versehener Nachdruck aus Bach-Jahrbuch 1957, S. 5–162 (Musikwissenschaftliche Arbeiten 26), Kassel u. a. ²1976
- »Ich bin ein Pilgrim auf der Welt«. Eine verschollene Kantate J. S. Bachs, in: Mf 11, 1958, S. 422–427
- Verstümmelt überlieferte Arien aus Kantaten J. S. Bachs, in: BJ 1960, S. 28–42; auch in: ders., Im Mittelpunkt Bach. Ausgewählte Aufsätze und Vorträge, hrsg. vom Kollegium des Johann-Sebastian-Bach-Instituts Göttingen, Kassel u. a. 1988, S. 76–86
- Wieviele Kantatenjahrgänge hat Bach komponiert? Eine Entgegnung, in: Mf 14, 1961, S. 192–195
- Bachs Trauer-Ode und Markus-Passion, in: NZfM 124, 1963, S. 459–466
- Zur Entstehungsgeschichte des Bachschen Choralkantaten-Jahrgangs, in: Bach-Interpretationen, hrsg. von Martin Geck, Göttingen 1969, S. 7–11
- Gedanken zu Bachs Choralkantaten, in: Johann Sebastian Bach (Wege der Forschung CLXX), Darmstadt 1970, S. 507–517 (zuerst englisch in: Essays on Church Music in Honour of Walter Buszin, St. Louis 1967)
- Zur Chronologie der Handschrift Johann Christoph Altnickols und Johann Friedrich Agricolas, in: BJ 1970, S. 44–65
- Die Kantaten von Johann Sebastian Bach, Kassel und München 1971, ²1975, Kassel ¹²2017
- Kritischer Bericht zur Ausgabe der Matthäus-Passion, NBA II/5, 1974
- Zur Problematik der Bach-Kantate BWV 143 »Lobe den Herrn, meine Seele«, in: Mf 30, 1977, S. 299–304
- Zur Bach-Kantate »Halt im Gedächtnis Jesum Christ« BWV 67, in: Musik und Kirche 53, 1983, S. 74–77
- Noch einmal: Wo blieb Bachs fünfter Kantatenjahrgang?, in: BJ 1986, S. 121 f.
- Melodievarianten in Johann Sebastian Bachs Kirchenliedbearbeitungen, in: Das protestantische Kirchenlied im 16. und 17. Jahrhundert. Text-, musik- und theologiegeschichtliche Probleme (Wolfenbütteler Forschungen 31), hrsg. von Alfred Dürr und Walther Killy, Wiesbaden 1986, S. 149–163
- Zum Choralchorsatz »Herr Jesu Christ, wahr' Mensch und Gott« BWV 127 (Satz 1) und seiner Umarbeitung, in: BJ 1988, S. 205–209
- Die Johannes-Passion von Johann Sebastian Bach. Entstehung, Überlieferung, Werkeinführung, Kassel und München 1988, Kassel ⁶2011
- Philologisches zum Problem Violoncello piccolo bei Bach, in: Festschrift Wolfgang Rehm zum 60. Geburtstag, hrsg. von Dietrich Berke und Harald Heckmann, Kassel u. a. 1989, S. 45–50
- Bachs Werk vom Einfall bis zur Drucklegung, Wiesbaden 1989
- Rezension zu Klaus Häfner, Aspekte des Parodieverfahrens bei Johann Sebastian Bach, in: Mf 44, 1991, S. 80–83
- Mutmaßungen über Bachs Violoncello piccolo, in: Vom Klang der Zeit. Besetzung, Bearbeitung und Aufführungspraxis bei Johann Sebastian Bach, Klaus Hofmann zum 65. Geburtstag, hrsg. von Uwe Wolf und Ulrich Bartels, Wiesbaden u. a. 2004, S. 69–72

Ehrmann, Sabine: Johann Sebastian Bachs Leipziger Textdichterin Christiana Mariana von Ziegler, in: Johann Sebastian Bach. Schaffenskonzeption – Werkidee – Textbezug (Beiträge zur Bach-Forschung 9/10), Leipzig 1991, S. 261–268

Emans, Reinmar: Zum Problem der Besetzungsangabe »Corno da tirarsi« bei Bach, in: Bericht über die Wissenschaftliche Konferenz zum V. Internationalen Bachfest der DDR in Ver-

bindung mit dem 60. Bachfest der Neuen Bachgesellschaft, Leipzig, 25. bis 27. März 1985, hrsg. von Winfried Hoffmann und Armin Schneiderheinze, Leipzig 1988, S. 343–349
- Überlegungen zur Genese der Kantate »Du Hirte Israel, höre« (BWV 104), in: Acht kleine Präludien und Studien über BACH, Georg von Dadelsen zum 70. Geburtstag am 17. November 1988, hrsg. vom Kollegium des Johann-Sebastian-Bach-Instituts Göttingen, Wiesbaden 1992, S. 44–50
- Das Arioso bei Bach und seine italienische Tradition, in: Die Quellen Johann Sebastian Bachs – Bachs Musik im Gottesdienst, Bericht über das Symposion 1995 in der Internationalen Bachakademie Stuttgart, hrsg. von Renate Steiger, Heidelberg 1998, S. 261–280
- Überlegungen zum Bachschen Secco-Rezitativ, in: Bach und die Stile, Bericht über das 2. Dortmunder Bach-Symposion 1998 (Dortmunder Bach-Forschungen 2), hrsg. von Martin Geck und Klaus Hofmann, Dortmund 1999, S. 37–49
- Gedanken zu Bachs Accompagnato-Rezitativ, in: »Die Zeit, die Tag und Jahre macht«. Zur Chronologie des Schaffens von Johann Sebastian Bach, Bericht über das Internationale wissenschaftliche Colloquium aus Anlaß des 80. Geburtstages von Alfred Dürr (Abhandlungen der Akademie der Wissenschaften zu Göttingen, Phil.-Hist. Klasse, Dritte Folge, Nr. 240), hrsg. von Martin Staehelin, Göttingen 2001, S. 103–120
- Die solistischen Choralbearbeitungen Bachs. Erneute Überlegungen zu Ansätzen einer stilkritischen Theorie, in: Bach in Leipzig – Bach und Leipzig, Konferenzbericht Leipzig 2000 (Leipziger Beiträge zur Bach-Forschung 5), hrsg. von Ulrich Leisinger, Hildesheim u. a. 2002, S. 139–154
- Zu den Arien mit einem obligaten Flöteninstrument, in: Vom Klang der Zeit. Besetzung, Bearbeitung und Aufführungspraxis bei Johann Sebastian Bach, Klaus Hoffmann zum 65. Geburtstag, hrsg. von Ulrich Bartels und Uwe Wolf, Wiesbaden u. a. 2004, S. 73–85
- Die Weimarer Kantaten, in: Das Bach-Handbuch, Bd. 1/1, hrsg. von dems. und Sven Hiemke, Laaber 2012, S. 109–180
- »Innere Chronologie« am Beispiel der Continuo-Arien, in: Das Bach-Handbuch, Bd. 1/1, hrsg. von dems. und Sven Hiemke, Laaber 2012, S. 97–125

Fensterer, Manfred: Philipp Heinrich Erlebach, Vorbild für Johann Sebastian Bach. Versuch einer vergleichenden Formanalyse, in: Musik und Kirche 59, 1989, S. 23–30

Finke-Hecklinger, Doris: Tanzcharaktere in Johann Sebastian Bachs Vokalmusik (Tübinger Bach-Studien 6), Trossingen 1970

Finscher, Ludwig: Zum Parodieproblem bei Bach, in: Bach-Interpretationen, hrsg. von Martin Geck, Göttingen 1969, S. 94–105

Fischer, Wilhelm: Zur Entstehungsgeschichte des Wiener klassischen Stils, in: Studien zur Musikwissenschaft 3, Leipzig und Wien 1915, S. 24–84

Forchert, Arno: Bach und die Tradition der Rhetorik, in: Alte Musik als ästhetische Gegenwart, Kongressbericht Stuttgart 1985, hrsg. von Dietrich Berke und Dorothea Hanemann, Kassel u. a. 1987, Bd. 1, S. 169–178
- Heinrich Schütz und die Musica poetica, in: Schütz-Jahrbuch 15, 1993, S. 7–24
- Bachs Textbehandlung und ihr Verhältnis zur Kompositionslehre seiner Zeit, in: Wege zu Bach, 2. Folge, Stuttgart 1995, S. 24–32
- Johann Sebastian Bach und seine Zeit, Laaber 2000

Forkel, Johann Nikolaus: Ueber Johann Sebastian Bachs Leben, Kunst und Kunstwerke, Leipzig 1802, Faksimile Frankfurt a. M. 1950

Gardiner, John Eliot: Music in the Castle of Heaven. A Portrait of Johann Sebastian Bach, London 2013
- Bach. Musik für die Himmelsburg, München 2016

Gassmann, Michael (Hrsg.): Bachs Johannespassion. Poetische, musikalische und theologische Konzepte, Kassel u. a. 2012

Geck, Martin: J. S. Bachs Weihnachts-Magnificat und sein Traditionszusammenhang, in: Musik und Kirche 21, 1961, S. 257–266

– Die Wiederentdeckung der Matthäuspassion im 19. Jahrhundert. Die zeitgenössischen Dokumente und ihre ideengeschichtliche Deutung (Studien zur Musikgeschichte des 19. Jahrhunderts 9), Regensburg 1967

– Bachs künstlerischer Endzweck, in: Festschrift für Walter Wiora, hrsg. von Ludwig Finscher und Christoph Mahling, Kassel u. a. 1967, S. 319–328; Wiederabdruck in: Johann Sebastian Bach (Wege der Forschung 170), hrsg. von Walter Blankenburg, Darmstadt 1970, S. 552–567

– (Hrsg.): Bach-Interpretationen, Göttingen 1969

– Gattungstraditionen und Altersschichten in Bachs Brandenburgischen Konzerten, in: Mf 23, 1970, S. 139–152

– Bachs Probestück, in: Quellenstudien zur Musik, Wolfgang Schmieder zum 70. Geburtstag, hrsg. von Kurt Dorfmüller, Frankfurt am Main 1972, S. 55–68

– Zur Datierung, Verwendung und Aufführungspraxis von Bachs Motetten, in: Bach-Studien 5, 1975, S. 63–71

– (Hrsg.): »Köthen oder Leipzig?« – Erwiderung auf Christoph Wolff, in: Bachs Orchesterwerke, Bericht über das 1. Dortmunder Bach-Symposion 1996 (Dortmunder Bach-Forschungen 1), hrsg. von Martin Geck, Witten 1997, S. 31 f.

– Faßlich und künstlich. Betrachtungen zu Bachs Schreibart anläßlich des zweiten Brandenburgischen Konzerts, in: ebd., S. 173–184

– Die Vox-Christi-Sätze in Bachs Kantaten, in: Bach und die Stile. Bericht über das 2. Dortmunder Bach-Symposion 1998 (Dortmunder Bach-Forschungen 2), hrsg. von Martin Geck, Dortmund 1999, S. 79–101

– Bach – Leben und Werk, Reinbek bei Hamburg 2000

– Kontingent und kohärent: Bachs erster Leipziger Kantatenjahrgang, in: Bachs 1. Kantatenjahrgang, Bericht über das 3. Dortmunder Bach-Symposion 2000 (Dortmunder Bach-Forschungen 3), hrsg. von Martin Geck, Dortmund 2002, S. 9–22

– Bach oder nicht Bach? Eine subjektivgefärbte Einführung in die Thematik, in: Bach oder nicht Bach?, Dortmund 2009, S. 9–15

Gerber, Rudolf: Bachs Brandenburgische Konzerte. Eine Einführung in ihre formale und geistige Wesensart, Kassel 1951, ²1965

Geßner, Erika: Samuel Scheidts Geistliche Konzerte. Ein Beitrag zur Geschichte der Gattung (Berliner Studien zur Musikwissenschaft 2), Berlin 1961

Gille, Gottfried: Der Kantatentextdruck von D. E. Heidenreich, Halle 1665, in den Vertonungen D. Pohles, S. Knüpfers, Joh. Schelles u. a., in: Mf 38, 1985, S. 81–94

Glöckner, Andreas: Zur Chronologie der Weimarer Kantaten Johann Sebastian Bachs, in: BJ 1985, S. 159–164

– Zur Echtheit und Datierung der Kantate BWV 150 »Nach dir, Herr, verlanget mich«, in: BJ 1988, S. 195–203

– Johann Sebastian Bach, Johannespassion BWV 245 (Meisterwerke der Musik 55), München 1991

– Bemerkungen zu den Leipziger Kantatenaufführungen vom 3. bis 6. Sonntag nach Trinitatis 1725, in: BJ 1992, S. 73–76

– Die Teilung des Bachschen Musiknachlasses und die Thomana-Stimmen, in: BJ 1994, S. 41–57

– Neue Spuren zu Bachs »Weimarer Passion«, in: Passionsmusiken im Umfeld Johann

Sebastian Bachs, Konferenzbericht Leipzig 1994 (Leipziger Beiträge zur Bach-Forschung 1), Hildesheim 1995, S. 33–46
- Zur Vorgeschichte des »Bachischen« Collegium musicum, in: Bachs Orchesterwerke, Bericht über das 1. Dortmunder Bach-Symposion 1996 (Dortmunder Bach-Forschungen 1), hrsg. von Martin Geck, Witten 1997, S. 293–303
- Bachs Es-Dur-Magnificat BWV 243a – eine genuine Weihnachtsmusik?, in: BJ 2003, S. 317–320
- (Hrsg.): Kalendarium zur Lebensgeschichte Johann Sebastian Bachs, erweiterte Neuausgabe Leipzig 2008
- Ein unbekannter Jahrgang Gottfried Heinrich Stölzels in Bachs Aufführungsrepertoire?, in: BJ 2009, S. 95–115

Gojowy, Detlef: Zur Frage der Köthener Trauermusik und der Matthäuspassion, in: BJ 1965, S. 86–13
- Wort und Bild in Bachs Kantatentexten, in: Mf 25, 1972, S. 27–39

Grimm, Jürgen: Das Neu Leipziger Gesangbuch des Gottfried Vopelius (Leipzig 1682). Untersuchungen zur Klärung seiner geschichtlichen Stellung (Berliner Studien zur Musikwissenschaft 14), Berlin 1969

Grüß, Hans: Überlegungen zur Struktur und Funktion des Bachschen Satzes anhand des ersten Leipziger Kantatenjahrgangs, in: Bericht über die Wissenschaftliche Konferenz zum III. Internationalen Bach-Fest der DDR Leipzig, 18./19. September 1975, hrsg. von Werner Felix und Winfried Hoffmann, Leipzig 1977, S. 121–127

Häfner, Klaus: Der Picander-Jahrgang, in: BJ 1975, S. 70–113
- Picander, der Textdichter von Bachs viertem Kantatenjahrgang. Ein neuer Hinweis, in: Mf 35, 1982, S. 156–162
- Aspekte des Parodieverfahrens bei Johann Sebastian Bach. Beiträge zur Wiederentdeckung verschollener Werke, Laaber 1987

Hamel, Fred: Die Psalmkompositionen Johann Rosenmüllers, Straßburg 1933

Haynes, Bruce: Johann Sebastian Bachs Oboenkonzerte, in: BJ 1992, S. 23–42

Heller, Karl und Schulze, Hans-Joachim (Hrsg.): Das Frühwerk Johann Sebastian Bachs, Kolloquium Rostock 1990, Köln 1995

Helms, Siegmund: Johannes Brahms und Johann Sebastian Bach, in: BJ 1971, S. 13–81

Heuß, Alfred: Die im Dezember gesendeten Bach-Kantaten, in: Zeitschrift für Musik 10/1, 1934, S. 191–194

Hilgenfeldt, Carl Ludwig: Johann Sebastian Bach's Leben, Wirken und Werke, Leipzig 1850, Reprint Hildesheim 1965

Hiller, Ferdinand (Hrsg.): Briefe von Moritz Hauptmann, Kantor an der Thomasschule zu Leipzig, an Ludwig Spohr und Andere, Leipzig 1876

Hindermann, Walter F.: Die nachösterlichen Kantaten des Bachschen Choralkantaten-Jahrgangs. Versuch einer Genesis-Deutung, Hofheim am Taunus 1975

Hobohm, Wolf: Neue »Texte zur Leipziger Kirchen-Music«, in: BJ 1973, S. 5–32

Hofmann, Klaus: Bachs Kantate »Ich lasse dich nicht, du segnest mich denn« BWV 157. Überlegungen zu Entstehung, Bestimmung und originaler Werkgestalt, in: BJ 1982, S. 51–80
- Zur Echtheit der Motette »Jauchzet dem Herrn, alle Welt« BWV Anh. 160, in: Bachiana et alia musicologica, Festschrift für Alfred Dürr zum 65. Geburtstag, hrsg. von Wolfgang Rehm, Kassel u. a. 1983, S. 126–140
- Alter Stil in Bachs Kirchenmusik. Zu der Choralbearbeitung BWV 28/2, in: Alte Musik als ästhetische Gegenwart, Kongreßbericht Stuttgart 1985, Kassel u. a. 1987, S. 164–169
- Johann Sebastian Bachs Kantate »Jauchzet Gott in allen Landen« BWV 51. Überlegungen zu Entstehung und ursprünglicher Bestimmung, in: BJ 1989, S. 43–54

- Zur Tonartenordnung der Johannes-Passion, in: Musik und Kirche 61, 1991, S. 78–86
- Neue Überlegungen zu Bachs Weimarer Kantaten-Kalender, in: BJ 1993, S. 9–29
- Bachs Doppelchor »Nun ist das Heil und die Kraft« (BWV 50). Neue Überlegungen zur Werkgeschichte, in: BJ 1994, S. 59–73
- Zum Schlußchoral der Kantate »Man singet mit Freuden vom Sieg« BWV 149, in: BJ 2000, S. 313–316
- Anmerkungen zum Problem »Picander-Jahrgang«, in: Bach in Leipzig – Bach und Leipzig, Konferenzbericht Leipzig 2000, Hildesheim u. a. 2002, S. 69–87
- Über die Schlußchoräle zweier Bachscher Ratswahlkantaten, in: BJ 2001, S. 151–159
- Die rätselhaften Flötenstimmen des Bach-Schreibers Anonymus Vn. Drei Studien, in: Musikalische Quellen – Quellen zur Musikgeschichte, Festschrift für Martin Staehelin zum 65. Geburtstag, Göttingen 2003, S. 247–268
- Johann Sebastian Bach. Die Motetten, Kassel u. a. 2003
- Anmerkungen zu Bachs Kantate »Mein Herze schwimmt im Blut« (BWV 199), in: BJ 2013, S. 205–221
- Anmerkungen zu Bachs Kantate »Ich hatte viel Bekümmernis« (BWV 21), in: BJ 2015, S. 167–176
- Anmerkungen zu Bachs Kantate »Preise Jerusalem den Herrn«, in: BJ 2016, S. 125–135

Hofmann, Renate und Hofmann, Kurt: Johannes Brahms als Pianist und Dirigent. Chronologie seines Wirkens als Interpret (Veröffentlichungen des Archivs der Gesellschaft der Musikfreunde in Wien 31), Wiesbaden 1986

Hoppe, Günther: Köthener Kammerrechnungen – Köthener Hofpartien. Zum Hintergrund der Hofkapellmeisterzeit Johann Sebastian Bachs, in: Bericht über die Wissenschaftliche Konferenz zum V. Internationalen Bachfest der DDR, Leipzig 1988, S. 145–154

Horne, William: Brahms und Karl Gräderner's Harmonielehre, in: The American Brahms Society, Newsletter 30/2, 1981, S. 6 f

Hunold, Christian Friedrich (Menantes): Auserlesene und theils noch nie gedruckte Gedichte unterschiedener Berühmten und geschickten Männer, Halle 1718–1721

Ilgner, Gerhard: Matthias Weckmann (ca. 1619–1674). Sein Leben und seine Werke (Kieler Beiträge zur Musikwissenschaft 6), Wolfenbüttel und Berlin 1939

Irtenkauf, Wolfgang: Bachs »Magnificat« und seine Verbindung zu Weihnachten, in: Musik und Kirche 26, 1956, S. 257–259

Keller, Hermann: Die Sequenz bei Bach, in: BJ 1939, S. 32–42

Kimura, Sachiko: Johann Sebastian Bachs Choraltextkantaten. Kompositorische Struktur und Stellung im Kantatenwerk (Bochumer Arbeiten zur Musikwissenschaft 6), Kassel u. a. 2011

Klassen, Janina: Musica poetica und musikalische Figurenlehre – ein produktives Missverständnis, in: Jahrbuch des Staatlichen Instituts für Musikforschung Preußischer Kulturbesitz 2001, S. 73–83

Klek, Konrad: Die Kyrie-Gloria-Messen BWV 233–236, in: Das Bach-Handbuch, hrsg. von Reinmar Emans und Sven Hiemke, Bd. 2, Bachs Lateinische Kirchenmusik, Laaber 2007, S. 241–290
- Dein ist allein die Ehre. Johann Sebastian Bachs Kantaten erklärt, Bd. 1, Choralkantaten, Leipzig 2015

Knauer, Johann Oswald: Gott-geheiligtes Singen und Spielen, Gotha 1720

Knipphals, Hans-Jürgen und Möller, Dirk: Johann Sebastian Bach – Der Choralsatz. Ein Lehrwerk, Wolfenbüttel 1995

Kobayashi, Yoshitake: Franz Hauser und seine Bach-Handschriftensammlung, Diss. Göttingen 1973

- Quellenkundliche Überlegungen zur Chronologie der Weimarer Vokalwerke Bachs, in: Das Frühwerk Johann Sebastian Bachs, Kolloquiums-Bericht Rostock 1990, hrsg. von Karl Heller und Hans-Joachim Schulze, Köln 1995, S. 290–308
- Zur Chronologie der Spätwerke Johann Sebastian Bachs – Kompositions- und Aufführungstätigkeit von 1737–1770, in: BJ 1988, S. 7–72

Kölsch, Heinz: Nikolaus Bruhns (Schriften des Landesinstituts für Musikforschung Kiel 8), Kassel und Basel 1958

Konrad, Ulrich: Aspekte musikalisch-theologischen Verstehens in Mariane von Zieglers und Johann Sebastian Bachs Kantate »Bisher habt ihr nichts gebeten in meinem Namen« BWV 87, in: AfMw 57, 2000, S. 199–221

Kramer, Margarethe: Beiträge zu einer Geschichte des Affektbegriffs in der Musik von 1550–1700, Diss. Halle-Wittenberg 1924, masch.

Krausse, Helmut K.: Eine neue Quelle zu drei Kantatentexten Johann Sebastian Bachs, in: BJ 1981, S. 7–22

Krummacher, Friedhelm: Die Überlieferung der Choralbearbeitungen in der frühen evangelischen Kantate. Untersuchungen zum Handschriftenrepertoire evangelischer Kirchenmusik im späten 17. und beginnenden 18. Jahrhundert (Berliner Studien zur Musikwissenschaft 10), Berlin 1965
- Die Tradition in Bachs vokalen Choralbearbeitungen, in: Bach-Interpretationen, hrsg. von Martin Geck, Göttingen 1969, S. 29–56, S. 210–212
- Die Choralbearbeitung in der protestantischen Figuralmusik zwischen Praetorius und Bach (Kieler Schriften zur Musikwissenschaft 22), Kassel 1978
- Bachs Vokalmusik als Problem der Analyse, in: Bachforschung und Bachinterpretation heute. Wissenschaftler und Praktiker im Dialog, Bericht über das Bachfest-Symposium 1978 der Philipps-Universität Marburg, hrsg. von Reinhold Brinkmann, Leipzig 1981, S. 97–126
- Explikation als Struktur: Zum Kopfsatz der Kantate BWV 77, in: Bericht über die Wissenschaftliche Konferenz Leipzig 1985, hrsg. von Winfried Hoffmann und Armin Schneiderheinze, Leipzig 1988, S. 207–217
- Gespräch und Struktur. Über Bachs geistliche Dialoge, in: Johann Sebastian Bach. Schaffenskonzeption – Werkidee – Textbezug, Bericht Leipzig 1989 (Beiträge zur Bach-Forschung 9/10), Leipzig 1991, S. 45–59
- Bachs frühe Kantaten im Kontext der Tradition, in: Mf 44 (1991), S. 9–23; Nachdruck in: Johann Sebastian Bachs historischer Ort (Bach-Studien 10), hrsg. von Reinhard Szeskus, Leipzig 1991, S. 171–201
- Bach als Zeitgenosse. Zum historischen und ästhetischen Verständnis von Bachs Musik, in: AfMw 48, 1991, S. 64–83
- Französische Ouvertüre und Choralbearbeitung. Stationen in Bachs kompositorischer Biographie, in: Gedenkschrift Stefan Kunze, (Schweizer Jahrbuch für Musikwissenschaft, NF 15), 1995, S. 71–92
- Bachs Zyklus der Choralkantaten. Aufgaben und Lösungen (Veröffentlichung der Joachim-Jungius-Gesellschaft der Wissenschaften Hamburg Nr. 81), Göttingen 1995
- Traditionen der Choraltropierung in Bachs frühem Vokalwerk, in: Das Frühwerk Johann Sebastian Bachs, Köln 1995, S. 217–240
- Weimar versus Leipzig. Zu Weimarer Kantaten Bachs im ersten Leipziger Jahrgang, in: Über Leben, Kunst und Kunstwerke. Aspekte musikalischer Biographie. Johann Sebastian Bach im Zentrum, Hans-Joachim Schulze gewidmet, hrsg. von Christoph Wolff, Leipzig 1999, S. 173–185
- Bachs Weg in der Arbeit am Werk – eine Skizze (Veröffentlichung der Joachim-Jungius-Gesellschaft der Wissenschaften Hamburg Nr. 89), Göttingen 2001

- Chronologie und Interpretation. Chorsätze in Bachs erstem Kantatenjahrgang, in: »Die Zeit, die Tag und Jahre macht«. Zur Chronologie des Schaffens von Johann Sebastian Bach, Bericht über das Internationale wissenschaftliche Colloquium aus Anlaß des 80. Geburtstages von Alfred Dürr, hrsg. von Martin Staehelin (Abhandlungen der Akademie der Wissenschaften zu Göttingen, Phil.-Hist. Klasse, Dritte Folge, Nr. 240), Göttingen 2001, S. 59–88
- Harmonik im Kontrapunkt. Quintschrittsequenzen in Chorsätzen Bachs 1714–1724, in: Bachs 1. Leipziger Jahrgang (Dortmunder Bach-Forschungen 3), hrsg. von Martin Geck, Dortmund 2002, S. 195–229
- Klangverbindungen im kontrapunktischen Choralsatz, in: Bach, Lübeck und die norddeutsche Musiktradition, Bericht über das Internationale Symposion in der Musikhochschule Lübeck 2002, hrsg. von Wolfgang Sandberger, Kassel u. a. 2002, S. 201–219
- Nachträge oder Alternativen? Über Bachs späte Choralkantaten, in: Bach in Leipzig – Bach und Leipzig, Konferenzbericht Leipzig 2000 (Leipziger Beiträge zur Bachforschung 5), hrsg. von Ulrich Leisinger, Hildesheim 2002, S. 183–205
- Pachelbel bei Bach. Anmerkungen zu zwei Werkpaaren, in: Bach und die deutsche Tradition des Komponierens. Ideologie und Wirklichkeit, Festschrift für Martin Geck (Dortmunder Bach-Forschungen 9), hrsg. von Reinmar Emans und Wolfram Steinbeck, Dortmund 2009
- Vokale Variationen. Buxtehudes Werke mit Basso ostinato, in: Dieterich Buxtehude. Text – Kontext – Rezeption. Bericht über das Symposion Lübeck 2002, hrsg. von Wolfgang Sandberger und Volker Scherliess, Kassel u. a. 2011, S. 47–60

Kube, Michael: Bachs »tour de force«. Analytischer Versuch über den Eingangschor der Kantate »Jesu, der du meine Seele« BWV 78, in: Mf 45, 1992, S. 138–152

Kunze, Stefan: Art. Stil, in: Riemann Musiklexikon, Sachteil, Mainz 1967, S. 900 ff.

Küster, Konrad: Meininger Kantatentexte um Johann Ludwig Bach, in: BJ 1987, S. 159–164
- Der junge Bach, Stuttgart 1996
- »Der Herr denket an uns« BWV 196. Eine frühe Bach-Kantate und ihr Kontext, in: Musik und Kirche 66, 1996, S. 84–96
- Zur Überlieferung des Bachschen Orchesterwerks, in: Bachs Orchesterwerke, Bericht über das 1. Dortmunder Bach-Symposion 1996 (Dortmunder Bach-Forschungen 1), hrsg. von Martin Geck, Witten 1997, S. 33–58
- (Hrsg.): Bach-Handbuch, Kassel u. a. 1999, ²2017
- Zum Verhältnis von Kompositions- und Aufführungsrhythmus in Bachs 1. Kantatenjahrgang, in: Bachs 1. Leipziger Kantatenjahrgang, Bericht über das 3. Dortmunder Bach-Symposion 2000 (Dortmunder Bach-Forschungen 3), hrsg. von Martin Geck, Dortmund 2002, S. 69–81

Leaver, Robin A.: Bachs theologische Bibliothek. Eine kritische Bibliographie (Beiträge zur theologischen Bachforschung 1), Neuhausen-Stuttgart 1983
- Bach, Kirchenlieder und Gesangbücher, in: Musik und Kirche 57, 1987, S. 169–174

Leavis, Ralph: Zur Frage der Authentizität von Bachs Violinkonzert d-Moll, in: BJ 1979, S. 19–28

Leisinger, Ulrich und Wollny, Peter: »Altes Zeug von mir«. Carl Philipp Emanuel Bachs kompositorisches Schaffen vor 1740, in: BJ 1993, S. 127–204
- Die zweite Fassung der Johannes-Passion von 1725, in: Bach in Leipzig – Bach und Leipzig, Konferenzbericht Leipzig 2000 (Leipziger Beiträge zur Bach-Forschung 5), hrsg. von dems., Hildesheim 2002, S. 29–44

Lester, Joel: Between Modes and Keys. German Theory 1592–1802, Stuyvesant 1989

Luther, Martin: D. Martin Luthers Werke. Kritische Gesamtausgabe, Bd. 1–60, Weimar 1883–1983, Tischreden, Bd. 1–6, ebd. 1912–1921

Märker, Michael: Der stile antico und die frühen Kantaten Johann Sebastian Bachs, in: Bachs Traditionsraum (Bach-Studien 9), hrsg. von Reinhard Szeskus, Leipzig 1986, S. 72–77
- Analytische Ansätze für Bachs Arien, in: Bericht über die Wissenschaftliche Konferenz zum V. Internationalen Bachfest der DDR, Leipzig 1988, S. 201–206
- Fuge – Konzert – Motette. Zum Eingangschor der Kantate »Wer sich selbst erhöhet, der soll erniedrigt werden« BWV 47 von Johann Sebastian Bach, in: Musikästhetik und Analyse, Festschrift Wilhelm Seidel zum 65. Geburtstag, hrsg. von dems. und Lothar Schmidt, Laaber 2002, S. 99–103

Marshall, Robert L.: The Compositional Process of J. S. Bach. A Study of the Autograph Scores of the Vocal Works, Bd. I–II, Princeton 1972
- The Autograph Score of »Herr, gehe nicht ins Gericht« BWV 105, in: ders., The Music of Johann Sebastian Bach. The Sources, the Style, the Significance, New York 1989, S. 131–142
- The Origin of the Magnificat. A Lutheran Composer's Challenge, in: ebd., S. 161–173
- The Genesis of an Aria Ritornellos. Observations on the Autograph Score of »Wie zittern und wanken«, BWV 105/3, in: ebd., S. 143–160
- On the Origin of Bach's Magnificat. A Lutheran Composer's Challenge, in: Bach-Studies, hrsg. von Don O. Franklin, Cambridge 1989, S. 3–17

Marx, Hans-Joachim: Bericht über das Gesprächskonzert »Finderglück: Eine neue Kantate von J. S. Bach? Von G. F. Händel? – Meine Seele soll Gott loben (BWV 223)«, in: Göttinger Händel-Beiträge 10, 2004, S. 179–204

Maul, Michael: Johann Sebastian Bachs Besuche in der Residenzstadt Gera, in: BJ 2004, S. 101–119
- »Alles mit Gott und nichts ohn' ihn«. Eine neu aufgefundene Aria von Johann Sebastian Bach, in: BJ 2005, S. 7–34
- Überlegungen zu einer Magnificat-Paraphrase und dem Leiter der Leipziger Kantatenaufführungen im Sommer 1725, in: BJ 2006, S. 109–125
- Johann Adolph Scheibes Bach-Kritik. Hintergründe und Schauplätze einer musikalischen Kontroverse, in: BJ 2010, S. 153–198
- »Dero berühmbter Chor«. Die Leipziger Thomasschule und ihre Kantoren (1212–1804), Leipzig 2012
- »welche jeder Zeit aus den 8 besten Subjectis bestehen muß.« Die erste »Cantorey« der Thomasschule – Organisation, Aufgaben, Fragen, in: BJ 2013, S. 11–77

Melamed, Daniel R.: Mehr zur Chronologie von Bachs Weimarer Kantaten, in: BJ 1993, S. 213–216
- J. S. Bach and the German Motet, Cambridge 1995
- Der Text der Kantate »Gott ist mein König« (BWV 71), in: Über Leben, Kunst und Kunstwerke. Aspekte musikalischer Biographie. Johann Sebastian Bach im Zentrum, hrsg. von Christoph Wolff, Leipzig 1999, S. 160–172

Melchert, Hermann: Das Rezitativ der Kirchenkantaten J. S. Bachs, in: BJ 1958, S. 5–83

Mendel, Arthur: Recent Developments in Bach Chronology, in: The Musical Quarterly 44, 1960, S. 283–300
- Traces of the Pre-History of Bach's St. John and St. Matthew Passions, in: Festschrift Otto Erich Deutsch zum 80. Geburtstag, hrsg. von Walter Gerstenberg u. a., Kassel u. a. 1963, S. 31–48
- More on the Weimar Origin of Bach's »O Mensch, bewein« BWV 244/35, in JAMS 17, 1964, S. 203–206

Mendelssohn Bartholdy, Felix: Sämtliche Briefe, Bd. 4, August 1834 bis Juni 1836, hrsg. von Lucian Schiwietz und Sebastian Schmideler, Kassel u. a. 2011

Menke, Werner: Thematisches Verzeichnis der Vokalwerke von Georg Philipp Telemann, Bd. 1, Frankfurt a. M 1982

Miesner, Heinrich: Philipp Emanuel Bachs musikalischer Nachlaß. Vollständiger, dem Original entsprechender Neudruck des Nachlaßverzeichnisses von 1790, in: BJ 1938, S. 103–136 und BJ 1939, S. 81–112

Moser, Hans Joachim: Zum Bau von Bachs Johannespassion, in: BJ 1932, S. 155–157

Müller, Karl Ferdinand und Blankenburg, Walter (Hrsg.): Leiturgia, Handbuch des evangelischen Gottesdienstes, Bd. 4, Die Musik des evangelischen Gottesdienstes, S. 486 f.

Neumann, Friedrich-Heinrich: Die Ästhetik des Rezitativs. Zur Theorie des Rezitativs im 17. und 18. Jahrhundert (Sammlung musikwissenschaftlicher Abhandlungen 41), Straßburg und Baden-Baden 1962

Neumann, Werner: J. S. Bachs Chorfuge. Ein Beitrag zur Kompositionstechnik Bachs, Leipzig 1938 (Schriftenreihe des Staatlichen Instituts für Deutsche Musikforschung 4), ebd. ^{2}1950, ^{3}1953 (Bach-Studien 3)

– Handbuch der Kantaten Johann Sebastian Bachs, Leipzig 1947, ^{2}1967

– (Hrsg.): Johann Sebastian Bach, Sämtliche Kantatentexte unter Mitbenutzung von Rudolf Wustmanns Ausgabe, Leipzig 1956, ^{2}1967

– Das »Bachische Collegium musicum«, in: BJ 1960, S. 5–27

– Über Ausmaß und Wesen des Bachschen Parodieverfahrens, in: BJ 1965, S. 63–85

– mit Hans-Joachim Schulze (Hrsg.): Bach-Dokumente, Bd. I, Schriftstücke von der Hand Johann Sebastian Bachs, Kassel u. a. 1963; Bd. II, Fremdschriftliche und gedruckte Dokumente zur Lebensgeschichte Johann Sebastian Bachs 1685–1750, ebd. 1969; Bd. III, Dokumente zum Nachwirken ..., siehe unter Hans-Joachim Schulze (Hrsg.)

– Sämtliche Kantatentexte. Unter Mitbenutzung von Rudolf Wustmanns Ausgabe der Bachschen Kirchenkantatentexte, Leipzig 1967

– Sämtliche von Johann Sebastian Bach vertonte Texte, Leipzig 1974

– Das Problem »vokal-instrumental« in seiner Bedeutung für ein neues Bach-Verständnis, in: Bericht Bachfest-Symposium Marburg 1978, S. 72–85

Nieden, Hans-Jörg: Die frühen Kantaten von Johann Sebastian Bach. Analyse – Rezeption, München und Salzburg 2005

Noack, Elisabeth: Georg Christian Lehms, ein Textdichter Johann Sebastian Bachs, in: BJ 1970, S. 7–18

Noack, Friedrich: Christoph Graupners Kirchenmusiken, Leipzig 1916

– Christoph Graupner als Kirchenkomponist (Beihefte zu den DDT I), Leipzig 1926

Oechsle, Siegfried: Bachs Arbeit am strengen Satz. Studien zum Kantatenwerk, Habilitationsschrift Kiel 1995, masch.

– Johann Sebastian Bachs Rezeption des stile antico. Zwischen Traditionalismus und Geschichtsbewußtsein, in: Bach und die Stile, Bericht über das 2. Dortmunder Bach-Symposion 1998 (Dortmunder Bach-Forschungen 2), hrsg. von Martin Geck und Klaus Hofmann, Dortmund 1999, S. 103–122

– Doppelte Historisierung des Komponierens. Die motettischen Chorfugen in Bachs 1. Jahrgang, in: Bachs 1. Leipziger Jahrgang, Bericht über das 3. Dortmunder Bach-Symposion 2000 (Dortmunder Bach-Forschungen 3), hrsg. von Martin Geck, Dortmund 2002, S. 239–251

– Johann Sebastian Bachs Auseinandersetzung mit dem Stylus antiquus und die musikalisch-liturgischen Traditionen in Leipzig, in: Ulrich Leisinger (Hrsg.), Bach in Leipzig – Bach und Leipzig, Konferenzbericht Leipzig 2000, S. 413–425

Oppermann, Annette: Zur Quellenlage, in: Das Bach-Handbuch, Bd. 3, Bachs Passionen und Motetten, hrsg. von Reinmar Emans, Sven Hiemke und Klaus Hofmann, Laaber 2009, S. 82–104

Peters, Mark A.: Christiana Mariana von Ziegler's Sacred Cantatas and Their Settings by Johann Sebastian Bach, Diss. Univ. of Pittsburgh 2003
– A Reconsideration of Bach's Role as Text Redactor in the Ziegler Cantatas, in: Bach. Journal of the Riemenschneider Bach Institute 36, 2005, S. 25–66
– A Woman's Voice in Baroque Music. Mariane von Ziegler and J. S. Bach, Aldershot 2008
Petzoldt, Martin: Zur Differenz zwischen Vorlagen und komponiertem Text in Kantaten Johann Sebastian Bachs am Beispiel von BWV 25, in: Bach-Studien, Bd. 10, Leipzig 1991, S. 80–107
– Zur Frage der Textvorlage von BWV 62 »Nun komm, der Heiden Heiland«, in: Beiträge zur Bachforschung, Bd. 9/10, Leipzig 1991, S. 242–253
– »Die Kräfftige Erquickung unter der schweren Angst-Last«. Möglicherweise Neues zur Entstehung der Kantate BWV 21, in: BJ 1993, S. 31–46
– Bach-Kommentar, Bd. 1, Die geistlichen Kantaten des 1. bis 27. Trinitatis-Sonntages (Schriftenreihe der Internationalen Bachakademie Stuttgart 14/1), Kassel u. a. 2004
– Bach-Kommentar, Bd. 2, Die geistlichen Kantaten vom 1. Advent bis zum Trinitatisfest (Schriftenreihe der Internationalen Bachakademie Stuttgart 14/2), Kassel u. a. 2007
Pfau, Marc-Roderich: Ein unbekanntes Leipziger Kantatentextheft aus dem Jahr 1735. Neues zum Thema Bach und Stölzel, in: BJ 2008, S. 99–122
– Entstanden Bachs späte Choralkantaten »per omnes versus« für Gottesdienste des Weißenfelder Hofes?, in: BJ 2015, S. 341–349
Pirro, André: Bach. Sein Leben und seine Werke, Deutsche Ausgabe von Bernhard Engelke, Berlin und Leipzig 1910
Platen, Emil: Untersuchungen zur Struktur der chorischen Choralbearbeitung Johann Sebastian Bachs, Diss. Bonn 1957, ebd. 1959
– Die Matthäus-Passion von Johann Sebastian Bach. Entstehung, Werkbeschreibung, Rezeption, Kassel und München 1991, Kassel [8]2018
Poos, Heinrich: »Es ist genug«. Versuch über einen Bachchoral (BWV 60, 5), in: Jahrbuch des Staatlichen Instituts für Musikforschung Preußischer Kulturbesitz 1995/96, S. 134–184
Prinz, Ulrich: Violoncello, Violoncello piccolo und Viola da gamba im Werk Johann Sebastian Bachs. Historische und aufführungspraktische Aspekte, in: Programmbuch des 53. Bachfestes der Neuen Bach-Gesellschaft, Marburg 1978, S. 159–163
– Studien zum Instrumentarium Johann Sebastian Bachs mit besonderer Berücksichtigung der Kantaten, Diss. Tübingen 1979, masch.
– Johann Sebastian Bachs Instrumentarium. Originalquellen – Besetzung – Verwendung (Schriftenreihe der Internationalen Bachakademie Stuttgart 10), Kassel u. a. 2005
Radeke, Winfried: Torso oder behutsame Ergänzung? Über unvollständig erhaltene Arien in drei Kirchenkantaten Johann Sebastian Bachs, in: Bach-Kantaten in Berlin. Eine Jubiläumsschrift im Auftrag des Bach-Chores an der Kaiser-Wilhelm-Gedächtniskirche, hrsg. von Rudolf Elvers und Karl Hochreither, Berlin 1991, S. 63–101
Rampe, Siegbert und Sackmann, Dominik: (Hrsg.), Bachs Orchestermusik, Entstehung, Klangwelt, Interpretation, Kassel u. a. 2000
– »Monatlich neüe Stücke«. Zu den musikalischen Voraussetzungen von Bachs Weimarer Konzertmeisteramt, in: BJ 2002, S. 61–104
– Bachs Orchestermusik, Das Bach-Handbuch, Bd. 5/1, Laaber 2012
Rathey, Markus: Johann Rudolf Ahle 1625–1673. Lebensweg und Schaffen, Eisenach 1999
– »Ästhetik eines Fragments«. Anmerkungen zur Tradition des Schlußsatzes der Kantate »Nun komm, der Heiden Heiland« BWV 61, in: BJ 2002, S. 105–117
– »Singet dem Herrn ein neues Lied« (BWV 190). Johann Sebastian Bachs Auseinandersetzung mit dem »Te Deum laudamus«, in: Bachs 1. Leipziger Kantatenjahrgang, Bericht über

das 3. Dortmunder Bach-Symposion 2000 (Dortmunder Bach-Forschungen 3), hrsg. von Martin Geck, Dortmund 2002, S. 287–301
- Weimar, Gotha oder Leipzig. Zur Chronologie der Arie »Himmel, reiße« in der zweiten Fassung der Johannes-Passion (BWV 245/11+), in: BJ 2005, S. 291–300
- Zur Datierung einiger Vokalwerke Bachs in den Jahren 1707 und 1708, in: BJ 2006, S. 65–92
- Der zweite Leipziger Jahrgang – Choralkantaten, in: Das Bach-Handbuch, Bd. 1, Bachs Kantaten, hrsg. von Reinmar Emans und Sven Hiemke, Laaber 2012, Teilband 1, S. 397 und 432–442

Reckziegel, Walter: Das Cantional von Johan Herman Schein. Seine geschichtlichen Grundlagen (Berliner Studien zur Musikwissenschaft 5), Berlin 1963

Reimer, Erich: Zur Technik des Vokaleinbaus in den Arien der Weimarer Kantaten Johann Sebastian Bachs, in: AfMw 61, 2004, S. 153–189
- Die Ritornell-Arien der Weimarer Kantaten Johann Sebastian Bachs, Köln 2007

Riegel, Alois: Stilfragen. Grundlegungen zu einer Geschichte der Ornamentik, Berlin 1893

Rienäcker, Gerd: Beobachtungen zum Eingangschor der Kantate 127, in: Beiträge zur Bachforschung, Bd. 2, Leipzig 1983, S. 5–15
- Notate zu Bachs Umgang mit protestantischen Chorälen, in: Bachs Lebensraum (Bach-Studien 9), Leipzig 1986, S. 100–110
- Beobachtungen zum Eingangschor BWV 25, in: Johann Sebastian Bachs historischer Ort (Bach-Studien 10), Leipzig 1991, S. 108–130

Riepel, Josef: Anfangsgründe zur musicalischen Setzkunst, Bd. 1, De Rhythmopoia Oder von Der Tactordnung, Frankfurt und Leipzig 1752

Rifkin, Joshua: The Chronology of Bach's Saint Matthew Passion, in: MQ 61, 1975, S. 360–387
- Ein langsamer Konzertsatz Johann Sebastian Bachs, in: BJ 1978, S. 140–147
- Verlorene Quellen, verlorene Werke. Miszellen zu Bachs Instrumentalkomposition, in: Bachs Orchesterwerke, Bericht über das 1. Dortmunder Bach-Symposion 1996 (Dortmunder Bach-Forschungen 1), hrsg. von Martin Geck, Witten 1997, S. 59–75
- Siegesjubel und Satzfehler. Zum Problem von »Nun ist das Heil und die Kraft« (BWV 50), in: BJ 2000, S. 67–86
- Notenformen und Nachtragsstimmen. Zur Chronologie der Kantaten »Die Himmel erzählen die Ehre Gottes« BWV 76 und »Also hat Gott die Welt geliebet« BWV 68, in: BJ 2008, S. 203–228

Sachs, Curt: Die Litui in Bachs Motette »O Jesu Christ«, in: BJ 1921, S. 96f.

Sachs, Klaus-Jürgen: Die »Anleitung…, auff allerhand Arth einen Choral durchzuführen« als Paradigma der Lehre und der Satzkunst Johann Sebastian Bachs, in: AfMw 37, 1980, S. 135–154

Schabalina, Tatjana: Ein weiteres Autograph von Johann Sebastian Bach in Rußland. Neues zur Entstehungsgeschichte der verschiedenen Fassungen von BWV 199, in: BJ 2004, S. 111–139
- »Texte zur Music« in Sankt Petersburg. Neue Quellen zur Leipziger Musikgeschichte sowie zur Kompositions- und Aufführungstätigkeit Johann Sebastian Bachs, in: BJ 2008, S. 33–98
- »Texte zur Music« in Sankt Petersburg. Weitere Funde, in: BJ 2009, S. 11–48
- Neue Erkenntnisse zur Entstehungsgeschichte der Kantaten BWV 34 und 34a, in: BJ 2010, S. 95–109
- Die »Leges« des »Neu aufgerichteten Collegium musicum« (1729). Ein unbekanntes Dokument der Leipziger Musikgeschichte, in: BJ 2012, S. 107–119

Scheide, William H.: Ist Mizlers Bericht über Bachs Kantaten korrekt?, in: Mf 14, 1961, S. 60–63
- Nochmals Mizlers Kantatenbericht. Eine Erwiderung, in: Mf 14, 1961, S. 423–427

- Johann Sebastian Bachs Sammlung von Kantaten seines Vetters Johann Ludwig Bach, I–III, in: BJ 1959, S. 52–94, BJ 1961, S. 5–24 sowie BJ 1962, S. 5–32
- Imitative Pairs of Instrumental Obligati Without String Orchestra, in: Bach-Studien, Bd. 5, hrsg. von Rudolf Eller und Hans-Joachim Schulze, Leipzig 1975, S. 126–137
- Bach und der Picander-Jahrgang. Eine Erwiderung, in: BJ 1980, S. 47–51
- »Nun ist das Heil und die Kraft« BWV 50. Doppelchörigkeit, Datierung und Bestimmung, in: BJ 1982, S. 81–96
- Eindeutigkeit und Mehrdeutigkeit in Picanders Kantatenjahrgangs-Vorbemerkung und im Werkverzeichnis des Nekrologs auf Johann Sebastian Bach, in: BJ 1983, S. 109–113
- Nochmals BWV 50 »Nun ist das Heil und die Kraft«, in: BJ 2001, S. 117–130
- Die Choralkantaten von 1724 und Bachs Köthener Besuch, in: BJ 2003, S. 47–65

Schenker, Heinrich (Hrsg.): Johannes Brahms, Oktaven und Quinten u. a., Faksimiledruck Wien 1933

Schering, Arnold: Beiträge zur Bach-Kritik, in: BJ 1912, S. 124–133
- Über die Kirchenkantaten vorbachischer Thomaskantoren, in: BJ 1912, S. 86–123
- Die Kantate Nr. 150 »Nach dir, Herr, verlanget mich«, in: BJ 1913, S. 39–52
- Johann Sebastian Bachs Leipziger Kirchenmusik. Studien und Wege zu ihrer Erkenntnis (Veröffentlichungen der Neuen Bachgesellschaft 36), Leipzig 1936, ²1954
- Bachs Musik für den Leipziger Universitätsgottesdienst 1723–1725, in: BJ 1938, S. 62–86
- Über Kantaten Johann Sebastian Bachs. Mit einem Vorwort von Friedrich Blume, Leipzig ²1950

Schild, Emilie: Geschichte der protestantischen Messenkomposition im 17. und 18. Jahrhundert, Diss. Gießen 1934

Schlage, Thomas: Form-Modelle in den Chorsätzen des 1. Leipziger Kantatenjahrgangs, in: Kongressbericht Dortmund 2000, S. 177–190

Schmalfuß, Hermann: Johann Sebastian Bachs »Actus tragicus« (BWV 106). Ein Beitrag zu seiner Entstehungsgeschichte, in: BJ 1970, S. 36–43

Schmidt, Gustav Friedrich: Die frühdeutsche Oper und die musikdramatische Kunst Georg Caspar Schürmanns, Bd. 1, Regensburg 1933

Schmieder, Wolfgang: Thematisch-systematisches Verzeichnis der musikalischen Werke von Johann Sebastian Bach. Bach-Werke-Verzeichnis (BWV), Leipzig 1950, 2., überarbeitete und erweiterte Ausgabe, Wiesbaden 1990

Schmitz, Arnold: Die Bildlichkeit der wortgebundenen Musik Johann Sebastian Bachs (Neue Studien zur Musikwissenschaft 1), Mainz 1950

Schmoll-Barthel, Jutta: Bachs Choralsatz – aus kontrapunktischer Sicht betrachtet, in: Festschrift für Ulrich Siegele, hrsg. von Rudolf Faber u. a., Kassel 1991, S. 87–104
- Überlegungen zu Bachs Choralsatz, in: Beiträge zur Bach-Forschung, Bd. 9/10, Leipzig 1991, S. 285–292

Schneiderheinze, Armin: Über Bachs Umgang mit Gottscheds Versen, in: Bericht über die Wissenschaftliche Konferenz zum III. Internationalen Bach-Fest der DDR, Leipzig, 18./19. September 1975, hrsg. von Werner Felix, Winfried Hoffmann und Armin Schneiderheinze, Leipzig 1976, S. 91–98
- »Christ lag in Todes Banden«. Überlegungen zur Datierung von BWV 4, in: Das Frühwerk Johann Sebastian Bachs, Kolloquium, veranstaltet vom Institut für Musikwissenschaft der Universität Rostock, 11.–13. September 1990, hrsg. von Karl Heller und Hans-Joachim Schulze, Köln 1995, S. 267–279

Schrammek, Winfried: Viola pomposa und Violoncello piccolo bei Johann Sebastian Bach, in: Konferenzbericht Leipzig 1975, ebd. 1977, S. 345–354

Schreyer, Johannes: Beiträge zur Bach-Kritik, Heft 2, Leipzig 1911, S. 44–50

Schulze, Hans-Joachim (Hrsg.): Bach-Dokumente, Bd. I–II (mit Werner Neumann), Bd. III, Dokumente zum Nachwirken Johann Sebastian Bachs 1750–1800, Kassel u. a. 1972
– Johann Sebastian Bachs Konzerte. Fragen der Überlieferung und Chronologie, in: Beiträge zum Konzertschaffen Johann Sebastian Bachs (Bach-Studien 6), Leipzig 1981, S. 9–26
– Studien zur Bach-Überlieferung im 18. Jahrhundert, Leipzig und Dresden 1984
– mit Christoph Wolff (Hrsg.): Bach-Compendium. Analytisch-bibliographisches Repertorium der Werke Johann Sebastian Bachs (BC), Vokalwerke, Teile I–IV, Leipzig 1985–1989
– Bachs Parodieverfahren, in: Die Welt der Bach-Kantaten, hrsg. von Christoph Wolff, Bd. II, Stuttgart und Kassel 1997, S. 167–187
– Wann entstand Johann Sebastian Bachs »Jagdkantate«?, in: BJ 2000, S. 301–305
– Johann Sebastian Bachs dritter Leipziger Jahrgang und die Meininger »Sonn- und Fest-Andachten« von 1719, in: BJ 2002, S. 193–199
– Die Bach-Kantaten, Einführungen zu sämtlichen Kantaten Johann Sebastian Bachs, Leipzig 2006
– Rätselhafte Auftragswerke Johann Sebastian Bachs. Anmerkungen zu einigen Kantatentexten, in: BJ 2010, S. 69–93
– Die Bachkantate »Nach dir, Herr, verlanget mich« und ihr Meckbach-Akrostichon, in: BJ 2011, S. 255–257
– Texte und Textdichter, in: Die Welt der Bach-Kantaten, hrsg. von Christoph Wolff, Bd. 3, Johann Sebastian Bachs Leipziger Kirchenkantaten, Stuttgart und Kassel 1999, S. 109–125
Schweitzer, Albert: J. S. Bach, Leipzig 1908, Neuausgabe ebd. 1948
Seidel, Elmar: Johann Sebastian Bachs Choralbearbeitungen in Beziehung zum Kantionalsatz, Bd. 1–2 (Neue Studien zur Musikwissenschaft VI), Mainz u. a. 1998
Serauky, Walter: Die musikalische Nachahmungsästhetik im Zeitraum von 1700 bis 1850, Münster 1929
Siegele, Ulrich: Kompositionsweise und Bearbeitungstechnik in der Instrumentalmusik Johann Sebastian Bachs (Tübinger Beiträge zur Musikwissenschaft 3), Neuhausen-Stuttgart 1975
– Bachs Endzweck einer regulierten und Entwurf einer wohlbestallten Kirchenmusik, in: Festschrift Georg von Dadelsen zum 60. Geburtstag, hrsg. von Thomas Kohlhase und Volker Scherliess, Neuhausen-Stuttgart 1978, S. 313–351
Sirp, Hermann: Die Thematik der Kirchenkantaten J. S. Bachs in ihren Beziehungen zum protestantischen Kirchenlied, in: BJ 1931, S. 1–50, und BJ 1932, S. 51–118
Smend, Friedrich: Die Johannes-Passion von Bach. Auf ihren Bau untersucht, in: BJ 1926, S. 105–128
– Bachs Matthäus-Passion. Untersuchungen zur Geschichte des Werkes bis 1750, in: BJ 1928, S. 1–35
– Neue Bach-Funde, in: AfMw 2, 1942, S. 1–16
– Kirchen-Kantaten, Hefte I–VI, Berlin 1947–1949, ³1966
– Bach in Köthen, Berlin 1951
– Bach-Studien. Gesammelte Reden und Aufsätze, hrsg. von Christoph Wolff, Kassel u. a. 1969
Smithers, Don L.: Gottfried Reiches Einfluß auf die Musik Johann Sebastian Bachs, in: BJ 1987, S. 113–150
Snyder, Kerala J.: Dieterich Buxtehude's Studies in Learned Counterpoint, in: JAMS 23, 1980, S. 544–564
– Dieterich Buxtehude. Leben, Werk, Aufführungspraxis, übersetzt von Hans-Joachim Schulze, Kassel u. a. 2007
Spindler, Wolfgang: Das Verhältnis zwischen Wort und Ton in den Kantaten Johann Sebastian Bachs. Die musikalische Umsetzung der Rezitativtexte, Diss. Erlangen 1973

Spitta, Philipp: Johann Sebastian Bach, Bd. I–II, Leipzig 1873–1880, Wiesbaden ⁶1964
- Mariane von Ziegler und Joh. Sebastian Bach, in: ders., Zur Musik. Sechzehn Aufsätze, Berlin 1892, S. 93–118
- Bachiana. Bach und Christian Friedrich Hunold, in: ders., Musikgeschichtliche Aufsätze, Berlin 1894, S. 98–100

Sponheuer, Bernd: Phantastik und Kalkül. Bemerkungen zu den Ostinatoformen in der Orgelmusik Buxtehudes, in: Dietrich Buxtehude und die europäische Musik seiner Zeit, Bericht über das Lübecker Symposion 1987 (Kieler Schriften zur Musikwissenschaft 35), hrsg. von Arnfried Edler und Friedhelm Krummacher, Kassel u. a. 1990

Staehelin, Martin (Hrsg.): »Die Zeit, die Tag und Jahre macht«. Zur Chronologie des Schaffens von Johann Sebastian Bach, Bericht Göttingen 1998 (Abhandlungen der Akademie der Wissenschaften zu Göttingen, Phil.-Hist. Klasse, Dritte Folge, Nr. 240), Göttingen 2001
- Klang der Glocken und Lauf der Zeit in den Kantaten Johann Sebastian Bachs, in: Vom Klang der Zeit. Besetzung, Bearbeitung und Aufführungspraxis bei Johann Sebastian Bach, Klaus Hofmann zum 65. Geburtstag, hrsg. von Ulrich Bartels und Uwe Wolf, Wiesbaden u. a. 2004, S. 131–155

Steiger, Lothar und Steiger, Renate: »Sehet! Wir gehen hinauf gen Jerusalem«. Johann Sebastian Bachs Kantaten auf den Sonntag Estomihi (Veröffentlichungen zur Liturgik, Hymnologie und theologischen Kirchenmusikforschung 24), Göttingen 1992

Steiger, Renate (Hrsg.): Bachs Choralkantaten als Choral-Bearbeitungen. Bericht über die Tagung Leipzig 1990 (Internationale Arbeitsgemeinschaft für theologische Bach-Forschung, Bulletin 3), Heidelberg 1991
- Gnadengegenwart. Johann Sebastian Bach im Kontext lutherischer Orthodoxie und Frömmigkeit, Doctrina et Pietas. Zwischen Reformation und Aufklärung, Texte und Untersuchungen, hrsg. von Johann Anselm Steiger, Abteilung II, Varia, Bd. 2, Stuttgart-Bad Cannstatt 2002

Stein, Klaus: Stammt »Nun ist das Heil und die Kraft« (BWV 50) von Johann Sebastian Bach?, in: BJ 1999, S. 51–66

Streck, Harald: Die Verskunst in den poetischen Texten zu den Kantaten J. S. Bachs (Hamburger Beiträge zur Musikwissenschaft 5), Hamburg 1971

Szeskus, Reinhard (Hrsg.): Johann Sebastian Bachs historischer Ort (Bach-Studien 10), Wiesbaden und Leipzig 1991

Tagliavini, Luigi Ferdinando: Studi sui testi delle cantate sacre di J. S. Bach, Padua 1956

Talle, Andrew: Nürnberg, Darmstadt, Köthen. Neuerkenntnisse zur Bach-Überlieferung des 18. Jahrhunderts, in: BJ 2003, S. 143–172

Tenhaef, Peter und Werbeck, Walter (Hrsg.): Messe und Parodie bei Johann Sebastian Bach (Greifswalder Beiträge zur Musikwissenschaft 12), Frankfurt a. M. 2004

Thiele, Eugen: Die Chorfugen Johann Sebastian Bachs (Berner Veröffentlichungen zur Musikforschung 8), Bern und Leipzig 1936, S. 51–70

Tunger, Albrecht: Johann Sebastian Bachs Einlagesätze zum Magnificat. Beobachtungen und Überlegungen zu ihrer Herkunft, in: Bachstunden, Festschrift für Helmut Walcha zum 70. Geburtstag, hrsg. von Walther Dehnhard und Gottlob Ritter, Frankfurt a. M. 1978, S. 22–35

Vetter, Walther: Der Kapellmeister Bach. Versuch einer Deutung Bachs auf Grund seines Wirkens als Kapellmeister in Köthen, Potsdam 1950

Wagner, Günther: J. A. Scheibe – J. S. Bach. Versuch einer Bewertung, in: BJ 1982, S. 33–49

Wagner, Undine: Art. Georg Christoph und Heinrich Wilhelm Stolze, in: MGG², Personenteil, Bd. 15, Kassel u. a. 2006, Sp. 1549 f.

Walker, Paul: Die Entstehung der Permutationsfuge, in: BJ 1989, S. 19–41

Walter, Meinrad: Johann Sebastian Bach, Johannespassion. Eine musikalisch-theologische Einführung, Stuttgart 2011

Walther, Johann Gottfried: Briefe, hrsg. von Klaus Beckmann und Hans-Joachim Schulze, Leipzig 1987

Weckmann, Matthias: Four Sacred Concertos, hrsg. von Alexander Silbiger, Recent Researches in the Music of the Baroque Era, Madison 1984

Werbeck, Walter: siehe unter Tenhaef, Peter

Whaples, Miriam K.: Bach's Recapitulation Forms, in: The Journal of Musicology XIV, 1996, S. 475–513

Williams, Peter: The Life of Bach, Cambridge 2004

Wolf, Uwe: siehe unter Beißwenger, Kirsten

Wolff, Christoph: Der stile antico in der Musik Johann Sebastian Bachs. Studien zu Bachs Spätwerk (Beihefte zum AfMw VI), Wiesbaden 1968

– Bachs Handexemplar der Schübler-Choräle, in: BJ 1977, S. 120–129

– Bachs Leipziger Kantoratsprobe und die Aufführungsgeschichte der Kantate »Du wahrer Gott und Davids Sohn« BWV 23, in: BJ 1978, S. 78–94

– Bach's Cantata »Ein feste Burg«. History and Performance Practice, in: American Choral Review 24, 1982, Nr. 2–3, S. 27–38

– Wo blieb Bachs fünfter Kantatenjahrgang?, in: BJ 1982, S. 151 f.

– »Die sonderbaren Vollkommenheiten des Herrn Hofcompositeurs«. Versuch über die Eigenart der Bachschen Musik, in: Bachiana et alia musicologica, Festschrift für Alfred Dürr zum 65. Geburtstag, Kassel u. a. 1985, S. 356–362

– Bachs vierstimmige Choräle. Geschichtliche Perspektiven im 18. Jahrhundert, in: Jahrbuch des Staatlichen Instituts für Musikforschung Preußischer Kulturbesitz 1985/86, S. 257–263

– Die musikalischen Formen der Johannes-Passion, in: Johann Sebastian Bachs Johannes-Passion BWV 245, Vorträge des Meiserkurses 1986 (Schriftenreihe der Internationalen Bachakademie Stuttgart 5), Kassel u. a. 1993, S. 128–141

– »Die betrübte und wieder getröstete Seele«. Zum Dialog-Charakter der Kantate »Ich hatte viel Bekümmernis« BWV 21, in: BJ 1996, S. 139–145

– Die Orchesterwerke J. S. Bachs. Grundsätzliche Erwägungen zu Repertoire, Überlieferung und Chronologie, in: Bachs Orchesterwerke, Bericht über das 1. Dortmunder Bach-Symposion 1996 (Dortmunder Bach-Forschungen 1), hrsg. von Martin Geck, Witten 1997, S. 17–30

– Bachs Leipziger Kirchenkantaten. Repertoire und Kontext, in: Die Welt der Bach-Kantaten, hrsg. von Christoph Wolff, Bd. 3, Stuttgart und Kassel 1999, S. 13–35

– Johann Sebastian Bach, Frankfurt a. M. 2000

– Johann Sebastian Bach, Messe in h-Moll, Kassel 2009, ²2014

– Johann Sebastian Bachs Oratorien-Trilogie und die große Kirchenmusik der 1730er Jahre, in: BJ 2011, S. 11–25

Wölfflin, Heinrich: Kunstgeschichtliche Grundbegriffe, München 1915

Wollny, Peter und Leisinger, Ulrich: »Altes Zeug von mir«. Carl Philipp Emanuel Bachs kompositorisches Schaffen vor 1740, in: BJ 1993, S. 127–204

– Neue Bach-Funde, in: BJ 1997, S. 7–50

– Nachbemerkungen zu »neue Bach-Funde«, in: BJ 1998, S. 167–169

– Aufführungen Bachscher Kirchenkantaten am Zerbster Hof, in: Bach und seine mitteldeutschen Zeitgenossen, Bericht über das Internationale musikwissenschaftliche Kolloquium Erfurt und Arnstadt 2000, hrsg. von Rainer Kaiser, Eisenach 2001, S. 199–217

– Tennstedt, Leipzig, Naumburg, Halle. Neuerkenntnisse zur Bach-Überlieferung in Mitteldeutschland, in: BJ 2002, S. 29–60

- »Bekennen will ich seinen Namen«. Authentizität, Bestimmung und Kontext der Arie BWV 200. Anmerkungen zu Johann Sebastian Bachs Rezeption von Werken Gottfried Heinrich Stölzels, in: BJ 2008, S. 123–158
- Zwei Bach-Funde in Mügeln. Picander und die Leipziger Kirchenmusik in den 1730er Jahren, in: BJ 2010, S. 111–151
- Vom »apparat der außerlesensten Kirchen Stücke« zum »Vorrath an Musicalien, von J. S. Bach und anderen berühmten Musicis«. Quellenkundliche Ermittlungen zur frühen Thüringer Bach-Überlieferung und zu einigen Weimarer Schülern und Kollegen Bachs, in: BJ 2015, S. 99–154

Wustmann, Rudolf: Zu Bachs Texten der Johannes- und der Matthäus-Passion, in: Monatsschrift für Gottesdienst und kirchliche Kunst 15, 1910, S. 126–131
- Joh. Seb. Bachs Kantatentexte, Leipzig 1913

Zahn, Johannes: Die Melodien der deutschen evangelischen Kirchenlieder, Bd. I–VI, Gütersloh 1889–1893

Zander, Ferdinand: Die Dichter der Kantatentexte Johann Sebastian Bachs, in: BJ 1968, S. 9–64

Zehnder, Jean-Claude: Die frühen Werke Johann Sebastian Bachs. Stil – Chronologie – Satztechnik (Schola Cantorum Basiliensis, Scripta, Bd. 1), Basel 2009
- Ritornell – Ritornellform – Ritornellkonstruktion. Aphorismen zu einer adäquaten Beschreibung Bachscher Werke, in: BJ 2012, S. 95–106

Zenck, Martin: Stadien der Bach-Deutung in der Musikkritik, Musikästhetik und Musikgeschichtsschreibung zwischen 1750 und 1800, in: BJ 1982, S. 7–32

Zulauf, Max: Die Harmonik J. S. Bachs, Bern 1927

Personenregister

Adler, Guido **1:** 62
Agricola, Johann Friedrich **2:** 295, 331, 431, 486, 540
Ahle, Johann Georg **1:** 18
Altnickol, Johann Christoph **1:** 54, **2:** 152
Ameln, Konrad **2:** 85

Bach, Anna Magdalena **2:** 21, 396, 410, 485
Bach, Carl Philipp Emanuel **1:** 149, 356 f., **2:** 21, 258 f., 421, 431, 434, 436, 447, 467, 469
Bach, Gottfried Heinrich **2:** 485
Bach, Johann Heinrich **1:** 42 f.
Bach, Johann Ludwig **2:** 186, 254, 258, 264 f., 361
Bach, Wilhelm Friedemann **2:** 21, 435 f.
Bammler, Johann Nathanael **1:** 316
Behm, Martin **2:** 472
Berger, Karol **2:** 516
Bernhard, Christoph **1:** 33–36
Besseler, Heinrich **2:** 332
Blanken, Christine **2:** 256
Blankenburg, Walter **2:** 363
Böhm, Georg **2:** 68
Brainard, Paul **1:** 56, **2:** 194
Breig, Werner **1:** 12, 94, 216–218, 322–324, 366, **2:** 330, 449, 504
Briegel, Wolfgang Carl **1:** 25, 30
Brockes, Barthold Hinrich **1:** 317
Bruhns, Nicolaus **1:** 19, 36 f., 45, 94
Buxtehude, Dieterich (Dietrich) **1:** 19, 25, 27, 32, 37 f., 75 f., 94, **2:** 16 f.

Calvisius, Seth **2:** 85
Chafe, Eric **1:** 321–323
Charlotte Friederike, Fürstin von Anhalt-Köthen **2:** 427, 471
Christian, Herzog von Sachsen-Weißenfels **1:** 57, **2:** 187
Christiane Eberhardine, Kurfürstin von Sachsen **2:** 415
Clauder, Joseph **2:** 216
Colerus, Martin **1:** 45
Crüger, Johann **2:** 58 f., 216

Dadelsen, Georg von **1:** 149, **2:** 260
Dahlhaus, Carl **1:** 33, 35, 38, 74, 163 f., **2:** 186, 505
Descartes, René **2:** 505
Deyling, Salomon **2:** 420
Dietel, Johann Ludwig **1:** 16
Drese, Johann Samuel **1:** 53, 59
Drüner, Ulrich **2:** 135
Dürr, Alfred **1:** 11, 15, 20, 33, 53 f., 56–58, 61–63, 68–70, 72 f., 80, 84, 86 f., 96, 105, 112, 117, 121, 129 f., 133–135, 137–140, 149, 152, 154 f., 158, 164, 169, 206, 237, 273, 315 f., 321 f., 324, 327, 332, 340, 350 f., 354 f., 360 f., **2:** 11, 18, 31, 53, 77, 79, 83, 87, 148, 187 f., 233 f., 236, 255–257, 264, 274, 282, 287, 292, 297, 299, 322 f., 372, 431, 466

Eber, Paul **2:** 85
Eccard, Johann **2:** 85
Eilmar, Georg Christian **1:** 17
Emans, Reinmar **2:** 491 f., 501
Erben, Balthasar **1:** 94, **2:** 68
Erlebach, Philipp Heinrich **1:** 19 f., 38 f.

Farlau, Johann Christoph **1:** 152, **2:** 292, 486 f., 540 f.
Finke-Hecklinger, Doris **1:** 224, 230, 232, 236, 238, 241, 244, 251, 256, 337, **2:** 106, 341 f., 344, 374, 383, 467
Finscher, Ludwig **2:** 488
Fischer, Michael Gotthard **1:** 140
Fischer, Wilfried **2:** 332, 334, 444 f.
Fischer, Wilhelm **1:** 96

Forkel, Johann Nikolaus **1:** 133, **2:** 155
Förtsch, Johann Philipp **2:** 68
Franck, Johann **2:** 58
Franck, Salomon **1:** 54–57, 63–66, 69, 73, 80, 84, 86, 92 f., 96 f., 107 f., 111, 120, 122, 124, 127, 159, **2:** 223, 237, 253 f., 264 f., 268, 303, 335–338, 348, 351, 357 f., 360, 363, 418, 434, 437
Friedrich August II., Kurfürst von Sachsen, König von Polen **2:** 265, 426
Fritsch, Ahasverus **2:** 73
Frohne, Johann Adam **1:** 17

Geck, Martin **1:** 301, **2:** 274 f., 295, 492
Gerber, Rudolf **2:** 332, 446
Gerlach, Carl Gotthelf **1:** 152, 303, 305 f., 308
Gerstenbüttel, Joachim **1:** 45, **2:** 68
Glöckner, Andreas **1:** 53 f., 140, 153, 283
Gojowy, Detlef **2:** 12, 488, 506
Görner, Johann Gottlieb **2:** 415 f.
Gottsched, Johann Christoph **2:** 415 f.
Gramann, Johann **2:** 268
Grüß, Hans **2:** 488 f.

Häfner, Klaus **2:** 428 f., 431–433
Hamel, Fred **1:** 36
Hammerschmidt, Andreas **1:** 25, 30, 35, **2:** 68
Händel, Georg Friedrich **1:** 19, 317 f.
Hauptmann, Moritz **1:** 15
Hauser, Franz **2:** 435
Heder, Samuel Gottlieb **2:** 485
Heineccius, Johann Michael **1:** 55, 64
Heinichen, Johann David **1:** 62, 322, **2:** 506
Helbig, Johann Friedrich **2:** 255, 264, 269, 363
Hennicke, Johann Christian von **2:** 471
Henrici, Christian Friedrich (Picander) **1:** 154, **2:** 187–191, 195 f., 248 f., 253–257, 259 f., 265, 292, 305 f., 317, 332, 336, 363, 381, 383, 410, 412, 418, 425–436, 448, 450–442, 459, 462–466, 469 f., 481, 486, 488–490, 498–504, 511, 516, 530–532, 537–539, 541 f.
Hering, S. **2:** 295, 321
Hermann, Johann **2:** 76
Heuß, Alfred **1:** 190
Heyden, Sebald **2:** 89
Hilgenfeldt, Carl Ludwig **1:** 355

Hobohm, Wolf **1:** 152
Hofmann, Klaus **1:** 54, 57–59, 82, 140, 304 f., **2:** 257, 311, 428 f., 432 f., 435, 461
Hunold, Christian Friedrich (Menantes) **1:** 224 f., 229, 231, 318

Ilgner, Gerhard **1:** 36
Irtenkauf, Wolfgang **1:** 301

Jacobi, Christian August **1:** 45 f.
Jahn, Martin **1:** 218

Kegel, Emanuel **1:** 45
Keimann, Wolfgang **2:** 325
Keiser, Reinhard **1:** 317, **2:** 253
Keller, Hermann **1:** 163
Kirchbach, Hans Carl von **2:** 415 f.
Kircher, Athanasius **2:** 505
Kirnberger, Johann Philipp **1:** 303, 305 f., 356
Kittel, Johann Christian **1:** 140
Knauer, Johann Oswald **1:** 153, 175 f.
Knüpfer, Sebastian **1:** 318, **2:** 16–18, 45, 85
Kobayashi, Yoshitake **1:** 54, 57–59, 135, 139, **2:** 435
Kölsch, Heinz **1:** 36–38
Konrad, Ulrich **2:** 228 f.
Köpping, Johann Christian **1:** 54
Krieger, Johann Philipp **1:** 19 f., 47 f., 143
Kube, Michael **2:** 61
Kuhnau, Johann **1:** 29, 38, 43–45, 47 f., 142 f., 215 f., 223, 282, 300 f., 321, **2:** 16 f.
Kuhnau, Johann Andreas **1:** 235, **2:** 180
Küster, Konrad **1:** 11, 307, **2:** 11, 186, 255, 292, 296

Lämmerhirt, Tobias **1:** 17
Lehms, Georg Christian **1:** 55, 58, 64 f., 93, 135 f., **2:** 253 f., 263–265, 312, 317, 326, 334–337, 355, 357 f., 360 f., 363, 381 f., 391, 402 f., 409, 418
Leopold, Fürst von Anhalt-Köthen **1:** 224, **2:** 487, 501
Lobwasser, Ambrosius **2:** 85
Luther, Martin **1:** 16, 176, 186, 292, **2:** 54, 60, 64, 67, 96, 124, 268, 313

Marpurg, Friedrich Wilhelm **1:** 38, **2:** 506 f.
Marshall, Robert **1:** 75, 77, 188, 197, 201–203, **2:** 234, 269, 284

Marx, Adolf Bernhard **1:** 15
Matthesen, Johann **1:** 56, 62, 81, 237, 317 f., 322, 329, 331, **2:** 17, 171, 173, 210, 253, 402 f., 414, 505–507
Maul, Michael **2:** 12
Meckbach, Conrad **1:** 17
Meder, Johann Valentin **1:** 24, 26 f., 45
Meißner, Christian Gottlob **1:** 42, 225, 235, **2:** 180
Mendel, Arthur **1:** 75, 315 f., 355, **2:** 87, 233
Mendelssohn Bartholdy, Felix **1:** 15, 27, **4:** 486
Mohrheim, Friedrich Christian Samuel **2:** 485
Moller, Martin **2:** 104
Muffat, Georg **1:** 321
Mylius, Johann Anton **1:** 55, 97

Nacke, Johann Georg **2:** 435
Neander, Joachim **2:** 267
Neumann, Werner **1:** 11, 33–36, 40, 62, 69, 74, 76, 78, 80, 82, 86 f., 165, 167–169, 172, 174, 188, 190, 196 f., 200, 202, 204, 206, 286, 288 f., 293 f., 303 f., 362, **2:** 147, 160 f., 177, 185, 191, 200, 202, 205–207, 269, 271, 273, 275, 280, 282 f., 285, 289, 293–295, 298, 302, 304, 306, 429, 439 f., 442 f., 466, 517
Neumeister, Erdmann **1:** 19, 55, 64, 95, 121, 123, 143, 153, 168, 214, **2:** 208, 222, 253, 264 f., 312, 317, 335, 337 f., 360, 418
Nichelmann, Christoph **2:** 191
Noack, Elisabeth **1:** 135

Oechsle, Siegfried **1:** 190–192, 213, **2:** 67–69, 71, 119
Olearius, Johann **2:** 268

Pachelbel, Johann **1:** 19 f., 42 f., 45, 91, 302, **2:** 16, 49
Penzel, Christian Friedrich **1:** 16, **2:** 257, 295, 323, 330–332, 411, 435
Peter, Christoph **2:** 316
Pfau, Marc-Roderich **2:** 429
Picander, *siehe:* Henrici, Christian Friedrich
Platen, Emil **1:** 178, 182, 184 f., **2:** 31, 210, 497, 501, 545
Ponickau, Johann Christoph von **2:** 255, 257, 324, 411

Postel, Christian Heinrich **1:** 318

Quantz, Johann Joachim **2:** 507

Rampe, Siegbert **1:** 46, 142, **2:** 217, 446
Rathey, Markus **2:** 11, 167
Reinken, Johann Adam **1:** 36
Riemann, Hugo **1:** 33, 164
Riepel, Joseph **2:** 507
Rifkin, Joshua **1:** 305–307, **2:** 217 f., 234 f., 445
Ringwaldt, Bartholomäus **2:** 104
Rist, Johann **1:** 211, **2:** 61, 316
Rodigast, Samuel **2:** 268
Rosenmüller, Johann **1:** 36, 45, 216, **2:** 315 f.
Rudolf, Johann **1:** 18
Rust, Wilhelm **1:** 315 f., 318, **2:** 86 f.

Schabalina, Tatjana **2:** 256 f., 260 f., 307, 433 f.
Scheibe, Johann Adolph **2:** 171 f., 446
Scheide, William H. **1:** 303–305, **2:** 123 f., 131, 140, 264, 428, 430–433
Scheidt, Samuel **2:** 67 f.
Schein, Johann Hermann **2:** 35, 59, 70, 85, 89, 92, 94
Schelle, Johann **1:** 28, 30, 45, 216, **2:** 16 f., 45
Schering, Arnold **1:** 190, 194, 301, **2:** 466
Schreyer, Johannes **1:** 194
Schulze, Christian Andreas **1:** 45
Schulze, Hans-Joachim **1:** 11, 18, 70, 303, 358, **2:** 12, 181, 292, 363
Schürmann, Georg Caspar **2:** 363
Schütz, Heinrich **2:** 68
Schwarzburg-Rudolstadt, Ämilie Juliane von **2:** 268
Schweitzer, Albert **1:** 15, 194, 319
Sicul, Christoph Ernst **2:** 416
Siegele, Ulrich **2:** 330–332
Smend, Friedrich **1:** 224, 319–324, 332, **2:** 82, 190, 193, 466, 488, 497, 540 f.
Spitta, Philipp **1:** 15, 17, 20, 32, 40, 48, 57, 63, 277, 287, 294, 301, 318 f., 324, **2:** 11, 86 f., 187, 256 f., 287, 290 f., 305, 425, 430, 433, 466
Stauder, Johann Lorenz **1:** 17
Steiger, Renate **2:** 228 f.
Stolze, Heinrich Wilhelm **1:** 140

Stölzel, Gottfried Heinrich **2:** 429
Strattner, Georg Christoph **1:** 53
Stübel, Andreas **1:** 358, **2:** 12, 181

Telemann, Georg Philipp **1:** 20, 317, **2:** 253, 258, 311, 434, 466
Theile, Johann **1:** 36
Tunder, Franz **1:** 19, 67, 94, **2:** 16

Vetter, Daniel **2:** 50, 179, 216, 316, 488
Vivaldi, Antonio **1:** 163 f., **2:** 53
Vopelius, Gottfried **2:** 35, 70, 85, 89, 92, 94, 210, 216, 316

Walker, Paul **1:** 33, 35 f.
Walter, Johann **2:** 68, 70
Walther, Johann Gottfried **1:** 18, 33, 58, 62 f., 135, 139, 177, **2:** 446, 505
Weckmann, Matthias **1:** 19, 36
Wedemann, Regina **1:** 17
Weise, Christian **1:** 318
Wilhelm Ernst, Herzog von Sachsen-Weimar **1:** 97
Wolff, Christoph **1:** 18, 57, 59, **2:** 92, 256, 295
Wölfflin, Heinrich **1:** 62
Wollny, Peter **2:** 434, 467, 469
Würdig, Johann Gottlieb **2:** 124
Wustmann, Rudolf **1:** 346, **2:** 431, 433

Zachow, Friedrich Wilhelm **1:** 19, 43, 47 f., 142 f.
Zehnder, Jean-Claude **2:** 447
Zelter, Carl Friedrich **2:** 465, 486
Ziegler, Christiana Mariana von **2:** 14 f., 187–190, 207 f., 215, 218, 222 f., 232, 237, 248 f., 265
Zulauf, Max **1:** 163

Register der Werke Bachs nach BWV-Nummern

BWV 1 ▸ Wie schön leuchtet der Morgenstern **1:** 358, **2:** 14, 34, 56, 81–83, 88 f., 96, 100, 132 f., 163 f., 169, 179

BWV 2 ▸ Ach Gott, vom Himmel sieh darein **1:** 217, **2:** 12, 18, 34, 38, 41, 45, 64–67, 71, 94 f., 99, 102, 124, 146, 170, 172, 177, 179, 312, 440

BWV 3 ▸ Ach Gott, wie manches Herzeleid **1:** 222, **2:** 13, 33, 78 f., 88, 99 f., 111, 115, 171, 175 f., 179, 182

BWV 4 ▸ Christ lag in Todes Banden **1:** 16–20, 22 f., 25, 33, 42 f., 45, 49, 67, 91 f., 151, 153, 302, 357, **2:** 15 f., 19, 64, 183, 440

BWV 5 ▸ Wo soll ich fliehen hin **1:** 254 f., **2:** 13, 32, 57–60, 84, 88 f., 96, 99 f., 132, 165–168, 170, 174, 182, 402

BWV 6 ▸ Bleib bei uns, denn es will Abend werden **1:** 155, **2:** 98 f., 135, 188 f., 198–201, 208, 215 f., 219 f., 227, 248, 419, 436, 450

BWV 7 ▸ Christ unser Herr zum Jordan kam **2:** 12, 18, 32, 38–41, 45 f., 56, 95, 99, 107 f., 122, 139 f., 146 f., 177, 179

BWV 8 ▸ Liebster Gott, wenn werd ich sterben **2:** 13, 32, 50, 100, 127–129, 157, 177, 179, 316

BWV 9 ▸ Es ist das Heil uns kommen her **2:** 13 f., 180

BWV 10 ▸ Meine Seel erhebt den Herren **2:** 12, 18, 43–45, 95, 97, 107–109, 147, 177, 179, 181, 448

BWV 11 ▸ Lobet Gott in seinen Reichen (Himmelfahrtsoratorium) **2:** 547

BWV 12 ▸ Weinen, Klagen, Sorgen, Zagen **1:** 27, 55, 60, 63–66, 70–73, 76–78, 93–95, 99–105, 118 f., 122, 132–134, 151, 220, 222, 357, 363, **2:** 19 f., 193, 299–301, 379, 434

BWV 13 ▸ Meine Seufzer, meine Tränen **1:** 133, 245, **2:** 254, 262, 264, 325, 337 f., 346, 349 f., 360, 372 f., 389 f., 414

BWV 14 ▸ Wär Gott nicht mit uns diese Zeit **2:** 13 f.

BWV 16 ▸ Herr Gott, dich loben wir **1:** 308, **2:** 254, 262, 265 f., 268 f., 303–305, 310, 312 f., 316, 337, 345 f., 360, 420, 436

BWV 17 ▸ Wer Dank opfert, der preiset mich **2:** 141, 254, 263–266, 268, 285–287, 294, 318, 362, 364, 371 f., 378, 453 f.

BWV 18 ▸ Gleichwie der Regen und Schnee vom Himmel fällt **1:** 55, 58–60, 64, 67 f., 72, 76, 93 f., 98, 116 f., 121 f., 132, 135, 145, 151, 153, 184, **2:** 20, 169, 171

BWV 19 ▸ Es erhub sich ein Streit **1:** 152, **2:** 165, 254, 256, 263, 266, 268 f., 303, 305, 307–310, 315 f., 361, 363 f., 372, 378–380, 425 f., 436

BWV 20 ▸ O Ewigkeit, du Donnerwort **1:** 79, **2:** 12, 18, 35–38, 99, 113, 145 f., 152 f., 156, 164, 181 f.

BWV 21 ▸ Ich hatte viel Bekümmernis **1:** 38, 54–56, 60, 63–66, 70–73, 79, 81–83, 92 f., 99–107, 122–124, 132 f., 135 f., 138 f., 145, 149, 156, 158, 163, 215, 222, 294, 306, **2:** 19, 64, 88, 94 f., 193, 434

BWV 22 ▸ Jesus nahm zu sich die Zwölfe **1:** 149, 151, 153, 161, 165 f., 208–211, 215–217, 237 f., 242, 244, 279 f., 310, **2:** 19, 94, 436

BWV 23 ▸ Du wahrer Gott und Davids Sohn **1:** 149, 151, 153, 215, 237 f., 242, 279–282, 317, 354–356, 359, **2:** 19, 169, 173, 436

BWV 24 ▸ Ein ungefärbt Gemüte **1:** 149, 153, 156, 158 f., 161, 168, 170, 217, 237, 239–242, 280, **2:** 19

BWV 25 ▸ Es ist nichts Gesundes an meinem Leibe **1:** 150, 154, 156, 159, 161, 178–180, 182, 247, 249, 257, 278, **2:** 20

BWV 26 ▸ Ach wie flüchtig, ach wie nichtig **2:** 13, 28f., 33, 52–54, 75, 99f., 143f., 152, 154

BWV 27 ▸ Wer weiß, wie nahe mir mein Ende **1:** 187, **2:** 255, 263, 265f., 268f., 314–316, 361, 363f., 369, 380, 414

BWV 28 ▸ Gottlob! Nun geht das Jahr zu Ende **2:** 253, 262, 266, 269, 310–312, 316, 318, 337–340, 356, 360, 420, 440

BWV 29 ▸ Wir danken dir, Gott, wir danken dir **2:** 180, 258, 329, 419, 440, 442, 471f., 476, 478

BWV 30 ▸ Freue dich, erlöste Schar **2:** 266, 427, 471–474, 476–479

BWV 30a ▸ Angenehmes Wiederau **2:** 426f., 432, 471f., 477f.

BWV 31 ▸ Der Himmel lacht! Die Erde jubilieret **1:** 55, 60, 64, 66, 72f., 83f., 93, 95, 108f., 111, 113, 119, 122, 124, 132, 134, 151f., 163, 278, 357, **2:** 19f., 152, 303f., 337, 379, 434

BWV 32 ▸ Liebster Jesu, mein Verlangen **2:** 254, 262, 265, 337f., 341f., 344f., 357–361, 402f., 413f., 419

BWV 33 ▸ Allein zu dir, Herr Jesu Christ **2:** 13, 32, 48, 53, 100, 115f., 149, 179

BWV 34 ▸ O ewiges Feuer, o Ursprung der Liebe **1:** 358, **2:** 195, 255–258, 263, 266, 268f., 303, 307–310, 316, 409f., 412f., 420

BWV 34a ▸ O ewiges Feuer, o Ursprung der Liebe **2:** 195, 257, 307–310

BWV 35 ▸ Geist und Seele wird verwirret **2:** 254, 259, 262, 264–266, 269, 329f., 332, 334f., 381–383, 385, 392–394, 419, 445, 470

BWV 36 ▸ Schwingt freudig euch empor **2:** 98, 191f., 253, 255, 427, 471–473, 476f.

BWV 36a ▸ Steigt freudig in die Luft **2:** 181, 427

BWV 36b ▸ Die Freude reget sich **2:** 191, 471

BWV 36c ▸ Schwingt freudig euch empor **2:** 191, 427, 471, 476f.

BWV 37 ▸ Wer da gläubet und getaufet wird **1:** 151, 154, 157, 162, 206–208, 220–222, 271–273, 275f., 282, **2:** 20, 420

BWV 38 ▸ Aus tiefer Not schrei ich zu dir **1:** 217, **2:** 13, 33, 38, 64, 67–69, 71, 94, 96, 99f., 102, 106, 119–122, 137f., 170f., 174, 179, 312, 436

BWV 39 ▸ Brich dem Hungrigen dein Brot **2:** 255f., 262, 264f., 268, 275–277, 279, 282, 294, 318, 362f., 365, 370

BWV 40 ▸ Darzu ist erschienen der Sohn Gottes **1:** 151, 154f., 157, 162, 196–199, 201, 209, 220, 237, 260, 266f., 269f., 278, 281f., 289, 310, **2:** 293

BWV 41 ▸ Jesu, nun sei gepreiset **2:** 13, 25–28, 33, 76–78, 89, 94, 100, 134–136, 152, 155f., 171, 175, 179, 429, 436, 464

BWV 42 ▸ Am Abend aber desselbigen Sabbats **1:** 155, **2:** 98, 188f., 195, 211, 215–218, 225f., 234f., 240f., 248, 267, 453, 461, 470

BWV 43 ▸ Gott fähret auf mit Jauchzen! **2:** 254, 261f., 264–266, 268, 272–276, 294, 316, 318, 362, 364f., 370, 375, 414, 420, 440

BWV 44 ▸ Sie werden euch in den Bann tun **1:** 151, 154, 157, 159, 162, 208f., 213f., 221f., 271f., 276f., **2:** 20, 189f., 211

BWV 45 ▸ Es ist dir gesagt, Mensch, was gut ist **1:** 251, 355, **2:** 254, 262, 264–266, 268, 280–282, 294, 319, 362–364, 366f., 377f., 440, 472

BWV 46 ▸ Schauet doch und sehet, ob irgend ein Schmerz sei **1:** 150, 154, 156, 161, 172f., 219, 247f., 251, 255, 278–280, 282, 311, **2:** 20, 166f.

BWV 47 ▸ Wer sich selbst erhöhet, der soll erniedriget werden **1:** 152, **2:** 255, 259, 263–266, 268, 287–292, 294, 363, 368f., 372, 420, 472

BWV 48 ▸ Ich elender Mensch, wer wird mich erlösen **1:** 150, 154–156, 159, 161, 180–184, 220, 248, 251, 259, 280f., **2:** 20, 145f.

BWV 49 ▸ Ich geh und suche mit Verlangen **2:** 255, 263, 265, 325–331, 335, 402–406, 408f., 415, 419f.

BWV 50 ▸ Nun ist das Heil und die Kraft **1:** 150, 152, 155, 303–309, **2:** 165, 436, 550

BWV 51 ▸ Jauchzet Gott in allen Landen **2:** 265, 381, 383, 399–401

Register der Werke Bachs nach BWV-Nummern 577

BWV 52 ▸ Falsche Welt, dir trau ich nicht
2: 152, 156, 255, 263, 265, 315, 329–332, 381 f., 387, 389 f., 419, 453

BWV 54 ▸ Widerstehe doch der Sünde **1:** 55, 58–61, 63–65, 98, 123, 135, 137–139, 145, 256, 265, 381, 393

BWV 55 ▸ Ich armer Mensch, ich Sündenknecht **2:** 255, 263, 265, 381–383, 386 f., 390

BWV 56 ▸ Ich will den Kreuzstab gerne tragen **2:** 255, 263, 265, 316, 381 f., 386, 394 f., 414 f.

BWV 57 ▸ Selig ist der Mann **2:** 253, 263, 265, 317, 320–322, 324, 326, 336, 338, 342–344, 346, 353–355, 360 f., 402 f., 413, 415, 419 f., 450

BWV 58 ▸ Ach Gott, wie manches Herzeleid **2:** 14, 255, 257 f., 263, 265, 325–329, 402–409, 419 f.

BWV 59 ▸ Wer mich liebet, der wird mein Wort halten **1:** 149, 151–153, 159, 211, 214, 239 f., 271, 277, **2:** 189, 198, 208, 219, 222 f., 233

BWV 60 ▸ O Ewigkeit, du Donnerwort **1:** 150, 157, 211, 220, 248, 254, 278 f., **2:** 265, 402 f., 405 f.

BWV 61 ▸ Nun komm, der Heiden Heiland **1:** 55, 60, 64, 66, 73, 79, 93–95, 99, 101, 105, 122–124, 132, 134, 150, 156, **2:** 19, 35, 88

BWV 62 ▸ Nun komm, der Heiden Heiland **2:** 13, 23, 33, 60, 100, 110, 149 f., 177, 179, 448 f.

BWV 63 ▸ Christen, ätzet diesen Tag **1:** 55, 57, 60, 64, 73, 80, 83, 101, 103 f., 106 f., 122, 124, 128, 150, 156, **2:** 436

BWV 64 ▸ Sehet, welch eine Liebe hat uns der Vater erzeiget **1:** 151, 154 f., 157, 162, 173, 175, 190, 192–196, 220, 260, 262, 264 f., 282, **2:** 472

BWV 65 ▸ Sie werden aus Saba alle kommen **1:** 154 f., 199–201, 203, 261, 263, 267 f., 278

BWV 66 ▸ Erfreut euch, ihr Herzen **1:** 151, 159, 224–226, 229–233, **2:** 187, 217, 234, 374, 436

BWV 66a Der Himmel dacht auf Anhalts Ruhm und Glück **1:** 224–226, **2:** 217, 234 f., 438

BWV 67 ▸ Halt im Gedächnis Jesum Christ **1:** 151, 154 f., 157 f., 162, 201–204, 271, 273 f., 276, 278, **2:** 123, 183, 440, 472

BWV 68 ▸ Also hat Gott die Welt geliebt **1:** 98, 166, 278, 308, **2:** 11, 14 f., 152, 156, 188–190, 204, 206–210, 215, 223, 236–239, 248, 351, 360, 403, 436, 452, 470

BWV 69 ▸ Lobe den Herrn, meine Seele **1:** 253, **2:** 152

BWV 69a ▸ Lobe den Herrn, meine Seele **1:** 150, 153 f., 156, 161, 173, 175, 219, 247, 256 f., 306, **2:** 293 f.,

BWV 70 ▸ Wachet! betet! betet! wachet! **1:** 156, 159, 281 f., 310, **2:** 169, 173, 266

BWV 70a ▸ Wachet! betet! betet! wachet! **1:** 55–57, 59 f., 64, 86 f., 91, 93, 95, 124–130, 133 f., 150, 163, **2:** 19, 434

BWV 71 ▸ Gott ist mein König **1:** 16 f., 19 f., 25, 33–35, 39 f., 42, 46–48, 50, 67, 74, 82, 117, 136, 141, 222, 294, 357, **2:** 165, 169, 403, 432

BWV 72 ▸ Alles nur nach Gottes Willen **2:** 141, 254, 262, 266, 268 f., 303–305, 307, 310, 316, 337, 348 f., 357–361, 371, 415, 420, 434, 436, 453

BWV 73 ▸ Herr, wie du willt, so schicks mit mir **1:** 151, 157, 159, 162, 186 f., 261 f., 270, 278 f., **2:** 20, 22, 38, 314, 436

BWV 74 ▸ Wer mich liebet, der wird mein Wort halten **1:** 152, 214, 240, 277, **2:** 12, 112, 188–190, 198, 208, 211, 214 f., 222 f., 227, 229, 236

BWV 75 ▸ Die Elenden sollen essen **1:** 149, 156, 161, 166 f., 170, 209, 215, 217, 222 f., 237, 239–246, 277, 279 f., **2:** 19 f., 266

BWV 76 ▸ Die Himmel erzählen die Ehre Gottes **1:** 149, 156, 161, 166–168, 170, 209, 215, 217, 222 f., 237–244, 277–280, **2:** 19, 253, 266

BWV 77 ▸ Du sollt Gott, deinen Herren, lieben **1:** 149, 153 f., 156, 159, 161, 175–179, 182, 220, 247, 251 f., **2:** 20, 94, 166

BWV 78 ▸ Jesu, der du meine Seele **1:** 344, **2:** 13, 32, 34, 56, 61–64, 71, 94, 99 f., 113 f., 128, 157, 170, 175, 182

BWV 79 ▸ Gott der Herr ist Sonn und Schild **1:** 155, 344, **2:** 253, 262, 265 f., 268–273,

276, 294, 315 f., 336 f., 340–343, 360, 373, 420, 440, 472
BWV 80 ▸ Ein feste Burg ist unser Gott **1:** 54, 60, 93, 119, **2:** 11, 56
BWV 80a ▸ Alles, was von Gott geboren **1:** 54 f., 57–60, 64, 66, 94, 108, 111, 116, 118 f., 121 f., 132, 134, 278, 357, **2:** 20, 379
BWV 81 ▸ Jesus schläft, was soll ich hoffen **1:** 151, 157 f., 201, 211 f., 237, 261, 267–269, 278, **2:** 318, 457
BWV 82 ▸ Ich habe genung **1:** 93, 279, **2:** 255, 263, 265, 381–383, 395–398, 411 f.
BWV 83 ▸ Erfreute Zeit im neuen Bunde **1:** 151, 157 f., 237, 261 f., 267–269, 278, **2:** 169, 195
BWV 84 ▸ Ich bin vergnügt mit meinem Glücke **2:** 255 f., 263, 265, 381, 383, 388, 398 f., 411, 425 f., 430
BWV 85 ▸ Ich bin ein guter Hirt **1:** 155, **2:** 98, 188 f., 211 f., 216, 220 f., 224, 241
BWV 86 ▸ Wahrlich, wahrlich, ich sage euch **1:** 151, 154, 157–159, 164, 213, 221, 271–274, 278, **2:** 20, 98, 135, 325
BWV 87 ▸ Bisher habt ihr nichts gebeten in meinem Namen **2:** 112, 188–190, 195, 211, 214, 226–229, 241
BWV 88 ▸ Siehe, ich will viel Fischer aussenden **1:** 245, **2:** 254, 262, 264 f., 269, 278, 318 f., 320–322, 324, 361–364, 369 f., 373, 415, 420
BWV 89 ▸ Was soll ich aus dir machen, Ephraim **1:** 150, 154, 156, 159, 211 f., 248 f., 251, **2:** 166
BWV 90 ▸ Es reißet euch ein schrecklich Ende **1:** 150, 157 f., 220, 237, 248, 259 f., 279, 308, **2:** 166 f.
BWV 91 ▸ Gelobet seist du, Jesu Christ **2:** 13, 33, 75, 96, 100, 114 f., 152, 154 f., 171, 175, 177, 179, 241, 436
BWV 92 ▸ Ich hab in Gottes Herz und Sinn **2:** 13, 25, 33, 74, 79, 81, 88, 97–100, 111, 151, 160 f., 170 f., 175 f., 178, 180
BWV 93 ▸ Wer nur den lieben Gott läßt walten **1:** 357, **2:** 13, 18, 32, 45, 95, 97–99, 102, 105, 124 f., 147 f., 170, 172, 178, 181
BWV 94 ▸ Was frag ich nach der Welt **1:** 357, **2:** 13, 25 f., 32, 47, 88, 99, 109 f., 112, 126–128, 149, 170, 173, 178, 181

BWV 95 ▸ Christus, der ist mein Leben **1:** 150, 156, 159, 161, 185 f., 219 f., 237, 248, 257–259, 275, 279, **2:** 20, 38, 195, 314
BWV 96 ▸ Herr Christ, der einge Gottessohn **2:** 13, 29 f., 32, 56, 81, 88, 99 f., 128, 130 f., 158 f.
BWV 97 ▸ In allen meinen Taten **1:** 79, **2:** 14 f., 34, 95, 180, 244–247
BWV 98 ▸ Was Gott tut, das ist wohlgetan **2:** 255, 263, 265 f., 268 f., 314–316, 325, 409 f., 413, 420, 436
BWV 99 ▸ Was Gott tut, das ist wohlgetan **2:** 13, 21, 32, 48–51, 100, 116, 128 f., 179, 314 f.
BWV 100 ▸ Was Gott tut, das ist wohlgetan **2:** 14 f., 34, 50, 180, 243–247, 314 f.
BWV 101 ▸ Nimm von uns, Herr, du treuer Gott **1:** 217, **2:** 13, 32, 47, 54, 95, 100 f., 103–107, 112, 126, 152–154, 168, 170, 173, 178, 181
BWV 102 ▸ Herr, deine Augen sehen nach dem Glauben **2:** 254, 262, 264–266, 268, 282–286, 294, 319 f., 362 f., 367 f., 414, 444
BWV 103 ▸ Ihr werdet weinen und heulen **1:** 308, **2:** 188 f., 198 f., 201–204, 208, 217, 220, 231–233, 299, 444
BWV 104 ▸ Du Hirte Israel, höre **1:** 151, 154, 157 f., 162, 203–206, 220, 245, 271, 273–275, 279, **2:** 155, 195
BWV 105 ▸ Herr, gehe nicht ins Gericht **1:** 150, 154, 156, 161, 170–172, 218 f., 247–250, 254 f., 257, 278, 280–282, **2:** 20, 166, 383
BWV 106 ▸ Gottes Zeit ist die allerbeste Zeit **1:** 15–17, 19 f., 24 f., 27, 30, 42–50, 67, 93, 95, 137, 139, 141 f., 279, 336 f., **2:** 169, 403, 412
BWV 107 ▸ Was willst du dich betrüben **2:** 13 f., 32, 45, 51, 99, 101–103, 105, 107, 109, 125, 137, 147, 170, 179 f., 448
BWV 108 ▸ Es ist euch gut, daß ich hingehe **1:** 308, **2:** 189 f., 204–206, 208, 211–214, 220, 227, 248, 381
BWV 109 ▸ Ich glaube, lieber Herr, hilf meinem Unglauben **1:** 150, 154, 156, 161, 189 f., 209, 219, 248, 252, 256, 436
BWV 110 ▸ Unser Mund sei voll Lachens **1:** 284, 303, **2:** 253, 262, 266, 268 f.,

294–299, 302 f., 316, 318, 322 f., 330, 335 f., 340 f., 345, 347 f., 355 f., 360 f., 419 f., 429, 436, 470
BWV 111 ▸ Was mein Gott will, das gscheh allzeit **2:** 13, 33, 72, 74 f., 79, 100, 102, 106 f., 111, 117 f., 177, 179, 241, 436, 472
BWV 112 ▸ Der Herr ist mein getreuer Hirt **2:** 14 f., 180
BWV 113 ▸ Herr Jesu Christ, du höchstes Gut **1:** 357, **2:** 13, 23, 32, 47 f., 88, 97 f., 100–102, 104–107, 112, 128–131, 141 f., 168, 170, 173, 177, 179
BWV 114 ▸ Ach, lieben Christen, seid getrost **1:** 152, **2:** 13, 32, 51–53, 97 f., 100, **2:** 128, 130, 158, 179, 195, 292
BWV 115 ▸ Mache dich, mein Geist, bereit **2:** 13, 33, 51–53, 99 f., 142 f., 160, 179
BWV 116 ▸ Du Friedefürst, Herr Jesu Christ **2:** 13, 33, 53 f., 100, 119, 121 f., 133, 170 f., 174, 177
BWV 117 ▸ Sei Lob und Ehr dem höchsten Gut **2:** 14 f., 34, 94 f., 180, 244–246
BWV 118 ▸ O Jesu Christ, meins Lebens Licht **2:** 471 f., 475
BWV 119 ▸ Preise, Jerusalem, den Herrn **1:** 150, 152, 155 f., 161, 187 f., 190, 209, 220, 248, 252 f., **2:** 152
BWV 120 ▸ Gott, man lobet dich in der Stille **1:** 225, **2:** 419, 427
BWV 120a ▸ Herr Gott, Beherrscher aller Dinge **2:** 427, 429, 435
BWV 120b ▸ Gott, man lobet dich in der Stille **2:** 426 f.
BWV 121 ▸ Christum wir sollen loben schon **2:** 13, 33, 38, 64, 69–71, 100, 133 f., 150 f., 179, 312, 440
BWV 122 ▸ Das neugeborne Kindelein **1:** 358, **2:** 13, 33, 71, 75, 100, 102, 106, 110 f., 119, 122, 170 f., 174, 403
BWV 123 ▸ Liebster Immanuel, Herzog der Frommen **2:** 13, 33, 71, 73, 75, 88, 100, 127 f., 141 f., 179
BWV 124 ▸ Meinen Jesum laß ich nicht **2:** 13, 33, 71, 73–75, 100, 113–115, 160, 179
BWV 125 ▸ Mit Fried und Freud ich fahr dahin **2:** 13, 33, 79–81, 88 f., 100, 116–118, 138 f., 171, 176–179, 182, 195, 241

BWV 126 ▸ Erhalt uns, Herr, bei deinem Wort **2:** 14, 33, 80–82, 100, 111, 139, 171, 176, 178 f., 448
BWV 127 ▸ Herr Jesu Christ, wahr' Mensch und Gott **1:** 356, 358, **2:** 14, 29, 31, 33 f., 41 f., 81–86, 88 f., 94, 96, 107, 143, 161, 171, 176–179, 436
BWV 128 ▸ Auf Christi Himmelfahrt allein **2:** 14 f., 180, 189 f., 209, 211, 231 f., 241, 248, 410
BWV 129 ▸ Gelobet sei der Herr, mein Gott **2:** 14 f., 112, 165, 253–257, 259, 261, 263, 265 f., 268 f., 310, 335, 420, 434
BWV 130 ▸ Herr Gott, dich loben alle wir **1:** 152, 308, **2:** 13, 32, 50 f., 99 f., 128, 130 f., 165, 167 f., 177, 179, 436
BWV 131 ▸ Aus der Tiefe rufe ich, Herr, zu dir **1:** 16 f., 19 f., 22–25, 28–31, 35, 40–42, 45, 48 f., 65, 67, 92, 357, **2:** 169, 403
BWV 132 ▸ Bereitet die Wege, bereitet die Bahn **1:** 55, 57, 60 f., 64, 108, 110, 112, 114, 117, 122, 124, 132–134, **2:** 449
BWV 133 ▸ Ich freue mich in dir **2:** 13, 23–25, 33, 71–73, 75, 100, 105, 137, 151
BWV 134 ▸ Ein Herz, das seinen Jesum lebend weiß **1:** 151 f., 224 f., 227, 229–232, **2:** 187, 374, 436
BWV 134a ▸ Die Zeit, die Tag und Jahre macht **1:** 224 f., 227, 230, **2:** 374, 438
BWV 135 ▸ Ach Herr, mich armen Sünder **1:** 179, **2:** 12, 18, 32, 41–43, 45, 58, 60, 78, 84, 88, 95, 99, 101 f., 105, 136 f., 147, 170, 172, 179
BWV 136 ▸ Erforsche mich, Gott, und erfahre mein Herz **1:** 150, 154, 156, 161, 169–170, 198, 201, 215, 218 f., 247, 251, 253 f., 310, **2:** 20
BWV 137 ▸ Lobe den Herren, den mächtigen König der Ehren **2:** 11, 13 f., 98, 180, 253, 258 f., 262, 265–267, 269, 310, 319, 335
BWV 138 ▸ Warum betrübst du dich, mein Herz **1:** 150, 156, 159, 161, 170, 173, 184 f., 219, 237, 248, 252, 257, 311, **2:** 20, 38, 45, 314
BWV 139 ▸ Wohl dem, der sich auf seinen Gott **2:** 13, 33, 59, 84, 88, 99 f., 140 f., 143, 177, 453

BWV 140 ▸ Wachet auf, ruft uns die Stimme **2:** 13, 98

BWV 143 ▸ Lobe den Herrn, meine Seele **1:** 58, 140–144, 153, **2:** 550

BWV 144 ▸ Nimm, was dein ist, und gehe hin **1:** 141, 154, 157, 162, 173, 190, 194–196, 261 f., 265 f., **2:** 440

BWV 145 ▸ Ich lebe, mein Herze, zu deinem Ergötzen **2:** 389, 430, 433–437, 448, 465–469

BWV 146 ▸ Wir müssen durch viel Trübsal **1:** 307, **2:** 254, 256, 258–262, 266, 268 f., 294 f., 299 f., 302 f., 316, 329–331, 335, 361, 363 f., 372–375, 390, 414, 419, 420 f., 470

BWV 147 ▸ Herz und Mund und Tat und Leben **1:** 57, 91, 95, 126, 150, 159, 169, 215, 218, 281, **2:** 19 f., 266, 308

BWV 147a ▸ Herz und Mund und Tat und Leben **1:** 55–57, 59 f., 64, 86, 89–91, 125 f., 129–131, 133 f., 163, 242, 434

BWV 148 ▸ Bringet dem Herrn Ehre seines Namens **1:** 150, 152, 154–156, 160, 277, **2:** 152, 156, 253, 256, 258–260, 262, 266 f., 269 f., 292–294, 305, 316, 335–337, 342, 351–353, 359 f., 413, 421, 425 f., 440

BWV 149 ▸ Man singet mit Freuden vom Sieg **1:** 76, 152, **2:** 112, 165, 402, 429 f., 432 f., 435–439, 448 f., 456 f., 461 f., 464, 468–470

BWV 150 ▸ Nach dir, Herr, verlanget mich **1:** 16–22, 25, 30–33, 35, 42, 47, 49, 76, **2:** 119

BWV 151 ▸ Süßer Trost, mein Jesus kömmt **1:** 133, **2:** 253, 262, 337 f., 346 f., 357, 361

BWV 152 ▸ Tritt auf die Glaubensbahn **1:** 55, 57, 64, 66, 69 f., 72, 93, 108, 115 f., 132, 134, 222

BWV 153 ▸ Schau, lieber Gott, wie meine Feind **1:** 122, 151, 154 f., 157–160, 211 f., 260, 264–267

BWV 154 ▸ Mein liebster Jesus ist verloren **1:** 151, 157, 209, 211 f., 237, 261, 263–266, 279, 318

BWV 155 ▸ Mein Gott, wie lang, ach lange **1:** 55, 60, 93 f., 108, 110, 112, 114, 122, 125 f., 132, 134, 151 f.

BWV 156 ▸ Ich steh mit einem Fuß im Grabe **1:** 222, **2:** 403, 429 f., 432, 435–437, 444 f., 448, 454 f., 461–464, 469 f.

BWV 157 ▸ Ich lasse dich nicht, du segnest mich denn **2:** 255–258, 260, 263, 316–318, 322–324, 409–413, 415, 425 f.

BWV 158 ▸ Der Friede sei mit dir **1:** 357, **2:** 265, 403, 471, 477

BWV 159 ▸ Sehet, wir gehn hinauf gen Jerusalem **2:** 381, 403, 430, 435–437, 448, 457, 459 f., 463–465, 469 f.

BWV 161 ▸ Komm, du süße Todesstunde **1:** 54 f., 60, 64–66, 73, 84, 93, 95, 108, 110, 115, 118, 120–122, 124, 132, 163, 357 f., **2:** 19 f., 303 f., 379

BWV 162 ▸ Ach! ich sehe, itzt, da ich zur Hochzeit gehe **1:** 54 f., 60, 64, 93 f., 108, 110, 112 f., 115, 117, 132 f., 150, 166, 358

BWV 163 ▸ Nur jedem das Seine **1:** 55, 60, 64, 66, 93 f., 108 f., 114, 116, 120, 124, 132, 150, 357, **2:** 20, 379

BWV 164 ▸ Ihr, die ihr euch von Christo nennet **2:** 253, 262, 336, 338, 340, 347, 350 f., 360 f., 373, 414

BWV 165 ▸ O heilges Geist- und Wasserbad **1:** 54 f., 60, 64, 93 f., 109, 112 f., 116, 124, 132, 151

BWV 166 ▸ Wo gehest du hin **1:** 151, 154, 157–157, 212 f., 221, 271, 273, 276, **2:** 20, 98, 212

BWV 167 ▸ Ihr Menschen, rühmet Gottes Liebe **1:** 150, 156, 158 f., 211, 217 f., 237–239, 242, 245 f., 279, **2:** 19

BWV 168 ▸ Tue Rechnung! Donnerwort **2:** 253, 256, 262, 336, 338 f., 342, 350, 360 f., 413

BWV 169 ▸ Gott soll allein mein Herze haben **2:** 255, 257, 263, 265, 299, 329–335, 382 f., 385, 392, 415, 419, 470

BWV 170 ▸ Vergnügte Ruh, beliebte Seelenlust **1:** 245, 254, 262, 264–266, 381–386, 391–393, 413, 419

BWV 171 ▸ Gott, wie dein Name, so ist auch dein Ruhm **2:** 261, 429 f., 432, 435–437, 439–442, 448, 451, 453–455, 464 f., 468–470, 472

BWV 172 ▸ Erschallet, ihr Lieder **1:** 55, 60, 63–66, 73, 78–81, 86, 91, 93–95, 99 f., 102 f., 105, 119, 122, 132, 134, 136, 139, 151, 357, **2:** 19, 123, 165, 379, 434 f.

BWV 173 ▸ Erhöhtes Fleisch und Blut
1: 151, 153, 225, 227, 229–231, 233 f.,
2: 123, 187, 255, 374, 436

BWV 173a ▸ Durchlauchtester Leopold **1:** 225, 227, **2:** 189, 217, 219, 221 f., 438, 468

BWV 174 ▸ Ich liebe den Höchsten von ganzem Gemüte **1:** 222, **2:** 296, 429 f., 432, 435–437, 444, 446–448, 452, 455–457, 465, 468–470

BWV 175 ▸ Er rufet seinen Schafen mit Namen **1:** 152, 228, 233, **2:** 189 f., 211 f., 215, 221 f., 232 f., 238, 243

BWV 176 ▸ Es ist ein trotzig und verzagt Ding **2:** 189 f., 198 f., 207 f., 215, 224, 230, 248

BWV 177 ▸ Ich ruf zu dir, Herr Jesu Christ **2:** 12, 14, 112, 258

BWV 178 ▸ Wo Gott der Herr nicht bei uns hält **1:** 357, **2:** 13, 32, 46 f., 51, 97–99, 125 f., 148 f., 170, 172 f., 178, 181

BWV 179 ▸ Siehe zu, daß deine Gottesfurcht nicht Heuchelei sei **1:** 150, 154, 156, 161, 173–175, 190–196, 219, 247, 252 f., 256, 310, **2:** 440

BWV 180 ▸ Schmücke dich, o liebe Seele **2:** 13, 33, 58 f., 81, 88, 96, 100, 102, 106, 128, 131, 135, 159 f., 171, 174, 177, 179

BWV 181 ▸ Leichtgesinnte Flattergeister **1:** 151, 157 f., 235–237, 261 f., 266

BWV 182 ▸ Himmelskönig, sei willkommen **1:** 55, 60, 63–66, 68–70, 72–76, 79, 83, 91 f., 99–102, 104, 107, 122, 132–134, 139, 151, 292, 294, 308, **2:** 19, 64, 88, 94, 357, 434, 440

BWV 183 ▸ Sie werden euch in den Bann tun **2:** 189 f., 211, 215, 221, 235 f., 242 f.

BWV 184 ▸ Erwünschtes Freudenlicht **1:** 151, 153, 225, 228–230, 234, **2:** 123, 187, 255

BWV 184a ▸ (Titel unbekannt) **1:** 225, 438

BWV 185 ▸ Barmherziges Herze der ewigen Liebe **1:** 55, 60, 64, 66, 93, 95, 108 f., 111, 113 f., 118, 120, 124, 132–135, 149, 357, **2:** 19 f., 379

BWV 186 ▸ Ärgre dich, o Seele, nicht **1:** 56, 159, 169, 215, 218, 281, **2:** 20, 266

BWV 186a ▸ Ärgre dich, o Seele, nicht **1:** 55–57, 59 f., 64, 86–89, 95, 124–126, 128–130, **2:** 434

BWV 187 ▸ Es wartet alles auf dich **1:** 308, **2:** 254, 262, 264–266, 268, 277–279, 294, 362–364, 366, 375–378

BWV 188 ▸ Ich habe meine Zuversicht **1:** 222, **2:** 260, 299, 331, 419, 429 f., 432, 435 f., 444 f., 449 f., 457 f., 464, 468 f., 470

BWV 190 ▸ Singet dem Herrn ein neues Lied **1:** 151 f., 157, 160, 162, 198 f., 219, 260, 262, 264, 279, 282, 310, **2:** 169, 294, 426 f., 436, 468

BWV 190a ▸ Singet dem Herrn ein neues Lied **2:** 426

BWV 192 ▸ Nun danket alle Gott **2:** 14 f., 34, 95, 247

BWV 193 ▸ Ihr Tore zu Zion **1:** 225, **2:** 255, 258, 264 f., 426

BWV 193a ▸ Ihr Häuser des Himmels, ihr scheinenden Lichter **2:** 255, 264, 425 f.

BWV 194 ▸ Höchsterwünschtes Freudenfest **1:** 150–152, 155, 158–160, 162, 187–189, 209, 225 f., 228 f., 231, 234–236, **2:** 187, 254, 259, 265

BWV 194a ▸ (Titel unbekannt) **1:** 225, **2:** 187

BWV 195 ▸ Dem Gerechten muß das Licht **2:** 257, 471 f., 474, 479

BWV 196 ▸ Der Herr denket an uns **1:** 16 f., 19–22, 25, 29–31, 35, 42, 48 f., 67 f., 294

BWV 197 ▸ Gott ist unsre Zuversicht **2:** 261, 429, 435, 450, 452 f., 455, 469, 472, 474 f., 479–481

BWV 197a ▸ Ehre sei Gott in der Höhe **2:** 261, 429 f., 433–437, 439, 448, 450, 455, 479

BWV 198 ▸ Laß, Fürstin, laß noch einen Strahl (Trauerode) **2:** 248, 415–418, 440, 487

BWV 199 ▸ Mein Herze schwimmt im Blut **1:** 55, 58–60, 64 f., 98, 122, 135–139, 142, 145, 150, 220 f., 357, **2:** 20, 134, 265 f., 312 f., 381, 411, 429

BWV 200 ▸ Bekennen will ich seinen Namen **2:** 259

BWV 201 ▸ Geschwinde, geschwinde, ihr wirbelnden Winde **2:** 426

BWV 202 ▸ Weichet nur, betrübte Schatten **1:** 225

BWV 205 ▸ Zerreißet, zersprenget, zertrümmert die Gruft **2:** 165, 425, 432, 449, 451

BWV 206 ▸ Schleicht, spielende Wellen, und murmelt gelinde **2:** 429

BWV 208 ▸ Was mir behagt, ist nur die muntre Jagd **1:** 55, 57–59, 63 f., 73–76, 98 f., 102, 107, 121, 132 f., 135, 278, 363, **2:** 135, 152, 156, 189, 219, 223, 233, 236–238, 351, 360, 429, 432, 437–439

BWV 211 ▸ Schweigt stille, plaudert nicht **2:** 119, 426 f.

BWV 212 ▸ Mer hahn en neue Oberkeet **2:** 426 f.

BWV 213 ▸ Laßt uns sorgen, laßt uns wachen **1:** 226, **2:** 185, 426 f.

BWV 214 ▸ Tönet, ihr Pauken! Erschallet, Trompeten **1:** 79, **2:** 468

BWV 215 ▸ Preise dein Glücke, gesegnetes Sachsen **1:** 306 f., **2:** 468

BWV 216 ▸ Vergnügte Pleißenstadt **1:** 303, **2:** 260, 426

BWV 226 ▸ Der Geist hilft unser Schwachheit auf **2:** 442

BWV 227 ▸ Jesu, meine Freude **2:** 122, 418

BWV 232 ▸ Messe in h-Moll **1:** 12, 77, 173, 283, 288, 303, 307 f., 311, 363, **2:** 72, 183–186, 429 f., 432, 442, 467, 473, 481, 486, 489, 517, 547, 550

BWV 233 ▸ Messe in F-Dur **1:** 12, 92, 282 f., 310, 356, **2:** 92–94, 96, 182, 467, 488 f., 547, 550

BWV 234 ▸ Messe in A-Dur **1:** 12, 277, 283, 310 f., **2:** 467, 488 f., 547, 550

BWV 235 ▸ Messe in g-Moll **1:** 12, 283, 310, **2:** 467, 488 f., 547, 550

BWV 236 ▸ Messe in G-Dur **1:** 12, 283, 310 f., **2:** 467, 488 f., 547, 550

BWV 237 ▸ Sanctus in C-Dur **1:** 150, 153, 283, 285

BWV 238 ▸ Sanctus in D-Dur **1:** 150, 153, 283, 285 f., 288

BWV 241 ▸ Sanctus in D-Dur **1:** 283

BWV 242 ▸ Christe eleison in g-Moll **1:** 283

BWV 243 ▸ Magnificat **1:** 150, 153, 279, 282–303, 309 f., 358, **2:** 122, 283, 322 f., 340, 489

BWV 244 ▸ Matthäus-Passion **1:** 12, 50, 124, 187, 282, 299, 315, 319, 327, 329, 332–334, 345 f., 349, 354 f., 366, **2:** 83, 86–92, 143, 243, 261, 263, 306, 317, 398, 425, 427, 483–547

BWV 244a ▸ Klagt, Kinder, klagt es der Welt (Trauermusik) **2:** 427, 487–489, 506

BWV 245 ▸ Johannes-Passion **1:** 12, 151, 156, 159, 197, 209, 279, 282 f., 309, 311, 313–367, **2:** 86–92, 94, 96, 123, 154, 182, 186 f., 261, 317, 326, 403, 490, 492, 497 f., 502–504, 516, 540–543, 546

BWV 247 ▸ Markus-Passion **1:** 315, **2:** 415–418

BWV 248 ▸ Weihnachtsoratorium **1:** 79, 226, 308, **2:** 119, 122, 195, 198, 427, 430, 481, 488 f., 547

BWV 249 ▸ Osteroratorium **2:** 187, 189–198, 208, 248, 263, 305 f., 412, 419, 426, 449, 455, 467

BWV 249a ▸ Entfliehet, verschwindet, entweichet, ihr Sorgen **2:** 187, 189–194, 263, 305 f., 425 f.

BWV 249b ▸ Verjaget, zerstreuet, zerrüttet, ihr Sterne **2:** 190

BWV 283 ▸ Christus, der uns selig macht **1:** 355–357

BWV 298 ▸ Dies sind die heilgen zehn Gebot **1:** 177

BWV 305 ▸ Erbarm dich mein, o Herre Gott **2:** 67 f.

BWV 402 ▸ O Mensch, bewein dein Sünde groß **2:** 89

BWV 528 ▸ Orgelsonate Nr. 1 e-Moll **1:** 223

BWV 584 ▸ Orgeltrio g-Moll **1:** 273

BWV 592 ▸ Konzertbearbeitung G-Dur **1:** 62

BWV 593 ▸ Konzertbearbeitung a-Moll **2:** 53

BWV 595 ▸ Konzertbearbeitung C-Dur **1:** 62

BWV 599–644 ▸ Orgelbüchlein **1:** 91, **2:** 18

BWV 622 ▸ O Mensch, bewein dein Sünde groß **2:** 89

BWV 635 ▸ Dies sind die heilgen zehn Gebot **1:** 177

BWV 645–650 ▸ Sechs Choräle (Schubler-Choräle) **2:** 96–98, 215

BWV 678 ▸ Dies sind die heilgen zehn Gebot **1:** 177

BWV 679 ▸ Dies sind die heilgen zehn Gebot **1:** 177

BWV 721 ▸ Erbarm dich mein, o Herre Gott **2:** 67 f.

BWV 817 ▸ Französische Suite Nr. 6 E-Dur **2:** 457

BWV 846–893 ▸ Das Wohltemperierte Clavier **1:** 164

BWV 982 ▸ Konzertbearbeitung B-Dur **1:** 62

BWV 984 ▸ Konzertbearbeitung C-Dur **1:** 62
BWV 987 ▸ Konzertbearbeitung d-Moll **1:** 62
BWV 1006 ▸ Violinpartita E-Dur **2:** 472
BWV 1027 ▸ Gambensonate G-Dur **2:** 444
BWV 1030 ▸ Flötensonate h-Moll **2:** 444
BWV 1031 ▸ Flötensonate Es-Dur **2:** 444
BWV 1041 ▸ Violinkonzert a-Moll **2:** 329
BWV 1042 ▸ Violinkonzert E-Dur **1:** 269, **2:** 40, 163, 217, 329
BWV 1046 ▸ Brandenburgisches Konzert Nr. 1 F-Dur **1:** 163, **2:** 193, 267, 329–331, 389, 457
BWV 1047 ▸ Brandenburgisches Konzert Nr. 2 F-Dur **1:** 163, **2:** 218
BWV 1048 ▸ Brandenburgisches Konzert Nr. 3 G-Dur **1:** 163, **2:** 296, 329, 444, 446 f.
BWV 1049 ▸ Brandenburgisches Konzert Nr. 4 G-Dur **1:** 163, **2:** 443
BWV 1050 ▸ Brandenburgisches Konzert Nr. 5 D-Dur **1:** 163, **2:** 124, 217
BWV 1051 ▸ Brandenburgisches Konzert Nr. 6 B-Dur **1:** 163, **2:** 217
BWV 1052 ▸ Cembalokonzert d-Moll **2:** 267, 295, 299–301, 329–331, 444
BWV 1053 ▸ Cembalokonzert E-Dur **2:** 267, 329–333
BWV 1055 ▸ Cembalokonzert A-Dur **2:** 329
BWV 1056 ▸ Cembalokonzert f-Moll **2:** 329, 444 f.
BWV 1059 ▸ Cembalokonzert d-Moll **2:** 267, 329 f.
BWV 1067 ▸ Orchestersuite Nr. 2 h-Moll **2:** 457

BWV 1068 ▸ Orchestersuite Nr. 3 D-Dur **2:** 183
BWV 1069 ▸ Orchestersuite Nr. 4 D-Dur **2:** 267, 295 f., 323
BWV 1081 ▸ Credo in unum Deum **1:** 283
BWV 1082 ▸ Suscepit Israel puerum suum **1:** 283
BWV 1090–1120 ▸ Orgelchoräle (Neumeister-Sammlung) **1:** 91, **2:** 18
BWV 1127 ▸ Alles mit Gott **1:** 55, 58 f., 63, 97
BWV Anh. I 3 ▸ Gott, gib dein Gerichte dem Könige **2:** 426
BWV Anh. I 4 ▸ Wünschet Jerusalem Glück **2:** 253, 260, 425 f.
BWV Anh. I 5 ▸ Lobet den Herrn, alle seine Heerscharen **1:** 224
BWV Anh. I 6 ▸ Dich loben die lieblichen Strahlen der Sonne **1:** 225
BWV Anh. I 7 ▸ Heut ist gewiß ein guter Tag **1:** 225, **2:** 233
BWV Anh. I 8 ▸ (Titel unbekannt) **1:** 225
BWV Anh. I 10 ▸ So kämpfet nur, ihr muntern Töne **2:** 426
BWV Anh. I 11 ▸ Es lebe der König, der Vater im Lande **2:** 185, 426
BWV Anh. I 12 ▸ Frohes Volk, vergnügte Sachsen **2:** 426
BWV Anh. I 190 ▸ Ich bin ein Pilgrim auf der Welt **2:** 429 f., 433–436
BWV Anh. I 199 ▸ Siehe, eine Jungfrau ist schwanger **1:** 151, 153
BWV Anh. I 209 ▸ Liebster Gott, vergißt Du mich **2:** 257, 264

Register der Kantaten nach Textincipits

Ach Gott, vom Himmel sieh darein ▸ BWV 2
1: 217, **2:** 12, 18, 34, 38, 41, 45, 64–67, 71, 94f., 99, 102, 124, 146, 170, 172, 177, 179, 312, 440

Ach Gott, wie manches Herzeleid ▸ BWV 3
1: 222, **2:** 13, 33, 78f., 88, 99f., 111, 115, 171, 175f., 179, 182

Ach Gott, wie manches Herzeleid ▸ BWV 58
2: 14, 255, 257f., 263, 265, 325–329, 402–409, 419f.

Ach Herr, mich armen Sünder ▸ BWV 135
1: 179, **2:** 12, 18, 32, 41–43, 45, 58, 60, 78, 84, 88, 95, 99, 101f., 105, 136f., 147, 170, 172, 179

Ach! ich sehe, itzt, da ich zur Hochzeit gehe
▸ BWV 162 **1:** 54f., 60, 64, 93f., 108, 110, 112f., 115, 117, 132f., 150, 166, 358

Ach, lieben Christen, seid getrost ▸ BWV 114
1: 152, **2:** 13, 32, 51–53, 97f., 100, **2:** 128, 130, 158, 179, 195, 292

Ach wie flüchtig, ach wie nichtig ▸ BWV 26
2: 13, 28f., 33, 52–54, 75, 99f., 143f., 152, 154

Allein zu dir, Herr Jesu Christ ▸ BWV 33
2: 13, 32, 48, 53, 100, 115f., 149, 179

Alles nur nach Gottes Willen ▸ BWV 72
2: 141, 254, 262, 266, 268f., 303–305, 307, 310, 316, 337, 348f., 357–361, 371, 415, 420, 434, 436, 453

Alles, was von Gott geboren ▸ BWV 80a
1: 54f., 57–60, 64, 66, 94, 108, 111, 116, 118f., 121f., 132, 134, 278, 357, **2:** 20, 379

Also hat Gott die Welt geliebt ▸ BWV 68
1: 98, 166, 278, 308, **2:** 11, 14f., 152, 156, 188–190, 204, 206–210, 215, 223, 236–239, 248, 351, 360, 403, 436, 452, 470

Am Abend aber desselbigen Sabbats
▸ BWV 42 **1:** 155, **2:** 98, 188f., 195, 211, 215–218, 225f., 234f., 240f., 248, 267, 453, 461, 470

Angenehmes Wiederau ▸ BWV 30a **2:** 426f., 432, 471f., 477f.

Ärgre dich, o Seele, nicht ▸ BWV 186 **1:** 56, 159, 169, 215, 218, 281, **2:** 20, 266

Ärgre dich, o Seele, nicht ▸ BWV 186a
1: 55–57, 59f., 64, 86–89, 95, 124–126, 128–130, **2:** 434

Auf Christi Himmelfahrt allein ▸ BWV 128
2: 14f., 180, 189f., 209, 211, 231f., 241, 248, 410

Aus der Tiefe rufe ich, Herr, zu dir ▸ BWV 131
1: 16f., 19f., 22–25, 28–31, 35, 40–42, 45, 48f., 65, 67, 92, 357, **2:** 169, 403

Aus tiefer Not schrei ich zu dir ▸ BWV 38
1: 217, **2:** 13, 33, 38, 64, 67–69, 71, 94, 96, 99f., 102, 106, 119–122, 137f., 170f., 174, 179, 312, 436

Barmherziges Herze der ewigen Liebe
▸ BWV 185 **1:** 55, 60, 64, 66, 93, 95, 108f., 111, 113f., 118, 120, 124, 132–135, 149, 357, **2:** 19f., 379

Bekennen will ich seinen Namen ▸ BWV 200
2: 259

Bereitet die Wege, bereitet die Bahn
▸ BWV 132 **1:** 55, 57, 60f., 64, 108, 110, 112, 114, 117, 122, 124, 132–134, **2:** 449

Bisher habt ihr nichts gebeten in meinem Namen ▸ BWV 87 **2:** 112, 188–190, 195, 211, 214, 226–229, 241

Bleib bei uns, denn es will Abend werden
▸ BWV 6 **1:** 155, **2:** 98f., 135, 188f., 198–201, 208, 215f., 219f., 227, 248, 419, 436, 450

Brich dem Hungrigen dein Brot ▸ BWV 39
2: 255f., 262, 264f., 268, 275–277, 279, 282, 294, 318, 362f., 365, 370

Bringet dem Herrn Ehre seines Namens
▸ BWV 148 **1:** 150, 152, 154–156, 160, 277, **2:** 152, 156, 253, 256, 258–260,

262, 266 f., 269 f., 292–294, 305, 316, 335–337, 342, 351–353, 359 f., 413, 421, 425 f., 440

Christ lag in Todes Banden ▸ BWV 4
1: 16–20, 22 f., 25, 33, 42 f., 45, 49, 67, 91 f., 151, 153, 302, 357, **2:** 15 f., 19, 64, 183, 440

Christ unser Herr zum Jordan kam ▸ BWV 7
2: 12, 18, 32, 38–41, 45 f., 56, 95, 99, 107 f., 122, 139 f., 146 f., 177, 179

Christen, ätzet diesen Tag ▸ BWV 63 **1:** 55, 57, 60, 64, 73, 80, 83, 101, 103 f., 106 f., 122, 124, 128, 150, 156, **2:** 436

Christum wir sollen loben schon ▸ BWV 121
2: 13, 33, 38, 64, 69–71, 100, 133 f., 150 f., 179, 312, 440

Christus, der ist mein Leben ▸ BWV 95
1: 150, 156, 159, 161, 185 f., 219 f., 237, 248, 257–259, 275, 279, **2:** 20, 38, 195, 314

Darzu ist erschienen der Sohn Gottes
▸ BWV 40 **1:** 151, 154 f., 157, 162, 196–199, 201, 209, 220, 237, 260, 266 f., 269 f., 278, 281 f., 289, 310, **2:** 293

Das neugeborne Kindelein ▸ BWV 122
1: 358, **2:** 13, 33, 71, 75, 100, 102, 106, 110 f., 119, 122, 170 f., 174, 403

Dem Gerechten muß das Licht ▸ BWV 195
2: 257, 471 f., 474, 479

Der Friede sei mit dir ▸ BWV 158 **1:** 357, **2:** 265, 403, 471, 477

Der Herr denket an uns ▸ BWV 196 **1:** 16 f., 19–22, 25, 29–31, 35, 42, 48 f., 67 f., 294

Der Herr ist mein getreuer Hirt ▸ BWV 112
2: 14 f., 180

Der Himmel dacht auf Anhalts Ruhm und Glück ▸ BWV 66a **1:** 224–226, **2:** 217, 234 f., 438

Der Himmel lacht! Die Erde jubiliert
▸ BWV 31 **1:** 55, 60, 64, 66, 72 f., 83 f., 93, 95, 108 f., 111, 113, 119, 122, 124, 132, 134, 151 f., 163, 278, 357, **2:** 19 f., 152, 303 f., 337, 379, 434

Dich loben die lieblichen Strahlen der Sonne
▸ BWV Anh. I 6 **1:** 225

Die Elenden sollen essen ▸ BWV 75 **1:** 149, 156, 161, 166 f., 170, 209, 215, 217, 222 f., 237, 239–246, 277, 279 f., **2:** 19 f., 266

Die Freude reget sich ▸ BWV 36b **2:** 191, 471

Die Himmel erzählen die Ehre Gottes
▸ BWV 76 **1:** 149, 156, 161, 166–168, 170, 209, 215, 217, 222 f., 237–244, 277–280, **2:** 19, 253, 266

Die Zeit, die Tag und Jahre macht ▸ BWV 134a
1: 224 f., 227, 230, **2:** 374, 438

Du Friedefürst, Herr Jesu Christ ▸ BWV 116
2: 13, 33, 53 f., 100, 119, 121 f., 133, 170 f., 174, 177

Du Hirte Israel, höre ▸ BWV 104 **1:** 151, 154, 157 f., 162, 203–206, 220, 245, 271, 273–275, 279, **2:** 155, 195

Du sollt Gott, deinen Herren, lieben ▸ BWV 77
1: 149, 153 f., 156, 159, 161, 175–179, 182, 220, 247, 251 f., **2:** 20, 94, 166

Du wahrer Gott und Davids Sohn ▸ BWV 23
1: 149, 151, 153, 215, 237 f., 242, 279–282, 317, 354–356, 359, **2:** 19, 169, 173, 436

Durchlauchtester Leopold ▸ BWV 173a
1: 225, 227, **2:** 189, 217, 219, 221 f., 438, 468

Ehre sei Gott in der Höhe ▸ BWV 197a
2: 261, 429 f., 433–437, 439, 448, 450, 455, 479

Ein feste Burg ist unser Gott ▸ BWV 80
1: 54, 60, 93, 119, **2:** 11, 56

Ein Herz, das seinen Jesum lebend weiß
▸ BWV 134 **1:** 151 f., 224 f., 227, 229–232, **2:** 187, 374, 436

Ein ungefärbt Gemüte ▸ BWV 24 **1:** 149, 153, 156, 158 f., 161, 168, 170, 217, 237, 239–242, 280, **2:** 19

Entfliehet, verschwindet, entweichet, ihr Sorgen ▸ BWV 249a **2:** 187, 189–194, 263, 305 f., 425 f.

Er rufet seinen Schafen mit Namen
▸ BWV 175 **1:** 152, 228, 233, **2:** 189 f., 211 f., 215, 221 f., 232 f., 238, 243

Erforsche mich, Gott, und erfahre mein Herz ▸ BWV 136 **1:** 150, 154, 156, 161, 169–170, 198, 201, 215, 218 f., 247, 251, 253 f., 310, **2:** 20

Erfreut euch, ihr Herzen ▸ BWV 66 **1:** 151, 159, 224–226, 229–233, **2:** 187, 217, 234, 374, 436

Erfreute Zeit im neuen Bunde ▸ BWV 83
  1: 151, 157f., 237, 261f., 267–269, 278,
  2: 169, 195
Erhalt uns, Herr, bei deinem Wort ▸ BWV 126
  2: 14, 33, 80–82, 100, 111, 139, 171, 176,
  178f., 448
Erhöhtes Fleisch und Blut ▸ BWV 173 **1:** 151,
  153, 225, 227, 229–231, 233f., **2:** 123,
  187, 255, 374, 436
Erschallet, ihr Lieder ▸ BWV 172 **1:** 55, 60,
  63–66, 73, 78–81, 86, 91, 93–95, 99f.,
  102f., 105, 119, 122, 132, 134, 136, 139,
  151, 357, **2:** 19, 123, 165, 379, 434f.
Erwünschtes Freudenlicht ▸ BWV 184 **1:** 151,
  153, 225, 228–230, 234, **2:** 123, 187, 255
Es erhub sich ein Streit ▸ BWV 19 **1:** 152,
  2: 165, 254, 256, 263, 266, 268f., 303,
  305, 307–310, 315f., 361, 363f., 372,
  378–380, 425f., 436
Es ist das Heil uns kommen her ▸ BWV 9
  2: 13f., 180
Es ist dir gesagt, Mensch, was gut ist
  ▸ BWV 45 **1:** 251, 355, **2:** 254, 262,
  264–266, 268, 280–282, 294, 319,
  362–364, 366f., 377f., 440, 472
Es ist ein trotzig und verzagt Ding ▸ BWV 176
  2: 189f., 198f., 207f., 215, 224, 230, 248
Es ist euch gut, daß ich hingehe ▸ BWV 108
  1: 308, **2:** 189f., 204–206, 208, 211–214,
  220, 227, 248, 381
Es ist nichts Gesundes an meinem Leibe
  ▸ BWV 25 **1:** 150, 154, 156, 159, 161,
  178–180, 182, 247, 249, 257, 278, **2:** 20
Es lebe der König, der Vater im Lande
  ▸ BWV Anh. I 11 **2:** 185, 426
Es reißet euch ein schrecklich Ende ▸ BWV 90
  1. 150, 157f., 220, 237, 248, 259f., 279,
  308, **2:** 166f.
Es wartet alles auf dich ▸ BWV 187 **1:** 308,
  2: 254, 262, 264–266, 268, 277–279, 294,
  362–364, 366, 375–378

Falsche Welt, dir trau ich nicht ▸ BWV 52
  2: 152, 156, 255, 263, 265, 315, 329–332,
  381f., 387, 389f., 419, 453
Freue dich, erlöste Schar ▸ BWV 30 **2:** 266,
  427, 471–474, 476–479
Frohes Volk, vergnügte Sachsen ▸ BWV
  Anh. I 12 **2:** 426

Geist und Seele wird verwirret ▸ BWV 35
  2: 254, 259, 262, 264–266, 269, 329f.,
  332, 334f., 381–383, 385, 392–394, 419,
  445, 470
Gelobet sei der Herr, mein Gott ▸ BWV 129
  2: 14f., 112, 165, 253–257, 259, 261, 263,
  265f., 268f., 310, 335, 420, 434
Gelobet seist du, Jesu Christ ▸ BWV 91 **2:** 13,
  33, 75, 96, 100, 114f., 152, 154f., 171,
  175, 177, 179, 241, 436
Geschwinde, geschwinde, ihr wirbelnden
  Winde ▸ BWV 201 **2:** 426
Gleichwie der Regen und Schnee vom
  Himmel fällt ▸ BWV 18 **1:** 55, 58–60,
  64, 67f., 72, 76, 93f., 98, 116f., 121f.,
  132, 135, 145, 151, 153, 184, **2:** 20, 169,
  171
Gott der Herr ist Sonn und Schild ▸ BWV 79
  1: 155, 344, **2:** 253, 262, 265f., 268–273,
  276, 294, 315f., 336f., 340–343, 360,
  373, 420, 440, 472
Gott fähret auf mit Jauchzen! ▸ BWV 43
  2: 254, 261f., 264–266, 268, 272–276,
  294, 316, 318, 362, 364f., 370, 375, 414,
  420, 440
Gott, gib dein Gerichte dem Könige ▸ BWV
  Anh. I 3 **2:** 426
Gott ist mein König ▸ BWV 71 **1:** 16f., 19f.,
  25, 33–35, 39f., 42, 46–48, 50, 67, 74,
  82, 117, 136, 141, 222, 294, 357, **2:** 165,
  169, 403, 432
Gott ist unsre Zuversicht ▸ BWV 197 **2:** 261,
  429, 435, 450, 452f., 455, 469, 472,
  474f., 479–481
Gott, man lobet dich in der Stille ▸ BWV 120
  1: 225, **2:** 419, 427
Gott, man lobet dich in der Stille ▸ BWV 120b
  2: 426f.
Gott soll allein mein Herze haben ▸ BWV 169
  2: 255, 257, 263, 265, 299, 329–335,
  382f., 385, 392, 415, 419, 470
Gott, wie dein Name, so ist auch dein Ruhm
  ▸ BWV 171 **2:** 261, 429f., 432, 435–437,
  439–442, 448, 451, 453–455, 464f.,
  468–470, 472
Gottes Zeit ist die allerbeste Zeit ▸ BWV 106
  1: 15–17, 19f., 24f., 27, 30, 42–50, 67,
  93–95, 137, 139, 141f., 279, 356f., **2:** 169,
  403, 412

Gottlob! Nun geht das Jahr zu Ende ▸ BWV 28
2:253, 262, 266, 269, 310–312, 316, 318, 337–340, 356, 360, 420, 440

Halt im Gedächnis Jesum Christ ▸ BWV 67
1:151, 154f., 157f., 162, 201–204, 271, 273f., 276, 278, **2**:123, 183, 440, 472
Herr Christ, der einge Gottessohn ▸ BWV 96
2:13, 29f., 32, 56, 81, 88, 99f., 128, 130f., 158f.
Herr Gott, Beherrscher aller Dinge
▸ BWV 120a **2**:427, 429, 435
Herr Gott, dich loben alle wir ▸ BWV 130
1:152, 308, **2**:13, 32, 50f., 99f., 128, 130f., 165, 167f., 177, 179, 436
Herr Gott, dich loben wir ▸ BWV 16 **1**:308, **2**:254, 262, 265f., 268f., 303–305, 310, 312f., 316, 337, 345f., 360, 420, 436
Herr Jesu Christ, du höchstes Gut ▸ BWV 113
1:357, **2**:13, 23, 32, 47f., 88, 97f., 100–102, 104–107, 112, 128–131, 141f., 168, 170, 173, 177, 179
Herr Jesu Christ, wahr' Mensch und Gott
▸ BWV 127 **1**:356, 358, **2**:14, 29, 31, 33f., 41f., 81–86, 88f., 94, 96, 107, 143, 161, 171, 176–179, 436
Herr, deine Augen sehen nach dem Glauben
▸ BWV 102 **2**:254, 262, 264–266, 268, 282–286, 294, 319f., 362f., 367f., 414, 444
Herr, gehe nicht ins Gericht ▸ BWV 105
1:150, 154, 156, 161, 170–172, 218f., 247–250, 254f., 257, 278, 280–282, **2**:20, 166, 383
Herr, wie du willt, so schicks mit mir
▸ BWV 73 **1**:151, 157, 159, 162, 186f., 261f., 270, 278f., **2**:20, 22, 38, 314, 436
Herz und Mund und Tat und Leben
▸ BWV 147 **1**:57, 91, 95, 126, 150, 159, 169, 215, 218, 281, **2**:19f., 266, 308
Herz und Mund und Tat und Leben
▸ BWV 147a **1**:55–57, 59f., 64, 86, 89–91, 125f., 129–131, 133f., 163, 242, 434
Heut ist gewiß ein guter Tag ▸ BWV Anh. I 7
1:225, **2**:233
Himmelskönig, sei willkommen ▸ BWV 182
1:55, 60, 63–66, 68–70, 72–76, 79, 83, 91f., 99–102, 104, 107, 122, 132–134, 139, 151, 292, 294, 308, **2**:19, 64, 88, 94, 357, 434, 440
Höchsterwünschtes Freudenfest ▸ BWV 194
1:150–152, 155, 158–160, 162, 187–189, 209, 225f., 228f., 231, 234–236, **2**:187, 254, 259, 265

Ich armer Mensch, ich Sündenknecht
▸ BWV 55 **2**:255, 263, 265, 381–383, 386f., 390
Ich bin ein guter Hirt ▸ BWV 85 **1**:155, **2**:98, 188f., 211f., 216, 220f., 224, 241
Ich bin ein Pilgrim auf der Welt ▸ BWV Anh. I 190 **2**:429f., 433–436
Ich bin vergnügt mit meinem Glücke
▸ BWV 84 **2**:255f., 263, 265, 381, 383, 388, 398f., 411, 425f., 430
Ich elender Mensch, wer wird mich erlösen
▸ BWV 48 **1**:150, 154–156, 159, 161, 180–184, 220, 248, 251, 259, 280f., **2**:20, 145f.
Ich freue mich in dir ▸ BWV 133 **2**:13, 23–25, 33, 71–73, 75, 100, 105, 137, 151
Ich geh und suche mit Verlangen ▸ BWV 49
2:255, 263, 265, 325–331, 335, 402–406, 408f., 415, 419f.
Ich glaube, lieber Herr, hilf meinem Unglauben ▸ BWV 109 **1**:150, 154, 156, 161, 189f., 209, 219, 248, 252, 256, 436
Ich hab in Gottes Herz und Sinn ▸ BWV 92
2:13, 25, 33, 74, 79, 81, 88, 97–100, 111, 151, 160f., 170f., 175f., 178, 180
Ich habe genung ▸ BWV 82 **1**:93, 279, **2**:255, 263, 265, 381–383, 395–398, 411f.
Ich habe meine Zuversicht ▸ BWV 188
1:222, **2**:260, 299, 331, 419, 429f., 432, 435f., 444f., 449f., 457f., 464, 468f., 470
Ich hatte viel Bekümmernis ▸ BWV 21 **1**:38, 54–56, 60, 63–66, 70–73, 79, 81–83, 92f., 99–107, 122–124, 132f., 135f., 138f., 145, 149, 156, 158, 163, 215, 222, 294, 306, **2**:19, 64, 88, 94f., 193, 434
Ich lasse dich nicht, du segnest mich denn
▸ BWV 157 **2**:255–258, 260, 263, 316–318, 322–324, 409–413, 415, 425f.
Ich lebe, mein Herze, zu deinem Ergötzen
▸ BWV 145 **2**:389, 430, 433–437, 448, 465–469

Ich liebe den Höchsten von ganzem Gemüte
▶ BWV 174 **1:** 222, **2:** 296, 429 f., 432,
435–437, 444, 446–448, 452, 455–457,
465, 468–470

Ich ruf zu dir, Herr Jesu Christ ▶ BWV 177
2: 12, 14, 112, 258

Ich steh mit einem Fuß im Grabe ▶ BWV 156
1: 222, **2:** 403, 429 f., 432, 435–437,
444 f., 448, 454 f., 461–464, 469 f.

Ich will den Kreuzstab gerne tragen ▶ BWV 56
2: 255, 263, 265, 316, 381, 386, 394 f., 414 f.

Ihr, die ihr euch von Christo nennet ▶ BWV 164
2: 253, 262, 336, 338, 340, 347, 350 f.,
360 f., 373, 414

Ihr Häuser des Himmels, ihr scheinenden
Lichter ▶ BWV 193a **2:** 255, 264, 425 f.

Ihr Menschen, rühmet Gottes Liebe
▶ BWV 167 **1:** 150, 156, 158 f., 211, 217 f.,
237–239, 242, 245 f., 279, **2:** 19

Ihr Tore zu Zion ▶ BWV 193 **1:** 225, **2:** 255,
258, 264 f., 426

Ihr werdet weinen und heulen ▶ BWV 103
1: 308, **2:** 188 f., 198 f., 201–204, 208,
217, 220, 231–233, 299, 444

In allen meinen Taten ▶ BWV 97 **1:** 79,
2: 14 f., 34, 95, 180, 244–247

Jauchzet Gott in allen Landen ▶ BWV 51
2: 265, 381, 383, 399–401

Jesu, der du meine Seele ▶ BWV 78 **1:** 344,
2: 13, 32, 34, 56, 61–64, 71, 94, 99 f.,
113 f., 128, 157, 170, 175, 182

Jesu, nun sei gepreiset ▶ BWV 41 **2:** 13,
25–28, 33, 76–78, 89, 94, 100, 134–136,
152, 155 f., 171, 175, 179, 429, 436, 464

Jesus nahm zu sich die Zwölfe ▶ BWV 22
1: 149, 151, 153, 161, 165 f., 208–211,
215–217, 237 f., 242, 244, 279 f., 310,
2: 19, 94, 436

Jesus schläft, was soll ich hoffen ▶ BWV 81
1: 151, 157 f., 201, 211, 237, 261,
267–269, 278, **2:** 318, 457

Klagt, Kinder, klagt es der Welt (Trauermusik) ▶ BWV 244a **2:** 427, 487–489, 506

Komm, du süße Todesstunde ▶ BWV 161
1: 54 f., 60, 64–66, 73, 84, 93, 95, 108, 110,
115, 118, 120–122, 124, 132, 163, 357 f.,
2: 19 f., 303 f., 379

Laß, Fürstin, laß noch einen Strahl (Trauerode) ▶ BWV 198 **2:** 248, 415–418, 440, 487

Laßt uns sorgen, laßt uns wachen ▶ BWV 213
1: 226, **2:** 185, 426 f.

Leichtgesinnte Flattergeister ▶ BWV 181
1: 151, 157 f., 235–237, 261 f., 266

Liebster Gott, vergißt Du mich ▶ BWV Anh. I
209 **2:** 257, 264

Liebster Gott, wenn werd ich sterben ▶ BWV 8
2: 13, 32, 50, 100, 127–129, 157, 177,
179, 316

Liebster Immanuel, Herzog der Frommen
▶ BWV 123 **2:** 13, 33, 71, 73, 75, 88, 100,
127 f., 141 f., 179

Liebster Jesu, mein Verlangen ▶ BWV 32
2: 254, 262, 265, 337 f., 341 f., 344 f.,
357–361, 402 f., 413 f., 419

Lobe den Herren, den mächtigen König der
Ehren ▶ BWV 137 **2:** 11, 13 f., 98, 180,
253, 258 f., 262, 265–267, 269, 310, 319,
335

Lobe den Herrn, meine Seele ▶ BWV 69
1: 253, **2:** 152

Lobe den Herrn, meine Seele ▶ BWV 69a
1: 150, 153 f., 156, 161, 173, 175, 219,
247, 256 f., 306, **2:** 293 f.,

Lobe den Herrn, meine Seele ▶ BWV 143
1: 58, 140–144, 153, **2:** 550

Lobet den Herrn, alle seine Heerscharen
▶ BWV Anh. I 5 **1:** 224

Lobet Gott in seinen Reichen (Himmelfahrtsoratorium) ▶ BWV 11 **2:** 547

Mache dich, mein Geist, bereit ▶ BWV 115
2: 13, 33, 51–53, 99 f., 142 f., 160, 179

Man singet mit Freuden vom Sieg
▶ BWV 149 **1:** 76, 152, **2:** 112, 165, 402,
429 f., 432, 435–439, 448 f., 456 f.,
461 f., 464, 468–470

Mein Gott, wie lang, ach lange ▶ BWV 155
1: 55, 60, 93 f., 108, 110, 112, 114, 122,
125 f., 132, 134, 151 f.

Mein Herze schwimmt im Blut ▶ BWV 199
1: 55, 58–60, 64 f., 98, 122, 135–139,
142, 145, 150, 220 f., 357, **2:** 20, 134, 265,
312 f., 381, 411, 429

Mein liebster Jesus ist verloren ▶ BWV 154
1: 151, 157, 209, 211 f., 237, 261, 263–266,
279, 318

Meine Seel erhebt den Herren ▸ BWV 10
  2: 12, 18, 43–45, 95, 97, 107–109, 147,
  177, 179, 181, 448
Meine Seufzer, meine Tränen ▸ BWV 13
  1: 133, 245, **2:** 254, 262, 264, 325, 337f.,
  346, 349f., 360, 372f., 389f., 414
Meinen Jesum laß ich nicht ▸ BWV 124 **2:** 13,
  33, 71, 73–75, 100, 113–115, 160, 179
Mer hahn en neue Oberkeet ▸ BWV 212
  2: 426f.
Mit Fried und Freud ich fahr dahin ▸ BWV 125
  2: 13, 33, 79–81, 88f., 100, 116–118,
  138f., 171, 176–179, 182, 195, 241

Nach dir, Herr, verlanget mich ▸ BWV 150
  1: 16–22, 25, 30–33, 35, 42, 47, 49, 76,
  2: 119
Nimm von uns, Herr, du treuer Gott
  ▸ BWV 101 **1:** 217, **2:** 13, 32, 47, 54, 95,
  100f., 103–107, 112, 126, 152–154, 168,
  170, 173, 178, 181
Nimm, was dein ist, und gehe hin
  ▸ BWV 144 **1:** 141, 154, 157, 162, 173,
  190, 194–196, 261f., 265f., **2:** 440
Nun danket alle Gott ▸ BWV 192 **2:** 14f., 34,
  95, 247
Nun ist das Heil und die Kraft ▸ BWV 50
  1: 150, 152, 155, 303–309, **2:** 165, 436,
  550
Nun komm, der Heiden Heiland ▸ BWV 61
  1: 55, 60, 64, 66, 73, 79, 93–95, 99, 101,
  105, 122–124, 132, 134, 150, 156, **2:** 19,
  35, 88
Nun komm, der Heiden Heiland ▸ BWV 62
  2: 13, 23, 33, 60, 100, 110, 149f., 177,
  179, 448f.
Nur jedem das Seine ▸ BWV 163 **1:** 55, 60,
  64, 66, 93f., 108f., 114, 116, 120, 124,
  132, 150, 357, **2:** 20, 379

O ewiges Feuer, o Ursprung der Liebe
  ▸ BWV 34 **1:** 358, **2:** 195, 255–258, 263,
  266, 268f., 303, 307–310, 316, 409f.,
  412f., 420
O ewiges Feuer, o Ursprung der Liebe
  ▸ BWV 34a **2:** 195, 257, 307–310
O Ewigkeit, du Donnerwort ▸ BWV 20 **1:** 79,
  2: 12, 18, 35–38, 99, 113, 145f., 152f.,
  156, 164, 181f.
O Ewigkeit, du Donnerwort ▸ BWV 60
  1: 150, 157, 211, 220, 248, 254, 278f.,
  2: 265, 402f., 405f.
O heilges Geist- und Wasserbad ▸ BWV 165
  1: 54f., 60, 64, 93f., 109, 112f., 116, 124,
  132, 151
O Jesu Christ, meins Lebens Licht ▸ BWV 118
  2: 471f., 475

Preise dein Glücke, gesegnetes Sachsen
  ▸ BWV 215 **1:** 306f., **2:** 468
Preise, Jerusalem, den Herrn ▸ BWV 119
  1: 150, 152, 155f., 161, 187f., 190, 209,
  220, 248, 252f., **2:** 152

Schau, lieber Gott, wie meine Feind
  ▸ BWV 153 **1:** 122, 151, 154f., 157–160,
  211f., 260, 264–267
Schauet doch und sehet, ob irgend ein
  Schmerz sei ▸ BWV 46 **1:** 150, 154,
  156, 161, 172f., 219, 247f., 251, 255,
  278–280, 282, 311, **2:** 20, 166f.
Schleicht, spielende Wellen, und murmelt
  gelinde ▸ BWV 206 **2:** 429
Schmücke dich, o liebe Seele ▸ BWV 180
  2: 13, 33, 58f., 81, 88, 96, 100, 102, 106,
  128, 131, 135, 159f., 171, 174, 177, 179
Schweigt stille, plaudert nicht ▸ BWV 211
  2: 119, 426f.
Schwingt freudig euch empor ▸ BWV 36
  2: 98, 191f., 253, 255, 427, 471–473, 476f.
Schwingt freudig euch empor ▸ BWV 36c
  2: 191, 427, 471, 476f.
Sehet, welch eine Liebe hat uns der Vater
  erzeiget ▸ BWV 64 **1:** 151, 154f., 157,
  162, 173, 175, 190, 192–196, 220, 260,
  262, 264f., 282, **2:** 472
Sehet, wir gehn hinauf gen Jerusalem
  ▸ BWV 159 **2:** 381, 403, 430, 435–437,
  448, 457, 459f., 463–465, 469f.
Sei Lob und Ehr dem höchsten Gut
  ▸ BWV 117 **2:** 14f., 34, 94f., 180,
  244–246
Selig ist der Mann ▸ BWV 57 **2:** 253, 263,
  265, 317, 320–322, 324, 326, 336, 338,
  342–344, 346, 353–355, 360f., 402f.,
  413, 415, 419f., 450
Sie werden aus Saba alle kommen ▸ BWV 65
  1: 154f., 199–201, 203, 261, 263, 267f., 278

Sie werden euch in den Bann tun ▸ BWV 44
　1: 151, 154, 157, 159, 162, 208 f., 213 f.,
　221 f., 271 f., 276 f., **2**: 20, 189 f., 211
Sie werden euch in den Bann tun ▸ BWV 183
　2: 189 f., 211, 215, 221, 235 f., 242 f.
Siehe zu, daß deine Gottesfurcht nicht Heuchelei sei ▸ BWV 179　**1**: 150, 154, 156,
　161, 173–175, 190–196, 219, 247, 252 f.,
　256, 310, **2**: 440
Siehe, eine Jungfrau ist schwanger
　▸ BWV Anh. I 199　**1**: 151, 153
Siehe, ich will viel Fischer aussenden
　▸ BWV 88　**1**: 245, **2**: 254, 262, 264 f.,
　269, 278, 318 f., 320–322, 324, 361–364,
　369 f., 373, 415, 420
Singet dem Herrn ein neues Lied ▸ BWV 190
　1: 151 f., 157, 160, 162, 198 f., 219, 260,
　262, 264, 279, 282, 310, **2**: 169, 294,
　426 f., 436, 468
Singet dem Herrn ein neues Lied ▸ BWV 190a
　2: 426
So kämpfet nur, ihr muntern Töne ▸ BWV
　Anh. I 10　**2**: 426
Steigt freudig in die Luft ▸ BWV 36a　**2**: 181,
　427
Süßer Trost, mein Jesus kömmt ▸ BWV 151
　1: 133, **2**: 253, 262, 337 f., 346 f., 357, 361

Tönet, ihr Pauken! Erschallet, Trompeten
　▸ BWV 214　**1**: 79, **2**: 468
Tritt auf die Glaubensbahn ▸ BWV 152　**1**: 55,
　57, 64, 66, 69 f., 72, 93, 108, 115 f., 132,
　134, 222
Tue Rechnung! Donnerwort ▸ BWV 168
　2: 253, 256, 262, 336, 338 f., 342, 350,
　360 f., 413
Unser Mund sei voll Lachens ▸ BWV 110
　1: 284, 303, **2**: 253, 262, 266, 268 f.,
　294–299, 302 f., 316, 318, 322 f., 330,
　335 f., 340 f., 345, 347 f., 355 f., 360 f.,
　419 f., 429, 436, 470

Vergnügte Pleißenstadt ▸ BWV 216　**1**: 303,
　2: 260, 426
Vergnügte Ruh, beliebte Seelenlust ▸ BWV 170　**1**: 245, 254, 262,
　264–266, 381–386, 391–393, 413, 419
Verjaget, zerstreuet, zerrüttet, ihr Sterne
　▸ BWV 249b　**2**: 190

Wachet auf, ruft uns die Stimme ▸ BWV 140
　2: 13, 98
Wachet! betet! betet! wachet! ▸ BWV 70
　1: 156, 159, 281 f., 310, **2**: 169, 173, 266
Wachet! betet! betet! wachet! ▸ BWV 70a
　1: 55–57, 59 f., 64, 86 f., 91, 93, 95,
　124–130, 133 f., 150, 163, **2**: 19, 434
Wahrlich, wahrlich, ich sage euch ▸ BWV 86
　1: 151, 154, 157–159, 164, 213, 221,
　271–274, 278, **2**: 20, 98, 135, 325
Wär Gott nicht mit uns diese Zeit ▸ BWV 14
　2: 13 f.
Warum betrübst du dich, mein Herz
　▸ BWV 138　**1**: 150, 156, 159, 161, 170,
　173, 184 f., 219, 237, 248, 252, 257, 311,
　2: 20, 38, 45, 314
Was frag ich nach der Welt ▸ BWV 94　**1**: 357,
　2: 13, 25 f., 32, 47, 88, 99, 109 f., 112,
　126–128, 149, 170, 173, 178, 181
Was Gott tut, das ist wohlgetan ▸ BWV 98
　2: 255, 263, 265 f., 268 f., 314–316, 325,
　409 f., 413, 420, 436
Was Gott tut, das ist wohlgetan ▸ BWV 99
　2: 13, 21, 32, 48–51, 100, 116, 128 f., 179,
　314 f.
Was Gott tut, das ist wohlgetan ▸ BWV 100
　2: 14 f., 34, 50, 180, 243–247, 314 f.
Was mein Gott will, das gscheh allzeit
　▸ BWV 111　**2**: 13, 33, 72, 74 f., 79, 100,
　102, 106 f., 111, 117 f., 177, 179, 241,
　436, 472
Was mir behagt, ist nur die muntre Jagd
　▸ BWV 208　**1**: 55, 57–59, 63 f., 73–76,
　98 f., 102, 107, 121, 132 f., 135, 278, 363,
　2: 135, 152, 156, 189, 219, 223, 233,
　236–238, 351, 360, 429, 432, 437–439
Was soll ich aus dir machen, Ephraim
　▸ BWV 89　**1**: 150, 154, 156, 159, 211 f.,
　248 f., 251, **2**: 166
Was willst du dich betrüben ▸ BWV 107
　2: 13 f., 32, 45, 51, 99, 101–103, 105, 107,
　109, 125, 137, 147, 170, 179 f., 448
Weichet nur, betrübte Schatten ▸ BWV 202
　1: 225
Weinen, Klagen, Sorgen, Zagen ▸ BWV 12
　1: 27, 55, 60, 63–66, 70–73, 76–78,
　93–95, 99–105, 118 f., 122, 132–134, 151,
　220, 222, 357, 363, **2**: 19 f., 193, 299–301,
　379, 434

Register der Kantaten nach Textincipits　**591**

Wer da gläubet und getauft wird ▸ BWV 37
   1: 151, 154, 157, 162, 206–208, 220–222,
   271–273, 275 f., 282, **2:** 20, 420
Wer Dank opfert, der preiset mich ▸ BWV 17
   2: 141, 254, 263–266, 268, 285–287, 294,
   318, 362, 364, 371 f., 378, 453 f.
Wer mich liebt, der wird mein Wort halten
   ▸ BWV 59 **1:** 149, 151–153, 159, 211,
   214, 239 f., 271, 277, **2:** 189, 198, 208,
   219, 222 f., 233
Wer mich liebt, der wird mein Wort halten
   ▸ BWV 74 **1:** 152, 214, 240, 277, **2:** 12,
   112, 188–190, 198, 208, 211, 214 f.,
   222 f., 227, 229, 236
Wer nur den lieben Gott läßt walten ▸ BWV 93
   1: 357, **2:** 13, 18, 32, 45, 95, 97–99, 102,
   105, 124 f., 147 f., 170, 172, 178, 181
Wer sich selbst erhöhet, der soll erniedriget
   werden ▸ BWV 47 **1:** 152, **2:** 255, 259,
   263–266, 268, 287–292, 294, 363, 368 f.,
   372, 420, 472
Wer weiß, wie nahe mir mein Ende ▸ BWV 27
   1: 187, **2:** 255, 263, 265 f., 268 f., 314–316,
   361, 363 f., 369, 380, 414
Widerstehe doch der Sünde ▸ BWV 54 **1:** 55,
   58–61, 63–65, 98, 123, 135, 137–139,
   145, 256, 265, 381, 393
Wie schön leuchtet der Morgenstern
   ▸ BWV 1 **1:** 358, **2:** 14, 34, 56, 81–83,
   88 f., 96, 100, 132 f., 163 f., 169, 179
Wir danken dir, Gott, wir danken dir
   ▸ BWV 29 **2:** 180, 258, 329, 419, 440,
   442, 471 f., 476, 478
Wir müssen durch viel Trübsal ▸ BWV 146
   1: 307, **2:** 254, 256, 258–262, 266, 268 f.,
   294 f., 299 f., 302 f., 316, 329–331, 335,
   361, 363 f., 372–375, 390, 414, 419,
   420 f., 470
Wo gehest du hin ▸ BWV 166 **1:** 151, 154,
   157–157, 212 f., 221, 271, 273, 276, **2:** 20,
   98, 212
Wo Gott der Herr nicht bei uns hält
   ▸ BWV 178 **1:** 357, **2:** 13, 32, 46 f., 51,
   97–99, 125 f., 148 f., 170, 172 f., 178,
   181
Wo soll ich fliehen hin ▸ BWV 5 **1:** 254 f.,
   2: 13, 32, 57–60, 84, 88 f., 96, 99 f., 132,
   165–168, 170, 174, 182, 402
Wohl dem, der sich auf seinen Gott
   ▸ BWV 139 **2:** 13, 33, 59, 84, 88, 99 f.,
   140 f., 143, 177, 453
Wünschet Jerusalem Glück ▸ BWV Anh. I 4
   2: 253, 260, 425 f.

Zerreißet, zersprenget, zertrümmert die
   Gruft ▸ BWV 205 **2:** 165, 425, 432, 449,
   451

Abbildungsnachweis

Für die Abdruckgenehmigung der Faksimiles auf den Seiten 24 bis 30 danken wir der Musikabteilung der Staatsbibliothek zu Berlin, Preußischer Kulturbesitz.